腎臓内科
レジデント
マニュアル

改訂第**9**版

編著
今井圓裕
丸山彰一
猪阪善隆

診断と治療社

改訂第9版の序

　腎臓内科レジデントマニュアルの改訂第9版を刊行でき，執筆者の先生方ならびに編者の先生方に心より感謝します．

　今回，編集者に，「エビデンスに基づくCKD診療ガイドライン2023」の編集責任者である名古屋大学の丸山彰一教授とともに，新しく大阪大学の猪阪善隆教授に加わっていただき，最新の臨床腎臓病学のエッセンスを漏れなく記載できたと自負しております．また執筆者も大幅に変更しており，臨床腎臓病学に必須の知識をコンパクトにまとめて提供する従来の形を維持しつつ，最新の診療情報マニュアルへとアップデートできたと確信しています．

　本書の特徴は，腎臓内科学に関連するガイドラインを網羅することです．今回も「エビデンスに基づくCKD診療ガイドライン2023」「エビデンスに基づくIgA腎症診療ガイドライン2020」「エビデンスに基づく急速進行性腎炎症候群(RPGN)診療ガイドライン2020」「エビデンスに基づく多発性囊胞腎(PKD)診療ガイドライン2020」「エビデンスに基づくネフローゼ症候群診療ガイドライン2020」「腹膜透析ガイドライン2019」「がん薬物療法時の腎障害診療ガイドライン2022」「腎生検ガイドブック2020」「腎代替療法選択ガイド2020」「IgG4関連腎臓病診断基準2020」「糖尿病治療ガイド2022-2023」「高齢者糖尿病診療ガイドライン2023」「動脈硬化性疾患予防ガイドライン2022年版」などを盛り込みました．それ以外にも，Kidney Disease：Improving Global Outcome（KDIGO）のガイドラインもカバーしています．

　また本書の特徴である，腎機能低下時の薬剤投与量の表も新薬を追加して充実させ，見やすく修正いたしました．

　本書をベッドサイドや外来で参照することにより，エビデンスに基づいた正確な情報を得ることができ，臨床決断に活用していただけると期待しています．

令和5年12月

中山寺いまいクリニック　院長
今井圓裕

名古屋大学大学院医学系研究科病態内科学講座腎臓内科学　教授
丸山彰一

大阪大学大学院医学系研究科腎臓内科学　教授
猪阪善隆

改訂第 8 版の序

腎臓内科レジデントマニュアル初版を 2000 年に発行してから 20 年になります．本書には腎臓内科の最新の情報を盛り込むように改訂を重ねてきましたが，幸い多くの方に好評であったことは編者としてはうれしい限りです．令和の時代にも実臨床で役に立つ，最新の情報を正しく伝えるという方針を堅持するため，第 8 版では名古屋大学丸山彰一教授に編集者に加わっていただきました．今，腎臓内科学の診療に何が必要か，という視点で本書を見直し，より読みやすく，また診療のポイントがわかりやすい内容に変更できたと思います．

本書の編集指針の一つである，腎臓内科の臨床に関連する最新のガイドラインを網羅することに今回も注意を払いました．「CKD 診療ガイドライン 2018」「高血圧診療ガイドライン 2019」「腎障害患者におけるヨード造影剤使用に関するガイドライン 2018」「エビデンスに基づくネフローゼ症候群診療ガイドライン 2017」「高齢者糖尿病診療ガイドライン 2017」「動脈硬化性疾患予防ガイドライン 2017」「腎疾患患者の妊娠：診療ガイドライン 2017」「がん薬物療法時の腎障害診療ガイドライン 2016」「AKI 診療ガイドライン 2016」「薬剤性腎障害診療ガイドライン 2016」「慢性腎臓病患者における腎性貧血治療のガイドライン 2015」「非典型溶血性尿毒症症候群診療ガイド 2015」などを盛り込みました．今回の改訂では，急性腎障害，妊娠と腎の章は全面改訂を行いました．その他の項目においても最新の文献等から診断・治療法をアップデートしました．

本書をベッドサイドや外来で参照することにより，短時間でまとまった知識を得ることができ，臨床決断に活用していただけると確信しています．今回は本書をより実践的なマニュアルとして改訂し，より使いやすくするために，読者からのご批判，ご意見をお受けしたく，web でのアンケートを行うことにしました．忌憚のないご意見をお待ちしております．

令和元年 5 月

中山寺いまいクリニック　院長
今井圓裕

名古屋大学大学院医学系研究科病態内科学講座腎臓内科学　教授
丸山彰一

改訂第7版の序

　若手医師のベッドサイドでの教育に資することを目的として腎臓内科レジデントマニュアルを出版して15年目，第7版を出版することができました．これも執筆いただいた先生方の情熱と本書を活用いただいている先生方のご支援によるものと，編者として深く感謝しております．

　さて，2012年から2014年にかけてはガイドラインの出版ラッシュでした．腎臓学会から「CKD診療ガイド2012」「エビデンスに基づくCKD診療ガイドライン2013」「ネフローゼ症候群診療ガイドライン2014」「IgA腎症診療ガイドライン2014」「急速進行性腎炎症候群（RPGN）診療ガイドライン2014」「多発性嚢胞腎（PKD）診療ガイドライン2014」が出版され，高血圧学会からは「高血圧診療ガイドライン2014」が出版されました．動脈硬化学会からは「動脈硬化性疾患予防ガイドライン2012」が出版されています．糖尿病学会からも「科学的根拠に基づく糖尿病診療ガイドライン2013」「糖尿病治療ガイド2014-2015」が出版されました．いずれのガイドラインもこれまでの診療内容の変更を推奨するものです．CKD患者の降圧目標の変更，血糖管理目標の変更などが含まれています．今回の腎臓内科レジデントマニュアルはこれらのガイドラインの変更点をすべて盛り込み，重要な表や図はそのまま転載できるよう許可をいただきました．すなわち，ポケットに入る腎疾患診療に関する総合ガイドラインです．また，本書の特徴であるガイドラインの行間を読んだ解説も豊富に記載してあります．

　臨床に関連する基礎医学の進歩のエッセンスを伝えることも本書の大きな目標です．膜性腎症の原因抗原，C3腎症，多発性嚢胞腎の新しい治療なども盛り込みました．研修医の皆さんの診療の指針となるのみならず，腎臓内科専門医の臨床決断にも役に立つことを確信しております．

平成27年3月

春爛漫の宝塚にて

中山寺いまいクリニック　院長

今井圓裕

改訂第6版の序

　臨床腎臓病学にとって，2012年は歴史的な年になると思われる．腎臓病に関する国際的なガイドラインを作成するKDIGOより，AKI，糸球体腎炎，腎性貧血，高血圧，そしてCKDの定義と重症度分類に関するガイドラインが出版される．この中でも，CKDの重症度分類は従来のものと比較して大きく変わり，原疾患を記載し，CKDステージ3を45 mL/分/1.73 m^{2}で分割して，G3a，G3bに変更し，さらに，すべてのステージでアルブミン尿による評価をすることになった．また，CKD患者の降圧目標値も130/80 mmHg以下となり，従来の1 g以上の尿蛋白では125/75 mmHg未満，それ以下では130/80 mmHg未満より緩和された．腎性貧血の治療も従来と比較して，エリスロポエチン製剤を使用するよりも鉄剤を使用することを優先する方向に変化した．これらの変更は最近出版された論文のエビデンスに基づくものである．日本においても，2011年にIgA腎症診療指針，急速進行性糸球体腎炎診療指針，多発性嚢胞腎診療指針が改訂され，ネフローゼ症候群診療指針が新たに出版された．ここではネフローゼ症候群の診断基準，治療効果判定基準が改定されている．また，2012年4月に腎機能低下患者に関する造影剤の使用に関するガイドライン，6月にはCKD診療ガイド2012も出版される．

　臨床に従事する者にとって，ガイドラインの新たな出版や改訂は日頃のプラクティスに直接影響を与えるものであり，無視するわけにはいかない．しかしながら，これらすべてに目を通すことは困難である．腎臓内科レジデントマニュアル第6版では，2012年までのガイドラインの内容をできるだけ反映し，また，海外で出版されたガイドラインは日本での実地臨床に応じて記載した．今回の改訂作業にあたっていただいた多くの先生方の労を多とし，深謝いたします．

　質の充実とともに量的にも130ページも増え，2012年現在の腎臓内科の診療に最新の情報を提供できるようになった．腎臓内科レジデントマニュアル第6版が，研修医のみならず，腎臓内科の臨床に携わるすべての先生方の手元において活用いただけることを期待する．

　平成24年4月　　　　　　　　　　　　　　桜満開の鶴舞にて
　　　　　　　　名古屋大学大学院医学系研究科腎臓内科学　特任教授
　　　　　　　　　　　　　　　　　　　　　　　　　今井圓裕

改訂第 5 版の序

　腎臓内科レジデントマニュアルの第 5 版を出版する機会を得た．本書の初版が出てから，10 年の時が経ち，臨床研修システムも大きく変わった．臨床腎臓病学においても，CKD，AKI の概念が導入され，治療におけるエビデンスも増えて，腎臓内科診療が大きく変わってきた．この版では，最新の内容になるように改めただけでなく，研修医の諸君が，現在，臨床腎臓病学の診療指針を作成されている先生方の博識と豊富な臨床経験を直接伝授いただけるようにと，無理を言って執筆いただいた．

　IgA 腎症の川村哲也先生，急速進行性糸球体腎炎の山縣邦弘先生，ループス腎炎の横山　仁先生，腎性貧血の椿原美治先生，日本人の GFR 推算式を作成された堀尾　勝先生などである．また，ウイルス関連腎炎，腎硬化症，腎血管性高血圧，原発性アルドステロン症などを追加し，成田一衛先生，伊藤貞嘉先生にそれぞれお願いした．腎臓内科研修医に注目度が高い水・電解質については柴垣有吾先生にお願いした．猪阪善隆先生をはじめ大阪大学の先輩，同僚の先生方には今回も大変お世話になった．小児領域は，五十嵐　隆先生に今回もすべてお任せした．名古屋大学の安田宜成先生には，腎機能低下時の薬剤投与に関して一新していただいた．このように多くの協力者を得て，この本が作成されていることを改めて感じ，ありがたく思う次第である．

　大阪大学，名古屋大学と 2 つの大学病院にて医局員，研修医と議論し，指導する機会を得たが，熱心に患者さんを治療する研修医の先生から教えられることが多かったのも事実である．研修医の先生方には診療にあたって一例一例の患者さんを大事に診ていくことを改めて強調したい．本書が，臨床研修を始める先生方にとって腎臓内科に興味を持つ一助になれば，望外の喜びである．

平成 22 年 3 月　　　　　　　　　　　　　　　　　名古屋鶴舞にて

名古屋大学大学院医学系研究科腎臓内科学

今井圓裕

改訂第4版の序

　本書が出版されてから7年が経ち，3回の改訂を行ってきたが，今回は大幅な改訂を行った．これは腎臓病学の分野で2002年にK/DOQIの慢性腎臓病（CKD）に関するガイドラインが出され，2005年よりCKD対策が地球規模の活動となり，腎臓病診療・治療にも大きな変革がきたためである．すなわち，CKDをいかに早く発見し，その進展を抑制するか，さらには，最大の生命リスクである心血管病の合併をいかに予防すべきかが腎臓内科の中心的な課題となった．かつては腎臓内科における研修医教育が腎炎，ネフローゼ症候群，透析医療などこれまで腎臓内科が主体となってみる疾患に重点がおかれがちであったが，近年では一般診療において最もよく遭遇するCKDをどう診療するかについての知識を与える必要性が出てきた．実際わが国には約2,000万人のCKD患者，26万人の維持透析患者が存在し，腎臓内科学の知識は研修医にとどまらず，一般医家においても必要となった．

　本書は，ガイドラインが出ているものに関してはできるだけ取り入れるようにしてきた．しかし，腎疾患診療に関するこれまでのエビデンスは欧米から出されたものが主であり，わが国の腎臓病の臨床研究からのエビデンスが少ないことは否めない．現在，わが国でも腎臓病治療に関する臨床研究が進行しており，今後多くのエビデンスが出てくるものと期待したい．このような過渡期において腎臓病の診療指針を示すことは極めて困難であるが，大阪大学および関連病院の腎臓内科エキスパートにより，研修医およびレジデントの臨床修練の手引きとして執筆された．今回も東京大学の五十嵐隆教授に執筆をお願いした．

　幸いこれまで好評であった3版までと比較して，2色刷にしてより研修医が把握しやすいように改訂した．内容に関しては，保存期慢性腎不全と分類されていた分野をCKDとして新たに書き直した．IgA腎症の項を充実し，今後増加が期待される腎移植患者の診療の仕方についても付け加えた．今回の大幅な改訂には川田典孝助手に多大な労力をお願いした．この場を借りて御礼を申し上げる．

　本書が腎臓内科で臨床修練を行う研修医，レジデントにとって大いに活用されることを期待している．

平成19年1月

大阪大学医学部附属病院腎臓内科科長
今井圓裕

改訂第3版の序

03

　腎臓内科レジデントマニュアルの第3版を上梓できたことを嬉しく思う．本書の初版は2000年であるが，本格的な臓器別診療，新研修医制度の到来を受け，腎臓内科で研修する研修医のために執筆したものである．多忙な研修医が本書を利用することにより腎疾患の概念を効率よく把握し，かつ実際に治療を行うことができるように記載した．特に教科書に書かれていない診療のコツを教えることにも努めた．幸い初版，第2版ともに好評を受けたが，年々変貌する腎臓内科学をベッドサイドにハンディに持ち込めるように今回新たに改訂することとした．

　第3版では，いくつかの大きな改訂を行った．まず，膠原病に関する章の記載を充実した．また，新たに出てきた概念である血栓性微小血管障害（溶血性尿毒症症候群と血栓性血小板減少性紫斑病）やパラプロテイン腎症に関する記載を加えた．さらに腎疾患に関連する骨症の重要性をまとめて，ステロイド骨粗鬆症，保存期腎不全から透析期までの腎性骨症について一貫性をもたせるために一つの章を与えた．そして，2年間の研修期間に小児腎疾患を診ることを念頭において，小児腎疾患の章を東京大学の五十嵐隆教授に執筆いただいた．また，各章に最新の知識と治療に関するエビデンスをできる限り記載した．これらの改訂により本書は一層充実したものになったと確信している．

　本書を活用することにより腎臓内科での研修がより充実したものとなることを期待したい．また，腎臓内科学に興味をもつ研修医が出てくれば望外の喜びである．

平成16年

初夏の宝塚にて
大阪大学医学部腎臓内科科長
今井圓裕

改訂第 2 版の序

腎臓内科を研修する研修医のために「腎臓内科レジデントマニュアル」を 2 年前に出版したが，研修医のみならずスタッフの先生方からも思いもかけぬ好評を得た．忙しく病棟を走り回る研修医にとって修得すべき知識量は膨大で，文献や成書に当たる時間はきわめて限られている．このような環境下で現在の腎臓内科診療に必要な基本的知識や診断技術，そして治療法をコンパクトにまとめた本書の初版が実地臨床に少し役にたったのではないかと喜んでいる．

改訂第二版では，治療薬が増え治療のガイドラインも大きく変わった「糖尿病性腎症」に新しく章を与えた．また，よく遭遇し治療上どのように判断したらよいか困る「妊娠と腎」の章を追加した．最近 2 年間に新しく上市された医薬品で腎疾患治療に関係するものについて実際的な使い方についてできるだけ記載した．研修医が，実地の診療において本書を参考にすることにより腎疾患の診療技術を高めることができるように配慮した．また腎臓内科の研修医のみならずスタッフが見落としやすいピットフォールについて記載できたのではないかと自負している．平成 16 年から 2 年間の初期研修が必修化されるが，本書が腎臓内科診療に十分活用されることを期待する．

平成 14 年 5 月

大阪大学大学院病態情報内科学講師
今井圓裕

初版の序

01

　今年も新しい研修医を病棟に迎える季節が間もなくやってくる．研修期間には実地の臨床を通じて，多くの知識を習得する必要があるが，実際の診療は多忙を極めるため成書や文献に当たる時間も限られている．そこで研修医が必要とする基礎的な知識の整理，記憶すべき手技や治療法の確認のために「腎臓内科レジデントマニュアル」を出版することにした．本マニュアルには，腎臓内科で診療を行う上で頻繁に遭遇する水・電解質異常の診断と治療，腎炎・ネフローゼ症候群の治療法，急性腎不全の診断と治療，腎保護作用を考えた慢性進行性腎障害の治療法，腎疾患診療で使う薬剤の使い方のコツや腎機能に応じた薬剤投与量などについて最新の情報が記載してある．腎臓内科で研修する研修医のみならず，スタッフのためにも診療に必要な項目をコンパクトにまとめ，ベッドサイドや外来で見られるようにハンディな形にした．本書が腎臓内科診療に十分活用されることを期待する．

　平成 12 年 3 月

大阪大学大学院病態情報内科学
今井圓裕

編集者・編集協力者・執筆者一覧

編集者

今井　圓裕　中山寺いまいクリニック院長／藤田医科大学客員教授／愛知医科大学客員教授

丸山　彰一　名古屋大学大学院医学系研究科病態内科学講座腎臓内科学 教授

猪阪　善隆　大阪大学大学院医学系研究科腎臓内科学 教授

編集協力者（肩書略）

小杉　智規　名古屋大学大学院医学系研究科病態内科学講座腎臓内科学

執筆者（五十音順，肩書略）

新居　春菜　藤田医科大学医学部腎臓内科学

猪阪　善隆　大阪大学大学院医学系研究科腎臓内科学

石川　英二　済生会松阪総合病院内科・腎臓センター

石倉　健司　北里大学医学部小児科学

石本　卓嗣　愛知医科大学医学部内科学講座腎臓・リウマチ膠原病内科

和泉　雅章　関西労災病院内科

伊藤　恭彦　愛知医科大学医学部内科学講座腎臓・リウマチ膠原病内科

稲熊　大城　藤田医科大学ばんたね病院腎臓内科

井上　和則　大阪大学大学院医学系研究科腎臓内科学

今井　圓裕　中山寺いまいクリニック

今泉　貴広　名古屋大学医学部附属病院先端医療開発部データセンター

上原　立己　横浜市立大学循環器・腎臓・高血圧内科学

梅田　良祐　藤田医科大学医学部腎臓内科学

岡田　浩一　埼玉医科大学腎臓内科

春日　弘毅　名古屋共立病院腎臓内科

加藤佐和子	名古屋大学大学院医学系研究科病態内科学講座腎臓内科学
加藤 規利	名古屋大学医学部附属病院腎臓内科
北村 温美	大阪大学医学部附属病院中央クオリティマネジメント部
萊原 孝成	熊本大学大学院生命科学研究部腎臓内科学
小杉 智規	名古屋大学大学院医学系研究科病態内科学講座腎臓内科学
小林佳菜子	まみや調剤薬局鏡島店
小松 康宏	聖路加国際病院腎臓内科
今田 恒夫	山形大学大学院医学系研究科公衆衛生学
齋藤 尚二	日本赤十字社愛知医療センター名古屋第二病院腎臓内科
坂口 悠介	大阪大学大学院医学系研究科腎臓内科学
坂本いずみ	さかもと内科腎クリニック
塩路 慎吾	東京医科歯科大学病院腎臓内科
志水 英明	大同病院腎臓内科
蘇原 映誠	東京医科歯科大学病院腎臓内科
高橋 篤史	大阪大学大学院医学系研究科腎臓内科学
髙橋 和男	藤田医科大学医学部解剖学Ⅱ講座
立松 美穂	名古屋記念病院腎臓内科
田中 章郎	大同病院薬剤部
田村 功一	横浜市立大学循環器・腎臓・高血圧内科学
辻田　誠	増子記念病院腎臓内科
坪井 直毅	藤田医科大学医学部腎臓内科学
鶴屋 和彦	奈良県立医科大学腎臓内科学
寺野千香子	あいち小児保健医療総合センター腎臓科
遠山 直志	金沢大学大学院腎臓・リウマチ膠原病内科学
中川 直樹	旭川医科大学内科学講座循環器・腎臓内科学分野
成田 一衛	新潟大学大学院医歯学総合研究科腎・膠原病内科学

成瀬友彦	春日井市民病院腎臓内科
林　晃正	大阪急性期・総合医療センター腎臓・高血圧内科
林　宏樹	藤田医科大学医学部腎臓内科学
古市賢吾	金沢医科大学腎臓内科学
堀尾　勝	関西メディカル病院人工透析内科
前田佳哉輔	名古屋大学大学院医学系研究科病態内科学講座腎臓内科学
松井　功	大阪大学大学院医学系研究科腎臓内科学
丸山彰一	名古屋大学大学院医学系研究科病態内科学講座腎臓内科学
水野正司	名古屋大学大学院医学系研究科腎不全システム治療学寄附講座
守山敏樹	大阪大学キャンパスライフ健康支援・相談センター保健管理部門
両角國男	増子記念病院腎臓内科
安田宜成	名古屋大学大学院医学系研究科病態内科学講座腎臓内科学
龍華章裕	リウゲ内科小田井クリニック
和田隆志	金沢大学(学長)

目次

腎臓内科 レジデントマニュアル 改訂第9版

序 ……………………………………………… 3
編集者・編集協力者・執筆者一覧 ……… 12
Side memo Contents ……………………… 21
本書で使用する略語一覧 ………………… 25

1 水・電解質異常とその治療　2

1. ナトリウム代謝異常 ……………………… 2
2. カリウム代謝異常 ……………………… 23
3. カルシウム代謝異常 …………………… 45
4. リン代謝異常 …………………………… 51
5. マグネシウム代謝異常 ………………… 55

2 酸・塩基平衡異常とその治療　62

1. 血液 pH の調節機構 …………………… 62
2. 血液ガス分析の実際 …………………… 63
3. 代謝性アシドーシス …………………… 66
4. 代謝性アルカローシス ………………… 69
5. 呼吸性アシドーシス …………………… 71
6. 呼吸性アルカローシス ………………… 72

3 AKI の診断と治療　73

4 CKD の診断と治療　97

5 おもな糸球体疾患の特徴・治療方針　106

1. 総論 ……………………………………… 106
2. 急速進行性糸球体腎炎 ……………… 108
3. IgA 腎症 ………………………………… 123
4. ネフローゼ症候群 ……………………… 132

15

5 膜性増殖性糸球体腎炎と C3 腎症 ……… 150

6 膠原病とその近縁疾患に伴う腎疾患 　156

1 全身性エリテマトーデス ……………… 156
2 抗リン脂質抗体症候群 ………………… 168
3 IgA 血管炎(Henoch-Schönlein 紫斑病) … 174
4 関節リウマチ …………………………… 177
5 強皮症 …………………………………… 181

7 血栓性微小血管症 　189

8 腎硬化症・腎血管性高血圧・原発性アルドステロン症・コレステロール塞栓症 　200

1 腎硬化症 ………………………………… 200
2 腎血管性高血圧 ………………………… 204
3 原発性アルドステロン症 ……………… 208
4 コレステロール塞栓症 ………………… 213

9 単クローン性免疫グロブリン(M 蛋白)関連腎症 　217

1 疾患概念 ………………………………… 217
2 軽鎖円柱腎症 …………………………… 218
3 単クローン性免疫グロブリン沈着症 … 219
4 単クローン性 IgG 沈着型増殖性糸球体腎炎 … 220
5 アミロイドーシス ……………………… 221
6 細線維性糸球体腎炎, イムノタクトイド糸球体症 … 223
7 クリオグロブリン血症 ………………… 225
8 POEMS 症候群 ………………………… 227

10 糖尿病関連腎臓病 　228

11 高尿酸血症 　244

12 感染症に関連した腎炎 253

1	急性腎炎症候群	253
2	溶連菌感染後急性糸球体腎炎	256
3	IgA 優位沈着性感染関連糸球体腎炎	258
4	その他の感染関連糸球体腎炎	259
5	肝炎ウイルス関連腎症	260

13 肝腎症候群 264

14 尿細管・間質疾患 270

1	尿細管機能異常	270
2	尿細管性アシドーシス	274
3	尿細管間質性腎炎	277
4	急性尿細管壊死	281

15 IgG4 関連腎臓病(IgG4 関連疾患) 282

16 Fabry 病 290

17 多発性嚢胞腎 296

18 尿崩症 301

19 尿路感染症 308

20 腎・尿管結石 314

21 急性血液浄化療法 — 321

22 腎代替療法の選択 — 341

23 保存的腎臓療法 — 346

24 慢性透析患者の血液透析導入と管理 — 353

25 慢性透析患者の腹膜透析導入と管理 — 388

26 CKD 患者の骨代謝の管理 — 412

27 CKD 患者の腎性貧血管理 — 436

28 CKD 患者の妊娠・出産の管理 — 447

29 移植腎患者の管理 — 469

30 小児腎疾患患者の管理 — 496

31 高齢 CKD 患者の管理 — 518

32 腎疾患の検査法 — 528

- **1** 腎機能検査 — 528
- **2** 尿沈渣 — 528

3	糸球体機能検査	530
4	尿細管機能検査	536
5	腎血流量，腎血漿流量	540
6	種々の腎疾患の特殊検査	541
7	腎エコー，腎血流ドプラ法	544
8	静脈性腎盂造影	550
9	CT ウログラフィー	550
10	レノグラム	551

33 腎生検の手技と患者管理 — 553

34 腎生検の適応と基本的な見方 — 563

35 腎疾患治療薬の使い方のコツ — 582

1	副腎皮質ステロイド	582
2	免疫抑制薬	588
3	抗血小板薬，抗凝固薬	597
4	利尿薬	605
5	レニン・アンジオテンシン・アルドステロン系阻害薬	611
6	SGLT2 阻害薬	615
7	便秘に対する治療薬	620
8	瘙痒感に対する治療薬	623
9	非ステロイド性抗炎症薬とアセトアミノフェン	625
10	脂質異常症治療薬	627
11	抗菌薬	630
12	腎機能低下時の造影剤の使用	637

36 がんと腎臓 — 641

37 臨床論文を理解し，臨床研究を行うために必要な基礎知識 — 650

38 輸液製剤の使い方 — 659

39 腎機能低下時の薬剤投与における注意点・薬剤性腎障害 — 679

40 付録 — 695

1 腎疾患患者の食事療法 …………………………………… 695
2 腎疾患患者の運動療法 …………………………………… 704
3 基準値一覧表 …………………………………………… 707
4 腎疾患患者の生活指導 …………………………………… 708
5 腎機能低下時の薬剤投与量 ……………………………… 710

索引 — 795

和文索引 ………………………………………………… 795
欧文索引 ………………………………………………… 812
数字・ギリシャ文字・記号索引 ………………………… 819
薬剤索引 ………………………………………………… 820

Side memo Contents

* 浸透圧性脱髄症候群(ODS)とは ……………………………… 4
* 低ナトリウム血症を分類するクセをつける ……………………… 5
* 低ナトリウム血症でなぜ尿酸を測定するのか? ……………… 6
* 慢性低ナトリウム血症治療目標で役立つ6の法則 ………… 10
* SIADH と SIAD―AVP が上昇していないのに SIADH !? … 16
* 覚えておきたい低カリウム血症の治療のポイント …………… 25
* Sjögren 症候群による尿細管性アシドーシス ……………… 32
* CKD 患者の高カリウム血症でよくある状況 ………………… 35
* 食べてないのに高カリウム血症!?―透析患者の絶食による
  高カリウム血症 ……………………………………………… 36
* K 欠乏でも高カリウム血症 ………………………………… 37
* カリウム吸着薬 ……………………………………………… 38
* SGLT2 阻害薬と高カリウム血症 …………………………… 39
* CKD における RAS 阻害薬の継続について ………………… 41
* グルコース-インスリン療法の落とし穴―低血糖に注意 …… 45
* 微小変化型ネフローゼ症候群(MCNS)は腎機能の予後良好? … 77
* Cardiorenal syndrome の定義と分類 …………………… 78
* 正常血圧性虚血性 AKI(normotensive ischemic AKI) … 79
* COVID-19 と AKI …………………………………………… 80
* クラッシュ症候群 …………………………………………… 82
* Na 排泄率(FE$_{Na}$)の意義と算出法 ……………………… 85
* Na 排泄率(FE$_{Na}$)評価上の注意点 …………………… 86
* Harris-Benedict の式とストレス係数 …………………… 93
* 尿素窒素産生量(UNA)の算出式 …………………………… 94
* ANCA 陽性抗 GBM 抗体型腎炎 …………………………… 112
* アバコパン …………………………………………………… 121
* ネフローゼ症候群の浮腫のメカニズム …………………… 135
* MGRS(monoclonal gammopathy of renal significance)の
  重要性 ……………………………………………………… 218
* 心アミロイドーシス ………………………………………… 222
* フィブロネクチン腎症 ……………………………………… 225

- 浮腫の管理 ··· 240
- 糖尿病症例における微小変化型ネフローゼ症候群の合併 ········ 242
- 高尿酸血症の新しい病型—腎外排泄低下型 ················· 245
- 肝腎症候群(HRS)の定義の変遷 ·························· 266
- 肝硬変腹水の管理 ··· 268
- 偽性低アルドステロン症Ⅱ型 ······························ 277
- 常染色体顕性(優性)尿細管間質性腎疾患(ADTKD) ········ 281
- IgG4 関連尿細管間質性腎炎(IgG4-TIN)の早期診断と早期介入の重要性 ··· 284
- Fabry 病患者血中の Gb3 と lyso-Gb3 ···················· 293
- 「腹部超音波検診判定基準」の改訂 ························· 299
- 仮面尿崩症(masked DI) ································· 303
- 無飲性尿崩症(本態性高ナトリウム血症, 口渇欠乏性尿崩症, adipsic DI) ··· 305
- 尿崩症での塩分・たんぱく質制限の効果 ··················· 306
- 尿崩症の自己管理 ··· 307
- 透析患者の尿路感染症 ····································· 308
- 妊婦の膀胱炎 ··· 309
- 多発性嚢胞腎における嚢胞感染 ··························· 310
- 篩係数 ··· 326
- Well-being(ウェル・ビーイング)とは ·················· 342
- 透析の見合わせを検討する状態 ··························· 349
- 透析導入時期と予後に関するランダム化比較試験(RCT) ···· 354
- 「透析の見合わせ」と「保存的腎臓療法(CKM)」について ···· 356
- 「じん臓機能障害」に関する身体障害者手帳の認定基準 ······ 358
- 透析量 Kt/V と生命予後 ·································· 359
- Kt/V 測定のための採血 ··································· 360
- バスキュラーアクセスの評価 ······························ 361
- 尿素希釈法による再循環率の測定方法 ····················· 362
- 間欠補充型血液濾過透析(I-HDF) ························ 364
- 腎不全用経腸栄養剤 ······································· 365
- 透析時静脈栄養(IDPN) ································· 366
- 栄養評価法 ··· 367
- 腎不全患者における完全静脈栄養 ························· 368
- Short Physical Performance Battery(SPPB) ············ 369
- 透析液ブドウ糖濃度 ······································· 370

- 透析患者の脳内血糖 ⋯⋯⋯⋯⋯⋯⋯⋯⋯⋯⋯⋯⋯⋯⋯ 371
- 持続グルコースモニター（CGM） ⋯⋯⋯⋯⋯⋯⋯⋯⋯ 372
- 降圧薬の排泄経路と投与量調節 ⋯⋯⋯⋯⋯⋯⋯⋯⋯ 373
- ACE 阻害薬，ARB 使用時の注意点 ⋯⋯⋯⋯⋯⋯⋯ 374
- 赤血球造血刺激因子製剤（ESA）と血圧上昇 ⋯⋯ 375
- 逆説的反射性血管収縮障害 ⋯⋯⋯⋯⋯⋯⋯⋯⋯⋯⋯ 377
- 圧受容体反射障害 ⋯⋯⋯⋯⋯⋯⋯⋯⋯⋯⋯⋯⋯⋯⋯ 378
- アデノシン仮説 ⋯⋯⋯⋯⋯⋯⋯⋯⋯⋯⋯⋯⋯⋯⋯⋯ 379
- 左室局所壁運動異常 ⋯⋯⋯⋯⋯⋯⋯⋯⋯⋯⋯⋯⋯⋯ 380
- 透析中低血圧と自律神経障害 ⋯⋯⋯⋯⋯⋯⋯⋯⋯⋯ 381
- BNP と NT-proBNP ⋯⋯⋯⋯⋯⋯⋯⋯⋯⋯⋯⋯⋯⋯ 382
- 高血糖と心不全 ⋯⋯⋯⋯⋯⋯⋯⋯⋯⋯⋯⋯⋯⋯⋯⋯ 383
- エンドトキシン ⋯⋯⋯⋯⋯⋯⋯⋯⋯⋯⋯⋯⋯⋯⋯⋯ 384
- フットケア ⋯⋯⋯⋯⋯⋯⋯⋯⋯⋯⋯⋯⋯⋯⋯⋯⋯⋯ 385
- 赤血球造血刺激因子製剤（ESA）と腫瘍マーカー ⋯ 386
- 多囊胞化萎縮腎（ACDK）と腎癌 ⋯⋯⋯⋯⋯⋯⋯⋯ 387
- 除水量（正味限外濾過量） ⋯⋯⋯⋯⋯⋯⋯⋯⋯⋯⋯ 392
- ビスホスホネート製剤の作用メカニズムと服用方法 ⋯ 416
- アルミニウム骨症 ⋯⋯⋯⋯⋯⋯⋯⋯⋯⋯⋯⋯⋯⋯⋯ 418
- 非定型大腿骨骨折 ⋯⋯⋯⋯⋯⋯⋯⋯⋯⋯⋯⋯⋯⋯⋯ 424
- 薬剤関連顎骨壊死 ⋯⋯⋯⋯⋯⋯⋯⋯⋯⋯⋯⋯⋯⋯⋯ 426
- リン吸着薬の数に注意 ⋯⋯⋯⋯⋯⋯⋯⋯⋯⋯⋯⋯⋯ 432
- Ca 受容体作動薬 ⋯⋯⋯⋯⋯⋯⋯⋯⋯⋯⋯⋯⋯⋯⋯ 434
- 鉄剤投与上の注意 ⋯⋯⋯⋯⋯⋯⋯⋯⋯⋯⋯⋯⋯⋯⋯ 443
- 抗エリスロポエチン抗体による赤芽球癆 ⋯⋯⋯⋯⋯ 444
- レニン・アンジオテンシン系（RAS）阻害薬 ⋯⋯⋯ 458
- 授乳中に使用できる薬物 ⋯⋯⋯⋯⋯⋯⋯⋯⋯⋯⋯⋯ 459
- 腎移植の費用 ⋯⋯⋯⋯⋯⋯⋯⋯⋯⋯⋯⋯⋯⋯⋯⋯⋯ 473
- ABO 血液型不適合腎移植における術後輸血 ⋯⋯⋯ 475
- 顆粒円柱 ⋯⋯⋯⋯⋯⋯⋯⋯⋯⋯⋯⋯⋯⋯⋯⋯⋯⋯⋯ 529
- シスタチン C ⋯⋯⋯⋯⋯⋯⋯⋯⋯⋯⋯⋯⋯⋯⋯⋯⋯ 530
- 血尿・蛋白尿を見つけたら ⋯⋯⋯⋯⋯⋯⋯⋯⋯⋯⋯ 531
- 尿蛋白/Cr 比，尿 Alb/Cr 比 ⋯⋯⋯⋯⋯⋯⋯⋯⋯⋯ 532
- 多彩な尿沈渣（telescoped sediment） ⋯⋯⋯⋯⋯ 533
- 腎不全における eGFR 以外の腎機能評価の指標 ⋯ 534
- 蛋白透過選択性の推定 ⋯⋯⋯⋯⋯⋯⋯⋯⋯⋯⋯⋯⋯ 537

- 腎性尿崩症の分類 ……………………………………………… 541
- 慢性腎不全の腎エコー所見 …………………………………… 550
- ベナンバックス® 吸入 …………………………………………… 592
- ヘパリン起因性血小板減少症 ………………………………… 600
- CKD 診療ガイドライン 2023 ………………………………… 619
- 重要な大規模臨床試験 ………………………………………… 620
- 造影剤腎症（CIN）予防のための輸液法 …………………… 639
- なぜ添付文書では Ccr が用いられているのか？ ………… 680
- 疼痛のある CKD 患者への鎮痛薬の選択 …………………… 690
- CKD 患者のシックデイにおける対応策 …………………… 691
- 透析時運動指導等加算 ………………………………………… 705

本書で使用する略語一覧

略語	英語	日本語
AAV	antineutrophil cytoplasmic antibody-associated vasculitis	ANCA 関連血管炎
ABI	ankle-branchial（pressure）index	足関節上腕血圧比
ACDK	acquired cystic disease of the kidney	多嚢胞化萎縮腎
ACE［I］	angiotensin converting enzyme［inhibitor］	アンジオテンシン変換酵素［阻害薬］
ACP	advance care planning	―
ACR	American College of Rheumatology	米国リウマチ学会
ACT	activated coagulation time	活性化凝固時間
ACTH	adrenocorticotropic hormone	副腎皮質刺激ホルモン
ADH	antidiuretic hormone	抗利尿ホルモン
ADL	activities of daily living	日常生活動作
ADPKD	autosomal dominant polycystic kidney disease	常染色体顕性（優性）多発性嚢胞腎
ADTKD	autosomal dominant tubulointerstitial kidney disease	常染色体顕性（優性）尿細管間質性腎疾患
AFF	atypical femoral fracture	非定型大腿骨骨折
AFLP	acute fatty liver of pregnancy	急性妊娠脂肪肝
AFP	α-fetoprotein	α-フェトプロテイン
AGE	advanced glycation end product	終末糖化物質
AGN	acute glomerulonephritis	急性糸球体腎炎
aHUS	atypical hemolytic uremic syndrome	非典型溶血性尿毒症症候群
AIP	autoimmune pancreatitis	自己免疫性膵炎
AKI	acute kidney injury	急性腎障害
AL	amyloid light-chain	免疫グロブリン軽鎖
ALK	anaplastic lymphoma kinase	未分化リンパ腫キナーゼ
ANCA	antineutrophil cytoplasmic antibody	抗好中球細胞質抗体
ANP	atrial natriuretic peptide	心房性ナトリウム利尿ペプチド
ANS	acute nephritic syndrome	急性腎炎症候群
APA	aldosterone-producing adenoma	アルドステロン産生副腎腺腫
APD	automated peritoneal dialysis	自動腹膜透析
APS	antiphospholipid syndrome	抗リン脂質抗体症候群
aPS/PT	anti-phosphatidylserine/prothrombin	ホスファチジルセリン依存性抗プロトロンビン抗体
APTT	activated partial thromboplastin time	活性化部分トロンボプラスチン時間

略語	英語	日本語
ARAS	atherosclerotic renal artery stenosis	粥状硬化性腎動脈狭窄
ARB	angiotensin Ⅱ receptor blocker	アンジオテンシンⅡ受容体拮抗薬
ARC	active renin concentration	血漿レニン濃度
ARDS	acute respiratory distress syndrome	急性呼吸窮症候群
ARF	acute renal failure	急性腎不全
ARNI	angiotensin receptor neprilysin inhibitor	アンジオテンシン受容体ネプリライシン阻害薬
ARONJ	anti-resorptive agents-related osteonecrosis of the jaw	骨吸収抑制薬関連顎骨壊死
ARPKD	autosomal recessive polycystic kidney disease	常染色体潜性(劣性)多発性嚢胞腎
ARR	aldosterone-renin ratio	アルドステロン/レニン比
ASK	anti-streptokinase antibody	抗ストレプトキナーゼ抗体
ASLO	anti-streptolysin O antibody	抗ストレプトリジン-O 抗体
AT	antithrombin	アンチトロンビン
ATI	acute tubular injury	急性尿細管障害
ATN	acute tubular necrosis	急性尿細管壊死
ATP	adenosine triphosphate	アデノシン三リン酸
AUC	area under the concentration-time curve	薬物血中濃度時間曲線下面積
AVP	arginine vasopressin	バソプレシン
AVS	adrenal venous sampling	副腎静脈サンプリング
BAH	bilateral adrenal hyperplasia	両側副腎皮質過形成
BAP	bone specific alkaline phosphatase	骨型アルカリホスファターゼ
BCRP	breast cancer resistance protein	乳癌耐性蛋白
BIA	bioelectric impedance analysis	バイオインピーダンス法
BNP	brain(B-type)natriuretic peptid	脳性(B 型)ナトリウム利尿ペプチド
BRONJ	bisphosphonate-related osteonecrosis of the jaw	ビスホスホネート関連顎骨壊死
CAA	calcineurin inhibitor associated arteriolopathy	カルシニューリン阻害薬慢性細動脈症
CAKUT	congenital anomalies of the kidney and urinary tract	先天性腎尿路異常
CAPD	continuous ambulatory peritoneal dialysis	連続(持続)携行式腹膜透析
CAPS	catastrophic antiphospholipid syndrome	劇症型抗リン脂質抗体症候群
CAR	chimeric antigen receptor	キメラ抗原受容体

略語	英語	日本語
CAVH	continuous arteriovenous hemofiltration	持続的動静脈血液濾過
CAVHD	continuous arteriovenous hemodialysis	持続的動静脈血液透析
CAVHDF	continuous arteriovenous hemodiafiltration	持続的動静脈血液濾過透析
CCE	cholesterol crystal embolization	コレステロール塞栓症
CCP	cyclic citrullinated peptide	環状シトルリン化ペプチド
CCPD	continuous cycling peritoneal dialysis	連続(持続)周期的腹膜透析
Ccr	creatinine clearance	クレアチニンクリアランス
CDC	complement-dependent cytotoxicity	補体依存性細胞傷害
CDI	central diabetes insipidus	中枢性尿崩症
CEC	central echo complex	―
CGM	continuous glucose monitoring	持続グルコースモニター
CHD	continuous hemodialysis	持続的血液透析
CHDF	continuous hemodiafiltration	持続血液濾過透析
CHF	continuous hemofiltration	持続的血液濾過
CIN	contrast induced nephropathy	造影剤腎症
CKD	chronic kidney disease	慢性腎臓病
CKD-MBD	chronic kidney disease-mineral and bone disorder	慢性腎臓病に伴う骨・ミネラル代謝異常
CKM	conservative kidney management	保存的腎臓療法
CMV	cytomegalovirus	サイトメガロウイルス
CNI	calcineurin inhibitor	カルシニューリン阻害薬
CNS	central nervous system	中枢神経系
CNS	coagulase-negative staphylococci	コアグラーゼ陰性ブドウ球菌
COPD	chronic obstructive pulmonary disease	慢性閉塞性肺疾患
COX	cyclooxygenase	シクロオキシゲナーゼ
CRP	C-reactive protein	C反応性蛋白
CRR	complete renal response	完全腎反応
CRRT	continuous renal replacement therapy	持続的腎代替療法
CRS	cytokine release syndrome	サイトカイン放出症候群
CS	corticosteroid	副腎皮質ステロイド
CSAS	central sleep apnea syndrome	中枢性睡眠時無呼吸症候群
CSW	cerebral salt wasting	―

略語	英語	日本語
CTLA-4	cytotoxic T-lymphocyte (associated) antigen-4	細胞傷害性 T リンパ球抗原 4
cTnT	cardiac muscle troponin T	心筋トロポニン T
cTTP	congenital thrombotic thrombocytopenic purpura	先天性血栓性血小板減少性紫斑病
CTU	CT urography	CT ウログラフィー
Curea	urea clearance	尿素クリアランス
CV	coefficient of variation	変動係数
CVA	costovertebral angle	―
CVD	cardio-vascular disease	心血管疾患
CVP	central venous pressure	中心静脈圧
CVVH	continuous venovenous hemofiltration	持続的静静脈血液濾過
CVVHD	continuous venovenous hemodialysis	持続的静静脈血液透析
CVVHDF	continuous venovenous hemodiafiltration	持続的静静脈血液濾過透析
CYP	cytochrome P450	シトクロム P450
CysC	cystatin C	シスタチン C
C2	―	投与 2 時間後薬物血中濃度
DA	darbepoetine-alfa	ダルベポエチンアルファ
DAA	direct acting antivirals	直接型抗ウイルス薬
dcSSc	diffuse cutaneous systemic sclerosis	びまん皮膚硬化型全身性強皮症
DDAVP	l-deamino-8-D-arginine vasopressin	デスモプレシン
DDD	dense deposit disease	―
DEXA	dual-energy X-ray absorptiometry	二重エネルギー X 線吸収測定法
DFPP	double filtration plasmapheresis	二重膜濾過血漿交換〔療法〕
DI	diabetes insipidus	尿崩症
DIC	disseminated intravascular coagulation	播種性血管内凝固
DIP	drip infusion pyelography	点滴静注腎盂造影
DKA	diabetic ketoacidosis	糖尿病性ケトアシドーシス
DKD	diabetic kidney disease	糖尿病関連腎臓病
DLST	drug lymphocyte stimulation test	薬剤リンパ球刺激試験
DOAC	direct oral anticoagulant	直接経口抗凝固薬
DP	double positive	共陽性
DPP-4	dipeptidyl-peptidase Ⅳ	ジペプチジルペプチダーゼⅣ

略語	英語	日本語
DRI	direct renin inhibitor	直接的レニン阻害薬
DRONJ	denosumab-related osteonecrosis of the jaw	デノスマブ関連顎骨壊死
DSA	donor specific antibody	ドナー特異的抗体
DTPA	diethylenetriamine pentaacetic acid	ジエチレントリアミン五酢酸
DXA	dual energy X-ray absorptiometry	二重エネルギーX線吸収法
EBV	Epstein-Barr virus	Epstein-Barr ウイルス
ECG	electrocardiogram	心電図
ECUM	extracorporeal ultrafiltration method	体外限外濾過［法］
EDD	electron dense deposit	高電子密度沈着物
EDTA	ethylenediaminetetraacetic acid	エチレンジアミン四酢酸
EDV	end diastolic velocity	拡張末期血流速度
eGFR	estimated glomerular filtration rate	推算糸球体濾過量
EGFR	epidermal growth factor receptor	上皮成長因子受容体
EGPA	eosinophilic granulomatosis with polyangiitis	好酸球性多発血管炎性肉芽腫症
EHEC	enterohemorrhagic *Escherichia coli*	腸管出血性大腸菌
ENaC	epithelial Na$^+$ channel	上皮型ナトリウムチャネル
EPO	erythropoietin	エリスロポエチン
EPS	encapsulating peritoneal sclerosis	被嚢性腹膜硬化症
ERT	enzymereplacement therapy	酵素補充療法
ESA	erythropoiesis stimulating agent	赤血球造血刺激因子製剤
ESKD	end-stage kidney disease	末期腎不全
ESWL	extracorporeal shock wave lithotripsy	体外衝撃波結石破砕術
ET	endotoxin	エンドトキシン
FCXM	flow cytometry crossmatch	フローサイトメトリークロスマッチ
FDP	fibrin degradation products	フィブリン分解産物
FE$_{Ca}$	fractional excretion of calcium	カルシウム排泄率
FE$_{Mg}$	fractional excretion of magnesium	マグネシウム排泄率
FE$_{Na}$	fractional excretion of sodium	ナトリウム排泄率
FE$_P$	fractional excretion of phosphate	リン排泄率
FE$_{UA}$	fractional excretion of uric acid	尿酸排泄率
FF	filtration fraction	濾過率
FFP	fresh frozen plasma	新鮮凍結血漿
FGF23	fibroblast growth factor 23	線維芽細胞増殖因子 23
FGN	fibrillary glomerulonephritis	細線維性糸球体腎炎
FH	familial hypercholesterolemia	家族性高コレステロール血症

略語	英語	日本語
FHH	familial hypocalciuric hypercalcemia	家族性低カルシウム尿性高カルシウム血症
FMD	fibromuscular dysplasia	線維筋性異形成
FSGS	focal segmental glomerulosclerosis	巣状分節性糸球体硬化症
GA	glycated albumin	グリコアルブミン
GBM	glomerular basement membrane	糸球体基底膜
Gb3	globotriaosylceramide	グロボトリアオシルセラミド
GCAP	granulocytapheresis	顆粒球除去療法
GDM	gestational diabetes mellitus	妊娠糖尿病
GFR	glomerular filtration rate	糸球体濾過量
GIO	glucocorticoid-induced osteoporosis	ステロイド性骨粗鬆症
GLA	α-Galactosidase A	ガラクトシダーゼ A
GLP-1	glucagon-like peptide-1	グルカゴン様ペプチド-1
GPA	granulomatosis with polyangiitis	多発血管炎性肉芽腫症
HA	hemoadsorption	血液吸着
hANP	human atrial natriuretic peptide	ヒト心房性ナトリウム利尿ペプチド
HBV	hepatitis B virus	B 型肝炎ウイルス
HCDD	heavy chain deposition disease	重鎖沈着症
HCV	hepatitis C virus	C 型肝炎ウイルス
HD	hemodialysis	血液透析
HDF	hemodiafiltration	血液濾過透析
HDL	high density lipoprotein	高比重リポ蛋白
HDP	hypertensive disorders of pregnancy	妊娠高血圧症候群
HE	Hematoxylin-Eosin	ヘマトキシリン・エオジン
HER2	human epidermal growth factor receptor 2	ヒト上皮成長因子受容体 2 型
HF	hemofiltration	血液濾過
HFCHDF	high flow dialysate continuous hemodiafiltration	高流量持続血液濾過透析
HGPRT	hypoxanthine-guanine phosphoribosyltransferase	ヒポキサンチン-グアニンホスホリボシルトランスフェラーゼ
HIF-PH	hypoxia inducible factor-prolyl hydroxylase	低酸素誘導因子プロリン水酸化酵素
HIT	heparin-induced thrombocytopenia	ヘパリン起因（惹起）性血小板減少症
HIV	human immunodeficiency virus	ヒト免疫不全ウイルス
HLA	human leukocyte antigen	ヒト白血球抗原

略語	英語	日本語
HLH	hemophagocytic lymphohistiocytosis	血球貪食性リンパ組織球症
HMG-CoA	hydroxymethylglutaryl-coenzyme A	ヒドロキシメチルグルタリル-CoA
HPF	high power field	強拡大視野（400倍視野）
HRS	hepatorenal syndrome	肝腎症候群
HSV	herpes simplex virus	単純ヘルペスウイルス
HTLV-1	human T-cell leukemia virus type 1	ヒトT細胞白血病ウイルス1型
HUS	hemolytic uremic syndrome	溶血性尿毒症症候群
IC	informed consent	インフォームド・コンセント
ICI	immune checkpoint inhibitor	免疫チェックポイント阻害薬
IDL	intermediate density lipoprotein	中間比重リポ蛋白
IDPN	intradialytic parenteral nutrition	透析時静脈栄養
IF/TA	interstitial fibrosis and tubular atrophy	間質線維化と尿細管萎縮
IgA-IRGN	immunoglobulin A（IgA）-dominant infection-related glomerulonephritis	IgA優位沈着性感染関連糸球体腎炎
IgG4-RD	IgG4-related disease	IgG4関連疾患
IgG4-RKD	IgG4-related kidney disease	IgG4関連腎臓病
IgG4-TIN	IgG4-related tubulointerstitial nephritis	IgG4関連尿細管間質性腎炎
IGRA	interferon gamma release assay	インターフェロンγ遊離試験
IHD	intermittent hemodialysis	間欠的血液透析
I-HDF	intermittent infusion hemodiafiltration	間歇補充型血液透析濾過
IMPDH	inosine monophosphate dehydrogenase	イノシン一リン酸デヒドロゲナーゼ
INHD	in-center nocturnal hemodialysis	―
iPTH	intact parathyroid hormone	intact副甲状腺ホルモン
irAE	immune-related adverse events	免疫関連有害事象
IRGN	infection-related glomerulonephritis	感染関連糸球体腎炎
IRRT	intermittent renal replacement therapy	間欠的腎代替療法
ISKDC	International Study of Kidney Disease in Children	国際小児腎臓病研究班
ISN/RPS	International Society of Nephrology/Renal Pathology Society	国際腎臓学会/腎病理学会
ITG	immunotactoid glomerulopathy	イムノタクトイド糸球体症

略語	英語	日本語
iTTP	immune-mediated thrombotic thrombocytopenic purpura	免疫原性血栓性血小板減少性紫斑病
IVP	intravenous pyelography	静脈性腎盂造影
IVUS	intravascular ultrasound	血管内エコー法
J-RBR	Japan Renal Biopsy Registry	腎生検データベース
KDIGO	Kidney Disease：Improving Global Outcome	―
K/DOQI	Kidney Disease Outcomes Quality Initiative	―
Kt/V	―	標準化透析量
LAC	lupus anticoagulant	ループスアンチコアグラント
LCAP	leukocytapheresis	白血球除去療法
LCDD	light chain deposition disease	軽鎖沈着症
lcSSc	limited cutaneous systemic sclerosis	限局皮膚硬化型全身性強皮症
LCT	lymphocyte cytotoxicity test	リンパ球細胞傷害試験
LDL[-C]	low density lipoprotein [cholesterol]	低比重リポ蛋白［コレステロール］
L-FABP	L-type fatty acid-binding protein	L型脂肪酸結合蛋白
LHCDD	light and heavy chain deposition disease	軽鎖重鎖沈着症
LN	lupus nephritis	ループス腎炎
LPL	lipoprotein lipase	リポ蛋白リパーゼ
LSC	least significant change	最小有意変化（骨密度測定）
MAG3	mercaptoacetyltriglycine	メルカプトアセチルトリグリシン
MAS	macrophage activation syndrome	マクロファージ活性化症候群
MCD	multicentric Castleman's disease	多中心性 Castleman 病
MCD	minimal change disease	微小変化群
MCNS	minimal change nephrotic syndrome	微小変化型ネフローゼ症候群
MCV	mean corpuscular volume	平均赤血球容積
MDS	myelodysplastic syndromes	骨髄異形成症候群
MEN	multiple endocrine neoplasia	多発性内分泌腫瘍症
MGRS	monoclonal gammopathy of renal significance	―
MGUS	monoclonal gammopathy of undetermined significance	―
MIBI	methoxy isobutyl isonitrile	メトキシイソブチルイソニトリル
MIC	minimum inhibitory concentration	最小発育阻止濃度

略語	英語	日本語
MIDD	monoclonal immunoglobulin deposition disease	単クローン性免疫グロブリン沈着症
MN	membranous nephropathy	膜性腎症
MPA	microscopic polyangiitis	顕微鏡的多発血管炎
MPAG	mycophenolic acid 7-O-glucuronide	フェノール性水酸基グルクロン酸抱合体
MPGN	membranoproliferative glomerulonephritis	膜性増殖性糸球体腎炎
MPO	myeloperoxidase	ミエロペルオキシダーゼ
MR[A]	mineralocorticoid receptor ［antagonist］	ミネラルコルチコイド受容体［拮抗薬］
MRHE	mineralocorticoid-responsive hyponatremia of the elderly	ミネラルコルチコイド反応性低ナトリウム血症
MRONJ	medication-related osteonecrosis of the jaw	薬剤関連顎骨壊死
MRSA	methicillin-resistant *Staphylococcus aureus*	メチシリン耐性黄色ブドウ球菌
MRSE	methicillin-resistant *Staphylococcus epidermidis*	メチシリン耐性表皮ブドウ球菌
MSC	minimum significant change	最小有意変化（骨代謝マーカー）
MSSA	methicillin-susceptible *Staphylococcus aureus*	メチシリン感受性黄色ブドウ球菌
mTOR	mammalian target of rapamycin	哺乳類ラパマイシン標的蛋白質
NAG	N-acetyl-β-D-gluvosaminidase	N-アセチルグルコサミニダーゼ
NDI	nephrogenic diabetes insipidus	腎性尿崩症
NHANES	National Health and Nutrition Examination Survey	米国全国健康・栄養調査
NHHD	nocturnal home hemodialysis	夜間家庭透析
NIH	National Institutes of Health	米国国立衛生研究所
NKT	natural killer T	―
NPD	nocturnal peritoneal dialysis	夜間腹膜透析
NSAID(s)	non-steroidal anti-inflammatory drug(s)	非ステロイド性抗炎症薬
NSF	nephrogenic systemic fibrosis	腎性全身性線維症
NT-proBNP	N-terminal pro-brain natriuretic peptide	ヒト脳性ナトリウム利尿ペプチド前駆体N端フラグメント
NYHA	New York Heart Association	ニューヨーク心臓協会

略語	英語	日本語
OAT[3]	organic anion transporter [3]	有機アニオントランスポーター [3]
OCT2	organic cation transporter 2	―
ODS	osmotic demyelination syndrome	浸透圧性脱髄症候群
OGTT	oral glucose tolerance test	経口ブドウ糖負荷試験
OIH	orthoiodohippurate	2-ヨウ化ヒプル酸ナトリウム
OSAS	obstructive sleep apnea syndrome	閉塞性睡眠時無呼吸症候群
P1NP	procollagen type I N-terminal propeptide	Ⅰ型プロコラーゲン-N-プロペプチド
PA	primary aldosteronism	原発性アルドステロン症
PAC	plasma aldosterone concentration	血漿アルドステロン濃度
PAH	para-aminohippuric acid	パラアミノ馬尿酸
PAM	periodic acid-methenamine-silver	過ヨウ素酸メセナミン銀
PAN	polyarteritisnodosa	結節性多発動脈炎
PAN	polyacrylonitrile	ポリアクリロニトリル
PARP	poly ADP-ribose polymerase	ポリアデノシン5'二リン酸リボースポリメラーゼ
PAS	periodic acid Schiff	―
P-CAB	potassium-competitive acid blocker	カリウムイオン競合型アシッドブロッカー
PCP	Pneumocystis pneumonia	ニューモシスチス肺炎
PCR	protein catabolic rate	蛋白異化率
PCSK9	proprotein convertase subtilisin/kexin type 9	プロ蛋白転換酵素サブチリシン/ケキシン9型
PD	peritoneal dialysis	腹膜透析
PD-1	programmed cell death-1	―
PDGFR	platelet-derived growth factor receptor	血小板由来増殖因子受容体
PD-L1	programmed cell death ligand 1	―
PEEP	positive end-expiratory pressure	呼気終末陽圧
Peg-IFN	pegylated interferon	ペグインターフェロン
PEKT	preemptive kidney transplantation	先行的腎移植
PET	peritoneal equilibration test	腹膜平衡試験
PGNMID	proliferative glomerulonephritis with monoclonal immunoglobulin deposits	単クローン性IgG沈着型増殖性糸球体腎炎
PHA	pseudohypoaldosteronism	偽性低アルドステロン症
PIGN	postinfectious glomerulonephritis	感染後糸球体腎炎

略語	英語	日本語
PK/PD	pharmacokinetics/pharmacodynamics	薬物動態/薬力学
PLA2R	phospholipase A2 receptor	膜型ホスホリパーゼ A2 受容体
PlGF	placental growth factor	胎盤増殖因子
PML	progressive multifocal leukoencephalopathy	進行性多巣性白質脳症
PMMA	polymethyl methacrylate	ポリメチルメタクリレート
PNL (PCNL)	percutaneous nephrolithotripsy	経皮的腎尿管砕石術
POD	postoperative day	術後
PPAR	peroxisome proliferator-activated receptor	ペルオキシソーム増殖因子活性化受容体
PPI	proton pump inhibitor	プロトンポンプ阻害薬
PPN	peripheral parenteral nutrition	末梢静脈栄養輸液
PR3	proteinase 3	プロテイナーゼ 3
PRA	plasma renin activity	血漿レニン活性
PRA	panel-reactive antibody	―
PRES	posterior reversible encephalopathy syndrome	可逆性後頭葉白質脳症
proGRP	pro-gastrin-releasing peptide	ガストリン放出ペプチド前駆体
PRSP	penicillin-resistant Streptococcus pneumoniae	ペニシリン耐性肺炎球菌
PSA	prostate-specific antigen	前立腺特異抗原
PSAGN PSGN	poststreptococcal glomerulonephritis	溶血性レンサ球菌感染後急性糸球体腎炎
PSV	peak systolic velocity	収縮期最高血流速度
PT	prothrombin time	プロトロンビン時間
PTC	peritubular capillary	傍尿細管毛細血管
PTDM	post-transplant diabetes mellitus	腎移植後糖尿病
PTH	parathyroid hormone	副甲状腺ホルモン
PTHrP	parathyroid hormone-related peptide	副甲状腺ホルモン関連蛋白
PT-INR	prothrombin time-international normalized ratio	プロトロンビン時間-国際標準化比
PTLD	post-transplant lymphoproliferative disorder	移植後リンパ増殖性疾患
PTRA	percutaneous transluminal angioplasty	経皮的腎血管形成術

略語	英語	日本語
PTU	propylthiouracil	プロピルチオウラシル
PTx	parathyroidectomy	副甲状腺摘出術
PWAT	peritoneal wall anchor technique	腹膜壁アンカー技術
PWV	pulse wave velocity	脈波伝播速度
PYY	peptide YY	ペプチド YY
Q_B	blood flow rate quantity of blood flow	血[液]流量
Q_D	dialysate flow rate qanutitiy of dialysate (dialysis fluid) flow	透析液流量
Q_F	filtration rate	濾過流量
RA	rheumatoid arthritis	関節リウマチ
RA[S]	renin-angiotensin [system]	レニン・アンジオテンシン[系]
RAA[S]	renin-angiotensin-aldosterone [system]	レニン・アンジオテンシン・アルドステロン [系]
RANKL	receptor activator of nuclear factor-kappa B ligand	破骨細胞分化因子
RAR	renal aortic ratio	－
RCT	randomized controlled trial	ランダム化比較試験
RF	rheumatoid factor	リウマトイド因子
rhGH	recombinant human growth hormone	遺伝子組換えヒト成長ホルモン
rHuEPO	recombinant human erythropoietin	遺伝子組換えヒトエリスロポエチン製剤
RLS	restless legs syndrome	むずむず脚症候群
ROMK	renal outer medullary potassium channel	－
RPF	renal plasma flow	腎血漿流量
RPGN	rapidly progressive glomerulonephritis	急速進行性糸球体腎炎
RPR	rapid plasma reagin	－
RRT	renal replacement therapy	腎代替療法
RTA	renal tubular acidosis	尿細管性アシドーシス
RVH	renovascular hypertension	腎血管性高血圧
SAA	serum amyloid A	血清アミロイド A
SBP	spontaneous bacterial peritonitis	特発性細菌性腹膜炎
SDM	shared decision making	共同意思決定
SERM	selective estrogen receptor modulators	選択的エストロゲン受容体モジュレーター

略語	英語	日本語
SGLT2	sodium-glucose cotransporter 2	Na$^+$/グルコース共役輸送担体 2
SIADH	syndrome of inappropriate antidiuretic hormone secretion	抗利尿ホルモン不適切分泌症候群
SLE	systemic lupus erythematosus	全身性エリテマトーデス
SLED	sustained low-efficiency dialysis	持続的低効率血液透析
SMAP	stepwise initiation of peritoneal dialysis using Moncrief and Popovich technique	段階的腹膜透析導入法
SMI	skeletal muscle mass index	骨格筋量指数
SNRI	serotonin noradrenaline reuptake inhibitors	セロトニン・ノルアドレナリン再取り込み阻害薬
SRC	scleroderma renal crisis	強皮症腎クリーゼ
SSc	systemic sclerosis	全身性強皮症
SSRI	selective serotonin reuptake inhibitor	選択的セロトニン再取り込み阻害薬
STEC	Shiga toxin-producing *Escherichia coli*	志賀毒素産生性大腸菌
STEC-HUS	Shiga toxin-producing *Escherichia coli*-hemolytic uremic syndrome	志賀毒素産生性大腸菌による溶血性尿毒症症候群
SU	sulfonylurea	スルホニル尿素
TAE	transcatheter arterial embolization	経カテーテル動脈塞栓術
TBM	tubular basement membrane	尿細管基底膜
TDM	therapeutic drug monitoring	治療薬物モニタリング
TGF-β	transforming growth factor-β	トランスフォーミング増殖因子β
THSD7A	thrombospondin type-1 domain-containing 7A	トロンボスポンジン 1 型ドメイン含有 7A
TIA	transient ischemic attack	一過性脳虚血発作
TIBC	total iron binding capacity	総鉄結合能
TIN	tubulointerstitial nephritis	尿細管間質性腎炎
TINU 症候群	tubulointerstitial nephritis and uveitis syndrome	尿細管間質性腎炎・ぶどう膜炎症候群
TIPS	transjugular intrahepatic portosystemic shunt	経頸静脈肝内門脈静脈短絡術
TMA	thrombotic microangiopathy	血栓性微小血管症
Tmax	—	最高血中濃度到達時間
TNF	tumor necrosis factor	腫瘍壊死因子
TPA	tissue polypeptide antigen	組織ポリペプチド抗原

略語	英語	日本語
TPHA	Treponema pallidum hemagglutination test	―
TPN	total parenteral nutrition	中心静脈栄養輸液
TRACP-5b	tartrate-resistant acid phosphatase-5b	酒石酸抵抗性酸性ホスファターゼ-5b
TRPM[6]	transient receptor potential melastatin[6]	―
TSAT	transferrin saturation	トランスフェリン飽和度
TTKG	transtubular K gradient	尿細管カリウム濃度勾配
TTP	thrombotic thrombocytopenic purpura	血栓性血小板減少性紫斑病
TUL	transurethral ureterolithotripsy	経尿道的尿管砕石術
UIBC	unsaturated iron binding capacity	不飽和鉄結合能
UKSSG	UK Scleroderma Study Group	英国強皮症研究グループ
UNA	urea nitrogen appearance	尿素窒素産生量
URAT1	urate transporter 1	―
USS	Upshaw-Schulman syndrome	Upshaw-Schulman症候群
UTI	urinary tract infection	尿路感染症
VEGF	vascular endothelial growth factor	血管内皮増殖因子
VEGFR-TKI	vascular endothelial growth factor receptor tyrosine kinase inhibitor	血管内皮増殖因子受容体チロシンキナーゼ阻害薬
VLDL	very low density lipoprotein	超低比重リポ蛋白
VRE	vancomycin-resistant enterococci	バンコマイシン耐性腸球菌
VUR	vesicoureteral reflux	膀胱尿管逆流
VWF	von Willebrand factor	von Willebrand因子
VZV	varicella zoster virus	水痘帯状疱疹ウイルス
XOR	xanthine oxidoreductase	キサンチンオキシドレダクターゼ
YAM	young adlut mean	若年成人平均値
β_2-GP I	beta2-glycoprotein I	β_2-グリコプロテインI
β_2MG	$\beta_2$microglobulin	β_2マイクログロブリン
% TRP	% tubular reabsorption of phosphate	尿細管リン再吸収率
6-MP	6-mercaptopurine	6-メルカプトプリン

腎臓内科

レジデントマニュアル

改訂第9版

1 水・電解質異常とその治療

1 ナトリウム代謝異常

a Na 濃度の規定因子

▶Na 濃度異常を理解するうえで理解しておくべき Edelman 式がある.

$$血清 Na 濃度（mmol/L）≒ \frac{Na^+ + K^+}{体内水分量（H_2O）}$$

▶Edelman 式は, 血清 Na 濃度と, 体内に存在する Na イオン（Na^+）の総量と K イオン（K^+）の総量との関係を示している. ここで示す Na^+ と K^+ は, 無水の骨基質に存在する固定されたイオンではなく, 尿に排泄されるような動的なイオンである. これを Edelman 式では「交換可能な（exchangeable）イオン」とし, Na_e^+ と K_e^+ と略している.

▶体内の Na^+ の 7〜8 割が Na_e^+ であり, ほとんどが細胞外に存在している. 一方, 体内の K^+ の 9 割以上が K_e^+ であり, ほとんどが細胞内に存在している. 実際の臨床では, Na^+ と K^+ は Na_e^+ と K_e^+ とほぼ同じと考えられる[1].

▶体内に摂取される水・Na・K と, 排泄される水・Na・K のバランスにより血清 Na 濃度が規定される. そのため, Na 濃度異常では摂取（投与）される水・Na・K に加えて, 排泄される水・Na・K も評価することが重要となる.

▶最近では, 皮膚, 骨, 軟骨のプロテオグリカンに結合している Na の移動による調節も示唆されている（図 1-1）[2].

▶Na 濃度異常は, 脳細胞における障害を引き起こす（図 1-2）[2].

b 低ナトリウム血症

▶血清 Na 濃度 ≦135 mEq/L.

▶低ナトリウム血症はよくみられる病態であり, 入院患者の 10〜30% で発生するといわれている.

▶低ナトリウム血症は, 死亡率, 入院期間, 入院費用, 集中治療室（ICU）の日数, 再入院の増加と関連している.

▶急性で高度の低ナトリウム血症では, 痙攣, 永続的な脳障害, 脳幹ヘルニアなど致死的であり[3], 重度の慢性低ナトリウム血症を急激

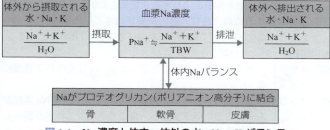

図 1-1　Na 濃度と体内・体外の水・Na・K バランス

血漿 Na 濃度は体内の Na・K の総量と水のバランスにより決定される．摂取される水・Na・K と，排泄される水・Na・K のバランスと体内の骨，軟骨，皮膚の Na のバランスも関与している．

〔Sterns RH：Disorders of plasma sodium—causes, consequences, and correction. N Engl J Med 2015；372：55-65[2]）より一部改変〕

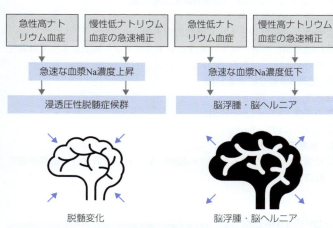

図 1-2　血漿 Na 濃度の急速な変化による脳での影響

〔Sterns RH：Disorders of plasma sodium—causes, consequences, and correction. N Engl J Med 2015；372：55-65[2]）より一部改変〕

　に補正した場合にも，浸透圧性脱髄症候群（ODS）による脳の障害が起こる（Side memo 参照，☞p.4）．
▶軽症の慢性低ナトリウム血症においても，認知機能低下，骨粗鬆症，転倒リスクの増加，骨折などを起こす可能性がある[2]．おもな症候は，血清 Na 低下によって細胞外から細胞内へ水が移動し，細胞浮腫をきたすことである．

▶一方で，細胞は適応現象により浸透圧物質を細胞外に排出し，細胞浮腫を改善する機構があり，適応現象が起きている状態（慢性の低ナトリウム血症）で急速に血清 Na を補正すると，ODS が生じる.

1. 臨床症状および分類

▶臨床症状は，低ナトリウム血症の程度と血清 Na 濃度の低下速度によって異なる.

▶低ナトリウム血症による症候は非特異的であるが，血清 Na 濃度が 120 mEq/L 未満に急激に低下すると，脳の浸透圧調節機構が機能しなくなり，脳浮腫を起こす危険性がある.

▶低ナトリウム血症では，以下に示すどの分類にあてはまるかを鑑別することで，治療を選択することができる.

1) 症状による定義（重症）

▶症状による分類を表 1-1[5] に示す.

2) 低ナトリウム血症の持続時間による分類

▶急性：48 時間以内.

▶慢性：48 時間以上もしく持続時間不明.

▶持続時期が不明の場合は慢性として考えるが，状況によっては急性を考える状況がある（表 1-2）[5].

3) 血清 Na 濃度による分類

▶軽度：130〜135 mEq/L.

▶中等度：125〜129 mEq/L.

▶重度：<125 mEq/L.

4) 張度による分類

▶低張性低ナトリウム血症：一般的な低ナトリウム血症．細胞浮腫を起こす.

Side memo

浸透圧性脱髄症候群（ODS）とは

　血清 Na 濃度改善後 3〜15 日遅れて出現する．症状は，進行する四肢麻痺，構語障害，嚥下障害，人格変化，感情失禁などがある.

　確認すべきリスク因子は，①慢性低ナトリウム血症，②血清 Na≦105 mEq/L，③アルコール中毒，④肝臓病，⑤栄養失調，⑥低カリウム血症，である.

　慢性の低ナトリウム血症の治療中に気をつけるべき病態であり，低ナトリウム血症が改善してしばらく経ってから出現するため，注意が必要である.

表1-1 重症度別の低ナトリウム血症

重症度	症状
中等度に重症 (moderately severe)	嘔吐を伴わない悪心 錯乱 頭痛
重症 (severe)	嘔吐 心肺窮迫 異常かつ深い傾眠 痙攣 昏睡（Glasgow Coma Scale≦8）

症状の原因が低ナトリウム血症であるなら、「脳細胞浮腫」→「脳ヘルニア」の危険の大きさを示していると考える。臨床的には，血清Na濃度より症状の重症度で治療の緊急度を判断することが重要である．
〔Spasovski G, et al.：Clinical practice guideline on diagnosis and treatment of hyponatraemia. Nephrol Dial Transplant 2014；29(Suppl 2)：i1-i39[5]〕

表1-2 急性低ナトリウム血症と考えられる状況や原因薬剤

- 術後
- 前立腺切除後，内視鏡的子宮切除後[*1]
- 多飲症
- 運動（マラソンなど）
- 最近のサイアザイド系利尿薬の処方[*2]
- 3,4-methylenedioxymethamfetamine（MDMA）
- 大腸内視鏡前処置
- シクロホスファミド静注
- オキシトシン
- 最近のデスモプレシン治療の開始
- 最近のバソプレシン治療の開始

[*1] 灌流液による．
[*2] サイアザイド系利尿薬は処方されてから2週間以内に発症することが多い．サイアザイド系利尿薬による慢性の低ナトリウム血症も実臨床では多い．

〔Spasovski G, et al.：Clinical practice guideline on diagnosis and treatment of hyponatraemia. Nephrol Dial Transplant 2014；29(Suppl 2)：i1-i39[5]〕

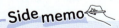

低ナトリウム血症を分類するクセをつける

低ナトリウム血症の分類を考えると，鑑別診断や治療方針を連想しやすくなる．

【例】術後20時間で血清Na 120 mEq/Lとなり，痙攣している．血糖正常・浮腫なし．
→重症・急性・低張性・細胞外液量正常の低ナトリウム血症

▶等張性低ナトリウム血症：偽性低ナトリウム血症など.

▶高張度性低ナトリウム血症：高血糖やマンニトールなど.

▶細胞浮腫をきたしていない等張性や高張性低ナトリウム血症の血清Na（張度）を上げることは有害となるため，鑑別が重要となる.

5）細胞外液量による分類

▶細胞外液量減少低ナトリウム血症.

▶細胞外液量正常低ナトリウム血症（一般的によくある低ナトリウム血症）.

▶細胞外液量増加低ナトリウム血症.

2. 診断・評価

▶図1-3〜図1-6[6)]の鑑別診断のフローチャートに従って鑑別を進める.

1）必要な検査

▶血清 Na 濃度，血糖，血漿浸透圧，血清 Cr，BUN，尿酸，尿 Na・K 濃度，尿 Cr（Na 排泄率；FE_{Na}），尿酸排泄率（FE_{UA}），尿素排泄率（FEurea），尿浸透圧（尿比重），バソプレシン〔AVP；抗利尿ホルモン（ADH）〕.

▶必要に応じて，コルチゾール，副腎皮質刺激ホルモン（ACTH），甲状腺ホルモン，腫瘍性病変除外（胸腹部・頭部）のための画像診断を追加検査として行う.

2）治療に必要な検査

▶心不全の有無を確認するため，胸部 X 線を行う.

3）薬剤の確認

▶薬剤が原因となることが多いので，輸液も含めて原因となる薬剤の使用がないか，確認を行う.

Side memo

低ナトリウム血症でなぜ尿酸を測定するのか？

SIADH では近位尿酸管での尿細管吸収が減少し，尿酸クリアランスが増加するため[4)]，診断には血清尿酸値（UA）と，FE_{UA} が有用である（表）.

表　尿酸と SIADH

検査値		鑑別
血清尿酸	＜4 mg/dL	SIADH を示唆
	≧4 mg/dL	細胞外液量減少を示唆
FE_{UA}	＞10〜12%	SIADH を示唆
	＜8%	SIADH を除外

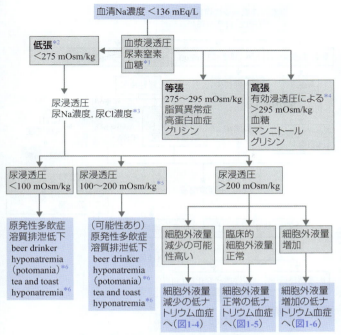

図 1-3 低ナトリウム血症の鑑別診断

*[1]血漿浸透圧,尿素窒素,血糖を用いて張度を測定する.低浸透圧=低張だが,高浸透圧=高張とは限らない(尿素窒素は張度を形成しないため)
*[2]無効浸透圧物質(尿素,アルコール)を補正したあと.
*[3]嘔吐している場合(代謝性アルカローシス)では尿 Cl を測定.
*[4]高張=有効浸透圧の上昇.有効浸透圧物質はブドウ糖(血糖),マンニトール,グリシン.尿素窒素は浸透圧物質であるが,細胞を自由に通過するため有効浸透圧物質とはならない.腎不全の低ナトリウム血症では,血漿浸透圧が低くない低張低ナトリウム血症をきたす.
*[5]尿浸透圧>100 mOsm/kg または<200 mOsm/kg の場合,抗利尿ホルモン不適切分泌症候群(SIADH)を除外する必要あり.
*[6]ビールや紅茶などを多く摂取したんぱく質などの溶質をほとんど摂取しないと,自由水排泄量が低下して低ナトリウム血症をきたす.尿浸透圧は原発性多飲症と同じになる.

〔Henry DA:In the clinic:hyponatremia. Ann Intern Med 2015;163:ITC1-ITC19[6])より一部改変〕

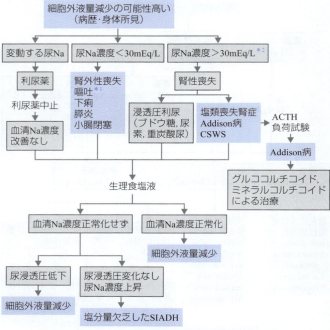

図 1-4 低ナトリウム血症の鑑別診断(細胞外液量減少)

[*1]嘔吐している場合(代謝性アルカローシス)では尿 Cl が低下する.
[*2]細胞外液低下の高齢者では,尿 Na 濃度>30 mEq/L でも Na 排泄率(FE_{Na})<0.5%になることがある.
SIADH:抗利尿ホルモン不適切分泌症候群,ACTH:副腎皮質刺激ホルモン,CSWS:中枢性塩類喪失症候群

〔Henry DA:In the clinic;hyponatremia. Ann Intern Med 2015;163:ITC1-ITC19[6])より一部改変〕

3. 鑑別診断

1) サイアザイド系利尿薬による低ナトリウム血症

▶典型的な臨床像:高齢者,女性,正常 BMI,処方から 2 週間以内に発症[7)].

▶水分摂取量が多い,たんぱく質摂取量が少ない,急性疾患の状態では,サイアザイド系利尿薬の使用は避けるべきである.

2) 抗利尿ホルモン不適切分泌症候群(SIADH)

▶AVP 分泌を抑制できないために起こる水排泄の障害であり[8)],さまざまな原因で生じる.

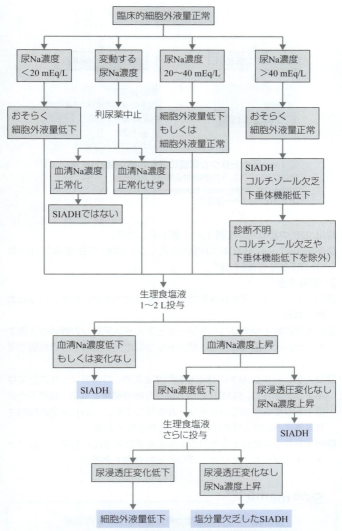

図 1-5 低ナトリウム血症の鑑別診断（細胞外液量正常）
SIADH：抗利尿ホルモン不適切分泌症候群
〔Henry DA：In the clinic：hyponatremia. Ann Intern Med 2015；163：ITC1-ITC19[6]〕より一部改変〕

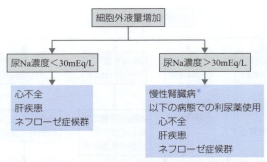

図 1-6 低ナトリウム血症の鑑別診断（細胞外液量増加）
＊慢性腎臓病では，細胞外液量正常のことがある．
〔Henry DA：In the clinic：hyponatremia. Ann Intern Med 2015；163：ITC1-ITC19[6]）より一部改変〕

- SIADH の診断基準を表 1-3[9]），表 1-4[5]）に示す．
- 病態によって SIADH の期間が異なり，ADH 産生腫瘍では慢性 SIADH となる（表 1-5）[10]）．

3) 副腎不全

- コルチゾールとアルドステロンそれぞれの欠乏で，低ナトリウム血症となる．
- 原発性副腎不全ではコルチゾールとアルドステロンの両者が欠乏するため，より重度となる．低ナトリウム血症＋高カリウム血症で考える．
- コルチゾールは AVP の分泌を抑制するため，コルチゾール欠乏では AVP が分泌され，SIADH と同じような検査結果となる．副腎不全の低ナトリウム血症にコルチゾールを投与すると，AVP 分泌が抑制され急速に Na が上昇するため，注意が必要である．
- 低ナトリウム血症＋高カリウム血症をきたす原因として，スルファメトキサゾール・トリメトプリム（ST）合剤もある．

Side memo

慢性低ナトリウム血症治療目標で役立つ 6 の法則[1]）

慢性低ナトリウム血症で，ODS のリスクがある場合，以下を覚えておくとよい．

・1 日 6 mEq/L 上昇が安全．
・重症慢性低ナトリウム血症→最初の 6 時間 6 mEq/L 上昇，その後，維持．

表 1-3 日本の抗利尿ホルモン不適切分泌症候群（SIADH）の診断基準

Ⅰ．主症候	脱水の所見を認めない
Ⅱ．検査所見	1. 血清 ［Na^+］ は 135 mmol/L を下回る 2. 血漿浸透圧は 280 mOsm/kg·H_2O を下回る 3. 低ナトリウム血症，低浸透圧血症にもかかわらず，血漿 AVP 濃度が抑制されていない 4. 尿浸透圧は 100 mOsm/kg·H_2O を上回る 5. 尿中 Na 濃度は 20 mEq/L 以上である 6. 腎機能正常 7. 副腎皮質機能正常 8. 甲状腺機能正常
Ⅲ．参考所見	1. 倦怠感，食欲低下，意識障害などの低ナトリウム血症の症状を呈することがある 2. 原疾患の診断が確定していることが，診断上の参考となる 3. 血漿レニン活性は 5 ng/mL/時以下であることが多い 4. 血清尿酸値は 5 mg/dL 以下であることが多い 5. 水分摂取を制限すると，脱水が進行することなく低ナトリウム血症が改善する
Ⅳ．鑑別診断	低ナトリウム血症をきたす次のものを除外する 1. 細胞外液量の過剰な低ナトリウム血症：心不全，肝硬変の腹水貯留時，ネフローゼ症候群 2. ナトリウム漏出が著明な細胞外液量の減少する低ナトリウム血症：原発性副腎皮質機能低下症，塩類喪失性腎症，中枢性塩類喪失症候群，下痢，嘔吐，利尿薬の使用 3. 細胞外液量のほぼ正常な低ナトリウム血症：続発性副腎皮質機能低下症（下垂体前葉機能低下症） （附記）下垂体手術後の遅発性低ナトリウム血症は約 20％に発症する比較的頻度の高い病態である．SIADH や中枢性塩類喪失症候群が原因となるが，病態が経時的に変化することがあり注意を要する
診断基準	確実例：Ⅰ および Ⅱ のすべてを満たすもの

〔厚生労働科学研究費補助金難治性疾患等政策研究事業「間脳下垂体機能障害に関する調査研究」班（研究代表者：有馬　寛）：間脳下垂体機能障害と先天性腎性尿崩症および関連疾患の診療ガイドライン 2023 年版．日内分泌会誌 2023；99（Suppl.）：21-23[9]〕

4）水中毒

▶多飲による一次的な水分貯留による低ナトリウム血症で，精神疾患の患者によくみられる．

▶病歴が明らかなことが多く，AVP 分泌が抑制されるため尿浸透圧 100 mOsm/kg·H_2O 未満となり，希釈尿が大量に排泄される．

▶発作的飲水行動の際に，AVP の一過性分泌[11]により ER 受診時は尿

表 1-4 **Hyponatraemia Guideline Development Group による抗利尿ホルモン不適切分泌症候群(SIADH)診断基準**

基本的特徴	有効浸透圧<275 mOsm/kg·H_2O 尿浸透圧>100 mOsm/kg·H_2O 臨床的に細胞外液量正常(起立性低血圧なし,頻脈なし,皮膚ツルゴール正常,粘膜乾燥なし)(浮腫や腹水なし) 普通の食事の塩分摂取があり,尿 Na 濃度>40 mmol/L 副腎不全や甲状腺機能低下症がないこと
付随的特徴	血清尿酸値<4 mg/dL 血清尿素窒素<10 mg/dL Na 排泄率(FE_{Na})>1%;尿素排泄率(FE_{urea})>55%,尿酸排泄率(FE_{ua})>12% 生理食塩液投与で改善しない 正常腎機能で,利尿薬,とくにサイアザイド系利尿薬の使用がないこと 水制限で低ナトリウム血症が改善する

〔Spasovski G, et al.：Clinical practice guideline on diagnosis and treatment of hyponatraemia. Nephrol Dial Transplant 2014；29(Suppl 2)：i1-i39[5])〕

浸透圧 100 mOsm/kg·H_2O 未満とならず,SIADH と同じような検査値を示し,しばらくしてから急速に希釈尿が排泄されることもよく経験する.

5)輸液・経管栄養

▶維持輸液や経管栄養は低張であるため,低ナトリウム血症となりやすい.

▶腎機能低下例や高齢者の低ナトリウム血症で鑑別する.不要な維持輸液を止めることで改善することもある.

▶周術期では痛み刺激や嘔吐などによる AVP 分泌があるため,低張な輸液は避ける.

6)cerebral salt wasting(CSW),ミネラルコルチコイド反応性低ナトリウム血症(MRHE)

▶細胞外液量低下を示すことが特徴.

▶CSW はくも膜下出血,脳外傷後にみられる.

▶MRHE は高齢者にみられ,フルドロコルチゾンに反応を示す[1].

4. 治療(表 1-6,図 1-7)[10,12,13]

▶治療の目的として,①血清 Na 濃度のさらなる低下を防ぐ,②脳ヘルニアを発症するリスクのある患者の頭蓋内圧を下げる,③低ナトリウム血症の症状を軽減する,④ODSのリスクのある患者に過度の補正を避ける,ことがあげられる.

表 1-5　抗利尿ホルモン不適切分泌症候群（SIADH）の原因と期間

SIADH の原因	SIADH の期間	慢性 SIADH となるリスク
ADH 産生腫瘍 　（小細胞肺癌，頭頸部癌）	不明	High
原因薬剤（カルバマゼピン，SSRI）の連用	薬剤治療期間	
脳腫瘍	不明	
特発性（高齢者）	不明	
くも膜下出血	1〜2 週間	
脳梗塞	1〜2 週間	
頭蓋内炎症	治療経過によって	Medium
呼吸不全（COPD）	治療経過によって	
HIV 感染	治療経過によって	
頭部外傷	2〜7 日間 または不明	
薬剤性	薬剤治療期間	
肺炎	2〜5 日間	
嘔吐，痛み，運動	原因によって	
術後低ナトリウム血症	術後 2〜3 日間	Low

ADH：抗利尿ホルモン，SSRI：選択的セロトニン再取り込み阻害薬，COPD：慢性閉塞性肺疾患，HIV：ヒト免疫不全ウイルス
〔Verbalis JG, et al.：Diagnosis, evaluation, and treatment of hyponatremia：expert panel recommendations. Am J Med 2013；126（10 Suppl 1）：S1-S42[10]）より一部改変〕

表 1-6　補正の目標と上限

	欧州ガイドライン	米国ガイドライン	
		ODS 通常リスク	ODS ハイリスク
目標（24 時間）	5 mEq/L	4〜8 mEq/L	4〜6 mEq/L
上限（24 時間）	10 mEq/L	10〜12 mEq/L	8 mEq/L
上限（48 時間）	18 mEq/L	18 mEq/L	16 mEq/L

ODS：浸透圧脱髄症候群
〔Spasovski G, et al.：Clinical practice guideline on diagnosis and treatment of hyponatraemia. Eur J Endocrinol 2014；170：G1-G47[12]／Verbalis JG, et al.：Diagnosis, evaluation, and treatment of hyponatremia：expert panel recommendations. Am J Med 2013；126（10 Suppl 1）：S1-S42[10]〕

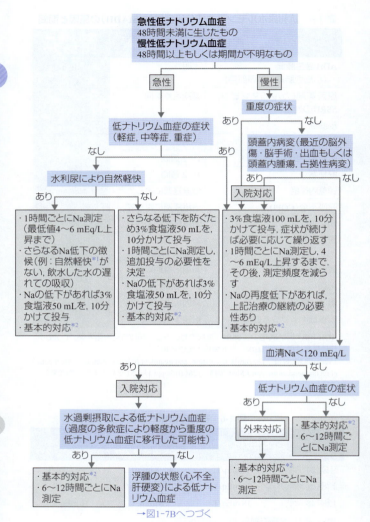

図 1-7A　低ナトリウム血症と治療方針

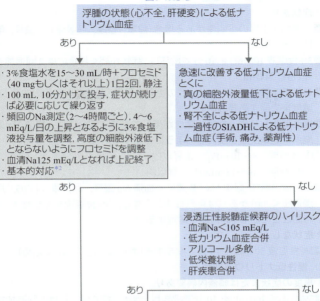

図 1-7B　つづき

*[1] 自然軽快：治療介入なしで血清 Na が改善すること．血清 Na が上昇する徴候は，希釈尿の増加（尿中 Na＋K 濃度＜血清 Na 濃度）である．

*[2] 基本的対応：①低ナトリウム血症の原因診断とその治療，②低ナトリウム血症となる原因薬剤の同定，③薬剤を変更・中止しても問題ない場合には，原因薬剤の中止や代替薬への変更を行う，④自由水の摂取制限（飲水制限，低張輸液の中止，塩分摂取），⑤SIADH や慢性低ナトリウム血症の治療．ループ利尿薬，塩化ナトリウム内服，尿素の内服（日本未認可）のため高たんぱく質食などで対応．

*[3] デスモプレシン：血清 Na 濃度を低下させる薬剤であり，使用にあたっては注意が必要である．わが国では点鼻薬と静注薬があるが，点鼻薬の保険適用は中枢性尿崩症であり，静注薬は血友病の止血管理となっている．バソプレシン（ピトレシン®）注射薬は皮下投与も可能である．V_1受容体を介した血管収縮作用もある．

〔Sterns RH：Treatment of hypernatremia in adults. UpToDate. Waltham, MA：UpToDate Inc. https://www.uptodate.com（2023 年 6 月閲覧）[13]）をもとに著者作成〕

1）急性低ナトリウム血症

①症状あり

▶ 頭蓋内圧上昇の可能性がある場合（痙攣，昏睡，呼吸停止，頭痛，嘔吐など）．

▶ 3%食塩液 100 mL を 10 分で投与し，症状が続く場合には 2 回追加する（合計 300 mL）．

▶ 最初の 1 時間で 4〜6 mEq/L の上昇を目標[8]とする．事前の血清 Na 濃度まで戻す必要はない．

▶ 慢性低ナトリウム血症の懸念が少しでもある場合には，血清 Na 濃度が下記の上限を超えないように注意する．
　①24 時間：8〜10 mEq/L 上昇以内．
　②48 時間：16〜18 mEq/L 上昇以内．

▶ 希釈尿の増加（尿中 Na＋K 濃度＜血清 Na 濃度，尿比重＜1.005，尿浸透圧＜200）があれば自然軽快とみなし，3%食塩液を投与せず，1 時間ごとに血清 Na 濃度を測定する．

②症状なし

▶ 3%食塩液 50 mL を 10 分で投与する（さらなる低下を防ぐため）．

2）慢性低ナトリウム血症

①重度の症状または頭蓋内病変あり

▶ 3%食塩液 100 mL を 10 分で投与し，症状が続く場合には 2 回追加する（合計 300 mL）．

②症状なし〜中等度の症状，または頭蓋内病変なし

▶ 症状なし〜中等度の症状を呈する重度低ナトリウム血症（血清 Na＜120 mEq/L）では，3%食塩液を 15〜30 mL/時で投与する．

Side memo

SIADH と SIAD—AVP が上昇していないのに SIADH!?

　SIADH では，低ナトリウム血症にもかかわらず AVP が抑制されない．浸透圧刺激以外のさまざまな原因によって，AVP が血漿浸透圧に対して相対的に過剰分泌され，それに基づく抗利尿効果により体内水分量が増加し，希釈性低ナトリウム血症を呈する疾患である．血漿 AVP 濃度の上昇があれば SIADH の臨床診断を確証できるが，診断必須項目ではない．そのため，SIADH よりも SIAD（syndrome of inappropriate antidiuresis）の呼び方も提唱されている[3]．その理由として，ほとんどの SIAD 患者の AVP は正常範囲（2〜10 pg/mL；相対的上昇）であり，10〜20%で測定感度以下となるためである．

表 1-7　飲水制限のめやす

（尿 Na 濃度＋尿 K 濃度）÷血清 Na 濃度	飲水制限量
0.5 未満	1 L/日の制限
0.5〜1.0	500 mL/日の制限
1.0 超	飲水制限に加え高食塩食，高たんぱく質食，利尿薬の併用もしくは高張食塩水投与を検討

処方例

■3%食塩液の調製方法を①〜④に示す（1 mL/kg 投与すると血清 Na が約 1 mEq/L 上昇）.

①生理食塩液 500 mL から 120 mL 抜き，10% NaCl を 120 mL 加える（3.1%）.

②生理食塩液 500 mL から 100 mL 抜き，10% NaCl を 100 mL 加える（2.7%）.

③生理食塩液 100 mL から 20 mL 抜き，10% NaCl を 20 mL 加える（2.7%）.

④5%ブドウ糖 100 mL から 30 mL 抜き，10% NaCl を 30 mL 加える（3.0%）.

✒3%食塩液は Na 負荷が多い（500 mL 中 Na 255 mEq，NaCl 15 g）ため，心不全に注意する.

▶血清 Na 120〜129 mEq/L の低ナトリウム血症では，図 1-7[13] に示す基本的対応を行う.

▶飲水制限のめやすを表 1-7 に示す.

c 高ナトリウム血症

▶血清 Na 濃度＞145 mEq/L.

▶高ナトリウム血症は院内・院外発症にかかわらず，死亡率の上昇と関連している.

▶通常，口渇により水分摂取量が増加し，AVP が分泌され，尿が最大限濃縮されて血清 Na 濃度が低下する.

▶高ナトリウム血症ではほとんどの場合，失われる水（嘔吐，下痢，尿などから）が補われていないことが原因であり，十分な水分摂取ができない状況（高齢者，意識障害，ICU など挿管管理されている）で高ナトリウム血症となりうる.

表 1-8　高ナトリウム血症の原因

機序	原因
補充されない自由水の喪失（口渇の障害もしくは飲水できない状況が必要）	・不感蒸泄・発汗 ・消化管からの喪失 ・中枢性・腎性尿崩症（尿浸透圧 300 mOsm/kg 以下で疑う．300〜600 mOsm/kg でも部分的尿崩症の場合あり） ・浸透圧利尿 　　ブドウ糖：コントロール不良の糖尿病 　　尿素：高蛋白経管栄養，急性腎障害（高窒素血症）の 　　　　　回復期 　　マンニトール，グリセオールなどの投与 ・視床下部病変による口渇の障害・浸透圧調整機能の障害 ・寡飲症 ・ミネラルコルチコイド過剰における reset osmostat
細胞内への水の移動	・痙攣 ・激しい運動
Na 過剰投与	・Na 過剰摂取，高張ナトリウム輸液（高張食塩液・高張重炭酸液）の投与 ・集中治療室における Na プラスバランス

〔Sterns RH：Etiology and evaluation of hypernatremia in adults. UpToDate. Waltham, MA：UpToDate Inc. http://www.uptodate.com（2023 年 6 月閲覧）[14]を一部改変〕

▶高齢者や精神疾患患者では，高ナトリウム血症がかなり高度になるまで無症状であることも多い．

1. 臨床症状・分類

▶高ナトリウム血症は「細胞脱水」の状態である．「細胞脱水」の影響を受けやすいのは脳細胞である．

▶血清 Na 濃度の程度よりも，上昇速度によって重篤な症状が出現しやすい．症状は，倦怠感や無気力，興奮状態などに始まり，痙攣や昏睡に至る．

▶高ナトリウム血症は水と塩分の不足が組み合わさって生じることが多いが，水の不足がより大きい．塩分が過剰の高ナトリウム血症もある．

▶高ナトリウム血症の原因を表 1-8[14]に示す．

▶ICU での輸液・利尿薬・副腎皮質ステロイド使用などによる高ナトリウム血症も増加している．

2. 診断

▶病歴の聴取（意識障害，飲水行動の制限，胃管などのドレナージの有無，尿崩症の既往歴の有無など），意識障害の評価，血糖，BUN，

表 1-9　成人における高ナトリウム血症への対応

	急性	慢性
目標	・自由水欠乏量を 2 時間で補充	・24 時間で 10mEq/L の低下
最初の輸液	・5%ブドウ糖液 3〜6 mL/kg/時 ・持続喪失している自由水があれば追加	・5%ブドウ糖液 1.35 mL/kg/時（最大 150 mL/時） ・持続喪失している自由水があれば追加
血清Na測定	・輸液開始後1〜3時間ごとに測定 ・血清 Na＜145 mEq/L の場合は輸液速度を 1 mL/kg/時へ減速 ・血清 Na 濃度が 140 mEq/L になるまで 2〜4 時間ごとに測定 ・目標より補正速度が遅い，または早い場合は輸液速度を修正 ・高血糖が生じた場合は輸液速度を下げるなどの調整が必要	・輸液開始ののち，6 時間ごとに測定 ・目標の低下速度を達成した場合は，12〜24 時間ごとに測定 ・目標の低下速度を達成できない場合は輸液速度を修正し，4〜6 時間ごとに測定
	細胞外液量低下で Na 補充を行った場合や，低カリウム血症で K 補充を行った場合は自由水の量として考える 【例】5%ブドウ糖液 100 mL/時を投与する必要がある場合， ①1 号液 250 mL/時で投与する（自由水は 4/10 なので 2.5 倍），②3 号液 170 mL/時で投与する（自由水は 6/10 なので 1.7 倍）	

〔Sterns RH：Treatment of hypernatremia in adults. UpToDate. Waltham, MA：UpToDate Inc. https://www.uptodate.com（2023 年 6 月閲覧）[13]をもとに著者作成〕

Cr，K，Ca，尿量，尿中 Na・K 濃度，血漿浸透圧，尿浸透圧，細胞外液量の評価をもとに診断する．

3. 緊急時の対処法（表 1-9，図 1-8）[13]

▶治療方針として，①水欠乏量の推定，②慢性か急性かの判断，③進行中の自由水喪失（尿など）を算出，④自由水補充投与の計画，⑤細胞外液量低下や K 欠乏の対応，がある（細胞外液量低下によってバイタルサインが不安定な場合は，その治療を優先して行う）．

▶高ナトリウム血症の治療がうまくいかないときは，「補正に必要な自由水」＜「補充される自由水」となっていないことが多い．理由として，尿中からの自由水を考慮していない，輸液の K を入れた自由水として計算していないなどが考えられる．

▶5%ブドウ糖液は自由水として考えるが，尿糖が多量に排泄される病態，たとえば Na^+/グルコース共役輸送担体 2（SGLT2）阻害薬内服中は注意が必要である．補液により尿自由水排泄が増加するため，尿自由水排泄を尿生化学でつねに評価することが重要である．

▶Naの補正速度は通常，0.5 mEq/L/時あるいは10〜12 mEq/L/日をめやすに行う．

▶痙攣をきたしたり，挿管が必要な重症の高ナトリウム血症の場合は，1〜2 mEq/L/時で補正を開始し，10〜20 mEq/L/日を超えないように輸液量を調整する．

▶補正速度の計算方法には，(A)簡易式を用いた補正と，(B)自由水計算による補正，がある．

▶(A)簡易式を用いた補正の方法は，図 1-8[13)]を参照いただきたい．

▶(B)自由水計算による補正は，以下の5つのステップで行う（図1-9）[15)]．

自由水計算による補正

①水欠乏量 $= \dfrac{TBW \times 血清\,Na - 140}{140}$

TBW（体内総水分量）：［男性］体重×0.6，［女性］体重×0.5

補正日数 $= \dfrac{血清\,Na - 目標\,Na}{10^{*1}}$

*1 慢性のとき：10 mEq/日．

②不感蒸散
　［男性］15〜20 mL/kg，［女性］10〜15 mL/kg

③尿自由水排泄 $=$ 尿量 $\times \dfrac{(血清\,Na - 尿\,Na - 尿\,K)^{*2}}{血清\,Na}$

*2 ドレナージ，下痢も同様に計算（大量の場合）．

④輸液自由水計算 $^{*3*4} =$ 輸液量 $\times \dfrac{血清\,Na - 輸液\,Na - 輸液\,K}{血清\,Na}$

*3 生理食塩液 1 L＝自由水 0 L，5%ブドウ糖＝自由水 1 L．

*4 輸液中に K が含まれる場合や，補正以上の水喪失がある場合は補正が困難になるため，輸液の K 濃度や尿の自由水を計算して輸液を調整する必要がある．

⑤必要自由水＝①＋②＋③と同じになるように，輸液自由水（④）を投与する．

発症様式（急性か慢性か）に応じて，補正速度を(a)(b)で調整する．

(a) 急性高ナトリウム血症（重症）［48 時間未満］：1〜2 mEq/L/時で補正を開始し，10〜12 mEq/L/日を超えない．

(b) 慢性高ナトリウム血症［48 時間以上持続している場合］：0.5 mEq/L/時あるいは 10〜12 mEq/L/日．

▶治療は，経口（経管）摂取が可能な場合は飲水で，経口摂取が困難な場合は輸液にて行う．

評価・診断
・病歴で原因が明らか
　【例】高齢者かつ意識障害などで飲水に制限がある
　　　　胃管からの排出
　　　　尿崩症かつ自由飲水ができない
・原因が不明
　尿浸透圧<600 mOsm/kgの場合，尿崩症を疑う

喪失が続いている自由水の計算・推測
・自由水喪失が持続していると，欠乏量のみでは高ナトリウム血症の補正がうまくいかない（例：嘔吐，胃液排出，下痢，腎性喪失など）
・持続喪失しているNaとKの濃度および量から，喪失中の自由水量を計算・推定する

・尿からの自由水喪失量 = 尿量 × $\left\{ 1 - \dfrac{(尿Na + 尿K)}{血清Na} \right\}$

・便や胃液からの喪失量計算は実践的ではないので，予測した血清Na補正がうまくいかない場合に加える

重度の高血糖治療中に生じた高ナトリウム血症か
（糖尿病性ケトアシドーシス，高浸透圧高血糖状態）

はい　　　　　　　　　　　　　いいえ

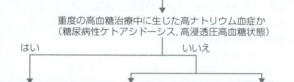

専門医へ相談

急性高ナトリウム血症
・48時間未満の急性高ナトリウム血症はまれである
【例】尿崩症で自由水が摂取できないとき*
　　　塩分中毒
　　　高濃度重炭酸輸液，など

慢性高ナトリウム血症
・ほとんどの高ナトリウム血症は48時間以上持続する慢性高ナトリウム血症である
・意識変容が急性に生じたことにより高ナトリウム血症と診断されたものも含む

図 1-8　成人における高ナトリウム血症

*尿崩症では十分な飲水がされていれば，高ナトリウム血症になることは通常ない．しかし，飲水できない状況（急性疾患や手術で飲水ができないなど）では，高ナトリウム血症となる．

〔Sterns RH：Treatment of hypernatremia in adults. UpToDate. Waltham, MA：UpToDate Inc. https://www.uptodate.com（2023年6月閲覧）[13]）をもとに著者作成〕

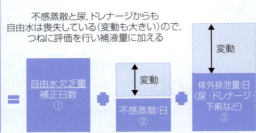

図 1-9 高ナトリウム血症補正のステップ
〔志水英明：高ナトリウム血症．志水英明（編）：輸液グリーンノート，中外医学社，2021：45-50[15]〕

処方例

60歳女性，体重40 kg，血清 Na 175 mEq/L，尿 Na 22 mEq/L，尿 K 27.5 mEq/L，尿量 2.7 L/日，慢性高ナトリウム血症．

(A) 自由水計算による補正（図 1-10）[15]

①水欠乏量＝40 kg×0.5×(175−140)/140＝5 L
　慢性高ナトリウム血症では1日 10 mEq/L を目標
　175−140＝35 mEq，35/10＝3.5日で補正，
　5 L/3.5日＝1.43 L/日

②持続喪失している自由水
　・尿の水排泄＝2.7×{(175−49.5)/175}＝1.94 L/日[*1]
　[*1]尿量が変動する場合には，その都度見直しを行う．
　・不感蒸散＝10×40＝0.4 L/日

③輸液自由水　5%ブドウ糖　1 mL＝自由水1 mL
　1日必要量＝1.43＋1.94＋0.4＝3.77 L/日
　5%ブドウ糖液 157 mL/時で投与

(B) 簡易式を用いた補正

①水欠乏量＝40 kg×1.35 mL＝54 mL/時間
　慢性高ナトリウム血症では1日 10 mEq/L を目標

②持続喪失している自由水
　・尿の水排泄＝2.7×{(175−49.5)/175}＝1.94 L/日
　　1.94 L＝80 mL/時間[*2]
　[*2]時間尿での予測も可能．
　・不感蒸散＝10×40＝0.4 L/日（17 mL/時間）

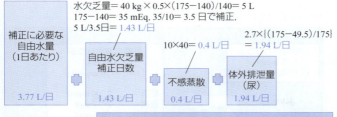

図 1-10 慢性高ナトリウム血症補正例

60 歳女性,体重 40 kg,Na 175 mEq/L(発症時期不明),尿 Na 22 mEq/L,尿 K 27.5 mEq/L,尿量 2.7 L/日
〔志水英明:高ナトリウム血症.志水英明(編):輸液グリーンノート,中外医学社,2021:45-50[15]〕

③投与速度=54+80+17=151 mL/時間=3.6 L/日
5%ブドウ糖液 150 mL/時で投与

2 カリウム代謝異常

a K 濃度の規定因子

- 原子量:39,KCl 74.6(13.4 mEq/g).
- 体内に約 3,600 mmol,うち細胞内に約 3,500 mmol(98%),おもに骨格筋,細胞外に 70 mmol(2%)(図 1-11).
- 食物 K の 90〜95%が腎臓で排泄され,残りの 5〜10%は腸から排泄される.
- 血漿 K は自由に濾過され,近位尿細管と Henle ループで再吸収されて,遠位尿細管と集合管での K が尿細管腔に分泌される.
- 尿細管での K 分泌を増加させる 5 つの因子として,①アルドステロン,②遠位への Na^+ 流量,③尿流量,④尿細管細胞の K^+ 濃度,⑤代謝性アルカローシス,がある(表 1-10)[16].
- 体内の K の 98%は細胞内に存在するため,細胞内シフトによる K の移動も K 代謝異常の重症な因子となる(表 1-11)[17].
- K 代謝異常では心電図変化や不整脈が重要な所見であり,低カリウ

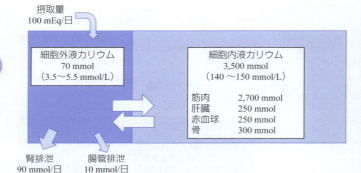

図 1-11 カリウムの分布

表 1-10 尿中カリウム排泄を増加させる生理学的因子

生理学的因子	機序	影響を与える病態	影響を与える薬剤
アルドステロン	集合管におけるNa^+/K^+-ATPase活性の増加	糖尿病性腎症 間質性腎炎 原発性アルドステロン症 二次性高アルドステロン症	NSAIDs ACE阻害薬 ARBs ヘパリン スピロノラクトン
遠位へのNa^+流量	電気化学勾配増加	コントロール不良の糖尿病	ループ利尿薬 サイアザイド系利尿薬
遠位への尿流量	濃度勾配増加	コントロール不良の糖尿病	ループ利尿薬 サイアザイド系利尿薬
尿細管細胞K^+濃度（血中のK濃度）	濃度勾配増加	高カリウム血症	―
代謝性アルカローシス	近位のNa^+再吸収減少	原発性アルドステロン症	ループ利尿薬 サイアザイド系利尿薬

NSAIDs：非ステロイド性抗炎症薬，ACE：アンジオテンシン変換酵素，ARBs：アンジオテンシン受容体拮抗薬

〔Flood RP, et al.：Disorders of Calcium, Phosphorus, and Magnesium Homeostasis. In：Gilbert SF, et al(eds), National Kidney Foundation Primer on Kidney Disease, 8th ed, Elsevier, 2023：109-122[16]より引用改変〕

ム血症でも高カリウム血症でも、心電図変化は重要な検査所見である（図 1-12）[16]．

▶最近では、K排泄の概日リズム（食事摂取に合わせて夜間や早朝に

表 1-11 細胞内シフトによるカリウム代謝異常を起こす要因

	要因
低カリウム血症	・アルカローシス（効果はわずか） ・インスリン投与 ・β_2アドレナリン刺激 ・同化（例：悪性貧血の治療） ・低カリウム血症性周期性麻痺 ・薬物/毒素/ハーブ（例：バリウムおよびクロロキン中毒、セシウム塩）
高カリウム血症	・代謝性アシドーシス（無機性アシドーシス、有機性アシドーシスでは軽度） ・α-アドレナリン刺激 ・緊張亢進（例：高血糖、マンニトール、スクロース） ・組織損傷（例：横紋筋融解症、溶血、腫瘍溶解） ・高カリウム血症性周期性麻痺 ・薬物/毒素/ハーブ（例：ジゴキシンの過剰摂取、ε-アミノカプロン酸、サクシニルコリン）

〔Palmer BF, et al.：Physiology and Pathophysiology of Potassium Homeostasis：Core Curriculum 2019. Am J Kidney Dis 2019；74：682-695[17]より一部改変〕

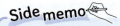

覚えておきたい低カリウム血症の治療のポイント

1. 必ずモニタリングする．
2. 治療の初期には、ブドウ糖を含む輸液使用やアシドーシス補正のため、炭酸水素ナトリウム投与は控える．
3. 濃度：末梢静脈≦40 mEq/L（これ以上で血管痛）．
   中心静脈≦100 mEq/L（ICUでの使用．これ以上の場合は大腿静脈から）＊．
   速度：≦20 mEq/時．
4. るい痩では過補正に注意する．
5. カリウムの経口投与が基本だが、胃腸粘膜障害に注意する．投与方法としては、大量の水で服用し、就寝前の服用は避ける．徐放錠よりは液体や散剤のほうが低リスクである．

＊高濃度のK補正は各施設のルールを確認すること．

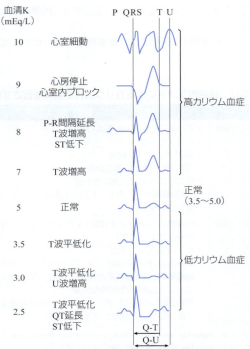

図 1-12 K異常による心電図変化

高カリウム血症ではST変化の伴わない高度徐脈＋P波消失を呈する場合もある．
〔Flood RP, et al.：Disorders of Calcium, Phosphorus, and Magnesium Homeostasis. In：Gilbert SF, et al(eds), National Kidney Foundation Primer on Kidney Disease, 8th ed, Elsevier, 2023：109-122[16]〕

排泄低下し午後に増加する)や，腸管でのKの感知により腎臓からのK排泄が増加する機序も知られている．

b 低カリウム血症

- 血清K濃度＜3.5 mEq/L．
- 低カリウム血症は，外来では14%，入院では2.6〜23.2%と比較的頻度が高い．利尿薬使用例では7.2〜56%と幅広い．
- 臨床的には，下痢，嘔吐を呈する患者や，利尿薬投与中，入院患者で低カリウム血症を認めることが多い．

表 1-12　カリウム濃度による重症度分類

重症度分類	血清 K 濃度（mEq/L）
軽度	3.0〜3.4
中程度	2.5〜2.9
重度	＜2.5

表 1-13　低カリウム血症による症状

	症状
腎臓	・横紋筋融解症 ・低カリウム血症性腎疾患（尿細管性間質性腎炎，腎性尿崩症）
神経	・下肢筋クランプ ・脱力感および麻痺 ・上行性麻痺
消化器	・便秘 ・腸麻痺
呼吸器	・呼吸不全
心臓・血管	・心電図の変化（U 波，T 波平坦化，ST セグメント変化） ・不整脈 ・心不全

〔Kardalas E, et al.：Hypokalemia：a clinical update. Endocr Connect 2018：7：R135-R146[18]より一部改変〕

1. 臨床症状

▶ K 濃度による低カリウム血症の重症度分類を表 1-12 に示す.

▶ 一般的に，血清 K 濃度が 3.0 mEq/L 未満になるまで症状は現れない.

▶ 血清 K 濃度が 2.5 mEq/L 以下になると，生命を脅かす可能性がある.

▶ 疲労感，筋肉痛，脱力，便秘がみられ，重度になると低換気，横紋筋融解などを呈する（表 1-13）[18].

▶ 重度の低カリウム血症では，筋クランプ，横紋筋融解をきたし，横紋筋融解による筋肉からの K 放出が低カリウム血症の重症度を隠すことがある.

▶ 冠動脈疾患，ジギタリス製剤内服，Mg 欠乏は，低カリウム血症による不整脈を促進する.

2. 診断・評価

▶ K 欠乏と低カリウム血症を鑑別することが重要である．K 欠乏は持続的な K のマイナスバランスであり，低カリウム血症は血中濃度が低いことである．実臨床では K 欠乏による低カリウム血症が多い

表 1-14　低カリウム血症における K 欠乏の程度*

血清［K^+］ (mEq/L)	K^+欠乏	
	mEq	体内総 K 量に対する割合(%)
3.0	175	5
2.5	350	10
2.0	470	15
1.5	700	20
1.0	875	25

*体重 70 kg の成人の欠乏量を体内総 K 量を 50 mEq/kg として見積もった.
周期性四肢麻痺, 糖尿病性ケトアシドーシス, 高血糖ではあてにならない.
〔Marino PL：カリウム. 稲田英一（監訳）：ICU ブック, 第 4 版, メディカ
ル・サイエンス・インターナショナル, 2015：862[19]より一部改変〕

表 1-15　カリウム欠乏と低カリウム血症の違いの事例

病態	血清 K	体内 K 欠乏	機序	注意点
周期性四肢麻痺	低下	なし	細胞内から細胞外へ K がシフトすることによる低カリウム血症	リバウンドによる高カリウム血症
糖尿病性ケトアシドーシス	上昇 （正常・低下のときは欠乏量が高度のため, さらに注意）	あり	ケトン体尿排泄に伴う K 排泄(K 欠乏)＋高血糖とインスリン欠乏で, 細胞内から細胞外へ K がシフトすることによる高カリウム血症	治療開始時に高カリウム血症でも, ケトアシドーシス治療に伴い低カリウム血症をきたす*

*治療を開始すると K 欠乏が顕在化し, 低カリウム血症となるため注意が必要.
〔志水英明：身近にある薬剤の電解質異常―低カリウム血症が高ナトリウム血症にか
わる! Medicina 2017；54：1714-1718[20]より一部改変〕

が, K 欠乏≠低カリウム血症の場合もあるため, つねに鑑別をすることが重要になる.

▶体内の K のほとんどは細胞内にあるため, 血清 K 濃度が低下している場合はかなりの欠乏があると考える(表 1-14)[19].

▶血清 K 濃度から欠乏量を推測できない病態として, 周期性四肢麻痺と糖尿病性ケトアシドーシス(DKA)の 2 つがある(表 1-15)[20].

▶甲状腺中毒性周期性四肢麻痺(男性に多い)は, K が細胞内へ移動す

図 1-13　低カリウム血症の酸塩基平衡による鑑別

血液ガス測定を行わなくても，Na-Clを用いてある程度，推測が可能である．
〔志水英明：日常診療で役立つNa-Clを用いた酸塩基平衡異常の鑑別と注意点．日内会誌 2022；111：957-964[21]より引用〕

ることによる低カリウム血症のため，Kは欠乏しておらず，発作が治まるともとに戻る．

▶ DKAでは，インスリン不足により細胞内からKが移動しており，体内総Kが欠乏していても高カリウム血症のことが多い．

▶ 低カリウム血症の鑑別では，簡易的に酸・塩基平衡からのアプローチも有用である（図 1-13）[21]．

▶ 酸・塩基平衡異常のない低カリウム血症は細胞シフトによる可能性を考え，K補充や採血の頻度などを検討する．細胞シフトによる低カリウム血症をきたす周期性四肢麻痺では，低カリウム血症の治療のリバウンドによる高カリウム血症の頻度が40〜60%と高い[16]ため，鑑別が重要となる．

▶ 低カリウム血症の診断に必要な検査：心電図，血圧，電解質（Mg，Ca，Na，K，Cl，BUN，Cr），CBC，甲状腺ホルモン，レニン・アルドステロン，コルチゾール，血糖，血液ガス，尿検査（尿pH，尿浸透圧），血漿浸透圧，尿電解質（Na，K，Cl，Cr，UN，Ca，Mg）．

3. 治療（図 1-14）[22,23]

1）治療方針

▶ 低カリウム血症の治療の原則は，①緊急性の確認（不整脈，呼吸筋麻痺，麻痺の有無など），②欠乏しているKの補充（経口投与），③原

1 水・電解質異常とその治療

2 カリウム代謝異常

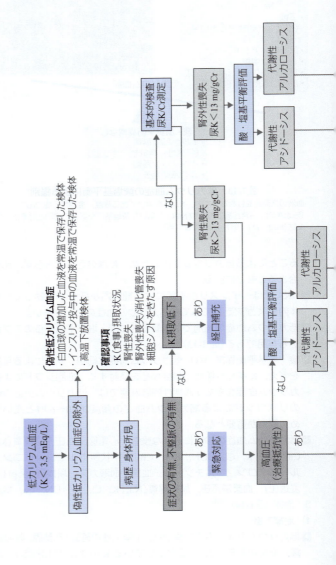

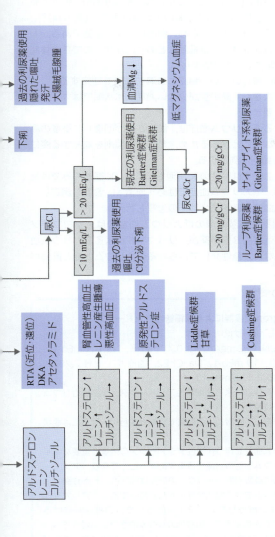

図 1-14 **低カリウム血症の診断と治療**

RTA：尿細管性アシドーシス，DKA：糖尿病性ケトアシドーシス

[Kardalas E, et al.：Hypokalemia：a clinical update. Endocr Connect 2018；7：R135-R146[22]/Gennari FJ：Hypokalemia. N Engl J Med 1998；339：451-458[23]]

因疾患の治療，である.

▶ 体内の総 K が 100 mEq 減少するごとに，血清 K は 0.3 mEq 低下するが，低カリウムの程度によっては，K の欠乏量は大きい（表 1-14）[19].ただし欠乏量は個人差が大きいため，頻回の測定が重要である.

▶ 重症の低カリウム血症は，心室細動などの対応がすぐにできる体制（ICU）などで管理することが望ましい.

▶ 治療効果の予測は難しいため，頻回に血清 K 濃度を測定する.

▶ 予測は個人差が大きく，筋肉量が少ない消耗疾患状態では大きく外れるので注意を要する.

▶ 細胞シフトによる低カリウム血症は，急激に K が回復して重度の高カリウム血症となることがあるため，大量の K 製剤を補充する際には血清 K 濃度を頻回に測定する.

▶ 低マグネシウム血症では腎性の K 排泄も起こり，K 補充のみでは治療抵抗性となる. 低カリウム血症では必ず血清 Mg 濃度を測定し，低マグネシウム血症がある場合はその治療も行う.

▶ 甲状腺中毒性周期性四肢麻痺の低カリウム血症では，プロプラノロールなどの非選択的 β 遮断薬が，リバウンドによる高カリウム血症をきたすことなく，急性発作でみられる低カリウム血症と麻痺に

Side memo

Sjögren 症候群による尿細管性アシドーシス

40 歳代女性，両下肢脱力のため来院.

検査結果は，BUN 19.2 mg/dL，Cr 0.77 mg/dL，Na 141 mEq/L，K 1.4 mEq/L，Cl 119 mEq/L，Na-Cl 22，血液ガス：pH 7.292，PCO_2 26.8，HCO_3^- 12.6 mmol/L.

■ 診断：Sjögren 症候群による尿細管性アシドーシス，重度低カリウム血症による両下肢脱力.

■ 治療：集中治療室にて内服と中心静脈で K 補充を行い，翌日には症状改善した.

■ 解説：低カリウム血症を伴う代謝性アシドーシスの治療で重要なポイントは，低カリウム血症の治療を最優先にすることである. アシドーシス補正のための炭酸水素ナトリウムの補充は細胞内へ K が移動し，さらなる低カリウム血症の悪化をきたすため危険である. アルカリとなるアスパラギン酸カリウム・クエン酸カリウムの投与も避ける（表 1-16）[24]. 本症例のように，重度低カリウム血症でない場合でも，軽症と判断を誤り 3 号輸液（K 20 mEq/L）で治療し，低カリウム血症が悪化して不整脈による急変がないようにされたい.

対して有効である[12].

2) 低カリウム血症治療の注意点

▶低カリウム血症の治療は原則として K 製剤の経口投与が望ましいが，重症の場合は静脈投与を行う（表 1-16）[24].

▶静脈投与では，投与速度，投与濃度に注意すべきである．まず血清K 濃度を 3.0〜3.5 mEq/L が持続する状態まで改善させ，その後，数日〜数週かけて緩徐に補正する．重篤な症状を伴う不整脈が出現しているとき以外は 20 mEq/時以下とし，10 mEq/時以上のときは心電図モニターを装着する（表 1-17）[24].

表 1-16　カリウム製剤の種類

	成分名	商品名	K^+
経口薬	塩化カリウム	K. C. L®.エリキシル（10 W/V ％）	1.34 mEq/mL
		スローケー® 徐放剤 600 mg	8 mEq
		塩化カリウム「フソー」「日医工」	13.4 mEq/g
		塩化カリウム徐放錠 600 mg「St」	8 mEq
	L-アスパラギン酸カリウム	アスパラカリウム錠 300 mg アスパラカリウム散 50%	1.8 mEq 2.9 mEq/g
	グルコン酸カリウム	グルコンサン K 錠 2.5 mEq・5 mEq グルコンサン K 細粒 4 mEq/g	2.5 mEq・5 mEq 4 mEq/g
静注薬	塩化カリウム（メーカーによりKの総量や濃度が異なるので注意）	KCL 補正液 1 mEq/mL KCL 補正液キット 20 mEq	注：20 mEq/20 mL/A キット：20 mEq/50 mL/キット
		KCL 注 10 mEq キット「テルモ」 KCL 注 20 mEq キット「テルモ」	10 mEq/10 mL/キット 20 mEq/20 mL/キット
		K. C. L®. 点滴液 15%	40 mEq/20 mL/A
	L-アスパラギン酸カリウム	アスパラカリウム注 10 mEq	1.712 mg 10 mEq/10 mL/A
		アスパラギン酸カリウム注 10 mEq キット「テルモ」	1.712 mg 10 mEq/10 mL/キット
		L-アスパラギン酸カリウム点滴静注液 10 mEq「日新」	1.712 mg 10 mEq/10 mL/A
	リン酸二カリウム	リン酸 2 カリウム注 20 mEq キット「テルモ」	1.74 g/20 mL 20 mEq/20 mL/A

徐放錠は忍容性に優れているが，高濃度の K が局所的に蓄積することが原因と考えられる消化管での潰瘍をきたすことがある．

〔藤田芳郎：K 代謝．In：藤田芳郎，他（編），研修医のための輸液・水電解質・酸塩基平衡，中外医学社，2015：170-207[24]〕

表 1-17　低カリウム血症の治療（例）

症状	治療
不整脈や脱力などの症状なし	・KCl 10〜20 mEq 内服　6〜12 時間ごと ・治療効果判定のため，血清 K 濃度を頻回に測定する
不整脈や脱力などの症状があるが，経口投与が可能	・KCl 40 mEq 内服　3〜4 時間ごと ・血清 K 濃度を頻回に測定 ・心電図モニター
不整脈や脱力などの症状があり，経口投与が不能	末梢静脈から ・KCl 20 mEq を 500 mL の生理食塩液に混合し，1 時間以上かけて投与 ・血清 K 濃度を頻回に測定 ・心電図モニター
経口投与不能で，大量の補液に耐えられない場合	大腿静脈から ・KCl 20 mEq を 100 mL の生理食塩液に混合し，1 時間以上かけて投与 ・血清 K 濃度を頻回に測定 ・心電図モニター
致死的不整脈で緊急を要する場合	大腿静脈から ・KCl 20 mEq を 100 mL の生理食塩液に混合し，15〜30 分かけて投与 ・血清 K 濃度を頻回に測定 ・心電図モニター

高濃度の KCl 投与方法については各施設のルールが決まっているため，それに基づいて投与することが望ましい.

〔藤田芳郎：K 代謝．In：藤田芳郎，他（編），研修医のための輸液・水電解質・酸塩基平衡，中外医学社，2015：196[24]〕

▶治療の初期には，塩化カリウムを混合する輸液はブドウ糖を含まないものが望ましい．ブドウ糖は内因性インスリン分泌を刺激し，一過性の血清 K 濃度低下を引き起こすためである[25].

▶代謝性アシドーシス＋低カリウム血症では，低カリウム血症の治療を優先する.

c 高カリウム血症

▶血清 K 濃度≧5.5 mEq/L.

▶高カリウム血症は生命を脅かす不整脈や死亡につながる病態であり，慢性腎臓病（CKD），糖尿病，冠動脈疾患，心不全，レニン・アンジオテンシン・アルドステロン系（RAAS）阻害薬，非ステロイド性抗炎症薬（NSAIDs）を内服している患者でよく認められる.

表 1-18　血清 K 濃度上昇の時間による分類

	病態	対応
急性高カリウム血症	K 濃度の急激な上昇 急性の K 排泄障害・K 負荷増加 外傷, 代謝性アシドーシス, 溶血による細胞からの異常な K 放出	心臓モニタリング, 緊急治療, 透析など
慢性高カリウム血症	K 濃度の持続的な上昇 慢性の K 排泄障害・K 負荷増加	継続的な薬理学的および非薬理学的介入

表 1-19　急性高カリウム血症の重症度分類

血清 K 濃度 ECG 変化	5.0〜5.9	6.0〜6.4	6.5 以上
あり	中等度	重度	重度
なし	軽度	中等度	重度

〔Clase CM, et al.：Potassium homeostasis and management of dyskalemia in kidney diseases：conclusions from a Kidney Disease：Improving Global Outcomes（KDIGO）Controversies Conference. Kidney Int 2020；97：42-61[25]より一部改変〕

1. 臨床症状

▶筋力低下（上行性）・麻痺, 心電図変化, 不整脈, 徐脈, 低血圧などがある. 筋力低下は下肢からはじまり体幹や腕へと進展するが, 呼吸筋低下はまれである.

▶症状が非特異的であり, 臨床状況から高カリウム血症を疑うことが重要である. CKD 患者のなんとなく調子が悪い, 透析前の徐脈・低血圧では, 高カリウム血症を鑑別にあげる.

2. 分類

1）血清 K 濃度上昇の時間による分類

▶血清 K 濃度の上昇する時間ごとの分類を表 1-18 に示す.

2）血清 K 濃度と心電図変化による分類（表 1-19）[25]

▶慢性の持続的な K 上昇では, 心電図変化がみられないことがある.

Side memo

CKD 患者の高カリウム血症でよくある状況

・血圧低下（夏場の過降圧やシックデイ）.
・NSAIDs や RAS 阻害薬の追加（他の医療機関も含めて）.
・水腎症（神経因性膀胱, 高齢男性の前立腺肥大など）.

3. 原因（表 1-20）[16,24]

▶CKD や糖尿病, 冠動脈疾患や心不全患者が RAAS 阻害薬の追加・増

表 1-20 高カリウム血症の原因

	原因
偽性高カリウム血症	・溶血 ・血小板増加症 ・重度の白血球増加症 ・採血時の強い握り ・全血での冷所保存検体 ・遺伝性の赤血球膜の K 透過性亢進
腎排泄の減少	・急性または慢性腎疾患 ・アルドステロン欠乏症（例：IV型尿細管性アシドーシス, 糖尿病性腎症, 慢性間質性腎炎または閉塞性腎症） ・副腎不全（Addison 病） ・K 排泄を阻害する薬 ・遠位尿細管機能を損なう腎疾患 ・鎌状赤血球貧血 ・全身性エリテマトーデス
細胞内外の分布異常	・インスリン欠乏（とくに糖尿病患者の 8～12 時間以上の絶食） ・β遮断薬 ・代謝性アシドーシスまたは呼吸性アシドーシス ・家族性高カリウム血症性周期性麻痺
細胞からの K 放出	・横紋筋融解症（外傷, ウイルス, アルコール, 薬剤など） ・腫瘍崩壊症候群（リンパ腫, 化学療法）

〔Flood RP, et al.：Disorders of Calcium, Phosphorus, and Magnesium Homeostasis. In：Gilbert SF, et al（eds）, National Kidney Foundation Primer on Kidney Disease, 8th ed, Elsevier, 2023：109-122[16]／藤田芳郎：K 代謝. In：藤田芳郎, 他（編）, 研修医のための輸液・水電解質・酸塩基平衡, 中外医学社, 2015：170-207[24]より一部改変〕

食べてないのに高カリウム血症!?
―透析患者の絶食による高カリウム血症

　長時間の絶食により血漿インスリンが低下し, 細胞内から細胞外へ K のシフトが起こる. 腎不全患者では K が排泄されないために, 高カリウム血症となる. 透析患者の外科手術時や検査前に 8～12 時間以上の絶食がある場合に生じる. ブドウ糖輸液を行うことで予防が可能となる[26]. その場合の処方例は, 10％ブドウ糖液 500 mL を 50 mL/時で投与する（糖尿病がある場合にはレギュラーインスリン 10 単位を点滴内に混注）.

表 1-21 薬剤による高カリウム血症の機序

	機序	
腎排泄の減少	レニン産生低下	・NSAID, COX-2 阻害薬, β 遮断薬, シクロスポリン
	アンジオテンシンⅡ産生低下	・ACE 阻害薬
	アルドステロン合成低下	・ARB ・ヘパリン ・タクロリムス
	集合管での Na チャネル(ENaC)阻害	・K 保持性利尿薬:トリアムテレン ・抗菌薬:トリメトプリム(ST 合剤), ペンタミジン ・ナファモスタット
	集合管での Na^+/K^+-ATPase 阻害	・シクロスポリン
	集合管でのアルドステロン受容体阻害	・スピロノラクトン ・エプレレノン
腎外のK処理阻害	β_2 アドレナリン受容体遮断	・非選択的 β 遮断薬(プロプラノロール)
	骨格筋の Na^+/K^+-ATPase 活性をブロック	・ジゴキシン過剰摂取
	インスリン放出阻害	・ソマトスタチン
障害された細胞からのK放出	・薬剤性横紋筋融解症(例:ロバスタチン, コカイン) ・薬剤性腫瘍崩壊症候群(急性白血病および高悪性度リンパ腫における化学療法薬 ・脱分極麻痺薬(例:サクシニルコリン)	
薬剤性 AKI	GFR 低下	ACE 阻害薬, ARB, NSAIDs

NSAID:非ステロイド性抗炎症薬, COX:シクロオキシゲナーゼ, AKI:急性腎障害, ACE:アンジオテンシン変換酵素, ARB:アンジオテンシンⅡ受容体拮抗薬, ST:スルファメトキサゾール・トリメトプリム

〔Flood RP, et al.:Disorders of Calcium, Phosphorus, and Magnesium Homeostasis. In:Gilbert SF, et al(eds), National Kidney Foundation Primer on Kidney Disease, 8th ed, Elsevier, 2023:109-122[16]/藤田芳郎:K 代謝. In:藤田芳郎, 他(編), 研修医のための輸液・水電解質・酸塩基平衡, 中外医学社, 2015:170-207[24]より一部改変〕

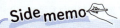

K 欠乏でも高カリウム血症

DKA では,体内の K 欠乏があっても細胞外から細胞内への K のシフトによって高カリウム血症をきたす(表 1-15, 表 1-20).DKA の治療に伴い,細胞内へのシフトと尿中 K 排泄増加により低カリウム血症となるため,血清 K 5.2 mEq/L 以下となった時点で K を補充する必要がある.

量をしたり，疼痛のために NSAIDs を内服したり，サプリメントを摂取することが原因で起こることが多く（表 1-21）[16,24]，同時に腎機能が悪化していることが多い．

4. 診断

▶緊急性の有無を確認し，鑑別を行う（表 1-22）．

▶行うべき検査：心電図，尿量，血圧，電解質（Mg，Ca，Na，K，Cl，BUN，Cr），CBC，甲状腺ホルモン，レニン・アルドステロン，コルチゾール，血糖，血液ガス，尿検査（尿 pH，尿浸透圧），血漿浸透圧，尿電解質（Na，K，Cl，Cr，UN，Ca，Mg），腎エコー（サイズ・水腎症の有無）．

表 1-22　高カリウム血症で確認すべき項目

✓ 病歴（CKD・糖尿病・心不全）
✓ 血圧
✓ 尿量
✓ 心電図
✓ 血糖
✓ 腎機能（Cr 悪化），腎形態
✓ 代謝性アシドーシスの有無
✓ 薬剤（RAS 阻害薬，NSAIDs）
✓ 食事・サプリメント

CKD：慢性腎臓病，RAS：レニン・アンジオテンシン系，NSAIDs：非ステロイド性抗炎症薬

Side memo

カリウム吸着薬

　高カリウム血症治療薬（表 1-23）[17]としてジルコニウムが日本でも 2020 年に発売され，作用時間が短いことから急性期の対応にも用いられるようになってきた．ただし，添付文書では，緊急の治療の対応には用いないとされている．実臨床では，緊急対応を行いつつ，ジルコニウムを投与しながら K の推移をみることもある（透析の適応については専門医に相談）．

　腎機能が保たれていると，食事などからの多量の K 摂取は腎臓からの K 排泄が亢進し血清 K 濃度の上昇を抑えるが，腎機能障害がある場合はカリウム吸着薬を使用しても過度な K 摂取に伴う急激な血清 K 濃度の上昇が起こりうるので，食事指導は重要である．カリウム吸着薬の薬価にも配慮し，処方選択・継続の有無を検討する必要がある（表 1-24）．とくに老人保健施設では，1 日あたりの薬剤費上限のめやすが決まっていることが多く，注意を要する．

▶鑑別や治療のために，心電図（12誘導に加えてECGモニター装着）やバイタルサインのほかに，病歴なども確認しておく．

5. 治療

▶高カリウム血症の治療において重要なのは，①緊急性の把握，②不整脈予防，③血清K濃度の低下（細胞内へ移動させる），④体外へのK排泄，⑤原因除去，である（図1-15）[17,27]．

処方例

■ 緊急時には①〜③を行い，④〜⑥は状況に応じて行う．

①グルコン酸カルシウム（カルチコール®注射液8.5％）10 mLを2〜3分かけて緩徐に静注（ジギタリス製剤使用例ではブドウ糖液100 mLに溶解し，20〜30分かけて投与する）．3〜5分以内に心電図の改善がなければ同量を再投与する．カルチコール®の効果発現までに要する時間は1〜3分，効果の持続時間は30〜60分．カルチコール®は心筋の興奮を抑制するが，血清Kは低下させない．

②50％ブドウ糖50 mL＋ヒューマリン®R 5〜10単位を5分かけて静注（低血糖に注意し要血糖測定，血糖＞300 mg/dLはインスリンのみ投与），効果発現まで10〜20分，持続時間は30〜60分（細胞内へ移動させカリウム低下）．

③5％ブドウ糖液100 mL/時で投与．

④フロセミド10 mg静注より開始（腎機能に応じて適宜増減20〜200 mg）．

⑤循環血液量低下があれば生理食塩液投与．

⑥透析の適応に関しては専門医に相談する．透析の準備には時間を要するため，早めの相談が望ましい（とくにバスキュラーアクセスがないAKI症例）．

Side memo

SGLT2阻害薬と高カリウム血症

2型糖尿病患者において，SGLT2阻害薬はジペプチジルペプチダーゼⅣ（DPP-4）阻害薬，またはグルカゴン様ペプチド-1（GLP-1）受容体作動薬と比較して，高カリウム血症のリスクを増加させないとする後ろ向きコホート研究がある[16]．SGLT2阻害薬は遠位のNaおよび水流量の増加およびレニン-アンジオテンシン系の活性化を介して，K分泌を増強する可能性がある．

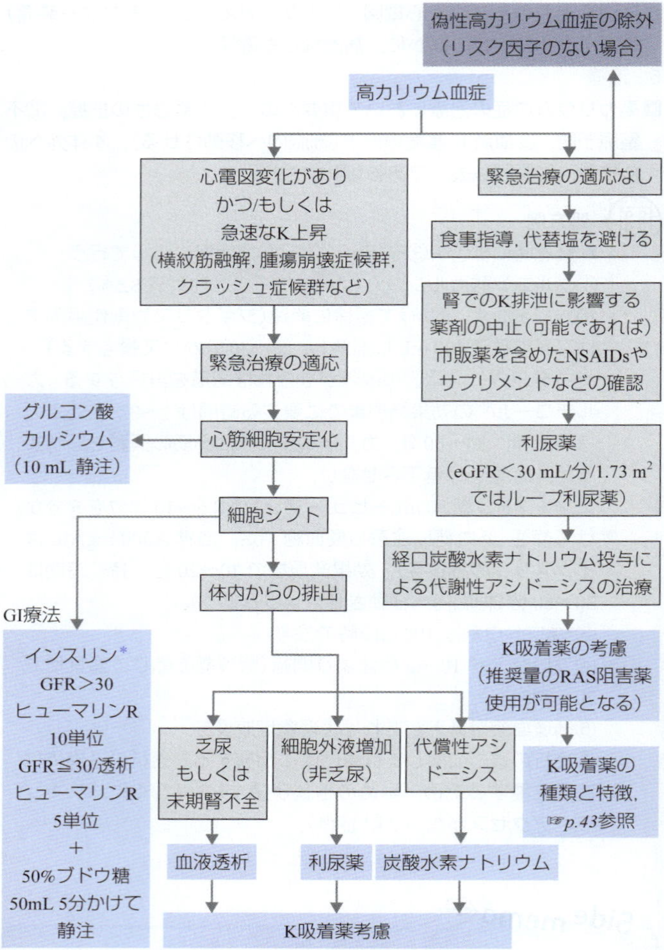

図 1-15　高カリウム血症の治療

偽性高カリウム血症の除外
（リスク因子のない場合）

高カリウム血症

心電図変化があり
かつ/もしくは
急速なK上昇
（横紋筋融解，腫瘍崩壊症候群，
クラッシュ症候群など）

緊急治療の適応なし

食事指導，代替塩を避ける

腎でのK排泄に影響する
薬剤の中止（可能であれば）
市販薬を含めたNSAIDsや
サプリメントなどの確認

緊急治療の適応

グルコン酸
カルシウム
（10 mL 静注）

心筋細胞安定化

利尿薬
（eGFR＜30 mL/分/1.73 m²
ではループ利尿薬）

細胞シフト

経口炭酸水素ナトリウム投与に
よる代謝性アシドーシスの治療

体内からの排出

K吸着薬の考慮
（推奨量のRAS阻害薬
使用が可能となる）

GI療法

インスリン*
GFR＞30
ヒューマリンR
10単位
GFR≦30/透析
ヒューマリンR
5単位
＋
50%ブドウ糖
50mL 5分かけて
静注

乏尿
もしくは
末期腎不全

細胞外液増加
（非乏尿）

代償性アシ
ドーシス

K吸着薬の
種類と特徴，
☞p.43参照

血液透析

利尿薬

炭酸水素ナトリウム

K吸着薬考慮

NSAIDs：非ステロイド性抗炎症薬，eGFR：推算糸球体濾過量，RAS：レニン・アンジオテンシン系

*G1 療法などの低血糖に注意する．腎機能に応じてインスリン量を調節し，頻回の血糖測定を行う（ Side memo 参照，☞p.45）．

〔Palmer BF, et al.：Physiology and Pathophysiology of Potassium Homeostasis：Core Curriculum 2019. Am J Kidney Dis 2019；74：682-695[17]/McNicholas BA, et al.：Treatment of Hyperkalemia With a Low-Dose Insulin Protocol Is Effective and Results in Reduced Hypoglycemia. Kidney Int Rep 2017；3：328-336[27]）をもとに作成〕

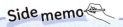

CKD における RAS 阻害薬の継続について

心機能が低下した心不全患者での RAS 阻害薬による生存率改善のエビデンスがあるが，2022 年に発表された CKD での RAS 阻害薬中止のランダム化比較試験 STOP-ACEi Trial では，RAS 阻害薬の中止は，推算糸球体濾過量(eGFR)の臨床的意義のある変化や，eGFR の長期低下率における差は認められなかった[21]．

高カリウム血症時の RAS 阻害薬については，個別の病態に応じて調整する．参考として，欧州心臓病学会(ESC)心不全管理のガイドラインと成書の調整例を表 1[29]，表 2[30]に示す．

表 1　急性・慢性心不全における慢性高カリウム血症の管理（ESC ガイドライン）

- RAAS 阻害薬治療中の慢性または再発性高カリウム血症の患者は，K 濃度 5.0 mg/dL 以上が確認され次第，カリウム吸着薬を考慮する．K 濃度を注意深くモニターし，他の治療可能な病因が特定されない限り，治療を継続する．
- ガイドラインが推奨する最大用量の RAAS 阻害薬を服用していない慢性または再発性の高カリウム血症患者は，K 濃度＞5.0 mEq/L が確認され次第，カリウム吸着薬をただちに開始する．K 濃度を注意深く監視し，他の治療可能な病因が特定されない限り，治療を継続する．RAAS 阻害薬は K 濃度＜5.0 mEq/L の場合に最適化されるべきである．
- K 濃度 4.5〜5.0 mEq/L で，ガイドラインが推奨する最大耐用量の RAAS 阻害薬治療を行っていない患者では，K 濃度を注意深く観察しながら RAAS 阻害薬を開始/漸増する．K 濃度が 5.0 mEq/L を超えた場合，承認された K 吸着薬を開始する．
- K 濃度 5.0〜6.5 mEq/L で，ガイドラインが推奨する最大耐用量の RAAS 阻害薬治療を受けていない患者には，承認された K 吸着薬を投与し，K 濃度を下げる薬剤を開始する必要がある．5.0 mEq/L 未満であれば RAAS 阻害薬を増量し，K 濃度を注意深く観察し，他の病因がない限り，カリウム吸着薬による治療を維持する．
- ガイドラインで推奨される最大またはそれに近い耐用量の RAAS 阻害薬治療で K 濃度＞6.5 mEq/L の患者には，RAAS 阻害薬治療の中止/減量が推奨される．K 濃度が 5.0 mEq/L を超えたら，すぐにカリウム吸着薬による治療を開始する．K 濃度は注意深くモニターする必要がある．

〔McDonagh TA, et al.：2021 ESC Guidelines for the diagnosis and treatment of acute and chronic heart failure. Eur Heart J 2021；42：3599-3726[29]〕

表2 アンジオテンシンⅡ受容体拮抗薬（ARB）・アンジオテンシン変換酵素（ACE）阻害薬使用時のK管理

- ・食事療法と栄養補助食品（例：塩代替品，甘草）について質問し，できれば栄養士による指導を行う．
- ・薬物療法，とくに腎臓のK排泄を妨げる可能性のある薬物療法（例：NSAID，COX-2阻害薬，MR拮抗薬）の確認，必要に応じて薬剤を中止する．
- ・必要に応じて，ループまたはサイアザイド系利尿薬を継続または開始する（例：高血圧，浮腫）．
- ・炭酸水素ナトリウムでアシドーシス補正．
- ・薬剤の1つだけ（例：ACE阻害薬，ARB，MR拮抗薬）の低用量で治療を開始する．
- ・治療開始もしくは用量変更の3～5日後（最大1週間以内）に，血清K濃度を測定する．
- ・血清Kが5.6 mmol/Lを超える場合は，ACE阻害薬，ARB，および/またはMR拮抗薬を中止し，患者に高カリウム血症の治療を行う．
- ・血清Kが5.6 mmol/L未満の場合は減量し，考えられる要因を再評価．ACE阻害薬もしくはARB，MR拮抗薬の組み合わせを使用している場合は，1つを除くすべてを中止し，血清K濃度を再確認．
- ・MR拮抗薬とACE阻害薬またはARBの併用は，CKDステージG4またはG5の患者には細心の注意を払って使用する．
- ・ACE阻害薬またはARBと組み合わせたスピロノラクトンの用量は25 mg/日以下．

NSAID：非ステロイド性抗炎症薬，COX：シクロオキシゲナーゼ，MR：ミネラルコルチコイド受容体，CKD：慢性腎臓病

〔Mount DB：Disorders of Potassium Balance. In：Yu ASL, et al.（eds）, Brenner and Rector's the Kidney, 11th ed, Elsevier, 2020：537-579[30]〕

▶非緊急時の場合は食事指導や薬剤の見直しを行い，改善がない場合はカリウム吸着薬の投与を検討する（**表1-23**，**表1-24**）[17,28]．

▶看護師・栄養士・薬剤師と協力して適切な指導を行う．また，過度な食事制限による栄養不良にも注意する．

▶食事療法のK制限（1,500 mg/日）のみで管理困難な場合，薬物療法を併用する．

表 1-23　カリウム吸着薬の種類と特徴

		ポリスチレンスルホン酸ナトリウム	パチロマーソルビテクスカルシウム	ジルコニウムシクロケイ酸ナトリウム水和物（ロケルマ®）
薬価		安	日本国内未承認（2023 年時点）	高
機序		Na^+, K^+, Ca^{2+}, Mg^{2+} と結合，Ca^{2+} との選択性高いおもに結腸で作用	Ca^{2+} ポリマー，Ca^{2+}-K^+ 交換体，Na^+, Ca^{2+}, Mg^{2+} と結合おもに結腸で作用	K^+ 選択的消化管全体で作用
投与量		15〜60 g	1 日 8.4 g 1 回，16.8〜25.2 g　週ごとに増量	1 日 5〜15 g 1 回経口
保存温度		室温	2〜8℃	室温
有効性	効果発現時間	数時間〜数日	7 時間	1 時間
	血清 K 正常化	不明	48〜72 時間	2.2 時間（平均）
	血清正 K 値維持	不明	52 週間（以後は不明）	52 週間（以後は不明）
安全性	浮腫	不明	なし	1.3%（14 日間），7.9%（28 日間）
	軽度〜中等度消化器副作用	さまざま	7.2〜24%	5.3%（オープンラベル），1.8%（維持期）
安全性	重度消化管副作用	腸管壊死（症例報告）	なし	なし
	低マグネシウム血症	報告あり	7.2〜24%	なし
	低カリウム血症/QTc 延長	報告あり	3〜5.6%	0〜11%用量依存性
	血清 Ca への影響	高カルシウム血症の報告	低カルシウム血症の可能性あり，まれ	なし

〔Palmer BF, et al.：Physiology and Pathophysiology of Potassium Homeostasis：Core Curriculum 2019. Am J Kidney Dis 2019；74：682-695[17]/Sarwar CM, et al.：Hyperkalemia in Heart Failure. J Am Coll Cardiol 2016；68：1575-1589[28]）をもとに作成〕

43

表 1-24　**カリウム吸着薬の種類と処方例**

一般名	商品名	用法・用量 （処方例）	薬価
ポリスチレンスルホン酸カルシウム	カリメート®散	1日15〜30gを2〜3回に分け，その1回量を水30〜50mLに懸濁し，経口投与 （カリメート®1日15g 3回に分割または1日30g 3回に分割）	1g 11.6円
ポリスチレンスルホン酸カルシウム	カリメート®ドライシロップ	1日16.2〜32.4g（ポリスチレンスルホン酸Caとして1日15〜30g）を2〜3回に分け，その1回量を水30〜50mLに懸濁して経口投与	1g 12.1円
	カリメート®経口液	1日75〜150g（ポリスチレンスルホン酸Caとして1日15〜30g）を2〜3回に分け経口投与 （カリメート®経口液 1日2包 2回に分割または1日3包 3回に分割または1日6包 3回に分割）	1包 66.14円
	ポリスチレンスルホン酸Ca経口ゼリー20%分包25g「三和」	1日75〜150g（ポリスチレンスルホン酸Caとして1日15〜30g）を2〜3回に分け経口投与 （ポリスチレンスルホン酸Ca経口ゼリー 1日2個 2回に分割または1日3個 3回に分割または1日6個 3回に分割）	1個 61.4円
ポリスチレンスルホン酸ナトリウム	ケイキサレート®	1日30g 2〜3回に分割 1回量を水50〜150mLに懸濁 （ケイキサレート®散 1日20g 2回に分割または1日20g 3回に分割）	ドライシロップ1g 11.7円 散1g 12.9円 ポリスルホン酸「フソー」1g 11.00円
ジルコニウムシクロケイ酸ナトリウム	ロケルマ®	開始用量1日30g 3回に分割2日間（最長3日），以後，1日5g 1回（最大1日15g 1回） （ロケルマ®1日30g 3回に分割して2日間投与，3日目以降1日5g 1回） 透析患者：非透析日に1日5g 1回（最大1日15g 1回）	5g 1042.1円 10g 1528.4円

3 カルシウム代謝異常

a Ca 濃度の規定因子

▶体内総 Ca の 99%が骨に貯蔵されており，約 0.1%未満のみが細胞外液に分布している．

▶食事で約 1,000 mg の Ca を摂取すると，便から約 800 mg，尿から 200 mg 排泄される．骨と細胞外液との間で，骨代謝（骨吸収と骨形成）を介して約 500 mg の出納（正味のバランス 0）が行われている．

▶血清 Ca 濃度は副甲状腺，腸管，腎臓の 3 臓器，および副甲状腺ホルモン（PTH），ビタミン D を介して厳密に管理されている（図 1-16）．

▶細胞外液中の Ca は約半分がイオン化 Ca（iCa）として存在し，残りが Alb を主体とする蛋白に結合している．生理活性をもつのは iCa であるため，Ca 濃度異常の診断には iCa 濃度を測定すべきであるが，その代用として，Alb 濃度で総 Ca 濃度を補正した補正 Ca 濃度が頻用されている．

> 補正 Ca 濃度（cCa）＝（4−Alb）＋血清 Ca 濃度
> （Alb＞4 では cCa＝Ca とする）
> ✎ Ca の単位に注意する．
> Ca 2.5 mmol/L＝5 mEq/L＝10 mg/dL

b 高カルシウム血症

1. 概念

▶補正 Ca 濃度＞10.5 mg/dL，もしくは，iCa 濃度＞2.7 mEq/L．

Side memo

グルコース-インスリン療法の落とし穴—低血糖に注意

グルコース-インスリン療法は投与後，低血糖となることが多い．そのため，投与前・投与後には血糖測定を忘れずに行う．

【血糖測定の例】

①インスリン投与前：1 時間以内に測定していれば不要．

②インスリン投与後：30 分ごとに 2 回，その後 1 時間ごとに血糖測定，6 時間後まで．

＊高血糖（＞300 mg/dL）の場合はインスリン単独投与する．

＊高カリウム血症をきたしているときは腎機能が低下しており，少量のインスリンで低血糖をきたしやすい．

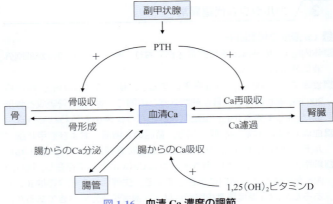

図 1-16 血清 Ca 濃度の調節
血清 Ca 濃度はおもに，①腸からの吸収，②腎臓による再吸収，および③骨代謝(骨吸収，骨形成)，によって調節される．カルシトリオール〔$1,25(OH)_2$ビタミン D〕は腸管からの Ca 吸収を促進し，副甲状腺ホルモン(PTH)は骨からの骨吸収と腎臓での Ca 再吸収を促進し，血清 Ca 濃度を上昇させる．

2. 臨床症状・所見

- 腎泌尿器系：多飲・多尿，尿路結石症，腎石灰化，遠位尿細管性アシドーシス，腎性尿崩症，急性・慢性の腎機能障害．
- 消化器系：食欲低下，悪心・嘔吐，腸蠕動低下，便秘症，膵炎，消化性潰瘍．
- 筋骨格系：筋力低下，骨痛，骨量減少・骨粗鬆症．
- 精神神経系：集中力低下，混乱，疲労感，昏睡．
- 心・血管症状：QT 時間短縮，徐脈，高血圧．

3. 鑑別診断(表 1-25)

- 入院患者の原因として多い：悪性腫瘍，長期臥床．
- 外来患者の原因として多い：Ca/ビタミン D 過剰摂取＋腎機能低下，原発性副甲状腺機能亢進症．
- 鑑別診断として，まずは以下を除外する．
  ①腎障害＋(ビタミン D±Ca 摂取)．
  ②薬剤/サプリメント過剰摂取(ビタミン D・Ca 製剤・サイアザイド系利尿薬・リチウム・ビタミン A)．
  ③ミルク・アルカリ症候群(カルシウム・アルカリ症候群)．
- 次に，intact PTH，副甲状腺ホルモン関連蛋白(PTHrP)，$1,25(OH)_2$ビタミン D，$25(OH)$ビタミン D を測定する．

表 1-25　高カルシウム血症の鑑別診断

intact PTH		鑑別診断
高値	尿 Ca 排泄 高値	・原発性副甲状腺機能亢進症 ・異所性 PTH 産生腫瘍
	尿 Ca 排泄 低下	・家族性低カルシウム尿性高カルシウム血症
低値	ビタミン D 高値	・ビタミン D 中毒 ・リンパ腫 ・肉芽腫性疾患（サルコイドーシスなど）
	PTHrP 高値	・PTHrP 産生腫瘍（扁平上皮癌：頭頸癌・食道・ 肺癌・乳癌・子宮癌・腎癌・成人 T 細胞性白 血病）
	ビタミン D・ PTHrP 正常	・骨融解性腫瘍（多発性骨髄腫，乳癌，リンパ 腫など） ・ビタミン A 中毒

*高カルシウム血症の際は，intact PTH は抑制されるはずであるため，基準値であっ
ても相対的に高値であるといえる．
PTHrP：副甲状腺ホルモン関連蛋白

▶1,25（OH）₂ビタミン D の保険適用疾患は，慢性腎不全・特発性副甲
状腺機能低下症・偽性副甲状腺機能低下症・ビタミン D 依存症 I 型
もしくは低リン血症性ビタミン D 抵抗性くる病の診断時であり，25
（OH）ビタミン D の保険適用疾患はビタミン D 欠乏性くる病・骨軟
化症である．

▶intact PTH が高値であれば，原発性副甲状腺機能亢進症・異所性
PTH 産生腫瘍・家族性低カルシウム尿性高カルシウム血症（FHH）を
疑う．前者 2 つは尿中 Ca 排泄が増加（>200 mg/日）し，後者では低
下（<100 mg/日）する．スポット尿で判断する場合は Ca 排泄率
（FE_{Ca}）を確認する．FHH では FE_{Ca}<1%になることが多い．

▶intact PTH が低値であれば，ビタミン D や PTHrP を確認する．
　①25（OH）ビタミン D が高値であれば，天然型ビタミン D のサプリ
　　メント内服を考える．
　②1,25（OH）₂ビタミン D が高値であれば，肉芽腫性疾患，リンパ腫
　　を疑う．
　③PTHrP が高値であれば，PTHrP 産生腫瘍を考える．PTHrP を産生
　　する腫瘍には，扁平上皮癌（頭頸癌・食道・肺癌），乳癌・子宮癌・
　　腎癌・成人 T 細胞性白血病など多岐にわたる．

▶いずれも否定的であった場合は，不動，骨融解性腫瘍，内分泌疾患

表 1-26 高カルシウム血症の治療のまとめ

血清 Ca 濃度		治療方法
〜12 mg/dL		内服制限(ビタミン D 製剤, サイアザイド系利尿薬, リチウム製剤, 経口・経静脈 Ca 製剤)
12〜14 mg/dL	無症候性	体液量減少や長期臥床を避ける
	症候性	生理食塩液(±フロセミド), カルシトニン, ビスホスホネート製剤
14 mg/dL〜		
16 mg/dL〜		透析検討

(副腎不全, 甲状腺機能亢進症, 先端巨大症, 多発性内分泌腫瘍症(MEN), 褐色細胞腫)の可能性を検討する.

4. 治療(表 1-26)

1) Ca 摂取制限
▶ 食事・薬剤・サプリメント・輸液などからのビタミン(A・D)と Ca の摂取制限を行う.

2) 尿からの Ca 排泄促進
▶ 生理食塩液 2 L/日以上.

▶ ループ利尿薬:生理食塩液による心不全予防の意義はあるものの, 脱水や電解質異常を合併するリスクもあるため, ルーチンの使用は推奨されていない.

3) 骨からの Ca 融出抑制
▶ ビスホスホネート製剤は, 癌による高カルシウム血症に対して静注の適応あり. 急速投与で急性腎障害(AKI)の報告がある.

▶ 最大効果が発現するのに 2〜3 日かかり(緊急処置には向かない), 1 回投与で 1〜2 週間効果が持続する.

> **処方例**
> ゾレンドロン酸水和物(ゾメタ®)
> 4 mg 15 分かけて静注
> ✔ 腎機能障害がある場合は用量調整が必要.

▶ デノスマブは緊急処置には向かないが, 効果は持続する.

▶ カルシトニンは数時間で効果が発現する. 効果消失も早く, 頻回投与で効果が減弱する(タキフィラキシー).

> **処方例**
> エルカトニン（エルシトニン®）
> 1日80単位 2回に分割 筋注
> または
> 生理食塩液100 mLにエルカトニン40単位を溶解して，1日2回 静注

4）血液透析
▶効果は迅速で，重度の高カルシウム血症の緊急処置として優れているものの，侵襲は大きい．

5）原疾患への対応
▶医原性：原因薬剤の中止．
▶原発性副甲状腺機能亢進症：手術，シナカルセトの内服．
▶悪性腫瘍：手術，化学療法，放射線療法，デノスマブやビスホスホネート製剤の投与．
▶サルコイドーシスなどの肉芽腫性疾患：副腎皮質ステロイド（ビタミンD抑制作用）など．

c 低カルシウム血症

1. 概念
▶補正Ca濃度＜8.0 mg/dL，もしくは，iCa濃度＜2.0 mEq/L．

2. 臨床症状・所見
▶心・血管症状：QT時間延長，徐脈，低血圧．
▶神経筋症状：痙攣，知覚異常，テタニー，筋痙攣．
▶Chvostek徴候：耳介前方で顔面神経を指やハンマーで軽く叩くと，同側の口角や鼻翼収縮する反射．
▶Trousseau徴候：前腕部を血圧計のマンシェットで収縮期血圧以上に3分間圧迫すると，手根部のスパスムを誘発（手首屈曲，母指内転，MP関節屈曲）．

3. 鑑別診断（表1-27）
1）総Ca中のイオン化Caの比率低下
▶急性呼吸性アルカローシス：過換気症候群．
▶急性代謝性アルカローシス：多くはアルカリ製剤投与による急激なアシドーシスの改善．

表 1-27　低カルシウム血症の鑑別診断

intact PTH		
低値		・原発性副甲状腺機能低下症 ・副甲状腺摘出後 ・低マグネシウム血症（薬剤性：シスプラチン，利尿薬，アムホテリシン B，PPI） ・カルシウム受容体作動薬（シナカルセト，エテルカルセチド，エボカルセト）
高値	血清 P	
	低値	・ビタミン D 欠乏（薬剤性：フェニトイン） ・急性膵炎 ・骨吸収阻害薬（ビスホスホネート製剤，カルシトニン製剤，デノスマブ） ・Ca キレート（クエン酸，ホスカルネット）
	正常〜高値	・腎不全 ・横紋筋融解症 ・腫瘍崩壊症候群

PPI：プロトンポンプ阻害薬

2）PTH 作用低下

▶PTH 分泌低下：副甲状腺機能低下症，低マグネシウム血症．

▶PTH 抵抗性：偽性副甲状腺機能低下症[※]，低マグネシウム血症．

3）ビタミン D 作用低下

▶ビタミン D 不足：低栄養，長期人工栄養．

▶ビタミン D 活性化障害：腎不全，肝障害，日光曝露の不足，ビタミン D 依存性くる病．

4）Ca 感知受容体活性化

▶シナカルセト，エテルカルセチド，エボカルセトの投与．

5）Ca の不溶物形成，骨や組織への移行・沈着

▶大量の輸血製剤使用・血漿交換（クエン酸投与），飢餓骨症候群（hungry bone syndrome；副甲状腺摘除後）．

▶横紋筋融解症，急性膵炎，骨吸収阻害薬（ビスホスホネート製剤，カルシトニン製剤，デノスマブ）の投与．

[※]偽性副甲状腺機能低下症：PTH が正常に分泌されているにもかかわらず，標的組織が抵抗性を示し，副甲状腺機能低下症と同じような症状（低カルシウム血症，高リン血症など）を呈する病態．

4. 治療

1) 症候性もしくは血清 Ca 濃度＜7.0〜7.5 mg/dL の場合（不整脈のリスクがあるためモニターを装着）

処方例

①カルチコール®（8.5%グルコン酸カルシウム）10〜20 mL を 5%ブドウ糖液 100 mL に溶解し，5〜10 分以上かけて投与

✒ジギタリス内服中の症例に対しては，ジギタリス中毒に注意し，30 分以上かけて投与する．

②その後，カルチコール® 14〜38 mL を生理食塩液もしくは 5%ブドウ糖液に溶解し，6 時間かけて投与

または

①カルチコール®（8.5%グルコン酸カルシウム）原液を 2〜4 mL/時で中心静脈から投与し，血清 Ca 濃度をみて調整

✒血清 Ca 濃度は安定するまで 4〜6 時間ごとに測定する．

②これと同時に，ビタミン D 製剤（アルファロール®）0.5〜3 μg/日，炭酸カルシウム 9〜12 g/日を投与し，カルチコール® を減量する

✒低マグネシウム血症を合併すると，PTH の分泌・感受性が低下するため補正する．

2) 軽度で慢性の低カルシウム血症

処方例

■ 経口 Ca 製剤とビタミン D 製剤を内服する．

①沈降炭酸カルシウム（沈降炭酸カルシウム®）
 1 日 3〜6 g 3 回に分割

②アルファカルシドール（アルファロール®）
 1 日 0.5〜3 μg

✒低マグネシウム血症を合併すると，PTH の分泌・感受性が低下するため補正する．

4 リン代謝異常

a P 濃度の規定因子

▶ 体内総 P の 85%が骨に貯蔵されており，残りの大部分は細胞内液に分布，約 1%のみが細胞外液に分布している．

▶ P は骨塩，細胞の構造，シグナル伝達，代謝に重要な役割を担って

表 1-28 血清 P 濃度を調節するホルモン

	作用機序	血清 P 濃度
PTH	近位尿細管からの P 再吸収の抑制	低下
	骨吸収を促進するため, 末期腎不全で P 利尿が低下しているときには血清 P 濃度を上昇させることがある	上昇
FGF23	近位尿細管からの P 再吸収の抑制 活性化ビタミン D 濃度を低下させる PTH を阻害する	低下
1,25(OH)$_2$ ビタミン D	腸管からの P 吸収を増加 PTH 抑制を介して血清 P 濃度が上昇	上昇

PTH：副甲状腺ホルモン, FGF23：線維芽細胞増殖因子 23

いる.

▶ 食事で約 1,200 mg の P を摂取すると, 便から約 400 mg, 尿から 800 mg 排泄される. 骨と細胞外液との間の骨代謝(骨吸収と骨形成)を介して, 約 300 mg の出納(正味のバランス 0)が行われている.

▶ 血清 P 濃度は, 副甲状腺, 腸管, 腎臓の 3 臓器, ならびに PTH, ビタミン D, 線維芽細胞増殖因子 23(FGF23), インスリンにより調節されている(表 1-28).

b 高リン血症

1. 概念

▶ 血清 P 濃度＞4.5 mg/dL.

2. 臨床症状・所見

▶ 基本的には無症状だが, P が Ca に結合(もしくは高リン血症自体がビタミン D 活性を低下)することにより, 低カルシウム血症を呈することがあり, その場合は低カルシウム血症の症状を呈する.

3. 原因疾患(表 1-29)

▶ 高リン血症は, ①偽性高リン血症, ②細胞内から細胞外への P 移行, ③腸管での P 吸収亢進, ④腎臓からの P 排泄低下, の機序に分けられるが, 原因として腎不全がもっとも多い.

▶ 偽性高リン血症は, 多発性骨髄腫といった高γグロブリン血症や顕著な高ビリルビン血症, 脂質異常症で認められる.

▶ 細胞内から細胞外への P 移行は, 細胞の崩壊(横紋筋融解症, 腫瘍崩壊症候群), インスリン作用不全, アシドーシスによって生じる.

表 1-29　高リン血症の原因疾患

機序	疾患
偽性高リン血症	多発性骨髄腫，高ビリルビン血症，溶血，脂質異常症
細胞内から細胞外へのP移行	横紋筋融解症，腫瘍崩壊症候群，組織壊死，インスリン作用不全，アシドーシス
腸管でのP吸収亢進	ビタミンD摂取過剰，P摂取過剰（乳製品など）
腎臓からのP排泄低下	腎不全，副甲状腺機能低下症，先端巨大症，ビスホスホネート製剤内服，ビタミンD摂取過剰，脱水

4. 治療

▶治療の基本は，原疾患の治療およびリン制限食である．

▶改善しない場合は，生理食塩液補液による利尿やリン吸着薬の使用を検討する．

 処方例

■ ①～③のいずれかを投与する．
①沈降炭酸カルシウム（炭酸カルシウム®）
　1日 1.5～3 g　3回に分割　食直後
②炭酸ランタン（炭酸ランタン®）
　1日 750～1,500 mg　3回に分割　食直後
③クエン酸第二鉄（リオナ®）
　1日 1,500～3,000 mg　3回に分割　食直後

c 低リン血症

1. 概念

▶血清P濃度＜2.5 mg/dL．

2. 臨床症状・所見

▶血清P濃度＞2.0 mg/dL であれば，基本的には無症状．

▶高度低リン血症（血清P濃度＜1.5 mg/dL）の場合は，溶血，血小板減少，筋力低下（呼吸不全，心不全，横紋筋融解症，イレウス），骨障害（骨軟化症）などを生じる．

3. 原因疾患（表 1-30）

▶鑑別診断として，①腸管からの吸収低下，②細胞内シフト，③腎臓からのP排泄増加，に分けられるが，いくつかの複数の原因を有することも多い．

▶腎臓からのP排泄率（FE_P）を計算する．

表 1-30　低リン血症の原因疾患

機序	疾患
腸管からの吸収低下	ビタミン D 欠乏・作用不全，低栄養，慢性下痢，アルコール多飲，リン吸着薬内服
細胞外から細胞内への移行	インスリン療法，refeeding 症候群，呼吸性アルカローシス，糖尿病性ケトアシドーシス，飢餓骨症候群，カルシトニン投与
腎臓からの P 排泄増加	原発性副甲状腺機能亢進症，ビタミン D 欠乏，ビタミン D 作用不全(ビタミン D 依存性くる病)，Fanconi 症候群，浸透圧利尿，腎移植後，薬剤投与(アセタゾラミド，シスプラチン，静注鉄剤，アミノグリコシド系抗菌薬，利尿薬)

$$FE_P = \frac{尿 P \times 血清 Cr}{血清 P \times 尿 Cr} \times 100 (\%)$$

▶ FE_P が 5% 以上であれば腎臓からの排泄を，5% 未満であれば腸管からの吸収低下，細胞内シフトを示唆する．

4. 治療

▶ 原疾患の治療が原則(ビタミン D 不足にはビタミン D 補充，薬剤性なら薬剤の中止)．

▶ 血清 P 濃度 >2.0 mg/dL の場合は，基本的に治療は不要．

▶ 人工呼吸器装着中の症例では，低リン血症が呼吸筋力低下による抜管困難の原因となるため，軽度であっても治療を検討する．

▶ 無症候性もしくは有症候性で血清 P 濃度 1.0〜2.0 mg/dL の場合は経口補充．

▶ 有症候性で血清 P 濃度 <1.0 mg/dL の場合は経静脈的投与．

1) 経口投与

処方例

リン酸二水素ナトリウム・無水リン酸水素二ナトリウム(ホスリボン®)
1 日 20〜40 mg/kg　3 回に分割
✎ ホスリボン® は 1 包に P として 100 mg 含有している．

2) 経静脈投与

▶ 血清 P 濃度 <1.0 mg/dL かつ無症状の場合，P として 2.5 mg/kg を 6 時間以上かけて投与．

▶ 血清 P 濃度 <1.0 mg/dL かつ有症状の場合，P として 5 mg/kg を 6

時間以上かけて投与.

 処方例

リン酸 Na 補正液 20 mL＋生理食塩液 500 mL を 12 時間かけて投与

✐補正で使用されるリン酸 Na 補正液 0.5 mmol/20 mL，リン酸二カリウム補正液の中身ともに，P として 10 mmol(310 mg)含有している.

5 マグネシウム代謝異常

a Mg 濃度の規定因子

▶原子量 24.3(体内総量 24 g).
▶骨に 12 g(50%)，細胞内に 12 g(50%)，細胞外に 0.24 g(1%)存在する.
▶正常値：1.7〜2.4 mg/dL(1 mol＝2 mEq＝24.3 mg，単位を mol/L に変換する場合は 2.4 で除する).
▶施設によっては外注検査や時間外の測定ができないため，臨床状況や症状から Mg 異常を疑うことが重要である.
▶Ca と異なり，一般病院ではイオン化 Mg を測定することができない. 70%がアルブミンと結合している.
▶Mg は腸管(十二指腸・小腸)で吸収され，腎臓から排泄される.

b 低マグネシウム血症

▶血清 Mg 濃度＜1.6 mg/dL.

1. 臨床症状(表 1-31)[31]
▶低マグネシウム血症は，入院患者の 10%，ICU 患者の 20%にみられる.
▶影響を受ける臓器，検査値異常には，神経・心臓・低カリウム・低カルシウムがあり，重度の場合は昏睡や不整脈などで死亡する可能性もある危険な病態である.
▶血清 Mg 濃度が 1.2 mg/dLm 未満になるまで無症状であるが，一部では重度の低マグネシウム血症でも無症状のこともある.
▶重症(血清 Mg 濃度＜1 mg/dL)の場合は，痙攣，意識障害，テタニー，昏睡をきたすことがある.
▶低マグネシウム血症患者の 40%は低カリウム血症，20%は低カルシウム血症，低リン酸血症，低ナトリウム血症となる. 低カルシウム血症や低カリウム血症を認めた場合には，低マグネシウム血症を鑑別する必要がある.

表 1-31　Mg 欠乏の病態

影響を受ける臓器，検査	症状・検査異常
神経	神経筋の過興奮性（例：振戦，テタニー*，けいれん） 衰弱，無関心，せん妄および昏睡 不随意運動 垂直眼振（まれだが，重度の低マグネシウムの徴候） 呼吸筋力低下・筋力低下
心臓	中等度 Mg 欠乏（QRS の拡大と T 波のピーク，PR 間隔の拡大，T 波の減少） 重度 Mg 欠乏（心房および心室不整脈）
Ca	低カルシウム血症，副甲状腺機能低下症，PTH 抵抗性，カルシトリオール合成低下
K	低カリウム血症（低マグネシウム血症の 40〜60% に合併）
酸塩基平衡異常	代謝性アルカローシス

PTH：副甲状腺ホルモン
*テタニーを確認するため，Trousseau 徴候（血圧測定の際，カフの圧迫により手指が攣縮する）と，Chvostek 徴候（顔面を叩くと顔面の筋肉が痙攣する）がないか確認する．
〔Yu AS, et al.：Hypomagnesemia：Clinical manifestations of magnesium depletion. UpToDate. Waltham, MA：UpToDate Inc. http://www.uptodate.com（Accessedon June 2023）[32]より一部改変〕

2．診断・評価

▶血清 Mg 濃度の測定により診断するが，低マグネシウム血症のリスク因子（慢性下痢，プロトンポンプ阻害薬，アルコール多飲，利尿薬使用）や，臨床症状（低カルシウム血症，難治性低カリウム血症，神経筋障害，心室不整脈）から疑う（表 1-32）[16]．

▶通常，病歴から原因を推測できることが多いが，尿中 Mg 排泄率（FE_{Mg}）で鑑別を行う（図 1-17）[32]．すぐに血清 Mg を測定できない状況では，身体所見として垂直眼振，テタニー，筋線維束収縮が手がかりとなる．

▶鑑別に際しては，偽性低マグネシウム血症に注意する．Mg は 30% がアルブミンに結合しているため，低アルブミン血症がある場合，Mg 値が低下する．また，K2EDTA（EDTA カリウム塩）を用いた採血管の使用でも，偽性低マグネシウム血症を引き起こす．

3．治療（表 1-33，表 1-34）[32]

▶Mg 補充は重症度によって異なる．血清 Mg 濃度の結果が不明でも，臨床的に低 Mg が疑われる状況では補充を行う（たとえば，アルコール多飲患者でテタニーから低マグネシウム血症を疑う場合は，Mg

表 1-32　低マグネシウム血症の原因

	原因		
摂取量の減少	長期断食 慢性アルコール依存症 蛋白カロリー栄養異常 不十分な静脈栄養		
消化管からの喪失	慢性下痢 下剤乱用 吸収不良症候群 小腸の大量切除 新生児低マグネシウム血症		
腎からの喪失	薬物	利尿薬 アムホテリシン B アミノグリコシド系抗菌薬 シスプラチン ペンタミジン プロトンポンプ阻害薬 シクロスポリン タクロリムス ホスカルネット セツキシマブ	
	多尿状態	閉塞後利尿 ATN 後溶質利尿 移植後多尿	
	遺伝性低マグネシウム血症	Gitelman 症候群 Bartter 症候群 その他の遺伝的 TRP チャネルの異常	
	原発性高アルドステロン症 高カルシウム血症 リン酸塩の枯渇 慢性代謝性アシドーシス 特発性		
そのほか	急性膵炎 飢餓骨症候群（hungry bone syndrome） 糖尿病性ケトアシドーシス 急性間欠性ポルフィリン症		

ATN：急性尿細管壊死
プロトンポンプ阻害薬は腸上皮の TRPM6・TRPM7 チャネルを阻害し，低マグネシウム血症をきたす．
〔Flood RP, et al.：Disorders of Calcium, Phosphorus, and Magnesium Homeostasis. In：Gilbert SF, et al.（eds）, National Kidney Foundation Primer on Kidney Diseases, 8th ed, Elsevier, 2022：109-122[16]より一部改変〕

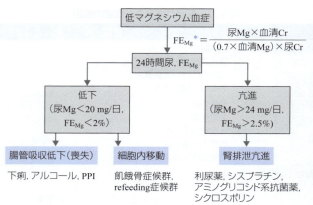

図 1-17 低マグネシウム血症の鑑別

*血清 Mg に 0.7 を掛けることに注意
FE_{Mg}：マグネシウム排泄率，PPI：プロトンポンプ阻害薬
〔大山友香子，他：Mg 代謝．In：藤田芳郎，他(編)，研修医のための輸液・水電解質・酸塩基平衡，中外医学社，2015：245-260[32]）をもとに著者作成〕

表 1-33 **低マグネシウム血症の治療**

投与経路	病状	硫酸 Mg 水和物	Mg^{2+}	投与例
静脈内投与	痙攣，心室不整脈	1～2 g	8～16 mEq	硫酸 Mg 補正液 0.4～0.8A ＋生理食塩液 50 mL 15 分程度かけて投与
	テタニー，低カルシウム血症，不整脈など(1 日目)	6.16 g	50 mEq	硫酸 Mg 補正液 2.5A ＋1 L 以上の輸液* 8～24 時間かけて投与
	テタニー，低カルシウム血症，不整脈など(2～6 日) 下痢で内服できないとき	2.47～3.70 g	20～30 mEq	硫酸 Mg 補正液 1～2.5A ＋1 L 以上の輸液 12～24 時間ごとに投与
経口投与		240 mg		酸化 Mg 1 日 400 mg 2 回に分割して内服

*リン酸イオンを含まない輸液
〔大山友香子，他：Mg 代謝．In：藤田芳郎，他(編)，研修医のための輸液・水電解質・酸塩基平衡，中外医学社，2015：245-260[32]）をもとに著者作成〕

表 1-34 **マグネシウム経口薬の種類**

	商品名	化学式	Mg(mg/g)
酸化 Mg	マグミット® 錠	MgO	600
水酸化 Mg	ミルマグ® 錠	$Mg(OH)_2$	411
硫酸 Mg	硫酸マグネシウム	$MgSO_4 \cdot H_2O$	98
クエン酸 Mg	マグコロール®*	$Mg_3(C_6H_5O_7)_2$	160

*検査前処置薬
酸化 Mg や水酸化 Mg はアルカローシスをきたす可能性がある. Mg として 300 mg/日以上は下痢を起こす可能性がある.
〔大山友香子, 他:Mg 代謝. In:藤田芳郎, 他(編), 研修医のための輸液・水電解質・酸塩基平衡, 中外医学社, 2015:245-260[32]より一部改変〕

補充を開始する).
▶スピロノラクトンやトリアムテレンなどのミネラルコルチコイド受容体(MR)拮抗薬は Mg の尿排泄を減少させる効果があり, 利尿薬を中止できない場合などに有用である.

c 高マグネシウム血症
▶血清 Mg 濃度≧2.5 mg/dL.

1. 臨床症状(表 1-35)[33]
▶高マグネシウム血症の症状は通常, Mg が 4 mg/dL を超えるまでは出現しない.
▶腎機能が正常であれば, 症候性の高マグネシウム血症はまれである.
▶Mg による PTH 分泌抑制.

2. 診断
▶血液検査に加え, 病歴・内服歴を確認する(Mg 含有下剤, 制酸薬の使用, 腎不全, 胃腸障害の病歴). 心電図, 呼吸状態も評価する.
▶腱反射の消失が高マグネシウム血症の手がかりとなる.
▶高マグネシウム血症の原因として, おもに以下の状況がある.
　①経口, 直腸, または静脈からの Mg 製剤の投薬, サプリメントによる Mg の過剰摂取.
　②AKI または CKD による Mg の腎排泄低下.
　③アシドーシスによる細胞内から細胞外への再分布.
　④細胞からの放出(腫瘍崩壊症候群など).

3. 治療
▶重度の高マグネシウム血症がない場合の治療は, ①Mg 摂取の中止, ②生理食塩液投与, ③(腎機能が残存している場合)生理食塩液+

表 1-35 　高マグネシウム血症による症状

血清 Mg (mg/dL)	神経学的所見	その他所見	心電図
5.0〜5.8		麻痺性イレウス	徐脈
5.9〜9.6	腱反射低下，筋力低下，呂律困難	低血圧，悪心，顔面紅潮	QT 延長
8.9〜12.0	腱反射消失，錯乱，四肢麻痺	低血圧	
12.0〜16.7	嗜眠，呂律困難	低血圧，呼吸数の増加，呼吸停止	心房細動，QT 延長，徐脈，1 度房室ブロック
21.0 以上	昏睡，偽性昏睡（散瞳＋四肢麻痺）	高度低血圧，心停止，心肺停止	心停止

高マグネシウム血症の報告をまとめたもの．報告によって Mg の値と症状に幅がある．
〔Jahnen-Dechent W, et al.：Magnesium basics. Clin Kidney J. 2012；5（Suppl 1）：i3-i14[33]〕より一部改変〕

ループ利尿薬，④（高度腎障害の場合）透析，を考慮する．
▶重度（心機能障害・低血圧・呼吸抑制）の高マグネシウム血症の治療は，①呼吸循環のサポート（Mg が低下するまで），②ペースメーカや人工呼吸器装着など，③グルコン酸カルシウム 13〜25 mL（100〜200 mg）を 5〜10 分かけて投与．

📖 文　献

1) 藤田芳郎：血清 Na 濃度異常．In：藤田芳郎，他（編），研修医のための輸液・水電解質・酸塩基平衡．中外医学社，2015：279-327
2) Sterns RH：Disorders of plasma sodium—causes, consequences, and correction. N Engl J Med 2015；372：55-65
3) Peri A, et al.（eds）, 柴垣有吾（監）, 嘉永直人，他（訳）：低 Na 血症―体液・水電解質異常の臨床とその理解．中外医学社，2021：172
4) 角　浩史，他：低ナトリウム血症〜その病態に基づいた鑑別診断．日内会誌 2022；111：902-911
5) Spasovski G, et al.：Clinical practice guideline on diagnosis and treatment of hyponatraemia. Nephrol Dial Transplant 2014；29（Suppl 2）：i1-i39
6) Henry DA：In the clinic；hyponatremia. Ann Intern Med 2015；163：ITC1-ITC19
7) Goldman MB, et al.：Psychotic exacerbations and enhanced vasopressin secretion in schizophrenic patients with hyponatremia and polydipsia. Arch Gen Psychiatry 1997；54：443-449
8) Sterns RH：Overview of the treatment of hyponatremia in adults. UpToDate. Waltham, MA：UpToDate Inc. http://www.uptodate.com（Accessedon June 2023）
9) 厚生労働科学研究費補助金難治性疾患等政策研究事業「間脳下垂体機能障害に関する調査研究」班（研究代表者：有馬　寛）：間脳下垂体機能障害と先天性腎性尿崩症および関連疾患の診療ガイドライン 2023 年版．日内分泌会誌 2023；99（Suppl.）：21-23
10) Verbalis JG, et al.：Diagnosis, evaluation, and treatment of hyponatremia：expert panel recommendations. Am J Med 2013；126（10 Suppl 1）：S1-S42
11) Goldman MB, et al.：Psychotic exacerbations and enhanced vasopressin secretion in schizophrenic patients with hyponatremia and polydipsia. Arch Gen Psychiatry 1997；54：443-449
12) Spasovski G, et al.：Clinical practice guideline on diagnosis and treatment of hyponatraemia. Eur J Endocrinol 2014；170：G1-G47

13) Sterns RH：Treatment of hypernatremia in adults. UpToDate. Waltham, MA：UpToDate Inc. https://www.uptodate.com（Accessed on June 2023）

14) Sterns RH：Etiology and evaluati on of hypernatremia in adults. UpToDate. Waltham, MA：UpToDate Inc. http://www.uptodate.com（Accessed on June 2023）

15) 志水英明：高ナトリウム血症. 志水英明（編）：輸液グリーンノート, 中外医学社, 2021：45-50

16) Flood RP, et al.：Disorders of Calcium, Phosphorus, and Magnesium Homeostasis. In：Gilbert SF, et al（eds）, National Kidney Foundation Primer on Kidney Disease, 8th ed, Elsevier, 2023：109-122

17) Palmer BF, et al.：Physiology and Pathophysiology of Potassium Homeostasis：Core Curriculum 2019. Am J Kidney Dis 2019；74：682-695

18) Kardalas E, et al.：Hypokalemia：a clinical update. Endocr Connect 2018；7：R135-R146

19) Marino PL：カリウム. 稲田英一（監訳）：ICU ブック, 第 4 版, メディカル・サイエンス・インターナショナル, 2015：862

20) 志水英明：身近にある薬剤の電解質異常—低カリウム血症が高ナトリウム血症にかわる！ Medicina 2017；54：1714-1718

21) 志水英明：日常診療で役立つ Na-Cl を用いた酸塩基平衡異常の鑑別と注意点. 日内会誌 2022；111：957-964

22) Kardalas E, et al.：Hypokalemia：a clinical update. Endocr Connect 2018；7：R135-R146

23) Gennari FJ：Hypokalemia. N Engl J Med 1998；339：451-458

24) 藤田芳郎：K 代謝. In：藤田芳郎, 他（編）, 研修医のための輸液・水電解質・酸塩基平衡, 中外医学社, 2015：170-207

25) Clase CM, et al.：Potassium homeostasis and management of dyskalemia in kidney diseases：conclusions from a Kidney Disease：Improving Global Outcomes（KDIGO）Controversies Conference. Kidney Int 2020；97：42-61

26) Allon M：Disorders of Pottasium Metabolism. National Kidney Foundation Primer of Kidney Diseases, 8th ed, Elsevier, 2022：98-108

27) McNicholas BA, et al.：Treatment of Hyperkalemia With a Low-Dose Insulin Protocol Is Effective and Results in Reduced Hypoglycemia. Kidney Int Rep 2017；3：328-336

28) Sarwar CM, et al.：Hyperkalemia in Heart Failure. J Am Coll Cardiol 2016；68：1575-1589

29) McDonagh TA, et al.：2021 ESC Guidelines for the diagnosis and treatment of acute and chronic heart failure. Eur Heart J 2021；42：3599-3726

30) Mount DB：Disorders of Potassium Balance. In：Yu ASL, et al.（eds）, Brenner and Rector's the Kidney, 11th ed, Elsevier, 2020：537-579

31) Yu AS, et al.：Hypomagnesemia：Clinical manifestations of magnesium depletion. UpToDate. Waltham, MA：UpToDate Inc. http://www.uptodate.com（Accessedon June 2023）

32) 大山友香子, 他：Mg 代謝. In：藤田芳郎, 他（編）, 研修医のための輸液・水電解質・酸塩基平衡, 中外医学社, 2015：245-260

33) Jahnen-Dechent W, et al.：Magnesium basics. Clin Kidney J 2012；5（Suppl 1）：i3-i14

2 酸・塩基平衡異常とその治療

1 血液 pH の調節機構

a 体内での酸塩基平衡の生理
▶ ヒトの血液の pH は 7.35〜7.45 の範囲に厳格に調整されており，酸・塩基平衡調節障害により pH<7.35 となった状態をアシデミア，pH>7.45 となった状態をアルカレミアとよぶ.
▶ アシデミア・アルカレミアにする病態のことを，おのおのアシドーシス・アルカローシスとよぶ.
▶ 血液 pH は，①血液緩衝系，②呼吸による $PaCO_2$（呼吸性調節），③腎臓による HCO_3^- 濃度（代謝性調節），で調節されている.

b 血液緩衝系
▶ 血漿中の重炭酸，リン酸，蛋白質，血液中の Hb などが緩衝系として働き，急激な酸の貯留や喪失に対して速やかに反応することで，急激（秒〜分単位）な血液 pH の変動を防いでいる.
▶ とくに重要な緩衝物質は重炭酸イオンである. なぜなら，①細胞外液に高濃度で存在し，②換気を保つことができれば CO_2 を持続的に体外に排泄することができるため効率がよい，からである.

$$H^+ + HCO_3^- \rightleftarrows H_2CO_3 \rightleftarrows H_2O + CO_2$$

c 呼吸による $PaCO_2$ の調節
▶ 不揮発性酸の負荷が生じる（代謝性アシドーシス）と動脈血の pH が低下し，それを化学受容体が感知することにより換気が刺激され，$PaCO_2$ が低下して pH の低下を防ぐ.
▶ 代謝性アルカローシスでは逆の反応が起こることにより，呼吸性の調節を行っている（分〜時間単位）.

d 腎臓による HCO_3^- 濃度の調節
▶ 腎臓では尿中への酸や HCO_3^- の排泄を調節することで，血液 pH の変動を調節している（時間〜日単位）.
▶ 代謝性アシドーシスが生じれば尿中の酸排泄が増加し，代謝性アル

表 2-1　血液ガス分析の手順

Step 1	pH をチェック(アシデミアかアルカレミアか)
Step 2	呼吸性か代謝性かの評価
Step 3	代償反応は範囲内か
Step 4	アニオンギャップの計算
Step 5	アニオンギャップが上昇しているときは補正 HCO_3^- を計算

カローシスが生じれば尿中の HCO_3^- 排泄が増加する.

e 酸・塩基平衡異常の評価方法

▶おもに Boston 法と Stewart 法の 2 つがあるが,一般的に用いられるのは Boston 法である.
▶集中治療・麻酔科領域では Stewart 法が用いられることもある.
▶本項では Boston 法を解説する.

2　血液ガス分析の実際

▶血液ガス分析の手順を表 2-1 に示す.
▶また,図 2-1 に血液ガス分析の流れを示す.これらから導き出された酸・塩基平衡異常を,病歴・身体所見・検査などから得られた鑑別疾患と照らし合わせて診断を行っていく.

a Step 1：pH をチェック(アシデミアかアルカレミアか)

▶血液ガスの pH<7.35 であればアシデミア,pH>7.45 であればアルカレミアと判断する.

b Step 2：pH 変動の原因が呼吸性か代謝性の評価

▶アシデミアやアルカレミアが存在する場合,その原因が代謝性に生じているか呼吸性によるものかを,$PaCO_2$ と HCO_3^- をみて判断する.
▶アシデミアでは,HCO_3^- が減少していれば代謝性アシドーシス,$PaCO_2$ が上昇していれば呼吸性アシドーシスと判断する.
▶アルカレミアでは,HCO_3^- が上昇していれば代謝性アルカローシス,$PaCO_2$ が減少していれば呼吸性アルカローシスと判断する.

c Step 3：代償反応は範囲内か

▶体内でこれらの一次的な反応が生じた場合,それを戻そうとする代

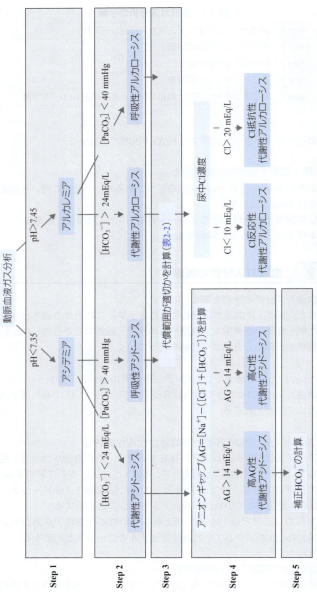

図 2-1 血液ガス分析のフローチャート

表 2-2　一次的な反応と代償反応の関係

		代償の範囲	代償範囲の限界値
代謝性アシドーシス		$PaCO_2=1.5\times[HCO_3^-]+8\pm2$ $\triangle PaCO_2=(1\sim1.3)\times\triangle HCO_3^-$ $PaCO_2=15+[HCO_3^-]$	$PaCO_2=15$ mmHg
代謝性アルカローシス		$\triangle PaCO_2=(0.6\sim0.7)\times\triangle HCO_3^-$ $PaCO_2=15+[HCO_3^-]$	$PaCO_2=55$ mmHg
呼吸性アシドーシス	急性	$\triangle PaCO_2=10$ mmHg 上昇するごとに $\triangle HCO_3^-=1$ mEq/L 上昇	$[HCO_3^-]=38$ mEq/L
	慢性	$\triangle PaCO_2=10$ mmHg 上昇するごとに $\triangle HCO_3^-=4$ mEq/L 上昇	$[HCO_3^-]=45$ mEq/L
呼吸性アルカローシス	急性	$\triangle PaCO_2=10$ mmHg 低下するごとに $\triangle HCO_3^-=2$ mEq/L 低下	$[HCO_3^-]=18$ mEq/L
	慢性	$\triangle PaCO_2=10$ mmHg 低下するごとに $\triangle HCO_3^-=5$ mEq/L 低下	$[HCO_3^-]=15$ mEq/L

償反応が起こる．たとえば代謝性アシドーシスが生じると，換気量を増大させ CO_2 を減少させて，代償性に低下した pH を 7.40 に近づけようとする（7.40 を超えて代償することはない）．

▶一次的な反応と代償反応の関係を表 2-2 に示す．

▶代謝性アシドーシスや代謝性アルカローシスでは，$PaCO_2=$ $[HCO_3^-]+15$ で大まかな $PaCO_2$ を求めることができる．たとえば血清 HCO_3^-：20 mEq/L の代謝性アシドーシスの症例では，$PaCO_2$：35 mmHg くらいになるはずであり，それより極端に高い場合は呼吸性アシドーシス，低い場合は呼吸性アルカローシスの合併を考える．

d Step 4：アニオンギャップの計算

▶ヒトの体内は電気的に中性であることから，血清中では，以下のような式が成り立つ．

$$[Na^+]+UC（測定できない陽イオン）=$$
$$[Cl^-]+[HCO_3^-]+UA（測定できない陰イオン）$$

▶アニオンギャップ（AG）は，「測定できない陰イオン（UA）から測定できない陽イオン（UC）を引いたもの」であるため，以下の式が成り立つ．

$$AG=UA-UC=[Na^+]-([Cl^-]+[HCO_3^-])$$

▶この「測定できない陰イオン」のなかに，尿毒症ではリン酸イオンや硫酸イオン，乳酸アシドーシスでは乳酸，糖尿病性ケトアシドー

シスではケトン体，といった「測定できない陰イオン」が存在する.
▶AGの正常値は12±2.
▶低アルブミン血症があれば，以下の補正式を用いる.

補正 AG＝AG＋（4－血清 Alb 濃度）×2.5

e Step 5：アニオンギャップ上昇時は補正 HCO_3^- を計算

▶補正 HCO_3^- は AG が上昇する代謝性アシドーシスの症例において，他の酸・塩基平衡異常を合併していないかを評価するために計算する.
▶AG が上昇している代謝性アシドーシスでは，AG の上昇に伴い HCO_3^- が消費されるので，[AG の上昇（⊿AG）]：[HCO_3^- の低下（⊿HCO_3^-）]＝1：1 となる.
▶したがって，AG が上昇していなかった際の HCO_3^- を補正 HCO_3^- と定義すると，

補正 HCO_3^- ＝ [実測 HCO_3^-] ＋ [⊿AG]
  ⊿AG＝AG－12
・補正 HCO_3^-＜24 mEq/L：正 AG 性代謝性アシドーシスの合併
・補正 HCO_3^-＞26 mEq/L：代謝性アルカローシスの合併

3 代謝性アシドーシス

▶代謝性アシドーシスは，「一次的に HCO_3^- が低下し，二次的に呼吸性代償で $PaCO_2$ が低下し，結果として血液の pH が下がる病態」である.
▶しばしば全身状態の悪い患者に，混合性酸・塩基平衡障害の一要素として出現する.

a 症状

▶過呼吸（呼吸性代償），全身倦怠感，錯乱.
▶重度になると，ショックや意識障害をきたすことがある.

b 検査所見

▶pH の低下，血清 HCO_3^- 濃度の低下，呼吸性代償による $PaCO_2$ の低下.
▶高カリウム血症（下痢や尿細管アシドーシスのように低カリウム血症になることもある）.
▶血清 Na-Cl＜36 が，代謝性アシドーシスを疑うきっかけになる.

表2-3 **高アニオンギャップ性代謝性アシドーシスの原因**

機序		原因
内因性酸産生増加	乳酸アシドーシス	ショック，敗血症，ビタミンB_1欠乏，腸管虚血，痙攣，アルコール多飲
	ケトアシドーシス	糖尿病，アルコール，飢餓
外因性酸産生増加	サリチル酸，エチレングリコール，メタノール	
酸排泄障害	末期腎不全	

c 原因

▶前述のように，AG の値により高 AG 性代謝性アシドーシスか，正 AG 性代謝性アシドーシスに分ける．

1. 高 AG 性代謝性アシドーシス

▶高 AG 性代謝性アシドーシスの原因を表2-3 に示す．

▶AG が上昇する代謝性アシドーシスは KUSSMAL と覚えるとよい．

> K：ketoacidosis（ケトアシドーシス）
> U：uremia（尿毒症）
> S：sepsis（敗血症）
> S：salicylic acid（サリチル酸中毒）
> M：methanol（メタノール中毒）
> A：aspirin（アスピリン中毒）
> L：lactic acid（乳酸アシドーシス）

2. 正 AG 性代謝性アシドーシス

▶正 AG 性代謝性アシドーシスの原因を表2-4 に示す．

▶AG が正常な代謝性アシドーシスは HARD UP と覚えるとよい．

> H：hypocapnic（低二酸化炭素血症後）
> A：acetazolamide（アセタゾラミド）
> R：renal tubular acidosis（尿細管性アシドーシス）
> D：diarrhea（下痢）
> U：ureterosigmoidostomy（尿管 S 状結腸瘻）
> P：pancreatic fistula（膵液瘻）

▶AG が正常な代謝性アシドーシスでは，尿からの酸排泄（NH_4^+排泄）ができているかどうかで原因を鑑別する．

▶尿からの NH_4^+ 排泄の評価は尿 AG で行う．

> 尿 AG＝［尿 Na^+］＋［尿 K^+］－［尿 Cl^-］

表 2-4 正アニオンギャップ性代謝性アシドーシスの原因

機序	原因
酸排泄障害	遠位尿細管性アシドーシス,慢性腎不全
腎性 HCO_3^- の喪失	近位尿細管性アシドーシス,アセタゾラミド
腸管からの HCO_3^- の喪失	下痢,回腸導管
Cl^- の過剰負荷	大量の生理食塩液負荷,肝不全用アミノ酸輸液製剤(Na に比して Cl の多い輸液),塩酸セベラマーの投与

表 2-5 AG が正常な代謝性アシドーシスの尿 AG での鑑別

尿 AG	原因
負	NH_4^+ の排泄が正常(下痢)
正	NH_4^+ の排泄が低下(遠位尿細管性アシドーシス) 有機酸排泄が増加(ケトアシドーシスの回復期,トルエン中毒) ※酸排泄が低下していなくても,ケトアシドーシス回復期,トルエン中毒のような有機酸排泄が増えているときは,尿 AG は正になる.

▶NH_4^+ の排泄障害があれば尿 AG は正になり,NH_4^+ が正常に排泄できれば尿 AG は負になる(表 2-5).

d 治療

▶代謝性アシドーシスの治療の原則は,「原疾患の治療」である.
▶重篤な代謝性アシドーシスのある症例(pH≦7.20,$PaCO_2$≦45 mmHg)や,急速に代謝性アシドーシスが進行する症例では,炭酸水素ナトリウムの投与による pH の補正を行う.

> **処方例**
> ①炭酸水素ナトリウム不足量(mEq/L)
>   =(目標 HCO_3^- −測定 HCO_3^-)×体重(kg)×0.5
> ✎通常,目標 HCO_3^- は 20〜21 mEq/L.
> ②上式から欠乏量を計算し,その 1/2 量を初期量として,1 時間かけて点滴静注.
> ③反応性をみて,さらに半量ずつ補充.

▶pH≧7.3 を目指して,4.2% sodium bicarbonate 125〜250 mL を 30 分以内に投与(1 回の投与につき,投与後 1〜4 時間以内に血液ガス分析で評価)し,24 時間で最大 1,000 mL まで投与可とする方法もある.

▶ メイロン® は $NaHCO_3$ の形で存在し，Na^+ がかなり高濃度に存在する（8.4％製剤には Na^+：1,000 mEq/L，HCO_3^-：1,000 mEq/L，7％製剤には Na^+：844 mEq/L，HCO_3^-：844 mEq/L）．

▶ 利尿がない症例では炭酸水素ナトリウムは著明な Na 負荷になるため，透析療法を考慮する．

▶ 慢性腎臓病患者の慢性の代謝性アシドーシスに対する経口の炭酸水素ナトリウムの投与は，腎予後を改善させる．

4 代謝性アルカローシス

▶ 代謝性アルカローシスは，「一次的に HCO_3^- が上昇し，二次的に呼吸性代償で $PaCO_2$ が上昇し，結果として血液の pH が上がる病態」である．

a 症状

▶ 悪心・嘔吐，錯乱．
▶ 重度になると，意識障害をきたすことがある．

b 検査所見

▶ pH の上昇，血清 HCO_3^- 濃度の上昇，呼吸性代償による $PaCO_2$ の上昇．
▶ 低カリウム血症，Ca^{2+} の低下，低リン血症．
▶ 血清 Na−Cl＞36 が，代謝性アルカローシスを疑うきっかけになる．

c 原因

▶ 原因を表 2-6 に示す．代謝性アルカローシスの 2 大原因は，①胃液喪失（嘔吐・胃液吸引），②利尿薬の使用，であり，病歴を確認する．

▶ 鑑別には尿中 Cl^- 濃度が有用で，細胞外液量が低下しているものは尿中 Cl^- 濃度＜10 mEq/L であり，生理食塩液により病態が改善するため Cl 反応性とよばれる．一方で，細胞外液量が正常〜増加しているものは尿中 Cl^- 濃度＞20 mEq/L であり，Cl 抵抗性とよばれる．

▶ 代謝性アルカローシスが成立するには，表 2-6 に示す H^+ の喪失や HCO_3^- の負荷の発症要因に加えて，代謝性アルカローシスが維持されるためには，①体液量減少，②有効循環血液量減少，③Cl 欠乏，④低カリウム血症，⑤腎機能障害，といった腎臓からの HCO_3^- 排泄が低下する因子が存在することが必要である．治療の際は，これらを補正することも重要である．

表 2-6 代謝性アルカローシスの原因疾患

細胞外液量減少を伴うもの（Cl 反応性代謝性アルカローシス） 尿中 Cl 濃度＜10 mEq/L	
消化管からの H⁺, Cl⁻の喪失	嘔吐, 胃液吸引, Cl 喪失性下痢
腎外からの H⁺, Cl⁻の喪失	ループ利尿薬, サイアザイド系利尿薬, 高カルシウム血症

細胞外液量が正常〜増加しているもの（Cl 抵抗性代謝性アルカローシス） 尿中 Cl 濃度＞20 mEq/L		
血圧正常	Mg²⁺欠乏, K⁺欠乏, Bartter 症候群, Gitelman 症候群	
高血圧あり	血漿レニン活性↑ 血清アルドステロン値↑	腎動脈狭窄, 悪性高血圧, レニン産生腫瘍
	血漿レニン活性↓ 血清アルドステロン値↑	原発性アルドステロン症
	血漿レニン活性↓ 血清アルドステロン値↓	Cushing 症候群, 甘草, AME 症候群, Liddle 症候群, 副腎性器症候群, ステロイド投与

細胞外液量が不定のもの
アルカリ投与（とくに腎不全時）, 大量輸血, ミルク・アルカリ症候群, 高二酸化炭素血症治療改善後

AME：apparent mineralocorticoid excess

d 治療

▶代謝性アルカローシスの治療は, 原因となっている原疾患の治療や原因薬剤の中止である（例：嘔吐であれば胃酸分泌抑制薬の処方, 漢方による偽性アルドステロン症であれば薬剤中止）.

1. Cl 反応性代謝性アルカローシス

▶生理食塩液を投与する. 低カリウム血症がある場合は, 塩化カリウム（KCL）を投与する. KCL の投与は原則, 経口補充.

▶Na 濃度が低く, Cl 濃度が高い肝不全用アミノ酸液を使用することがある（保険適用外）.

2. Cl 抵抗性代謝性アルカローシス

▶ミネラルコルチコイド過剰の病態では, ミネラルコルチコイド受容体拮抗薬を用いる.

▶うっ血性心不全でフロセミドを用いている場合は, アセタゾラミドの併用を検討する.

▶低カリウム血症がある場合は KCL を投与する.

5 呼吸性アシドーシス

▶呼吸性アシドーシスは，「肺胞低換気により一次的に $PaCO_2$ が上昇し，二次的に代謝性代償で HCO_3^- が上昇し，結果として血液の pH が下がる病態」である．

▶腎臓による代償作用には，前述のように時間～日単位の時間を要するため，急性の呼吸性アシドーシスでは HCO_3^- の上昇は軽度である．

a 症状

▶慢性の呼吸性アシドーシスは一般的に無症状．

▶頭痛，眠気，意識障害．

▶CO_2 ナルコーシス．

b 検査所見

▶pHの低下，$PaCO_2$ の上昇，代謝性代償による血清 HCO_3^- 濃度の上昇．

c 原因

▶原因を表 2-7 に示す．

d 治療

▶肺胞低換気とさせている原因の治療．

▶非侵襲的陽圧換気や人工呼吸器での管理を要することもある．

▶高濃度酸素投与により呼吸抑制を起こすことがあるため，注意を要する．

表 2-7　呼吸性アシドーシスの原因

	原因
呼吸中枢抑制	CSAS，鎮静薬，睡眠薬，酸素吸入，脳血管疾患，てんかん重積状態
気道閉塞	OSAS，気道異物，腫瘍，誤嚥，気管支痙攣
呼吸器疾患	COPD，気管支喘息，ARDS，肺炎，肺水腫
神経筋疾患	Guillain-Barré 症候群，重症筋無力症，筋ジストロフィー，脳幹または頸髄損傷

CSAS：中枢性睡眠時無呼吸症候群，OSAS：閉塞性睡眠時無呼吸症候群，ARDS：急性呼吸窮迫症候群，COPD：慢性閉塞性肺疾患

6　呼吸性アルカローシス

▶呼吸性アルカローシスは，「過換気により $PaCO_2$ が低下する病態」である.

a 症状
▶四肢の痺れ，痙攣，テタニー，呼吸困難感，めまい，疲労感.

b 検査所見
▶pHの上昇，$PaCO_2$ の低下，代謝性代償による血清 HCO_3^- 濃度の低下.

c 原因
▶原因を表 2-8 に示す.

d 治療
▶原疾患の是正もしくは原因薬剤の中止.
▶心因性の過換気症候群の場合は，ゆっくり呼吸をしてもらうことが重要である．とくに呼気を，時間かけて行うように指示する.

表 2-8　呼吸性アルカローシスの原因

	原因
呼吸中枢刺激	頭蓋内圧亢進，脳血管疾患，中枢神経感染症，頭部外傷，痛み，不安，過換気症候群，敗血症，慢性肝疾患，薬剤性（サリチル酸，プロゲステロン，ニコチン，カテコラミン）
呼吸器疾患	気管支喘息，肺炎，肺水腫，肺塞栓症
低酸素血症	低酸素血症をきたすすべての原因
その他	人工呼吸器による過換気

3 AKI の診断と治療

1 概念

▶急速に(時間～日の単位で)腎機能(糸球体濾過量：GFR)の急激な低下をきたし，体液恒常性維持が困難となった状態を，従来，急性腎不全(ARF)とよんできた．しかし2000年代に入り，超高齢者などに対する集中治療がICUなどで広く行われるようになり，敗血症・多臓器不全などに急激な腎障害の病態が合併することも多くなった．

▶敗血症や多臓器不全などを合併する場合，failureとはよべない程度の早期の腎機能低下でも予後に大きな影響を与えることが明らかにされ，治療介入はできる限り早期に始めるべきとされた．このような集中治療領域における多臓器不全の一部分症状としての腎障害として，急性腎障害(AKI)という概念が提唱された．

▶2016年に日本腎臓学会など5学会合同で「AKI(急性腎障害)診療ガイドライン2016」[1](以降，AKIガイドライン2016とする)が作成された．

▶本稿では，このガイドラインに準拠してAKIの診断と治療に関して解説する．

2 定義

▶これまでに，いくつかのAKIの具体的な定義(診断基準)が発表されてきた．おもな診断基準として，①Acute Dialysis Quality Initiative(ADQI)によるRIFLE基準(2004年)，②Acute Kidney Injury Networkによる AKIN基準(2007年)，などがあるが相違点があり，内容の統一が行われていなかった．

▶相違を修正するため，2012年にKidney Disease：Improving Global Outcomes(KDIGO)のAKI Workgroupにより，Clinical Practice Guidelineが発表された．

▶KDIGOガイドラインでは，以下のいずれかを満たす状態をAKIと定義している．
　①血清Crが48時間以内に0.3 mg/dL以上，上昇した場合
　②血清Crが前値(7日以内の値)の1.5倍以上に上昇した場合
　③尿量0.5 mL/kg/時未満が6時間持続した場合

73

表 3-1　急性腎障害（AKI）のステージ分類（KDIGO 基準による）

	血清 Cr 値による分類 （前値との比較）	尿量による分類
stage 1	1.5〜1.9 倍の上昇 または 0.3 mg/dL 以上の上昇	＜0.5 mL/kg/時が 6〜12 時間継続
stage 2	2.0〜2.9 倍の上昇	＜0.5 mL/kg/時が 12 時間以上継続
stage 3	3.0 倍以上の上昇 または 4.0 mg/dL 以上の上昇 または 腎代替療法開始 または eGFR の 35 mL/分/1.73 m²以上の低下（18 歳未満の例のみ）	＜0.3 mL/kg/時が 24 時間以上継続 または 無尿が 12 時間以上継続

注：血清 Cr による分類と尿量による分類のうち，重症度の高いほうを採用する．また透析など腎代替療法を施行すれば，Cr 値や尿量にかかわらず stage 3 とする．
〔Kidney Disease：Improving Global Outcomes（KDIGO）：KDIGO Clinical Practice Guideline for Acute Kidney Injury. Kidney Int Suppl 2012；2：19[2)]より一部改変〕

▶KDIGO ガイドラインでは，血清 Cr の変化・尿量に応じて AKI のステージ分類を行っている（表 3-1）[2)]．

▶KDIGO 基準は，RIFLE 基準や AKIN 基準よりも高い精度，あるいは少なくとも同等に院内死亡率を反映することが示されており，AKI ガイドライン 2016 でも，AKI の診断は KDIGO 基準に基づいて行うことが推奨されている．

▶KDIGO 基準では，あくまで血清 Cr の変化と尿量・腎代替療法（RRT）の有無のみで分類されており，原因・障害部位・発症様式などは含まれていない．したがって，つねに AKI が多彩な原因・病態を含んだ症候群であることを忘れず，原因の鑑別と増悪因子の除去に努める必要がある．

▶KDIGO 基準よりもさらに早期に AKI を診断する目的で，尿中の NGAL（neutrophil gelatinase-associated lipocalin）や L 型脂肪酸結合蛋白（L-FABP）など，いわゆる尿中バイオマーカーの有用性が報告されており，AKIガイドライン2016でも測定することが提案されている．

▶しかし，迅速に結果が得られるわけではなく，これらに基づいて AKI を診断し介入することの意義は明らかにされていない．

3 意義

▶ 読者のなかには，血清 Cr が大きく，かつ急激に上昇した ARF の重要性は理解できるが，0.3 mg/dL という一見些細な血清 Cr の上昇をなぜそこまで問題視するのか？と疑問に感じる人もいると思われる．その理由は以下の 3 つである．

a 些細な血清 Cr の上昇も実は大きな腎機能低下を反映している

▶ たとえば GFR が急激にほぼ 0 まで低下した場合でも，血清 Cr が上がりきるのには数日を要する．つまり血清 Cr が急激に上昇した場合，真の腎機能は血清 Cr から予想できるよりも大幅な低下をきたしていることが多い．

b AKI は末期腎不全のリスクとなる

▶ AKI は速やかに原因を除去する効果的な治療が行われた場合，腎機能の完全な回復をみることもあるが，そのまま維持透析が必要な末期腎不全に至ることもある．

▶ また腎機能の回復がみられても不十分で慢性腎臓病の状態となることもあり，AKI の腎予後は不良である．

▶ このため AKI ガイドライン 2016 においても，AKI 症例では長期のフォローアップが推奨されている[1]．

c AKI は患者の生命予後を悪化させる

▶ 心臓手術後の AKI においては，術後 1 か月の死亡率が，術後 48 時間以内に血清 Cr が変化しなかった症例に比べ，0.3〜0.4 mg/dL 上昇した症例では約 2 倍，0.7〜0.8 mg/dL 上昇した症例では約 10 倍に上昇するという報告がある．

▶ つまり AKI が生じたということは，全身状態の悪い症例において有効腎血流量が低下するなど，生命予後に影響を与える非常に深刻な状況が出現したと考えるべきである．

4 リスク因子と契機

▶ KDIGO ガイドラインでは，AKI のリスク因子と発症の契機について述べられている（表 3-2）．

▶ 表 3-2 に示すリスク因子を有する症例では，血清 Cr・尿量の変化に厳重な注意が必要である．

表 3-2　急性腎障害（AKI）のリスク因子と直接の契機

リスク因子	AKI の発症の契機になりうるもの
・脱水状態 ・高齢者 ・女性 ・黒人 ・慢性腎臓病患者 ・心臓・肺・肝臓の慢性疾患患者 ・糖尿病患者 ・担癌患者 ・貧血の存在	・敗血症 ・生命の危機となる重篤な状態 ・ショック ・熱傷 ・外傷 ・心血管手術 ・心臓以外の大手術 ・腎毒性薬剤 ・ヨード系造影剤 ・毒性食物・動物

5　症状

▶AKI が腎機能の変化をごく早期から捉えようとする概念であるだけに，AKI が生じた段階で，すでに尿毒症を呈していることは少ない．もっとも重要な症状は尿量減少である．

▶AKI 診断において，血清 Cr の変化だけでなく尿量の基準を加えることで，より正確に腎予後と生命予後を推測できることから，AKI ガイドライン 2016 でも可能な限り尿量による重症度評価が推奨されている[1]．

▶体内で産生された溶質を排泄しきる限界の尿量として「乏尿」（400 mL/日以下）という概念があるが，AKI 症例では全身状態が不良であることが多く，また早期の治療介入が予後を大きく左右するため，1 日単位ではなく KDIGO 基準にある時間尿量での速やかな判断が求められる．ただし非乏尿性 AKI も存在するので，尿量減少が認められないからといって AKI の存在を否定してはいけない．

6　分類

▶従来，ARF に関しては，原因の存在する部位と腎臓の関係から，①腎前性，②腎性，③腎後性，の 3 分類が行われてきた（図 3-1）．

▶AKI は，全身状態が悪い症例において，腎機能の変化を早期に捉えようとする概念であるため，明確に分類できないことも多いが，この 3 分類を理解しておくことは意味のあることである．

▶実際の臨床では，病歴が不明な場合は目の前の症例が AKI なのか慢性腎臓病（CKD）なのか，判断に迷うことも多い．

▶図 3-1 に示すように，AKI と CKD の鑑別，および後述する 3 種の AKI の鑑別にもっとも有用な検査は腎臓のエコー検査であり，重症例でも簡便にベッドサイドで実施できる利点もあることから，まず行うべき検査である．

a 腎前性 AKI

▶一時的に腎の循環血液量が減少した状態．
▶腎に器質的異常は生じていない．

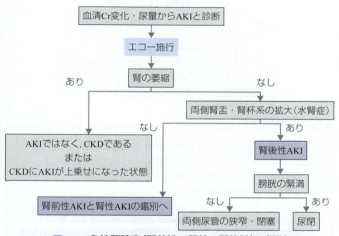

図 3-1 急性腎障害（腎前性・腎性・腎後性）の鑑別

Side memo

微小変化型ネフローゼ症候群（MCNS）は腎機能の予後良好？

MCNS は，一般的に腎機能の長期予後が良好な疾患として知られている．これは正しいが，MCNS はしばしば発症まもない極期に AKI を合併する．最初は低アルブミン血症による血管内脱水の腎前性 AKI であるが，重篤になると尿細管虚血による急性尿細管壊死（ATN）や間質浮腫のために腎性 AKI となり，回復に長時間を要することがある．MCNS 症例において尿中 Na 濃度が低下している場合は血管内脱水が強いという警告のサインであり，過剰な利尿薬使用は避けるべきで，アルブミン製剤投与も考慮すべきである．また，そのような症例でステロイドパルス療法を行うと，強いミネラルコルチコイド作用によって尿中 Na 排泄がさらに減少し，一気に乏尿になる場合もあるので注意を要する．

▶原因を取り除くことによって，速やかに腎機能の回復を認める．しかし長期間持続すると，腎性 AKI に移行する．

▶原因を表 3-3 に示す．

▶ネフローゼ症候群で低アルブミン血症が著明な症例において，AKI が生じることがある．とくに微小変化型ネフローゼ症候群の際に生じやすい（ Side memo 参照，☞p.77）．

▶心臓と腎臓は密接な関係があり，「心腎連関」とよばれている．従

表 3-3　腎前性 AKI の原因

・脱水
・大量出血
・ショックなどによる一時的血圧低下
・高度の低アルブミン血症（ネフローゼ症候群など）
・心不全による心拍出量減少
・正常血圧性虚血性 AKI（normotensive ischemic AKI）

Side memo

Cardiorenal syndrome の定義と分類

　心臓と腎臓において，一方の臓器の急性あるいは慢性の障害によって，他方の臓器に急性あるいは慢性の障害が生じた病態を指す．

　ADQI による分類を示す（表）[3]．

表　ADQI による cardiorenal syndrome の分類と概念

Type	名称	概念
Ⅰ	Acute cardiorenal syndrome	急激な心機能低下によって生じた AKI の状態
Ⅱ	Chronic cardiorenal syndrome	心機能の慢性的な異常によって生じた，進行性で永続的な CKD の状態
Ⅲ	Acute renocardiac syndrome	腎機能の急速な低下によって生じた急性心不全
Ⅳ	Chronic renocardiac syndrome	CKD によって心機能低下・心肥大・心筋線維化が生じ，心血管イベントのリスクが増加した状態
Ⅴ	Secondary cardiorenal syndrome	全身状態の悪化（敗血症など）によって，心機能・腎機能がともに障害された状態

〔Rangaswami J, et al.：Cardiorenal Syndrome：Classification, Pathophysiology, Diagnosis, and Treatment Strategies：A Scientific Statement From the American Heart Association. Circulation 2019；139：e840-e878[3]〕

来，心不全時の AKI は心拍出量低下による有効腎血漿量減少が主因と考えられてきたが，心拍出量が著明に減少していなくても，右心不全の強い症例では腎静脈うっ血によって AKI を生じ得ることが報告された．これを congestive kidney failure とよぶこともあるが，従来の AKI の分類には当てはめにくい概念である．

▶心腎連関は急性の病態だけでなく慢性の病態もありうるが，近年，ADQI によって cardiorenal syndrome の分類が提唱された（ Side memo 参照，☞p.78）．

▶典型的な腎前性 AKI の場合は血圧が低下傾向にあることが多いが，明らかな血圧低下がみられない，あるいは血圧低下がごく軽度であっても AKI を生じることがあり，これを正常血圧性虚血性 AKI（normotensive ischemic AKI）とよぶ（ Side memo 参照）．

b 腎性 AKI

▶腎実質の器質的異常によって GFR が低下した状態．腎前性 AKI に比して重篤な疾患に合併し，患者の全身状態が悪いことが多い．

▶原因を以下に示す．

1. 急性尿細管壊死（ATN）

▶血圧低下が持続し，虚血によって尿細管が壊死した状態．

▶腎前性 AKI の状態が長く続くと，ATN に移行する．

▶組織学的に典型的な尿細管上皮の壊死像がみられるとは限らず，近位尿細管刷子縁の消失や尿細管上皮の扁平化などの所見程度のこともあり，急性尿細管障害（ATI）という用語も用いられるようになってきている．

2. 敗血症

▶以前は，敗血症性ショックによる腎血流量の著明な低下によって ATN が生じると考えられていた．しかし最近では，septic AKI では

Side memo

正常血圧性虚血性 AKI（normotensive ischemic AKI）

　動脈硬化が強い症例では，通常ならば正常範囲内とみなされる程度の血圧でも AKI をきたすことがある．とくに腎動脈狭窄が存在する場合は，ある閾値を超えて血圧が低下すると狭窄部よりも末梢の血圧が急激に低下し，腎循環の自己調節能の破綻をきたす．つまり「相対的血圧低下」である．「この程度の血圧低下なら腎のホメオスタシスは保たれているはず」と決めつけてはいけない．

腎血流量はむしろ増加しているという報告があり，輸出細動脈の高度拡張による糸球体内圧低下が主原因と考えられている．

▶播種性血管内凝固（DIC）を合併した場合は，腎臓内の微小血栓もAKIの原因となる．

3. 感染症

▶敗血症には至らなくても，感染症罹患を契機に糸球体腎炎が惹起されることが報告されており（詳細は「感染症に関連した腎炎」参照，☞p.253），激烈な場合，腎性AKIを呈する．

▶また，COVID-19（新型コロナウイルス感染症）罹患時もAKIを呈することがあり，入院を要するような重症例では腎機能に注意が必要である（ Side memo 参照）．

4. 血管障害

▶血管炎症候群，悪性高血圧，血栓性微小血管障害〔血栓性血小板減少性紫斑病/溶血性尿毒症症候群（TTP/HUS）〕など．

Side memo

COVID-19 と AKI

■ COVID-19のパンデミック早期の米国での報告によると，COVID-19で入院となった症例の約37%がAKIを発症し，そのうち約14%が透析療法を要した．COVID-19の重症度はウイルスの型や患者の免疫状態・ワクチン接種の有無など種々の要因が関与するため，このデータを現在の日本に適応するのは誤りであるが，重篤なCOVID-19症例ではAKI発症の可能性を考慮して，尿量や血清Crの推移に十分な注意が必要である．

■ COVID-19感染例におけるAKI発症の機序は単一ではなく，以下の因子が考えられている．

①炎症性サイトカインの増加による「サイトカイン・ストーム」

②血行動態の不安定さや呼吸管理のための高い呼気終末陽圧（PEEP）設定による，腎循環への影響などの非特異的な因子

③凝固能亢進による微小血栓形成

④近位尿細管上皮やpodocyteへの新型コロナウイルス（SARS-CoV-2）の侵入

⑤レニン・アンジオテンシン系の異常な亢進

⑥薬剤性腎障害

■ COVID-19の重症例，とくに凝固機能検査から凝固・線溶系亢進が認められる症例では，適切な抗ウイルス薬や副腎皮質ステロイドとともに，抗凝固薬としてヘパリン投与を検討すべきである．

5. 横紋筋融解・クラッシュ症候群
▶ミオグロビンによる尿細管障害.
▶クラッシュ症候群では，虚血筋肉における血管外水分漏出による高度の血管内脱水も関与している（ Side memo 参照，☞p.82）.

6. 高度血管内溶血
▶血液型不適合輸血後・自己免疫性溶血性貧血など．遊離 Hb による尿細管障害.

7. 急速進行性糸球体腎炎
▶半月体形成性糸球体腎炎を呈する疾患〔抗好中球細胞質抗体（ANCA）関連腎炎，Goodpasture 症候群など〕.

8. 急性糸球体腎炎
▶溶連菌感染後急性糸球体腎炎（PSAGN）など.

9. 急性間質性腎炎
▶薬剤性，感染性など.

10. コレステロール塞栓症
▶血管造影などカテーテル操作後に生じることが多く，blue toe や好酸球増加を伴う場合がある.

11. 薬剤
▶非ステロイド性抗炎症薬，ヨード系造影剤（「腎機能低下時の造影剤の使用」参照，☞p.637），アミノ配糖体，さらに分子標的薬・免疫チェックポイント阻害薬などの抗悪性腫瘍薬（「がんと腎臓」参照，☞p.641）の投与により AKI が生じることがあり，これらの薬剤投与時には腎機能・検尿所見の推移に注意が必要である.

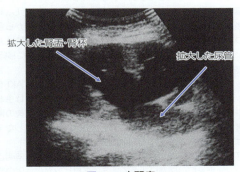

図 3-2 水腎症
50歳女性，子宮頸癌．乏尿状態．腎臓のサイズは 116×53 mm.

Side memo

クラッシュ症候群

- クラッシュ症候群は大災害の際などに，四肢，とくに下肢が瓦礫などの下敷きとなった症例において，救出後に AKI を発症する病態である．もともとは第二次世界大戦の際，倒壊した建造物の下敷きとなり，救出されたのちに ARF を発症して死亡する病態に対して名づけられたものである．わが国では阪神・淡路大震災，JR 福知山線脱線事故などの際に発生して広く知られることとなった．

- 本症候群の定義は「外傷性または外傷に伴う横紋筋融解症」であるが，むしろ圧迫解除後の虚血肢再灌流が病態上，重要である．クラッシュ症候群における AKI の病態は，高度の hypovolemia による腎前性 AKI と横紋筋融解による腎性 AKI である．本症候群はその発症の可能性が念頭におかれていない場合，しばしば救出後に生命を脅かす事態に至る深刻な疾患である．

a. 病態

1. hypovolemia による腎前性 AKI

- 瓦礫などの下敷きになった患者は長時間経口摂取が不能であり，大量の発汗を考慮すると，すでにその時点で脱水状態にある．さらに救助後，四肢の圧迫が解除されると筋肉への循環が回復し，損傷を受けた筋肉内へ水・電解質の移行が起こる．このような虚血・再灌流時の筋肉障害には，活性酸素，細胞内 Ca 蓄積，多核白血球などが関与していると考えられている．傷害を受けた筋肉では Na^+/K^+-ATPase の障害のため，Na に伴って水が筋肉内に入り，筋肉細胞は膨脹し，筋膜に囲まれた領域の内の圧力が毛細血管圧を上回って，さらに筋肉の循環障害が生じる．このような状態をコンパートメント症候群とよぶ．

- 下敷きになっていたときから脱水状態にある患者において，筋肉内への大量の水の移動は血管内の高度の hypovolemia をきたし，しばしば救出後，搬送中にショックに陥り，主要臓器の循環不全から多臓器不全とつながる．この理由で，腎臓においても初期には腎前性 AKI が生じる．この段階で適切な輸液が行われないと，腎性 AKI に移行する．

2. 横紋筋融解による腎性 AKI

- クラッシュ症候群に限らず，高度の横紋筋融解の際には AKI を生じうるが，最大の原因はミオグロビンである．ミオグロビンは主として骨格筋や心筋に存在する分子量 17,500 のヘム蛋白で，筋肉の再灌流時に傷害を受けた筋肉内から血中に流出する．腎臓に到達したミオグロビンは糸球体から濾過され，尿細管腔内に排泄される．

- ミオグロビンが AKI を引き起こすメカニズムは完全には解明されていないが，尿細管腔の閉塞に加えて，ミオグロビンが酸性尿の環境下に

おいて腎毒性の強い ferrihemate を産生することや，hydroxyl radical の産生を介した酸化ストレスによる尿細管上皮の障害などが想定されている．

b. 治療

1. 大量輸液

- 前述の hypovolemia を避けるため，できるだけ早期から細胞外液補充液（生理食塩液）の点滴を行う．もし救出前から輸液を行うことが可能であれば，それが望ましい．
- 輸液量に関して定説はなく，症例によって異なるが，本症候群の際には高度の hypovolemia を呈するため，6〜24 L/日という大量輸液を要した報告がある．

2. 尿のアルカリ化

- 前述のように，本症候群では酸性尿がミオグロビンによる尿細管障害を増悪させるため，重炭酸ナトリウム点滴を行って尿アルカリ化（尿pH>6.0）を行う．
- フロセミドは尿のpHを低下させるため，できるだけ使用を控えるべきである．

3. 腎代替療法（RRT）

- 横紋筋融解によって細胞内 K が放出されるため，本症候群では高カリウム血症をきたしやすい．
- 薬剤での管理が困難である場合も多いため，可能であれば RRT が施行可能な後方支援病院へ搬送する．
- RRT の方法に関して明確なエビデンスはないが，大災害で大量の患者が発生する可能性を考慮すると，間欠的 RRT の血液透析（HD）が現実的であろう．

c 腎後性 AKI

- 尿路（腎盂・腎杯系，尿管，膀胱，尿道）に閉塞あるいは強い狭窄があり，尿流がせき止められて水腎症になっている状態．
- 一側腎の尿流が完全閉塞しても対側が代償するので，腎後性 AKI となるためには両側の腎の尿流が妨げられていなければならない．
- エコーで両側の腎盂・腎杯系が拡大して水腎症を呈していることを観察すれば診断できる（図 3-2）．さらにエコーで膀胱を観察し，膀胱が緊満していれば原因は膀胱・尿道にあり，緊満していなければそれより上流が原因と判断できる．
- 原因を表 3-4 に示す．

表 3-4　**腎後性急性腎障害（腎後性 AKI）の原因**

- 骨盤腔内の腫瘤の圧迫・浸潤（とくに子宮頸癌が原因として多い）
- 両側尿管結石嵌頓
- 後腹膜線維症（IgG4 との関連が報告されている）
- 神経因性膀胱による膀胱収縮不良（とくに糖尿病症例）
- 凝血塊による閉塞（強い尿路出血の際）
- 前立腺肥大や前立腺癌による尿道狭窄

7　腎前性 AKI と腎性 AKI の鑑別

▶前述のように，腎前性 AKI は長期間原因が持続すると，腎性 AKI に移行する．腎前性 AKI と腎性 AKI では生命予後が異なり，AKI ガイドライン 2016 でもこの 2 者は区別して対応すべきとされている．したがって，この鑑別は臨床上，きわめて重要な問題である．

▶輸液に対する反応性などの経過で判断できる場合もあるが，一般的に用いられるこの 2 者の鑑別方法を表 3-5 に示す（腎生検を施行できれば有用であるが，全身状態から施行できない場合が多い）．

▶表 3-5 に示す指標の多くが，有効腎血漿流量が減少した状態において，レニン・アンジオテンシン系が亢進していることと，集合管での尿濃縮が正常に行われていることを反映して尿中 Na が減少し，また濃縮尿になっていることを示唆するものである．つまり，尿細管機能の維持をみるための指標であるため，本来は正常な腎臓に有効腎血漿流量の減少が起こった腎前性 AKI と，典型的な（完成された）ATN を鑑別するために考えられたものである．したがって，すべての腎前性 AKI と腎性 AKI がこれで鑑別できるわけではないことに注意すべきである．

▶従来から頻用されてきた Na 排泄率（FE_{Na}）に関しても，近年，いくつかの限界が提示されており，評価を盲信せず，経過や身体所見，他の検査結果などから総合的に評価することが必要である．

▶また FE_{Na} の算出式の Na を UN（urea nitrogen）に入れ替えて求める尿素窒素排泄率（FE_{Urea}（FE_{UN}））も，腎前性 AKI と腎性 AKI（とくにATN）の鑑別上，有用であるという報告があり（判定基準は表 3-5），とくに，すでに利尿薬を使用した症例においては，FE_{Na} よりも正確に判断できるとされている．

▶腎性 AKI では，組織学的に以下に示すような高度な変化が生じる．
　①ATN：尿細管上皮の変性脱落や扁平化・間質浮腫．

表 3-5　**腎前性 AKI と腎性 AKI の鑑別**

尿所見	腎前性 AKI	腎性 AKI
尿所見	変化は軽微	蛋白尿・血尿・病的円柱
FE_{Na} (%)	＜1	＞1
尿 Na 濃度 (mEq/L)	＜20	＞40
尿浸透圧 (mOsm/kg H_2O)	＞500	＜350
Cr 比 (尿/血清)	＞40	＜20
尿素窒素比 (尿/血清)	＞8	＜3
輸液負荷に対する反応	良好	不良
FE_{Urea} (FE_{UN}) (%)	＜35	50〜65
エコーでの腎実質の見え方	変化なし	蓮根サイン
腎ドプラでの RI，PI	正常	上昇

FE_{Na}：Na 排泄率．FE_{Urea} (FE_{UN})：尿素窒素排泄率．RI：resistive index．PI：pulsatility index

②DIC：糸球体内微小血栓．

③急速進行性糸球体腎炎：半月体形成・間質炎症細胞浸潤．

④急性間質性腎炎：間質炎症細胞浸潤・尿細管障害．

▶これらの変化はエコー所見にも影響を与える．多くの腎性 AKI では腎臓がやや腫大するだけでなく，腎皮質のエコー輝度上昇が強くみられ，髄質のエコー輝度はあまり変化しないため，皮質・髄質のコントラストが強くなる．このため，髄質が central echo complex の周囲に，あたかも嚢胞のように低エコーで鮮明に描出される（筆者は「蓮根サイン」と命名している，図 3-3）．

▶この所見をきたすメカニズムは病態によって異なるが，間質の炎症

Side memo

Na 排泄率 (FE_{Na}) の意義と算出法

　糸球体で濾過された原尿中の総 Na のうち，実際に尿中に排泄された Na 量の割合（%）を示す．腎前性 AKI と腎性 AKI（とくに ATN）の鑑別に有用である．治療開始前のスポット尿と血液生化学検査で計算する．

$$FE_{Na} = \frac{尿\,Na \times 尿量}{血清\,Na \times GFR (\fallingdotseq Ccr)} \times 100 (\%)$$

$$= \frac{尿\,Na \times 血清\,Cr}{血清\,Na \times 尿\,Cr} \times 100 (\%)$$

細胞浸潤や尿細管上皮障害による間質への back leak による間質浮腫などが関与していると考えられる.
▶ また多くの腎性 AKI 症例では,腎動脈ドプラの流速パターンは腎血管抵抗を反映して,resistive index(RI),pulsatility index(PI)の上昇がみられる.

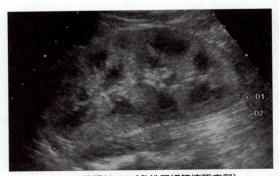

図 3-3　蓮根サイン(急性尿細管壊死症例)
皮髄コントラストが健常人よりも強まり,髄質が鮮明な低エコー領域として描出される.

Side memo

Na 排泄率(FE_Na)評価上の注意点

FE_{Na} は腎前性 AKI と腎性 AKI(とくに ATN)の鑑別に広く使用されている指標であるが,利尿薬・輸液負荷・透析療法などによって影響を受ける.また腎前性 AKI と腎性 AKI の鑑別のための 1%という判定閾値は絶対的なものではない.とくに,以下のような例外が生じることには注意が必要である.

a. **腎性 AKI でも FE_{Na} が 1%を超えて上昇しない場合がある**
   ① 肝硬変,慢性心不全など慢性的に有効腎血漿流量が減少している疾患で ATN が生じた場合
   ② 軽度の尿細管壊死で,発症直後に FE_{Na} を求めた場合
   ③ 急性糸球体腎炎・全身性血管炎による腎性 AKI
   ④ ヨード系造影剤・溶血・横紋筋融解による腎性 AKI

b. **腎前性 AKI でも FE_{Na} が 1%を超える場合がある**
   ① 利尿薬投与後に FE_{Na} を求めた場合
   ② CKD 症例に腎前性 AKI が合併した場合

8 治療と管理

▶AKI の治療・管理においてもっとも重要な点は、AKI の発生を迅速にとらえて鑑別を行い、できるだけ速やかに AKI の原因を取り除くことである。また患者の全身状態を悪化させないために、RRT 導入のタイミングを誤らないことである。

a 腎前性 AKI の治療と管理

▶脱水、大量出血などによる hypovolemia（循環血液量減少）によるものでは、適切な輸液（細胞外液補充液）・輸血などの治療を行う。

▶心不全症例では、カテコラミン投与など心拍出量を増加させるための治療を行う。「正常」血圧であれば腎の循環も保たれているという判断はつねに正しいとは限らず、動脈硬化の強い症例では正常血圧でも AKI をきたすことがあるため、症例ごとにきめ細かい循環管理が必要である（Side memo 参照、☞p.79）。

b 腎後性 AKI の治療と管理

▶尿の流出経路を確保すること以外に特異的治療はない。

▶膀胱が緊満していれば（つまり尿閉）、膀胱にバルーンカテーテルを挿入することによって閉塞が解除できる。

▶膀胱が緊満していないにもかかわらず両側水腎症を呈している場合は、両側尿管の閉塞あるいは高度狭窄と考えられる。この場合は、閉塞を解除するために泌尿器科に膀胱鏡下ダブル J カテーテル留置を依頼する。しかし、尿管の閉塞部をガイドワイヤーが通過しない場合には侵襲度が高くなり、QOL は低下するが経皮的腎瘻造設を考慮する必要がある。

▶腎後性 AKI の治療にあたって内科医として重要なことは、閉塞解除後の管理である。尿細管内圧上昇による尿細管上皮の障害のため尿濃縮能低下が生じ、閉塞解除後は著しい多尿がみられる（7〜8 L/日に及ぶことがある）。このため 1〜2 時間ごとに尿量を測定し、その 70〜80％程度の量の輸液を行う（腎後性 AKI の場合、発症時に体液量が過剰になっている症例が多いため）。

▶輸液は当初、細胞外液補充液で開始するのが無難であるが、電解質バランスをみながら適宜、調節する。水分・電解質の出入りの幅が大きいため、厳重な輸液管理が必要である。

c 腎性 AKI の治療と管理

▶腎前性・腎後性 AKI に比べて回復に時間がかかり，患者の全身状態が悪いことが多いため，もっとも注意を要するのが腎性 AKI の治療・管理である．

▶腎前性 AKI・腎後性 AKI の場合でも，ただちに AKI 状態を解除できない場合には以下の治療・管理を行う．

1. 治療総論

▶腎性 AKI は多彩な原因により生じるため，治療も当然，原因によって異なる．たとえば，ANCA などによる半月体形成性糸球体腎炎，あるいは急性間質性腎炎など免疫学的機序による疾患の診断をつけることができれば，副腎皮質ステロイドを中心とした免疫抑制療法を強力に行う（それぞれの項目参照）．また薬剤が原因と考えられるときは，当然，原因薬剤を中止する．

▶しかし ATN の場合などは，循環動態を安定させて有効腎血漿流量を維持し，ATI の回復を待つしかない．そのために必要なことは，①血管内容量の維持と，②適正な血圧管理であり，これは多くの腎性 AKI において共通の管理方針である．

　①血管内容量の維持：中心静脈圧（CVP）をモニターし，正常上限（10〜12 cmH$_2$O 程度）以上を維持できるよう細胞外液補充液を付加する．低アルブミン血症存在下では，アルブミン製剤も使用する．貧血の強い症例では，末梢組織への酸素運搬の観点からも輸血を考慮する．

　②血圧管理：輸液負荷で血圧が維持できないときは，病態に則したカテコラミンを使用する．敗血症性ショックの症例では，拡張した末梢血管を収縮させるために，ノルアドレナリンを使用する．

▶また AKI が発生すると急激に体液のホメオスタシスが破綻し，電解質・酸塩基平衡異常が出現する．とくに重要な異常は高カリウム血症と代謝性アシドーシスであり，これらのこまめなモニターと補正が必要となる（「高カリウム血症」☞p.34，「代謝性アシドーシス」☞p.66）．

2. 腎代替療法（RRT）導入基準と方法

1）RRT 導入基準

▶AKI，とくに腎性 AKI における RRT の適応基準，開始時期に関して，確たるエビデンスはない．AKI ガイドライン 2016 に記載されている緊急 RRT の適応は以下の 4 つである．

　①利尿薬に反応しない溢水：高用量の利尿薬投与によっても改善しない肺水腫，肺うっ血，大量の胸水，著明な浮腫を認めるとき．

②高カリウム血症あるいは急速に血清 K 濃度が上昇する場合：アシ
ドーシスの補正，グルコース・インスリン療法などによっても血
清 K 濃度の管理が困難，あるいは困難であることが予想されると
き．とくに心電図上，T 波増高や QRS 幅拡大などがみられる場合
は，できるだけ迅速な対応が必要である．

③尿毒症症状（心膜炎，原因不明の意識障害など）の出現時．

④重度代謝性アシドーシスが存在する場合：大量の炭酸水素ナトリ
ウム（メイロン®）投与は Na 負荷になる．またアニオンギャップ増
加型の代謝性アシドーシスでは異常な酸が蓄積している状態であ
り，単に重炭酸イオンを投与しただけでは有効でなく，積極的に
RRT を考慮すべきである．

▶以上の 4 点は絶対的適応というべきものであるが，以下の場合も相
対的に RRT 導入を考慮すべき状態といえる．

①血清 Ca，P，Mg，尿酸の顕著な異常．

②尿量が栄養管理上，必要な輸液を行うだけの量に達しない場合．

▶以上 6 点を満たすよりも早期から RRT を施行することにより，生命
予後が改善するという報告もみられるが，各報告の RRT 開始時期の
相違などから，確かなエビデンスとはなっていない．AKI ガイドラ
イン 2016 においても，「AKI に対して早期の血液浄化療法開始が予
後を改善するエビデンスは乏しく，臨床症状や病態を広く考慮して
開始の時期を決定すべきである」と述べられている．

2）RRT の種類

▶RRT には，①間欠的腎代替療法（IRRT），②持続的腎代替療法
（CRRT），の 2 種類が存在する．

▶この 2 者の比較を AKI ガイドライン 2016[1] に基づいて**表 3-6** に示す．

▶循環動態が安定している AKI 症例においては，IRRT，CRRT のいず
れを選択しても生存率や腎予後などに差がないとする報告もある
が，循環動態が不安定な症例においては CRRT が適しており，通常，
持続血液濾過透析（CHDF）が選択される．

▶最近では IRRT と CRRT の両者の長所を取り入れ，血液流量や透析
液流量を通常の HD よりも低下させ施行回数を増やした持続的低効
率血液透析（SLED）や連日透析も施行されるようになり，良好な結
果が報告されている．AKI 症例の状態や各施設の実情に合わせて，
適切な RRT を選択すべきである．

3）RRT 施行時の抗凝固薬

▶AKI 症例では出血性病変のリスクが高く，わが国では AKI における
RRT 施行時に，抗凝固薬としてメシル酸ナファモスタットが使用さ

表 3-6　間欠的腎代替療法（IRRT）と持続的腎代替療法（CRRT）の比較

	おもな モダリティ	長所	短所
IRRT	血液透析 （HD）	・急速な体液異常の是正が可能 ・患者の拘束時間が短い ・抗凝固薬の曝露が短い ・コストが安い	・循環変動が大きい ・終了後にリバウンド現象を生じる可能性あり
CRRT	持続血液濾過透析 （CHDF）	・循環動態が安定する ・体液恒常性を維持しやすい	・体液異常の是正が遅い ・持続的に抗凝固薬の投与が必要 ・患者の拘束時間が長い ・コストが高い ・24時間監視可能なマンパワーと設備が必要

れることが多い．抗凝固薬を用いない RRT の報告もあるが，フィルター寿命短縮・回路内凝固などのリスクが懸念される．

4）AKI における血液浄化量

▶AKI 症例において CHDF を施行する場合，わが国では保険診療上の制約などから，濾過量を 10〜15 mL/kg/時程度に設定することが多い．海外での推奨量である 20〜25 mL/kg/時に比べると少ない浄化量である．この 2 者を比較したランダム化比較試験（RCT）は存在せず観察研究のみであるが，死亡率に差はみられなかった．このため AKI ガイドライン 2016 においては，日本の浄化量を海外の浄化量に変更するエビデンスはないと述べられている．

5）膜材質

▶わが国では現在，生体適合性のよい high-flux 膜が血液浄化器の素材として選択されることが多い．CHDF 用としてはポリスルホンが素材として選ばれることが多いが，これらの浄化膜の違いが AKI 症例に対する予後や腎機能回復に影響を与えるとする報告は乏しく，AKI ガイドライン 2016 においても，「現在わが国で用いられている血液浄化膜の中で，AKI の治療に対し，よりよいアウトカムをもたらしうる特定の膜は存在しない」と記載されている．

▶しかし敗血症性 AKI に対しては，病態の中心となる高サイトカイン血症の改善が全身状態および AKI の改善に有用である可能性があり，各種サイトカインの除去をねらった血液浄化療法が試みられている．

表 3-7　体液出納の計算

in	out
・輸液 ・食事（800〜1,000 mL） ・飲水 ・代謝水（200〜300 mL/日）	・尿量 ・便（100 mL/日） ・不感蒸泄（12〜15 mL/kg/日） ・嘔吐・出血・ドレナージ

▶とくにわが国では，サイトカインなどの吸着目的でポリメチルメタクリレート（PMMA）膜や AN69ST 膜による血液浄化が行われている．AN69ST 膜に関しては保険収載もされているが，これらに関してもまだ高いレベルでのエビデンスは乏しい状況であり，今後のエビデンス蓄積が望まれる．

3. 体液量管理

▶毎日水分バランスを計算し，脱水・溢水にならないように管理する（表 3-7）．

▶これらすべての収支の反映として，毎日，体重の変化を記録する．重症症例の場合には，吊り下げ型の体重計が便利である．

▶CVP 測定も重要である．いずれの原因の場合でも，脱水による腎血流量低下を防ぐため，CVP は 10〜12 cmH$_2$O 前後以上に維持する．

4. 酸塩基平衡・電解質管理

1）代謝性アシドーシス

▶HCO$_3^-$＞20 mEq/L を目標に管理するが，前述したように炭酸水素ナトリウム投与による管理には限界があるため，積極的に CHDF などの透析療法で管理する．

2）Na

▶その患者が普通に食事をしたら，食事中の食塩量をどの程度に制限するだろうか？と考えて輸液メニューを組み立てるとわかりやすい．1 g の食塩には Na が 17 mEq 含まれているので，たとえば食塩量を 5 g に制限している状態を想定すると，完全静脈栄養の場合，輸液中に Na が 17×5 mEq 入っているメニューにすればよい．

▶AKI 症例の場合，利尿期で多尿を呈しているとき以外は塩分制限の必要があるが，輸液中の Na が極端に少ないと低ナトリウム血症をきたしやすいので，食塩 4〜5 g/日前後に相当する Na を投与したほうが管理しやすい．

3）K，P

▶AKI 発症時には K，P とも血中濃度が高値のことが多く，これらを

含有していない輸液で開始する場合が多い．しかし，その状態で透析療法を続けると除去が続くため，著しい低下を認める場合もある．

▶ また栄養輸液を始めた際に細胞内に取り込まれて血中濃度が大きく変化する場合もあるため，注意深いモニタリングが必要である．

4) Ca

▶ AKI 症例では低カルシウム血症を呈することが多いが，過剰な投与は組織への Ca 沈着をきたす恐れがあるため，少量から慎重に投与する．

▶ AKI からの回復期には，逆に高カルシウム血症を呈することがあるので注意が必要である．

5. 栄養管理

▶ AKI は異化が亢進した状態であり，低栄養状態が急激に生じる．さらに AKI 発症時には体液管理が優先されがちで，栄養管理は不十分になりやすい．低栄養状態と尿毒症状態は創傷治癒の遅延，免疫能の低下などを引き起こすため，AKI 患者における積極的かつ適切な栄養管理はきわめて重要である．

▶ 経腸栄養は，経静脈栄養に比して腸管粘膜の維持や bacterial translocation 予防の点で優れており，AKI ガイドライン 2016 においても，重症 AKI においては可能であれば経腸栄養を行うことが推奨されている．

1) 熱量・蛋白質・アミノ酸の必要量の求め方と血糖管理

▶ AKI 患者の必要熱量は基礎疾患に依存する．以前は高熱量が推奨されていたが，最近の検討では AKI 患者の必要熱量は以前報告されていたほど高くなく，一般的には基礎代謝量の 1.2 倍程度で，高度の異化亢進状態でも 1.3 倍以上になることはまれとされている．

▶ 一般的な基礎代謝量の算出方法と各種ストレス状態におけるストレス係数を Side memo（☞p.93）に示す．

▶ 栄養療法開始後，すぐに目標エネルギーを目指すのではなく，少量から開始し，下痢の有無などを参考に徐々に増量することが望ましい．

▶ 各症例における異化亢進の程度の評価は，尿素窒素産生量（UNA）を算出し（ Side memo 参照，☞p.94），表 3-8 を参考にして決定する．

▶ なお，RRT の開始を予防あるいは遅らせる目的でたんぱく質・アミノ酸制限を行うべきではなく，AKI ガイドライン 2016 においても「高度の電解質異常などを伴わなければ厳しいたんぱく質制限は行わない」と述べられている．むしろ栄養管理の必要上，RRT が必要になれば，積極的に施行して全身管理を行うべきである．CRRT 施行中は約 10～15 g/日のアミノ酸が濾液や透析液中に漏出すること

に注意が必要である.

▶血糖管理については，血糖 180 mg/dL 以上でインスリンプロトコールを開始し，144〜180 mg/dL を目標範囲とすることが推奨されている.

2) 脂肪製剤

▶経静脈栄養が 5 日以上続く場合，必須脂肪酸を補給する目的で必要である.

表 3-8 尿素窒素産生量(UNA)と異化の程度，推奨投与熱量・たんぱく質・アミノ酸量

UNA(g/日)		<5	5〜10	>10
異化の程度		軽度	中等度	高度
推奨投与量	熱量	基礎代謝量	基礎代謝量 ×1.3	基礎代謝量 ×1.3
	たんぱく質・アミノ酸(g/kg/日)*	0.8〜1.0	1.0〜1.2	1.2〜1.5

*：CRRT 施行中は濾液・透析液にアミノ酸が喪失するので，これに最大 0.2 g/kg/日を追加する.

Side memo

Harris-Benedict の式とストレス係数

Harris-Benedict の式

【男性】基礎代謝量(kcal)
　＝66.5＋(13.7×体重〈kg〉)＋(5.0×身長〈cm〉)−(6.8×年齢〈年〉)

【女性】基礎代謝量(kcal)
　＝665.1＋(9.6×体重〈kg〉)＋(1.8×身長〈cm〉)−(4.7×年齢〈年〉)

■ Harris-Benedict の式で算出した基礎代謝量に疾患ごとのストレス係数(表)を掛けて，それぞれの必要エネルギー量を推定する.

表 疾患ごとのストレス係数

疾患	ストレス係数
腹膜炎	1.15
骨折	1.20〜1.25
敗血症	1.2〜1.3
熱傷	1.0〜2.0(≒1＋熱傷面積〈%〉/100)

▶大量の脂肪製剤投与は免疫能への影響が懸念されるため，敗血症性AKIでは慎重に投与する．投与エネルギーの20％程度を目指して漸増する．

3) ビタミン

▶水溶性ビタミンを中心に投与する．とくに完全静脈栄養の施行中はビタミンB_1の投与が必須である．

▶CRRT施行中は水溶性ビタミンの喪失が生じるので補充する．脂溶性ビタミンは短期的には不要であるが，ビタミンKは投与しておいたほうが無難である．AKIからの回復期に高カルシウム血症を呈することがある（とくに横紋筋融解症で顕著）ため，ビタミンDは最小限の投与とする．

4) 輸液製剤の調製

▶近年，腎不全患者用に，K，Pを含有しない高カロリー輸液製剤（ハイカリックRF®）が市販されており，これを利用すれば，比較的簡単に輸液メニューを組むことができる．しかし，電解質組成やブドウ糖濃度などの点でこの製剤を使用しにくい場合は，50〜70％ブドウ糖液を基液としてオーダーメイドで調製する必要がある．

▶K，Pを含有しない輸液のみで栄養管理が行われている場合，RRT施行によって低カリウム，低リン血症をきたすため，慎重に血清電解質をモニターし，適宜，補充していく必要がある．

6. 補助的薬物療法のエビデンス

▶腎性AKIの治療はあくまで原因による．したがって，いずれのAKI

Side memo

尿素窒素産生量（UNA）の算出式

UNA（g/日）＝尿中尿素窒素（g/日）＋体内尿素窒素の変化量（g/日）
＋透析液尿素窒素（g/日）

体内尿素窒素の変化量（g/日）＝（BUN②－BUN①）×体重①×0.006＋
（体重②－体重①）×BUN②/100

BUN①：1日目BUN（mg/dL）
BUN②：2日目BUN（mg/dL）
体重①：1日目体重（kg）
体重②：2日目体重（kg）

注：透析液尿素窒素は，CHDFでは濾過液中の尿素窒素濃度を測定し算定する．従来の間欠的なHDでは透析液尿素窒素の測定は困難であるため，透析間のUNAを計算する．

においても有効な薬剤が存在するわけではないが，多くの腎性AKIの場面でよく用いられる3つの薬剤に関して，AKIガイドライン2016に準拠して解説する.

1）心房性Na利尿ペプチド（ANP）

▶日本ではカルペリチド（ハンプ®）が市販されている.

▶ANPは血管拡張作用，Na再吸収抑制作用，水再吸収抑制作用，輸入細動脈拡張および輸出細動脈収縮によるGFR増加作用，血中レニン活性・アンジオテンシンⅡ濃度・アルドステロン濃度の低下作用，交感神経抑制作用など複数の独立した作用機序を有し，AKI発症予防や治療効果が期待されてきた.

▶しかし，高用量のANP投与で全身血圧が低下することから，腎保護効果がキャンセルされる可能性もあるため，用量設定が重要となる．ここではガイドラインに準じ，50 ng/kg/分以下を低用量，100 ng/kg/分以上を高用量と定義して記載する.

▶低用量ANPがAKI発症を抑制する可能性を示唆するRCTは存在するが，エビデンスの質としては不十分である．また発症後の腎性AKIに対して，高用量ANPはRRTの必要性を減少させなかったが，低用量ANPは減少させたとするRCTがそれぞれ存在するが，明確に推奨できるレベルではない.

2）ループ利尿薬

▶Henle係蹄の太い上行脚に存在しているNa-K-2Cl共輸送体への阻害作用によってNa再吸収能を抑制し，利尿作用をもたらす.

▶利尿作用により尿細管上皮脱落による管腔閉塞を予防するなどの効果が期待されるが，ループ利尿薬によってAKI発症を減少させたという報告はみられず，むしろ増加させる可能性がある.

▶また尿量が減少した体液過剰状態のAKI症例へのループ利尿薬投与で体液管理が可能になる場合も確かに存在するが，AKI自体からの回復が促進されるエビデンスはみられない.

▶さらに，高用量のループ利尿薬投与は耳鳴・難聴といった副作用も懸念されており，AKIガイドライン2016においても「AKIの予防を目的としてループ利尿薬を投与しないことを推奨する．また，体液過剰を補正する目的での使用を除き，AKIの治療としてループ利尿薬を投与しないことを提案する」と述べられている．『AKIで尿量減ったら，ひとまずループ利尿薬』といった安易な使用は慎むべきである.

3）低用量ドパミン

▶低用量（1〜3 μg/kg/分）のドパミン（イノバン®）投与は，健常人にお

いては腎血管拡張，Na 利尿，GFR 増加を引き起こすとされ，腎保護効果が期待されていた．

▶ しかし AKI 症例においては，腎血管拡張作用がみられないとの報告があり，また AKI の予防および治療において，低用量ドパミンの有用性を示す明確なエビデンスは存在しない．このため AKI ガイドライン 2016 では，「AKI の予防および治療目的で低用量ドパミンを使用しないことを推奨する」と否定的に結論されている．

7. 回復期の管理

▶ 腎性 AKI からの回復期には利尿期がみられることが多く，尿細管機能障害のため脱水や電解質喪失をきたしやすい．そのため，水分の出納バランス，体重，血清電解質の変化などに細心の注意が必要であり，輸液で喪失分を補う必要がある．

8. RRT からの離脱時期

▶ 腎性 AKI 症例において RRT を施行した場合，どのタイミングでそれを終了（離脱）するかは，きわめて難しい問題である．

▶ 6 時間蓄尿にて尿量が 30 mL/時以上，あるいは血清 Cr の自然低下（spontaneous fall）が認められた場合を腎機能回復と定義し，6 時間蓄尿による Cr クリアランスが 20 mL/分以上あれば CRRT を離脱，12 mL/分以下であれば継続，中間は担当医判断としたプロトコールの研究も存在するが，その妥当性は検討されていない．

▶ 急激に腎機能が回復しつつある状態では，血清 Cr が正確に GFR を反映しているわけではないが，血清 Cr の推移や尿量，電解質・酸塩基平衡などの推移から総合的に判断するしかないのが現状である．

文 献

1) AKI（急性腎障害）診療ガイドライン作成委員会（編）：AKI（急性腎障害）診療ガイドライン 2016．東京医学社，2016

2) Kidney Disease：Improving Global Outcomes（KDIGO）：KDIGO Clinical Practice Guideline for Acute Kidney Injury. Kidney Int Suppl 2012；2：19

3) Rangaswami J, et al.：Cardiorenal Syndrome：Classification, Pathophysiology, Diagnosis, and Treatment Strategies：A Scientific Statement From the American Heart Association. Circulation 2019；139：e840-e878

4 CKD の診断と管理

▶ 慢性腎臓病（CKD）とは，病理あるいは病態生理に基づく疾患名ではなく，慢性腎不全患者が増加し続け，腎代替療法（RRT）が必要な患者や合併症で死亡する患者の増加が国際社会で看過できない状態を改善するために作成された，公衆衛生的な疾患概念である.

▶ CKD の進行に重要な腎機能と尿蛋白量のみで重症度を分類することによって，CKD 医療にかかわる多職種間で診療情報を共有し，包括的な診療を可能にすることを目的としたものである.

1 CKD の診断

a CKD の定義

▶ CKD の診断基準を表 4-1[1]に示す.

b CKD 重症度分類

▶ CKD の進行に関して，尿蛋白量と推算糸球体濾過量（eGFR）がもっとも重要であり，重症度の判定においても尿蛋白量と eGFR で判定する（表 4-2）[1].

▶ 透析患者は 5D として，また，腎移植患者は 5T として記載する.

表 4-1　CKD 診断基準

健康に影響を与える腎臓の構造や機能の異常（以下のいずれか）が 3 か月を超えて持続	
腎障害の指標	・尿蛋白（0.15 g/24 時間以上；0.15 g/gCr 以上） ・アルブミン尿（30 mg/24 時間以上；30 mg/gCr 以上） ・尿沈渣の異常 ・尿細管障害による電解質異常やその他の異常 ・病理組織検査による異常 ・画像所見による形態異常 ・腎移植の既往
GFR の低下	・GFR 60 mL/分/1.73 m^2未満

GFR：糸球体濾過量
〔日本腎臓学会（編）：エビデンスに基づく CKD 診療ガイドライン 2023．東京医学社，2023：3[1]〕

表 4-2 CKD 重症度分類

原疾患		蛋白尿区分	A1	A2	A3
糖尿病性腎臓病		尿アルブミン定量 （mg/日）	正常	微量アルブミン尿	顕性アルブミン尿
		尿アルブミン/Cr 比 （mg/gCr）	30 未満	30〜299	300 以上
高血圧性腎硬化症 腎炎 多発性嚢胞腎 移植腎 不明 その他		尿蛋白定量 （g/日）	正常	軽度 蛋白尿	高度 蛋白尿
		尿蛋白/Cr 比 （g/gCr）	0.15 未満	0.15〜 0.49	0.50 以上
GFR 区分 （mL/分/ 1.73 m^2）	G1	正常または 高値	≧90		
	G2	正常または 軽度低下	60〜89		
	G3a	軽度〜中等 度低下	45〜59		
	G3b	中等度〜高 度低下	30〜44		
	G4	高度低下	15〜29		
	G5	高度低下〜 末期腎不全	＜15		

重症度は原疾患・GFR 区分・蛋白尿区分を合わせたステージにより評価する．CKD の重症度は死亡，末期腎不全，CVD 死亡発症のリスクを緑 ■ のステージを基準に，黄 ■，オレンジ ■，赤 ■ の順にステージが上昇するほどリスクは上昇する．
（KDIGO CKD guideline 2012 を日本人用に改変）

注：わが国の保険診療では，アルブミン尿の定量測定は，糖尿病または糖尿病性早期腎症であって微量アルブミン尿を疑う患者に対し，3 か月に 1 回に限り認められている．糖尿病において，尿定性で 1＋以上の明らかな尿蛋白を認める場合は尿アルブミン測定は保険で認められていないため，治療効果を評価するために定量検査を行う場合は尿蛋白定量を検討する．
〔日本腎臓学会（編）：エビデンスに基づく CKD 診療ガイドライン 2023．東京医学社，2023：4[1]〕

▶CKD 重症度分類は，2012 年に KDIGO（Kidney Disease：Improving Global Outcome）より発表された[2]．これを日本人用に改変したものが，表 4-2[1] である．KDIGO の重症度分類では，蛋白尿はアルブミンで評価するが，わが国では糖尿病以外は尿アルブミンの測定は保険適用がないため，尿蛋白で行う．

▶日本人の腎機能正常者の eGFR の平均は 80 mL/分/1.73 m²程度であるため，日本人の GFR 正常者は G1，G2 に分布する．

▶日本においては，eGFR 6 mL/分/1.73 m²程度までは RRT を行わないため，G5 は高度低下～末期腎不全と区分した[1]．

c 糸球体濾過量（GFR）推算式

▶日本人の推算式による eGFR を Japanese Society of Nephrology（JSN）eGFR と表記する[1]．

▶eGFR は以下の式から，血清 Cr 値またはシスタチン C（Cys-C），および年齢を代入して計算する．

> **JSN eGFRcr**（mL/分/1.73 m²）
> ［男性］$194 \times$ 血清 $Cr(mg/dL)^{-1.094} \times$ 年齢（歳）$^{-0.287}$
> ［女性］$194 \times$ 血清 $Cr(mg/dL)^{-1.094} \times$ 年齢（歳）$^{-0.287} \times 0.739$
> 注：酵素法で測定された Cr 値（小数点以下2桁表記）を用いる．
> **JSN eGFRcys**（mL/分/1.73 m²）
> ［男性］$104 \times$ 血清 $Cys\text{-}C(mg/L)^{-1.019} \times 0.996^{年齢（歳）} - 8$
> ［女性］$104 \times$ 血清 $Cys\text{-}C(mg/L)^{-1.019} \times 0.996^{年齢（歳）} \times 0.929 - 8$

▶2021 CKD-EPI eGFR cr-cys の計算式は以下になる．ただし，CKD-EPI による eGFR を日本人に用いる場合は過大評価されるため，日本人係数（0.908）を掛ける必要がある．

> **eGFR**（mL/分/1.73 m²）
> ［男性］$135 \times \min($血清 $Cr[mg/dL]/0.9,1)^{-0.144} \times \max($血清 $Cr[mg/dL]/0.9,1)^{-0.544} \times \min($血清 $Cys\text{-}C[mg/L]/0.8,1)^{-0.323} \times \max($血清 $Cys\text{-}C[mg/L]/0.8,1)^{-0.778} \times 0.9961^{年齢} \times 0.908$（日本人係数）
> ［女性］$135 \times \min($血清 $Cr[mg/dL]/0.7,1)^{-0.219} \times \max($血清 $Cr[mg/dL]/0.7,1)^{-0.544} \times \min($血清 $Cys\text{-}C[mg/L]/0.8,1)^{-0.323} \times \max($血清 $Cys\text{-}C[mg/L]/0.8,1)^{-0.778} \times 0.9961^{年齢} \times 0.963 \times 0.908$（日本人係数）

▶Cr クリアランス（Ccr）と GFR の関係を示す．

> 24 時間蓄尿法による Ccr からの eGFR を求める係数＝0.715
> Ccr＝尿 Cr（mg/dL）×尿量（mL/日）/血清 Cr（mg/dL）×1,440（分/日）
> GFR（mL/分）＝0.715×Ccr

d 蛋白尿，アルブミン尿

▶検尿試験紙では，尿の希釈度が結果に影響を与える．すなわち，濃縮尿では尿蛋白は陽性になりやすく，希釈尿では陰性になりやすい．したがって，尿蛋白は定量して評価する．

▶尿アルブミンは尿蛋白の評価のゴールドスタンダードである．

▶尿蛋白が50 mg/gCr以上であれば，微量アルブミン尿は検出される．

e CKD の進行の評価

▶腎疾患のハードエンドポイントとしては，腎疾患による死亡，透析導入，腎移植，血清 Cr 値の倍化が認められている．

▶eGFR の 40%低下（30%低下/年）も，末期腎不全代替エンドポイントとして使用できる．

▶eGFR スロープが 0.5〜1.0 mL/分/1.73 m^2/年以上変化すると，有意な変化※とすることができる．

▶治療により GFR が急激に低下する急性期のスロープと，その後の慢性期のスロープ，およびすべての期間を含む全期間スロープを比較すると，予後ともっとも相関するのは全期間スロープである．

2 CKD 患者のマネージメント

a 生活習慣

▶CKD の進行抑制，心血管疾患（CVD）発症および死亡のリスクを低減させるため，禁煙を指導する．

▶運動は腎機能を悪化させることはなく，むしろ QOL を維持・改善するため，CKD 患者には運動を行うよう指導する．

▶降圧と尿蛋白減少を期待できるため，6 g/日未満の塩分制限を行う．

b 血圧管理

▶CKD 発症，進展の原因として，高血圧はもっとも重要である．

▶血圧値は 24 時間血圧値がもっとも生命予後と関連するが，測定は容易ではないので，通常は生命予後と関連する早朝家庭血圧を測定して評価する．

▶CKD 患者の降圧目標を表 4-3[1]に示す．

▶診察室血圧から 5 mmHg を差し引いた値で家庭血圧を評価する．

▶減塩は重要な血圧治療法である．

※−0.5 mL/分/1.73 m^2/年以上変化すると，rapid progression とすることができる．

表 4-3　**CKD 患者の降圧目標（診察室血圧）と推奨度**

ステージ	糖尿病	蛋白尿	75 歳未満	75 歳以上
G1, G2	（−）	（−）	140/90 mmHg 未満【1A】	150/90 mmHg 未満【2C】注 2
		（＋）	130/80 mmHg 未満【1C】	
	（＋）		130/80 mmHg 未満【1B】	
G3〜G5	（−）	（−）	140/90 mmHg 未満【2C】注 1	150/90 mmHg 未満【2C】注 2
		（＋）	130/80 mmHg 未満【2C】	
	（＋）		130/80 mmHg 未満【2C】	

・75 歳未満では，CKD ステージを問わず，糖尿病および蛋白尿の有無により降圧基準を定めたが，CKD ステージにより推奨度が異なる.
・蛋白尿（−）：尿蛋白/Cr 比 0.15 g/gCr 未満，または尿アルブミン/Cr 比 30 mg/gCr 未満（A1 区分）.
・蛋白尿（＋）：尿蛋白/Cr 比 0.15 g/gCr 以上，または尿アルブミン/Cr 比 30 mg/gCr 以上（A2, A3 区分）.
注1：診察室血圧 130/80 mmHg 未満への降圧は益と害のバランスを考慮し個別に判断する.
注2：脳，心臓，腎臓などの虚血症状，急性腎障害（AKI），電解質異常，低血圧関連症状（立ちくらみ・めまい）などの有害事象がなく，忍容性があると判断されれば，診察室血圧 140/90 mmHg 未満に血圧を維持することを推奨する.
いずれの場合も，降圧強化に伴う低血圧やめまいなどに注意して適切な降圧管理を行うことを提案する.
【推奨の強さ（推奨レベル）】
1：強く推奨する
2：弱く推奨する・提案する
なし：明確な推奨ができない
【エビデンスの強さ（エビデンスグレード）】
A（強）：効果の推定値に強く確信がある
B（中）：効果の推定値に中程度の確信がある
C（弱）：効果の推定値に対する確信は限定的である
D（非常に弱い）：効果の推定値がほとんど確信できない
〔日本腎臓学会（編）：エビデンスに基づく CKD 診療ガイドライン 2023. 東京医学社, 2023：25[1]〕

▶CKD の進展を抑制するには適切な血圧を維持することが最重要であり，降圧薬の種類はその次の課題である.

▶尿蛋白が 0.15 g/gCr（微量アルブミン尿）以上の場合には，レニン・アンジオテンシン系（RAS）阻害薬を使用する.

▶75 歳以上の高齢者では，降圧薬の第一選択として Ca 拮抗薬を使用する.

▶治療抵抗性高血圧の場合には，アンジオテンシン受容体ネプリライシン阻害薬（ARNI）やミネラルコルチコイド受容体拮抗薬（MRA）を考慮する.

▶CKD ステージ G4 以上では，利尿薬を併用しないと血圧が低下しない可能性がある．

▶収縮期血圧 110 mmHg 未満では過降圧になり，AKI をきたす可能性がある．立ちくらみなどがないか確認する．

▶腎機能が低下して G5 に至っても，RAS 阻害薬を一律に中止する必要はない．

▶詳細は「腎硬化症」(☞p.200) を参照のこと．

c 血糖管理

▶糖尿病の細小血管合併症の発症，進展抑制のため，HbA1c 7%未満を目標として血糖管理を行う．

▶可能な限り，Na^+/グルコース共役輸送担体 2(SGLT2) 阻害薬を使用する．

▶低血糖は QOL の低下を招き，認知症，心血管疾患，死亡のリスクとなるため，低血糖を避けることが重要である．

▶高齢者においては認知機能や ADL の低下，低血糖を引き起こす投薬〔インスリンやスルホニル尿素 (SU) 薬の使用〕を避け，HbA1c 8%未満を目標として治療することも許容される．

▶高齢者でインスリン治療中の場合や，SU 薬やグリニド系薬を使用している場合は，HbA1c の下限値 7%(75 歳以上) にも注意を払う．

▶「糖尿病関連腎臓病」(☞p.228) も参照のこと．

d 腎性貧血

▶腎性貧血は，腎機能障害があり鉄欠乏がない状態で，エリスロポエチン欠乏 (30 mIU/mL 未満) から正球性正色素性貧血をきたす状態と定義される．

▶現在，使用できる腎性貧血治療薬は赤血球造血刺激因子製剤 (ESA) と低酸素誘導因子プロリン水酸化酵素 (HIF-PH) 阻害薬である．

▶血清鉄が充足されている状態〔トランスフェリン飽和度 (TSAT)20%以上，かつ血清フェリチン値 100 ng/mL 以上〕で，腎性貧血治療薬による治療を開始する．鉄欠乏状態では血栓形成のリスクが高い．

▶腎性貧血の治療は Hb 10 g/dL 未満で開始する．

▶目標 Hb 値は 10~13 g/dL である．

▶HIF-PH 阻害薬は，ヘプシジンを低下させる．ヘプシジンはフェロポーチンの内在化と分解に関与しており，ヘプシジンの低下がフェロポーチンの発現を促進し，細胞からの鉄の放出を促進する．炎症などでヘプシジンの産生が亢進し，細胞内への鉄の囲い込みが起

表 4-4　CKD 患者の脂質管理目標値

治療方針の原則	管理区分	脂質管理目標値(mg/dL)			
		LDL-C	non-HDL-C	TG	HDL-C
一次予防 生活習慣の改善を行ったのち,薬物療法の適用を考慮	高リスク	<120 <100[*1]	<150 <130[*1]	<150 (空腹時) <175 (随時)	≧40
二次予防 生活習慣の是正とともに薬物療法を考慮	冠動脈疾患またはアテローム血栓性脳梗塞の既往	<100 <70[*2]	<130 <100[*2]		

LDL-C：低比重リポ蛋白コレステロール，HDL-C：高比重リポ蛋白コレステロール，
TG：トリグリセリド
[*1] 糖尿病で，末梢動脈疾患，細小血管症合併時，または喫煙ありの場合
[*2] 急性冠症候群，家族性高コレステロール血症，糖尿病，冠動脈疾患とアテローム血栓性脳梗塞，のいずれかを合併する場合

こっている状態では血清フェリチン値が高値であり，このような状態での機能的鉄欠乏には，HIF-PH 阻害薬によるヘプシジン抑制が有効である.
▶詳細は「CKD 患者の腎性貧血管理」(☞p.436)を参照のこと.

e CKD に伴う骨・ミネラル代謝異常(CKD-MBD)

▶CKD に伴う Ca・P 代謝異常やビタミン D 代謝異常の結果，発生する骨・ミネラル代謝異常を CKD-MBD という.
▶CKD 患者の診療では，低カルシウム血症，高リン血症，副甲状腺機能亢進症，活性型ビタミン D 低下の合併がみられる. 定期的に血清 Ca，P，intact PTH(iPTH)を測定する.
▶高リン血症は，二次性副甲状腺機能亢進症や血管石灰化，腎機能低下をきたす可能性があるため，血清 P 値 4.5 mg/dL 以上でリン吸着薬を使用する.
▶リン吸着薬は，炭酸カルシウムよりも炭酸ランタンやクエン酸第二鉄，ビキサロマーを使用するほうが死亡や末期腎不全のリスク，血管石灰化の進行を軽減する可能性がある.
▶低カルシウム血症に対しては，活性型ビタミン D 製剤を投与する.
▶CKD に合併する骨粗鬆症に対して，ビスホスホネート製剤，抗RANKL(破骨細胞分化誘導因子)モノクローナル抗体のデノスマブ，

抗スクレロスチン抗体のロモソズマブを使用する.

▶詳細は「慢性腎臓病に伴う骨・ミネラル代謝異常（CKD-MBD）」（☞p.427）を参照のこと.

f 脂質異常症

▶CKD に合併する特徴的な脂質異常症は，高中性脂肪血症（高トリグリセリド血症），低HDL（高比重リポ蛋白）コレステロール血症である.

▶「動脈硬化性疾患予防ガイドライン 2022 年版」[3] の CKD 患者の脂質管理目標値を表 4-4 に示す.

▶CKD 患者において，HMG-CoA 還元酵素阻害薬（スタチン）単独，またはスタチン＋エゼチミブで LDL（低比重リポ蛋白）コレステロールを低下させることにより，冠動脈疾患と脳卒中の発生率を減少させることが，SHARP 試験で示されている[4].

▶プロ蛋白転換酵素サブチリシン/ケキシン 9 型（PCSK9）阻害薬（エボロクマブ）は，家族性高コレステロール血症治療に有効であるが，CKD 患者においても使用可能である.

▶ペマフィブラートの使用で，高トリグリセリド血症を合併する 2 型糖尿病患者の心血管イベントを抑制できるかどうか，プラセボ対照で検討した大規模介入研究 PROMINENT 試験[5] が実施され，ペマフィブラートは TG を低下させるが心血管イベントの有意な低下は認められないと報告された.

▶ベザフィブラート，フェノフィブラートは，腎機能に関係なく血清 Cr 値を約 10%程度上昇させる．一方，ペマフィブラートは血清 Cr 値を臨床的に影響があるほどは上昇させない.

▶ペマフィブラート以外のフィブラート系薬は，腎機能低下例では禁忌である（ベザフィブラート：血清 Cr 値 1.5 mg/dL 以上禁忌，フェノフィブラート：血清 Cr 値 2.5 mg/dL 以上または Ccr 40 mL/分未満禁忌）.

▶CKD 患者において，急性膵炎を惹起する可能性がある TG 500 mg/dL 以上の場合には，ペマフィブラートを使用して，高トリグリセリド血症を治療する.

▶CKD 患者においてもスタチンとペマフィブラートの併用は可能であるが，横紋筋融解に注意が必要であり，使用する際には CK を測定する.

g 代謝性アシドーシス

▶CKD ステージ G3〜5 において，代謝性アシドーシスを炭酸水素ナ

トリウムで補正することは，腎機能低下を抑制する可能性がある.

▶HCO_3^- 21 mmol/L 未満で炭酸水素ナトリウム投与を開始する. ただし，HCO_3^-低値でも pH が基準値内であれば，炭酸水素ナトリウムは必要ない[1].

▶治療目標値は HCO_3^- 24 mmol/L 前後である.

🄷 高カリウム血症

▶高カリウム血症は，血清 K 値 5.5 mEq/L 以上で総死亡，CVD 発症のリスクが上昇する.

▶血清 K 値が 4.0 mEq/L 未満の場合にも，CKD 患者の総死亡，CVD 発症のリスクが上昇する.

▶CKD 患者の血清 K 値は 4.0〜5.5 mEq/L に管理する.

🄸 球形吸着炭

▶球形吸着炭の使用は，腎機能低下速度を遅延させる可能性が示唆されている.

▶球形吸着炭の使用で末期腎不全への進展，死亡のリスクは低下しない.

▶球形吸着炭の後発品は必ずしも先発品のクレメジン® と同じ吸着力をもっていないため，注意を要する.

📖 文 献

1) 日本腎臓学会（編）：エビデンスに基づく CKD 診療ガイドライン 2023．東京医学社，2023
2) Kidney Disease：Improving Global Outcomes（KDIGO）CKD Work Group：KDIGO 2012 clinical practice guideline for the evaluation and management of chronic kidney disease. Kidney Int Suppl 2013；3：1-150
3) 日本動脈硬化学会：動脈硬化性疾患予防ガイドライン 2022 年版．日本動脈硬化学会，2022：71
4) Baigent C, et al.：The effects of lowering LDL cholesterol with simvastatin plus ezetimibe in patients with chronic kidney disease（Study of Heart and Renal Protection）：a randomised placebo-controlled trial. Lancet 2011；377：2181-2192
5) Pradhan AD, et al.：Triglyceride Lowering with Pemafibrate to Reduce Cardiovascular Risk. N Engl J Med 2022；387：1923-1934

5 おもな糸球体疾患の特徴・治療方針

1 総論

▶ 糸球体疾患には，①臨床所見から判断する臨床症候分類と，②腎組織から判断する組織分類，③病因から判断する病因分類，の 3 つがある．たとえば順に，①慢性腎炎症候群，②メサンギウム増殖性糸球体腎炎，③IgA 腎症，といった分類となる．3 つの分類を総合的に判断して，最終診断名を決める．

▶ 組織分類は，①原因不明で腎のみに病変が限局する原発性（一次性あるいは特発性）と，②全身疾患に伴って起こる続発性（二次性），とに大別される（表 5-1）．ただし，抗 PLA2R（膜型ホスホリパーゼ A2 受容体）抗体陽性の膜性腎症のように原因が明らかとなった腎限局疾患は現在，一次性としているが，二次性にすべきという意見もある．

▶ 臨床症候分類と組織分類は，必ずしも 1 対 1 に対応するわけではない（表 5-2）．しかし，各臨床症候分類のなかで占める各組織像の頻度から，急速進行性糸球体腎炎（RPGN）ならば半月体形成性糸球体

表 5-1 原発性糸球体疾患の臨床症候別および組織別の WHO 分類（1995 年）

糸球体疾患の臨床症候分類	1. 急性腎炎症候群 2. 急速進行性糸球体腎炎 3. 反復性または持続性血尿 4. 慢性腎炎症候群 5. ネフローゼ症候群
原発性糸球体疾患の組織分類	1. 微小糸球体病変 2. 巣状分節性病変 3. びまん性糸球体腎炎 　a. 膜性糸球体腎炎（膜性腎症） 　b. 増殖性糸球体腎炎 　　1）メサンギウム増殖性糸球体腎炎 　　2）管内増殖性糸球体腎炎 　　3）膜性増殖性糸球体腎炎 　　4）管外増殖性糸球体腎炎（半月体性糸球体腎炎） 　c. 硬化性糸球体腎炎 4. 分類不能の糸球体腎炎

表 5-2　糸球体疾患の臨床症状と組織像・治療一覧

最終診断名		臨床症候分類					治療					
		急性腎炎症候群	急速進行性糸球体腎炎	反復性または持続性血尿	慢性腎炎症候群	ネフローゼ症候群	副腎皮質ステロイド内服	メチルプレドニゾロンパルス療法	免疫抑制薬	*リツキシマブ	LDLアフェレーシス	血漿交換
一次性糸球体疾患	微小変化型ネフローゼ症候群					◎	◎	○	○	○		
	巣状分節性糸球体硬化症				○	◎	◎	○	○	○	◎	△
	膜性腎症					◎	○	○	◎	△		
	膜性増殖性糸球体腎炎（C3 腎炎を含む）	△	△		◎	◎	◎	◎	◎			
	IgA 腎症		△	◎	◎	△	◎	○	△			
	ANCA 関連糸球体腎炎		◎				◎	○	◎	○		△
	抗 GBM 抗体型腎炎		◎				◎	○	◎			◎
二次性糸球体疾患	ループス腎炎		△		◎	○	◎	○	◎	○		△
	糖尿病性腎症				○	◎					○	
	IgA 血管炎（＝紫斑病性腎炎）	○		○	○	○	○	○	○			
	感染後糸球体腎炎	◎	○				○					
	腎アミロイドーシス				○	◎						
	クリオグロブリン血症（C 型肝炎関連腎炎を含む）				○	○	○	○	○	○	○	○
	Alport 症候群			○	◎		△					
	菲薄基底膜病			◎	○							

ANCA：抗好中球細胞質抗体，GBM：糸球体基底膜
◎：関連性がとくに高いもの，○：関連性が高いもの，△：関連性がまれなもの，空白：関連性がないもの
*保険適用については個別に確認を要する

　腎炎の可能性が高いというように，ある程度の関連性が認められる（表 5-2）．

2 急速進行性糸球体腎炎

a 疾患概念

▶RPGN は糸球体疾患の臨床症候に基づく疾患病名であり，WHO は「急性あるいは潜在性に発症する血尿，蛋白尿，貧血と，急速に進行する腎不全をきたす症候群」と，またわが国の厚生労働省は「腎炎を示す尿所見を伴い，数週から数か月の経過で急速に腎不全が進行する症候群」と定義している．

▶急速な進行とは，推算糸球体濾過量（eGFR）の低下が 3 か月以内に30％以上みられる場合をめやすとする．

▶RPGN はさまざまな疾患により引き起こされるが，障害が腎に現局する一次性と，全身疾患や感染症に伴って RPGN を呈する二次性に大きく分類される（表 5-3）[1]．

b 症状

▶RPGN は臨床症候群であり，前述のようにさまざまな腎疾患を原因とするため，RPGN に特異的な症状はない．

▶ただし，全身性血管炎や全身性エリテマトーデス（SLE）を合併する頻度が高く，それらの症状に注意する（表 5-4）[2]．

1. 前駆症状

▶とくに血管炎に伴う RPGN では，上気道炎などの感冒様症状，全身倦怠感，微熱，食欲不振や体重減少を訴える．

▶また感染症関連 RPGN 以外では，抗菌薬投与により解熱や炎症反応に改善がみられないか，一定の改善を得ても再増悪する．

2. 腎症状

▶とくに肉眼的血尿を呈する．急激に腎機能が低下する場合は乏尿や浮腫を呈する．

▶ネフローゼ症候群となり，全身浮腫をきたすこともある．

3. 腎外症状

▶咳嗽，呼吸困難感など肺症状の頻度が高い．また，抗好中球細胞質抗体（ANCA）関連血管炎や抗糸球体基底膜（GBM）病（Goodpasture症候群）の場合には，血痰を機に RPGN と診断されることもある．

▶ほかに，紫斑，脳出血，下血などの出血症状，四肢のしびれ，筋力低下，歩行不全などの神経症状，難聴や視力障害などの感覚器症状，関節炎，網状皮斑を含む皮膚症状など，RPGN の原疾患によりさまざまな症状を呈する．

表 5-3 急速進行性糸球体腎炎（RPGN）をきたすおもな疾患

Ⅰ．一次性	Ⅱ．二次性
1. 半月体形成性糸球体腎炎 　抗 GBM 抗体型半月体形 　　成性腎炎 　免疫複合体型半月体形成 　　性糸球体腎炎 　Pauci-immune 型半月体形 　　成性糸球体腎炎 **2. 半月体形成を伴う糸球体 　腎炎** 　IgA 腎症 　膜性増殖性糸球体腎炎 　膜性腎症 　非 IgA 型メサンギウム増 　　殖性糸球体腎炎 　その他の一次性糸球体腎炎 **3. 急性間質性腎炎**	**1. 全身性疾患** 　顕微鏡的多発血管炎（MPA）┐ 　多発血管炎性肉芽腫症（GPA）├ ANCA 　好酸球性多発血管炎性肉芽腫├ 関連血管炎 　　症（EGPA）┘ 　抗糸球体基底膜抗体病（抗 GBM 病） 　　（Goodpasture 症候群） 　全身性エリテマトーデス（SLE） 　IgA 血管炎（Henoch-Schönlein 紫斑病） 　クリオグロブリン血症 　その他の壊死性血管炎 　悪性高血圧 　血栓性微小血管症 　関節リウマチ 　悪性腫瘍 　溶血性尿毒症症候群（HUS） 　コレステロール塞栓症 **2. 感染症** 　溶連菌感染後糸球体腎炎 　MRSA 感染関連糸球体腎炎 　感染性心内膜炎，シャント腎炎 　C 型肝炎ウイルス感染症 　その他の感染症 **3. 薬剤性**

GBM：糸球体基底膜，ANCA：抗好中球細胞質抗体，MRSA：メチシリン耐性黄色ブドウ球菌
〔厚生労働科学研究費補助金難治性疾患等政策研究事業（難治性疾患政策研究事業）難治性腎障害に関する調査研究班（編），成田一衛（監）：エビデンスに基づく急速進行性腎炎症候群（RPGN）診療ガイドライン 2020. 東京医学社，2020：2[1]〕

表 5-4 急速進行性糸球体腎炎（RPGN）における臨床症状

	臨床症状
前駆症状	倦怠感，発熱，食欲不振，上気道症状，関節痛，悪心，体重減少
腎症状	肉眼的血尿，浮腫，ネフローゼ症候群，乏尿，高血圧，尿毒症症状
腎外症状	咳嗽，呼吸困難感，血痰，関節炎，皮疹（紫斑，網状皮斑），下血，感覚器障害（難聴，視力障害），末梢/中枢神経障害，心臓疾患

〔Girard T, et al.：Are antineutrophil cytoplasmic antibodies a marker predictive of relapse in Wegener's granulomatosis? A prospective study. Rheumatology（Oxford））2001；40：147-151[2]より一部改変〕

表 5-5 **急速進行性糸球体腎炎(RPGN)に必要な検査(入院時)**

検査	項目
尿検査	尿潜血, 細胞性(赤血球, 白血球)円柱・顆粒円柱, 尿蛋白
腎機能検査	BUN・血清 Cr 値(上昇)
炎症所見	CRP(上昇), 赤沈(亢進)
血球異常	赤血球, Hb, Ht, 白血球・血小板数異常(低下〜増加)
出血凝固検査	プロトロンビン時間, 活性化部分プロトロンビン時間, フィブリノーゲン, 血中 FDP, D-dimer
免疫学的検査	IgG, IgA, IgM, MPO/PR3-ANCA, 抗 GBM 抗体, 抗核抗体, 抗 ds-DNA 抗体, 補体価, 免疫複合体, ASLO, ASK, クリオグロブリン
血液ガス分析	pH, pO_2, pCO_2, HCO_3^-
画像検査	腹部エコー/腹部 CT 検査:腎腫大, 腎萎縮 胸部単純 X 線/胸部 CT 検査:間質性肺炎, 肺結節影, 肺線維症, 肺胞出血 頭部 CT/MRI 検査:副鼻腔炎, 肥厚性硬膜炎, 脳出血, 頭蓋内肉芽腫

MPO:ミエロペルオキシダーゼ, PR3:プロテイナーゼ 3, ANCA:抗好中球細胞質抗体, GBM:糸球体基底膜, ASLO:抗ストレプトリジン-O 抗体, ASK:抗ストレプトキナーゼ抗体

c 診断と検査所見

1. 入院時に必要な検査

▶入院時に必要な検査を表 5-5 に示す.

2. 診断指針

▶わが国の RPGN 診断基準には, 早期発見のための診断指針(表 5-6)[1,3]と確定診断指針(表 5-7)[3]がある.

▶RPGN が疑われた場合は, 早急に腎疾患専門医療機関に紹介することがもっとも重要である.

3. RPGN を呈する原疾患の診断基準

▶RPGN を呈する疾患でもっとも多いのは血管炎症候群であり, 小動脈から細動脈に血管炎をきたす多彩な疾患が鑑別にあがる.

▶図 5-1[4]に血管レベルによる血管炎分類(Chapel Hill 分類), 表 5-8[1,5]に原発性血管炎のエントリー基準と病態定義, 表 5-9〜表 5-12[6,7]にANCA 関連血管炎〔顕微鏡的多発血管炎(MPA), 多発血管炎性肉芽腫症(GPA), 好酸球性多発血管炎性肉芽腫症(EGPA)〕, 抗 GBM 抗体型腎炎の診断基準を示す.

表 5-6 急速進行性糸球体腎炎（RPGN）早期発見のための診断指針

1. 尿所見異常（主として血尿や蛋白尿，円柱尿）[注1]
2. eGFR＜60 mL/分/1.73 m²[注2]
3. CRP 高値や赤沈促進

上記 1)～3) を認める場合，「RPGN の疑い」として，腎専門病院への受診をすすめる．ただし，腎臓超音波検査が実施可能な施設では，腎皮質の萎縮がないことを確認する．なお，急性感染症の合併，慢性腎炎に伴う緩徐な腎機能障害が疑われる場合には，1～2 週間以内に血清 Cr を再検し，eGFR を再計算する．

[注1]：近年，検診などによる無症候性検尿異常を契機に発見される症例が増加している．最近出現した検尿異常については，腎機能が正常であっても RPGN の可能性を念頭におく必要がある．
[注2]：eGFR の計算は，わが国の eGFR 式を用いる．

〔急速進行性糸球体腎炎診療指針作成合同委員会：急速進行性腎炎症候群の診療指針第 2 版．日腎会誌 2011；53：509-555[3]）より一部改変/厚生労働科学研究費補助金難治性疾患等政策研究事業（難治性疾患政策研究事業）難治性腎障害に関する調査研究班（編），成田一衛（監）：エビデンスに基づく急速進行性腎炎症候群（RPGN）診療ガイドライン 2020．東京医学社，2020；23[1]）〕

表 5-7 急速進行性糸球体腎炎（RPGN）診断指針

1. 数週～数か月の経過で急速に腎不全が進行する（病歴の聴取，過去の検診，その他の腎機能データを確認する）．3 か月以内に 30％以上の eGFR の低下をめやすとする．
2. 血尿（多くは顕微鏡的血尿，まれに肉眼的血尿），蛋白尿，円柱尿などの腎炎性尿所見を認める．
3. 過去の検査歴がない場合や来院時無尿状態で尿所見が得られない場合は，臨床症候や腎臓超音波検査，CT などにより腎のサイズ，腎皮質の厚さ，皮髄境界，尿路閉塞のチェックにより，慢性腎不全との鑑別も含めて，総合的に判断する．

eGFR：推算糸球体濾過量
〔急速進行性糸球体腎炎診療指針作成合同委員会：急速進行性腎炎症候群の診療指針第 2 版．日腎会誌 2011；53：509-555[3]）〕

4. 重症度分類

▶血清 Cr 値，年齢，肺病変の有無，血清 CRP 値の 4 項目により重症度を評価する（表 5-13）[3]．

5. 腎生検

▶病型診断，重症度判定と治療方針決定，予後判断のため，可能な限り腎組織学的診断を実施する．

▶RPGN を呈する疾患の最多の腎病理組織像は，壊死性半月体形成性糸球体腎炎である．

▶壊死性半月体形成性糸球体腎炎は蛍光抗体法での染色様式から，①

線状型（抗 GBM 抗体型），②顆粒状型（免疫複合体型），③沈着なしか極軽度の微量免疫（pauci-immune）型，の 3 病型に分類される．さらに pauci-immune 型は，ANCA 関連型と非 ANCA 関連型に病型分類される．わが国では③がもっとも頻度が高く，なかでも ANCA 関連型が最多である．

d 治療

▶無治療の場合には腎機能廃絶や死亡する可能性が高い，緊急性疾患

免疫複合体型血管炎
クリオグロブリン血症性血管炎
IgA 血管炎
低補体血症性蕁麻疹様血管炎

中型血管炎
結節性多発動脈炎
川崎病

抗GBM抗体型腎炎

ANCA関連血管炎
顕微鏡的多発血管炎（MPA）
多発血管炎性肉芽腫症（GPA）
好酸球性多発血管炎性肉芽腫症（EGPA）

大型血管炎
高安動脈炎
巨細胞性動脈炎

図 5-1 各血管レベルにおける血管炎分類（Chapel Hill 分類）
図左から右へ，大動脈，大型動脈，中動脈，小動脈/細動脈，毛細血管，細静脈，静脈を示す．
〔Jennette JC, et al.：2012 revised International Chapel Hill Consensus Conference Nomenclature of Vasculitides. Arthritis Rheum 2013；65：1-11[4])より一部改変〕

Side memo

ANCA 陽性抗 GBM 抗体型腎炎

抗 GBM 抗体と ANCA の共陽性（DP）を呈する RPGN 症例が報告されている．両者の関連性は明確ではないが，おそらく ANCA 関連血管炎の組織障害により，糸球体基底膜を構成するIV型コラーゲン抗原エピトープが修飾を受ける，あるいは露呈し，抗 GBM 抗体産生が誘導されると推測されている．欧州で実施された中規模観察研究では，抗 GBM 抗体単独陽性例の再発はまれであるのに対し，DP 例の 22％に再発がみられており，DP 例は寛解導入後の維持期においても，ANCA 関連血管炎と同様に再発に留意する必要がある．

表 5-8 原発性血管炎のエントリー基準と病態定義

原発性全身性血管炎(おもに AAV)の臨床診断を行う. 可能であれば少なくとも 3 か月は観察を継続する. 診断時年齢は 16 歳以上である. 以下の 3 つの項目(A, B, C)をすべて満たすものを原発性全身性血管炎と定義する.

(A) 症候が AAV または PAN に特徴的であるか, あるいは矛盾しないこと
組織学的に血管炎が証明されていれば, 症状や徴候は矛盾しないものであればよい. 組織学的証明がない場合は, 症状や徴候は特徴的なものでなければならない.

(B) 以下の項目のうち少なくとも 1 つを満足すること
1. 組織学的に診断された血管炎または肉芽腫性病変
   血管炎には壊死性糸球体腎炎が含まれる. 肉芽腫性病変は ACR の GPA 分類基準で定義されているものとする:血管壁あるいは動脈・細動脈の血管周囲と血管外領域での肉芽腫性炎症所見.
2. ANCA 陽性
   MPO-ANCA または PR3-ANCA が陽性である(ELISA 測定ができない施設では間接蛍光抗体法による ANCA 陽性でもよい).
3. 血管炎および肉芽腫症が強く示唆される以下の特異的な検査所見
   ・神経生理学的検査による多発性単神経炎
   ・血管造影(MR 血管画像または腹部内血管造影)による PAN 所見
   ・頭頸部と胸部の CT または MRI による眼窩後部と気管病変
4. 好酸球増多($>10\%$または$>1.5\times10^9$/L)

(C) 症候を説明する他の疾患のないこと, とくに以下の疾患を除外できる
1. 悪性腫瘍
2. 感染症(B 型・C 型肝炎ウイルス感染, ヒト免疫不全ウイルス, 結核, 亜急性心内膜炎)
3. 薬剤性血管炎(ヒドララジン, PTU, アロプリノールを含む)
4. 二次性血管炎(関節リウマチ, SLE, Sjögren 症候群, 結合組織病)
5. Behçet 病, 高安動脈炎, 巨細胞性動脈炎, 川崎病, 本態性クリオグロブリン血症, IgA 血管炎(Henoch-Schönlein 紫斑病), 抗 GBM 抗体関連疾患
6. 血管炎類似疾患(コレステロール塞栓症, calciphylaxis, 劇症型抗リン脂質抗体症候群, 心房粘液腫)
7. サルコイドーシス

(補足)腎あるいは皮膚生検組織の IgA 沈着は IgA 血管炎(Henoch-Schönlein 紫斑病)を, また抗 GBM 抗体の検出は抗 GBM 病(Goodpasture 症候群)を疑う所見である. しかし, IgA 組織沈着と抗 GBM 抗体は AAV でも認めることがあり, IgA 血管炎と抗 GBM 病の除外は個々の医師が判断する.

AAV:抗好中球細胞質抗体関連血管炎, PAN:結節性多発動脈炎, ACR:米国リウマチ学会, GPA:多発血管炎性肉芽腫症, ANCA:抗好中球細胞質抗体, MPO:ミエロペルオキシダーゼ, PR3:プロテイナーゼ 3, PTU:プロピルチオウラシル, SLE:全身性エリテマトーデス, GBM:糸球体基底膜

〔Watts R, et al.:Development and validation of a consensus methodology for the classification of the ANCA-associated vasculitides and polyarteritis nodosa for epidemiological studies. Ann Rheum Dis 2007;66:222-227[5]/厚生労働科学研究費補助金難治性疾患等政策研究事業(難治性疾患政策研究事業)難治性腎障害に関する調査研究班(編), 成田一衛(監):エビデンスに基づく急速進行性腎炎症候群(RPGN)診療ガイドライン 2020. 東京医学社, 2020;28[1]〕

表 5-9 顕微鏡的多発血管炎（MPA）の診断基準

1.	主要症候	①急速進行性糸球体腎炎 ②肺出血もしくは間質性肺炎 ③腎・肺以外の臓器症状：紫斑，皮下出血，消化管出血，多発性単神経炎など
2.	主要組織所見	細動脈・毛細血管・後毛細血管細静脈の壊死，血管周囲の炎症性細胞浸潤
3.	主要検査所見	①MPO-ANCA 陽性 ②CRP 陽性 ③蛋白尿・血尿，BUN，血清 Cr の上昇 ④胸部 X 線所見：浸潤影（肺胞出血），間質性肺炎
4.	判定	①確実（definite） 　（a）主要症候の 2 項目以上を満たし，組織所見が陽性の例 　（b）主要症候の①および②を含め 2 項目以上を満たし，MPO-ANCA が陽性の例 ②疑い（probable） 　（a）主要症候の 3 項目以上を満たす例 　（b）主要症候の 1 項目と MPO-ANCA 陽性の例
5.	鑑別診断	①結節性多発動脈炎 ②多発血管炎性肉芽腫症（旧 Wegener 肉芽腫症） ③好酸球性多発血管炎性肉芽腫症（旧 Churg-Strauss 症候群） ④川崎動脈炎 ⑤膠原病（全身性エリテマトーデス，関節リウマチなど） ⑥IgA 血管炎（旧紫斑病血管炎）
	参考事項	(1) 主要症候の出現する 1〜2 週間前に先行感染（多くは上気道感染）を認める例が多い. (2) 主要症候①②は約半数例で同時に，その他の例ではいずれか一方が先行する. (3) 多くの例で MPO-ANCA の力価は疾患活動性と平行して変動する. (4) 治療を早く中止すると，再発する例がある. (5) 除外項目の諸疾患は壊死性血管炎を呈するが，特徴的な症候と検査項目から鑑別できる.

MPO-ANCA：ミエロペルオキシダーゼ抗好中球細胞質抗体
〔吉田雅治，他：中・小型血管炎の臨床に関する小委員会報告．厚生省特定疾患免疫疾患調査研究班：難治性血管炎分科会平成 10 年度研究報告書，1999[6]より引用〕

表 5-10 **多発血管炎性肉芽腫症(GPA)の診断基準**

1. 主要症状	①上気道(E)の症状 　鼻(膿性鼻漏・出血・鞍鼻)・眼(眼痛・視力低下・眼球突出)・耳(中耳炎),口腔・咽頭痛(潰瘍・嗄声・気道閉塞) ②肺(L)の症状 　血痰・咳嗽・呼吸困難 ③腎(K)の症状 　血尿・蛋白尿・急速に進行する腎不全・浮腫・高血圧 ④血管炎による症状 　(a) 全身症状:発熱(38℃以上,2週間以上),体重減少(6か月以内に6kg以上) 　(b) 臓器症状:紫斑,多関節炎(痛),上強膜炎,多発性神経炎,虚血性心疾患(狭心症・心筋梗塞),消化管出血(吐血・下血),胸膜炎
2. 主要組織所見	①E,L,Kの巨細胞を伴う壊死性肉芽腫性炎 ②免疫グロブリン沈着を伴わない壊死性半月体形成性糸球体腎炎 ③小細動脈の壊死性肉芽腫性血管炎
3. 主要検査所見	プロテイナーゼ3(PR3)-ANCA(蛍光抗体法で cytoplasmic pattern,C-ANCA)が高率に陽性を示す
4. 判定	①確実(definite) 　(a) E,L,Kのそれぞれ1臓器症状を含め主要症状の3項目以上を示す例 　(b) E,L,K,血管炎による主要症状の2項目以上および,組織所見①,②,③の1項目以上を示す例 　(c) E,L,K,血管炎による主要症状の1項目以上と組織所見①,②,③の1項目以上および C(PR3)-ANCA 陽性の例 ②疑い(probable) 　(a) E,L,K,血管炎による主要症状のうち2項目以上の症状を示す例 　(b) E,L,K,血管炎による主要症状のいずれか1項目および,組織所見①,②,③の1項目を示す例 　(c) E,L,K,血管炎による主要症状のいずれか1項目と C(PR3)-ANCA 陽性を示す例
5. 参考となる検査所見	①白血球,CRP の上昇 ②BUN,血清 Cr の上昇
6. 鑑別診断	①E,L の他の原因による肉芽腫性疾患(サルコイドーシスなど) ②他の血管炎症候群〔顕微鏡的多発血管炎,好酸球性多発血管炎性肉芽腫症(Churg-Strauss 症候群),結節性多発動脈炎など〕

(次ページへつづく)

表 5-10 つづき

7. 参考事項	(1) E，L，Kのすべてがそろっている例は全身型，E，下気道(L)のうち単数もしくは2つの臓器にとどまる例は限局型とよぶ.
	(2) 全身型はE，L，Kの順に症状が発現することが多い.
	(3) 発症後しばらくすると，E，Lの病変に黄色ブドウ球菌を主とする感染症を合併しやすい.
	(4) E，Lの肉芽腫による占拠性病変の診断にCT，MRI，シンチ検査が有用である.
	(5) PR3-ANCAの力価は疾患活動性と平行しやすい. まれにP(MPO)-ANCA陽性を認める例もある.

〔吉田雅治，他：中・小型血管炎の臨床に関する小委員会報告. 厚生省特定疾患免疫疾患調査研究班：難治性血管炎分科会平成10年度研究報告書，1999[6)]より引用〕

表 5-11 好酸球性多発血管炎性肉芽腫症(EGPA)の診断基準

1. 主要臨床所見	(1) 気管支喘息あるいはアレルギー性鼻炎
	(2) 好酸球増加
	(3) 血管炎による症状：発熱(38℃以上，2週間以上)，体重減少(6か月以内に6kg以上)，多発性単神経炎，消化管出血，紫斑，多関節痛(炎)，筋肉痛(筋力低下)
2. 臨床経過の特徴	主要臨床所見(1)，(2)が先行し，(3)が発症する
3. 主要組織所見	(1) 周囲組織に著明な好酸球浸潤を伴う細小血管の肉芽腫性またはフィブリノイド壊死性血管炎の存在
	(2) 血管外肉芽腫の存在
4. 判定	(1) 確実(definite)
	(a) 1. の主要臨床所見のうち，気管支喘息あるいはアレルギー性鼻炎，好酸球増加および血管炎による症状のそれぞれ1つ以上を示し，3. の主要組織所見の1項目を満たす場合
	(b) 1. の主要臨床項目3項目を満たし，2. の臨床経過の特徴を示した場合
	(2) 疑い(probable)
	(a) 1. の主要臨床所見1項目および3. の主要組織所見の1項目を満たす場合
	(b) 1. の主要臨床所見を3項目満たすが，2. の臨床経過の特徴を示さない場合
5. 参考となる所見	(1) 白血球増加(≧1万/μL)
	(2) 血小板増加(≧40万/μL)
	(3) 血清IgE増加(≧600 U/mL)
	(4) MPO-ANCA陽性
	(5) リウマトイド因子陽性
	(6) 肺浸潤陰影

〔吉田雅治，他：中・小型血管炎の臨床に関する小委員会報告. 厚生省特定疾患免疫疾患調査研究班：難治性血管炎分科会平成10年度研究報告書，1999[6)]より引用〕

表 5-12 抗糸球体基底膜（抗 GBM）抗体型腎炎の診断基準

1) 血尿（多くは顕微鏡的血尿，まれに肉眼的血尿），蛋白尿，円柱尿などの腎炎性尿所見を認める．
2) 血清抗 GBM 抗体が陽性である．
3) 腎生検で糸球体係蹄壁に沿った線状の免疫グロブリンの沈着と壊死性半月体形成性糸球体腎炎を認める．

上記の 1)および 2)または 1)および 3)を認める場合には「抗糸球体基底膜腎炎」と診断する．

〔厚生労働省：221 抗糸球体基底膜腎炎　http://www.mhlw.go.jp/file/06-Seisakujou-10900000-Kenkoukyoku/0000085482.pdf（2023 年 9 月閲覧）[7]〕

表 5-13 臨床所見のスコア化による急速進行性糸球体腎炎（RPGN）の重症度分類

スコア	血清 Cr（mg/dL）*	年齢（歳）	肺病変の有無	血清 CRP（mg/dL）*
0	[]<3	<60	なし	<2.6
1	3≦[]<6	60〜69		2.6〜10
2	6≦[]	≧70	あり	>10
3	透析療法			

臨床重症度	総スコア
Grade Ⅰ	0〜2
Grade Ⅱ	3〜5
Grade Ⅲ	6〜7
Grade Ⅳ	8〜9

*初期治療時の測定値
※肺病変には，肺胞出血，間質性肺炎，肺結節影，肺浸潤影を含む．
※寛解とは，腎不全の進行が停止し，腎炎性尿所見が消失した状態である．再発とは，一度寛解した状態から，腎炎性尿所見を伴い腎不全が再度進行し，治療法の強化が必要な状態をさす．

〔急速進行性糸球体腎炎診療指針作成合同委員会：急速進行性腎炎症候群の診療指針第 2 版．日腎会誌 2011；53：509-555[3]〕

である．また，再発や再燃もまれではなく，長期の免疫抑制治療が必要となる場合も多い．そのため，治療経過中は日和見感染症の出現に注意すると同時に，副腎皮質ステロイドの副作用である耐糖能異常（糖代謝異常）や脂質代謝異常，骨粗鬆症，精神症状などへの対応も必要である．

▶本症候群および原因疾患の多く（MPA，GPA，抗 GBM 抗体型腎炎，SLE，紫斑病性腎炎など）は指定難病に認定され，一定の条件のもとで医療費助成の対象となっている．

1. ANCA陽性RPGNに対する免疫抑制治療

- 「エビデンスに基づく急速進行性糸球体腎炎(RPGN)の診療ガイドライン(2020)」では，わが国で頻度の高いANCA陽性RPGNの治療アルゴリズムが提案されている(図5-2)[1]．
- 経過中に腎機能障害が重度に進展した場合は，遅滞なく透析療法を導入する．

1) 副腎皮質ステロイド(☞p.582参照)

①寛解導入治療

- 臨床重症度GradeⅠ～Ⅱと評価された症例では，副腎皮質ステロイド単剤による寛解導入治療が一般的である．

> **処方例**
> ①経口副腎皮質ステロイド
>   プレドニゾロン(プレドニン®錠)
>   1日 0.6～1.0 mg/kg 1～3回に分割 連日
> または
> ②ステロイドパルス
>   メチルプレドニゾロン(ソル・メドロール®注)
>   1日 500～1,000 mg 1回 点滴静注 3日間

②寛解維持治療

- ANCA陽性RPGNでは再燃に注意しつつ，可能な限り寛解導入治療の開始から8週間以内に副腎皮質ステロイド投与量をプレドニゾロン(PSL)換算20 mg/日未満に減量し，以後0.8 mg/月以下の速度で漸減する．

2) 免疫抑制薬(シクロホスファミド：CY)(☞p.589参照)

①寛解導入治療

- 臨床重症度GradeⅡ～Ⅲの症例では，副腎皮質ステロイドによる寛解導入療法に免疫抑制薬を追加する．
- 超高齢者や日和見感染を含む感染合併例など免疫抑制治療の悪影響が予想される症例では，副腎皮質ステロイド単独とする場合もある．

> **処方例**
> ①静注CYパルス(エンドキサン®注)
>   1日 250～750 mg/m² 1回 点滴静注 2週間～1か月ごと
> または
> ②経口CY(エンドキサン®錠)
>   1日 25～100 mg 1回 朝 連日

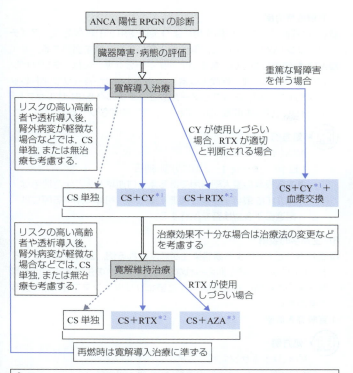

図 5-2 抗好中球細胞質抗体陽性急速進行性糸球体腎炎（ANCA 陽性 RPGN）の治療に関するアルゴリズム

*[1] CY：IVCY が POCY よりも優先される．
*[2] RTX：ANCA 陽性 RPGN の治療に対して十分な知識・経験をもつ医師のもとで，RTX の使用が適切と判断される際に用いる．
*[3] AZA：AZA 以外の薬剤として，MZR, MTX, MMF などが選択肢となりうる．
CS：副腎皮質ステロイド，CY：シクロホスファミド，IVCY：静注シクロホスファミドパルス，POCY：経口シクロホスファミド，RTX：リツキシマブ，AZA：アザチオプリン，MZR：ミゾリビン，MTX：メトトレキサート，MMF：ミコフェノール酸モフェチル
〔厚生労働科学研究費補助金難治性疾患等政策研究事業（難治性疾患政策研究事業）難治性腎障害に関する調査研究班（編），成田一衛（監）：エビデンスに基づく急速進行性腎炎症候群（RPGN）診療ガイドライン 2020．東京医学社，2020；60[1)]より一部改変〕

②寛解維持治療

▶ CY は催腫瘍性などの副作用により長期使用が困難なため,アザチオプリン(AZA)に変更し,腎機能に応じて投与量を調節する.

▶ AZA が使用しづらい,あるいは効果不十分な場合には,ミゾリビン(ブレディニン® 錠,保険未収載),メトトレキサート(リウマトレックス® カプセル),ミコフェノール酸モフェチル(MMF;セルセプト® カプセル,保険未収載)のいずれかが選択肢となりうる.

処方例
AZA(イムラン® 錠)
1 日 50~100 mg 1~2 回に分割 連日

🔖 本剤投与の重大副作用である急性白血球減少と全身脱毛は *NUDT15* 遺伝子多型と関連するため,初めて用いる際には同遺伝子多型検査を施行する.

3) 生物学的製剤

▶ 高齢者など CY による易感染性が懸念される例,副腎皮質ステロイド+CY により病勢を抑えられない再発例,CY の生殖系に及ぼす影響を憂慮する例に対しては,CY に替わりリツキシマブ(RTX)の投与を考慮する.

①寛解導入治療

処方例
RTX(リツキサン® 注)
1 日 375 mg/m^2 1 回 点滴静注 各週 4 回まで

🔖 RTX 投与による infusion reaction のうち,アナフィラキシー様症状,肺障害,心障害などによる死亡例の多くは,初回投与後 24 時間以内にみられている.そのため,RTX 投与 30 分前にアセトアミノフェン,ヒスタミン H$_1$ 受容体拮抗薬,場合によっては副腎皮質ステロイドによる premedication を行うとともに,投与速度にも注意する.

🔖 また B 型肝炎ウイルス再活性化や,悪性腫瘍,進行性多巣性白質脳症の発症に留意する.

②寛解維持治療

▶ 寛解導入治療後は,定期的(上記投与量を半年ごとに 1 回投与),あるいは末梢血液中の CD20 陽性 B 細胞数増加や ANCA 抗体価上昇をめやすに RTX を投与することで,寛解維持を行う例が近年増加している.

4) 血漿交換療法

▶ 肺胞出血合併例，診断時に透析療法を必要とするような高度腎機能低下例では，血漿交換療法を実施する．

▶ 血漿交換では処理血漿量 50〜60 mL/kg/回を連日あるいは隔日で行い，1 クール(2 週間に限る)につき 7 回を，一連につき 2 クールを限度に実施する．

5) C5a 受容体阻害薬(アバコパン)

▶ 患者年齢や合併症などにより副腎皮質ステロイドの投与量が制限される場合や，副腎皮質ステロイドによる副作用が大きいと判断される場合には，副腎皮質ステロイドを減量(PSL 換算で 20 mg/日以下)したうえで，アバコパンを追加する．

> **処方例**
>
> アバコパン(タブネオス® カプセル)
> 1 日 60 mg 2 回に分割(Side memo 参照)

2. 抗 GBM 抗体型 RPGN に対する免疫抑制治療

▶ 本疾患は急速に重症化するため，ANCA 陽性 RPGN に対する副腎皮質ステロイドと CY による薬物治療と血漿交換療法の併用による早期治療介入が推奨される．

①寛解導入治療

▶ 診断時に透析を要さない症例(腎機能予後改善が期待できる)，あるいは肺出血(Goodpasture 症候群)を伴う症例では，抗 GBM 抗体，病理診断による確定診断を待たずに，本疾患が強く疑われれば速やかに副腎皮質ステロイドと血漿交換による治療を開始し，診断確定後に CY による治療を追加する．

アバコパン

　MPA/GPA に対し，わが国では 2022 年に C5a 受容体阻害薬アバコパン(タブネオス® カプセル)が使用可能となった．好中球は ANCA 関連血管炎の病態形成において中心的役割を担うが，アバコパンは好中球上の補体 C5a 受容体を阻害することで抗炎症作用を発揮する．国際共同試験では，同薬を既存治療に追加することで，寛解導入期から寛解維持期にかけて副腎皮質ステロイドの早期減量と中止が可能になるとする結果が示されたが，実臨床における有効性や長期安全性に関しては，今後の症例蓄積を待つ必要がある．

- ▶副腎皮質ステロイド，CY，血漿交換による寛解導入の治療レジメンは ANCA 陽性 RPGN に準じる．
- ▶従来治療への反応不十分例，感染リスクが高い高齢者，生殖機能への影響が懸念される若年者など CY 使用が躊躇われる症例に対し，MMF や RTX(ともにわが国では保険未収載)の有効性を示唆する報告もあるが，現時点ではその治療効果について十分な臨床的エビデンスはない．
- ▶診断時，すでに高度腎機能障害を呈する場合や，無尿や透析を必要とする場合，あるいは組織学的に全糸球体において半月体が認められる場合には，積極的治療による腎機能回復の可能性が著しく低いとして保存的治療を選択する場合もあるが，できる限り腎組織を評価し，治療適応を決定する．

②寛解維持治療

- ▶抗 GBM 抗体型 RPGN の再発はまれとされており，寛解導入治療後の経過が良好な場合には，6～12 か月間の副腎皮質ステロイドによる維持療法ののち，免疫抑制療法の中止が可能となる．
- ▶初回発症から数年後に腎病変あるいは肺病変として再発する症例の多くが抗 GBM 抗体価の再上昇を示すため，治療中止後も経過を慎重に見守る必要がある．
- ▶抗 GBM 抗体と ANCA の両陽性例では，抗 GBM 抗体型腎炎に対する初期治療後に，ANCA 関連腎炎の維持療法を行う（Side memo 参照，☞p.112）．
- ▶本疾患は，腎・生命予後とも不良であり，透析離脱を果たした場合も重度慢性腎臓病(重度 CKD)としての管理加療を要することが大半である．

3. 合併症対策

- ▶免疫抑制治療に関連した易感染性や骨粗鬆症に対する予防的治療を実施する．

1) 感染症予防

- ▶ニューモシスチス肺炎予防にスルファメトキサゾール・トリメトプリム(ST)合剤を投与する．

> **処方例**
> ■ 副作用により①の投与が困難な場合には，②あるいは③を用いる．
> ①スルファメトキサゾール・トリメトプリム(バクタ®配合錠)
>   1 日 1 錠 1 回 朝

②アトバコン（サムチレール®）
1日 10 mL 1回 朝
③ペンタミジンイセチオン酸塩（ベナンバックス®）
300 mg を蒸留水 3〜5 mL に溶解し 30 分吸入 1 か月ごと

2）骨粗鬆症対策

▶ グルココルチコイド誘発性骨粗鬆症の進行抑制のため，以下のような予防的治療を行う．

 処方例

①リセドロン酸ナトリウム水和物（ベネット®）
1回 75 mg 月 1回
または
②デノスマブ（プラリア® 注）
1回 60 mg 6 か月に 1回 皮下注

✔ 投与前後に血清補正 Ca 値を確認し，適切に Ca およびビタミン D の経口補充を行う．

3　IgA 腎症

a 概念・特徴

▶ IgA 腎症とは，腎炎を示唆するような糸球体性血尿や蛋白尿などの検尿異常が持続性にみられ，メサンギウム領域を主体とする IgA の顆粒状沈着を認め，その原因となりうる基礎疾患が認められないものである．

▶ 診断には腎組織所見が必須である．

▶ IgA 腎症は原発性糸球体疾患のうちもっとも頻度の高い疾患である．

▶ 糸球体の IgA 沈着部位はおもにメサンギウムで，係蹄への沈着を認めることもある．多くは C3 の沈着を同時に認める．

▶ 光学顕微鏡（光顕）的には，多くはメサンギウム細胞増多，基質の増生を主体としたメサンギウム増殖性腎炎の像を示すが，糸球体病変はメサンギウムのみに限局せず，半月体形成，Bowman 嚢との癒着，管内細胞増多，係蹄壊死など多彩である．病変の分布は，巣状ないし分節性である場合が多い．

▶ IgA 沈着を認める二次性の疾患，すなわち紫斑病性腎炎（IgA 血管炎），肝疾患に伴う糸球体病変，ループス腎炎，関節リウマチに伴う腎炎などの IgA 腎症類似の病変は，本症とは区別する．

▶移植ドナー腎などに認める無症候性の糸球体への IgA の沈着は IgA 沈着症とよばれ，本症とは区別する.

b 疫学

▶IgA 腎症の発症率・有病率は地域，人種によって異なる.

▶日本，アジア太平洋地域の諸国，フランス，イタリアなどの南欧諸国に多発する.これらは遺伝的な影響のほか，地域の健康管理システムや腎生検の適応により影響を受ける.

▶IgA 腎症は多くが孤発性に生じるが，家族内集積を認めることがある(家族性 IgA 腎症).

▶わが国で行われる腎生検の約 1/3 が IgA 腎症と診断され，IgA 腎症の発症率は 10 万人あたり 3.9〜4.5 人/年と推定される.有病患者数は 33,000 人(95%信頼区間 28,000〜37,000)と推計される.

▶IgA 腎症はどの世代にも発症しうる.欧米では 20〜30 歳代に発症のピークを認め，男性が優位であるが，わが国では性差は認めず，10〜60 歳代にかけてまんべんなく分布している.

c 診断

▶わが国における IgA 腎症の約 70%は，健康診断などの機会に偶然，蛋白尿や血尿を指摘されたことを契機に発見されている.

▶上気道感染を主とする感染が引き金となり，発作的に生じる肉眼的血尿(赤褐色または黒褐色でコーラ様とたとえられる)で発見されることがある.

▶年齢が進むにしたがって，肉眼的血尿の頻度は低くなる.

▶「IgA 腎症診療指針第 3 版」[8]では，尿検査の必発所見として持続的顕微鏡的血尿〔尿沈渣にて赤血球尿(赤血球 5/HPF 以上)であることを少なくとも 2 回以上確認〕，頻発所見として間欠的または持続的蛋白尿を，また血液検査の頻発所見として血清 IgA 値 315 mg/dL 以上(成人の場合)を認める場合に，IgA 腎症の可能性が高いとしている.

▶血液バイオマーカーとして，血清糖鎖異常 IgA1(Gd-IgA1)，対応抗体の測定の有用性が報告されている.

d 重症度分類

▶「IgA 腎症診療指針第 3 版」では，臨床的重症度分類(表 5-14)[8]，組織学的重症度分類(表 5-15)[8]，これらを組み合わせたリスク表(表 5-16)[8]が提案されている.

▶国際分類として，Oxford 分類が用いられる.臨床パラメーターと独

表 5-14 臨床的重症度分類

臨床的重症度	尿蛋白(g/日)	eGFR(mL/分/1.73 m^2)
C-Grade Ⅰ	<0.5	—
C-Grade Ⅱ	0.5≦	60≦
C-Grade Ⅲ		<60

eGFR：推算糸球体濾過量
〔厚生労働科学研究費補助金難治性疾患克服研究事業 進行性腎障害に関する調査研究班報告 IgA 腎症分科会：IgA 腎症診療指針—第 3 版—．日腎会誌 2011；53：130[8]〕

表 5-15 組織学的重症度分類

組織学的重症度	腎予後と関連する病変*を有する糸球体/総糸球体数	急性病変のみ	急性病変+慢性病変	慢性病変のみ
H-Grade Ⅰ	0〜24.9%	A	A/C	C
H-Grade Ⅱ	25〜49.9%	A	A/C	C
H-Grade Ⅲ	50〜74.9%	A	A/C	C
H-Grade Ⅳ	75%以上	A	A/C	C

*急性病変(A)：細胞性半月体(係蹄壊死を含む)，線維細胞性半月体
 慢性病変(C)：全節性硬化，分節性硬化，線維性半月体
〔厚生労働科学研究費補助金難治性疾患克服研究事業 進行性腎障害に関する調査研究班報告 IgA 腎症分科会：IgA 腎症診療指針—第 3 版—．日腎会誌 2011；53：129[8]〕

立して予後に影響する病変として，メサンギウム細胞増多スコア(M)，分節性糸球体硬化(S)，尿細管萎縮/間質線維化(T)が，また免疫抑制療法を行わないときに予後に影響する病変として，管内細胞増多(E)，半月体(C)があり，MEST-Cにて病変を評価する(表5-17)[9]．E，C病変を認める場合は副腎皮質ステロイド療法を考慮する．

▶「IgA 腎症診療指針第 3 版」[8]では，組織重症度を総合的に判断できるが，重症度だけでは病変の内容がわかりにくく，一方，Oxford 分類では，病変の内容はわかるが総合的重症度の判定は容易ではない．そのため，両方を併記することで互いの欠点を補い合うことができる．

▶日本人コホートを含む国際共同研究にて予後予測モデルの構築が行われた．計算式は QxMD に収載されており，web サイト(https://qxmd.com)やスマートフォン用のアプリケーション(https://qxcalc.app.link/igarisk)から，腎生検時点から 5 年後までの eGFR 50%低下のリスクが計算可能である．

表 5-16 **IgA 腎症患者の透析導入リスクの層別化**

臨床的重症度＼組織学的重症度	H-Grade Ⅰ	H-Grade Ⅱ	H-Grade Ⅲ＋Ⅳ
C-Grade Ⅰ	低リスク	中等リスク	高リスク
C-Grade Ⅱ	中等リスク	中等リスク	高リスク
C-Grade Ⅲ	高リスク	高リスク	超高リスク

低リスク群：透析療法に至るリスクが少ないもの[注1].
中等リスク群：透析療法に至るリスクが中程度あるもの[注2].
高リスク群：透析療法に至るリスクが高いもの[注3].
超高リスク群：5 年以内に透析療法に至るリスクが高いもの[注4].
（ただし，経過中に他のリスク群に移行することがある）
後ろ向き多施設共同研究からみた参考データ
[注1]：72 例中 1 例（1.4%）のみが生検後 18.6 年で透析に移行
[注2]：115 例中 13 例（11.3%）が生検後 3.7〜19.3（平均 11.5）年で透析に移行
[注3]：49 例中 12 例（24.5%）が生検後 2.8〜19.6（平均 8.9）年で透析に移行
[注4]：34 例中 22 例（64.7%）が生検後 0.7〜13.1（平均 5.1）年で，また 14 例（41.2%）が
　　　5 年以内に透析に移行
〔厚生労働科学研究費補助金難治性疾患克服研究事業 進行性腎障害に関する調査研究班報告 IgA 腎症分科会：IgA 腎症診療指針―第 3 版―．日腎会誌 2011；53：131[8]〕

表 5-17 **IgA 腎症分類に使用される病変の定義（Oxford 分類）**

病変	定義	スコア
メサンギウム細胞増多*	<4　メサンギウム細胞/メサンギウム領域＝0 4〜5　メサンギウム細胞/メサンギウム領域＝1 6〜7　メサンギウム細胞/メサンギウム領域＝2 ≧8　メサンギウム細胞/メサンギウム領域＝3 メサンギウム細胞増多スコアは全糸球体の平均値とする	M0≦0.5 M1>0.5
分節性硬化	糸球体係蹄の部分的硬化で係蹄全体に及ばないもの，または癒着	S0：なし S1：あり
管内細胞増多	糸球体毛細血管腔の閉塞をきたした毛細血管内の細胞の増加	E0：なし E1：あり
尿細管萎縮/間質線維化	尿細管萎縮または間質線維化が皮質に占める割合	T0：0〜25% T1：26〜50% T2：>50%
半月体	3 層以上の管外細胞増殖で細胞成分>50% 病変が Bowman 嚢に占める割合>10% 線維性半月体は除く	C0：なし C1：<25% C2：≧25%

*メサンギウム細胞増多は periodic acid-Schiff 染色標本で評価する．1 つのメサンギウム領域に細胞が 4 個以上ある糸球体が全体の半数以上あれば M1 とする．したがって，必ずしもつねに正式なメサンギウム細胞増多スコアを求める必要はない．
〔Trimarchi H, et al.：Oxford Classification of IgA nephropathy 2016：an update from the IgA Nephropathy Classification Working Group. Kidney Int 2017；91：1014-1021[9]〕

e IgA 腎症の特殊型（atypical forms of IgA nephropathy）

▶KDIGO（Kidney Disease：Improving Global Outcome）の糸球体腎炎診療ガイドライン[10]には，①メサンギウムへの IgA 沈着を伴った微小変化（MCD with mesangial IgA deposits），②肉眼的血尿に伴う急性腎障害（AKI associated with macroscopic hematuria），③半月体形成性 IgA 腎症（crescentic IgA nephropathy）が，atypical forms として記載されている．

1. メサンギウムへの IgA 沈着を伴った微小変化

▶臨床的に微小変化型ネフローゼ症候群（MCNS）に酷似し，光顕的には微小変化であるが，免疫染色で糸球体への IgA の沈着が優位にみられる症例を認めることがある．

▶副腎皮質ステロイドが奏効し，また再発もみられることから，MCNS と IgA 腎症との偶発的合併と考えられる．

2. 肉眼的血尿に伴う急性腎障害

▶粘膜感染症に伴う肉眼的血尿は典型的な IgA 腎症の特徴であり，多くの場合，2～3 日で消失し，腎機能障害は起こさないが，まれに肉眼的血尿が遷延し，AKI をきたすことがある．

3. 半月体形成性 IgA 腎症

▶活動性の高い重症 IgA 腎症で，RPGN，高血圧，高度の蛋白尿を伴い，高頻度に肉眼的血尿を認める．

▶組織では広範な細胞性半月体形成，管内細胞増多，係蹄壊死などの活動性病変のみならず，糸球体硬化，間質線維化などの慢性病変も種々の程度にみられる．

f 予後

▶IgA 腎症の経過は非常に多様性があるものの，多くの症例で緩徐な進行性の経過を示す．

▶成人期発症 IgA 腎症の 10 年腎生存率は 80～85％であり，小児期発症例の 10 年腎生存率は 90％以上である．近年のレニン・アンジオテンシン系（RAS）阻害薬を中心とした治療法の進歩によって，腎予後はさらに良好となっている．

▶尿蛋白量の程度，血圧値，腎機能障害の程度，組織学的障害度が腎生存率と関連する．

▶わが国では，尿所見の寛解は表 5-18 に示すように定義される．

▶腎機能障害の進行速度は，腎機能障害の程度とともに，経過中の尿蛋白排泄量と血圧の状態が強く関連する．

表 5-18 寛解の定義

血尿の寛解	尿潜血反応(−)〜(±) もしくは 尿沈渣赤血球：5/HPF 未満
蛋白尿の寛解	尿蛋白定性反応(−)〜(±) もしくは 0.3 g/日(g/g・Cr)未満

・表に示す基準を満たした初回の日（寛解日）より 6 か月以上にわたり 2 回以上（計 3 回以上）の検査で基準を満たし続けた場合を，それぞれ「血尿の寛解」「蛋白尿の寛解」としている．
・血尿・蛋白尿ともに寛解した場合を「臨床的寛解」と定義し，血尿・蛋白尿のどちらか一方の寛解を「部分的寛解」とする．

g 治療

▶現在，わが国において成人 IgA 腎症の治療介入として一般的に行われているのは，RAS 阻害薬，副腎皮質ステロイド，口蓋扁桃摘出術（＋ステロイドパルス併用療法），Na$^+$/グルコース共役輸送担体 2（SGLT2）阻害薬，免疫抑制薬，抗血小板薬，n-3 系脂肪酸（魚油）である．

▶「IgA 腎症診療ガイドライン 2020」では，おもにランダム化並行群間比較試験の報告に基づき，治療アルゴリズムが示されている（図 5-3）[11]．

▶KDIGO の糸球体腎炎診療ガイドライン[10]では，RAS 阻害薬最大耐用量の使用と血圧コントロール，生活習慣の改善など 3 か月間の保存的加療を行っても尿蛋白が 1.0 g/日以上の場合は，臨床試験への参加がすすめられている．現在，多くの臨床試験が進行中であり，その動向を注視すべきである．

1. RAS 阻害薬

▶RAS 阻害薬は，尿蛋白≧1.0 g/日かつ CKD ステージ G1〜3b の IgA 腎症の腎機能障害の進行を抑制するため，その使用が推奨されている．尿蛋白 0.5〜1.0 g/日の IgA 腎症の尿蛋白を減少させる可能性があり，治療選択肢として検討する．

▶ただし，わが国では正常血圧の IgA 腎症患者には保険適用はない．

> **処方例**
> ①イミダプリル（タナトリル®）
> 　1 日 5〜10 mg　1 回　経口
> ②テルミサルタン（ミカルディス®）
> 　1 日 20〜80 mg　1 回　経口
> ③アジルサルタン（アジルバ®）
> 　1 日 10〜40 mg　1 回　経口

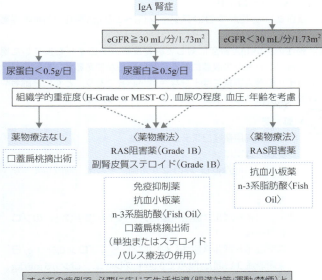

図 5-3 成人 IgA 腎症治療アルゴリズム

- 推算糸球体濾過量(eGFR) 30 mL/分/1.73 m²以上かつ尿蛋白量 0.5 g/日以上の場合は,組織学的重症度や血尿の程度,血圧,年齢を考慮したうえで,レニン・アンジオテンシン系(RAS)阻害薬や副腎皮質ステロイドの投与を検討する.また,免疫抑制薬,抗血小板薬,n-3 系脂肪酸の投与や口蓋扁桃摘出術(単独あるいはステロイドパルス療法との併用)を検討してもよい.
- eGFR 30 mL/分/1.73 m²以上かつ尿蛋白量 0.5 g/日未満の場合は,薬物療法なしでの経過観察を基本とするが,上気道感染後に肉眼的血尿など尿所見の悪化を認める症例では,口蓋扁桃摘出術を検討してもよい.また,急性の組織病変がある場合には,副腎皮質ステロイドや免疫抑制薬をはじめとした薬物療法も考慮する.
- eGFR 30 mL/分/1.73 m²未満の場合は,血圧や尿蛋白量などを考慮したうえで RAS 阻害薬での治療を基本とするが,急速進行性の腎機能障害を呈する症例や急性の組織病変がある場合には,副腎皮質ステロイドや免疫抑制薬の投与も考慮する.RAS 阻害薬の初回投与時には,腎機能の推移に注意しながら慎重に投与する.
- 副腎皮質ステロイドや免疫抑制薬を投与する場合は,個々の症例で治療効果と感染症などの副作用リスクとのバランスを十分考慮する.また,すべての症例で,CKD に対する一般療法として生活指導と食事療法を行う.

〔厚生労働科学研究費補助金難治性疾患等政策研究事業(難治性疾患実用化研究事業)難治性腎障害に関する調査研究班:エビデンスに基づく IgA 腎症診療ガイドライン 2020.東京医学社,2020:45[11)]〕

2. 副腎皮質ステロイド

▶尿蛋白≥1.0 g/日かつ CKD ステージ G1〜2 の IgA 腎症の腎機能障害の進行を抑制する.

▶活動性の高い IgA 腎症に対して副腎皮質ステロイドを投与した場合, 腎アウトカムの改善に働くことは明らかであるが, 副腎皮質ステロイドの有害事象には十分な注意が必要であり, とくに高齢者や腎機能低下患者には慎重に投与すべきである.

処方例

①短期間高用量経口ステロイド療法

プレドニゾロン

0.8〜1.0 mg/kg/日 経口 2 か月間, その後, 漸減して 6 か月間投与

または

②ステロイドパルス療法＋経口ステロイド療法（Pozzi のプロトコール）

ステロイドパルス療法（メチルプレドニゾロン 0.5〜1 g/日 点滴静注 3 日間）, 隔月で 3 回＋プレドニゾロン 0.5 mg/kg 隔日を 6 か月間投与, その後, 漸減中止

3. 口蓋扁桃摘出術＋ステロイドパルス療法

▶IgA 腎症の尿所見を改善し, 腎機能障害の進行を抑制する可能性があり, 治療選択肢として検討してもよい.

処方例

■口蓋扁桃摘出術に加えて,

①Hotta らの方式（仙台方式）

ステロイドパルス療法（メチルプレドニゾロン 0.5 g/日 点滴静注 3 日間）, 経口プレドニゾロン 30 mg 連日 4 日間で継ぎこれを 1 クールとし, 3 週連続で計 3 クール施行. その後, プレドニゾロン 30 mg 隔日×2 か月➡25 mg 隔日×2 か月➡20 mg 隔日×2 か月➡15 mg 隔日×2 か月➡10 mg 隔日×2 か月➡5 mg 隔日×2 か月➡中止とする.

②厚生労働省進行性腎障害調査研究班のランダム化比較試験（RCT）でのプロトコール

ステロイドパルス療法（メチルプレドニゾロン 0.5 g/日 点滴静注 3 日間）, 隔月で 3 回＋プレドニゾロン 0.5 mg/kg 隔日を 6 か月間投与

4. 口蓋扁桃摘出術（単独）

- 口蓋扁桃摘出術は IgA 腎症の尿所見を改善し，腎機能障害の進行を抑制する可能性がある．
- KDIGO のガイドライン[10]では，日本人では口蓋扁桃摘出術が治療選択肢となることが明記された．

5. SGLT2 阻害薬

- 非糖尿病性 CKD に対する SGLT2 阻害薬の有用性を検証した大規模 RCT のサブグループ解析において，IgA 腎症での尿所見の改善と腎機能障害の進行抑制が報告されている．
- RAS 阻害薬を最大耐用量使用後に蛋白尿が残存する場合は，治療選択肢として検討する．

 処方例

ダパグリフロジン（フォシーガ®）
1 日 10 mg 1 回 経口

6. 免疫抑制薬

- IgA 腎症に対する CY，AZA，シクロスポリン，MMF，ミゾリビンの有効性を検討した RCT の報告は，少数の小規模な研究がほとんどであり，現時点において一定の見解を導き出すことは困難である．
- ステロイド療法に併用した AZA は副作用の発症率を増加させる可能性があり，使用すべきではない．

7. 抗血小板薬，n-3 系脂肪酸（魚油）

- 成人 IgA 腎症に対する抗血小板薬（ジピリダモール，塩酸ジラゼプ，チクロピジン，アスピリン）および抗凝固薬（ワルファリン）の有効性を検討した研究報告は少数であり，現時点ではその有効性は明らかではない．
- IgA 腎症に対する n-3 系脂肪酸（魚油）の有効性を検討した RCT は少数で，現時点では一定の結論を導き出すことは困難である．

 処方例

①ジピリダモール（ペルサンチン®）
　1 日 300 mg 3 回に分割 経口
②塩酸ジラゼプ（コメリアン®）
　1 日 300 mg 3 回に分割 経口
③イコサペント酸エチル（エパデール®）
　1 日 1,800 mg 3 回に分割 経口

4　ネフローゼ症候群

a 疾患概念と診断基準

▶ ネフローゼ症候群は，腎糸球体係蹄障害による蛋白透過性亢進に基づく大量の尿蛋白漏出と，これに伴う低蛋白（低アルブミン）血症を特徴とする症候群である．

▶ ネフローゼ症候群の診断基準（表 5-19）[12]・治療効果判定基準（表 5-20）[12]，治療反応性による分類（表 5-21）[12] を示す．

b ネフローゼ症候群の浮腫の評価と管理

▶ 浮腫の触診，体重変化，立位血圧，腹部エコーによる下大静脈径の測定，X 線や CT による胸水，腹水，心囊水の評価により，体液量（循環血漿量の増加あるいは減少）を判断する．

▶ 循環血漿量が正常あるいは増加した全身性浮腫に対しては，塩分制限を行ったうえで利尿薬の投与を開始する．

▶ アルブミン製剤の有効性は証明されておらず，積極的には推奨されない．

1. 利尿薬

▶ ネフローゼ症候群に合併する浮腫に対する利尿薬の第一選択は，ループ利尿薬（フロセミド，アゾセミド，トラセミド）である．

▶ フロセミドは即効性があるが作用時間が短いため，リバウンドが起こる．その際には，フロセミドを反復または持続投与，あるいはア

表 5-19　成人ネフローゼ症候群の診断基準

1. 蛋白尿：3.5 g/日以上が持続する
　（随時尿において尿蛋白/Cr 比が 3.5 g/gCr 以上の場合もこれに準ずる）
2. 低アルブミン血症：血清 Alb 値 3.0 g/dL 以下
　　　　　　　　　　　血清総蛋白量 6.0 g/dL 以下も参考になる
3. 浮腫
4. 脂質異常症（高 LDL コレステロール血症）

注：
1) 上記の尿蛋白量，低アルブミン血症（低蛋白血症）の両所見を認めることが本症候群の診断の必須条件である．
2) 浮腫は本症候群の必須条件ではないが，重要な所見である．
3) 脂質異常症は本症候群の必須条件ではない．
4) 卵円形脂肪体は本症候群の診断の参考となる．
〔厚生労働科学研究費補助金難治性疾患等政策研究事業（難治性疾患政策研究事業）難治性腎障害に関する調査研究班（編），成田一衛（監）：エビデンスに基づくネフローゼ症候群診療ガイドライン 2020．東京医学社，2020[12]〕

表 5-20　ネフローゼ症候群の治療効果判定基準

治療効果の判定は治療開始後 1 か月, 6 か月の尿蛋白量定量で行う.

	尿蛋白(g/日)
完全寛解	＜0.3
不完全寛解Ⅰ型	0.3≦＜1.0
不完全寛解Ⅱ型	1.0≦＜3.5
無効	≧3.5

注：
1) ネフローゼ症候群の診断・治療効果判定は 24 時間蓄尿により判断すべきであるが, 蓄尿ができない場合には, 随時尿の尿蛋白/Cr 比(g/gCr)を使用してもよい.
2) 6 か月の時点で完全寛解, 不完全寛解Ⅰ型の判定には, 原則として臨床症状および血清蛋白の改善を含める.
3) 再発は完全寛解から, 尿蛋白 1 g/日(1 g/gCr)以上, または(2＋)以上の尿蛋白が 2〜3 回持続する場合とする.
4) 欧米においては, 部分寛解(partial remission)として尿蛋白の 50%以上の減少と定義することもあるが, 日本の判定基準には含めない.

〔厚生労働科学研究費補助金難治性疾患等政策研究事業(難治性疾患政策研究事業)難治性腎障害に関する調査研究班(編), 成田一衛(監)：エビデンスに基づくネフローゼ症候群診療ガイドライン 2020. 東京医学社, 2020[12]〕

表 5-21　ネフローゼ症候群の治療反応による分類

分類	治療反応性
ステロイド抵抗性ネフローゼ症候群	十分量のステロイドのみで治療して, 1 か月後の判定で完全寛解または不完全寛解Ⅰ型に至らない場合とする.
難治性ネフローゼ症候群	ステロイドと免疫抑制薬を含む種々の治療を行っても, 完全寛解または不完全寛解Ⅰ型に至らないものとする.
ステロイド依存性ネフローゼ症候群	ステロイドを減量または中止後再発を 2 回以上繰り返すため, ステロイドを中止できない場合とする.
頻回再発型ネフローゼ症候群	6 か月間に 2 回以上再発する場合とする.
長期治療依存型ネフローゼ症候群	2 年間以上継続してステロイド, 免疫抑制薬などで治療されている場合とする.

〔厚生労働科学研究費補助金難治性疾患等政策研究事業(難治性疾患政策研究事業)難治性腎障害に関する調査研究班(編), 成田一衛(監)：エビデンスに基づくネフローゼ症候群診療ガイドライン 2020. 東京医学社, 2020[12]〕

ゾセミド，トラセミドなど長時間作用型の薬剤を投与する．
- ループ利尿薬を増量しても効果がない場合には，サイアザイド系利尿薬を追加する．それでも効果がない場合や，低カリウム血症をきたす場合には，スピロノラクトンを追加する．
- フロセミドの大量投与により，一過性の聴力障害をきたす．アミノグリコシド系抗菌薬と併用すると不可逆性の聴力障害を起こすので，注意が必要である．

> **処方例**
>
> ■ ①〜③のいずれかで治療を行い，効果がない場合，④〜⑥の治療を検討する．
>
> ① フロセミド（フロセミド®）
>   1回 20〜40 mg 1日1回 朝，または1回 20〜40 mg 1日 2〜3回 経口
>
> ♪効果がない場合には，最大1日 240〜480 mg（10〜40 mg/時）持続静注．
>
> ② アゾセミド（ダイアート®）
>   1日 60〜120 mg 1回 朝 経口投与
>
> ③ トラセミド（ルプラック®）
>   1日 4〜8 mg 1回 朝 経口
>
> ④ フロセミド＋インダパミド（ナトリックス®）1〜2 mg 経口
>   または
>   フロセミド＋トリクロルメチアジド（フルイトラン®）1〜2 mg 経口
>
> ⑤ フロセミド＋スピロノラクトン（アルダクトン® A）25 mg 経口
>
> ⑥ フロセミド＋インダパミド＋スピロノラクトン

2. アルブミン製剤

- 原則として，アルブミン製剤は使用しない．
- ただし，血清 Alb 値 2.0 g/dL 以下で，重篤な循環不全や大量の胸水・腹水を呈する患者に対しては投与を考慮する．
- アルブミン製剤の投与は血漿膠質浸透圧を上昇させ，血管内から組織間質への Na 移動を阻止し，治療抵抗性浮腫に有効なことがある．
- 多くの場合，効果は一過性である．

3. 体外限外濾過（ECUM）

- 利尿薬，アルブミン製剤を使用しても難治性の浮腫に対しては，体外限外濾過（ECUM）による除水を行う．

c 腎保護を目的とした生活指導

1. 食事療法

▶ネフローゼ症候群の食事療法の有効性について十分なエビデンスはないが，通常，以下をめやすに行う.

①塩分：1日6g以下3g以上.

②エネルギー：25〜35 kcal/kg 標準体重/日.

③たんぱく質：MCNS では 1.0〜1.1/kg 標準体重/日，MCNS 以外のネフローゼ症候群では 0.8 g/kg 標準体重/日.

2. 身体活動度

▶運動制限の有効性を示すエビデンスはない.

▶入院中の寛解導入期であっても，深部静脈血栓症予防のため，ベッド上絶対安静は避ける.

Side memo

ネフローゼ症候群の浮腫のメカニズム

ネフローゼ症候群における浮腫の成立機序として，①循環血液量の減少を主体とする機序(underfilling 説)と，②Na 貯留による循環血液量増加に基づく機序(overfilling 説)，の2つが提唱されている.

1. Underfilling 説[12]

低アルブミン血症による血漿膠質浸透圧低下により，血漿から間質への体液移動が促進され，浮腫が形成される. 同時に，有効循環血液量減少のためレニン・アンジオテンシン・アルドステロン系(RAA 系)，交感神経系亢進，バソプレシン(AVP)分泌促進，心房性 Na 利尿ペプチド分泌抑制による尿細管での水・Na 再吸収亢進が生じる. これらによる体内総水分量増加により，浮腫が増悪するとの考え方である. アルブミン製剤の投与で浮腫が改善する症例の存在などはこれらを支持する. 一方で，前述の機序に反するデータも存在する. そのため，underfilling 説は急性かつ高度低アルブミン血症(血清 Alb<1〜1.5 g/dL)を呈する MCNS など限られた仮説とも考えられている.

2. Overfilling 説[12]

体内 Na 総量の増加により循環血液量が増加し，間質への体液移動が促進されるとの考え方である. 機序としては，①Na-K ATPase ポンプの活性化や遠位尿細管でのプラスミンの活性亢進などに起因する，上皮 Na チャネルの活性化による Na 再吸収の亢進，②Na 利尿ペプチドへの反応性低下による Na 排泄障害，などが想定されている. さらに，とくに腎機能低下例においては，水濾過能の低下も関与していることが想定されている.

▶維持治療期，とくに副腎皮質ステロイド投与中は，肥満症予防やグルココルチコイド誘発性骨粗鬆症予防の観点から，ウォーキングなど適度の運動をすすめる．

d 腎保護を目的とした薬物療法

1. レニン・アンジオテンシン系(RAS)阻害薬

▶MCNS を除き，尿蛋白の減少と腎保護を目的として，アンジオテンシン変換酵素(ACE)阻害薬，あるいはアンジオテンシンⅡ受容体拮抗薬(ARB)を使用する．両者の併用は行わない．

▶RAS 阻害薬の使用で，血圧が低下し臓器障害を起こす可能性がある場合には，使用を中止する．

▶利尿薬あるいはカルシニューリン阻害薬との併用により，RAS 阻害薬の降圧作用が増強するため注意する．

▶ミネラルコルチコイド受容体(MR)拮抗薬を追加することにより，尿蛋白が減少することがある．

▶高カリウム血症に注意する．

> **処方例**
> ■ 腎保護を目的として，①〜③のうち 1 種類を選択する．
> ①イミダプリル(タナトリル®)
>   1 日 2.5〜10 mg 1 回 経口
> ②オルメサルタンメドキソミル(オルメテック®)
>   1 日 10〜40 mg 1 回 経口
> ③テルミサルタン(ミカルディス®)
>   1 日 20〜80 mg 1回 経口

2. 脂質異常の治療

▶ネフローゼ症候群の合併症である高 LDL(低比重リポ蛋白)コレステロール血症に対しては，HMG-CoA 還元酵素阻害薬(スタチン)を中心に治療する．スタチンで効果不十分な場合には，エゼチミブを追加する．

▶MCNS では原疾患の治療を優先し，初期には必ずしも積極的な治療を行わない．

> **処方例**
> - ①～③のいずれかで治療し，効果不十分な場合は④を追加する．
>   ①アトルバスタチン（リピトール®錠）
>   1日 5～10 mg 1回 朝 経口
>   ②ピタバスタチン（リバロ®錠）
>   1日 1～2 mg 1回 朝 経口
>   ③ロスバスタチン（クレストール®錠）
>   1日 2.5～10 mg 1回 朝 経口
>   ④エゼチミブ（ゼチーア®錠）
>   1日 10 mg 1回 朝 経口
> - スタチンのうち，ピタバスタチンとロスバスタチンはシクロスポリンと併用禁忌のため，注意する．

e 病理型別の治療

1. 微小変化型ネフローゼ症候群（MCNS）

1）概要

- 小児に好発するが，成人にも多く，わが国の一次性ネフローゼ症候群の 40％を占める．高齢者での発症も少なくない．
- 発症は急激であり，発症日が特定できるほどの突然の浮腫をきたす．
- 多くは一次性であるが，ウイルス感染，非ステロイド性抗炎症薬（NSAIDs）投与，Hodgkin リンパ腫，Ⅰ型アレルギーに合併することもある．
- 副腎皮質ステロイドに対する反応は良好である．90％以上が寛解に至る．
- 30～70％に再発が認められる．
- 頻回再発やステロイド依存性を呈する症例が多くみられることが問題である．
- 大量の蛋白尿を呈する．
- 尿蛋白の選択性は高い．Selectivity Index（IgG とトランスフェリンのクリアランス比）は 0.2 未満となる．
- 膠質浸透圧の低下による循環血漿量低下から，腎前性 AKI をきたすことがある．
- 尿潜血は 20～30％に認められる．

2）治療アルゴリズム

- MCNS の治療アルゴリズムを図 5-4[12] に示す．

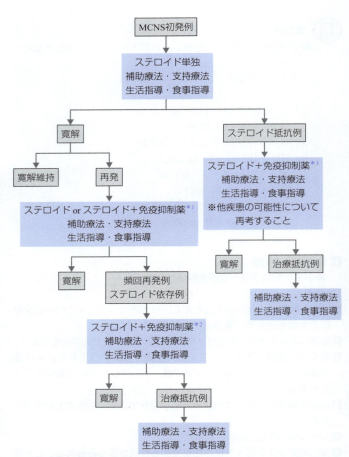

図 5-4　微小変化型ネフローゼ症候群（MCNS）の治療アルゴリズム

[*1] シクロスポリン，ミゾリビン，シクロホスファミド
[*2] シクロスポリン，ミゾリビン，シクロホスファミド，リツキシマブ
[*3] シクロスポリン，ミゾリビン，シクロホスファミド，ミコフェノール酸モフェチル，アザチオプリン，タクロリムス

〔厚生労働科学研究費補助金難治性疾患等政策研究事業（難治性疾患政策研究事業）難治性腎障害に関する調査研究班（編），成田一衛（監）：エビデンスに基づくネフローゼ症候群診療ガイドライン 2020．東京医学社，2020[12]〕

3）初期治療

- PSL 0.8〜1 mg/kg/日（最大 60 mg）で開始し，寛解後 1〜2 週間投与を継続する．完全寛解後は 2〜4 週ごとに 5〜10 mg/日ずつ漸減する．5〜10 mg/日に達したら，再発をきたさない最小量で 1〜2 年程度維持し，漸減中止する．
- 4 週後に完全寛解に至らない場合は初回腎生検組織の再評価を行い，必要ならば再生検も考慮する．
- ステロイドパルス療法を行うこともある．

4）再発時の治療

- PSL 20〜30 mg/日もしくは初期投与量を投与する．
- 患者に検尿試験紙を渡しておき，自己診断できるように教育し，再発した場合にはすぐに来院するよう指導する．
- 副腎皮質ステロイドとシクロスポリンの併用は，再発予防・腎予後改善が期待される．

処方例

■ 副腎皮質ステロイドに併用薬として
シクロスポリン（ネオーラル®）
1 日 1.5〜2.0 mg/kg 1 回 経口
- 朝食前に服用したネオーラル® の 2 時間後の血中濃度（C2）が 600〜900 ng/mL になるよう投与量を調整する．

5）頻回再発型・ステロイド依存性・ステロイド抵抗性ネフローゼ症候群

- 免疫抑制薬（①シクロスポリン（ネオーラル®），②ミゾリビン，③CY）を追加投与する（投与方法は後述の「巣状分節性糸球体硬化症（FSGS）」参照，☞p.140）．
- シクロスポリンは中止により再発するリスクが高く，寛解が得られる最小量にて 1〜2 年は治療を継続する．
- 頻回再発型・ステロイド依存性ネフローゼ症候群で，他の治療で寛解が維持できない場合は，RTX を使用する．
- 成人例では，375 mg/m^2（最大 500 mg）の単回投与を 6 か月ごとに 2〜4 年間繰り返す方法の有効性が報告されている．
- RTX 投与で進行性多巣性白質脳症（PML；JC ウイルスによる致死的疾患）が報告されている．

処方例

RTX（リツキサン®）
1 回 375 mg/m^2（最大 500 mg）　1 週間間隔で 4 回まで点滴静注
- 1 回のみの投与の有効性も報告されている．

- ステロイド抵抗性 MCNS に対して，LDL アフェレシスが有効という報告がある．
- 2022 年 3 月に通知により，ステロイド依存性または頻回再発型ネフローゼ症候群の患者に対して，MMF が使用可能となった．

> **処方例**
> ミコフェノール酸モフェチル（セルセプト®）
> 1 日 1,000〜2,000 mg 2 回に分割 経口投与
> 🖉 年齢，症状により適宜，増減するが，1 日 3,000 mg を上限とする．

6）補助療法

- 必要に応じて，脂質異常症に対するスタチンや深部静脈血栓症の予防のため抗凝固薬を使用する．
- 高血圧を呈する症例では ACE 阻害薬や ARB の使用を考慮する．

2. 巣状分節性糸球体硬化症（FSGS）

1）概要

- 一次性巣状分節性糸球体硬化症（一次性 FSGS）は，MCNS と同じような発症様式・臨床像をとりながら，MCNS と異なりしばしばステロイド抵抗性の経過をとり，最終的に末期腎不全にも至りうる難治性ネフローゼ症候群の代表的疾患である．
- FSGS の病因分類を表 5-22[12)]に示す．
- 初期には大部分の糸球体に変化を認めない一方で，主として傍髄部領域の糸球体（focal＝巣状）の一部分（segmental＝分節状）に硬化を認める．
- 病期の進行とともに，硬化病変が拡がっていく．
- 2004 年にコロンビア分類が提唱された（表 5-23，図 5-5）[10,13)]．
- collapsing variant は予後不良，tip variant は予後良好である．
- 一次性 FSGS を原疾患として移植を受けた患者では，同疾患が再発するリスクが高い．
- 糸球体上皮細胞の構造膜蛋白であるポドシン（NPHS2）や α-アクチニン 4（ACTN4）などの遺伝子変異により発症する，家族性・遺伝性 FSGS の存在が報告されている．ほとんどは小児期発症であるが，まれに成人発症もある．
- 成人発症 FSGS の原因遺伝子としては，ACTN4 のほかに，Transient receptor potential cation channel 6（TRPC6），CD2-associated protein（CD2AP），Inverted formin-2（INF2），ANLN（Actin-binding protein anillin），ARHGAP24（Rho-GTPase-acivating protein 24）遺伝子など

表 5-22　巣状分節性糸球体硬化症（FSGS）の病因分類

分類		病因
一次性		未知の液性因子？
二次性	構造的・機能的な適応反応	ネフロンの減少を伴うもの（機能性ネフロンの減少による）
		Oligomeganephronia，超低出生体重児，片腎，腎形成不全，膀胱尿管逆流性腎症，皮質壊死の後遺症，外科的腎切除，慢性移植腎拒絶，加齢に伴う変化
		初期にはネフロンの減少を伴わないもの（血行動態による）
		高血圧，急性または慢性の血管閉塞機序（細動脈硬化症，動脈塞栓，微小血栓，腎動脈狭窄），肥満，筋肉量の増加（ボディービルなど，チアノーゼ性先天性心疾患，鎌状赤血球貧血
	ウイルス関連	HIV-1，パルボウイルス B19，EB ウイルス，サイトメガロウイルス，シミアンウイルス
	薬剤性	ヘロイン，インターフェロン，リチウム，ビスホスホネート製剤，カルシニューリン阻害薬，非ステロイド性抗炎症薬
	悪性腫瘍（リンパ腫）	
	他の糸球体疾患による非特異的パターン	巣状増殖性糸球体腎炎（IgA 腎症，ループス腎炎，pauci-immune 型壊死性半月体性糸球体腎炎），遺伝性疾患（Alport 症候群），膜性腎症，血栓性微小血管症）
家族性・遺伝性		

〔厚生労働科学研究費補助金難治性疾患等政策研究事業（難治性疾患政策研究事業）難治性腎障害に関する調査研究班（編），成田一衛（監）：エビデンスに基づくネフローゼ症候群診療ガイドライン 2020．東京医学社，2020[12]〕

があげられる．

▶成人のステロイド抵抗性 FSGS においては，遺伝子検査も検討する．

▶二次性 FSGS は，高血圧や肥満をはじめ，さまざまな病態に伴って現れる．ネフローゼ症候群を呈さないことも多い．原疾患の治療を優先する．

2）治療アルゴリズム

▶FSGS の治療アルゴリズムを図 5-6[12] に示す．

3）初期治療

▶PSL 1 mg/kg/日（最大 60 mg/日）相当を初期投与量として，副腎皮質

表 5-23 巣状分節性糸球体硬化症（FSGS）のコロンビア分類における亜型（variant）

variant	分類の条件	
collapsing variant	除外基準なし	
	少なくとも 1 個の糸球体に，分節性または全節性の虚脱に加え，上皮細胞の肥大と過形成を認める．	
tip variant	collapsing variant，門部の硬化病変を除外	
	少なくとも 1 個の糸球体に，尿細管極に病変（25％以上の係蹄が近位尿細管起始部に連続する病変）を認める．	
cellular variant	collapsing variant，tip variant を除外	
	少なくとも 1 個の糸球体において，係蹄腔を閉塞する管内増多を 25％以上の領域で認める．	
perihilar variant	collapsing variant，tip variant，cellular variant を除外	
	少なくとも 1 個の糸球体で，血管極の硝子化を認める．硬化の有無は問わない．分節性病変を有する糸球体の 50％以上に血管極部の硝子化，あるいは硬化を認める．	
FSGS NOS	上記 4 つの variant を除外	
	少なくとも 1 個の糸球体で，毛細血管の消失を伴う細胞外基質の増加を認める．糸球体係蹄の分節性虚脱に，糸球体上皮細胞増多を伴わない所見もみられる	

〔尾関貴哉，他：MCNS/FSGS の疾患概念と病理．腎と透析 2018；85：783-790[13]〕

ステロイド治療を行う．
▶ ステロイドパルス療法を行うこともある．
▶ 寛解導入後は MCNS に準じて減量する．

4) ステロイド抵抗性 FSGS

▶ 4 週以上の治療にもかかわらず，完全寛解あるいは不完全寛解 I 型（尿蛋白 1 g/日未満）に至らない場合はステロイド抵抗性として，副腎皮質ステロイドと併用して以下の治療を考慮する．

ポイント

- 病変部の管腔が完全に虚脱していなければ，この亜型には分類されない．

- 尿細管極が同定できない場合は，この亜型には分類されない．
- 尿細管極の病変はその性質(硬化病変または管内細胞増多)は問わない．
- ただし，この亜型における硬化は係蹄の 25%未満，管内細胞増多は係蹄の 50%未満と定義されており，それよりも大きな病変は別の亜型に分類され得る(Cellular または NOS)．
- また，血管極の病変を含む場合もこの亜型には分類されない(Perihilar または NOS)．
- 病変部は糸球体領域の 25%以上を占める(泡沫細胞があったからといって，この亜型には分類されない)．
- 管内の細胞は必ずしも泡沫細胞である必要はなく，管内を閉塞していれば細胞の個数についてもとくに制限はない．
- 血管極の病変が存在しても，それが病変糸球体の 50%以上で認められなければ，この亜型には分類されない．

処方例

■ ①〜③のうち 1 種類を，副腎皮質ステロイドと併用して投与する．

①シクロスポリン(ネオーラル®)
  1 日 1.5〜2.0 mg/kg 1 回 朝食前 経口

- 朝食前に服用したネオーラル® の 2 時間後の血中濃度(C2)が，600〜900 ng/mL になるように投与量を調整する．
- 副作用がない限り，6 か月間同じ量を継続し，その後，漸減する．
- 尿蛋白 1 g/日未満に減少すれば，1 年間は慎重に減量しながら，継続して使用する．

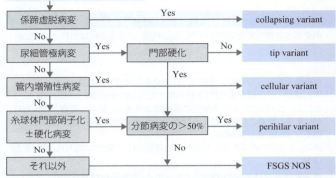

図 5-5 巣状分節性糸球体硬化症（FSGS）のコロンビア分類における亜型のヒエラルキー構造
〔尾関貴哉，他：MCNS/FSGS の疾患概念と病理．腎と透析 2018；85：783-790[13]〕

②ミゾリビン
1日 150 mg 1回または3回に分割して投与する．
③シクロホスファミド
1日 50〜100 mg 1回 経口 3か月以内

- CY は，骨髄抑制，出血性膀胱炎，間質性肺炎，発癌などの重篤な副作用を起こす可能性があるため，長期使用は避ける．
- コリンエステラーゼの低下は無顆粒球症などの副作用と関連しており，CY使用時に200/L以下にならないように注意する．

5）頻回再発型・ステロイド依存性ネフローゼ症候群

 ▶ 処方例

①シクロスポリン（ネオーラル®）
　副腎皮質ステロイドと併用して，1.5〜2.0 mg/kg/日で投与開始し，血中濃度により用量調整する．
②ミコフェノール酸モフェチル（セルセプト®）
　処方例は☞p.140 参照．

■ シクロスポリン併用で寛解が維持できない場合
RTX の投与を検討する（処方例は☞p.139 参照）．

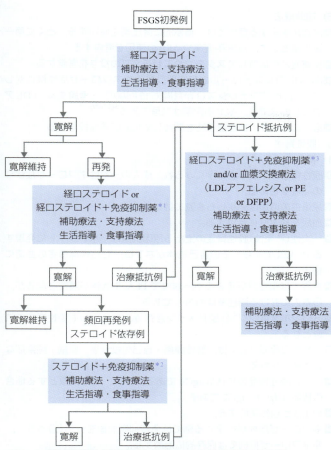

図 5-6 巣状分節性糸球体硬化症（FSGS）の治療アルゴリズム

[*1]免疫抑制薬（シクロスポリン，ミゾリビン，シクロホスファミド）
[*2]免疫抑制薬（シクロスポリン，ミゾリビン，シクロホスファミド，リツキシマブ）
[*3]免疫抑制薬（シクロスポリン，ミゾリビン，シクロホスファミド，ミコフェノール酸モフェチル，アザチオプリン）

〔厚生労働科学研究費補助金難治性疾患等政策研究事業（難治性疾患政策研究事業）難治性腎障害に関する調査研究班（編），成田一衛（監）：エビデンスに基づくネフローゼ症候群診療ガイドライン 2020．東京医学社，2020[12]〕

6) 補助療法

▶高血圧を呈する症例では，積極的に降圧薬を使用する．とくに第一選択薬として，ACE 阻害薬や ARB の使用を考慮する．

▶脂質異常症に対してスタチンやエゼチミブの投与を考慮する．

▶高 LDL コレステロール血症を伴う難治性ネフローゼ症候群に対しては，LDL アフェレシス（3 か月間に 12 回以内）を考慮する．LDL アフェレシスでは，ACE 阻害薬は禁忌である．

▶必要に応じて，血栓症予防を期待して抗凝固薬を投与する．

3. 膜性腎症

1）概念

▶膜性腎症は中高年者に多くみられ，成人の一次性ネフローゼ症候群の 40％を占める．

▶尿蛋白の増加は必ずしも急激ではない．

▶血尿を約 40％に合併する．

▶一次性（特発性）膜性腎症の主たる原因抗原は，ポドサイトに発現する PLA2R であり，その自己抗体がネフローゼ症候群患者の血清に検出される．

▶世界では膜性腎症患者の 70〜80％で PLA2R 抗体が陽性となるが，日本人における陽性率は約 50％である．

▶トロンボスポンジン 1 型ドメイン含有 7A（THSD7A）も膜性腎症の抗原となる．

▶二次性の原因としては，悪性腫瘍・自己免疫疾患・薬剤・感染症などがあげられる．

▶一次性膜性腎症の抗体は IgG4 である．一方，癌を抗原とする場合の抗体は IgG1，IgG2 である．

▶約 1/3 が自然寛解する．

▶ネフローゼ症候群を呈する例では免疫抑制治療を行い（図 5-7）[12]，非ネフローゼ症例では保存的に治療する．

▶欧米では，尿蛋白が 8 g/日以下であれば，6 か月間は腎保護的な治療のみで経過をみることが推奨されている．

▶わが国における本症の予後は，欧米のそれに比較して良好である．副腎皮質ステロイド単独投与により寛解に至る例も少なくない．

▶免疫抑制薬の併用により，尿蛋白減少と腎予後の改善が期待できる．

▶RTX の有効性が報告されているが，わが国では保険適用はない．

2）治療アルゴリズム

▶膜性腎症の治療アルゴリズムを図 5-7[12]に示す．

3) 初期治療
▶ PSL 0.6〜0.8 mg/kg/日相当を投与する．
▶ 副腎皮質ステロイドに免疫抑制薬を併用する．

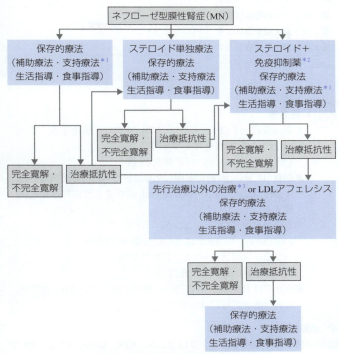

図 5-7 膜性腎症の治療アルゴリズム

[*1]補助療法・支持療法 ［利尿薬, アンジオテンシン変換酵素(ACE)阻害薬, アンジオテンシンⅡ受容体拮抗薬(ARB), 抗血小板薬を含む非免疫抑制療法］

[*2]免疫抑制療法［ミゾリビン, シクロホスファミド, 副腎皮質刺激ホルモン(ACTH), シクロスポリン］

[*3]先行治療以外の治療［タクロリムス, chrorambucil(日本未承認), ミコフェノール酸モフェチル, リツキシマブ, アザチオプリン］

〔厚生労働科学研究費補助金難治性疾患等政策研究事業(難治性疾患政策研究事業)難治性腎障害に関する調査研究班(編), 成田一衛(監): エビデンスに基づくネフローゼ症候群診療ガイドライン 2020. 東京医学社, 2020[12)]〕

表 5-24 膜性腎症に対する Ponticelli 処方

	処方内容
第 1 月	静注 mPSL 1 g 3 日間連続ののちに,経口 PSL 0.5 mg/kg/日 27 日間
第 2 月	経口シクロホスファミド 2.0 mg/kg/日 30 日間
第 3 月	第 1 月を繰り返す
第 4 月	第 2 月を繰り返す
第 5 月	第 1 月を繰り返す
第 6 月	第 2 月を繰り返す

mPSL:メチルプレドニゾロン

処方例

- 副腎皮質ステロイドに①〜③のいずれかを併用する.

①シクロスポリン(ネオーラル®)
1 日 1.5〜3.0 mg/kg 1 回 朝食前 経口

🖋 朝食(15 分以上)前に服用したネオーラル® の 2 時間後の血中濃度(C2)が,600〜900 ng/mL になるように投与量を調整する.

②ミゾリビン(ブレディニン®)
1 日 150 mg 1 回または 3 回に分割 経口投与

③シクロホスファミド(エンドキサン®)
1 日 50〜100 mg 1 回 経口

🖋 欧米では Ponticelli 処方(表 5-24)が定着しているが,日本人における実施経験は少ない.

4) 治療抵抗性

▶ 保険適用外の治療であるタクロリムス,RTX,MMF,AZA,LDL アフェレシス療法が治療選択肢となる可能性がある.

▶ 欧米では RTX が単独で使用される.

5) 補助療法

①高血圧(収縮期血圧 130 mmHg 以上)を呈する症例に対しては,ACE 阻害薬や ARB を使用する.

②脂質異常症に対しては,スタチンやエゼチミブを投与する.

③深部静脈血栓形成のリスクが高い症例には抗凝固薬を検討する.

4. 膜性増殖性糸球体腎炎(MPGN)

▶「膜性増殖性糸球体腎炎と C3 腎症」参照(☞p.150).

f ネフローゼ症候群の合併症の予防と管理

1. 感染症予防

▶ネフローゼ症候群では IgG や補体成分の低下がみられ，潜在的に液性免疫低下が存在することに加え，T 細胞系の免疫抑制もみられるなど，感染症の発症リスクが高い．

▶免疫抑制療法を行う前に，HBs 抗原，HBs 抗体，HBc 抗体，HCV 抗体，クオンティフェロン® TB または T スポット® TB をチェックする．

▶肺炎球菌ワクチンの接種を治療前に行う．

▶ツベルクリン反応陽性，胸部 X 線上，結核の既往があるもの，クオンティフェロン® TB または T スポット® TB 陽性者は，副腎皮質ステロイド・免疫抑制薬の治療と並行して，イソニアジド 300 mg を 6～9 か月投与する．なお，リファンピシンは副腎皮質ステロイドの効果を減弱させるため注意を要する．

▶1 日 20 mg 以上の PSL や免疫抑制薬を長期間にわたり使用する場合は，顕著な細胞性免疫低下が生じるため，ニューモシスチス肺炎に対する予防的投薬を考慮する（処方例は p.122 参照）．また，β-D グルカン値を定期的に測定する．

▶免疫抑制薬使用中はサイトメガロウイルス（CMV）感染症を起こしやすいので，CMV アンチゲネミア法または定量 PCR 法にて，CMV 感染の可能性をモニタリングする．とくに血小板減少時には注意する．罹患時には，ガンシクロビルやバルガンシクロビルによる治療を速やかに行う．

> **処方例**
> ①ガンシクロビル（デノシン®）
>   5 mg/kg 12 時間ごとに点滴
> または
> ②バルガンシクロビル（バリキサ®）
>   1 日 1,800 mg 2 回に分割
> ✔骨髄抑制に注意する．
> ✔腎機能に応じて，用量調整を要する．

2. 血栓症予防・治療

▶ネフローゼ症候群では発症から 6 か月以内は静脈血栓形成のリスクが高く，血清 Alb 値が 2.0 g/dL 未満になれば，さらに血栓形成のリスクが高まる．

▶ネフローゼ症候群に伴う血栓形成のリスクと抗凝固療法に伴う出血の危険性について，患者ごとに十分な評価を行う．

▶腎生検 1 週間後から抗凝固薬の投与を行うことができる.

▶D-dimer, FDP で, 血栓形成の可能性をモニターする.

▶静脈血栓症由来の肺塞栓症が発症した場合は, ただちにヘパリンを投与し, 血栓の状況を確認しながらワルファリン内服に移行し, プロトロンビン時間-国際標準化比(PT-INR)を 2.0(1.5〜2.5)とするように抗凝固療法を行う.

▶過去に静脈血栓症の既往があれば, 予防的抗凝固療法を考慮する.

▶直接経口抗凝固薬(DOAC)は, 腎機能低下例には使用しない.

3. 悪性腫瘍

▶ネフローゼ症候群(とくに膜性腎症)を診断した場合には, 悪性腫瘍合併の可能性を考慮する.

▶原則, 悪性腫瘍の治療を優先すべきであるが, 全身状態を改善させるために, 先にネフローゼ症候群診療の治療をすることもある.

▶免疫抑制療法, とくに CY に伴う発癌リスクについて, 十分な注意を払う. CY は生涯の総投与量 10 g を超えて使用しない.

4. 急性腎障害(AKI)

▶ネフローゼ症候群に伴う低アルブミン血症による有効循環血漿量の低下が, 腎前性 AKI を引き起こすことがある.

▶感染症(とくに敗血症)や腎静脈血栓症に付随する AKI では, 速やかに原因を除去する治療を行う.

▶AKI が発症した際には, RAS 阻害薬はいったん中止することが望ましい.

▶ネフローゼ症候群に合併する重症の AKI では, 積極的に血液透析を考慮する.

g ネフローゼ症候群をきたさない一次性慢性腎炎症候群

▶尿蛋白が 1 g/日以上続くと腎予後が悪いため, 尿蛋白を減らす保存的治療を行う.

▶ACE 阻害薬または ARB を使用する.

5 膜性増殖性糸球体腎炎と C3 腎症

a 膜性増殖性糸球体腎炎(MPGN)

1. 疾患概念

▶メサンギウム間入や基底膜の二重化, あるいはスパイク形成などによる糸球体係蹄の肥厚とメサンギウム増殖を組織学的特徴とし, 電子顕微鏡(電顕)観察下に, メサンギウム領域や内皮下, 上皮下など

に免疫複合体の沈着などが、高電子密度沈着物（EDD）として観察される疾患である。

▶電顕観察下における沈着部位の特徴により、①Ⅰ型（内皮下沈着物）、②Ⅱ型（基底膜膜内沈着物）、③Ⅲ型：Burkholder 亜型（上皮下沈着物＋内皮下沈着物）、Strife and Anders 亜型（膜内、膜貫通性沈着物）、に分類される。

▶MPGN はその病因から、原因不明の一次性 MPGN と、背景疾患がある二次性 MPGN に分かれる。

▶1960 年代にはすでに MPGN の成因や病態への補体活性の関与が報告されているが、その後、一次性 MPGN の一部として、C3 腎症（C3 glomerulopathy）の概念が提唱された。

▶C3 腎症と MPGN の疾患概念は交差しており、当初は病理で MPGN Ⅱ型に補体異常に伴う病態を指し、これを dense deposit disease（DDD）として別に捉えるようになった。その後、補体異常を伴い MPGN の病理像を示す症例のなかで、DDD とその他の免疫複合体の沈着を伴わず C3 優位に沈着する症例を C3 腎炎とよび、この 2 つを合わせた疾患概念として、C3 腎症が提唱された（C3 腎症については後述）。

2. 臨床症状

▶高度蛋白尿と血尿を呈し、初診時に約半数の症例でネフローゼ症候群を呈する。

▶慢性腎炎症候群や無症候性血尿で発症し、学校検尿で発見される場合もある。

▶急性腎炎症候群で発症する場合もあり、その場合は急性感染後糸球体腎炎との鑑別が問題となる。

3. 病理所見

1) MPGN Ⅰ型

▶光顕では、PAS（periodic acid Schiff）染色にてメサンギウム基質の増加、メサンギウム細胞増殖とともに、係蹄の肥厚、管内細胞増殖が種々の程度で認められる。PAM（過ヨウ素酸メセナミン銀）染色においてはメサンギウム間入や基底膜の二重化がみられる。糸球体の変化は通常、びまん性、全節性であり、増殖性が強い場合は糸球体の分葉化を示す。

▶蛍光抗体法では、メサンギウムと内皮下に C3 優位の沈着を認める。IgG、IgM などの軽度沈着を伴う場合が多く、時に IgA、C1q、C4 の軽度沈着を認める。

▶電顕では、メサンギウムおよび内皮下に EDD を認める。

151

2) MPGN II型（DDD）

▶基底膜内にリボン様の高密度の EDD を伴う．これは，しばしば基底膜を貫通するようにみられる．

3) MPGN III型 Burkholder 亜型

▶Burkholder 亜型は，MPGN I 型＋膜性腎症の混合型と定義される．

▶光顕では PAS 染色にてびまん性全節性にメサンギウム基質の拡大とメサンギウム細胞の増加，糸球体係蹄の肥厚がみられる．PAM 染色では基底膜の二重化とともに，スパイク，点刻像など上皮下沈着物を示す像が認められる．

▶蛍光抗体法では，メサンギウムと内皮下，上皮下に C3 の沈着がみられる．IgG，IgM，IgA，C1q，C4 などの沈着を軽度に認めることが多い．

▶電顕ではメサンギウム，内皮下，上皮下に EDD が認められる．

4) MPGN III型 Strife and Anders 亜型

▶光顕では Burkholder 亜型と同様に，PAS 染色にてメサンギウム基質の拡大と係蹄の肥厚がみられる．しかし，PAM 染色では基底膜の二重化が主体で，スパイク，点刻像は明らかでなく，I 型に近い像を示す．

▶蛍光抗体法では，メサンギウムと膜内に C3 の沈着がみられる．IgG，IgM，IgA，C1q，C4 などの沈着が種々の程度で認められることが多い．

▶電顕では基底膜は著明に肥厚して，膜内または膜貫通性に EDD がみられ，DDD に類似した像を示す．上皮下沈着物はほとんどなく，電顕で観察すると lamina rara externa 内に局在していることが証明され，これが III 型 Burkholder 亜型との鑑別点である．

4. 治療

▶特発性 MPGN に対する副腎皮質ステロイド単独療法については，小児の観察研究で腎機能の低下抑制効果がいくつか報告されている．

▶蛋白尿抑制効果も報告されているが，RCT はない．成人例でのエビデンスは確立されていない．

▶特発性 MPGN は予後不良で，無治療の場合，50〜60％は 10〜15 年で末期腎不全に至るとされているので，成人であっても副腎皮質ステロイドや免疫抑制薬の投与を考慮してもよい．

▶通常，メチルプレドニゾロンパルス，あるいは PSL 1 mg/kg 体重/日を漸減しながら 2 年間投与するといわれている．

▶2012 年の KDIGO ガイドラインによれば[14]，少量隔日あるいは連日の副腎皮質ステロイドに経口 CY または MMF の併用が提案されて

いる.

▶続発性では原疾患の治療が優先されるが，症例によっては免疫抑制薬の投与を考慮する．C3腎症については後述する.

b C3腎症

1. 疾患概念

▶前述したように，C3腎症は2010年頃より提唱された疾患概念であり，現在DDDとC3腎炎を合わせてC3腎症と呼称されている.

▶概念は時代とともに変化してきており，最新の2017年KDIGOコンセンサス会議の報告（以下，2017 KDIGO報告）では[15]，糸球体へのC3沈着がIgG沈着より蛍光強度で2段階強く光る場合とされ，より広くさまざまな病理所見を呈するものとしてC3腎症を捉えるようになった.

▶C3腎症はheterogeneityの強い疾患分類であり，一部は補体活性系の蛋白の安定化や変換酵素活性の安定化をもたらす自己抗体の産生〔C3 nephritic factor（NeF），C4NeF，抗H因子抗体，抗B因子抗体など〕や補体活性系の異常（H因子，I因子，CD46，C3，B因子など）が原因で生じる，第二経路（alternative pathway）の活性化異常が原因となる.

▶採血検査ではC3低値，C4正常であることが多い．類似の補体依存性の非典型溶血性尿毒症症候群とクロストークする部分も存在すると考えられる.

2. 病理所見

▶もともと光顕上はMPGNと同様の所見を呈し，蛍光抗体法による蛍光顕微鏡観察下では，IgGの沈着を伴わず，C3沈着優位な沈着をもつものとされていた.

▶しかし，2017 KDIGO報告[15]で示された病理所見によると，光顕所見は典型的MPGN像を示すもののほか，メサンギウム拡大から管内増殖，半月体形成，壊死像まで多岐にわたるとされ，必ずしも典型的なMPGNの病理像を示すとは限らず，また，IgGの沈着があったとしても2段階以上C3の沈着が著しい場合にはC3腎症として取り扱い，電顕の所見も必須ではないとされている.

▶C3腎症は，電顕所見から基底膜内部を中心に密度の高いEDDの沈着を認めるDDDと，メサンギウム，もしくは内皮下，基底膜内，上皮下沈着物を認めるC3腎炎に分類される．また，本疾患に特異的ではないが，感染症後腎炎で観察される上皮下のhump沈着を認めることもある.

5

おもな糸球体疾患の特徴・治療方針

5

膜性増殖性糸球体腎炎とC3腎症

153

3. 治療

▶現在，C3 腎症に対して，副腎皮質ステロイドや免疫抑制薬（MMF，RTX など）による確立した特異的な治療法を提示できるようなコントロール研究はないが，2017 KDIGO 報告[15]では病態の重症度に応じた治療を推奨している．

▶軽度の場合は保存的治療を基本とする．

▶1 日蛋白尿が 500 mg を超えたり，直近の血清 Cr 値の上昇を認めたりする中等症例では，保存療法に加えて PSL や MMF などの免疫抑制薬を投与する．

▶上記治療にもかかわらず，1 日蛋白尿が 2,000 mg を超える症例，保存療法に加えて免疫抑制薬を投与しても炎症が持続，もしくは発症時から進行性に血清 Cr 値が上昇し進行性の病態が示唆される症例を重症例とする．また限定的ではあるが，ステロイドパルス療法も有効性が示されているため考慮する．

▶血漿交換については統一された見解はない．

▶また現時点では，抗 C5 モノクローナル抗体（エクリズマブ）は，有効であったという報告と不変であったという報告があり，現在のところ第一選択薬としては推奨されていない．

▶2017 年に副腎皮質ステロイドに MMF を併用した症例をまとめた報告によると，MMF の併用で蛋白尿を抑えられたとされているが[16]，エビデンスに乏しく今後の研究結果が期待される．

▶C3 腎症患者の腎移植症例については，移植後の腎症の再発は C3 腎症で 60%，DDD で 54.5%との報告[17]がある．

📖 文 献

1) 厚生労働科学研究費補助金難治性疾患等政策研究事業（難治性疾患政策研究事業）難治性腎障害に関する調査研究班（編），成田一衛（監）：エビデンスに基づく急速進行性腎炎症候群（RPGN）診療ガイドライン 2020．東京医学社，2020；2

2) Girard T, et al.：Are antineutrophil cytoplasmic antibodies a marker predictive of relapse in Wegener's granulomatosis? A prospective study. Rheumatology（Oxford））2001；40：147-151

3) 急速進行性糸球体腎炎診療指針作成合同委員会；急速進行性腎炎症候群の診療指針第 2 版．日腎会誌 2011；53：509-555

4) Jennette JC, et al.：2012 revised International Chapel Hill Consensus Conference Nomenclature of Vasculitides. Arthritis Rheum 2013；65：1-11

5) Watts R, et al.：Development and validation of a consensus methodology for the classification of the ANCA-associated vasculitides and polyarteritis nodosa for epidemiological studies. Ann Rheum Dis 2007；66：222-227

6) 吉田雅治，他：中・小型血管炎の臨床に関する小委員会報告．厚生省特定疾患免疫疾患調査研究班：難治性血管炎分科会平成 10 年度研究報告書，1999

7) 厚生労働省：221 抗糸球体基底膜腎炎　http://www.mhlw.go.jp/file/06-Seisakujouhou-10900000-Kenkoukyoku/0000085482.pdf（2023 年 9 月閲覧）

8) 厚生労働科学研究費補助金難治性疾患克服研究事業 進行性腎障害に関する調査研究班報告 IgA 腎症分科会：IgA 腎症診療指針－第 3 版－．日腎会誌 2011；53：123-135

9) Trimarchi H, et al.：Oxford Classification of IgA nephropathy 2016：an update from the IgA Nephropa-

thy Classification Working Group. Kidney Int 2017；91：1014-1021

10) Kidney Disease：Improving Global Outcomes (KDIGO) Glomerular Diseases Work Group：KDIGO 2021 Clinical Practice Guideline for the Management of Glomerular Diseases. Kidney Int 2021；100 (4S)：S115-S127

11) 厚生労働科学研究費補助金難治性疾患等政策研究事業 (難治性疾患制作研究事業) 難治性腎障害に関する調査研究班：エビデンスに基づく IgA 腎症診療ガイドライン 2020. 東京医学社, 2020

12) 厚生労働科学研究費補助金難治性疾患等政策研究事業 (難治性疾患政策研究事業) 難治性腎障害に関する調査研究班 (編), 成田一衛 (監)：エビデンスに基づくネフローゼ症候群診療ガイドライン 2020. 東京医学社, 2020

13) 尾関貴哉, 他：MCNS/FSGS の疾患概念と病理. 腎と透析 2018；85：783-790

14) Beck L, et al.：KDOQI US commentary on the 2012 KDIGO clinical practice guideline for glomerulonephritis. Am J Kidney Dis 2013；62：403-441

15) Goodship THJ, et al.：Atypical hemolytic uremic syndrome and C3 glomerulopathy：conclusions from a "Kidney Disease：Improving Global Outcomes" (KDIGO) Controversies Conference. Kidney Int 2017；91：539-551

16) Caravaca-Fontán F, et al.：Mycophenolate Mofetil in C3 Glomerulopathy and Pathogenic Drivers of the Disease. Clin J Am Soc Nephrol 2020；15：1287-1298

17) Ravindran A, et al.：C3 glomerulopathy：Ten year's experience at Mayo Clinic. Mayo Clin Proc 2018；93：991-1008

6 膠原病とその近縁疾患に伴う腎疾患

1 全身性エリテマトーデス

a 疾患概念

▶全身性エリテマトーデス（SLE）は，頬部紅斑，関節痛，漿膜炎，中枢神経症状，血液異常，腎炎など，多臓器に病変を呈する慢性・炎症性の全身性自己免疫疾患である．

▶SLE に伴う免疫複合体沈着を伴った糸球体病変を，ループス腎炎（LN）とよぶ．

▶国の指定難病であり，一定の重症度を満たせば，医療費助成の対象となる．

b 疫学・予後

▶わが国の年間 10 万人あたりの SLE 発生率は 0.9〜2.8 人，有病率は 4.3〜37.7 人，令和 3（2021）年度の指定難病受給者証所持者数は 64,304 人であった．潜在的には，その倍近い SLE 患者がいると思われる．

▶男女比は 1：9 と女性に偏り，好発年齢は 20〜40 歳と若年に多い．性的活動期を除くと，男女の差が少なくなる．

▶26 件の論文に基づくシステマティックレビューによると，SLE 診断時に LN を発症していたのは全体の 7〜31%，SLE 診断後に LN を発症したのは 31〜48%で，多くは 5 年以内であった．LN 患者の累積末期腎不全（ESKD）発生率は，5 年で 11〜12%，10 年で 17〜18%，15 年で 22〜26%である．

▶わが国の腎生検データベース（J-RBR）における，2007〜2012 年に腎生検を受けた LN 患者の後ろ向きコホート研究[1]では，5 年後の血清 Cr の 1.5 倍化発生率は 13.0%，ESKD 発生率は 2.9%であった．

▶LN の合併は中・長期の生命予後不良と関連し，SLE 患者における標準化死亡比は，LN 非合併例の 1.7 に対し，LN 合併例では 3.8 である．

c ループス腎炎（LN）の臨床症候

▶糸球体疾患であることから，検尿異常が必発である．前述の J-RBR

コホート研究では，LN 患者の 40.5%がネフローゼ症候群を，12.5%が急速進行性糸球体腎炎（RPGN）を呈した．

▶まれに，腎徴候を欠くのに腎生検で重大な異常が観察される無症候性 LN を認めるが，臨床的に無症候のままであることが多く，一般に腎の転帰は良好である．しかし，一部は顕性腎炎に移行する．

d 全身性エリテマトーデス（SLE）の診断

▶まず，欧州リウマチ学会/米国リウマチ学会（EULAR/ACR）SLE 分類基準 2019（表 6-1）[2]を参考に，SLE の診断を行う．

▶近年，機械学習により開発された SLE Risk Probability Index（SLERPI；表 6-2）[3]は，SLE 診断の感度 95.1%，特異度 93.7%，精度 94.8%とそれぞれ高く，LN を呈するサブグループの診断感度も 97.9%であることから，参考になる．

e ループス腎炎（LN）の診断

▶LN の診断は，原則として腎生検によって確定する．腎生検は，①腎病変の病態把握，②他の原因の除外，③病理組織学的分類の決定，④活動性指標と慢性指標の把握，のためにも重要である．

▶SLE 患者に対する一般的な腎生検の適応は，①蛋白尿≧500 mg/日，②持続性血尿および/または細胞性円柱，③他に原因が明らかでない血清 Cr 上昇，のいずれかを認める場合である．

▶LN の病理組織学的所見は非常に多彩で，時に他の免疫複合体腎炎と混同されることもある．

▶LN に特徴的な所見は，①IgG を主体に IgA，IgM，C3，C1q の共沈着，いわゆるフルハウス免疫蛍光パターン（感染関連腎炎でもこのパターンがみられることがある），②C1q の強い染色，③内皮下および上皮下同時沈着，④尿細管基底膜，間質や血管といった糸球体外の沈着病変，⑤電子顕微鏡（電顕）での糸球体内皮細胞内の管状封入体（tubuloreticular inclusion），である．

▶LN は国際腎臓学会/腎病理学会（ISN/RPS）による，改定 LN 組織分類に基づき分類する（表 6-3）[4]．糸球体障害を 6 つの異なるクラスに分け，活動性病変と慢性病変をスコア化する．表 6-3 に示す Chronicity index と腎の長期予後には関連がみられる．

▶改定 LN 組織分類では，尿細管間質性病変と血管病変の存在と重症度を生検標本に記載することが強調されている．

▶SLE に随伴する腎病変として，免疫複合体が介在する糸球体腎炎（LN）以外に，尿細管間質性腎炎，血管病変〔血栓性微小血管症

表 6-1 欧州リウマチ学会/米国リウマチ学会(EULAR/ACR)の全身性エリテマトーデス(SLE)分類基準 2019

臨床診断基準項目		ポイント
全身	発熱>38.3℃	2
血液	白血球減少(4,000/m³未満)	3
	血小板減少(100,000/m³未満)	4
	自己免疫性溶血性貧血	4
神経精神	せん妄	2
	精神症状	3
	痙攣	5
皮膚粘膜	非瘢痕性脱毛	2
	口腔内潰瘍	2
	亜急性皮膚ループスまたは Discoid 疹	4
	急性皮膚ループス	6
漿膜炎	滲出性胸水または心嚢液	5
	急性心膜炎	6
関節	2 関節以上の滑膜炎	6
腎	尿蛋白>0.5 g/24 時間,もしくは 0.5 g/gCr	4
	Class ⅡまたはⅤのループス腎炎	8
	Class ⅢまたはⅣのループス腎炎	10

免疫学的基準項目		ポイント
抗リン脂質抗体症候群領域	抗カルジオリピン抗体 IgG>40 GPL または IgG 型の抗 β_2-GPI 抗体>40 GPL または ループス抗凝固因子陽性	2
補体	C3 低値または C4 低値	3
	C3 低値かつ C4 低値	4
特異抗体	抗 dsDNA 抗体	6
	抗 Sm 抗体	6

エントリー基準:ANA≧1:80(Hep-2 細胞による IF 法)が必須.
ポイントの合計 10 以上で SLE と分類(臨床基準 1 つ以上を含む).
注意事項:
・SLE 以外の原因が考えられる場合は加算しない.
・各項目を同時に満たす必要はない.
・各領域で複数項目該当した場合,もっともポイントの高い項目のみ加算する.
〔Armitage LC, et al.:Screening for hypertension using emergency department blood pressure measurements can indentify patients with undiagnosed hypertension:A systematic review with meta-analysis. J Clin Hypertens(Greenwich)2019;21:1415-1425[2)]〕

表 6-2 **SLE Risk Probability Index(SLERPI)**

項目	スコア
頬部紅斑または斑状丘疹性紅斑	3
亜急性皮膚エリテマトーデスまたは円板状エリテマトーデス	2
脱毛症	1.5
粘膜潰瘍	1
関節炎	2
漿液炎	1.5
4,000/μL 未満の白血球減少(少なくとも 1 回)	1.5
血小板減少症または自己免疫性溶血性貧血	4.5
神経障害	1.5
蛋白尿≧500 mg/24 時間	4.5
抗核抗体陽性	3
低 C3 および C4 血症	2
免疫学的異常(抗 DNA 抗体,抗 Sm 抗体,抗リン脂質抗体)	2.5
間質性肺疾患	−1

合計スコア>7 で SLE,≦7 で SLE でない

〔Erden A, et al.：Performance of the systemic lupus erythematosus risk probability index in a cohort of undifferentiated connective tissue disease. Rheumatology(Oxford)2022；61：3606-3613[3)]〕

(TMA)を含む),ループスポドサイトパチー(免疫複合体の沈着を伴わないびまん性の上皮細胞足突起消失),巣状糸球体硬化症の collapsing variant があるが,多くは生検でしか診断できない.

f ループス腎炎(LN)治療の基本方針(図 6-1)

▶腎生検による組織分類に基づき方針を決定する.Ⅲ,Ⅳ,Ⅴ型の LN が,腎病変を標的とした積極的な治療適応となり,Ⅰ,Ⅱ,Ⅵ型では腎炎治療の適応はなく,腎外病変に応じて治療する.

▶病初期には,副腎皮質ステロイド療法と免疫抑制療法による強力な免疫抑制を行う(初期治療).一定期間の初期治療により腎反応〔蛋白尿の改善と推算糸球体濾過量(eGFR)の安定または改善〕があれば,副腎皮質ステロイド療法と免疫抑制療法により,引き続き蛋白尿の減少を目指す治療,あるいは蛋白尿の減少が達成されたのちには,それを維持する治療を行う(後続治療).

▶LN 合併例は LN 非合併例より予後不良であることや,SLE 自体に心血管系合併症が多いことを考慮し,免疫調整薬としてのヒドロキシ

表 6-3 国際腎臓学会/腎病理学会(ISN/RPS)2018 年改定ループス腎炎(LN)組織分類

全体の病変の分布：巣状(50%未満)、びまん性(50%以上)

糸球体病変の凡例：光顕上は正常、メサンギウム細胞増殖、管内細胞増多、管外細胞増多、膜性病変

I型	微小メサンギウム型LN
II型	メサンギウム増殖性LN
III型	巣状LN
IV型	びまん性LN
V型	膜性LN
VI型	進行した硬化性LN

Activity Index	定義				スコア
		<25%	25〜50%	50%<	
管内細胞増多	当該糸球体の全糸球体数に占める割合	1+	2+	3+	0〜3
好中球かつ/または核崩壊像の存在		1+	2+	3+	0〜3
フィブリノイド壊死		1+	2+	3+	(0〜3)×2
ワイヤーループ病変かつ/またはヒアリン血栓		1+	2+	3+	0〜3
細胞性または線維細胞性半月体		1+	2+	3+	(0〜3)×2
間質炎	間質炎の皮質に占める割合	1+	2+	3+	0〜3
合計					0〜24

Chronicity Index	定義				スコア
		<25%	25〜50%	50%<	
全節性または分節性硬化	当該糸球体の全糸球体数に占める割合	1+	2+	3+	0〜3
線維性半月体		1+	2+	3+	0〜3
尿細管萎縮	尿細管萎縮の皮質尿細管に占める割合	1+	2+	3+	0〜3
間質線維化	間質線維化の皮質に占める割合	1+	2+	3+	0〜3
合計					0〜12

〔Bajema IM, et al.：Revision of the International Society of Nephrology/Renal Pathology Society classification for lupus nephritis：clarification of definitions, and modified National Institutes of Health activity and chronicity indices. Kidney Int 2018：93：789-796[4]〕

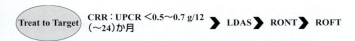

標準治療

一般管理

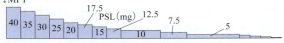

GC治療

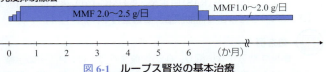

図 6-1 ループス腎炎の基本治療

CRR：完全腎反応，UPCR：尿蛋白/Cr 比，LDAS：低疾患活動性，RONT：治療ありの寛解，ROFT：治療なしの寛解，BLM：ベリムマブ，AFM：アニフロルマブ，OBI：オビヌツズマブ，CNI：カルシニューリン阻害薬，HCQ：ヒドロキシクロロキン，SMS/TMP：スルファメトキサゾール/トリメトプリム，BP：ビスホスホネート製剤，GC：グルココルチコイド，PSL：プレドニゾロン，MMF：ミコフェノール酸モフェチル

クロロキンのみならず，降圧療法，脂質低下療法といった補助療法を含む一般管理を行う．

▶従来，LN 治療には高用量グルココルチコイド(GC)が頻用されたが，標準治療に新世代薬剤を併用することで，GC 曝露をできるだけ軽減する潮流にある．

▶治療により腎反応が得られれば，長期的に良好な腎予後が期待できる．それゆえ，①時間経過に応じた尿蛋白の改善(3 か月時点で 25%減，6 か月時点で 50%減，6〜12 か月(改善傾向がある場合はさらに+12 か月を許容)時点で 0.5〜0.7 g/gCr 未満)，ならびに②eGFR の安定または改善(基礎値の±10〜15%)，という目標達成に向けた治療(Treat to Target)を行う．

▶ただし，蛋白尿の改善や eGFR の改善は長期にわたって継続し，改善率は患者によってかなり異なるため，腎反応を評価すべき適切な

時期についてコンセンサスは得られていない．
▶蛋白尿が改善していれば，ただちに治療法を切り替える必要はない．尿蛋白 0.5〜0.7 g/gCr 未満と eGFR の安定または改善（基礎値の±10〜15%）からなる「完全腎反応（CRR）」が得られれば，次いで SLE としての低疾患活動性，治療ありの寛解，治療なしの寛解を目指す．

g ループス腎炎（LN）治療の実際

1. 一般管理

▶直接的な免疫調整作用のみならず，多岐にわたる有益性を考慮し，投与禁忌がない限りすべての患者に対し早期から，①ヒドロキシクロロキン投与を行う．補助療法として，②ニューモシスチス肺炎予防，③グルココルチコイド誘発性骨粗鬆症予防に加え，④レニン・アンジオテンシン系（RAS）阻害薬，⑤HMG-CoA 還元酵素阻害薬（スタチン）などによる補助療法，も適宜行う．

処方例

■ 投与禁忌がない限り，①の治療を行う．LN や，その治療による合併症を軽減するための補助療法として，②〜⑤の投与をすべての患者に対して考慮する．

①ヒドロキシクロロキン硫酸塩（プラケニル® 200 mg）
1 日 200〜400 mg 1 回 朝食後（理想体重より計算した投与量で開始）

✒重篤な副作用である網膜症のモニターのため，開始前と開始後少なくとも年に 1 回，眼科検査を実施する．病状が安定すれば，網膜症リスクを考え 5 mg/kg/日未満の投与量に調節する．GFR＜30 mL/分/1.73 m^2 では半量に減量する．

②ST（スルファメトキサゾール・トリメトプリム）合剤（バクタ® 配合錠）
1 日 1 錠 1 回 朝食後

③アレンドロン酸（ボナロン® 35 mg）
1 回 35 mg 早朝起床時 1 週間に 1 回

④イミダプリル（タナトリル錠® 5 mg）
1 日 5〜10 mg 1 回 朝食後

✒2.5 mg から投与開始する．

⑤アトルバスタチンカルシウム水和物（リピトール® 錠 10 mg）
1 日 10〜20 mg 1 回 朝食後

表 6-4　KDIGO・2021 診療ガイドラインにおけるグルココルチコイド減量レジメン（体重 50 kg 換算に改変）

MPT	PSL(mg/日) 高用量スキーム なし，もしくは 0.25〜0.5 g×0〜3	PSL(mg/日) 中等量スキーム 多くの場合，0.25〜0.5 g×1〜3	PSL(mg/日) 減量スキーム 通常，0.25〜0.5 g×1〜3
0〜2 週	0.8〜1.0 mg/kg（最大 50 mg）	0.6〜0.7 mg/kg（最大 35 mg）	0.5〜0.6 mg/kg（最大 30 mg）
3〜4 週	0.6〜0.7 mg/kg	0.5〜0.6 mg/kg	0.3〜0.4 mg/kg
5〜6 週	30 mg	20 mg	15 mg
7〜8 週	25 mg	15 mg	10 mg
9〜10 週	20 mg	12.5 mg	7.5 mg
11〜12 週	15 mg	10 mg	5 mg
13〜14 週	12.5 mg	7.5 mg	2.5 mg
15〜16 週	10 mg	7.5 mg	2.5 mg
17〜18 週	7.5 mg	5 mg	2.5 mg
19〜20 週	7.5 mg	5 mg	2.5 mg
21〜22 週	5 mg	<5 mg	2.5 mg
23〜24 週	5 mg	<5 mg	2.5 mg
>25 週	<5 mg	<5 mg	<2.5 mg

MPT：メチルプレドニゾロンパルス療法，PSL：プレドニゾロン
〔Kidney Disease：Improving Global Outcomes(KDIGO)Glomerular Diseases Work Group：KDIGO 2021 Clinical Practice Guideline for the Management of Glomerular Diseases. Kidney Int 2021；100(4S)：S207-230[5)]〕

2. 初期治療

1) グルココルチコイド(GC)療法

▶①メチルプレドニゾロンパルス静注を行うことで，②後療法の開始用量を抑え，かつ早期に減量する潮流にあるが，表 6-4[5)]を参考に，症例の重症度や背景，医師の経験に応じて対処する．

▶一般に，Ⅲ型，Ⅳ型およびⅤ型との混合型では，②プレドニゾロン(PSL)の中等量〜高用量(0.6〜0.8 kg/kg/日)，Ⅴ型では中等量(0.5〜0.6 mg/kg/日)で開始し，治療反応性をみながら減量をすすめ，維持量(5 mg/日以下)を目指す．

> 処方例
> ①メチルプレドニゾロン(ソル・メドロール® 注)
> 1 日 250〜500 mg 1 回 点滴静注 3 日間

次いで,
②プレドニゾロン(プレドニン® 5 mg)
1日 0.4〜0.8 mg/kg(体重 50 kg であれば 1 日 4〜8 錠)を 2 回に分割 朝・昼食後

2) 免疫抑制療法

▶ Ⅲ型, Ⅳ型, およびⅢ/Ⅳ型とⅤ型との混合型では, ①ミコフェノール酸モフェチル(MMF)または②シクロホスファミド静注(IVCY)が first line であるが, IVCYによる不妊症と二次発癌のリスクを考慮し, MMF を選択するケースが多い. Ⅴ型では MMF が first line である.

▶ 腎奏効率を高め, 腎機能を保持するエビデンスを有することから, 重症例でなくとも, ①MMF または②IVCY に, ③ベリムマブ(BLM)の併用を検討する.

▶ 腎機能が比較的保たれたネフローゼレベルの蛋白尿を呈する例では, 前述の代替療法として, ①MMF(この場合は 1,000 mg/日, 体重 50 kg 未満では 750 mg/日), および④タクロリムス(TAC)の併用療法を行ってもよい.

▶ 服薬アドヒアランスが不良である場合や経口投与が困難な場合には, ②IVCY を選択する. 通常, 低用量の Euro-Lupus 方式が用いられるが, 腎機能が急速に低下し, 生検で高度の活動性(毛細血管の壊死, 半月体の多発など)が認められる患者には, 高用量の米国国立衛生研究所(NIH)方式(1回 750 mg/m^2 を 1 か月間隔で計 6 回点滴静注)を考慮する.

▶ 初期治療に対する反応が不十分である場合, 服薬アドヒアランスの評価, 測定可能な薬剤血中濃度評価による用量再設定, 再生検による慢性化病変や他疾患の可能性の評価を行ったうえで, first line レジメンである①MMF と②IVCY の切替, もしくは低用量の①MMF と④TAC の併用を行う.

処方例

■ MMF または IVCY を用い, BLM の併用を検討する. 代替治療として, 低用量の MMF と TAC の併用がある.
①MMF(セルセプト® カプセル 250 mg)
1 日 1,000〜3,000 mg 2 回に分割 朝夕食後
🖋1 回 2 カプセルから開始し, 消化器症状や白血球減少に注意し漸増する.

②シクロホスファミド(エンドキサン® 注)
　1回 500 mg 2週間隔で計6回点滴静注(Euro-Lupus 方式)
③BLM(ベンリスタ® 皮下注 200 mg)
　1回 200 mg 1週間に1回 皮下注
④TAC(プログラフ® カプセル 1 mg)
　1日 1～3 mg 1回 夕食後
🖉 12時間後の血中濃度により投与量を調整する.

3. 後続治療

1) グルココルチコイド(GC)療法

▶腎外症状に対して必要な場合を除き，疾患コントロールに必要な最小限の投与，現実的な目標として PSL 5 mg/日以下を目指す.

処方例

①PSL(プレドニン® 錠 5 mg)
　1日 5 mg 1回 朝食後
または
②PSL(プレドニゾロン錠 1 mg)
　1日 1～4 mg 1回 朝食後

2) 免疫抑制療法

処方例

■ 基本的に MMF を用いる．アザチオプリン(AZP)は，MMF に不耐な患者，妊娠を考えている患者において代替となる．初期治療で標準的な免疫抑制療法に加えて，BLM または TAC を含む3剤併用免疫抑制療法を受けた患者は，後続治療でも BLM または TAC を継続することができる.

①MMF(セルセプト® カプセル 250 mg)
　1日 1,000～2,000 mg 2回に分割 朝夕食後
②AZP(イムラン® 錠 50 mg)
　1日 50～100 mg 1回 朝食後
🖉 日本人の約1%は NUDT15 酵素活性が著しく低下する遺伝子多型(システインホモ)をもち，投与後に重篤な副作用を生じるリスクが高い．あらかじめ *NUDT15* 遺伝子多型検査を行い，結果に応じて服薬の回避や減量投与を行う必要がある.

③BLM（ベンリスタ®皮下注 200 mg）
　1 回 200 mg　1 週間に 1 回　皮下注
④TAC（プログラフ®カプセル 1 mg）
　1 日 1～2 mg　1 回　夕食後
💊12 時間後の血中濃度により投与量を調整する．
💊①と④の併用療法を行う場合，安全性の観点から，初期治療開始から 12 か月時点での 1 日投与量は MMF 500 mg＋TAC 2 mg とする．

4. 寛解が持続する LN の管理（GC および免疫抑制療法薬の減量・中止）

▶CRR（尿蛋白 0.5～0.7 g/gCr 未満と eGFR の安定または改善）が得られ，腎外症状を欠く増殖性 LN 患者（Ⅲ/Ⅳ＋Ⅴ型）に対する免疫抑制療法期間（初期治療＋後続治療）は，再燃をきたさないよう少なくとも 36 か月以上とする．

▶CRR はこれまでの臨床試験のアウトカムから設定された管理目標であり，必ずしも寛解を意味しない．GC 療法および免疫抑制療法の中止は，理想的には完全寛解（低補体血症なし，抗 DNA 抗体検出なし，検尿異常なし）の持続した状況下に行うべきである．

▶合併症などにより個別化を要するものの，一般的には治療薬の減量・中止は，GC，免疫抑制薬，ヒドロキシクロロキンの順に行う（図 6-2）[6]．GC は血清学的活動性が上昇しないようモニターしながら，慎重に減量する（表 6-5）[7]．

5. 初期治療に不応/難治な場合の対応

▶3～4 週間の初期治療にもかかわらず改善がみられないか，悪化がみられる場合には，潜在的な原因を早期に評価し，介入する必要がある．

▶服薬アドヒアランス不良がないかを確認するとともに，血中濃度を可能な限り測定し，治療域にあるか評価する．ノンアドヒアランスが証明されるか疑われる場合には，免疫抑制薬の内服から IVCY への切り替えを行う．

▶また，治療効果が期待できない慢性病変による腎症候や，TMA などの他の病態を鑑別するために，再生検の実施も検討する．

▶そのうえで first line の免疫抑制薬（MMF/IVCY）を切り替えるが，それでも治療効果が不十分な場合はリツキシマブ併用を検討する．

6. ループス腎炎（LN）再燃時の対応

▶尿蛋白の変化が活動性の炎症性腎障害によるものなのか，あるいは活動性 LN の先行エピソードで生じた慢性障害の進行を反映したものなのかを判断するために，再生検の実施を検討する．

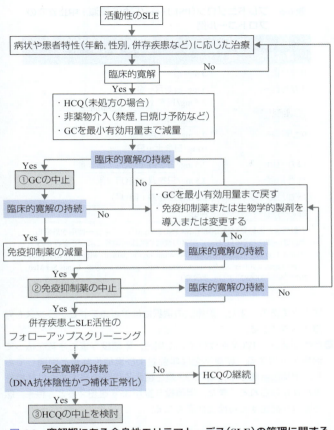

図 6-2 寛解期にある全身性エリテマトーデス(SLE)の管理に関するアルゴリズム

GC：グルココルチコイド, HCQ：ヒドロキシクロロキン

〔Gatto M, et al.：New therapeutic strategies in systemic lupus erythematosus management. Nat Rev Rheumatol 2019；15：30-48[6]〕

- LN再燃の管理と初発の活動性LNの管理に大きな違いはなく，初期治療も前述と同様であるというのが一般的な見解である．
- いったんは腎反応が得られたもののLN再燃をきたした場合は，有効であった前回と同じ初回治療，または別に推奨される初回治療で治療を行う．患者の嗜好および/または初期レジメンの耐性を考慮

表 6-5　プレドニゾロン（PSL）5 mg/日から漸減・中止までの
プロトコール例

PSL 5 mg/日 達成からの経過	PSL 投与量
0 か月目〜	5 mg/日
3 か月目〜	5 mg/日を月〜金 2.5 mg/日を土〜日
6 か月目〜	2.5 mg/日
9 か月目〜	2.5 mg/日を月〜金 0 mg/日を土〜日
12 か月目〜	2.5 mg/日を週 3 回（月・水・金）
15 か月目〜	2.5 mg/日を週 2 回（月・木）
18 か月目〜	2.5 mg/日を週 1 回（月）
21 か月目〜	中止

倦怠感などの自覚症状出現時には PSL 2.5 mg のレスキュー使用を許容し，
漸減は一律に行うのでなく，患者の状態や臨床的判断によって変更する．
〔Nakai T, et al. : Glucocorticoid discontinuation in patients with SLE with prior
severe organ involvement : a single-center retrospective analysis. Lupus Sci Med
2022 ; 9 : e000682[7]）より一部改変〕

すべきである．また，治療法の選択には患者のアドヒアランスも考
慮すべきである．

▶患者が過去に IVCY を受けていた場合，累積投与量に注意を払って
治療を選択する．卵巣不全は年齢および累積投与量と関連してお
り，累積投与量が 8 g/m^{2}で 32 歳を超える患者の最大 50％に持続性
無月経がみられる．また，累積投与量が 36 g を超えると，将来，悪
性腫瘍が発生する可能性が高くなる．

2　抗リン脂質抗体症候群

a 概念

▶抗リン脂質抗体症候群（APS）は，陰性荷電リン脂質に結合した血漿
蛋白に対する自己抗体の存在下で起こる血栓症や妊娠合併症であ
り，リン脂質に対する非特異的な自己抗体は病原性が確認されてい
ない．

▶APS と関連する抗リン脂質抗体のおもな対応抗原は，カルジオリピ
ンに結合し構造変化をきたした β_2-グリコプロテインⅠ（β_2-GPⅠ）
と，ホスファチジルセリンに結合し構造変化をきたしたプロトロン

表 6-6 抗リン脂質抗体症候群(APS)にみられる症状

1. 血栓性	静脈系	血栓性静脈炎,網状皮斑,下腿潰瘍,網膜静脈血栓症,肺梗塞・塞栓症,血栓性肺高血圧症,Budd-Chiari 症候群,肝腫大,など
	動脈系	皮膚潰瘍,四肢壊死,網膜動脈血栓症,一過性脳虚血発作,脳梗塞,狭心症,心筋梗塞,疣贅性心内膜炎,弁膜機能不全,腎梗塞,腎微小血栓,肝梗塞,腸梗塞,無菌性骨壊死,など
2. 妊娠高血圧症候群(妊娠中毒症),胎児発育不全,反復性流産・死産		
3. 血小板減少症		
4. その他		自己免疫性溶血性貧血,Evans 症候群,頭痛,舞踏病,血管炎様皮疹,Addison 病,虚血性視神経症,など

ビン〔ホスファチジルセリン依存性抗プロトロンビン抗体(aPS/PT),測定は保険適用外〕である.

▶一部の患者では,in vitro の凝固反応に必要なリン脂質の作用を阻害する自己抗体群により活性化部分トロンボプラスチン時間(APTT)の延長を生じループスアンチコアグラント(LAC)と称されるが,臨床的には凝固能が亢進し血栓症をきたす.

▶SLE に伴う続発性の頻度が高い.

b 臨床症状

▶血栓症は動脈,静脈のいずれにも発症し,大血管から毛細血管レベルまですべての血管に血栓を発症しうる.APS にみられる症状は,表 6-6 に示すように多様である.

▶静脈血栓症は下肢深部,表層静脈に好発し,しばしば肺塞栓症を合併する.日本では動脈血栓症の頻度が静脈血栓症の約 2 倍であり,一過性脳虚血発作,脳梗塞といった脳血管障害が圧倒的に多く,虚血性心疾患は比較的少ない.

▶3 臓器以上に同時に血栓症を呈する重篤な病態は,劇症型 APS(CAPS)とよばれる.

c 抗リン脂質抗体症候群(APS)に伴う腎病変

▶腎に関しても,腎動脈から糸球体毛細血管を経て腎静脈に至るまで,あらゆる血管が非炎症性血栓症の標的となることから,表 6-7 に示すような多彩な臨床像を呈しうる.

▶腎病変を伴う APS では高血圧の頻度が高く,腎病変の存在を疑う

表 6-7　抗リン脂質抗体症候群（APS）に伴う腎病変

病変の部位	臨床像
1. 腎動脈部位 　血栓症/塞栓症/狭窄症	・腎血管性高血圧症（重症） ・腎梗塞（無症候，激痛，血尿）
2. 腎内血管系（いわゆる APS 腎症） ［急性病変］ 　・TMA 細動脈 　・糸球体内のフィブリン血栓 ［慢性病変］ 　・細動脈/小葉間動脈の線維性内膜肥厚 　・細動脈/小動脈の器質化血栓 　・細動脈/小動脈の線維性閉塞 　・巣状の腎皮質萎縮	・高血圧症（軽症〜悪性高血圧まで） ・血尿 ・蛋白尿（少量〜ネフローゼレベルまで） ・急性/慢性腎不全
3. 腎静脈血栓症	・腎不全のリスク（両側の場合）

TMA：血栓性微小血管症

きっかけとなる.

d 末期腎不全における抗リン脂質抗体症候群（APS）

▶維持血液透析患者では抗リン脂質抗体の有病率が高く，しばしばバスキュラーアクセスを含む血栓性イベントの発生と関連する.

▶抗リン脂質抗体の発現は，透析の種類（血液透析で高率）やバスキュラーアクセス（AV グラフトで高率）と関連するものの，年齢，性別，透析期間とは関連しない.

e 診断基準

▶現在の APS の国際分類基準は，2006 年の Sapporo Criteria-Sydney 改変が用いられる.

▶臨床所見 1 つと，検査基準 1 つが 12 週以上の間隔をあけて 2 回以上確認されるときに APS と分類される（表 6-8）[8].

f 治療

▶APS の急性期治療は，ほかの原因による血栓症と同様である. CAPS を除き，免疫抑制療法の適応は乏しい.

▶無治療では 6 か月以内に 50%，2 年以内に 80%の症例で血栓症が再発するため，二次予防が重要である. 多くの場合，動脈血栓症例では動脈に，静脈血栓症例では静脈に血栓症を再発する.

▶APS の治療の手引き 2020 を参考に治療を行う（図 6-3）[9]. 腎病変の

表 6-8 抗リン脂質抗体症候群(APS)の診断基準
（Sapporo Criteria-Sydney 改変）

臨床所見	1. 血栓症 画像診断，ドプラ検査または病理学的に確認されたもので，血管炎による閉塞を除く 2. 妊娠合併症 　a．妊娠 10 週以降で，他に原因のない正常形態胎児の死亡 　　または 　b．妊娠高血圧症，子癇または胎盤機能不全による妊娠 34 週以前の形態学的異常のない胎児の 1 回以上の早産 　　または 　c．形態学的，内分泌学的および染色体異常のない習慣流産
検査基準	1. 標準化された ELISA 法による IgG または IgM 型抗カルジオリピン抗体（中等度以上の力価または健常人の 99%-tile 以上） 2. IgG または IgM 型抗 β_2-グリコプロテイン I 抗体陽性（健常人の 99%-tile 以上） 3. 国際血栓止血学会のループスアンチコアグラントガイドラインに沿った測定法で，ループスアンチコアグラントが陽性

臨床所見の 1 項目以上が存在し，かつ検査項目のうち 1 項目以上が 12 週の間隔をあけて 2 回以上証明されるとき抗リン脂質抗体症候群と分類する．

〔Miyakis S, et al: International consensus statement on an update of the classification criteria for definite antiphospholipid syndrome(APS). J Thromb Haemost 2006；4：295-306[8]〕

有無により抗血栓療法の治療方針に違いはない．

1. 動脈血栓症に対する再発予防

▶わが国では，血小板血栓が主体である動脈血栓症の患者に対しては，ワルファリン単独よりも，むしろ抗血小板薬を使用することが提案されている．

処方例

- 再発予防として，①に加え②と③のいずれかを併用する．
①アスピリン（バイアスピリン®）
　1 日 100 mg 1 回
②クロピドグレル（プラビックス®）
　1 日 75 mg 1 回
③シロスタゾール（プレタール®）
　1 日 200 mg 2 回に分割
- あるいは，①に加え④を併用する．
④ワルファリンカリウム（ワーファリン® 錠）
　PT-INR 1.5〜2.5 を目標に 1 日 1 回

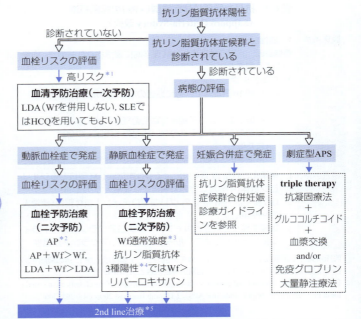

図 6-3 抗リン脂質抗体症候群（APS）の治療レジメンの選択

AP：抗血小板薬，HCQ：ヒドロキシクロロキン，LDA：低用量アスピリン，SLE：全身性エリテマトーデス，Wf：ワルファリン

[*1] 高リスクとは，SLE，抗リン脂質抗体3種陽性[*4]，抗リン脂質抗体スコア高値，グローバル抗リン脂質抗体スコア高値や既知の血栓症リスク要因を複数有する者などをいう．いずれも12か月以上の間隔で2回陽性の必要がある．

[*2] 抗血小板薬2剤を用いてもよい．

[*3] プロトロンビン時間国際標準比1.5～2.5を目標とする．静脈血栓症で発症した高リスク例への治療として，高強度ワルファリンは，日本人におけるエビデンスがきわめて乏しい．日本人におけるワルファリンの治療強度は，出血リスクがより高いことを考慮して低く設定されることが多い．

[*4] 抗リン脂質抗体3種陽性とは，ループスアンチコアグラント，抗カルジオリピン抗体，抗β_2GPI（抗カルジオリピンβ_2GPI複合体抗体）の3種類が陽性になるものをいう．

[*5] 動脈血栓症で発症したAPSに対する血栓予防治療（二次治療）が無効・もしくは合併症・副作用などによりできない場合，動脈血栓症は抗血小板薬中心，静脈血栓症はワルファリン中心に各種薬剤の併用を検討する．

・白矢印（⇩）はAPSの診断・臓器障害・病態評価が確定した場合を示す．
・実線矢印（→），実線の四角（□）は治療の手引き2020の推奨文で提案した治療法または，その代替治療を示す．
・点線の四角（□），点線矢印（⇢）は，その他の治療を示す．

〔厚生労働科学研究費補助金（難治性疾患政策研究事業）難治性血管炎に関する調査研究（研究代表：針谷正祥）：抗リン脂質抗体症候群の治療レジメンの選択．抗リン脂質抗体症候群・好酸球性多発血管炎性肉芽腫症・結節性多発動脈炎・リウマトイド血管炎の治療の手引き2020，診断と治療社，2020；xi[9]〕

2. 静脈血栓症に対する再発予防

▶ ワルファリンに比し，直接経口抗凝固薬（DOAC）は血栓症の再発率が高い傾向を示し，とくに抗リン脂質抗体3種（LAC，抗カルジオリピン抗体，抗 β_2-GPⅠ抗体）陽性の高リスク例では有意であったことから，原則としてワルファリンを用いる．

▶ 日本人ではワルファリンの出血リスクが高いことを考慮して，治療強度は高強度（PT-INR 3～4）ではなく，通常強度（PT-INR 1.5～2.5）が提案されている．

> **処方例**
> ■ 原則として①を用いるが，①の投与禁忌に相当する例や，高用量で使用しても治療強度を達成できない例に限り，②の投与を検討する．
> ① ワルファリンカリウム（ワーファリン錠®）
> 　PT-INR 1.5～2.5 を目標に 1 日 1 回
> ② リバーロキサバン（イグザレルト®）
> 　1 日 15 mg 1 回
> ✒ ただし，Ccr 30～49 mL/分では薬剤投与の適否を慎重に検討する．Ccr 30 mL/分未満では使用経験がなく禁忌．

3. 劇症型抗リン脂質抗体症候群（CAPS）

▶ まれではあるが，数日内の経過で広範な血栓症を生じ，高度の腎障害，脳血管障害，重症呼吸不全，心筋梗塞，播種性血管内凝固（DIC）などの多臓器不全をきたす病態で，致死率が高い．

▶ 治療は，以下の 1)～3) を併用する（triple therapy）．

1) 抗凝固療法（および抗血小板療法）

> **処方例**
> ■ 出血のハイリスクでなければ，①抗凝固療法のみならず，②抗血小板療法を併用する．
> ① 未分画ヘパリン（ヘパリン Na®）
> 　1 日 10,000～15,000 単位 持続点滴
> ② アスピリン（バイアスピリン®）
> 　1 日 100 mg 1 回

2) 抗体産生抑制

> **処方例**
> ①メチルプレドニゾロン(ソル・メドロール®)パルス療法
>   1日 500 mg～1,000 mg 3日間 点滴静注
> その後,
> ②プレドニゾロン(プレドニン®)
>   1日 1 mg/kg 内服

3) 抗体・炎症性サイトカイン除去
▶血漿交換および/または免疫グロブリン大量静注療法を行う.

4) その他
▶近年,海外では治療抵抗性の CAPS に対し,リツキシマブやエクリズマブが奏効した例の報告がある(日本では保険適用外).

3 IgA 血管炎(Henoch-Schönlein 紫斑病)

a 疾患概念と症状

▶非血小板減少性の紫斑病で,全身性の細小動脈〜毛細血管炎である.
▶血液凝固障害を伴わない.
▶皮膚症状(紫斑,点状出血),関節症状(腫脹,疼痛),腹部症状(腹痛,下血),腎症を特徴とする.
▶腎症は無症候性血尿・蛋白尿症候群を呈することが多いが,ネフローゼ症候群,急性腎炎症候群の病型をとることがある.糸球体腎炎を合併する頻度は,成人で約 50〜80%,小児で 20〜50%とされる.
▶IgA を含む免疫複合体型血管炎の像を呈し,皮膚組織では白血球破砕性微小血管炎を,腎組織では IgA 腎症と同様に糸球体メサンギウム領域に IgA 優位の沈着を認める.
▶あらゆる年齢層で発症するが,3〜10 歳にもっとも多くみられ,男児がやや多い(男女比 1.5〜2.0:1).
▶小児では上気道炎症状が先行し,先行感染から発症までの期間は 1〜2 週間程度のことが多い.このため,秋から冬にかけての発症が多い.溶血性レンサ球菌,マイコプラズマによる感染症や,麻疹,風疹,水痘などが先行する症例もある.
▶紫斑はほぼすべての症例に伴う.やや隆起し,新旧混在,不整形を呈する.おもに機械的刺激を受けやすい下肢,臀部,背部に多くみられ,圧迫により褪色しない.
▶関節痛は約 80%の症例でみられ,膝・足関節に多く,発赤や熱感は

伴わず一過性である．手関節や肘関節に及ぶこともある．
▶消化器症状は50～70％で認められる．内視鏡検査で消化管に出血斑が確認される．とくに小児では，腸重積や腸閉塞を引き起こすこともある．専門医によるエコー検査は初期診断に有用である．
▶腎病変は20～60％の症例に伴い，紫斑病性腎炎と称される．腎炎の合併はIgA血管炎の症状発現後1か月以内に発生する．腎炎がIgA血管炎の他の症状に先行することは非常にまれである．

b 診断

▶小児では米国リウマチ学会の診断基準を用いる．
▶①隆起性の紫斑，②急性の腹部疝痛，③生検組織での小動静脈壁の顆粒球の存在，④年齢が20歳以下，のうち2つ以上を満たせばよい．関節痛，糸球体腎炎を示唆する検尿異常は，IgA血管炎の診断を支持する所見となる．
▶成人ではIgA血管炎発症後に検尿異常を認めれば，紫斑病性腎炎の臨床診断は可能である．腎生検病理組織診断のみではIgA腎症と紫斑病性腎炎との鑑別は困難であるが，腎外病変が認められる点で鑑別が可能となる．
▶急性腹痛では腸重積症や感染性胃腸炎と，関節症状では発症年齢に応じて若年性特発性関節炎や関節リウマチと，睾丸・陰嚢症状では睾丸捻転と，出血斑では白血病，特発性血小板減少性紫斑病，クリオグロブリン血症，結節性多発動脈炎などとの鑑別が必要である．
▶軽度な蛋白尿（0.5 g/gCr以下）が12か月以上，中等度の蛋白尿（0.5～1.0 g/gCr）が6か月以上，高度な蛋白尿（1.0 g/gCr以上）が3か月以上継続した場合は腎生検を行い，治療方針を決定することが望ましい．

c 病理所見

▶糸球体メサンギウム領域にIgAとC3の沈着を認めるメサンギウム増殖性腎炎を認め，IgA腎症ときわめて類似しており，病理学的鑑別は困難である．
▶紫斑病性腎炎は血管内皮障害を比較的急性に起こすため，IgA腎症よりフィブリン沈着を伴う管内・管外増殖性病変や半月体形成を伴う頻度が高い．
▶病理組織学的分類として，国際小児腎臓病研究班（ISKDC）による分類（表6-9）[10]が用いられる．Grade Ⅲb以上の症例はESKDへ進展する可能性を考慮し，積極的な治療が求められる．糸球体病変だけで

表 6-9 国際小児腎臓病研究班（ISKDC）分類

Grade	病変
Ⅰ	微小変化
Ⅱ	メサンギウム増殖のみ
Ⅲ	50％未満の糸球体に半月体形成を認める 　a）巣状メサンギウム増殖 　b）びまん性メサンギウム増殖
Ⅳ	50〜75％の糸球体に半月体形成を認める 　a）巣状メサンギウム増殖 　b）びまん性メサンギウム増殖
Ⅴ	75％以上の糸球体に半月体形成を認める 　a）巣状メサンギウム増殖 　b）びまん性メサンギウム増殖
Ⅵ	膜性増殖性腎炎病変

〔Counahan R, et al.：Prognosis of Henoch-Schönlein nephritis in children. Br Med J 1977：2（6078）：11-14[10]〕

なく，尿細管間質の線維化などの不可避な変化を呈することがある．

d 治療

▶腎外病変は安静を保ち，症状に応じて対症療法を行う．食物，薬剤などの原因が明らかな場合は，その原因物質を避ける．

▶紫斑病性腎炎が出現したときには，その臨床的重症度，腎生検組織所見の重症度に応じて治療方針を決定する．

▶腎機能が正常で，かつ尿蛋白量が軽度（0.5 g/gCr 以下の場合），腎組織分類が ISKDC 分類 Grade Ⅰ，Ⅱであれば，抗血小板薬（ジピリダモールなど）もしくは無治療で経過観察とする．

▶軽度の蛋白尿を長期に認める場合は，抗血小板薬（ジピリダモールなど）に加え，RAS 阻害薬を用いる．ただし，尿蛋白量の増加傾向や尿沈渣で著明な組織炎症の存在を示唆する所見があれば，速やかに組織評価を行う必要性がある．

▶尿蛋白量が多くみられる（0.5 g/gCr 以上）症例，もしくは ISKDC 分類 Grade Ⅲ以上の症例では慢性腎不全に進行する症例がみられるため，経口副腎皮質ステロイド（プレドニゾロン 1 mg/kg）による積極的治療を要する．

▶腎機能低下が著明で RPGN を疑わせる症例，ネフローゼ症候群を呈する症例では，ステロイドパルス療法（メチルプレドニゾロン 500〜

1,000 mg/日点滴静注 3 日間)を行う．免疫抑制療法〔アザチオプリン，ミコフェノール酸モフェチル(成人)，シクロスポリン〕や，副腎皮質ステロイド療法に血栓溶解薬(ウロキナーゼ)の大量投与療法を加えた併用療法が有効な症例もみられる．さらに，血漿交換療法や免疫グロブリン大量静注療法も有効であった報告がみられる．しかし，いずれも明確な評価はなされていない．

▶大量腸管出血の場合，選択的血管塞栓術や，第XIII因子が低下している場合には血液凝固第XIII因子製剤の投与を行う．腸管切除が必要な場合もある．

▶腎炎発症予防のために経口副腎皮質ステロイドを使用しないことは，国際的なガイドラインで推奨されている．

e 予後と今後の問題点

▶80%の症例で自然寛解が期待されるため，治療の必要性や治療開始時期については判断が難しい．小児では約半数に腎炎の合併を認めるが，ESKD に至ることは少ない．一方，成人発症の腎炎の場合，重症化するリスクは高く，40%は腎生検後 5 年で CKD，あるいはESKD に至るとする報告[11]がある．

▶ISKDC 分類で Grade III 以上の場合は，約 20%が ESKD に進行する．尿蛋白量，半月体あるいは分節性病変の程度は治療予後を左右するため，持続的な蛋白尿や腎炎活動性を示す尿所見を有する症例に対しては迅速に腎生検を施行し，組織学的重症度を評価すべきである．

▶紫斑病性腎炎は臨床的な再燃・再発をきたす症例もあるため，臨床経過にかかわらず高血圧症や元来の腎機能などを考慮し，治療計画の選択やフォローアップを行う必要性がある．

4 関節リウマチ

a 疾患概念・症状

▶関節リウマチ(RA)は，関節滑膜を炎症の主座とした多発性関節炎を主徴とする慢性炎症性疾患であり，肺・神経・血管などの関節以外の臓器にも病変が波及しうる全身性疾患である．

▶進行につれて軟骨や骨が侵され，関節破壊と変形をきたし，より重症な身体機能障害と QOL の低下をきたす．

b 関節リウマチ(RA)に関連した腎障害

▶RA 患者は，CKD に進行するリスクが非 RA 患者に比して 1.5 倍高

いとの報告がある.

▶関節障害から筋萎縮を呈している患者や，高齢 RA 患者の増加など，Cr 産生が低下している者が多く，腎機能低下が見逃されやすい.

▶RA に関連した腎障害は，①薬剤性，②続発性アミロイドーシス，③血管炎，④RA に由来する腎疾患，に分けられる.

▶もっとも頻度が高いのは，抗リウマチ薬や非ステロイド性抗炎症薬（NSAIDs）による薬剤性腎障害である.

1. 薬剤性腎障害

1）非ステロイド性抗炎症薬（NSAIDs）

▶NSAIDs はシクロオキシゲナーゼ（COX）を阻害し，プロスタグランジン合成を抑制することで解熱・鎮痛・抗炎症作用を示す.

▶薬剤性腎障害のなかでは NSAIDs によるものがもっとも頻度が高く，血行動態の変化に伴う虚血性障害と，尿細管間質性腎炎，微小変化型ネフローゼ症候群（MCNS），膜性腎症（MN）による腎性腎障害がある.

▶セレコキシブ・エトドラクなど一部の NSAIDs は選択的 COX-2 阻害薬とよばれ，非選択的 COX 阻害薬に比して消化性潰瘍を中心とした副作用の観点から安全性がより高いが，腎臓では COX-2 は恒常的に発現することから，選択的 COX-2 阻害薬と非選択的 COX 阻害薬は同等に虚血性腎障害を発症するため，注意が必要である.

▶NSAIDs はアレルギー機序による急性尿細管間質性腎炎の原因となる．さらに NSAIDs は，ネフローゼ症候群（MCNS，MN）を発症することも報告されている．ネフローゼ症候群の発症時期は NSAIDs 開始後 2 週～18 か月とばらつきがあり，平均 6 か月とされる．ほとんどの例で薬剤の中止により改善がみられ，中止後 1 か月～1 年で寛解する.

2）抗リウマチ薬

▶タクロリムスは，血管収縮によって引き起こされる腎血流低下による糸球体濾過量（GFR）減少などの機能的障害，ならびに血管内皮障害・尿細管間質障害による器質的障害を惹起する.

▶金製剤や D-ペニシラミン，ブシラミン使用例の約 5～10% に MN を合併する．投与開始数か月～1 年以内に発症することが多く，投与開始後は定期的に検尿による経過観察が必要である．投与中止により改善することが多いが，一部ではステロイド療法を必要とする．MCNS の報告もある.

▶腫瘍壊死因子（TNF）-α に対する生物学的製剤（TNF 阻害薬），D-ペニシラミン，ブシラミンについては抗好中球細胞質抗体（ANCA）陽

性となることが報告されており，注意を要する．

▶TNF 阻害薬は薬剤性ループスを惹起するが，腎臓などの重症臓器合併症は 10％未満と少ない．

2. 続発性 AA アミロイドーシス

▶AA アミロイドは血清アミロイド A（SAA）の N 末端断片に由来する．SAA は C 反応性蛋白（CRP）と同様に急性炎症蛋白であり，慢性炎症を背景に長期間 SAA 高値が持続することでアミロイドーシスを発症する．

▶腎ではネフローゼ症候群を呈することもあり，徐々に腎機能の低下を認める．難治性である．

▶アミロイド沈着は腎のほか，消化管や肝，脾，甲状腺，皮下組織などでみられ，臓器障害を呈する．

3. 血管炎

▶RA に中・小型血管炎を伴う場合，国際的にはリウマトイド血管炎と診断される．典型的なリウマトイド血管炎は，リウマチ結節があり，リウマチ因子・抗環状シトルリン化ペプチド（anti-CCP）抗体陽性で，長期罹患，びらん，変形を伴う患者に発症する．

▶近年，メトトレキサート（MTX）や生物学的製剤などでの RA 治療の改善に伴い，リウマトイド血管炎の発症率は低下している．

▶悪性 RA は日本独自の疾患概念であり，既存の RA に中・小型血管炎をはじめとする関節外症状を認め，難治性もしくは重症の臨床病態を伴う場合に診断される．悪性 RA は指定難病として公費負担の対象となっている．

▶顕微鏡的多発血管炎（MPA）のような，毛細血管炎による糸球体腎炎や肺胞出血を認めることは少ないが，リウマトイド血管炎の経過中に腎機能障害，蛋白尿，血尿が出現した場合は腎炎を疑い，腎生検を行う．

▶中・小型血管炎や pauci-immune 型糸球体腎炎が認められるのが一般的であり，ANCA 陽性を伴うこともある．リウマトイド血管炎の 36〜48％で pANCA が陽性であったとの報告があるが，ミエロペルオキシダーゼ（MPO）やプロテイナーゼ 3（PR3）に対する抗体ではなく，ANCA がリウマトイド血管炎において役割をもつとのエビデンスは乏しい．

▶一方，前述のように，抗リウマチ薬により ANCA 陽性となる可能性があることが知られている．とくに TNF 阻害薬使用中に検尿異常や腎機能悪化をみた際は，ANCA 関連血管炎を鑑別疾患にあげる必要がある．

4. 関節リウマチ(RA)固有の腎症

▶RA にメサンギウム増殖性腎炎を合併することが知られている. 約半数が IgA 腎症である. RA と IgA 腎症はともにヒト白血球抗原(HLA)-DR4 と関連する可能性が示唆されており, このことが両疾患の合併と関連する可能性がある. 腎病理所見, 尿蛋白量や血圧, あるいは腎機能などを参考に, IgA 腎症に準じて加療する.

▶Sjögren 症候群を合併する場合は尿細管間質障害をきたしうるが, RA 単独ではまれである.

c 治療

1. 関節リウマチに対する治療

▶MTX および TNF 阻害薬, interleukin(IL)-6 阻害薬, 細胞傷害性 T リンパ球抗原 4(CTLA4)-Ig 製剤といった生物学的製剤の導入, また近年, Janus kinase(JAK)阻害薬も登場し, RA 患者の将来の関節の損傷を長期にわたって防ぐことが期待できることから, 治療の目標は長期にわたって QOL をよい状態に保つことである.

▶臨床経過や尿所見などから治療薬による腎障害の可能性が強く疑われる場合には, 原因薬剤をただちに中止する.

▶検尿異常や腎機能障害が持続する場合は腎生検を行い, 組織所見から治療方針を決定することが望ましい.

▶アミロイドーシスは難治性であるが, IL-6 阻害薬や CTLA4-IgG 製剤によるアミロイド沈着の減少例も報告されている.

2. 慢性腎臓病(CKD)患者におけるリウマチ治療

▶すでに腎機能障害のある患者では, NSAIDs の使用は極力避けるべきである.

▶MTX は高度の腎障害のある患者(GFR<30 mL/分)には使用しない. MTX の併用を要するインフリキシマブも使用できない(他の TNF 阻害薬は使用可能だが, 最大の治療効果を得るには MTX 併用が必要).

▶JAK 阻害薬には腎機能に応じて減量が必要な薬剤もあり, 注意を要する.

▶CKD 患者では腎障害のため使用できない, または減量を要する薬剤が多いが, 副腎皮質ステロイドの使用は必要最小限に(可能なら中止)留めたい.

5 強皮症

a 疾患概念

▶全身性強皮症(SSc)は皮膚や諸臓器の線維化, 自己免疫異常, 血管障害の3つを特徴とする全身性結合組織疾患である.

▶男女比は1：10と女性に多い.

▶皮膚や肺, 消化管病変は線維化を主病態とする.

▶腎障害やRaynaud現象, 皮膚潰瘍などは血管病変を主体とする.

▶肘を境に, ①びまん皮膚硬化型SSc(dcSSc)と, ②限局皮膚硬化型SSc(lcSSc)に分類する(表6-10)[12]. 前者では抗トポイソメラーゼⅠ抗体(=抗Scl-70抗体)または抗RNAポリメラーゼⅢ抗体, 後者では抗セントロメア抗体が, 全例ではないものの特異的にみられる.

▶まれに, 皮膚症状を欠くが, 内臓症状・自己抗体よりSScと診断される症例〔systemic sclerosis sine scleroderma(scSSc), 表6-10〕も存在する.

▶限局性強皮症は疾患名が似ているが, 全身性強皮症とはまったく異なる疾患である.

▶抗RNAポリメラーゼⅢ抗体は腎クリーゼと関連する.

b 診断基準

▶日本では2003年に厚生労働省強皮症研究班により, 1980年に発表された米国リウマチ学会(ACR)の分類基準をもとに簡略化した診断基準を作成した. これは, 指定難病として医療費助成を目的としている.

▶SScの診断基準を表6-11[13]に示す.

▶早期のSScとlcSScに対する感度の改善などを目的とし, ACR/EULARによって「全身性硬化症(強皮症)分類基準2013」が作成された(表6-12)[14].

c 臨床的特徴

▶SScの病型分類での比較を表6-10に示す.

d 全身性強皮症(SSc)に合併した腎障害

▶SScのもっとも深刻な腎障害は強皮症腎クリーゼ(SRC)であり, 近年の国際的調査によると, dcSSc患者の4.2%, lcSSc患者の1.2%に発症するとされる.

▶SScの腎障害はSRCのみならず, 微量アルブミン尿, 血清Crの軽

表 6-10　全身性強皮症（SSc）の病型分類

	びまん皮膚硬化型全身性強皮症（dcSSc）	限局皮膚硬化型全身性強皮症（lcSSc）	systemic sclerosis sine scleroderma（ssSSc）
皮膚硬化	肘関節より近位皮膚硬化	肘関節より遠位皮膚硬化	皮膚症状を認めない
進行	急速（皮膚硬化出現2年以内）	緩徐（皮膚硬化出現5年以上）	
Raynaud現象と皮膚硬化	皮膚硬化が先行するか，ほぼ同時	Raynaud現象が先行	Raynaud現象や指潰瘍を認めてもよい
毛細管顕微鏡所見	毛細血管の消失	毛細血管の蛇行，拡張	
爪上皮内出血点	進行期には消失	多数	
腱摩擦音	＋（ただし日本人では少ない）	－	
関節拘縮	高度	軽度	
石灰沈着	まれ	多い	
主要臓器病変	肺，腎（日本人ではまれ），心，食道	肺高血圧症（日本人はまれ），食道	肺線維症または腎・心・胃腸
主要抗核抗体	抗トポイソメラーゼI抗体（抗Scl-70抗体）抗RNAポリメラーゼ抗体	抗セントロメア抗体	抗核抗体を認めてもよい〔抗トポイソメラーゼI抗体（抗Scl-70抗体），抗セントロメア抗体，抗RNAポリメラーゼ抗体〕

lcSScのなかで，calcinosis（皮下石灰沈着），Raynaud現象，esophageal dysmotility（食道蠕動低下），sclerodactylia（指の皮膚硬化），teleangiectasis（毛細血管拡張）などの病像を呈する症候群をCREST症候群とよぶ.

〔LeRoy EC, et al.：Criteria for the classification of early systemic sclerosis. J Rheumatol 2001；28：1573-1576[12]より引用，一部改変〕

度上昇が50％もの患者でみられるとの報告があるが，通常，慢性腎不全に進行することはない.

▶まれにANCA関連の半月状糸球体腎炎を呈する.

▶薬剤性腎障害の原因としてD-ペニシラミンが多かったが，その使用頻度は減少している.

▶SScにおけるAKIはSRC以外にも，心不全，肺高血圧症，NSAIDs,

表 6-11　全身性強皮症 診断基準

大基準

両側性の手指を越える皮膚硬化

小基準

①手指に限局する皮膚硬化[*1]
②爪郭部毛細血管異常[*2]
③手指尖端の陥凹性瘢痕，あるいは指尖潰瘍[*3]
④両側下肺野の間質性陰影
⑤抗 Scl-70（トポイソメラーゼⅠ）抗体，抗セントロメア抗体，抗 RNA ポリメラーゼⅢ抗体のいずれかが陽性

除外基準

腎性全身性線維症，汎発型限局性強皮症，好酸球性筋膜炎，糖尿病性浮腫性硬化症，硬化性粘液水腫，ポルフィリン症，硬化性萎縮性苔癬，移植片対宿主病，糖尿病性手関節症，Crow-Fukase 症候群，Werner 症候群，を除外すること

診断の判定

大基準，あるいは小基準①および②～⑤のうち 1 項目以上を満たせば，全身性強皮症と診断する。

[*1] MCP 関節よりも遠位にとどまり，かつ PIP 関節よりも近位に及ぶものに限る。
[*2] 肉眼的に爪上皮出血点が 2 本以上の指に認められる[#]，または capillaroscopy あるいは dermoscopy で全身性強皮症に特徴的な所見が認められる[##]。
[*3] 手指の循環障害によるもので，外傷などによるものを除く。
[#] 爪上皮出血点は出現・消退を繰り返すため，経過中に 2 本以上の指に認められた場合に陽性と判断する。
[##] 毛細血管の拡張，消失，出血など。
〔厚生労働科学研究費補助金 難治性疾患等政策研究事業 強皮症・皮膚線維化疾患の診断基準・重症度分類・診療ガイドライン作成事業（研究代表：尹 浩信）：全身性強皮症診断基準。平成 28 年度総括・分担研究報告書，2016[13]〕

利尿薬，胃腸障害による循環血液量減少に関連する腎前性の病態を反映している可能性がある。

e 強皮症腎クリーゼ（SRC）

1. 疾患概念

▶SRC は，中等度～重度の突然の高血圧の発症，AKI を特徴とする，生命予後に関与する重篤な病態である。

▶血圧の上昇には血漿レニン活性の上昇が関連している。

▶SRC は，悪性高血圧（高血圧緊急症），血栓性血小板減少性紫斑病（TTP），溶血性尿毒症症候群（HUS），放射線腎炎，移植腎における慢性拒絶，APS などに似た TMA であり，貧血の進行，血小板減少，LDH 上昇などが認められる場合は，末梢血破砕赤血球を確認し，血

表 6-12　**ACR/EULAR 全身性強皮症分類基準 2013**

	項目	副項目	スコア
1	両手指の MCP 関節より近位の皮膚硬化		9
2	手指の皮膚硬化 （点数の高いほうをカウント）	手指腫脹	2
		PIP から MCP までの皮膚硬化	4
3	指尖部病変 （点数の高いほうをカウント）	指尖部潰瘍	2
		指尖部陥凹瘢痕	3
4	毛細血管拡張症		2
5	爪郭部の毛細血管異常		2
6	肺動脈性肺高血圧症 and/or 間質性肺疾患		2
7	Raynaud 現象		3
8	抗セントロメア抗体，抗トポイソメラーゼⅠ（Scl-70）抗体，抗 RNA ポリメラーゼⅢ抗体		3

・手指硬化のない場合，類似する疾患（腎性全身性線維症，全身性斑状強皮症，好酸球性筋膜炎，糖尿病性浮腫性硬化症，硬化性粘液水腫，紅痛症，ポルフィリン症，硬化性苔癬，移植片対宿主病，糖尿病性手関節症など）には適応しない．
・合計 9 点で全身性硬化症と分類する．

〔van den Hoogen F, et al.：2013 classification criteria for systemic sclerosis：an American College of Rheumatology/European League against Rheumatism collaborative initiative. Arthritis Rheum 2013；65：2737-2747[14]〕

清ハプトグロビン値を測定する．
▶TTP と異なり，SRC では ADAMTS13 活性が正常（〜中等度低下）にとどまることが多い．
▶腎弓状動脈や小葉間動脈の血管内皮障害と，その後に起こる小動脈の狭窄により腎皮質の血流が低下する．
▶病理学的には葉間動脈に同心円状の内膜肥厚による狭窄が認められ，onion-skin lesion とよばれる特徴的な所見を呈する．細小動脈の内膜の無構造状肥厚（mucoid thickening）やフィブリノイド壊死を認める．
▶症状は突発的で，頭痛，悪心，視力障害のほか，痙攣などの中枢神経障害を呈することもある．
▶SRC のリスク因子として，①発症 4 年以内のびまん性皮膚硬化，②急速な皮膚硬化の進行，③抗 RNA ポリメラーゼⅢ抗体，④新たな

表 6-13　強皮症腎クリーゼ（SRC）の診断

必須項目	血圧（少なくとも24時間以内の2点で測定）	新規発症の＞150/85 mmHg の高血圧または平常時と比較して拡張期血圧≧20 mmHg の上昇
	急性腎障害	KDIGO ガイドラインで定義されている，他では説明のできない急性腎障害（ΔsCr≧0.3 mg/dL または sCr 1.5 倍以上上昇）
参考所見		・微小血管性溶血性貧血，血小板減少，他の溶血に一致する生物学的所見 ・加速型高血圧に伴う網膜変化に一致する所見 ・顕微鏡的血尿 and/or 尿沈渣赤血球 ・無尿または乏尿 ・腎生検で SRC に典型的な所見（小動脈・細動脈壁の onion skin proliferation，フィブリノイド壊死，糸球体虚脱） ・急性発症の肺水腫

〔Lynch BM, et al.：UK Scleroderma Study Group（UKSSG）guidelines on the diagnosis and management of scleroderma renal crisis. Clin Exp Rheumatol 2016；Suppl 100：106–109[15]〕

貧血，⑤新たな心病変（心嚢液貯留，うっ血性心不全），などがあげられる．

▶ 高用量の副腎皮質ステロイド投与と SRC の発症は関連する．プレドニゾロン換算で 1 日 15 mg 以上の投与は，SRC の発症リスクを高めることが示されている．

▶ SRC の数%〜10%は高血圧を伴わない（正常血圧 SRC）．しかしこれらのなかには，血圧がベースラインからの上昇を認める症例もある．また，血漿レニン活性が上昇している症例と正常範囲内の症例がある．病態は不明で，高血圧性 SRC よりも腎予後および生命予後が悪いことが報告されている．

2. 診断

▶ 確立された SRC の定義はない．英国強皮症研究グループ（UKSSG）が 2016 年に提唱した診断基準を表 6-13[15]に示す．また，国際的なコンソーシアムである SCTC（Scleroderma Clinical Trial Consortium）において分類基準が作成中である[16]．

▶ 強皮症では免疫抑制療法を行っている症例も多く，肺炎球菌などの感染症やカルシニューリン阻害薬などの薬剤が TMA の原因となることもあり，それぞれ感染症の治療や薬剤の中止を行う．

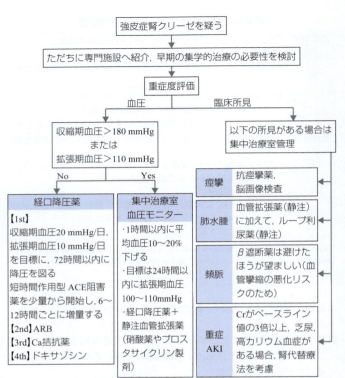

図 6-4　強皮症腎クリーゼ(SRC)治療アルゴリズム

〔Lynch BM, et al.：UK Scleroderma Study Group(UKSSG)guidelines on the diagnosis and management of scleroderma renal crisis. Clin Exp Rheumatol 2016；Suppl 100：106-109[15]）より一部改変〕

3. 治療

▶UKSSG より示された SRC 治療アルゴリズムを図 6-4[15]に示す.

▶SRC の治療は迅速な血圧管理が重要である.

▶高血圧性脳症や心不全を呈している場合は早期の降圧を，それ以外の場合は腎機能の回復を目的として段階的な降圧を図る(収縮期血圧 20 mmHg/日，拡張期血圧 10 mmHg/日)．急速で過度な降圧は腎機能のさらなる悪化を招くため，注意を要する.

▶降圧治療はアンジオテンシン変換酵素(ACE)阻害薬が第一選択である.

▶カプトプリルなどの短時間作用型 ACE 阻害薬を少量（12.5 mg）から開始して，反応をみる．24 時間で収縮期血圧を 20 mmHg 低下させ，2〜3 日以内に収縮期血圧が 140 mmHg 以下になるようにコントロールするのがめやすである．

▶ACE 阻害薬のみで目標を達成できない場合は，他の降圧薬も追加する〔アンジオテンシンⅡ受容体拮抗薬（ARB），Ca 拮抗薬，ドキサゾシン〕．

▶β遮断薬は血管攣縮のリスクから，SSc 患者では通常，避けるのが望ましい．

▶高血圧性脳症など中枢神経症状を認める場合は，急速な血圧管理のため，ACE 阻害薬に加え硝酸薬の静脈内投与などにて降圧を図る．

▶血圧が安定したらエナラプリルなど長時間作用型 ACE 阻害薬に変更する．

▶ARB も ACE 阻害薬同様に RAS 阻害薬であるが，SRC に対する治療効果は証明されておらず，第一選択薬としては推奨されない．ACE 阻害薬に忍容性がない場合は ARB が代替候補となる．

▶正常血圧 SRC においてもカプトプリルを少量から開始・漸増し，血圧をベースラインまで下げる．

▶症例によっては，血漿交換，エンドセリン受容体拮抗薬やプロスタグランジン I_2 製剤（プロスタサイクリン製剤），抗補体薬（エクリズマブ）の有効性も報告されている．

▶ACE 阻害薬による治療法が確立された現在でも，30〜60％の症例で透析療法が導入されるが，血圧が安定したのちに腎機能が回復し，透析療法から離脱する症例も存在する．

▶透析療法が必要となった場合を含め，低血圧が生じない限り ACE 阻害薬は継続することが望ましい．

▶血液透析の場合，AN69 膜と ACE 阻害薬の併用でアナフィラキシー様症状を呈することが報告されており，併用禁忌である．ACE 阻害薬を継続する場合は，使用する透析膜の種類を検討する必要がある．

▶SRC における腎代替療法として腎移植も選択肢となりうるが，腎機能の改善は最長で 18 か月続くことから，SRC の発症早期に腎移植の施行を決定する必要はない．

4. 予防

▶SRC を発症していない SSc に対する ACE 阻害薬の予防効果は認められていない．

▶SRC 発症前から ACE 阻害薬を内服していた SSc では，SRC 発症後の生命予後が有意に不良であることが示されている．

文献

1) Ikeuchi H, et al. : A nationwide analysis of renal and patient outcomes for adults with lupus nephritis in Japan. Clin Exp Nephrol 2022 ; 26 : 898-908

2) Armitage LC, et al. : Screening for hypertension using emergency department blood pressure measurements can indentify patients with undiagnosed hypertension : A systematic review with meta-analysis. J Clin Hypertens (Greenwich) 2019 ; 21 : 1415-1425

3) Erden A, et al. : Performance of the systemic lupus erythematosus risk probability index in a cohort of undifferentiated connective tissue disease. Rheumatology (Oxford) 2022 ; 61 : 3606-3613

4) Bajema IM, et al. : Revision of the International Society of Nephrology/Renal Pathology Society classification for lupus nephritis : clarification of definitions, and modified National Institutes of Health activity and chronicity indices. Kidney Int 2018 ; 93 : 789-796

5) Kidney Disease : Improving Global Outcomes (KDIGO) Glomerular Diseases Work Group : KDIGO 2021 Clinical Practice Guideline for the Management of Glomerular Diseases. Kidney Int 2021 ; 100 (4S) : S207-230

6) Gatto M, et al. : New therapeutic strategies in systemic lupus erythematosus management. Nat Rev Rheumatol 2019 ; 15 : 30-48

7) Nakai T, et al. : Glucocorticoid discontinuation in patients with SLE with prior severe organ involvement : a single-center retrospective analysis. Lupus Sci Med 2022 ; 9 : e000682

8) Miyakis S, et al : International consensus statement on an update of the classification criteria for definite antiphospholipid syndrome (APS). J Thromb Haemost 2006 ; 4 : 295-306

9) 厚生労働科学研究費補助金 (難治性疾患政策研究事業) 難治性血管炎に関する調査研究 (研究代表：針谷正祥)：抗リン脂質抗症候群の治療レジメンの選択. 抗リン脂質抗体症候群・好酸球性多発血管炎性肉芽腫症・結節性多発動脈炎・リウマトイド血管炎の治療の手引き 2020, 診断と治療社, 2020 ; xi

10) Counahan R, et al. : Prognosis of Henoch-Schönlein nephritis in children. Br Med J 1977 ; 2 (6078) : 11-14

11) Johnson RJ, et al. (eds) : Comprehensive Clinical Nephrology. 5th ed, Saunders, 2015

12) LeRoy EC, et al. : Criteria for the classification of early systemic sclerosis. J Rheumatol 2001 ; 28 : 1573-1576

13) 厚生労働科学研究費補助金 難治性疾患等政策研究事業 強皮症・皮膚線維化疾患の診断基準・重症度分類・診療ガイドライン作成事業 (研究代表：尹 浩信)：全身性強皮症診断基準. 平成 28 年度総括・分担研究報告書, 2016

14) van den Hoogen F, et al. : 2013 classification criteria for systemic sclerosis : an American College of Rheumatology/European League against Rheumatism collaborative initiative. Arthritis rheum 2013 ; 65 : 2737-2747

15) Lynch BM, et al. : UK Scleroderma Study Group (UKSSG) guidelines on the diagnosis and management of scleroderma renal crisis. Clin Exp Rheumatol 2016 ; Suppl 100 : 106-109

16) Butler EA, et al. : Generation of a Core Set of Items to Develop Classification Criteria for Scleroderma Renal Crisis Using Consensus Methodology. Arthritis Rheumatol 2019 ; 71 : 964-971

7 血栓性微小血管症

1 疾患概念

▶血栓性微小血管症（TMA）は，①微小血管症性溶血性貧血（破砕赤血球を伴う貧血，ハプトグロビン低下，LDH 上昇，間接ビリルビン上昇などを伴う），②血小板減少，③微小循環障害による臓器障害，を3主徴とする疾患概念である．

▶TMA をきたす疾患の1つとして溶血性尿毒症症候群（HUS）があげられるが，これは TMA の臓器障害のうち，とくに急性腎障害（AKI）を呈する症候群である．

▶このように，臨床像に基づく分類と，病因からの分類とが混在しており，「非典型溶血性尿毒症症候群（aHUS）診療ガイド 2023」では，病因による分類表を提唱している（表 7-1）[1]．

▶わが国の「aHUS 診療ガイド 2023」[1]では，より簡略に TMA を大きく以下の5つに分類している．
①血栓性血小板減少性紫斑病（TTP）
②STEC-HUS：志賀毒素産生性大腸菌（STEC）によるもの
③非典型溶血性尿毒症症候群（aHUS）
④二次性 TMA
⑤その他の TMA

▶疾患により治療法が異なるため，TMA を呈した症例ではできるだけ早期に正確な診断をつけることが必要となるが，疾患によっては除外診断を要する場合もあり，時に困難である．

2 診断

a 血栓性微小血管症（TMA）の診断

▶すべての TMA を引き起こす疾患に対して統一された診断基準はないが，1例として，aHUS の診療ガイド[1]をもとにした検査値のめやすを表 7-2 に示す．

b 血栓性微小血管症（TMA）の診断，分類に伴う注意点

▶発症早期には，表 7-2 に示す3項目をすべて満たしていない場合も

189

表7-1 血栓性微小血管症（TMA）の分類

病因による分類	病因	原因	臨床診断	臨床診断に重要な所見
補体介在性TMA	補体系の障害	遺伝的な補体因子，補体制御因子の異常	aHUS*	補体因子，制御因子の病的遺伝子バリアント ヒツジ赤血球溶血試験陽性，C3低値，C4正常（全例で認めるわけではない）
		自己抗体（抗H因子抗体）		抗H因子抗体の証明
凝固関連TMA	凝固系の異常	DGKE，THBD遺伝子異常		病的遺伝子バリアントの証明
ADAMTS13欠損TMA	ADAMTS13活性著減	ADAMTS13遺伝子異常	先天性TTP（Upshaw-Schulman症候群）	ADAMTS13遺伝子病的バリアント
		自己抗体（抗ADAMTS13抗体）	後天性TTP	ADAMTS13活性著減抗ADAMTS13自己抗体あり
感染症合併TMA	感染症	志賀毒素産生大腸菌（STEC）（O157大腸菌など）	STEC-HUS	血液や便検査でSTEC感染を証明
		肺炎球菌（ノイラミニダーゼ分泌）	肺炎球菌TMA	肺炎球菌感染の証明
二次性TMA	病因は原疾患により異なる	自己免疫疾患	膠原病関連TMA	SLE，強皮症に多い
		造血幹細胞移植	造血幹細胞移植後TMA	病歴および他のTMA原疾患を除外
		臓器移植（腎移植/肝移植など）	臓器移植後TMA	薬剤血中濃度，ウイルス感染，ドナー抗体，生検で拒絶反応所見を確認，aHUSと同様の検査
		悪性腫瘍	悪性腫瘍関連TMA	悪性リンパ腫，胃癌，膵癌などに多い

（次ページへつづく）

表 7-1 つづき

病因による分類	病因	原因	臨床診断	臨床診断に重要な所見
二次性 TMA	病因は原疾患により異なる	妊娠	妊娠関連TMA，HELLP症候群	HELLP症候群は妊娠30週以降に発症し，肝酵素上昇や高血圧の合併が多いが，分娩で改善することが多い．分娩後もTMAが継続する場合はaHUSの可能性を考える
		代謝	コバラミンC代謝異常症	生後1年以内に診断されることが多い 血漿ホモシスチン高値 血漿/尿中メチルマロン酸高値
		薬剤（マイトマイシン，カルシニューリン阻害薬，VEGF阻害薬など）	薬剤性TMA	薬剤使用歴
その他のTMA	病因不明	不明	原因不明のTMA	TMAの3徴を認めるが，発症の原因となる病態がわからない

*凝固関連TMAをaHUSに含めるかに関しては議論があるが，本ガイドではaHUSに含めている．

TTP：血栓性血小板減少性紫斑病，aHUS：非典型溶血性尿毒症症候群，SLE：全身性エリテマトーデス，DGKE：diacylglycerol kinase epsilon，THBD：thrombomodulin，HELLP症候群：hemolysis, elevated liver enzymes, and low platelet count syndrome，VEGF：血管内皮増殖因子

〔厚生労働科学研究費補助金（難治性疾患政策研究事業）「血液凝固異常症等に関する研究班」非典型溶血性尿毒症症候群（aHUS）診療ガイド改定委員会：非典型溶血性尿毒症症候群（aHUS）診療ガイド2023．東京医学社，2023[1]〕

ある．よって過去の検査値と比較し，Hb値，血小板数の減少速度にも注意する．

▶TMA診断は，まず疑うことから始まる．具体的には，血小板減少と貧血を認めた場合に溶血性貧血の可能性を考え，LDHの上昇を伴っているかを判断する．ハプトグロビン低下，網状赤血球増加，末梢血塗抹標本で破砕赤血球を確認し，微小血管症性溶血性貧血の

表 7-2　血栓性微小血管症（TMA）の検査値のめやす

1. 微小血管症性溶血性貧血	・Hb 10 g/dL 未満 ・微小血管症性溶血性貧血は血清 LDH の上昇および血清ハプトグロビンの著減に加え，末梢血塗抹標本での破砕赤血球の存在によって診断される．なお，破砕赤血球を検出しない場合もある
2. 血小板減少	・PLT 15 万/μL 未満
3. 微小循環障害による臓器障害	・腎，神経，消化管，心，血管など全身臓器がターゲットとなりうる

診断を行う．

▶微小血管症性溶血性貧血は血管内溶血であり，脾腫を伴う場合や Coombs 試験陽性の場合は血管外溶血である免疫性溶血性貧血を疑うことになる．

▶TMA の鑑別には病歴の聴取が重要となる．TMA の家族歴，原因不明の AKI から維持透析となった家族歴を聴取した場合は，aHUS の可能性が示唆される．

▶血漿交換などの治療を行う前に，検体（クエン酸血漿，EDTA 血漿，血清）を−80℃で凍結保存しておくことで，後からでも ADAMTS13（a disintegrin-like and metalloproteinase with thrombospondine type 1 motifs 13）活性，ヒツジ赤血球溶血試験，抗 H 因子抗体検査などの検査を行うことができるため，推奨する．

c 志賀毒素産生性大腸菌による溶血性尿毒症症候群（STEC-HUS）の診断

▶TMA の原因が，腸管出血性大腸菌（EHEC）が産生する志賀毒素である場合，STEC-HUS と診断する．

▶STEC 感染を証明するには，便培養検査，便中志賀毒素直接検出法，便中志賀毒素遺伝子の PCR による検出法，血清抗病原性大腸菌 O157 lipopolysaccharide（LPS）-IgM 抗体測定法などが有用である．

▶STEC-HUS は小児に多くみられる．85％程度の症例で鮮血便を認め，腹部膨満と激しい腹痛を呈する．画像検査上，著明な結腸壁，とくに上行結腸の壁肥厚を伴うことが多い．

d 血栓性血小板減少性紫斑病（TTP）の診断

▶TMA のうち，ADAMTS13 活性を測定し，10％未満に著減している

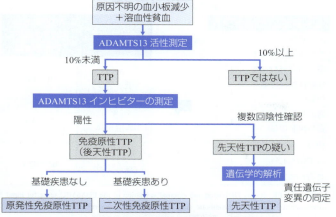

図 7-1　血栓性血小板減少性紫斑病(TTP)診断の流れ

〔Matsumoto M, et al.：Diagnostic and treatment guidelines for thrombotic thrombocytopenic purpura(TTP) 2017 in Japan. Int J Hematol 2017；106：3-15[2])より一部改変〕

症例をTTPと診断する(図7-1)[2].

- ADAMTS13は，血小板の接着にかかわるvon Willebrand因子(VWF)を特異的に切断する酵素である．TTPではその機能不全により小分子化されなかった超高分子量VWF重合体が形成されて血中に蓄積し，微小血管内において過剰な血小板凝集を引き起こすことで血小板血栓が形成される．
- TTPは，①先天的な*ADAMTS13*変異による先天性TTP〔cTTP；congenital TTP；もしくはUpshaw-Schulman症候群(USS)〕と，②後天的なADAMTS13に対する自己抗体による免疫原性TTP(iTTP；もしくは後天性TTP)，に分類される．
- 抗ADAMTS13自己抗体(活性阻害抗体；インヒビター)が陽性であれば，免疫原性TTPと診断する．インヒビターが陰性であれば先天性TTPと診断するが，間隔をあけた2回の採血で2回とも陰性であることを確認するなど，慎重な判断が必要である．
- TTPの特徴として，他のTMAを引き起こす疾患と比較して血小板数の低下が著しいこと，腎障害を伴う割合が低いことがあげられる．
- TTPの可能性を評価するスコアリングシステムとして，Plasmicスコアが提唱されている(表7-3)[3].

表 7-3 Plasmic スコア

項目	ポイント
血小板数 ＜3万/μL	1
溶血所見あり	1
活動性悪性腫瘍がない	1
臓器または幹細胞移植歴がない	1
MCV＜90	1
PT-INR＜1.5	1
血清 Cr＜2.0	1

合計スコア	ADAMTS13 活性 10%以下 である確率
0～4 （低リスク）	0～4%
5 （中等度リスク）	5～24%
6 or 7 （高リスク）	62～82%

〔Bendapudi PK, et al.：Derivation and external validation of the PLASMIC score for rapid assessment of adults with thrombotic microangiopathies：a cohort study. Lancet Haematol 2017；4：e157–e164[3]〕より一部改変〕

e 非典型溶血性尿毒症症候群(aHUS)の診断

▶補体第二経路の制御異常による TMA を，aHUS（補体介在性 TMA）と診断する．

▶図 7-2[4]に，aHUS 診断の流れを示す．

▶補体第二経路には病原体の認識機構が存在せず，つねに C3 が低いレベルで活性化したアイドリング状態にあり，それを補体調節因子がアクセルをかけたりブレーキをかけたりすることで調整している．

▶妊娠・出産や感染症（インフルエンザ，SARS-CoV-2 感染含む），臓器移植などトリガーとなるイベントによって補体調節機構が破綻した場合に，補体が自己の血管内皮細胞を傷害することで血管内血栓形成を引き起こし，TMA を発症する．

▶補体活性化因子の機能獲得変異（CFB，C3），もしくは補体制御因子の機能喪失変異（CFH，CFI，CD46，THBD，DGKE）が存在する症例に，前述のトリガーが加わった際に aHUS が発症すると考えられている．また，抗 H 因子抗体の出現による後天的な H 因子機能低下も原因の 1 つである．補体制御因子に病的変異が認められる場合および抗 H 因子抗体陽性の場合，aHUS の確定診断に至る．

▶2020 年に，補体制御因子の遺伝学的検査が保険収載された．病的変異が認められないケースも4～6割に認められる．その場合は，TMA が確認され，他の TMA を引き起こす疾患が除外された場合に aHUS の臨床診断に至る．時に診断は困難であり，治療を進めると同時に

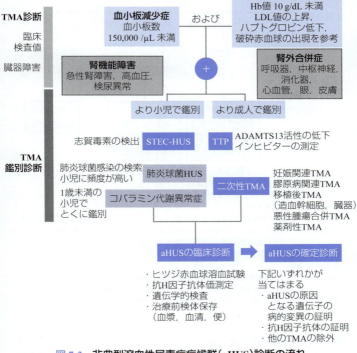

図 7-2 非典型溶血性尿毒症症候群(aHUS)診断の流れ

TMA：血栓性微小血管症，STEC-HUS：志賀毒素産生性大腸菌による溶血性尿毒症症候群，TTP：血栓性血小板減少性紫斑病，aHUS：非典型溶血性尿毒症症候群
疾患頻度に応じて小児と成人で分けて記載しているが，すべて鑑別が必要である．
(Fakhouri F, et al.：Haemolytic uraemic syndrome. Lancet 2017；390：681-696[4])より一部改変)

専門機関と連携をとることが望ましい．
▶ヒツジ赤血球溶血試験は補体機能検査の1つで，遺伝子変異や抗H因子抗体によるH因子の機能異常を早期に検出できる．

f 二次性血栓性微小血管症(二次性 TMA)の診断

▶TMA のうち，膠原病，感染症，薬剤，妊娠・出産，高血圧緊急症，悪性腫瘍，移植，代謝性疾患などの基礎疾患によるものを二次性 TMA と診断する．

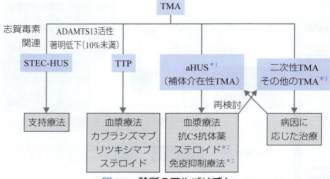

図 7-3　診断のアルゴリズム

[*1] THBD，DGKE 異常によるものを含む
[*2] 抗 H 因子抗体陽性例では考慮される
[*3] 原因不明の TMA を指す

血栓性微小血管症(TMA)の徴候を認めた場合は，志賀毒素産生大腸菌による溶血性尿毒症症候群(STEC-HUS)，血栓性血小板減少性紫斑病(TTP)，二次性 TMA を除外し，非典型溶血性尿毒症症候群(aHUS)の臨床的診断に至る．ただし，aHUS と二次性 TMA の鑑別はしばしば困難であり，治療の経過によって診断の再検討が必要となることがある．

〔厚生労働科学研究費補助金(難治性疾患政策研究事業)「血液凝固異常症等に関する研究班」非典型溶血性尿毒症症候群(aHUS)診療ガイド改定委員会：非典型溶血性尿毒症症候群(aHUS)診療ガイド 2023．東京医学社，2023[1]〕

▶妊娠・出産や感染症が aHUS のトリガーとして働くことが知られており，当初，二次性 TMA と考えられたもののなかには，実際は aHUS であるケースも存在し，両者の鑑別は時に困難である．

▶aHUS 発症の結果，高血圧緊急症が引き起こされることがあり，注意を要する．高齢，男性，過去の高血圧の既往，左室肥大の存在は，より高血圧緊急症を疑う特徴である．

3　治療

▶図 7-3[1]に，TMA 鑑別と治療のフローチャートを示す．

a　志賀毒素産生性大腸菌による溶血性尿毒症症候群(STEC-HUS)

▶基本的には，症例に応じた輸液などの体液管理を中心とした支持療法を行う．感染初期からの等張性輸液製剤の積極的な投与が，AKI の発症予防につながる．

- Hb 6.0 g/dL 以下の貧血を認める場合は，赤血球輸血やエリスロポエチン製剤の投与が推奨されている．血小板輸血は微小血栓の形成を促進する可能性があるので，出血性合併症が危惧される場合以外は原則として推奨されない．
- 急性期に高血圧を呈する場合は，速やかに血圧の適正化を図る．
- 内科的治療に反応しない AKI に対しては，透析療法を行う．
- AKI の増悪を抑制する目的での血漿交換療法の有効性は認められていない．

b 血栓性血小板減少性紫斑病（TTP）

- 後天性 TTP の標準治療は，新鮮凍結血漿（FFP）を置換液とした血漿交換である．ADAMTS13 の補充，ADAMTS13 インヒビターの除去，VWF 重合体の除去が目的となる．血小板数が正常化して 2 日後まで連日施行する．また同時に，自己抗体産生を抑制する目的でステロイドパルス療法，もしくはステロイド大量内服（1 mg/kg/日）のいずれかを選択する．

> **処方例**
> ■ 後天性 TTP に対する血漿交換
> FFP 50〜75 mL/kg を置換液として，1 日 1 回連日，開始後 1 か月を限度として，血小板数が正常化（15 万/μL 以上）して 2 日後まで施行する．

- 後天性 TTP のなかで，血漿交換を 5 回以上行っても血小板数が 5 万/μL に回復しない症例や，いったん回復したのち，再度 5 万/μL 未満に減少する症例では，標準療法に加えてリツキシマブ 1 回 375 mg/m^2 点滴静注を 1 週ごと 4 回まで投与する．
- 2022 年にわが国で，後天性 TTP に対して VWF に対する分子標的薬であるカプラシズマブが承認された．
- 先天性 TTP では，ADAMTS13 の補充目的で FFP の定期輸注が必要な症例から，増悪時のみ FFP 輸注を要する症例まであり，有効な投与量および投与法は症例によって異なる．
- TTP に対する血小板輸血は血栓形成を助長するため，致死的な出血がある場合以外，原則として禁忌である．

c 非典型溶血性尿毒症症候群（aHUS）

- aHUS には早期に確定診断に至る検査法がないため，必要な検査の提出，検体の凍結保存（クエン酸血漿，EDTA 血漿，血清）を行った

うえで，支持療法・全身管理を行い，病状に応じて血漿療法や抗 C5 抗体薬(エクリズマブ・ラブリズマブ)による治療を開始する．

処方例

エクリズマブ(ソリリス®)
1 回 900 mg を週 1 回，計 4 回投与し導入期とする．以降の維持期は，初回投与 4 週間後から 1 回 1,200 mg を 2 週に 1 回投与する．

▶成人 18 歳以上の用法・用量を示す．18 歳未満では，体重ごとに用法・用量が異なるため，添付文書を参照する．

- 血漿療法(血漿交換，血漿輸注)は，補体調節因子の補充，機能異常を呈する補体調節因子の除去，抗 H 因子抗体の除去を目的として行われる．再発予防の維持治療，血漿製剤によるアレルギー，小児におけるバスキュラーアクセスの管理などの問題がある．

- 抗 C5 抗体薬は，補体成分 C5 に結合してその分解を抑制し，C5a・C5b-9 の過剰産生を抑制することで効果を示す補体標的薬である．使用後 1〜2 週間程度で，血小板数の回復や LDH の低下といった溶血性貧血の改善が認められる．

- 莢膜多糖体を形成する細菌の殺菌には補体活性化が重要とされており，抗 C5 抗体薬使用中の感染症には注意が必要である．とくに髄膜炎菌は，その侵襲性から短時間で死亡に至る可能性があり，髄膜炎菌ワクチンの接種が求められる．接種後，抗体価が上昇するまでに 2 週間程度かかるとされ，その間は予防的な抗菌薬投与を行う．

- ともに血漿療法が有効である TTP との鑑別も必要なため，成人ではまず血漿交換を開始し，TMA の鑑別が進んだ時点で，治療継続の必要性がある場合は抗 C5 抗体薬に治療法を移行することが多いが，小児例でカテーテル挿入が困難な場合や，TMA の家族歴や既往歴があり aHUS が強く疑われる場合は，早期から抗 C5 抗体薬使用が検討される．

- 一般的に抗 C5 抗体薬は aHUS に対して著効するため，治療効果を認めない場合は aHUS 以外の TMA を再検討するべきである．その他に，エクリズマブ/ラブリズマブの作用点の多型により，抗 C5 抗体薬不応性を呈する C5 多型の可能性を考える必要がある．

d 二次性 TMA

- 二次性 TMA の場合には，おのおのの病態に対する治療を行う．
- 全身性エリテマトーデス(SLE)による TMA など，血漿療法の適応の

ある疾患もある.

文献

1) 厚生労働科学研究費補助金（難治性疾患政策研究事業）「血液凝固異常症等に関する研究班」非典型溶血性尿毒症症候群（aHUS）診療ガイド改定委員会：非典型溶血性尿毒症症候群（aHUS）診療ガイド2023, 東京医学社, 2023
2) Matsumoto M, et al.：Diagnostic and treatment guidelines for thrombotic thrombocytopenic purpura (TTP) 2017 in Japan. Int J Hematol 2017；106：3-15
3) Bendapudi PK, et al.：Derivation and external validation of the PLASMIC score for rapid assessment of adults with thrombotic microangiopathies：a cohort study. Lancet Haematol 2017；4：e157-e164
4) Fakhouri F, et al.：Haemolytic uraemic syndrome. Lancet 2017；390：681-696

8 腎硬化症・腎血管性高血圧・原発性アルドステロン症・コレステロール塞栓症

1 腎硬化症

▶腎硬化症とは，高血圧の持続により生じる，腎内の動脈硬化性血管病変に基づく腎障害の総称である．

▶腎硬化症は，臨床的には発症形式により良性腎硬化症（高血圧性腎硬化症）と悪性腎硬化症に分けられ，「腎硬化症」とよぶ場合は良性腎硬化症を指すことが多い．

▶良性腎硬化症では，高血圧，加齢などを背景に緩やかに進行する腎機能障害と，比較的軽度な臨床症状を呈する．一方，悪性腎硬化症は，高度の高血圧とともに急速に進行する腎機能障害と，高血圧性網膜症，脳血管障害，心不全などの臨床症状（高血圧緊急症）を呈する．

a 良性腎硬化症（高血圧性腎硬化症）

▶軽～中等度の高血圧が一定期間持続することにより，腎内の動脈硬化性血管病変（小動脈の内膜肥厚と細動脈の硝子化）が生じる．この動脈硬化が進展することで糸球体が虚血性に萎縮・硬化し，腎機能障害を呈する．

1. 臨床症状・疫学

▶自覚症状は軽微なことが多いが，頭痛，動悸，目眩，濃縮力障害による多尿などを訴えることもある．

▶透析導入の原疾患として腎硬化症の占める割合は 16％であり，年々増加傾向である．

▶背景として本態性高血圧があり，その患者数は 4,000 万人ともいわれる．とくに 65 歳以上の高齢者では，2～3 人に 1 人が罹患している．

▶血圧高値の原因として，本態性高血圧と二次性高血圧との鑑別が必要となる．

2. 診断

▶病初期においては，尿潜血は陰性かつ尿蛋白も通常軽度であり，腎機能障害の進行も比較的緩徐である．そのため，推算糸球体濾過量（eGFR）＜60 mL/分/1.73 m^{2}かつ正常～軽度蛋白尿（尿蛋白量＜0.5 g/gCr）の高血圧を呈する患者では，腎硬化症を疑う．

▶心肥大，高血圧性眼底，両腎萎縮などの高血圧性臓器障害を合併する．

▶確定診断は，腎生検にて輸入細動脈の硝子様変化や糸球体硬化の確認を行うことによるが，実際には高齢の症例が多く，すでに腎萎縮を呈していることなどから，長期間の高血圧既往があり，前述の高血圧性臓器障害を認める場合は臨床的に診断されることが多い．

3. 検査

▶尿，血液および血清生化学の一般検査を行う．尿蛋白は尿 Cr 値との比（g/gCr）を用いて定量を行い，0.15 g/gCr 以上を尿蛋白陽性と判断する．

▶血清 Cr 値，年齢，性別などから eGFR を求める．

▶腹部エコー，もしくは腹部 CT で腎臓の形態を評価する．

▶高血圧性臓器障害の評価として，心電図，胸部 X 線，眼底評価，頸動脈エコーを行う．

4. 治療

▶腎機能障害の進行抑制，心血管疾患発症や死亡のリスク軽減のため，血圧管理がもっとも重要である．

▶降圧目標は，蛋白尿陰性例では 140/90 mmHg 未満を目標とする．軽度以上の蛋白尿（尿蛋白量 0.15 g/gCr 以上）を呈する腎硬化症患者では，血圧 130/80 mmHg 未満を目標とする．

▶蛋白尿陰性例では，収縮期血圧 120 mmHg 未満への厳格な降圧は急性腎障害（AKI）のリスクがあるため注意を要する．また 75 歳以上では個々の忍容性に合わせ，150/90 mmHg 未満など慎重な降圧目標を検討する．

▶生活習慣としては，減塩（3 g/日以上 6 g/日未満）と体重のコントロールを指導する．

▶指導後も目標血圧までの降圧がみられない場合には，慢性腎臓病（CKD）の病態にあわせた降圧薬治療を開始する．

▶軽度以上の蛋白尿（尿蛋白量 0.15 g/gCr 以上）を呈する腎硬化症患者の場合は，降圧薬はレニン・アンジオテンシン系（RAS）阻害薬〔アンジオテンシンⅡ受容体拮抗薬（ARB），アンジオテンシン変換酵素（ACE）阻害薬〕を第一選択薬とする．

▶正常蛋白尿（尿蛋白量 0.15 g/gCr 未満）の場合は，RAS 阻害薬（ARB，ACE 阻害薬），Ca 拮抗薬，利尿薬のいずれを第一選択としてもよく，患者の病態に合わせて降圧薬を選択する．

▶なお，75 歳以上の CKD ステージ G4〜5 では，脱水，虚血に対する脆弱性を考慮し，Ca 拮抗薬が推奨される．

▶それぞれの病態にあわせた第一選択薬を使用し，降圧目標が達成できないときには併用療法を行う．

処方例

- 糖尿病，心不全，気管支喘息などの合併症に注意して，①〜④いずれかの薬剤を選択する．

①カンデサルタンシレキセチル（ブロプレス®）
  1日 4〜12 mg 1回

②イミダプリル（タナトリル®）
  1日 5〜10 mg 1回
  🖋初回 5 mg から開始．高齢者には 2.5 mg からの開始を考慮．

③ペリンドプリルエルブミン（コバシル®）
  1日 4〜8 mg 1回
  🖋初回 4 mg から開始．高齢者には 2 mg からの開始を考慮．

④オルメサルタン（オルメテック® OD）
  1日 20〜40 mg 1回
  🖋初回 20 mg から開始．高齢者には 10 mg からの開始を考慮．

- 降圧が不十分な場合は，⑤Ca拮抗薬や⑥利尿薬を追加する．

⑤シルニジピン（アテレック®）
  1日 20 mg 1回

⑥トリクロルメチアジド（フルイトラン®）
  1日 0.5〜1 mg 1回

b 悪性腎硬化症

▶著しい血圧上昇により起こる，腎細小動脈および糸球体病変である．

▶腎硬化症は高血圧による血管病変によって生じる腎実質の硬化が主病態であるが，腎機能障害もさらなる血圧上昇の要因となりうる．悪性腎硬化症では急激な血圧上昇が腎機能障害を惹起し，さらに血圧上昇を引き起こすという悪循環をきたす．

▶高血圧の最重症型であり，腎機能障害のほか，心不全や脳症といった致命的な臓器障害を生じる病態として，近年では高血圧緊急症として包括される．

1. 臨床症状・疫学

▶視力障害，呼吸困難，頭痛，痙攣などの症状で医療機関を受診することが多い．

▶本態性高血圧，二次性高血圧のいずれも原因となる．

2. 診断

▶乳頭浮腫，綿花状白斑，出血といった眼底所見，急速に進行する腎機能障害を特徴とする．

▶ 拡張期血圧 130 mmHg 以上の血圧上昇を認める.

▶ 尿所見は潜血が陽性で, 肉眼的血尿(ワインカラー)を呈することもある. 尿蛋白も陽性であるが, ネフローゼ症候群を呈することは少ない.

▶ 血管内皮障害による血栓形成により, 血栓性微小血管症(TMA)の原因となる.

3. 検査

▶ 尿, 血液および血清生化学の一般検査, 心電図, 胸部 X 線を行う.

▶ 病態に応じて頭部 CT, 胸腹部 CT, 心エコー, 血液凝固検査などを追加する.

▶ 高血圧, 腎疾患, 脳血管疾患, 虚血性心疾患の既往や治療歴, 内服薬, 妊娠の有無を確認する.

▶ 意識レベル, バイタルサイン, 胸部聴診所見, 腹部血管雑音, 神経学的所見などを診察する.

▶ 血圧は両上肢で確認する.

▶ 眼底所見を確認する.

▶ 病理学的所見では, 内皮障害により血管壁の透過性が亢進し, 細小動脈のフィブリノイド壊死と増殖性動脈内膜炎が起こり, 後者は onion-skin lesion を形成する.

4. 治療

▶ 速やかに専門医に紹介し, 降圧を図ることが重要である. 高血圧緊急症に分類される場合は集中治療室, あるいはそれに準じた設備のある病床に入院のうえ治療を行う.

▶ 降圧薬の持続静注により治療を開始する. 初期の降圧目標は拡張期血圧を 100〜105 mmHg に低下させることであるが, 降圧幅は初期値の 25%までとなるよう留意する.

▶ 降圧により腎機能がさらに増悪することがあるが, 通常, 一時的なものである. 安定すれば, 以降は 2〜3 か月かけて 140/90 mmHg 未満, 可能であれば 130/80 mmHg 未満まで徐々に低下させる.

▶ ACE 阻害薬や ARB は有効であるが, 腎機能の低下が起こりやすいので少量から投与し, 血清 Cr 値の変化に注意する. 投与時に腎機能が急速に増悪した場合には, 原疾患として両側性腎血管性高血圧(RVH)を鑑別する.

処方例

■ 降圧治療として①または②を行う.
①ニカルジピン塩酸塩(ペルジピン® 注射液)
　0.5〜6 μg/kg/分 持続静注 効果発現5〜10分 効果持続60分

②ジルチアゼム塩酸塩（ヘルベッサー®注射用）

5〜15 µg/kg/分　持続静注　効果発現 5 分　効果持続 30 分

■ 安定したのちに，経口薬による併用療法（以下の①〜③のいずれか）に切り替えていく．

①ベニジピン塩酸塩（コニール®錠）

1 日 4 mg　1 回

②カルベジロール（アーチスト®錠）

1 日 10〜20 mg　1 回

③ロサルタンカリウム（ニューロタン®錠）

1 日 25 mg　1 回

▶慢性期には経口降圧薬を用い，良性腎硬化症に準じた治療を行う．ただし，腎機能と血清 K 値の綿密なフォローアップが必要となる．

2 腎血管性高血圧

▶RVH は腎動脈の狭窄や閉塞により血圧上昇をきたす疾患であり，治療抵抗性高血圧の原因となる．

▶診断は腎動脈エコー検査がスクリーニングとして有用であり，施行できない場合は腎機能に応じて MRA（MR angiography），CTA（CT angiography）を行う．

▶治療としては，適切な内服治療による血圧コントロール，もしくは血管形成術を行う．ただし，両側性 RVH に対する RAS 阻害薬の使用は原則禁忌である．

▶とくに線維筋性異形成（FMD）による腎動脈狭窄に関しては，可能ならば経皮的腎血管形成術（PTRA）を考慮する．

a 臨床症状・疫学

▶RVH は腎動脈の狭窄あるいは閉塞による腎灌流圧の低下により高血圧を呈する疾患である．二次性高血圧の主要な原因となり，重症高血圧や腎不全の原因疾患でもある．

▶中高年者では粥状動脈硬化，若年者では FMD によるものが多く，動脈炎症候群（高安動脈炎）も少なくない．その他の原因疾患として，動脈瘤，塞栓症，動静脈奇形，解離性大動脈瘤などがある．

▶RVH の頻度は高血圧患者の約 1％とされるが，腎動脈狭窄の罹患頻度は原因や合併疾患によって異なる．粥状硬化性腎動脈狭窄（ARAS）の罹患頻度は加齢とともに高くなり，とくに虚血性心疾患，

表 8-1 腎血管性高血圧（RVH）が示唆される所見

- ・家族歴のない若年発症の高血圧
- ・高血圧の急速な悪化
- ・治療抵抗性高血圧
- ・悪性高血圧
- ・RAS 阻害薬開始後の腎機能増悪
- ・説明のつかない腎機能増悪
- ・腎萎縮または腎サイズの左右差（1.5 cm 以上）
- ・説明のつかない突然発症型肺水腫
- ・脳心血管病の合併
- ・腹部の血管雑音
- ・夜間多尿
- ・低カリウム血症

RAS：レニン・アンジオテンシン系

脳卒中，心不全や末梢血管疾患を合併した症例では多くなる．また，FMD は若中年女性に多いという特徴がある．

b 診断

1. 疑うべき症例

▶RVH が示唆される所見を表 8-1 に示す．

▶そのほか，糖尿病既往も重要である．

▶近年は高齢化，糖尿病，脂質異常症の増加により ARAS が増加しており，これらの要素をもつ症例にも注意が必要である．

2. 検査（表 8-2）

▶スクリーニングとしては，腎動脈エコー検査（Duplex エコー法）を行う．ただし，小児においては，狭窄部位は腎実質内や第 2 分枝より遠位部で認めることが多く，診断確定のためには有用といえない点に注意する．

▶エコー検査が施行できない場合は，腎機能に応じて MRA，CTA を行う．

▶MRA に用いるガドリニウムは，腎機能障害患者では全身の線維化をきたし，時に致死的となるため，GFR が 30 mL/分/1.73 m^{2}未満では投与しない．

▶機能的狭窄が示唆される場合には血管造影（DSA）にて確定診断し，適応があれば PTRA やステント留置を行う．

▶従来行われてきた機能検査は，現在，スクリーニングに適さないという意見が多く，補助的に使用する．

表 8-2 確定診断のための検査

形態学的検査 (スクリーニング)	スクリーニングには非侵襲的検査が推奨される. ・エコー検査で腎サイズの左右差が 1.5 cm 以上の症例では,腎動脈狭窄症の疑いが強い. ・エコードプラで収縮期最高血流速度(PSV)が 180 cm/秒以上,あるいは腎動脈と大動脈の PSV 比(RAR)が 3.5 を上回る場合にも腎動脈狭窄症が強く疑われる. ・CTA やガドリニウム増強 MRA の有効性が示されている.
機能的検査	・カプトプリル負荷レノグラフィ・レノシンチグラフィ
確定診断	・腎動脈狭窄の機能的意義が高いと判断された場合,血管造影検査および血行動態検査を行う. ・以下に該当する場合は機能的に有意な狭窄であり,血管形成術の適用である. 　　①血管造影所見において狭窄率 50〜70% 　　　かつ最大圧較差 20 mmHg 以上(あるいは平均圧較差 10 mmHg 以上) 　　②狭窄率 70% 以上(IVUS 所見でも可)

IVUS：血管内エコー法

c 治療

▶降圧薬を中心とした適切な降圧管理を行い,動脈硬化性病変を進行させないという薬物治療と,狭窄部に直接介入し拡張させるという血管形成術があげられる.血管形成術には PTRA,外科的バイパス手術によるものがある.いずれの治療法を選択した場合でも,血清 Cr 値の推移や腎動脈エコーなどを定期的に観察する必要がある.

1. 薬物療法

▶降圧薬を中心とした薬物治療は,動脈硬化性病変を進行させないことを目標に行う.また,減塩,適正体重の維持,節酒,禁煙など生活習慣の指導も重要である.

▶とくに血圧がコントロールされ,腎機能が安定し,肺水腫なども認めない症例では,内科的治療に血管形成術を併用する優位性は認められていない.

▶RAS 阻害薬,Ca 拮抗薬,β 遮断薬などが有効であるが,昇圧機序にレニン・アンジオテンシン・アルドステロン(RAA)活性が大きくかかわっていること,動脈硬化性腎動脈狭窄患者は冠動脈疾患,心不全などのハイリスク患者と考えられることから,RAS 阻害薬は積極的適応となる.ただし,両側腎動脈狭窄症例では RAS 阻害薬と直接的レニン阻害薬(DRI)は禁忌となる点に注意する.

表 8-3　経皮的腎血管形成術(PTRA)の施行を検討すべき基準

JSH2019	血行動態的に有意な腎動脈狭窄症を有し，かつ ①線維筋性異形成を原因とする症例 ②治療抵抗性高血圧 ③増悪する高血圧・悪性高血圧を認める症例 ④原因不明または繰り返す肺水腫・心不全 ⑤両側性または片腎での腎動脈狭窄
AHA/ACC	①治療抵抗性高血圧・腎機能の増悪・難治性心不全などのために薬物治療が困難な症例 ②線維筋性異形成を原因とする症例
ESC	①高血圧・腎機能障害のいずれかを合併した線維筋性異形成を原因とする症例 ②原因不明の繰り返す心不全・急激に増悪する肺水腫を合併する粥状動脈硬化症を原因とした症例

JSH2019：高血圧治療ガイドライン 2019，AHA/ACC：米国心臓協会ガイドライン/米国心臓病学会，ESC：欧州心臓病学会

▶経過では，エコードプラやシンチグラフィなどで左右の腎機能を定期的にフォローアップする．とくに ARAS の場合は，健側の腎動脈に狭窄が出現する可能性があるので，最低でも年 1 回は検査する．

▶腎機能が急速に低下した場合は，両側腎動脈狭窄や脱水などの病態を鑑別する．

▶HMG-CoA 還元酵素阻害薬(スタチン)も動脈硬化性腎動脈狭窄患者の総死亡率，心血管イベントの抑制などに寄与するため，併用を考慮する．また，抗血小板療法の併用も検討する．

> **処方例**
> ■ RVH の治療として，①または②を行う．
> ①オルメサルタンメドキソミル(オルメテック®)
> 　1 日 20 mg　1 回
> ②アムロジピンベシル酸塩(ノルバスク®)
> 　1 日 5 mg　1 回
> ■ 降圧が不十分なら，③β遮断薬などを追加する．
> ③カルベジロール(アーチスト®)
> 　1 日 10 mg　1 回
> ☛ただし少量より開始し，徐々に増量する．

2. 血管形成術

▶有意狭窄と判定された場合は，血管形成術を考慮する(表 8-3)．と

くに血圧コントロール不良例，急速な腎機能悪化を認める症例では，薬物治療との併用を検討する．

▶手技的に困難でない限り，ステント留置に対してPTRAが優先される．

▶手技の適応は，背景がFMDと粥状動脈硬化の場合で異なり，FMDによる腎動脈狭窄に関しては，可能ならばPTRAを考慮する．とくに，若年で血圧上昇の経過が短い症例では，治癒率が高いとされる．

▶粥状動脈硬化症では，降圧薬単独治療と比べて血管形成術の優位性は示されておらず，適応の検討には注意が必要である．高度狭窄症例など効果が期待できる症例もあり，各学会の施行考慮基準を参考に，症例ごとに施行を検討する（表8-3）．

▶PTRA後にはアスピリンなどによる抗血小板療法を行う．

3 原発性アルドステロン症

▶原発性アルドステロン症（PA）は，アルドステロンの自律的分泌と，これに伴う血漿レニン活性（PRA）低値を特徴とし，体液量の増加・血圧高値を呈する疾患である．

▶PAは同等の血圧レベルの本態性高血圧と比較して，さらに高い心脳血管病およびCKDリスクを有するため，その早期発見と早期治療はきわめて重要である．

▶PAの治療は，通常，片側性のアルドステロン産生副腎腫（APA）と，両側性の両側副腎皮質過形成（BAH）で異なる．

a 臨床症状・疫学

▶アルドステロンの過剰分泌により，体液量の増加・血圧高値を認める疾患であるが，特徴的な臨床所見はない．エスケープ現象のため浮腫も認めないことが多い．

▶二次性高血圧の主要な原因であり，高血圧患者の実に3～30%程度を占めるといわれている．

▶病理学的にはBAHとAPAに大別でき，BAHによる症例のほうが多い．

▶一方で，APAではBAHよりも高いアルドステロン活性を認め，臓器障害も強い傾向にある．

▶合併症としては，睡眠時無呼吸症候群の頻度が高い．重症の高血圧患者（とくに若年・壮年）や血圧管理困難例，血圧が変動しやすい患者では積極的にスクリーニングを行う必要がある．

表8-4 スクリーニング検査が推奨される原発性アルドステロン(PA)有病率の高い高血圧群

- ・低カリウム血症(利尿薬誘発性も含む)合併高血圧
- ・若年者の高血圧
- ・Ⅱ度以上(中等症・重症)の高血圧
- ・治療抵抗性高血圧
- ・副腎偶発腫瘍を伴う高血圧
- ・若年の脳血管障害合併例
- ・睡眠時無呼吸を伴う高血圧

〔日本高血圧学会高血圧治療ガイドライン作成委員会:高血圧治療ガイドライン2019. ライフサイエンス出版. 2019:186[1]〕

b 診断

1. 疑うべき症例

▶特徴的な臨床所見はなく,低カリウム血症の合併も1/4程度にとどまる.

▶そのため高血圧患者のうち,表8-4[1]に示すPA有病率の高い群に関しては,採血によるスクリーニングが推奨される.また,第一近親者がPA患者の場合もスクリーニングを検討する.

2. 検査

1) スクリーニング

▶スクリーニングでは,PRA(ng/mL/時)または血漿レニン濃度(ARC:pg/mL)と,血漿アルドステロン濃度(CLEIA法)(PAC:pg/mL)を早朝~午前中に採血し,その比〔PAC/PRA;アルドステロン/レニン比(ARR)〕を測定する.

▶近年,スクリーニング検査および機能確認検査に関して,PACの測定方法の全国的な変更に伴い基準値が変更になったほか,暫定陽性域が新設された(表8-5)[1,2].

▶スクリーニング採血は,未治療,早朝空腹時,30分の安静臥床後に行うことが望ましい.ただし実臨床において,実施規定を厳密に守ってスクリーニング採血を行うことは困難な場合が多いため,頻度の高い疾患であることも加味し,初回スクリーニングのための採血は随時条件で行うことも検討される.

▶すでに治療が開始されている,もしくは治療が必要なときは,内服薬をCa拮抗薬とα遮断薬に変更し,検査を進める.ARB,ACE阻害薬,利尿薬,β遮断薬は2週間の中止,ミネラルコルチコイド受容体(MR)拮抗薬は4週間の中止が推奨される.変更・中断が困難な場合は,降圧薬の影響を考慮したうえで測定を行う.

表 8-5　**機能確認検査の種類と概要**

機能確認検査	方法	副作用	
スクリーニング 陽性基準	早朝もしくは午前中に安静時採血	特記なし	
カプトプリル試験	カプトプリル 50 mg 経口投与	血圧低下	
フロセミド立位試験	フロセミド 40 mg 静注・2 時間立位	起立性低血圧 血清 K 低下	
生理食塩水負荷試験	生理食塩液 2 L/4 時間点滴静注	血圧上昇 血清 K 低下 心・腎機能低下例は実施しない	
経口食塩負荷試験	外来にて 24 時間蓄尿[*2]	血圧上昇，心不全	

[*1] PAC(CLEIA)は CLEIA 法で測定した PAC.

[*2] PAC(CLEIA)を用いて算出した ARR.

[*3] 症例ごとに個別に検査・治療方針を判断〔PAC(RIA 法)による AR 200 はおおむね PAC(CLEIA 法)による ARR 100 に相当する. 当面の間，境界域も暫定的に陽性とし，患者ニーズと臨床所見(とくに低カリウム血症や副腎腫瘍の有無)を考慮して総合的に検査・治療方針を決定する〕.

[*4] 症例ごとに個別に検査・治療方針を判断〔PAC(RIA 法)60 pg/mL は PAC(CLEIA 法)では 60 より低くなるが，測定キット間での差異が十分に検証できていないため暫定的に境界域を設ける. 境界域の場合は当面は暫定的に陽性とし，高血圧の重症度，

2) 機能確認検査

▶スクリーニング検査で陽性・境界域であった場合，確定診断はカプトプリル試験(もっともよく用いられている)，フロセミド立位試験，生理食塩水負荷試験，経口食塩負荷試験のいずれかを行う.

▶少なくとも 1 つ以上での確認が推奨されているが，1 つが陰性であったとしても PA は確実には否定できないことから，個々の症例に応じて追加の検査を検討する(表 8-5)[1,2].

3) 病型局在検査

▶機能確認検査が陽性で手術希望があり，かつ手術適応がある場合には，病変が片側性か両側性かの病型診断を行う.

陽性判定基準

①PAC（CLEIA）[*1]/PRA 比（ARR）≧200 かつ PAC（CLEIA）≧60 pg/mL
ただし ARR[*2] 100～200 を ARR 境界域とし，PAC（CLEIA）≧60 pg/mL を満たせば暫定的に陽性とする[*3]

②PAC（CLEIA）/ARC 比（ARR）≧40 かつ PAC（CLEIA）≧60 pg/mL
ただし ARR[*2] 20～40 を ARR 境界域とし，PAC（CLEIA）≧60 pg/mL を満たせば暫定的に陽性とする

①負荷後（60 分または 90 分）で PAC（CLEIA）/PRA 比（ARR）≧200
ただし ARR[*2] 100～200 を ARR 境界域とし，暫定的に陽性とする[*3]

②負荷後（60 分または 90 分）で PAC（CLEIA）/ARC 比（ARR）≧40
ただし ARR[*2] 20～40 を ARR 境界域とし，暫定的に陽性とする[*3]

PRAmax≦2.0 ng/mL/時

負荷後（4 時間）で PAC（CLEIA）≧60 pg/mL
ただし PAC（CLEIA）12～60 pg/mL を PAC 境界域とし，暫定的に陽性とする[*4]

尿中アルドステロン（CLEIA）＞6 μg/日[*5][*6]
（ただし，尿中 Na＞170 mEq/日）

　低カリウム血症や副腎腫瘤の有無などを考慮して総合的に判断する〕．
[*5]ルミパルス® で測定した場合の CLEIA 法によるアルドステロン測定値．
[*6]1 日尿量を 1.5 L とした場合の参考値．本試験に関する CLEIA 法測定値によるエビデンスは未確立．
〔日本高血圧学会高血圧治療ガイドライン作成委員会：高血圧治療ガイドライン 2019．ライフサイエンス出版，2019：187[1]/日本内分泌学会「原発性アルドステロン症診療ガイドライン策定と診療水準向上」委員会（編）：原発性アルドステロン症診療ガイドライン 2021．日本内分泌学会（監），診断と治療社，2021[2]をもとに著者作成〕

▶画像診断では副腎 CT が有用であり，副腎静脈サンプリングの成功率を向上させるため，副腎静脈を描出する thin slice（1～3 mm スライス）での造影 CT を行う．PA の副腎腫瘤は，典型的には造影効果のない低吸収性の腫瘤として描出される．

▶造影剤アレルギーなどで造影 CT の施行が困難な場合は，MRI を行う．

▶アドステロールシンチグラフィは偽陽性・偽陰性率が高く，局在診断には適さない．

▶CT で片側性に腫瘤を認める場合も，加齢とともに非機能性腫瘤の可能性が高くなるため，副腎摘出術を検討する場合には原則として副腎静脈サンプリング（AVS）を行い，片側性・両側性を確認したう

えで治療方針を検討する(図 8-1)[2].

c 治療

- PA の治療は片側性か両側性かにより異なる.
- 片側性の場合は腹腔鏡下での副腎摘出術が原則である. アルドステロン過剰を正常化させ, 高血圧の治癒あるいは降圧薬の減量が期待できるが, 罹患期間・重症度・本態性高血圧の合併などにより, 術

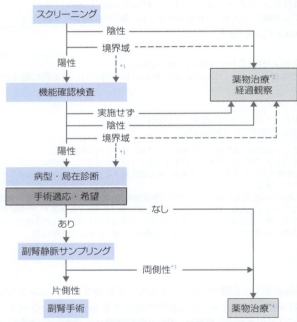

図 8-1 原発性アルドステロン症(PA)診療のアルゴリズム

[*1] 境界域(暫定陽性)の場合は患者のニーズ, 臨床所見(低カリウム血症や副腎腫瘍の有無など)を考慮して個別に方針を決定.
[*2] PA の典型的所見を呈する例では, ミネラルコルチコイド受容体拮抗薬の使用を検討.
[*3] 両側性の PA で薬物治療が不十分な場合は手術も考慮.
[*4] ミネラルコルチコイド受容体拮抗薬を主とする降圧治療.

〔日本内分泌学会「原発性アルドステロン症診療ガイドライン策定と診療水準向上」委員会(編):原発性アルドステロン症診療ガイドライン 2021. 日本内分泌学会(監), 診断と治療社, 2021[2]より一部改変〕

後の血圧正常化率は 30〜40%とされる.
- 両側性あるいは片側性でも患者が手術を希望しない場合,または手術が不可能な場合は MR 拮抗薬にて治療を行う. MR 拮抗薬のみでは血圧管理が不十分な場合は,Ca 拮抗薬,利尿薬のほか,高カリウム血症に注意しつつ,ACE 阻害薬,ARB を併用する.

> **処方例**
> - 両側性の PA,あるいは片側性でも手術希望のない患者には,MR 拮抗薬を投与する.
>   エプレレノン(セララ®)
>   1 日 25〜100 mg 1 回
> - 重度腎機能低下例ではエプレレノンは使用できないため,スピロノラクトンを 1 日 25〜100 mg 1 回で投与する.
> - 降圧が不十分な場合は,Ca 拮抗薬などを追加する.
>   ニフェジピン徐放薬(アダラート® CR)
>   1 日 20 mg 1 回

4 コレステロール塞栓症

- コレステロール塞栓症(CCE)は,大動脈および大血管の動脈硬化性プラークの破綻によりコレステロール結晶が飛散し,その部位より末梢の直径 150〜200 μm の小動脈を閉塞し,多臓器障害をきたす疾患である.
- 血管内カテーテルなどの刺激によるプラークの破綻が誘因となることが多いが,特発性のこともある.
- 1 度に大量のコレステロール結晶が放出されると AKI を生じるが,少しずつ反復性に放出されると,数週間かけて腎機能が低下する.
- 広範な動脈硬化病変をもち,さまざまな合併症が併発している高齢者に発症することが多く,予後は不良である.

a 病態

- CCE による臓器障害は,コレステロール結晶が小動脈に微小塞栓を生じることで発症する.
- 塞栓による機械的な閉塞に伴う虚血性障害に加えて,コレステロール結晶によりインフラマソームが惹起されることも関与する.
- 臨床症状は,非特異的な軽症例から,多臓器に障害をきたす重症例まで多彩である. 重篤な症状は大量のコレステロール塞栓が遠位側

に放出されたときに起こる.

▶腹部大動脈, 腸骨動脈, 大腿膝窩動脈にある動脈硬化病変のアテロームが塞栓源となることが多い.

▶大動脈にプラークの多い症例に対しては, 上腕動脈や橈骨動脈からカテーテル検査を行うことも検討する.

▶塞栓部位となる小動脈は, 腎, 腸間膜, 腸骨動脈などである.

▶コレステロール結晶は不溶性であり, 数か月にわたり局所にとどまるといわれている. コレステロール結晶の周囲には遊走細胞が集まり, 数日後には血栓形成, 内皮細胞増殖や線維化が生じる. その後, 巨細胞や平滑筋細胞にコレステロール結晶が包まれるとともに, 炎症・閉塞が生じる.

b 症状

1. 皮膚症状

▶古典的には blue toe(下肢先端のチアノーゼ)をきたすとされているが, 頻度は必ずしも高くなく, 網状皮斑のほうが頻度が高い.

▶潰瘍, 壊疽, 紫斑や点状出血, 小結節をきたすこともある.

2. 腎障害

▶カテーテル検査後の CCE の発症頻度は 1.4%で, 腎機能障害をきたした頻度は 0.9%という報告がある.

▶1 週間以内に発症する急性型, 数週〜数か月かけて進行する亜急性型, 慢性の緩徐な経過で進行する慢性型などさまざまである.

▶腎機能障害が生じた場合には 30〜60%程度が透析を要し, このうち透析を離脱できるのは 20〜40%程度と報告されている.

▶カテーテル検査などで造影剤を用いた場合には, 造影剤腎症との鑑別が必要である(表 8-6).

▶腎臓では弓状動脈から糸球体毛細血管に至るまで, さまざまな部分に塞栓が生じる.

▶腎生検や皮膚生検では, コレステロール結晶は組織固定の段階で融解するため, cleft(小動脈における針状, 半月状の隙間)を認める.

▶腎梗塞の場合は, 側腹部痛や肉眼的血尿, 低比重リポ蛋白(LDL)上昇を伴う.

3. その他

▶腹痛, 下痢, 消化管出血などの消化器症状を伴うことがあるが, 内視鏡所見は非特異的である.

▶腸管の塞栓症をきたした場合は予後不良である.

▶網膜細動脈の塞栓により, 失明と鮮黄色の網膜斑(Hollenhorst 斑)を

表 8-6　コレステロール塞栓症（CCE）と造影剤腎症の鑑別（CCE を疑う所見）

①血管内治療後，数日～数週間後に遷延性かつ進行性に腎機能が低下する．
②腎障害は一般的に不可逆的で，進行性の経過をたどる．
③腎機能障害だけではなく，多臓器障害をきたす．
④全身の塞栓症状として，下肢の網状皮斑，チアノーゼあるいは blue toe などの皮膚症状を認める．
⑤発熱，関節痛，全身倦怠感，好酸球増多，CRP 上昇，血清補体の低下や赤沈亢進など，血管炎類似所見を認める．

きたすことがある．
▶急性心筋梗塞や脳梗塞を発症することもある．
▶熱発や筋肉痛，頭痛，体重減少など非特異的症状を呈するものもある．

c　診断

▶診断基準は確立されていない．診断には CCE を疑うことが第一である．
▶皮膚症状と腎機能障害を伴っている場合の診断は容易であるが，これらが両方揃うことは少ない．
▶発熱，関節痛，全身倦怠感，好酸球増多，CRP 上昇，血清補体の低下や赤沈亢進など，血管炎類似の所見を呈する．
▶腎機能障害を伴う場合は，血清 Cr 値の上昇に加えて，尿中に好酸球を認めることがある．
▶経食道エコーで大動脈プラークが 4 mm 以上あり，内腔に突出していたり潰瘍を形成していたりするものは，CCE 発症のリスクが高い．

d　治療

▶予後不良で，1 年死亡率は約 60～80％という報告もあるが，集学的治療により 13％まで改善されるとする報告もある．
▶コレステロール結晶は不溶性のため，溶解させる治療法はない．
▶抗凝固薬が CCE を惹起することが懸念されてきたが，その関連性を示すエビデンスはないため，抗凝固薬の中止は必須ではない．
▶発症を予防することが大切であり，発症後は臓器障害を改善させる，あるいは，さらなる悪化を防ぐための支持療法が主体となる．
▶CCE 予防には血圧管理，スタチンによる LDL 管理，血糖管理，禁煙が重要である．
▶スタチンはプラーク安定化作用も有する．

▶AKI をきたした場合は副腎皮質ステロイド治療も考慮する.

▶初期投与量はプレドニゾロン換算で 0.3～0.5 mg/kg とされているが, 投与期間, 減量方法, 中止基準に一定の見解はない.

▶LDL アフェレシスが有効との症例報告があるが, 保険適用外である.

文 献

1) 日本高血圧学会高血圧治療ガイドライン作成委員会：高血圧治療ガイドライン 2019. ライフサイエンス出版, 2019

2) 日本内分泌学会「原発性アルドステロン症診療ガイドライン策定と診療水準向上」委員会（編）：原発性アルドステロン症診療ガイドライン 2021. 日本内分泌学会（監）, 診断と治療社, 2021

9 単クローン性免疫グロブリン（M 蛋白）関連腎症

1　疾患概念

a　M 蛋白血症（monoclonal gammopathy）とは

▶ 形質細胞，あるいは B 細胞の異常増殖により産生される単クローン性（monoclonal）の異常な免疫グロブリン（＝M 蛋白）が血中に増加することであり，パラプロテイン血症ともよばれる．

▶ M 蛋白は軽鎖，重鎖，免疫グロブリンそのものに分類され，蛋白電気泳動法，免疫固定法（免疫電気泳動法），血清遊離軽鎖（free light chain）測定により同定される．

b　M 蛋白に関連する腎障害の機序

▶ M 蛋白の種類により，①免疫グロブリンの断片（軽鎖，重鎖など）による障害，②免疫グロブリン自体の沈着による障害，③免疫グロブリンの線維形成や重合による障害，に大きく分けられる（表 9-1）．

▶ M 蛋白の種類によって組織への親和性が異なり，糸球体に沈着するもの，糸球体で濾過後に尿細管管腔内で円柱を形成するもの（cast

表 9-1　単クローン性免疫グロブリン（M 蛋白）関連腎症の分類

A．免疫グロブリンの断片による障害	1．軽鎖円柱症（light chain cast nephropathy，骨髄腫腎） 2．単クローン性免疫グロブリン沈着症（MIDD） 　①軽鎖沈着症（LCDD） 　②軽鎖重鎖沈着症（LHCDD） 　③重鎖沈着症（HCDD）
B．免疫グロブリン自体の沈着による障害	1．単クローン性 IgG 沈着型増殖性糸球体腎炎（PGNMID）
C．免疫グロブリンの線維形成や重合による障害	1．AL アミロイドーシス（AH アミロイドーシス：まれ） 2．細線維性糸球体腎炎（FGN） 3．イムノタクトイド糸球体症（ITG） 4．クリオグロブリン血症 5．crystalglobulin-induced nephropathy
D．その他	1．POEMS 症候群 2．原発性マクログロブリン血症

nephropathy），再吸収されて尿細管基底膜に沈着するもの，腎内の細・小動脈に沈着するもの，また，それら複数の部位にまたがって沈着するものがある.

▶最近，骨髄腫やB細胞性悪性腫瘍の定義を満たさない，形質細胞あるいはB細胞の小さなクローンから産生されるM蛋白関連腎臓病の総称であるMGRS（monoclonal gammopathy of renal significance）という概念が提唱されている（ Side memo 参照）.

2 軽鎖円柱腎症

▶軽鎖円柱腎症（light chain cast nephropathy）は骨髄腫を合併していることが多く，骨髄腫腎（myeloma kidney）ともよばれる.

▶尿中単クローン性遊離軽鎖（Bence Jones 蛋白）が近位尿細管での再吸収能を上回って流出し，Henle のループ上行脚から分泌されるTamm-Horsfall 蛋白と結合し，尿細管閉塞，尿細管毒性を引き起こして生じる腎障害である.

▶脱水，高カルシウム尿症，酸性尿，尿路感染，ループ利尿薬，造影剤，非ステロイド性抗炎症薬（NSAIDs）は増悪因子となる.

a 臨床像

▶急性腎障害（AKI），慢性腎臓病（CKD），種々の尿細管障害を呈する.

▶試験紙法では尿中 Bence Jones 蛋白は検出できないため，40 歳以上の腎機能低下患者で原因不明の場合，あるいは試験紙法では尿蛋白

Side memo

MGRS（monoclonal gammopathy of renal significance）の重要性

MGUS（monoclonal gammopathy of undetermined significance）に関連した腎障害は，治療薬の進歩により改善する余地があることがわかってきたことから，腎保護のためにも早期に治療介入すべきM蛋白血症として，純粋な MGUS とは区別した，MGRS という概念が提唱された.

MGRS を疑った場合は，M蛋白の同定，骨髄検査（穿刺，生検），リンパ節や骨病変の画像評価，フローサイトメトリーを用いた腫瘍細胞の精査を血液内科医，病理医と連携のうえで行う.腎臓学的には，一般的な腎炎・ネフローゼのスクリーニングに加え腎生検を行い，MGRS 関連腎病変をしっかり鑑別していくことが重要である.

が乏しく尿蛋白定量検査では検出されている場合は，一度，Bence Jones 蛋白を確認しておいたほうがよい．

b 腎病理

▶尿細管管腔内にエオジン好性の円柱が充満するとともに，それを取り囲むように巨細胞の出現，尿細管上皮の変性，脱落をみる．周囲間質には浮腫や炎症を伴うことがある．

▶蛍光抗体法にて形成された円柱のκ鎖，λ鎖の染色性には偏りがある．

c 治療

▶円柱形成による尿流量低下，合併症としての高カルシウム血症の補正のため，補液を行う．

▶著しい高カルシウム血症に対しては，ビスホスホネート製剤の投与を考慮する．

▶NSAIDs，アンジオテンシン変換酵素（ACE）阻害薬，アンジオテンシンII受容体拮抗薬（ARB）を内服している場合は中止する．

▶ボルテゾミブとデキサメタゾンを中心とした化学療法を行う．

▶循環血液中の遊離軽鎖除去を目的に，血漿交換，二重濾過血漿交換を考慮する．

3 　単クローン性免疫グロブリン沈着症

▶単クローン性免疫グロブリン沈着症（MIDD）は，糸球体に，①軽鎖のみ沈着する軽鎖沈着症（LCDD），②軽鎖と重鎖がともに沈着する軽鎖重鎖沈着症（LHCDD），③重鎖のみ沈着する重鎖沈着症（HCDD），の3病型がある．

▶MIDD のなかでは LCDD の頻度がもっとも高く，LHCDD，HCDD の順に頻度が低くなる．

▶血液学的診断としては，64%が MGRS，34%が症候性骨髄腫，1%が原発性マクログロブリン血症と報告されている．

▶LCDD ではκ鎖型が 80%を占め，λ鎖型優位の AL アミロイドーシスとは異なる．

a 臨床像

▶多くは蛋白尿やネフローゼ症候群を呈する．

▶HCDD では低補体血症を伴うことがある．

▶cast nephropathy の合併により，AKI を呈する場合もある．

219

b 腎病理

▶典型例では，糖尿病性腎症に類似した結節性糸球体硬化症の所見を呈する．

▶Congo-red 染色もしくは DFS（direct fast scarlet）染色は陰性である（アミロイドーシスでは陽性）．

▶蛍光抗体法にて，LCDD では単一の軽鎖のみが陽性であり，κ 鎖，λ 鎖の染色性の偏りが診断の手がかりとなる．LHCDD では単一の重鎖（IgG）と軽鎖，HCDD では単一の重鎖（IgG）のみが陽性となる．なお HCDD では，用いる抗体の認識部位に注意が必要である．

▶電子顕微鏡（電顕）にて，基底膜内皮下に帯状の微細顆粒状の沈着物を認める．

c 治療

▶確立した治療法はないが，骨髄腫に準じて行う．

▶ボルテゾミブを中心とした化学療法や，自家幹細胞移植併用大量メルファラン療法などが試みられている．

▶腎移植後の再発の可能性が高く，化学療法もしくは自家幹細胞移植を行う場合にのみ腎移植を考慮する．

4 単クローン性 IgG 沈着型増殖性糸球体腎炎

▶単クローン性 IgG 沈着型増殖性糸球体腎炎（PGNMID）は，単クローン性の免疫グロブリン自体が糸球体に沈着する，増殖性糸球体腎炎である．

▶断片化した免疫グロブリンが沈着する MIDD とは異なり，完全な形の免疫グロブリンが沈着する点が特徴である．

▶糸球体に沈着する単クローン性免疫グロブリンは IgG3-κ の頻度がもっとも高いが，他のサブクラスもみられ，また最近では IgA や IgM の報告もみられる．

a 臨床像

▶尿蛋白，尿潜血といった腎炎様の尿所見を認める．ネフローゼ症候群に至ることも多い．

▶MIDD とは異なり，血中・尿中の M 蛋白は検出されないことが多く，必ずしも M 蛋白血症に関連した疾患ではない．

▶腎移植後の再発性腎炎としての報告も多い．

b 腎病理

▶光学顕微鏡(光顕)像は膜性増殖性糸球体腎炎型をとることが多いが，メサンギウム増殖型，管内増殖型，膜性腎症型など，糸球体腎炎のすべての型を取りうる.

▶蛍光抗体法にて，単一サブクラスの免疫グロブリン(IgG_{1-4}, IgA_{1-2}, IgM のいずれか1つ)と単一の軽鎖(κ もしくはλ)が糸球体に陽性となる. $IgG3$-κ 型がもっとも多い.

▶電顕においては，光顕像の型に応じて内皮下，メサンギウム領域，上皮下に，通常の免疫複合体に類似した高電子密度沈着物(EDD)を認める.

c 治療

▶確立した治療法は存在しないが，副腎皮質ステロイド治療を中心に，免疫抑制療法(リツキシマブなど)が試みられる. 腎機能低下が目立たない症例や蛋白尿が1g未満の場合は，ACE 阻害薬や ARB などの保存的治療が試みられる場合もある.

5 アミロイドーシス

▶アミロイドーシスとは，可溶性の蛋白質が難溶性のアミロイド線維へと形を変え，全身諸臓器に沈着することで臓器障害を引き起こす疾患群である.

▶臓器障害としては腎臓が最多で，以降，心臓，消化管，自律神経，末梢神経の順に多い.

▶腎症の原因となる頻度が高いのは，M 蛋白軽鎖に由来する AL アミロイドーシスと，急性期反応蛋白である血清アミロイド A 蛋白(SAA)に由来する AA アミロイドーシスである.

▶AL アミロイドーシスは，原発性，あるいは骨髄腫や MGRS などに合併してみられる.

▶AA アミロイドーシスでは，関節リウマチ，炎症性腸疾患，悪性腫瘍などが原疾患となる.

▶まれではあるが，重鎖由来の AH アミロイドーシスによる腎障害も報告されている.

▶長期透析合併症として，β_2マイクログロブリン関連アミロイドーシス(透析アミロイドーシス)があげられるが，この場合はβ_2マイクログロブリンがおもに靱帯や骨領域に沈着し，疼痛や運動機能障害の原因となる.

a 臨床像

▶腎症状としては，しばしば蛋白尿はネフローゼレベルとなり，高度の浮腫を認める．

▶腎症状以外では，心症状（うっ血性心不全，不整脈），消化器症状（便秘，下痢，吸収不良症候群，巨舌症，肝腫大），神経症状（多発ニューロパチー，起立性低血圧，排尿障害），出血症状，甲状腺機能低下症などをきたす．

b 診断

▶腹壁脂肪，皮膚，消化管（胃，十二指腸，直腸），腎臓などにおいて，組織的にアミロイドを証明する．

c 腎病理

▶糸球体，血管壁に，エオジン好性，PAS（periodic acid Schiff）染色弱陽性，PAM（過ヨウ素酸メセナミン銀）染色陰性の無構造沈着物を認める．

▶Congo-red 染色にて橙赤色沈着物，偏光顕微鏡でアップルグリーンの複屈折光を観察する．

▶わが国では Congo-red 染色の代わりに，DFS（ダイロン）染色も好まれる．

▶PAM 染色では，糸球体基底膜にしばしば特徴的な spicula を認める．

Side memo

心アミロイドーシス

■ 予後や，移植の適応に際してもっとも懸念されるのが，心アミロイドーシスである．

■ 右心系優位の心不全症状や，房室ブロック，洞不全症候群，心房細動などの不整脈を認める．

■ 心エコーで左室肥大に加え，右室肥大，心房中隔肥厚を認めた場合に強く疑う．

■ ストレイン法で，左室 global longitudinal strain 低値と apical sparing（心尖部は保たれ，心基部が低下する）を認めた場合も強く疑う．

■ 従来，心筋の granular sparkling sign（顆粒状の高輝度エコー）が特徴とされてきたが，感度，特異度の問題から，その有用性は低下してきている．

■ 脳性 Na 利尿ペプチド（BNP），ヒト脳性 Na 利尿ペプチド前駆体 N 端フラグメント（NT-proBNP），高感度トロポニン T が上昇する．

表 9-2 **AL アミロイドーシスに対する自家末梢血幹細胞移植の適格基準**

- 生理的な年齢が 70 歳以下
- Ccr＞30 mL/分
- cTnT＜0.06 ng/mL
- 収縮期血圧≧90 mmHg
- NYHA class Ⅰ/Ⅱ

Ccr：クレアチニンクリアランス，cTnT：心筋トロポニン T，NYHA：ニューヨーク心臓協会

▶AL アミロイドーシスはλ鎖由来の頻度が高く，蛍光抗体法にてλ＞κ鎖の染色性の偏りを確認できることが多いが，アミロイド蛋白の抗原性が保たれていない場合は染色されないこともある．

▶AA アミロイドーシスを疑う場合は，アミロイド A（AA）染色を行う．

▶電顕で，7～12 nm 幅の枝分かれのない細線維構造を呈する．

▶AA 染色，κ鎖，λ鎖を含む免疫グロブリン染色などで診断に至らない場合は，質量分析の適応となる．

d 治療

▶AA アミロイドーシスの場合は原疾患の治療が優先されるが，抗サイトカイン療法（IL-6 阻害薬など）は SAA の上昇を抑制し，有用であることが報告されている．

▶AL アミロイドーシスでは，移植の適応があれば自家末梢血幹細胞移植併用大量メルファラン療法が推奨される（表 9-2）．適応のない症例では，メルファラン/デキサメタゾン併用療法が推奨されるが，最近ではボルテゾミブなどの多発性骨髄腫に用いられる薬剤の有用性が報告されている．

6 細線維性糸球体腎炎，イムノタクトイド糸球体症

▶細線維性糸球体腎炎（FGN），イムノタクトイド糸球体症（ITG）ともに，糸球体内への非アミロイド性細線維の細胞外沈着を特徴とし，そのうち全身性エリテマトーデス（SLE）やクリオグロブリン血症などの原疾患が明らかでないものをさす（図 9-1）．

▶ITG では，血中または尿中にしばしば M 蛋白を認める．

▶FGN の診断には DNAJB9 染色が有用である．

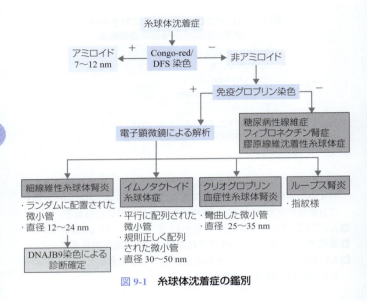

図 9-1 **糸球体沈着症の鑑別**

a 臨床像

- ネフローゼ症候群を呈することが多い.
- ITG では M 蛋白血症や B 細胞性の血液疾患を有することが多い.
- ITG は FGN よりも進行が緩徐である.

b 腎病理

- メサンギウム増殖性腎炎,膜性増殖性腎炎,膜性腎症など,さまざまな光顕像を示す.
- 電顕で糸球体内に細線維の沈着を認めるが,Congo-red 染色や DFS 染色は原則,陰性である.
- 電顕による解析が不可欠であり,FGN では 12〜24 nm 幅の細線維が不規則に配列する.一方 ITG では,30〜50 nm 幅の微小管構造が一定方向に平行に配列する.
- FGN を疑う場合は,診断確定のため DNAJB9 染色を行う.

c 治療

- 確立した治療法は存在せず,ステロイド治療や免疫抑制療法(リツキシマブなど)が試みられるが,FGN は進行性である場合が多い.

7 クリオグロブリン血症

- クリオグロブリンは37℃以下で凝集し、再加温により溶解する免疫グロブリンである.
- クリオグロブリンが血中に存在する状態をクリオグロブリン血症とよぶ.
- クリオグロブリンは基礎疾患のない本態性と，血液疾患，肝疾患，感染症，膠原病などを基礎疾患とする続発性とに分かれる.
- とくにわが国では、C型肝炎に続発するクリオグロブリン血症が多いとされる.
- 構成する免疫グロブリンのタイプから、3つの型に分かれる（表9-3）.

表9-3 クリオグロブリン血症の分類

	Ⅰ型	Ⅱ型	Ⅲ型
	単一性	混合型	混合型
構成	モノクローナルIgM（時にIgG, IgA）または軽鎖	モノクローナルIgM（RF）とポリクローナルIgの混成	ポリクローナルIgM（RF）とポリクローナルIgの混成
病態	微小血栓	免疫複合体型血管炎	免疫複合体型血管炎
関連疾患	MGUS 原発性マクログロブリン血症 多発性骨髄腫 慢性リンパ性白血病	C型肝炎（もっとも多い） B型肝炎 HIV EBV SLE Sjögren症候群 関節リウマチ 本態性クリオグロブリン血症	SLE Sjögren症候群 関節リウマチ C型肝炎 B型肝炎 HIV EBV 本態性クリオグロブリン血症

MGUS：monoclonal gammopathy of undetermined significance, HIV：ヒト免疫不全ウイルス, EBV：Epstein-Barrウイルス, SLE：全身性エリテマトーデス

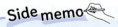

フィブロネクチン腎症

糸球体にフィブロネクチンの沈着を伴う，家族性の腎疾患．病理上，細線維構造を示すが，細胞外マトリックスの糸球体への集積であり，免疫グロブリン由来の沈着物ではない.

表 9-4 血清クリオグロブリンの検出方法

①あらかじめ37℃に温めておいた抗凝固薬なしの採血管で採血する.
②37℃以上の状態で検査室へ運搬する.
③37℃以上を保ち, 1時間以上静置して血液を凝固させる.
④37℃に加温した遠心分離機で遠心し, 血清を分離する.
⑤血清をWintrobe管に入れ, クリオグロブリンを沈殿させるため, 少なくとも72時間は4℃で冷却する(沈殿を認めない場合, 計7日間は観察を続ける).
⑥沈殿が観察されたらクリオクリット(全体の何%か)を測定し, 4℃の生理食塩水で3回洗浄し, 4℃で遠心して37℃で再溶解させる.
⑦クリオグロブリンの型の分析を依頼する.

▶ クリオグロブリンの検出は, 採血から血清分離までを37℃で行うことが重要である(表9-4).

a 臨床像

▶ I型では, 過粘稠度症候群による血栓形成に伴う症状が主体であり, Raynaud現象や四肢のチアノーゼ, 潰瘍, 網状皮斑をきたす. 重症になると, 壊疽や心筋梗塞, 脳梗塞などを生じる.

▶ IIあるいはIII型は免疫複合体による血管炎が関与し, 発熱, 倦怠感, 筋・関節症状, 四肢の紫斑, 網状皮斑, 皮膚潰瘍, 寒冷誘発蕁麻疹, 腎・肺・神経症状を呈する.

▶ 腎障害としては, 血尿・蛋白尿がほぼ必発で, ネフローゼ症候群, 急性腎炎症候群, 急速進行性糸球体腎炎(RPGN)などを呈する.

▶ 検査所見においては低補体血症(とくにC4)や, IIあるいはIII型ではリウマトイド因子(RF)陽性を認める.

b 腎病理

▶ 光顕像は, 約80%の症例で膜性増殖性糸球体腎炎型を示す.

▶ 特徴的所見として, エオジン好性・PAS染色陽性の無構造物質の管腔内(蛋白血栓), 内皮下への沈着がしばしばみられる.

▶ 細・小動脈に血管炎の所見を認めることがある.

▶ 蛍光抗体法では, 血清中のクリオグロブリンと一致した免疫グロブリン(IgG, IgM)が係蹄, メサンギウム領域に陽性となる. 補体(C3, C1q, C4)も高率に陽性となる.

▶ 電顕ではEDDは内皮下に多く, またメサンギウム領域や基底膜内にもみられる. 沈着物には管状・線維構造物の集簇を認めるものもあり, 約25～35 nm幅の彎曲した管状構造物の集合した像を示すことがある.

c 治療

▶ 寒冷刺激によりクリオグロブリンの凝集が誘導されるため，寒冷曝露を避け，保温するように指導する．

▶ C型肝炎ウイルス（HCV）関連クリオグロブリン血症には，まずは抗ウイルス療法がすすめられる．

▶ 膠原病関連については，原疾患に対する治療が基本である．

▶ 急速進行性の臓器障害を認める重症例では，原疾患にかかわらず副腎皮質ステロイド（パルス療法を含む）にリツキシマブ（保険適用外），あるいはシクロホスファミドを加えた併用療法が推奨される．

▶ 症候性の過粘稠度症候群および，重篤な血管炎病態（腎不全，肺胞出血，急性腸管膜血管炎）を呈した場合は，血漿交換療法を考慮する（保険適用外）．

▶ MGRSによるクリオグロブリン腎症に対する治療は，基本的には前述の治療に準じるが，IgG型であれば骨髄腫に準じた治療，IgM型であればリツキシマブによる治療も考慮される．

8 POEMS症候群

▶ 形質細胞に由来する疾患と考えられており，末梢神経障害，臓器腫大，浮腫・胸腹水，皮膚症状，骨硬化性病変，M蛋白血症などを呈する全身疾患である．

▶ 病因として，形質細胞の分泌する血管内皮増殖因子（VEGF）の関与が想定されており，腎障害に関しても関与が示唆されている．

▶ 光顕像では膜性増殖性糸球体腎炎の型を呈することが多い．

▶ 微小血管障害に伴う内皮細胞障害，メサンギウム融解が観察される．

▶ 通常，蛍光抗体法での免疫グロブリンや補体の沈着はみられず，電顕においてもEDDは認めない．

10 糖尿病関連腎臓病

1 概念

- 糖尿病による腎障害は、高血糖などによる最小血管障害である神経障害や網膜症とともに、糖尿病の3大合併症に数えられる。
- Diabetic kidney disease(DKD)の語訳として、関連学会から「糖尿病関連腎臓病」を用いることが示された。
- 糖尿病性腎症の透析導入は、透析患者全体の約40%を占め、新規導入症例の原因第1位である[1]。
- 糖尿病関連腎臓病は、アルブミン尿の増加とともに腎機能が低下する典型的な糖尿病性腎症に加えて、顕性アルブミン尿を伴わないまま推算糸球体濾過量(eGFR)が低下するような非典型的な症例も含めた概念である(図10-1)[2]。
- 典型的な糸球体病変は、早期から認められるびまん性病変などに加え、蛋白尿の進行した症例でみられることが多い結節性病変やメサ

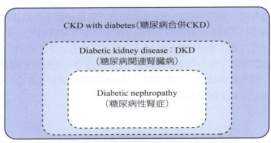

図10-1 糖尿病関連腎臓病(DKD)の概念図

DKDは典型的な糖尿病性腎症に加え、顕性アルブミン尿を伴わないまま推算糸球体濾過量(eGFR)が低下する非典型的な糖尿病関連腎疾患を含む概念である。
さらに糖尿病合併慢性腎臓病(CKD)は、糖尿病と直接関連しない腎疾患〔IgA腎症、多発性囊胞腎(PKD)など〕患者が糖尿病を合併した場合を含む、より広い概念である。DKDと糖尿病性腎症はCKDの重症度分類と、糖尿病性腎症病期分類によって明確に分類されるが、腎生検なしに糖尿病の関与を推測するのが困難な場合があるため、その範囲は破線で示した。
〔日本腎臓学会(編):エビデンスに基づくCKD診療ガイドライン2018. 東京医学社, 2018:104[2]より一部改変〕

表 10-1　腎症の早期診断基準

1. 測定対象	尿蛋白陰性か陽性（＋1 程度）の糖尿病患者	
2. 必須事項	尿中アルブミン値	30〜299 mg/gCr 3 回測定中 2 回以上
3. 参考事項	尿中アルブミン排出率	30〜299 mg/24 hr または 20〜199 μg/分
	尿中Ⅳ型コラーゲン値	7〜8 μg/gCr 以上
	腎サイズ	腎肥大

【注意事項】
①高血圧（良性腎硬化症），高度肥満，メタボリック症候群，尿路系異常・尿路感染症，うっ血性心不全などでも微量アルブミン尿を認めることがある．
②高度の希釈尿，妊娠中・月経時の女性，過度な運動後・過労・感冒などの条件下では検査を控える．
③定性法で微量アルブミン尿を判定するのはスクリーニングの場合に限り，後日，必ず上記定量法で確認する．
④血糖や血圧コントロールが不良な場合，微量アルブミン尿の判定は避ける．
〔猪股茂樹，他：日本腎臓学会・日本糖尿病学会糖尿病性腎症合同委員会報告 糖尿病性腎症の新しい早期診断基準．日腎会誌 2005；47：768[3]〕

ンギウム融解病変などが知られている．
▶早期腎症の診断には，微量アルブミン尿の同定が重要である．
▶腎機能低下速度が速い rapid decliner といった症例の存在も知られている．
▶蛋白尿が増加しないまま腎機能が低下する症例においては，腎硬化症にも共通する病理所見が多くみられることも報告されている．

2　診断

▶糖尿病性腎症の診断は，微量アルブミン尿の出現によって行う（表 10-1）[3]．
▶尿アルブミンの測定は糖尿病性腎症の病期分類（表 10-2）[4]にも含まれており，尿アルブミンを測定しなければ糖尿病性腎症の早期診断，病期分類は不可能である．
▶糖尿病による腎障害を推測するポイントを以下に示す．
　①糖尿病の罹病期間が少なくとも 5 年以上存在すること．
　②網膜症や神経障害といった合併症が存在すること．
　③早期症例においては血尿が存在しないこと（進行例では約 40%に血尿を伴う）．

表 10-2　糖尿病性腎症病期分類 2023[注1]

病期	尿中 Alb・Cr 比(UACR, mg/g) あるいは 尿中蛋白・Cr 比(UPCR, g/g)	eGFR (mL/分/1.73 m²)[注3]
正常アルブミン尿期 (第 1 期)[注2]	UACR 30 未満	30 以上
微量アルブミン尿期 (第 2 期)[注4]	UACR 30〜299	30 以上
顕性アルブミン尿期 (第 3 期)[注5]	UACR 300 以上あるいは UPCR 0.5 以上	30 以上
GFR 高度低下・末期 腎不全期(第 4 期)[注6]	問わない[注7]	30 未満
腎代替療法期 (第 5 期)[注8]	透析療法中あるいは腎移植後	

注1：糖尿病性腎症は必ずしも第 1 期から順次第 5 期まで進行するものではない．また評価の際には，腎症病期とともに付表を参考として慢性腎臓病(CKD)重症度分類も併記することが望ましい．

注2：正常アルブミン尿期は糖尿病性腎症の存在を否定するものではなく，この病期でも糖尿病性腎症に特有の組織変化を呈している場合がある．

注3：推算糸球体濾過量(eGFR) 60mL/分/1.73 m² 未満の症例は CKD に該当し，糖尿病性腎症以外の CKD が存在しうるため，他の CKD との鑑別診断が必要である．なお血清 Cr に基づく eGFR の低下を認めた場合，血清シスタチン C に基づく eGFR を算出することで，より正確な腎機能を評価できる場合がある．

注4：微量アルブミン尿を認めた患者では，糖尿病性腎症早期診断基準(糖尿病 2005；48：757-759)にしたがって鑑別診断を行ったうえで，微量アルブミン尿期と診断する．微量アルブミン尿は糖尿病性腎症の早期診断に必須のバイオマーカーであるのみならず，顕性アルブミン尿への移行および大血管障害のリスクである．GFR 60mL/分/1.73 m² 以上であっても微量アルブミン尿の早期発見が重要である．

注5：顕性アルブミン尿の患者では，eGFR 60mL/分/1.73 m² 未満から GFR の低下に伴い腎イベント(eGFR の半減，透析導入)が増加するため注意が必要である．

注6：CKD 重症度分類(日本腎臓学会，2012 年)との表現を一致させるために，旧分類の「腎不全期」を「GFR 高度低下・末期腎不全期」とした．

注7：GFR 30mL/分/1.73 m² 未満の症例は，UACR あるいは UPCR にかかわらず，「GFR 高度低下・末期腎不全期」に分類される．しかし，とくに正常アルブミン尿・微量アルブミン尿の場合は，糖尿病性腎症以外のCKDとの鑑別診断が必要である．

注8：CKD 重症度分類(日本腎臓学会，2012 年)との表現を一致させるために，旧分類の「透析療法期」を腎移植後の患者を含めて「腎代替療法期」とした．

〔糖尿病性腎症合同委員会・糖尿病性腎症病期分類改訂ワーキンググループ：糖尿病性腎症病期分類 2023 の策定．日腎会誌 2023；65：847-856[4])〕

　④他の腎疾患が除外できること，など．

▶糖尿病関連腎臓病では，腎機能が低下しても腎臓のサイズが比較的保たれていることが多い．

▶腎生検は，確定診断のほかに予後の推測にも有用である．

3　経過

▶典型的な症例では，一定の糖尿病罹病期間ののちにアルブミン尿が

表 10-3　糖尿病性腎症病期分類 2023 と CKD 重症度分類との関係

アルブミン尿区分		A1 正常 アルブミン尿	A2 微量 アルブミン尿	A3 顕性 アルブミン尿
尿中 Alb・Cr 比 (mg/g)		30 未満	30〜299	300 以上
尿蛋白・Cr 比 (g/g)				0.50 以上
GFR 区分 (mL/分/ 1.73 m²)	G1　≧90	正常 アルブミン 尿期(第 1 期)	微量 アルブミン 尿期(第 2 期)	顕性 アルブミン 尿期(第 3 期)
	G2　60〜89			
	G3a　45〜59			
	G3b　30〜44			
	G4　15〜29	GFR 高度低下・末期腎不全期(第 4 期)		
	G5　＜15			
	透析療法中 あるいは 腎移植後	腎代替療法期(第 5 期)		

〔糖尿病性腎症合同委員会・糖尿病性腎症病期分類改訂ワーキンググループ：糖尿病性腎症病期分類 2023 の策定．日腎会誌 2023；65：847-856[4)]〕

出現し，アルブミン尿の増加とともに腎機能が低下する(表 10-2)[4)]．

▶早期の糖尿病関連腎臓病ではアルブミン尿が主体であり，血尿を呈することはまれであるが，蛋白尿の増加や腎機能低下とともに血尿を呈することもある．

▶網膜症は長期の糖尿病罹病の経過中，多くの症例で合併し，腎症を発症する症例では，すでに網膜症がみられることが多い．

▶一部の症例では，ネフローゼ症候群と診断されるレベルの多量の尿蛋白が生じ，浮腫や胸腹水のコントロールに難渋することもある．

▶また，腎機能は低下するものの，アルブミン尿が軽度のまま推移する症例もある．

▶治療介入などによってアルブミン尿が減少した症例においては，腎機能低下速度が低減したり，腎機能が回復することもある．

▶2023 年に改訂された「糖尿病性腎症病期分類 2023」(表 10-2，表 10-3)[4)]では，eGFR およびアルブミン尿の程度により病期を分類する．

▶「糖尿病性腎症病期分類 2023」は，糖尿病による腎障害の自然経過を示すものではなく，各症例の予後を勘案した分類である．

▶腎機能低下速度が急速な症例，早期から血尿が認められる症例，網膜症を伴わない症例などは糖尿病による影響以外の腎障害の存在も考えられるため，腎生検を考慮する．

▶腎生検の病理所見は，腎予後を予測するうえでも重要である．結節

表 10-4 糖尿病性腎症，高血圧性腎硬化症の病理学的所見

病変部位	病理学的所見	
糸球体病変	びまん性病変	糖尿病性腎症
	結節性病変	
	糸球体基底膜二重化	
	滲出性病変	
	メサンギウム融解	
	糸球体門部血管増生	
	全節性糸球体硬化・虚脱	腎硬化症
	分節性糸球体硬化	
	糸球体肥大	
尿細管間質病変	間質線維化・尿細管萎縮	
	間質の細胞浸潤	
血管病変	細動脈硝子化	
	細動脈硬化	

〔厚生労働科学研究費補助金（難治性疾患等克服研究事業（難治性疾患等実用化研究事業（腎疾患実用化研究事業）））糖尿病性腎症ならびに腎硬化症の診療水準向上と重症化防止にむけた調査・研究 研究班（編）：糖尿病性腎症と高血圧性腎硬化症の病理診断への手引き．東京医学社，2015：4[5]より一部改変〕

性病変やメサンギウム融解病変は，腎予後不良因子として報告されている．

▶ 糖尿病に伴う腎病理所見は多様である．糖尿病に比較的特徴的な結節性病変，メサンギウム融解病変，びまん性病変などのほか，腎硬化症など他の腎疾患でも共通してみられる全節性硬化，間質線維化・尿細管萎縮，細動脈硬化などの所見も認められる（表 10-4）[5]．

▶ 糖尿病に比較的特徴的な病変のうち，びまん性病変はある程度病初期からみられるが，結節性病変やメサンギウム融解といった病変は病期が進行するに従って出現頻度が高くなる．

4　治療

▶ 治療の基本方針は厳格な血糖コントロールである．熊本宣言では，合併症を生じさせないためにも HbA1c 7.0％未満のコントロールが目標とされている（図 10-2）[6]．

▶ 糖尿病関連腎臓病の進展阻止には，血糖コントロールや血圧，脂質

	コントロール目標値[注4]		
目標	血糖正常化を目指す際の目標[注1]	合併症予防のための目標[注2]	治療強化が困難な際の目標[注3]
HbA1c（%）	6.0未満	**7.0未満**	8.0未満

図 10-2　血糖コントロール目標

治療目標は年齢，罹病期間，臓器障害，低血糖の危険性，サポート体制などを考慮して個別に設定する.

[注1] 適切な食事療法や運動療法だけで達成可能な場合，または薬物療法中でも低血糖などの副作用なく達成可能な場合の目標とする.

[注2] 合併症予防の観点から HbA1c の目標値を 7%未満とする. 対応する血糖値としては，空腹時血糖 130 mg/dL 未満，食後 2 時間血糖値 180 mg/dL 未満をおおよそのめやすとする.

[注3] 低血糖などの副作用，その他の理由で治療の強化が難しい場合の目標とする.

[注4] いずれも成人に対しての目標値であり，また妊娠例は除くものとする.

〔日本糖尿病学会（編・著）：糖尿病治療ガイド 2022-2023. 文光堂，2022：34[6]〕

表 10-5　糖尿病性腎症症例に対する多因子介入

血管 合併症の発症・進行と総死亡率の抑制のために，生活習慣の修正が重要である.

血糖	HbA1c7.0%未満
リスク因子回避	肥満，喫煙の回避
血圧	収縮期血圧 130 mmHg 未満 かつ 拡張期血圧 80 mmHg 未満
血清脂質	LDL-C 120 mg/dL 未満 HDL-C 40 mg/dL 以上 中性脂肪 150 mg/dL 未満（早朝空腹時） non-HDL-C 150 mg/dL 未満

〔日本糖尿病学会（編・著）：糖尿病診療ガイドライン 2019. 南江堂，2019：145-167[7]をもとに作成〕

異常などの治療も含めて集学的に治療を行うことが重要である（表10-5，図 10-3）[7,8].

▶ 糖尿病関連腎臓病の進行抑制には，糖尿病関連腎臓病の療養指導に関する基本的な知識を有した管理栄養士の介入が有用である.

▶ 食事のエネルギー量は，活動量に合わせて 25～30 kcal/kg/日程度でコントロールする. 血糖のコントロールとともに，過剰な制限によるフレイルの助長に注意する.

▶ たんぱく質量は過剰摂取にならないように注意が必要である. 腎不

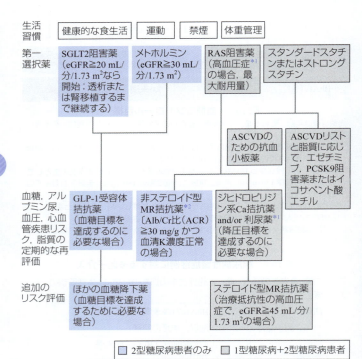

図 10-3　糖尿病を有する慢性腎臓病患者の予後改善のための治療方針
定期的なリスク因子の再評価は 3〜6 か月ごとに行う．
[*1] アルブミン尿が存在する場合，アンジオテンシン変換酵素（ACE）阻害薬またはアンジオテンシンⅡ受容体拮抗薬（ARB；最大耐用量）が高血圧に対する第一選択薬になる．それ以外の場合は，ジヒドロピリジン系 Ca 拮抗薬または利尿薬も検討可能．多くの場合，目標の血圧値を達成するためには，3 剤が必要となる．
[*2] フィネレノンは現在，臨床的に腎臓および血管への効果が認められている唯一の非ステロイド型ミネラルコルチコイド受容体拮抗薬である．
SGLT2：Na^+/グルコース共役輸送担体 2，eGFR：推算糸球体濾過量，RAS：レニン・アンジオテンシン系，GLP-1：グルカゴン様ペプチド-1，ASCVD：動脈硬化性心血管疾患，MR：ミネラルコルチコイド受容体
〔de Boer IH, et al.：Diabetes Management in Chronic Kidney Disease：A Consensus Report by the American Diabetes Association（ADA）and Kidney Disease：Improving Global Outcomes（KDIGO）. Diabetes Care 2022；45：3075-3090[8)]〕

全が進行した場合にはたんぱく質量を制限することもあるが，必要なエネルギーを確保することが重要である．
▶高血圧を伴う場合は食塩を 6 g/日に制限する．また腎機能が低下し

た場合は，Kの摂取制限も必要である．

▷ 低血糖の出現によって網膜症が増悪することもあり，高血糖のみならず低血糖の出現にも注意して治療を行う必要がある．

▷ 蛋白尿が出現した腎症においても，集学的な治療により尿蛋白が減少あるいは消失（寛解）することが知られている．

▷ 腎機能低下の進行を抑制するためにも，血糖コントロールは重要である．インスリン抵抗性を改善するビグアナイド薬，チアゾリジン薬，インスリン分泌を促進させるスルホニル尿素（SU）薬，グリニド薬，ジペプチジルペプチダーゼIV（DPP-4）阻害薬，および糖の吸収を抑制したり，尿での排泄を促進するαグルコシダーゼ阻害薬，Na^+/グルコース共役輸送担体2（SGLT2）阻害薬を病態に合わせて選択する．コントロール不良の場合はインスリン，グルカゴン様ペプチド-1（GLP-1）阻害薬などの治療も併用する．

▷ SGLT2阻害薬は血糖コントロールに有用であるとともに，腎機能保持効果も認められており，レニン・アンジオテンシン系（RAS）阻害薬とともに早期より使用することが推奨される．

▷ 高血圧症例においては，血圧のコントロールも重要である．一義的には，血圧そのもののコントロールが重要であるが，同等に降圧が得られるのであれば，RAS阻害薬による尿蛋白減少効果を期待するのも有用である．ただし，動脈硬化がすでに進行しているような高齢者などにおいては，急性腎障害（AKI）の発症にも十分留意する必要がある．

▷ また，自律神経障害が進行した症例では，起立性低血圧に注意が必要である．

▷ 動脈硬化が高度に進行した高齢症例においては，過度の降圧や血糖コントロールは過剰な糸球体内圧の低下や低血糖を助長することもあり，慎重な対応が必要である．

▷ 75歳以上の糖尿病を有する慢性腎臓病（CKD）症例における降圧目標は150/90 mmHg未満であり，血糖管理はHbA1c 8%未満をめやすとする．ただし，個々の症例に合わせた目標の設定が重要である．

▷ 専門医への紹介のタイミングは症例により異なるが，CKDにおける「かかりつけ医から腎臓専門医・専門医療機関への紹介基準」が参考になる（表10-6）[9]．

▷ とくに原疾患に糖尿病がある場合は腎臓専門医・専門医療機関と同時に，糖尿病専門医・専門医療機関への紹介も考慮する．さらに，① 3か月以上の治療でもHbA1cの目標値に達しない場合や，② 薬剤選択および食事・運動療法指導など糖尿病治療方針の決定に専門的

表 10-6　かかりつけ医から腎臓専門医・専門医療機関への紹介基準

原疾患	蛋白尿区分		A1	A2	A3
糖尿病性腎臓病	尿アルブミン定量 (mg/日)		正常	微量アルブミン尿	顕性アルブミン尿
	尿アルブミン/Cr 比(mg/gCr)		30 未満	30〜299	300 以上
高血圧性腎硬化症 腎炎 多発性嚢胞腎 その他	尿蛋白定量(g/日)		正常 (−)	軽度蛋白尿 (±)	高度蛋白尿 (+〜)
	尿蛋白/Cr 比(g/gCr)		0.15 未満	0.15〜0.49	0.50 以上
GFR 区分 (mL/分/ 1.73 m²)	G1	正常または高値	≧90		血尿+なら紹介，蛋白尿のみならば生活指導・診療継続	紹介
	G2	正常または軽度低下	60〜89		血尿+なら紹介，蛋白尿のみならば生活指導・診療継続	紹介
	G3a	軽度〜中等度低下	45〜59	40 歳未満は紹介，40 歳以上は生活指導・診療継続	紹介	紹介
	G3b	中等度〜高度低下	30〜44	紹介	紹介	紹介
	G4	高度低下	15〜29	紹介	紹介	紹介
	G5	高度低下〜末期腎不全	<15	紹介	紹介	紹介

上記以外に，3 か月以内に 30%以上の腎機能の悪化を認める場合は速やかに紹介．
上記基準ならびに地域の状況などを考慮し，かかりつけ医が紹介を判断し，かかりつけ医と腎臓専門医・専門医療機関で逆紹介や併診などの受診形態を検討する．

腎臓専門医・専門医療機関への紹介目的（原疾患を問わない）
1. 血尿，蛋白尿，腎機能低下の原因精査
2. 進展抑制目的の治療強化〔治療抵抗性の蛋白尿（顕性アルブミン尿），腎機能低下，高血圧に対する治療の見直し，二次性高血圧の鑑別など〕
3. 保存期腎不全の管理，腎代替療法の導入

原疾患に糖尿病がある場合
1. 腎臓内科医・専門医療機関の紹介基準に当てはまる場合で，原疾患に糖尿病がある場合にはさらに糖尿病専門医・専門医療機関への紹介を考慮する．
2. それ以外でも以下の場合には糖尿病専門医・専門医療機関への紹介を考慮する．
①糖尿病治療方針の決定に専門的知識（3 か月以上の治療でも HbA1c の目標値に達しない，薬剤選択，食事運動療法指導など）を要する場合
②糖尿病合併症（網膜症，神経障害，冠動脈疾患，脳血管疾患，末梢動脈疾患など）発症のハイリスク患者（血糖・血圧・脂質・体重などの難治例）である場合
③上記糖尿病合併症を発症している場合
　なお，詳細は「糖尿病治療ガイド」を参照のこと．
〔日本腎臓学会（編）：エビデンスに基づく CKD 診療ガイドライン 2023．東京医学社，2023：18⁹⁾〕

表 10-7　尿アルブミン測定の意義

診断	尿アルブミンの測定は，2014 年に発表された糖尿病性腎症病期分類 a に含まれており，尿アルブミンを測定しなければ糖尿病性腎症の早期診断・病期分類は不可能である． （注）アルブミン尿陰性の糖尿病患者でも，腎生検にて結節性病変などの腎臓に典型的な病理組織像を呈する症例が存在することが報告されており，アルブミン尿陰性は，糖尿病による腎障害がないことを保証するものではない．
重症度，予後	尿アルブミンは，糖尿病患者における腎・心血管イベントに対する予後予測因子である．
測定の対象とタイミング	保険診療では，尿アルブミンの定量測定は糖尿病または糖尿病性早期腎症であって微量アルブミン尿を疑う患者が対象． 3 か月に 1 回に限り認められている．
蛋白尿測定との使い分け	糖尿病において，尿定性で 1＋以上の明らかな尿蛋白を認める場合は尿アルブミン測定は保険で認められていないため，定量検査を行う場合は尿蛋白定量を用いる．

知識を要する場合，③網膜症，神経障害，冠動脈疾患，脳血管疾患，末梢動脈疾患などの糖尿病合併症のハイリスク患者や合併症を発症している場合，さらには，④血糖・血圧・脂質・体重コントロールなどの難治例は，専門医・専門医療機関に紹介するのがよい．

a アルブミン尿出現前の症例

▶アルブミン尿が出現する前から，すでに糸球体病変が出現していることが報告されている．糸球体で濾過されたアルブミンは尿細管で再吸収されるため，アルブミンが尿中で同定されなくても，糸球体病変がないことを示すわけではない（表 10-7）．

▶尿中アルブミン排泄量は採尿条件などによる変動もあり，経過観察のためには 3〜6 か月に 1 回の測定を行うのがよい．

▶糖尿病診療に際して，糖尿病関連腎臓病の早期診断のためにはアルブミン尿陰性であっても腎機能の推移を慎重に見守る必要がある．

▶多くの大規模研究から，早期の症例においては，厳格な血糖コントロールにより腎症の発症や進展が阻止されることは明らかである．

b 微量アルブミン尿症例

▶血糖コントロールは一義的に重要である．合併症予防の観点から，

表 10-8　腎機能低下時の糖尿病薬使用の注意

GFR	≧60	59〜30	30<
インスリン	通常量	慎重	禁忌
ビグアナイド薬	通常量	慎重/禁忌	禁忌
チアゾリジン薬	通常量	慎重	慎重/禁忌
α-グルコシダーゼ阻害薬	通常量	慎重	慎重
SGLT 2 阻害薬	通常量	通常量	通常量/効果が期待できない
DPP-4 阻害薬	調整	調整	調整
GLP-1 受容体作動薬	通常量	通常量/調整/慎重	通常量/慎重/禁忌
スルホニル尿素薬	通常量	慎重	禁忌
速効型インスリン分泌促進薬（グリニド薬）	通常量	慎重	慎重/禁忌

通常量：通常量投与可能，慎重：慎重投与，調整：腎機能に合わせて投与量調整が必要，/：薬剤により対応が異なる
GFR：糸球体濾過量，SGLT2：Na^+/グルコース共役輸送担体 2，DPP-4：ジペプチジルペプチダーゼ IV，GLP-1：グルカゴン様ペプチド-1

目標 HbA1c は 7％未満である.

▶血糖降下薬は各症例の状況により選択するが，腎機能の面からは SGLT2 阻害薬が有用である.

▶高血圧合併症例においては血圧コントロールが重要であり，目標血圧は 130/80 mmHg 未満である.

c 顕性蛋白尿症例

▶ネフローゼ症候群を呈する症例においては，体液管理が重要となる. 浮腫が著明な場合は，食塩摂取制限や安静とともに，ループ利尿薬で効果不十分な場合は，サイアザイド系利尿薬を追加する. それでも効果がない心不全例では，バソプレシン V_2 受容体拮抗薬であるトルバプタン（サムスカ®）を検討する. また，薬物療法に十分な反応が得られない場合には，体外限外濾過法（ECUM）などの治療も併用する.

▶血糖コントロールは，末期心不全への抑制効果もあることが示されている.

▶多くの糖尿病治療薬は，腎機能低下症例において慎重投与もしくは禁忌とされている（表 10-8）. また低血糖などの副作用も増加するため，慎重な血糖コントロールが重要である. 状況に応じてインスリ

ン治療への変更が望まれる.

▶顕性蛋白尿に進行した症例においても,集学的治療は腎症の進行を低減するのみならず,症例によっては寛解導入も可能であることが報告されている.したがって,早期腎症と同様,集学的な治療が望まれる.

▶尿蛋白減少を目的とした RAS 阻害薬(☞p.611 参照)と SGLT2 阻害薬(☞p.616 参照)の使用は有用である.RAS 阻害薬に SGLT2 阻害薬を追加投与することでも尿蛋白減少効果を認めており,可能であれば併用が有用と考えられる.ただし,腎機能低下症例における RAS 阻害薬投与は高カリウム血症の危険性もあり,その使用には注意が必要である.

▶フィネレノン(ケレンディア®)は,2 型糖尿病を有する CKD 症例の腎複合エンドポイント(腎機能低下,透析導入など)を低下させる可能性があり,使用を考慮する.

▶難治性高コレステロール血症を伴う多量の蛋白尿を呈する糖尿病関連腎臓病に対して,届け出た保険医療機関においては LDL アフェレシスを一連につき 12 回施行可能である.

処方例

■ ネフローゼ症候群を呈する糖尿病性腎症に対しては,①または②を投与する.
①ダパグリフロジン(フォシーガ®)
　1 日 5〜10 mg 1 回
②ロサルタンカリウム(ニューロタン®)
　1 日 25〜100 mg 1 回
■ 降圧不十分の場合
　アムロジピンベシル酸塩(ノルバスク®)
　1 日 5〜10 mg 1 回
■ 浮腫が強い場合
　フロセミド(ラシックス®)
　1 日 20〜80 mg 1 回
✔腸管浮腫が著明で吸収障害が推測される場合は静注も考慮.
■ フロセミドで効果不十分な場合は利尿薬を追加する.
　トリクロルメチアジド(フルイトラン®)
　1 日 2 mg 1 回(適宜増減)
■ 心不全を伴う場合
　トルバプタン(サムスカ®)
　1 日 7.5〜15 mg 1 回

239

d 腎不全症例

▶腎性貧血を認める症例においては，エリスロポエチンの投与や低酸素誘導因子プロリン水酸化酵素(HIF-PH)阻害薬の投与を考慮する．HIF-PH 阻害薬の投与に際しては，網膜症の出現の有無や悪性腫瘍の合併の有無を確認する必要がある．

> **処方例**
> ダプロデュスタット（ダーブロック®）
> 1日 2～4 mg 1回

▶高カリウム血症を認める場合は，食事での K 制限を行ったうえでカリウム吸着薬の投与も考慮する．

▶糖尿病性腎症の透析導入は透析患者全体の約 40％を占め，新規透析導入の原因第1位である．透析導入後の5年生存率は 50％程度である．

▶ネフローゼ症候群を呈するような症例においては，腎機能が低下する以前に水の管理が不良となり，透析導入が必要となる場合もある．

▶浮腫が進行している症例では，内シャント手術やその後の穿刺が困難な症例も少なくない．

▶腎機能障害以外に，冠動脈疾患や脳血管障害，あるいは下肢の血管障害などを有している症例も少なくなく，これらの合併症評価も重要である．

▶血液透析導入にあたっては，自律神経障害に伴う血圧変動や眼底出血に注意が必要である．

Side memo

浮腫の管理

糖尿病関連腎臓病で，ネフローゼ症候群を呈している症例のなかでも，とくに蛋白尿が多い症例では浮腫の管理が重要になる．著明な皮下浮腫は，皮膚の感染や血流障害による壊疽の治療を困難にすることがある．また腹水や胸水は低酸素血症を呈し，生命にもかかわる状況となることがある．食塩制限や安静に加え，利尿薬を併用することも多い．しかし，低アルブミン血症が進行している場合は，無理な利尿は血管内ボリュームを減少させ，血圧低下や腎前性腎不全を引き起こす可能性があり，注意が必要である．胸水や浮腫の程度とともに，血管内のボリュームと腎機能の推移を確認しながら治療を進める．

▶腹膜透析導入の際には，視力障害に伴う操作の困難や感染症のリスクがある．

▶1型糖尿病の腎不全症例においては，膵腎同時移植の可能性もある．

e 高血圧症例

▶糖尿病合併高血圧の場合，目標血圧は外来血圧 130/80 mmHg，家庭血圧 125/75 mmHg 未満である．

▶アルブミン尿が出現する場合には RAS 阻害薬が推奨される．

▶ただし，腎機能が低下した症例，動脈硬化が進行した症例，あるいは脱水を引き起こしやすい症例では高カリウム血症や AKI の発症リスクがあり，注意を要する．

▶ネフローゼ症候群を呈する症例においては，浮腫や胸腹水が難治性となりやすい．ループ利尿薬，サイアザイド系利尿薬，スピロノラクトン（アルダクトン® A）などの併用も必要になる（☞p.605 参照）．心不全を伴う場合は，ループ利尿薬に加えてバソプレシン V_2 受容体拮抗薬などを併用する．

▶ミネラルコルチコイド受容体拮抗薬であるエプレレノン（セララ®）は，糖尿病性腎症 2 期以降で高カリウム血症発症のリスクが高いことから禁忌となっている．

f 臓器合併症の管理

▶腎症を発症した症例においては，しばしば大血管障害を併発している．とくに透析導入にあたっては，虚血性心疾患の併存は透析療法の施行に影響を与えるため，導入期には十分な検討が必要である．

▶下肢動脈の動脈硬化進行により，歩行障害や足壊疽を認めることがある．神経障害を伴った場合は患者本人が足病変に気がつかないこともあり，普段からのフットケアが重要である．

▶Fontaine 分類 4 度の症状を呈し，膝下動脈以下の閉塞または広範な閉塞部位を有するなど外科的治療または血管内治療が困難で，かつ従来の薬物療法では十分な効果を得られない者に対しては，レオカーナ（吸着式血液浄化器）が使用可能である．1 連の施行につき，3 か月に限って 24 回まで施行できる．

g 腎機能障害と血糖降下薬の使い方

▶経口血糖降下薬には，腎機能の程度に合わせて薬剤の用量調整が必要なもの，あるいは禁忌となるものがあるため，注意が必要である．

▶糖尿病関連腎臓病の治療としては，生活習慣への介入により血糖，

血圧, 脂質, 体重をコントロールするなど, 多面的な集学的治療が重要である.

▶服薬アドヒアランスを高く維持するためには, ポリファーマシーや服薬回数にも注意して処方する.

▶処方の際には, フレイルやサルコペニアにも注意が必要である.

▶腎機能が保たれている場合は, メトホルミンや SGLT2 阻害薬, GLP-1 受容体作動薬を用いる.

▶腎機能が保たれ, アルブミン尿が出現している症例では, 糖尿病関連腎臓病の進展抑制, 腎保護作用のエビデンスがある SGLT2 阻害薬を優先的に用いる.

▶メトホルミンは中等度以上の腎機能障害で乳酸アシドーシスを引き起こす可能性があり, 禁忌である. 軽度の腎機能障害でも慎重投与である.

▶メトホルミンなどのビグアナイド薬は, 造影剤使用前には休薬が必要である. とくにビグアナイド薬を使用する 75 歳以上の高齢者では, 造影剤使用によって乳酸アシドーシスの発症が多くなることから, 注意する.

▶αグルコシダーゼ阻害薬は, 重篤な腎機能障害がある症例では慎重投与とされているが, 禁忌の記載はない.

▶SU 薬およびグリニド薬といったインスリン分泌促進型の薬物は, 腎機能障害が進行するにつれて低血糖の危険性が高まるため, 慎重投与もしくは禁忌である.

▶DPP-4 阻害薬のうち, リナグリプチンとテネリグリプチンは腎機能

Side memo

糖尿病症例における微小変化型ネフローゼ症候群の合併

　糖尿病症例においては, 血尿が強い場合, 腎機能が急激に低下する場合, 蛋白尿が急激に増加する場合は, 他の腎疾患の合併を鑑別するためにも腎生検を施行する. 一定の罹病期間を有する糖尿病症例では, びまん性病変や間質病変はある程度, 存在する. 大量の蛋白尿を呈する症例では, 病理所見が蛋白尿に見合う所見かを判断する必要があるが, その判断に苦慮することもある. 困難な原因の 1 つは, 微小変化型ネフローゼ症候群の合併を鑑別するのが難しい点である. 診断的治療としての副腎皮質ステロイド投与も考慮されるが, 血糖の増悪を助長することになり, 慎重に判断する必要がある.

障害による用量調節の必要がないが，それ以外の DPP-4 阻害薬は腎機能に合わせて投与量調整や中止が必要である．

▶SGLT2 阻害薬の詳細については，*p.616* 参照．

▶GLP-1 受容体作動薬は，インスリン以外ではもっとも血糖降下作用が強い．

▶GLP-1 受容体作動薬は，アルブミン尿減少効果や eGFR 低下速度の低減効果も報告されているが，その臨床的意義はいまだ確立されていない．

▶GLP-1 受容体作動薬のうち，リラグルチド，デュラグルチドは腎機能が低下しても投与可能であるが，それ以外の薬剤は腎機能に応じて慎重投与や禁忌となり，注意が必要である．

文 献

1) 花房規男, 他：わが国の慢性透析療法の現況(2021 年 12 月 31 日現在). 日透析医会誌 2022；59：665-723

2) 日本腎臓学会(編)：エビデンスに基づく CKD 診療ガイドライン 2018. 東京医学社, 2018：110

3) 猪股茂樹, 他：日本腎臓学会・日本糖尿病学会糖尿病性腎症合同委員会報告 糖尿病性腎症の新しい早期診断基準. 日腎会誌 2005；47：767-769

4) 糖尿病性腎症合同委員会・糖尿病性腎症病期分類改訂ワーキンググループ：糖尿病性腎症病期分類 2023 の策定. 日腎会誌 2023；65：847-856

5) 厚生労働科学研究費補助金(難治性疾患等克服研究事業(難治性疾患等実用化研究事業(腎疾患実用化研究事業)))糖尿病性腎症ならびに腎硬化症の診療水準向上と重症化防止にむけた調査・研究 研究班(編：糖尿病性腎症と高血圧性腎硬化症の病理診断への手引き. 東京医学社, 2015

6) 日本糖尿病学会(編・著)：糖尿病治療ガイド 2022-2023. 文光堂, 2022：34

7) 日本糖尿病学会(編・著)：糖尿病診療ガイドライン 2019. 南江堂, 2019：145-167

8) de Boer IH, et al.：Diabetes Management in Chronic Kidney Disease：A Consensus Report by the American Diabetes Association(ADA)and Kidney Disease：Improving Global Outcomes(KDIGO). Diabetes Care 2022；45：3075-3090

9) 日本腎臓学会(編)：エビデンスに基づく CKD 診療ガイドライン 2023. 東京医学社, 2023

11 高尿酸血症

1 定義

▶高尿酸血症は尿酸沈着症(痛風関節炎,腎障害など)の病因であり,性・年齢を問わず,体液中での溶解度を超える血清尿酸の濃度である血清尿酸値が 7.0 mg/dL を超えるものと定義されている.

2 高尿酸血症のリスク

▶痛風の基礎病態である高尿酸血症は,遺伝的素因に不適切な生活習慣が加わって発症する生活習慣病の1つである.
▶女性においては,血清尿酸値が 7.0 mg/dL 以下であっても,血清尿酸値の上昇とともに生活習慣病のリスクが高くなるため,潜在する疾患の検査と生活指導を行うが,尿酸降下薬の適応ではない.

a 痛風
▶高尿酸血症は痛風発作の必須条件である.
▶ほとんどの高尿酸血症・痛風は多因子疾患であり,遺伝要因と環境要因がさまざまに関与する.
▶血清尿酸値が 7.0 mg/dL を超えて高くなるに従い,痛風関節炎の発症リスクが高まる.
▶環境要因には,肥満,アルコール摂取,特定の食品の過剰摂取(プリン体,肉類,乳製品,ソフトドリンク,果糖)があげられる.
▶関節内に尿酸-ナトリウム結晶の出現を招く短期的な環境要因も,痛風発症に関与する.

b 腎障害・尿路結石
▶血清尿酸値高値は,慢性腎臓病(CKD)の発症および腎障害の進展と関連している.
▶高尿酸血症および痛風は,尿酸結石のみならずシュウ酸カルシウム結石形成を促進し,尿路結石の頻度を増加させる.
▶尿酸排泄促進薬も尿酸結石の形成を促進させる.

c　メタボリックシンドローム，高血圧

▶ 高尿酸血症はメタボリックシンドロームの診断基準には含まれていないものの，その周辺徴候であることが示唆される．

▶ 高尿酸血症患者は，高血圧症ないし高血圧前症を発症しやすい（とくに若年者，肥満者，女性）．

▶ 高尿酸血症は心血管疾患の他のリスクと独立して，心血管病の罹患率・死亡率増加に関連するという報告がある一方，血清尿酸値が低い集団でも死亡率が高かったとする報告もある．

3　病型分類

▶ これまで高尿酸血症は，尿中への尿酸排泄能（尿酸クリアランス）と尿中尿酸排泄量により，①尿酸産生過剰型，②尿酸排泄低下型，③混合型，に分類されてきた．その頻度は，尿酸排泄低下型60％，尿酸産生過剰型10％，混合型30％と，排泄低下型が大多数であるが，近年，腎外排泄低下型（腸管からの尿酸排泄が減少する結果，腎臓からの尿酸排泄が増加する）の存在が明らかとなった．

表11-1　尿中尿酸排泄量と尿酸クリアランス（C_{UA}）による病型分類

病　型	尿中尿酸排泄量 （mg/kg/時）		尿酸クリアランス（C_{UA}） （mL/分）
腎負荷型	＞0.51	および	≧7.3
尿酸排泄低下型	＜0.48	あるいは	＜7.3
混合型	＞0.51	および	＜7.3

〔日本痛風・尿酸核酸学会ガイドライン改訂委員会（編）：高尿酸血症・痛風の治療ガイドライン第3版．診断と治療社，2018：97[1]〕

高尿酸血症の新しい病型―腎外排泄低下型

近年，腎外排泄低下型の存在が明らかとなった．消化管に存在する尿酸トランスポーターABCG2（adenosine triphosphate binding cassette subfamily G member 2）の機能低下型変異による尿酸の便中への排泄が低下する結果，血清尿酸値が上昇し，腎臓からの尿酸の排泄は亢進する．便中への尿酸排泄の測定は容易ではなく，日常臨床では真の尿酸産生過剰型と腎外排泄低下型を臨床検査で区別できないため，尿中尿酸排泄量の増加を認める両者を腎負荷型とすることが提唱されている（表11-1）[1]．

▶臨床検査上，真の尿酸産生過剰型と腎外排泄低下型の区別はつかないことから，尿中尿酸排泄量の増加を認める病型を腎負荷型とすることが提唱されている（表 11-1）[1]．

▶尿中尿酸排泄量と尿酸クリアランス（C_{UA}），または C_{UA}/Cr クリアランス（C_{UA}/Ccr）を測定することで分類できる．

$$C_{UA} = \frac{[尿中尿酸濃度（mg/dL）] \times [60 分間尿量（mL）]}{[血漿尿酸濃度（mg/dL）] \times 60}$$

$$\times \frac{1.73\ m^2}{体表面積（m^2）}$$

尿中尿酸排泄量（mg/kg/時）

$$= \frac{[尿中尿酸濃度（mg/dL）] \times [60 分間尿量（mL）]}{100 \times 体重（kg）}$$

▶また，基礎疾患・薬物投与などに合併した二次性高尿酸血症も，原発性と同様，腎負荷型（尿酸産生過剰型と腎外排泄低下型．おもに前者），尿酸排泄低下型，混合型に大別される（表 11-2）[1]．

4 治療目標

▶高尿酸血症が持続することでもたらされる，関節をはじめとする体組織への尿酸塩沈着を解消し，痛風関節炎や腎障害などの尿酸塩沈着症状を回避することが，狭義の治療目標となる．

▶肥満，高血圧，糖・脂質代謝異常などの合併症についても配慮し，生活習慣を改善して，心血管イベントのリスクが高い高尿酸血症・痛風患者の生命予後の改善を図ることが，最終的な治療目標になる．

5 高尿酸血症・痛風の治療適応と実際

▶急性痛風関節炎は薬物治療の適応であり，できるだけ早く治療を開始し，軽快したら中止する．

▶急性痛風関節炎の治療薬には，非ステロイド性抗炎症薬（NSAIDs），コルヒチン，グルココルチコイド製剤があり，臨床経過，重症度，薬歴，合併症，併用薬を考慮して選択する．

表 11-2 代表的な腎負荷型・尿酸排泄低下型・混合型二次性高尿酸血症

腎負荷型	**1. 遺伝性代謝疾患** 　a. Lesch-Nyhan 症候群 　b. ホスホリボシルピロリン酸合成酵素亢進症 　c. 先天性筋原性高尿酸血症 **2. 細胞増殖の亢進・組織破壊の亢進** 　a. 悪性腫瘍 　　①造血器腫瘍（急性白血病，悪性リンパ腫，骨髄増殖性疾患， 　　　骨髄異形成症候群） 　　②固形腫瘍（乳癌，小細胞肺癌，そのほか増殖速度の速い腫瘍） 　b. 非腫瘍性疾患 　　尋常性乾癬，二次性多血症，溶血性貧血 　c. 腫瘍崩壊症候群 　d. 横紋筋融解症 **3. 甲状腺機能低下症** **4. 高プリン食** **5. 薬剤性** 　a. テオフィリン 　b. ミゾリビン 　c. リバビリン
尿酸排泄低下型	**1. 腎疾患** 　a. 慢性腎疾患 　b. 多発性嚢胞腎 　c. 鉛中毒・鉛腎症 　d. Down 症候群 　e. 家族性若年性高尿酸血症性腎症 **2. 代謝，内分泌性** 　a. 高乳酸血症 　b. 脱水 **3. 薬剤性** 　a. 利尿薬（フロセミド，サイアザイド系利尿薬など） 　b. 少量のサリチル酸 　c. 抗結核薬（ピラジナミド，エタンブトール塩酸塩） 　d. 免疫抑制薬（シクロスポリン）
混合型	**1. 1 型糖原病** **2. 肥満** **3. 妊娠高血圧症候群** **4. 飲酒** **5. 運動負荷** **6. 広範な外傷・熱傷** **7. ニコチン酸，ニコチン酸アミド**

〔日本痛風・尿酸核酸学会ガイドライン改訂委員会（編）：高尿酸血症・痛風の治療ガイドライン第 3 版. 診断と治療社，2018：103-104 より一部改変[1]〕

処方例

■ 急性痛風関節炎に対して，①〜③を組み合わせて治療する．

①NSAIDs*

ナプロキセン(ナイキサン®)

1日 300〜600 mg/日 2〜3回に分割 経口

✔痛風発作には初回 400〜600 mg を経口投与する．

または

オキサプロジン(アルボ®)

1日 400 mg 1〜2回に分割

✔年齢，症状により適宜，増減するが，1日最高量は 600 mg．

または

ロキソプロフェン(ロキソニン®)

1日180 mg 3回に分割 経口(急性痛風関節炎には保険適用外)

✔年齢，症状により適宜増減する．また，空腹時の投与は避けさせることが望ましい．

*NSAID は急性痛風関節炎に対して比較的高用量を短期間に限って用いることが有用であることから，NSAID パルス療法が行われることがある(例：ナプロキセン 300 mg を 3 時間ごとに 3 回，1 日のみ)．

②コルヒチン(コルヒチン錠「タカタ」)

発症 12 時間以内に 1 mg，その 1 時間後に 0.5 mg を投与

✔翌日以降に残存する疼痛に対しては 0.5〜1.0 mg/日を投与し，疼痛が改善したら速やかに中止する．

✔コルヒチンの代謝・排泄には CYP3A4 と P-糖蛋白が関与することから，併用を注意すべき薬剤に注意する．

✔GFR 30 mL/分未満での安全性は確立していない．

③経口グルココルチコイド製剤

プレドニゾロン換算 20〜30 mg/日をめやすとして，3〜5日間投与

✔糖尿病やなんらかの感染症，術後の場合には注意が必要である．

✔グルココルチコイド製剤は関節内投与，経口投与も可能である．

▶痛風発作時に血清尿酸値を変動させると発作の増悪を認めることが多いため，発作中に尿酸降下薬を開始しないことを原則とする．

▶図 11-1[1]) に，高尿酸血症の治療指針を示す．痛風・高尿酸血症の治療には，薬物治療の有無にかかわらず生活指導(食事療法，飲酒制

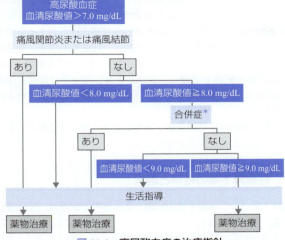

図 11-1　高尿酸血症の治療指針

痛風などの症候性高尿酸血症では，尿酸降下薬を使用して血清尿酸値 6 mg/dL 以下に維持する．
*腎障害，尿路結石，高血圧，虚血性心疾患，糖尿病，メタボリックシンドロームなど（腎障害と尿路結石以外は，血清尿酸値を低下させてイベント抑制を検討した大規模介入試験は未施行）．
〔日本痛風・尿酸核酸学会ガイドライン改訂委員会（編）：高尿酸血症・痛風の治療ガイドライン第 3 版．診断と治療社，2018：116[1]）〕

限，運動の推奨）が重要である．
▶食事療法としては，適正なエネルギー摂取，プリン体・果糖の過剰摂取の回避，腎機能に応じた適切な飲水がすすめられる．
▶運動は肥満防止，メタボリックシンドロームの抑制のために推奨される．ただし，過度な運動（無酸素運動）は血清尿酸値を上昇させるため，適切な強度の有酸素運動がすすめられる．
▶急性痛風関節炎を繰り返す症例や痛風結節を認める症例は，生活指導だけでは体内の尿酸-ナトリウム結晶蓄積を解消することは難しく，薬物治療によって血清尿酸値を 6.0 mg/dL 以下に維持することが望ましい．痛風関節炎を誘発させないために尿酸降下薬は最小量から開始し，必要に応じてコルヒチンカバー〔コルヒチン少量（0.5 mg/日）を連用する〕を併用する．
▶尿路結石の既往や尿路結石を保有している患者には尿酸生成抑制薬を使用し，尿中の尿酸排泄を抑制する必要がある．

- ▶皮下結節などの大きな痛風結節を有する患者では，血清尿酸の目標値を 5.0 mg/dL 以下にすることがすすめられる．
- ▶痛風関節炎をきたしていない無症候性高尿酸血症に対する薬物治療は，尿路結石を含む腎障害および高血圧，虚血性心疾患，糖尿病，メタボリックシンドロームなどの合併例では，血清尿酸値 8.0 mg/dL 以上で薬物治療を考慮し，合併症を有しない場合は血清尿酸値 9.0 mg/dL 以上で考慮するという，従来の基準を踏襲してもよいと考えられる．
- ▶二次性高尿酸血症は基礎疾患・病態の治療と高尿酸血症の治療の両者を行うが，とくに前者が重要となる．

6　尿酸降下薬の種類と選択

- ▶尿酸降下薬は，①尿酸生成抑制薬，②尿酸排泄促進薬，③尿酸分解酵素薬，に大別される．
- ▶尿酸生成抑制薬はプリン型キサンチン酸化還元酵素阻害薬（アロプリノール）と，非プリン型キサンチン酸化還元酵素阻害薬（フェブキソスタット，トピロキソスタット）に分けられ，後者は中等度の腎障害を伴う患者までは通常用量での投与が可能である．

処方例
■ ①〜③のうち，いずれかを投与する．
①トピロキソスタット（ウリアデック®錠）
　1日 40〜160 mg　2回に分割　経口
②フェブキソスタット（フェブリク®）
　1日 10〜60 mg　1回　経口
③アロプリノール（アロプリノール®）
　1日 200〜300 mg　2〜3回に分割　経口

- ▶尿酸排泄促進薬には，非選択的尿酸再吸収阻害薬（ベンズブロマロン，プロベネシド）に加え，近年，選択的尿酸再吸収阻害薬（ドチヌラド）が上市された．

処方例
①ドチヌラド（ユリス®）
　1日 0.5〜40 mg　1回　経口
または
②ベンズブロマロン（ユリノーム®）
　1日 25〜150 mg　1〜3回に分割　経口

表 11-3　腎機能に応じたアロプリノールの使用量

腎機能	アロプリノール投与量
Ccr＞50 mL/分	100〜300 mg/日
30 mL/分＜Ccr≦50 mL/分	100 mg/日
Ccr≦30 mL/分	50 mg/日
血液透析施行例	透析終了時に 100 mg
腹膜透析施行例	50 mg/日

▶ メルカプトプリン（ロイケリン®），アザチオプリン（イムラン®，アザニン®）使用中の症例では，アロプリノールを含むすべての尿酸生成抑制薬がこれらの血中濃度を上昇させ，骨髄抑制などの副作用が増強する可能性があり，フェブキソスタット，トピロキソスタットでは前述の薬剤は併用禁忌となっている．

▶ アロプリノールの適応症は「高尿酸血症・痛風を合併した高血圧」，フェブキソスタットとトピロキソスタットは「高尿酸血症または痛風」である．

▶ 尿酸分解酵素薬（ラスブリカーゼ）は腫瘍崩壊症候群に使用される．

7　合併症を有する高尿酸血症の治療

a　慢性腎臓病（CKD）・透析患者における高尿酸血症治療

▶「エビデンスに基づく CKD 診療ガイドライン 2023」[2]において，「高尿酸血症を有する保存期 CKD 患者に対する尿酸生成抑制薬による尿酸低下療法は腎機能悪化を抑制する可能性があり，行うことを考慮してもよい（2C）」とされている．

▶ 腎障害合併例では尿酸降下薬として，原則，尿酸生成抑制薬を使用する．アロプリノールの活性代謝物であるオキシプリノールは腎排泄性であり，腎機能低下時には蓄積し，副作用（骨髄抑制，皮膚過敏反応，肝障害）を生じることがあるため，腎機能に応じた投与量の調節が必要となる（表 11-3）．そのため，血清尿酸値を治療目標まで十分に低下させるのが困難な場合が多い．

▶ 中等度の腎機能障害をもつ痛風・高尿酸血症患者に対しては，アロプリノールとベンズブロマロンの少量併用療法（アロプリノール 50 mg/日＋ベンズブロマロン 25〜50 mg/日）が有用である．本療法は，アロプリノール単独療法に比較して，アロプリノール投与量および血清オキシプリノール濃度を減少でき，臨床的有用性が高いとされ

表 11-4　降圧薬が血清尿酸値に及ぼす影響

血清尿酸値	降圧薬
上昇	サイアザイド系利尿薬 ループ利尿薬 $\beta(\alpha\beta)$遮断薬
不変	MRA
不変～軽度低下	カルシウム拮抗薬 ARB（ロサルタン以外） ACE 阻害薬
低下	ロサルタン イルベサルタン SGLT2 阻害薬

MRA：ミネラルコルチコイド受容体拮抗薬，ARB：アンジオテンシンⅡ受容体拮抗薬，ACE：アンジオテンシン変換酵素，SGLT2：Na^+/グルコース共役輸送担体 2

ている.
▶ フェブキソスタットやトピロキソスタットは腎排泄への依存が低いことから，腎機能低下時でも比較的安全に使用できる.

b 降圧薬が血清尿酸値に与える影響（高血圧合併高尿酸血症）

▶ 各降圧薬の血清尿酸値に与える影響を表 11-4 に示す.

c 糖尿病治療薬，脂質異常症治療薬が血清尿酸値に与える影響

▶ 糖尿病治療薬である Na^+/グルコース共役輸送担体 2（SGLT2）阻害薬は，尿中尿酸排泄促進を介した尿酸降下作用が報告されている.
▶ フェノフィブラートは代謝物が尿酸トランスポーターを阻害することから，尿酸排泄促進作用を示す. 高トリグリセリド血症と高尿酸血症の合併，とくに尿酸排泄低下型高尿酸血症の合併には有効な薬剤である.

📖 文 献
1) 日本痛風・核酸代謝学会ガイドライン改訂委員会（編）：高尿酸血症・痛風の治療ガイドライン第 3 版. 診断と治療社, 2018
2) 日本腎臓学会編, エビデンスに基づく CKD 診療ガイドライン 2023, 東京医学社, 2023

📖 参考文献
・日本腎臓学会（編）：エビデンスに基づく CKD 診療ガイドライン 2018. 東京医学社, 2018

12 感染症に関連した腎炎

▶感染症の罹患後や持続感染によって病原体や毒素から免疫複合体が産生され，糸球体腎炎をきたすことが知られている．これらは，感染関連糸球体腎炎（IRGN）と総称される．

▶発症時に感染が終息している IRGN は感染後糸球体腎炎（PIGN）に分類され，代表的には小児の溶血性レンサ球菌（溶連菌）感染後急性糸球体腎炎（PSGN）があげられる．臨床経過は急性腎炎症候群（ANS）を呈する．

▶近年，溶連菌に代わって肺炎球菌やブドウ球菌，ウイルスなどによる IRGN が相対的に増加している．溶連菌感染以外の ANS は，高齢者で糖尿病などの基礎疾患をもつ患者に合併することが多く，急性〜亜急性に発症する．重症度もさまざまで，慢性腎臓病（CKD）に移行する症例や透析療法を要する症例もある．

▶とくにブドウ球菌の持続感染を病因とする免疫複合体が惹起する IRGN は，糸球体に IgA 優位の沈着を伴い，IgA 優位沈着性 IRGN（IgA-IRGN）とよばれる．

1 急性腎炎症候群

▶ANS は WHO 臨床症候分類で，「先行感染後，比較的急な経過で発症し，血尿，蛋白尿とともに，浮腫，乏尿，高血圧，糸球体濾過量の減少を認める」と定義されている．症候群であるので，PSGN でなく先行感染が明白でなくとも，同様の症状を呈する場合は ANS と診断される．

a 原因疾患（補体値による分類）

▶ANS をきたし鑑別診断を必要とする原因疾患を，表 12-1 に示す．

▶血清補体値の低下を伴うかは，ANS の鑑別に重要である．

▶なかでも，早期の膜性増殖性糸球体腎炎（MPGN）と PSGN の鑑別は難しく，両者とも低補体を呈すること，腎生検所見でも管内増殖性の像を認めることなどから注意を要する．

表 12-1　急性腎炎症候群（ANS）を呈する疾患（補体値による鑑別）

	補体値	
	低値のもの	低下を認めないもの
原発性腎疾患	溶連菌感染後急性糸球体腎炎	IgA 腎症
	膜性増殖性糸球体腎炎	急性間質性腎炎
	IgA 優位沈着性 IRGN（IgA-IRGN）	その他の感染性腎炎
	パルボウイルス B19 による腎炎	
二次性腎疾患	ループス腎炎	結節性動脈周囲炎
	感染性心内膜炎	ANCA 関連血管炎 ・顕微鏡的多発血管炎（MPA） ・多発血管炎性肉芽腫症 　（GPA；Wegener 肉芽腫症） ・好酸球性多発血管炎性肉芽腫症（Churg-Strauss 症候群）
	クリオグロブリン血症	抗 GBM 病（Goodpasture 症候群）
	シャント腎炎	IgA 血管炎（Henoch-Schönlein 紫斑病）
	コレステロール塞栓症	
	＊血栓性微小血管症（aHUS）	＊血栓性微小血管症（STEC-HUS，TTP）

＊血栓性微小血管症のうち，aHUS は約半数で血清 C3 低値
IRGN：感染関連糸球体腎炎，ANCA：抗好中球細胞質抗体，GBM：糸球体基底膜，aHUS：非典型溶血性尿毒症症候群，STEC-HUS：志賀毒素産生性大腸菌による溶血性尿毒症症候群，TTP：血栓性血小板減少性紫斑病

表 12-2　乏尿期・利尿期の塩分，飲水，たんぱく質制限の程度

	乏尿期	利尿期
塩分制限	3～6 g/日程度	7～8 g/日
飲水制限	前日尿量＋500 mL/日	なし
たんぱく質制限	0.5～0.8 g/体重 kg/日	なし

b 治療

▶ 安静・食事療法・対症療法が中心となる．とくに体液過剰に留意する．

▶ 乏尿期は入院し，ベッド上安静とする．回復するまでは過度な運動を避ける．

▶ 食事療法は高エネルギー 35 kcal/kg/日，低たんぱく質，減塩を原則とする．「付録：腎疾患患者の食事療法」（☞p.695）を参照いただきたい．

▶乏尿期と利尿期の塩分，飲水，たんぱく質制限の程度を表12-2に示す．
▶Kなどの電解質に注意しながら食事内容を調整する．

1. 薬物療法

1) 利尿薬

▶乏尿・浮腫に対して，ループ利尿薬を使用する．

> **処方例**
>
> フロセミド(ラシックス®)
> 1日 40～120 mg 1回 朝，または，2回に分割 朝昼
> ■ 経口で効果不十分，心不全などを認めるときは，①または②を追加する．
> ①フロセミド(ラシックス®)
> 1回 20～40 mg 1日 1～2回 ワンショット静注
> ②フロセミド(ラシックス®)
> 5～20 mg/時 持続静注(40 mg ボーラス後)

2) 降圧薬

▶おもに塩分と体液の貯留の結果，循環血漿流量が増加して高血圧となる．
▶塩分制限や利尿薬投与でも降圧効果が不十分な場合は，Ca拮抗薬を使用する．
▶うっ血性心不全や，まれではあるがMRIで可逆性後頭葉白質脳症(PRES)を示す高血圧脳症となる症例もあり，その場合は緊急降圧を要する．
▶Ca拮抗薬で効果不十分であれば，α_1遮断薬なども併用する．
▶レニン・アンジオテンシン系(RAS)阻害薬を使用する場合は，血清K値上昇，浮腫増強に注意する．

> **処方例**
>
> Ca拮抗薬：シルニジピン(アテレック®)
> 1日 10～20 mg 1回 朝
> ■ Ca拮抗薬で効果不十分の場合は，Ca拮抗薬に①または②を併用する．
> ①α_1遮断薬：ドキサゾシンメシル酸塩(カルデナリン®)
> 1日 1～4 mg 1回 朝
> ②アンジオテンシンⅡ受容体拮抗薬(ARB)：オルメサルタンメドキソミル(オルメテック®)
> 1日 10～40 mg 1回

2. 透析療法

▶乏尿期が遷延し，尿毒症や溢水状態のため心不全や呼吸不全が重症化していく場合には，透析療法を施行する．通常，利尿期になると透析療法を中止することができる．

2 　溶連菌感染後急性糸球体腎炎

▶近年，環境の改善や抗菌薬治療の浸透から溶連菌感染症が減り，先進国での発症頻度は激減した．

▶通常，5～12歳の小児と60歳以上の成人で発症し，数か月で自然寛解する．ただし，長期的な予後としては必ずしも良性ではなく，とくに成人では，10～40年後に高血圧の増悪，蛋白尿再発，腎機能低下をきたす患者が一定数みられる．中年発症例では腎機能低下が遷延し，慢性化することがある．

▶溶連菌中に存在するPSGN惹起の主因となる物質として，菌体内成分の nephritis-associated plasmin receptor（NAPlr）が同定された．

▶NAPlrは溶連菌感染により血中に出現し，糸球体係蹄内側へ沈着してplasmin活性を保持し，糸球体障害を誘導する．障害された糸球体では，溶連菌感染によって血中に出現した免疫複合体や補体が係蹄を通過して上皮細胞下に沈着し，巨大沈着物（hump）を形成する．

▶欧米では同様の物質として，Streptococcal pyrogenic exotoxin B（SPE B）が同定された．

▶地域，遺伝的背景によって，別々の抗原がPSGNの原因になりうると推測されている．

a 診断

▶発症の1～2週間（平均10日）前に，A群β型溶連菌による先行感染（扁桃炎，皮膚炎など）がある．

▶PSGNの3主徴として，①血尿（肉眼的），②浮腫，③高血圧，が認められる．

b 検査所見

▶血清補体価（CH50，C3）の低下がみられる．約8週間で低補体血症は改善する．持続する場合は，表12-1に示す他の腎疾患との鑑別を要する．

▶C4は通常，正常～軽度低下である．

▶溶連菌感染を証明するため，抗ストレプトリジンO抗体（ASO），抗

ストレプトキナーゼ抗体(ASK)高値を確認する(ただし，ASOとASKを同時に検査すると，保険請求上，どちらか一方しか算定されないため，注意する)．ASO，ASKともに感染後1〜3週で上昇し，3〜5週でピーク，6〜12か月で正常化する．
- 抗DNase B抗体(anti-DNase B antibodies)高値を呈する．皮膚感染症ではASOより高率に上昇する．ただし，感染初期に抗菌薬を投与されている場合は上昇しないことがある．咽頭培養，皮膚感染巣で菌を同定する．
- 腎機能検査値の悪化：血清Cr値は正常上限を示すことが多い．25%の症例で，血清Cr値が2 mg/dL以上となる．
- 腎生検は，臨床症状では診断できない場合や遷延化する場合にのみ施行する．非特異的な経過をたどる場合では，他の疾患をいち早く鑑別するため，積極的に腎生検を行う．
- 腎生検では以下のような所見が認められる．
  ①光学顕微鏡(光顕)所見：管内増殖性糸球体腎炎の組織像を示す．糸球体腫大，糸球体内富核(内皮細胞・メサンギウム細胞・好中球や単球などの浸潤細胞)がみられ，重症例では半月体が形成されている．
  ②蛍光抗体法所見：C3の顆粒状沈着がみられる．沈着パターンにより，starry sky型(糸球体内血管係蹄壁とメサンギウム)とmesangial型(メサンギウム)がある．このほか，大型の顆粒が糸球体内血管係蹄壁に沿って連続的に沈着するものはgarland型とよばれ，腎予後が不良とされる．
  ③電子顕微鏡(電顕)所見：糸球体上皮下にhumpが認められる．重症例ではhumpの数が多く，蛍光抗体法でのgarland型に相当する．

c 治療

- PSGN診断時に咽頭炎や皮膚感染症が遷延している場合には，溶連菌除去目的にペニシリン系抗菌薬を第一選択として使用する．

> **処方例**
> アモキシシリン(サワシリン®)
> 1回250 mg 8時間ごと 10日間

- ペニシリンアレルギー患者にはエリスロマイシン投与を考慮する．
- 投与期間は菌培養，CRP値から判断し，用量は腎機能の程度に応じて減量する．
- 通常，副腎皮質ステロイドや免疫抑制薬は使用しない．多数の半月

体を形成し急速に腎機能が低下したり，ネフローゼ症候群となった場合はステロイドパルスで治療されることが多いが，有効性のエビデンスはない．

3 IgA 優位沈着性感染関連糸球体腎炎

▶ 原因菌はメチシリン耐性黄色ブドウ球菌（MRSA）を含むブドウ球菌が多いため，ブドウ球菌IRGNともよばれる．他菌種の場合もある．

▶ ブドウ球菌感染は，皮膚蜂窩織炎，感染性心内膜炎，深部膿瘍，カテーテル感染などで同定され，臨床経過も多彩である．

▶ 治療は可及的速やかな感染症の制御であるので，感受性抗菌薬を十分に使用するとともに，膿瘍，疣贅，カテーテル感染などの感染巣が同定されれば外科的処置も併用し，積極的に感染を根治する．

▶ IgA-IRGN の病因は感染由来の免疫複合体が関与しているが，いまだ不明な点も多い．

▶ ブドウ球菌由来の T 細胞を活性化するスーパー抗原が，ポリクローナルに B 細胞を活性化し，免疫グロブリン産生を促進させる．それにより，IgA とブドウ球菌抗原が反応して免疫複合体が形成されることで惹起されると推測されている．

▶ 腎生検所見の類似から IgA 腎症と誤診される可能性がある．

a 診断，検査所見

▶ 感染に伴う腎機能障害，腎炎症候群から疑う．

▶ 培養検査の陽性を確認する．

▶ 浮腫，高血圧，血尿を呈する．

▶ 蛋白尿の程度はさまざまで，30%がネフローゼ症候群を呈する．高齢者に発症することが多いことから，腎機能障害も重篤で，循環血漿流量の増加から心不全をきたすこともまれではない．

▶ 80%に低補体血症を認める．25〜30%に抗好中球細胞質抗体（ANCA）の血清学的陽性を認める〔IgA-IRGN で ANCA 陽性となる症例の大多数が感染性心内膜炎が原因感染巣であり，抗 PR3 に対する抗体（PR3-ANCA）が陽性となる〕．

▶ 腎生検では以下のような所見が認められる．
①光顕所見：PSGN 同様，管内増殖性糸球体腎炎の組織像を示す．
②蛍光抗体法所見：C3 のほか，IgA の沈着がみられる．
③電顕所見：PSGN に類似し，糸球体上皮下に hump がみられる．

b 治療

▶抗菌薬の投与量，間隔は腎機能に応じて適宜調節する．

1. MRSA感染（感染臓器によって適応が異なる）

 処方例

- 感染臓器に応じて，①〜③を投与する．
  ①塩酸バンコマイシン注
  　1回0.5g 6時間ごと，または1回1g 12時間ごと 点滴静注
  ②リネゾリド注（ザイボックス®）
  　1回600mg 12時間ごと 点滴静注
  ③ダプトマイシン（キュビシン®）
  　1日1回6mg/kgを24時間ごとに30分かけて点滴静注

2. MRSA以外のブドウ球菌感染

 処方例

セファゾリンナトリウム（セファメジン®α）
1回1g 1日2〜3回 点滴静注
✒副腎皮質ステロイドや免疫抑制薬は有効性のエビデンスがないため使用しない．

4 その他の感染関連糸球体腎炎

▶レンサ球菌，ブドウ球菌，肺炎球菌，肺炎桿菌，ウイルス，マイコプラズマなど，多彩な病原体が原因微生物として報告されている．

▶感染性心内膜炎に伴うIRGNの場合，1/3の患者にANCAの血清学的陽性を認める．血尿を伴う急性腎障害（AKI）をきたすが，ANSやネフローゼ症候群をきたすものはまれである．

▶パルボウイルスB19（PVB19）によるIRGNの報告もある．PVB19感染は小児の伝染性紅斑として散見され，成人の初感染はまれである．

▶成人のPVB19感染に伴うIRGNでは，典型的には二峰性の病歴を呈する．初期には感冒様の症状が生じ，いったん軽快した7〜10日後に，関節痛，皮疹，浮腫とともにIRGNを発症する．免疫複合体が産生され，低補体血症とともに同徴候を呈する．自己抗体の疑陽性や血球減少の合併もしばしばあり，低補体血症，皮疹，腎炎，関節痛などの症状から，SLEなどの膠原病との鑑別が問題となることがあり，注意を要する．

▶その他，ventriculoatrial shunt（V-Aシャント）術後に，コアグラーゼ

陰性 *Staphylococcus epidermidis* などの弱毒菌の持続感染による免疫複合体を病因とするシャント腎炎の報告が古くからあるが、PSGN と同様に発症は減少している.

▶治療は感染の制御である.

5 肝炎ウイルス関連腎症

a B 型肝炎ウイルス(HBV)関連腎症

▶日本では、人口の約 1%(約 130 万人)の B 型肝炎ウイルス(HBV)感染者がいる.

▶垂直感染防止の治療により若年者の HBs 抗原陽性率は著しく減少したものの、性交渉に伴う水平感染による B 型急性肝炎の発症数は減少せず、慢性化しやすいゲノムタイプ A の HBV 感染が増加傾向にある.

▶年間の新規発症者数は、不顕性感染も含めて 1 万人程度である.

▶HBV 関連抗原と対応抗体や補体成分との免疫複合体が腎糸球体に沈着し、発症する.

▶HBV 関連腎症でよくみられる病理組織は、膜性腎症、MPGN、結節性多発性動脈炎である.

▶小児では、HBe 抗原陽性無症候性キャリアの膜性腎症でネフローゼ症候群を呈する症例が多い. 成人では、慢性活動性肝炎でのネフローゼ症候群を合併する症例が多い.

1. 臨床所見および腎病理

1) 膜性腎症

▶HBe 抗原と HBe 抗体の免疫複合体が、糸球体上皮下に沈着する. 免疫複合体沈着は、メサンギウム領域や内皮下にもみられる.

▶特発性膜性腎症に比較して、顕微鏡的血尿や補体価の低下を伴うことが多い.

▶HBV 関連腎炎では、特発性膜性腎症の原因抗原とされる膜型ホスホリパーゼ A2 受容体(抗 PLA2R)抗体が陽性となる症例があり、注意を要する.

▶小児例では、HBe 抗原セロコンバージョンに伴い自然寛解することが多いが、成人例では自然寛解はまれであり、時間とともに腎機能障害が進行することもある.

2) 膜性増殖性糸球体腎炎(MPGN)

▶メサンギウム領域や内皮下に、HBe 抗原と HBe 抗体の免疫複合体の沈着が認められる.

- 臨床的には，活動性の腎炎による腎所見（異形赤血球や円柱を伴う血尿，蛋白尿），腎機能低下，高血圧が認められる．

3) 結節性多発性動脈炎

- 中型〜小型の動脈にHBV関連抗原による免疫複合体が沈着し，さまざまな臓器が障害される壊死性血管炎を引き起こす．
- 通常，HBV感染後4か月以内に発症する．
- HBV関連の結節性多発性動脈炎の臨床徴候は特発性のものと類似しており，腎機能低下と高血圧を呈する．

2. 治療

- 副腎皮質ステロイドや免疫抑制薬は，B型肝炎ウイルスの増殖を活性化し肝炎の悪化を引き起こすため，原則，使用しない．
- 急速進行性糸球体腎炎（RPGN）や，重篤な症状を呈する結節性多発性動脈炎のため副腎皮質ステロイドや免疫抑制薬の使用を検討する場合は，抗ウイルス薬を併用する．
- 自然寛解も期待できるため，軽症例は経過観察とする．患者背景とB型肝炎の状態により治療を検討する．
- B型慢性肝炎の治療は，日本肝臓学会による「B型肝炎治療ガイドライン第4版」[1]によると，肝不全の回避と肝細胞癌発生の抑制を目標にHBs抗原消失を目指すと記されており，抗ウイルス治療の開始は，①組織学的進展度，②ALT値，③HBV-DNA量，を勘案して総合的に判断するとされている．
- B型慢性肝炎の初回治療として，小児や若年者ではペグインターフェロン（Peg-INF）療法を，それ以上の年齢についてはPeg-INF療法か核酸アナログ製剤を検討する．
- 肝硬変では核酸アナログ製剤が第一選択であり，中止は推奨されない．現時点では，Peg-IFN療法の肝硬変に対する保険適用はない．
- 治療はいずれも肝臓専門医にコンサルトすることが望ましい．

処方例

- Peg-INF療法か核酸アナログ製剤のいずれか（①〜④）を行う．

①ペグインターフェロンα-2a（ペガシス®）

　1回90μ/週 皮下注射

▶ 年齢，HBV-DNA量に応じて180μ/週に増量．標準的な治療期間は48週．

②エンテカビル（バラクルード®）

　1日0.5 mg 1回 空腹時 経口投与

▶ 腎機能に合わせて投与間隔の調節が必要．

③テノホビルジソプロキシルフマル酸塩（テノゼット®）

1 日 300 mg 1 回 経口投与

☛腎機能に合わせて投与間隔の調節が必要.

④テノホビルアラフェナミドフマル酸塩（ベムリディ®）

1 日 25 mg 1 回 経口投与

☛Cr クリアランスが 15 mL/分以上であることを確認する（投与後 15 mL/分未満で中止）.

b C 型肝炎ウイルス（HCV）関連腎症

▶日本では 2000 年以降，C 型肝炎ウイルス（HCV）キャリア率，肝細胞癌発生ともに減少しているが，現在でも 100 万人程度の感染者がいると推定されている.

▶HCV 関連腎症のもっとも一般的な病理組織像は混合型クリオグロブリン血症に伴う 1 型 MPGN であり，疾患の発症には HCV-RNA および HCV 抗体を含む免疫複合体が関与している.

▶クリオグロブリンを伴わずに発症する結節性多発性動脈炎の報告もある．HCV 感染の診断から平均 2 年で発症する．病理像は HBV 関連多発性結節性動脈炎と同様である.

1. 臨床所見および腎病理

▶混合型クリオグロブリン血症は全身性の血管炎であり，臨床所見として腎炎のほか，紫斑，関節痛，発熱，神経障害，血栓性静脈炎などさまざまな症状を呈する.

▶検査所見では，補体 C3，C4，C1q の低下がみられる．C3 の低下は C4 に比べて軽度である.

▶HCV感染で出現するクリオグロブリンは通常Ⅱ型で，ポリクローナル IgG とモノクローナル IgMκ 型からなる．抗グロブリン活性を有する IgM（リウマトイド因子）が HCV 抗原と IgG からなる免疫複合体を凝集させ，クリオグロブリンを形成している．ポリクローナル IgG および IgM からなるⅢ型もみられる.

▶腎炎は，血尿，時にネフローゼ症候群となる蛋白尿，腎機能障害，高血圧を呈する.

▶病理像では，主体は糸球体病変で，MPGN を示す．小細動脈の壊死性血管炎の所見を認めることがある．IgG，IgM および補体から構成される免疫複合体が，メサンギウム領域ならびに内皮下に沈着している.

2. 治療

▶混合型クリオグロブリン血症としての重症例の治療は,「クリオグロブリン血症」(☞p.225)を参照されたい.

▶日本肝臓学会による「C 型肝炎治療ガイドライン第 8.1 版」[2]では, 肝病変以外の合併疾患による予後が不良でなければ, 非代償性肝硬変を含むすべての C 型肝炎症例が抗ウイルス治療の対象となるとされている. HCV の排除をめざし, 直接型抗ウイルス薬(DAA)を用いる. 治療は肝臓専門医にコンサルトすることが望ましい.

▶2017 年に承認されたグレカプレビル水和物・ピブレンタスビル(マヴィレット® 配合錠)は, HCV すべてのジェノタイプ(1〜6 型)に有効で, 腎機能が低下した症例や小児〜高齢者でも使用可能であり, 前述のガイドラインでは初回治療の第一選択薬の 1 つとなっている.

処方例

①レジパスビル・ソホスブビル(ハーボニー® 配合錠)
1 日 1 錠(レジパスビルとして 90 mg, ソホスブビルとして 400 mg) 1 回 12 週間(成人) 経口投与

✒重度の腎機能障害(eGFR<30 mL/分/1.73 m^2), または透析を必要とする腎不全患者への投与は禁忌.

②グレカプレビル水和物・ピブレンタスビル(マヴィレット® 配合錠)
1 日 3 錠(グレカプレビルとして 30 mg, ピブレンタスビルとして 120 mg) 1 回 食後に経口投与 8〜12 週間(成人, 12 歳以上の小児, および 3 歳以上 12 歳未満かつ 45 kg 以上の小児)

文 献

1) 日本肝臓学会 肝炎診療ガイドライン作成委員会(編):B 型肝炎治療ガイドライン 第 4 版. 22 年 6 月 https://www.jsh.or.jp/lib/files/medical/guidelines/jsh_guidlines/B_v4.pdf(2023 年 4 月閲覧)
2) 日本肝臓学会 肝炎診療ガイドライン作成委員会(編):C 型肝炎治療ガイドライン(第 8.1 版). 2022 年 5 月 https://www.jsh.or.jp/lib/files/medical/guidelines/jsh_guidlines/C_v8.1.pdf(2023 年 4 月閲覧)

13 肝腎症候群

▶ 肝腎症候群（HRS）は，腹水を伴う非代償性肝硬変や劇症肝炎など進行した肝不全状態に合併して，もともととくに器質的異常を伴わない腎臓に急性の進行性腎不全として発症する．

▶ 重度肝障害に伴って著明な腎血液灌流の低下が起きることによる，糸球体濾過量の低下が本態であり，肝移植などにより肝障害が改善すると，腎機能障害も速やかに改善することが経験される．

1 病態

▶ HRS における腎障害は，腎皮質の血管攣縮による腎臓の血行動態の異常から，腎血流と糸球体濾過量の減少をきたす機能的障害である．

▶ 肝硬変による肝内血管抵抗の増大と門脈圧亢進に引き続き，おもに一酸化窒素（NO）の産生により脾臓および全身の血管拡張が進行し，有効循環血液量が低下する．その結果，神経体液系因子（レニン・アンジオテンシン・アルドステロン系，交感神経系，アルギニン・バソプレシン）が活性化され，腎血管は過度に収縮するため，腎血液灌流，糸球体濾過量が低下するといった腎前性の急性腎障害（AKI）が引き起こされる[1]（図 13-1）．

▶ 肝合成能の低下による低アルブミン血症や，消化管出血，細菌感染によるサイトカイン分泌，過剰な利尿薬投与なども腎血液灌流の低下を惹起し，HRS の増悪につながる．

▶ 従来，HRS は腎臓に器質的な異常を伴わない可逆的な病態であり，肝移植後には比較的速やかに改善するとされている．ただし，長期の腎血液灌流の低下や，薬物，胆汁酸塩，酸化ストレスなどによって引き起こされる尿細管の構造的損傷を伴う炎症性疾患の側面をもつという考え方も存在する．

2 診断

▶ 表 13-1[2,3] に診断基準を示す．HRS に特異的な診断方法はなく，腎組織像にも特徴的な所見がないため，通常，腎生検は行わない．

▶ 除外診断が中心となる．鑑別診断としては，急性尿細管障害，急性

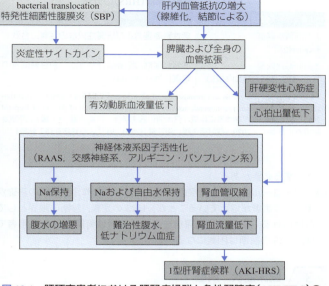

図 13-1 肝硬変患者における肝腎症候群と急性腎障害(AKI-HRS)の病態生理

RAAS：レニン・アンジオテンシン・アルドステロン系

表 13-1 肝腎症候群の診断基準

1. 腹水を伴う肝硬変である.
2. 血清 Cr 値が 1.5 mg/dL を超える.
3. 少なくとも 2 日以上の利尿薬の中止と，アルブミンによる容量負荷によっても血清Cr値が改善しない．このときのアルブミン投与量は1 g/kg/日が推奨される．
4. ショック状態ではない．
5. 現在あるいは最近，腎毒性薬が使用されていない．
6. 腎実質障害が認められない．尿蛋白(>500 mg/日)，顕微鏡的血尿(50/hpf 以上)，および超音波検査における腎の異常を腎実質障害とする．

〔Salerno F, et al.：Diagnosis, prevention and treatment of hepatorenal syndrome in cirrhosis. Gut 2007；56：1310-1318[3])を参考に作成/「日本消化器病学会，日本肝臓学会(編)：肝硬変診療ガイドライン 2020. 改訂第 3 版，南江堂，2020：91」[2])より許諾を得て転載〕

間質性腎炎，尿路閉塞，薬剤性腎障害，造影剤腎症，下痢や利尿薬，消化管出血に伴う腎前性腎障害などがあげられる．
▶肝炎ウイルス関連腎炎など，肝疾患に関連する他の腎疾患も，また

表 13-2　肝腎症候群(HRS)の分類

分類	基準
1 型肝腎症候群 (AKI-HRS)	急性腎障害および肝腎症候群の定義に合致
2 型肝腎症候群 (non-AKI-HRS/NAKI-HRS)	肝腎症候群の定義は満たすが，急性腎障害の定義には一致しない

〔Angeli P, et al.: Diagnosis and management of acute kidney injury in patients with cirrhosis; revised consensus recommendations of the International Club of Ascites. J Hepatol 2015；62：968-974[4)]を参考に作成/「日本消化器病学会，日本肝臓学会(編)：肝硬変診療ガイドライン 2020. 改訂第 3 版, 南江堂, 2020：91」[2)]より許諾を得て転載〕

除外する必要がある.
▶ 非アルコール性脂肪性肝疾患が増えてきている昨今，腎臓の基礎疾患をもつ患者が増えていることが，HRS の定義，診断の限界としてあげられる. 高血圧や糖尿病を合併する慢性腎臓病(CKD)患者では，HRS の診断は困難になる.

3　臨床症状，病型

▶ 黄疸，低蛋白血症，出血傾向，意識障害などの肝不全症状に合わせ，尿量減少，検尿所見正常，尿中 Na 排泄の低下，血清 Cr 値の進行性上昇を伴うときは本症を疑う.
▶ 腎不全の進行速度から，2 つの病型に分けられる(表 13-2)[2,4)]. 1 型(AKI-HRS)は 2 型(non-AKI-HRS/NAKI-HRS)に比べ予後が悪い.
▶ 表 13-2 の AKI とは，48 時間以内に血清 Cr 値 0.3 mg/dL 以上の上

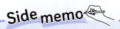

肝腎症候群(HRS)の定義の変遷

過去の 1 型 HRS の定義では，Cr 2.5 mg/dL 以上という閾値が設けられていたが，最新の分類では排除され，尿量や血清 Cr 値の上昇速度で判断するといった，腎臓疾患における AKI の定義に合わせられた. これは，高齢者やサルコペニアの患者など血清 Cr 値の上がりにくい患者に対しても，早期に診断できるように配慮されたためである. また従来，腎不全進行速度から 1 型，2 型と分類されてきたが，AKI の診断基準に合致した AKI-HRS，および AKI に該当しない non-AKI-HRS(NAKI-HRS)と称されるようになった.

昇，あるいは 7 日以内に血清 Cr の 50％以上の上昇を指す．補液に反応しないショック，新規の腎毒性のある薬剤曝露，器質的腎疾患を除外する．

▶典型的には腎不全は潜在性だが，消化管出血，感染が発症の契機となることがある．とくに特発性細菌性腹膜炎（SBP）は 1 型 HRS の引き金となることが多く，もともと腎機能が低い場合に発症しやすいとされている．

4 検査

▶AKI の原因を鑑別するため，Na 排泄率（FE_{Na}）や尿沈渣を用いるが，通常，FE_{Na} 1％未満となるところが，持続的腎虚血により 1％以上になることもあり，また理由は不明であるが，顆粒円柱と上皮細胞円柱は高ビリルビン血症のみでも認められるため，決め手にならない．

▶エコードプラによる腎血管 resistive index（RI）は，血清 Cr 値が上昇する前から腎の血流動態の変化を検出できる可能性が示唆されており，HRS 発症の予知にも有用である．

5 リスク因子，予防

▶急激な血管内脱水はHRS のリスク因子となるため，腹水治療としての利尿薬の投与は 1 日 0.5 kg 未満の体重減少をめやすとし，非吸収性合成二糖類（ラクツロース）の使用も 1 日 2〜3 回の排便が得られるように用量を調節する．

▶アルブミンの投与は大量腹腔穿刺（5 L 超の腹水除去）後の循環機能障害を改善し，AKI を予防することが示されている．

▶非ステロイド性抗炎症薬（NSAIDs）やレニン・アンジオテンシン・アルドステロン系（RAAS）阻害薬は腎内血流を障害するため，使用を控えることが望ましい．

▶放射線造影剤やアミノグリコシド系抗菌薬，バンコマイシン，アムホテリシン B などは尿細管毒性を示し，β ラクタム系抗菌薬，プロトンポンプ阻害薬はアレルギー性間質障害を引き起こすため，使用には注意を要する．

▶SBP に対する抗菌薬投与は，HRS 発症予防効果も報告されている．機序として，抗菌薬投与が腸管からの bacterial translocation および全身炎症を抑制し，HRS の進行を抑えると考えられている．

6 治療

a 血管収縮性薬剤とアルブミンによる循環改善を目指した治療

▶ 1型 HRS 症例では，腹水や胸水を含めた全身の体液量は増大しているにもかかわらず，低アルブミン血症を主体とした膠質浸透圧の低下による有効循環血液量の低い状態が混在していることを念頭において，アルブミン製剤を含めた補液や血管収縮性の薬剤の使用を考慮する．

▶ バソプレシン合成アナログである terlipressin（2023 年 11 月時点で，国内では保険未収載）が，アルブミン併用状況下で 65％の症例にお

Side memo

肝硬変腹水の管理

　肝硬変患者の腹水では，安全に行えると判断したら，腹水試験穿刺を行う．血清 Alb と腹水 Alb 濃度差が肝硬変腹水の診断に有用であり，腹水中の好中球算定，白血球エラスターゼ試験紙は SBP の迅速診断に有用である．

　肝硬変腹水には，まず 1 日 3〜5 g の減塩を行い，利尿薬の投与量節減，腹水の早期消失，入院期間の短縮を図る．次に，アルブミン製剤の静注を行う．利尿薬に併用し，腹水消失率を高め，腹水再発を抑制し，生存率も改善する．アルブミン製剤は SBP 患者の全身循環動態を改善させ，HRS の発生を抑制する．保険診療では，Alb＜2.5 g/dL の場合に限られる．利尿薬はミネラルコルチコイド受容体拮抗薬とループ利尿薬が第一選択である．スピロノラクトンは効果発現までに 3〜4 日を要するが，50〜90％の症例で有効である．ループ利尿薬単独投与は 50％の改善に留まり，推奨されない．重篤な副作用を防ぐうえでも，スピロノラクトン最大 150〜200 mg，フロセミド 120 mg をめやすに併用・増量する．希釈性低ナトリウム血症を伴う場合は，バソプレシン V₂受容体拮抗薬も有効である．

　利尿薬抵抗性腹水には，まず大量腹水穿刺排液で対処する．排液後は血漿増量薬の輸液が必要で，アルブミン製剤（腹水 1 L あたり Alb 8 g）が合成血漿増量薬にまさる．穿刺排液が頻回にわたるときは，腹水濾過濃縮再静注に変更する．アルブミン製剤の使用量を節減できるが，腹水エンドトキシンの濃縮のおそれがある．穿刺排液でコントロールできない難治性腹水には，TIPS，あるいは肝内門脈肝静脈短絡（P-V シャント）を考慮する．これらは予後を改善するものではなく，静脈瘤破裂，SBP が既往にあれば，肝移植が望ましい．

いて有効であったとする報告がある.

▶ アルブミンにノルアドレナリンを併用することで，terlipressin と同等の効果があるとされ，わが国での現時点での治療としてはこちらが提案される.

▶ ノルアドレナリンとフロセミド併用も有効とする報告がある.

▶ ソマトスタチン合成アナログ（オクトレオチド）は，α交感神経作動薬であるミドドリンとともに用いて有効であったとする報告もあるが，わが国では本症候群に対しては保険適用外である.

b 外科的治療

▶ 経頸静脈肝内門脈静脈短絡術（TIPS）は，腎機能の改善，腹水の改善が認められるものの，TIPS 後に肝性脳症を認めることが多く，有用性が判断できないとされる.

▶ わが国では現在，保険適用内で TIPS を行うことはできない.

c 肝移植

▶ 肝移植は HRS の根本的治療であり，多くの症例で移植後，速やかに改善する.

▶ HRS 合併例の肝移植後 1 年生存率は 71%，4 年生存率は 60%であったという報告があり，非合併例（83%，70%）と比べやや低率だが，肝移植により明らかに予後は改善する.

d 血液浄化療法

▶ 腎不全に対する腎代替療法だけでなく，肝性昏睡起因物質や HRS を惹起する液性因子の除去目的で血液浄化療法が行われる.

▶ 高流量持続血液濾過透析（HFCHDF）の有効性が報告されている.

e 特発性細菌性腹膜炎（SBP）の治療

▶ SBP の 30%に HRS が合併し，予後増悪因子となる.

▶ 起因菌としては，*Escherichia coli* がもっとも多い．腹水好中球数が 250/μL を超える場合は SBP と考え，抗菌薬治療を開始する.

📖 文 献

1) Nadim K, et al.：Acute Kidney Injury in Patients with Cirrhosis. N Engl J Med 2023；388：733-745
2) 日本消化器病学会, 他（編）：肝硬変診療ガイドライン 2020. 改訂第 3 版, 南江堂, 2020
3) Salerno F, et al.：Diagnosis, prevention and treatment of hepatorenal syndrome in cirrhosis. Gut 2007；56：1310-1318
4) Angeli P, et al.：Diagnosis and management of acute kidney injury in patients with cirrhosis；revised consensus recommendations of the International Club of Ascites. J Hepatol 2015；62：968-974

14 尿細管・間質疾患

1 尿細管機能異常

a Bartter 症候群，Gitelman 症候群

1. Bartter 症候群，Gitelman 症候群共通の特徴

▶原因遺伝子と臨床症状が必ずしも一致せず，鑑別が難しい症例もあり，以前はフロセミド立位試験やサイアザイド負荷試験での鑑別も行われていたが，近年では，確定診断は遺伝子診断によってなされる．そのため，遺伝性塩類喪失性尿細管機能異常症と総称する傾向にある．

▶常染色体潜性（劣性）遺伝形式．

▶低カリウム血症，代謝性アルカローシス．

▶レニン・アンジオテンシン・アルドステロン（RAA）系亢進．

▶血圧正常，浮腫は認められない．

2. Bartter 症候群の特徴

▶Henle 上行脚に存在する共輸送体やチャネルの遺伝子異常により，5 種類〔1 型・2 型・3 型・4 型・4b（5）型〕に分類される．

▶基本的に新生児〜幼児期に発症する．

▶尿濃縮障害，成長障害を呈する．

▶末期腎不全に進行する症例がある．

▶高カルシウム尿症，低カルシウム血症を認める．

3. Gitelman 症候群の特徴

▶遠位尿細管に存在する Na-Cl 共輸送体の遺伝子異常により発症する．

▶小児期〜成人後に発症する．

▶成長障害や末期腎不全に至ることはまれである．

▶低カルシウム尿症，低マグネシウム血症を認める．

▶テタニー症状（手足の痺れ）を伴うことがある．

4. 鑑別疾患

▶とくに偽性 Bartter 症候群との鑑別は重要である．偽性 Bartter 症候群の特徴としては，思春期以降の女性に多くみられる（摂食障害との鑑別が重要となる）．また，偽性 Bartter 症候群の原因として，下剤・利尿薬の乱用，慢性の嘔吐，アルコール中毒があげられる．

▶その他，Dent 病，ミトコンドリア病，常染色体顕性（優性）低カルシ

ウム血症などで Bartter 症候群，Gitelman 症候群と同様の症状を呈することがあり，時に鑑別が必要となる．

5. 治療

1) Bartter 症候群
▶もっとも重要なのは低カリウム血症の治療である．
▶塩化カリウム，スピロノラクトンで治療を開始する．
▶アンジオテンシン変換酵素(ACE)阻害薬，アンジオテンシンⅡ受容体拮抗薬(ARB)も使用する．

処方例
①塩化カリウム(塩化カリウム徐放錠®)
  1日 1,200 mg 2回に分割 朝夕食後
または
②スピロノラクトン(アルダクトン® A)
  1日 75 mg 3回に分割 朝昼夕食後
☛アスパラK® はアスパラギン酸が代謝されて HCO_3^- となり，アルカローシスを助長させるため使用しない．

2) Gitelman 症候群
▶低カリウム血症の治療は Batter 症候群に準じる．
▶低マグネシウム血症の治療については，Mg の補正がされないと，K 補充を行っても低カリウム血症が改善しない場合があるため，低マグネシウム血症をみた場合には原則，K 補充と同時に Mg 補充を開始する．

処方例
アスパラギン酸カリウム(75 mg)＋アスパラギン酸マグネシウム(75 mg)合剤(アスパラ® 配合錠)
1日 225〜900 mg(3〜12錠)を2〜3回に分割 経口投与
■ 重度の症候性低マグネシウム血症の場合
硫酸マグネシウム補正液 0.5 mEq/kg を 15 分かけて静注し，以後は必要に応じて同量を 8〜24 時間かけて持続静注
☛血圧の低下に注意する．

b 腎性低尿酸血症

1. 特徴
▶尿細管障害を認めないにもかかわらず，近位尿細管における尿酸再吸収が低下する，尿酸排泄亢進型低尿酸血症である．

- ▶先天性プリン代謝異常症に伴うものや悪性腫瘍に起因するものなど，二次的要因は含まない．
- ▶近位尿細管に存在する尿酸トランスポーターである *URAT1/SLC22A12* 遺伝子，*GLUT9/SLC2A9* 遺伝子の欠損により発症する．
- ▶日本人の 0.2〜0.5％にみられ，諸外国と比較して頻度は高い．

2. 検査
- ▶血清尿酸値 2.0 mg/dL 以下，尿中尿酸排泄率（FE_{UA}）または尿酸クリアランス（C_{UA}）の上昇．

3. 合併症とその治療

1）運動後急性腎障害
- ▶強度の高い運動（無酸素運動）によって，背部痛を伴ったミオグロビンの上昇しない急性腎障害（AKI）を合併する頻度が高い．
- ▶一時的に透析を要する症例や，可逆性後頭葉白質脳症（PRES）を呈する症例もある．
- ▶予防には脱水や過度な運動を避けるなどがあるが，明確な方法はない．

2）尿路結石症
- ▶尿酸結石やシュウ酸カルシウム結石が形成されやすい．
- ▶体外衝撃波結石破砕術（ESWL）や経皮的腎尿管砕石術（PNL），経尿道的尿管結石破砕術（TUL）が行われる．
- ▶尿酸結石では，尿アルカリ化薬であるクエン酸カリウム＋クエン酸ナトリウム水和物（ウラリット®配合錠）も有効である．
- ▶尿路結石の予防には，尿量が 2,000 mL/日になるように飲水指導を行う．
- ▶有効性は一部の報告にとどまるが，キサンチンオキシドレダクターゼ（XOR）阻害薬（アロプリノール®，フェブリク®）の併用も考慮される．

c Liddle 症候群

1. 特徴
- ▶若年性高血圧，低カリウム血症，代謝性アルカローシスなど原発性アルドステロン症類似の臨床症状を示すが，血漿レニン活性，血漿アルドステロン濃度は低値を示す．
- ▶常染色体顕性遺伝形式．
- ▶遠位尿細管のアミロライド感受性上皮型 Na チャネル（ENaC）の遺伝子異常が原因で，Na の再吸収過剰となる．
- ▶頭痛，嘔吐など，重度の高血圧症状を呈する．
- ▶思春期以降に，しびれ，筋力低下，四肢麻痺，多飲・多尿などの低カリウム血症による症状で気づかれることが多い．

2. 検査
- 低カリウム血症, 代謝性アルカローシスを呈する.
- 血漿アルドステロン低値, 血漿レニン活性低値を示す.

3. 治療
- ENaC の機能を阻害するトリアムテレン, トリクロルメチアジドなどの利尿薬を用いる.
- 厳格な食塩制限(5 g/日)を行う.
- 各種降圧薬も併用する〔ただし, スピロノラクトン(アルダクトンA®)はミネラルコルチコイド受容体拮抗薬のため無効であり, 使用しない〕.

処方例

①トリアムテレン(トリテレン®)
 1 日 90〜270 mg(2〜6 カプセル) 2〜3 回に分割 経口投与
または
②トリクロルメチアジド(フルイトラン®)
 1 日 2〜8 mg 1 回 朝食後

d Fanconi 症候群

1. 特徴
- 近位尿細管の広範な機能障害により, アミノ酸, 糖, 尿酸, 重炭酸, リンなどの溶質の再吸収不全と, 尿中への喪失が起こる.
- 原発性(遺伝性(常染色体潜性), 先天性, 孤発性)と二次性がある.
- 原発性では, 発育不全, 成長障害, くる病などの症状を生じる.
- 後天性では, 電解質異常による筋力低下や倦怠感, 多飲・多尿, 骨石灰化障害である骨軟化症による骨痛や骨折などの症状を生じる.
- 原疾患を表 14-1 に示す.

2. 検査
- 汎アミノ酸尿, 腎性糖尿, 低分子蛋白尿症, 尿細管性アシドーシス(RTA), 低リン血症, リン酸尿, 低尿酸血症, 低カリウム血症, 低ナトリウム血症, 骨病変を認める.

3. 治療
- 二次性の場合は, 原疾患の治療もしくは原因物質の除去を行う.
- 必要に応じて, リン酸塩, 炭酸水素ナトリウム, NaCl+KCl(Na 負荷は遠位尿細管に至る Na を増やし, 同部位での Na-K 交換を促進して低カリウム血症を悪化させるため, カリウム塩も投与する), 活性型ビタミン D 製剤の投与を行う.

表 14-1　**Fanconi 症候群の原疾患**

分類	原因
原発性	ミトコンドリア異常症，Dent 病，シスチン血症，von Gierke 病，Lowe 症候群
二次性	近位尿細管障害をきたす基礎疾患	多発性骨髄腫，Sjögren 症候群，アミロイドーシス，間質性腎炎，ネフローゼ症候群，など
	薬剤性	シスプラチン，アミノグリコシド，アザチオプリン，NSAIDs，など
	中毒性	重金属(カドミウム，水銀，鉛など)，有機溶媒(トルエン，パラコートなど)

NSAIDs：非ステロイド性抗炎症薬

2　尿細管性アシドーシス

a　特徴

- 1 型 RTA：遠位尿細管での H^+ 分泌障害．
- 2 型 RTA：近位尿細管での HCO_3^- 再吸収障害．
- 4 型 RTA：アルドステロン欠乏または作用不全による，遠位尿細管での K^+，H^+ の排泄障害．

b　診断のキーポイント

- アニオンギャップが正常の高 Cl 性代謝性アシドーシスのうち，薬剤性のもの，消化管からの HCO_3^- 喪失によるものを除外する．
- 血清 K 値低値(1 型・2 型)，高値(4 型)．
- アシドーシス下での尿 pH 高値(1 型・4 型)．
- 近年，臨床症状から型を想定しつつ，遺伝子診断によって確定診断することが一般的となりつつある．
- RTA の原疾患を表 14-2 に示す．
- RTA の病型分類を表 14-3 に示す．

c　治療

1. 1 型 RTA

処方例
■ アシドーシス補正(体重 60 kg 換算)
①炭酸水素ナトリウム(重曹®)(HCO_3^- 含量：12 mEq/g)
　1 日 72〜180 mEq　3 回に分割　朝昼夕食後

表 14-2 尿細管性アシドーシス(RTA)の誘因・原疾患

1型 RTA	間質性腎疾患(間質性腎炎, 腎移植拒絶) 自己免疫性疾患(Sjögren 症候群, SLE, 原発性胆汁性肝硬変) Ca 代謝異常(原発性副甲状腺機能亢進症, 甲状腺機能亢進症, ビタミン D 中毒, 高カルシウム尿症) 薬剤性(アムホテリシン B, リチウム, 鎮痛薬) 遺伝性(*AE1* 遺伝子異常, H^+-ATPase 遺伝子異常)
2型 RTA	Fanconi 症候群(多発性骨髄腫, アミロイドーシス, Sjögren 症候群, シスチン症, Wilson 病, Dent 病, Lowe 症候群) 薬剤性(ストレプトゾシン) 中毒性(鉛, 水銀, カドミウム) 遺伝性($Na^+HCO_3^-$ 共輸送体遺伝子異常, carbonic anhydrase II 遺伝子異常)
4型 RTA	Addison 病 アルドステロン欠損症 間質性腎炎 糖尿病性腎症 薬剤性(スピロノラクトン, トリアムテレン) 遺伝性(ミネラルコルチコイド受容体遺伝子異常, *ENaC* 遺伝子異常, WNK キナーゼ遺伝子異常)

SLE:全身性エリテマトーデス

または
②クエン酸カリウム・クエン酸ナトリウム水和物(ウラリット® 配合錠)(HCO_3^- 含量:9 mEq/g)
　1 日 54〜108 mEq 3 回に分割 朝昼夕食後
🔑クエン酸による尿路結石予防効果, K 補充効果あり.
■ 必要に応じて低カリウム血症治療(体重 60 kg 換算)
グルコン酸カリウム(グルコンサン K® 錠 5 mEq)
1 日 15〜30 mEq 3 回に分割 朝昼夕食後

2. 2型 RTA

 処方例

■ アシドーシス補正(体重 60 kg 換算)
炭酸水素ナトリウム(重曹®)(HCO_3^- 含量:12 mEq/g)
1 日 120〜360 mEq 3 回に分割 朝昼夕食後
■ 必要に応じて低カリウム血症治療(体重 60 kg 換算)
グルコン酸カリウム(グルコンサン K® 錠 5 mEq)
1 日 15〜30 mEq 3 回に分割 朝昼夕食後

表 14-3 尿細管性アシドーシス(RTA)の病型分類

	1型	2型	4型
血清K値	低	低	高
血清 HCO_3^-	10～15 mmol/L	8～20 mmol/L	10～15 mmol/L
尿pH（アシドーシス下）	>5.5	<5.5	さまざま
尿Ca	増加	正常	増加
重炭酸負荷時の%FEHCO_3	<3～5%	>10～15%	<5%
腎石灰化	多い	まれ	まれ
HCO_3^-補充量	1～3 mEq/kg/日	5～20 mEq/kg/日	1～3 mEq/kg/日
K補充の必要性	なし	あり	K制限

3. Fanconi 症候群による骨軟化を伴う場合

▶ 処方例

カルシトリオール(ロカルトロール®)
1日 0.25～0.5 μg 1回 朝食後
■ 上記で効果不十分(P低値)の場合
無水リン酸水素二ナトリウム(ホスリボン®：Pとして 100 mg/包)
1日 300～600 mg 3回に分割 朝昼夕食後

4. 4型RTA

▶ 処方例

■ アシドーシス補正(体重 60 kg 換算)
炭酸水素ナトリウム(重曹®)(HCO_3^-含量：12 mEq/g)
1日 72～180 mEq 3回に分割 朝昼夕食後
■ 高カリウム血症治療
ジルコニウムシクロケイ酸ナトリウム水和物(ロケルマ®)
1日 1～3包 1～3回に分割
■ 低アルドステロン血症が原因の場合(腎機能低下は軽度)
フルドロコルチゾン(フロリネフ®錠)
1日 0.05～0.1 mg 1回 朝食後
■ 偽性低アルドステロン症Ⅱ型の場合
トリクロルメチアジド(フルイトラン®錠)
1日 1～2 mg 1回 朝食後

3　尿細管間質性腎炎

a　特徴

▶尿細管間質性腎炎（TIN）は尿細管間質の炎症を主体とする腎病変の総称であり，急性と慢性がある．

▶原因により多彩な臨床像を呈するが，病理組織学的な変化には共通する部分がある．

▶尿蛋白が比較的少ない（1 g/日以下が多い）．

▶尿濃縮障害，腎性糖尿，汎アミノ酸尿，尿中 β_2 マイクログロブリン（β_2MG）・N-アセチルグルコサミニダーゼ（NAG）などの上昇，種々の電解質異常を呈する．

▶確定診断には腎生検が重要．また補助的ではあるが，腎生検が困難な症例には Ga シンチグラフィが有効である．

▶治療法選択の観点から，急性尿細管壊死（ATN）との鑑別がとくに重要である．

b　急性間質性腎炎

1.　特徴

▶原因不明の腎機能低下例や非乏尿性の AKI 症例，先行する薬剤投与や感染がある症例は，本症の可能性を考える．

▶発症までの時間は，原因への曝露から3日〜数週間と大きな幅がある．

Side memo

偽性低アルドステロン症Ⅱ型

　偽性低アルドステロン症Ⅱ型（PHAⅡ）は，塩分感受性高血圧，高カリウム血症，代謝性アシドーシスを呈する常染色体顕性遺伝形式の遺伝性腎疾患である．Na-Cl 共輸送体（NCC）過剰活性による塩分再吸収の亢進が原因であり，NCC 阻害薬であるサイアザイド系利尿薬により，すべての症状が改善されることが知られている．原因として，NCC の活性を制御する WNK1/4 キナーゼの変異と WNK を分解する KLHL3/Cullin3 の変異が報告されている．この WNK キナーゼが，腎臓尿細管の NCC による塩分再吸収を介して，肥満や CKD における塩分感受性高血圧を起こすことに注目が集まっている．原因不明の高カリウム血症で発見されることが多く，サイアザイド系利尿薬という効果的な薬剤があるため診断する価値があり，家族歴がある場合などはとくに遺伝子診断を考慮する．

14

尿細管・間質疾患

3

尿細管間質性腎炎

▶薬剤性が 70〜85%と大多数を占める．非ステロイド性抗炎症薬（NSAIDs）・抗菌薬・プロトンポンプ阻害薬（PPI）が 3 大被疑薬といわれている．近年は抗腫瘍薬による急性間質性腎炎も注目されている（表 14-4）．

▶発熱，湿疹，関節痛など（アレルギー反応の場合）を呈する．

▶腎臓の腫大による腰痛もみられる．

表 14-4　**急性間質性腎炎の誘因，原疾患**

1. 薬剤	抗菌薬	β-ラクタム系抗菌薬（もっとも一般的な原因），シプロフロキサシン，エタンブトール，イソニアジド，マクロライド系抗菌薬，ミノサイクリン，リファンピシン，テトラサイクリン，ST 合剤，バンコマイシン，など
	NSAIDs	ジクロフェナク，イブプロフェン，ナプロキセン，など
	利尿薬	フロセミド，サイアザイド系利尿薬，トリアムテレン，など
	抗てんかん薬	カルバマゼピン，フェノバルビタール，フェニトイン，バルプロ酸，など
	その他	オメプラゾール，ランソプラゾール，アロプリノール，カプトプリル，シメチジン，インターフェロンアルファ，メサラジン，など
2 感染症	細菌	レジオネラ菌，ジフテリア菌，ブルセラ菌，レンサ球菌，サルモネラ菌，ブドウ球菌，大腸菌，カンピロバクター，梅毒トレポネーマ，など
	ウイルス	EB ウイルス，サイトメガロウイルス，HIV，単純ヘルペス，ハンタウイルス，B 型・C 型肝炎ウイルス，ムンプス，など
	その他	マイコプラズマ，リケッチア，レプトスピラ菌，結核菌，トキソプラズマ，クラミジア，カンジダ，など
3 免疫疾患	腎移植の急性拒絶反応	
	Sjögren 症候群，SLE，サルコイドーシス	
	IgG4 関連自己免疫疾患（自己免疫性膵炎）	
4. 特発性急性間質性腎炎	抗 TBM 抗体に関連する間質性腎炎，ぶどう膜炎を伴う急性間質性腎炎（TINU 症候群），川崎病，など	
5. 腫瘍性	リンパ腫，骨髄腫，など	

ST：スルファメトキサゾール・トリメトプリム，NSAIDs：非ステロイド性抗炎症薬，HIV：ヒト免疫不全ウイルス，SLE：全身性エリテマトーデス，TBM：尿細管基底膜

▶多尿と夜間頻尿（尿濃縮力の低下，Na の再吸収の低下）．

2. 検査

▶血液・尿所見：血清 Cr の上昇，血中 IgE 高値，尿細管マーカーの上昇（NAG，β_2MG など），顕微鏡的血尿，尿沈渣中の好酸球数増加，（薬剤性の場合）末梢血中の好酸球数増加．

▶画像検査：Ga シンチグラフィ・FDG-PET による集積．

▶薬剤リンパ球刺激試験（DLST）：陽性率は高くなく，陽性となった場合も原因とは限らない．

▶病理所見：間質への炎症細胞浸潤および浮腫，線維化が特徴的であり，炎症が尿細管まで及ぶと尿細管細胞の脱落壊死，間腔構造の破壊，閉塞を認める．非特異的病変が主体．

3. 治療

▶第一に原因の除去を行う．

▶腎生検で，間質線維化が軽度で細胞浸潤の多い症例には副腎皮質ステロイド投与を行う．

処方例
■ 経口副腎皮質ステロイド療法
プレドニゾロン（プレドニン®）
1 日 30〜60 mg 1〜2 回に分割 朝食後または朝昼食後
■ 必要に応じてステロイドパルス療法を考慮する．

4. 予後

▶薬剤性急性間質性腎炎では，原因薬剤の中止後，通常 6〜8 週以内に腎機能は回復するが，一般的に若干の瘢痕が残存する．

▶NSAID が原因の場合は，他の薬剤より通常，予後不良である．

▶その他の因子では，原因が除去されれば組織学的変化は通常，可逆的であるが，一部は線維化および慢性腎臓病（CKD）に進行する．

▶びまん性線維化，プレドニゾロンへの低反応，3 週間以上持続する AKI がある場合は，障害が残存する．

c 慢性間質性腎炎

1. 特徴

▶腎機能の低下が比較的緩徐で，蛋白尿が顕著でない場合に疑われる．臨床的に診断困難な場合が多い．

▶慢性の尿細管障害による緩徐な間質の浸潤と線維化，尿細管萎縮と機能障害，および腎機能の通常，数年にわたる緩徐な悪化がもたらされた場合に発症する．

表 14-5 慢性間質性腎炎の誘因，原疾患

1. 遺伝性疾患	常染色体顕性（優性）多発性嚢胞腎,髄質嚢胞腎,ネフロン癆,など
2. 感染症	慢性腎盂腎炎，全身性感染症，結核
3. 免疫疾患	アミロイドーシス，クリオグロブリン血症，サルコイドーシス，全身性エリテマトーデス，Sjögren 症候群，腎移植後拒絶反応，など
4. 薬剤性	鎮痛薬，アルキル化薬，シクロスポリン，タクロリムス，シスプラチン，ファモチジン，サラゾスルファピリジン，ランソプラゾール，アロプリノール，重金属（カドミウム，鉛，水銀など），リチウム，アリストロキア酸，など
5. 血液疾患	再生不良性貧血，多発性骨髄腫，鎌状赤血球症，発作性夜間血色素尿症，など
6. 尿路閉塞	膀胱尿管逆流症，尿路悪性腫瘍，尿路結石，など
7. 代謝疾患	慢性低カリウム血症，高カルシウム血症，シスチン症，Fabry 病，高シュウ酸尿症，高尿酸血症，など
8. その他	進行性糸球体疾患，高血圧症，虚血，加齢，特発性間質性腎炎，地域性腎炎（Balkan 腎炎），放射線腎炎，体外衝撃波砕石術（ESWL），など

▶慢性間質性腎炎の原因として，慢性腎盂腎炎による慢性感染症が多い．その他，鎮痛薬などの長期服用，サルコイドーシス，Sjögren 症候群，逆流または閉塞性尿路疾患なども原因となる（表 14-5）．

▶一般に，腎不全が発生するまで症候は認められない．

2. 検査

▶急性間質性腎炎に類似する．

▶尿所見：赤血球と白血球の出現はまれである．

▶画像検査：非対称性に縮小した腎臓がみられる．

▶病理所見：糸球体は正常から完全な破壊までさまざまである．尿細管は消失または萎縮している場合がある．間質にはさまざまな程度の炎症細胞と線維化を認める．

3. 治療

▶原因の除去，原疾患の治療が基本．

▶間質の線維化に対しては，有効な治療法は確立されていない．

▶腎機能低下症例では，腎機能低下の程度に応じた治療が必要となる．

4. 予後

▶原因の除去が難しい場合や，すでに進行した腎不全がある場合は末期腎不全に進行していく．

4　急性尿細管壊死

a 特徴
▶急性尿細管細胞損傷および機能障害を特徴とする腎障害である.
▶原因としては, 腎血流低下を引き起こす低血圧, または敗血症と腎毒性薬剤があげられる.
▶病態は, 腎不全が発生しない限り無症候性である. 低血圧, 重症敗血症, または薬物曝露後に腎障害を認めた場合は本疾患を疑う.
▶本症のリスク因子としては, 既存の CKD, 糖尿病, 既存の有効循環血漿量低下, 高齢があげられる.
▶乏尿を呈することが多い.
▶急性腎前性腎不全とも鑑別を要する.

b 治療
▶支持療法として, 腎毒性物質の使用中止, 正常血液量と血圧の維持, 栄養サポート, 感染症の治療を行う.
▶乏尿性 ATN では, 尿量を維持(体液管理=透析回避)するため利尿薬を使用する場合があるが, 腎予後の改善には寄与しない.

c 予後
▶血清 Cr は, 典型的には 1〜3 週間以内に正常または, ほぼ正常に戻る.
▶重症患者では, AKI が軽症の場合にも合併症発生率および死亡率は上昇する.
▶ICU 管理が必要な場合は予後が悪い.
▶死亡の予測因子としては, 尿量低下, 基礎疾患の重症度, 併存疾患の重症度があげられる.

Side memo

常染色体顕性(優性)尿細管間質性腎疾患(ADTKD)

常染色体顕性(優性)尿細管間質性腎疾患(ADTKD)は, 進行性の尿細管間質障害を呈する遺伝性の疾患群である. 末期腎不全患者の0.5%程度を占めるといわれており, とくに家族歴を有する, 検尿所見に乏しい原因不明の腎不全患者では鑑別にあげる必要がある. 高尿酸血症・痛風歴を伴うことが多い. 確定診断には遺伝子診断が重要であり, おもな原因遺伝子は UMOD, MUC1 である. 現在, 治療法の開発・病態の解明が進められている.

15 IgG4 関連腎臓病（IgG4 関連疾患）

1 疾患概念

- IgG4 関連疾患（IgG4-RD）は，高 IgG4 血症と臓器への IgG4 陽性形質細胞浸潤を特徴とする全身性疾患で，わが国から提唱された疾患概念である．
- 1 型自己免疫性膵炎（AIP），Mikulicz 病が代表的であるが，標的臓器は多岐にわたり，硬化性胆管炎，後腹膜線維症，尿細管間質性腎炎，間質性肺炎，甲状腺疾患などが報告されている（図 15-1）．これらの病変は同時に発症するとは限らず，時間的空間的多発性をもつことが特徴である．
- IgG4-RD における腎実質病変および腎盂病変を，IgG4 関連腎臓病（IgG4-RKD）と称する．すなわち後腹膜線維症や尿管病変は，尿路閉塞の有無にかかわらず IgG4-RKD には含まれないが，臨床的に重

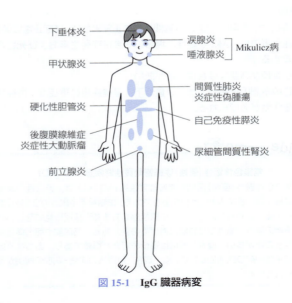

図 15-1　IgG 臓器病変

表 15-1　IgG4 関連疾患(IgG4-RD)の血液検査所見の特徴

1) 血清 IgG, IgG4 の上昇(IgG4 135 mg/dL 以上), ポリクローナルな高γグロブリン血症
2) 低補体血症(20〜40%の頻度, IgG4-RKD では 50〜70%と高い)
3) 自己抗体に関しては, 抗核抗体とリウマチ因子を一部の症例で認めるが, 疾患特異抗体は通常みられない.
4) アレルギー性反応として, 好酸球増多(40%前後の頻度, IgG4-RKD では 10〜20%と低い)や血清 IgE の上昇(頻度不明)を認める.
5) CRP の上昇は大多数で軽度にとどまる.

要である.

▶IgG4-RKD に伴う腎実質病変の主要所見は, IgG4 関連尿細管間質性腎炎(IgG4-TIN)である.

2　疫学

▶2009 年時点の IgG4-RD 受療者数(AIP の全国調査 2,790 例を含む)は, 約 8,000 人と推定される. Mikulicz 病は女性に多いが, Mikulicz 病を除くと男性に多い.

▶日本腎臓学会の腎生検データベースでの 2 年間(2012〜2013 年)の登録症例 6,978 例のうち, IgG4-RKD は 47 例, すなわち生検 1,000 例あたり 6.7 例であった.

3　臨床像

▶男性に多く(73〜87%), 患者の平均年齢は約 65 歳である.

▶発熱や体重減少などの全身症状が乏しいことや, 検尿異常にも乏しいことから, 腎機能低下や腎の画像異常で偶発的に, あるいは IgG4-RD の全身精査の過程で明らかになるケースが多い.

▶IgG4-RKD では他の臓器病変を伴う頻度が高い(約 80%).

▶IgG4-RD の血液検査所見の特徴を表 15-1 に示す.

▶IgG4-RKD では, IgG4-RD 全体と比べ, より高頻度に高 IgG4 血症(ほぼ全例), 低補体血症(>50%), 高 IgE 血症(70%)を伴うことが特徴である.

▶診断時の腎機能障害の程度は多岐にわたり, 正常域であることもあれば, すでに高度腎不全に至っていることもある. 通常, 急性腎障害の経過はとらない.

283

- 尿所見は，膜性腎症などの糸球体病変を伴っていない限り軽微である．
- 造影 CT による画像所見として，腎実質の多発造影不良域(病理学的な IgG4-TIN に相当)を 43〜65％に認め，もっとも特徴的である．その他，腎実質病変としてびまん性の腎腫大を 7〜30％に，単発性腎腫瘤を 3〜26％に，腎盂病変としての内腔不整を伴わない腎盂壁肥厚を 9〜15％に認める．
- とくに腎以外の罹患臓器がない場合，腎腫瘤や腎盂病変は悪性腫瘍との鑑別を要する．

4 病理組織像

- IgG4-TIN は，以下に示すように，通常の TIN とは違う特徴をもつ．

Side memo

IgG4 関連尿細管間質性腎炎(IgG4-TIN)の早期診断と早期介入の重要性

IgG4-TIN の腎機能は副腎皮質ステロイド治療後，すべての CKD ステージで速やかに改善し，長期間維持されることから，進行した CKD ステージであっても，あきらめずに治療介入を行うべきである．ただし CKD ステージ G3 の患者と比較して，CKD ステージ G4 および 5 の患者では，観察期間全体を通じて eGFR が低値で推移したことから(図)[3]，腎機能の維持には早期診断と早期治療が重要である．

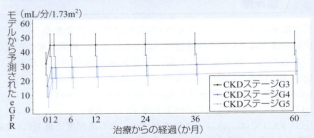

図 線形混合モデルに基づく CKD ステージ別の IgG4-TIN 治療経過

〔Arai H, et al.：Long-term changes in renal function after treatment initiation and the importance of early diagnosis in maintaining renal function among IgG4-related tubulointerstitial nephritis patients in Japan. Arthritis Res Ther 2020；22：261[3]〕

①病変部と非病変部の境界が明瞭.

②腎被膜を越える炎症性細胞浸潤.

③間質への著明な IgG4 陽性形質細胞・リンパ球浸潤, 間質の高度な線維化(硬化性線維化).

④尿細管基底膜, 間質, 血管壁への免疫グロブリンや補体の沈着.

▶ IgG4-RD に特徴的な硬化性線維化である花筵状線維化(storiform fibrosis)は IgG4-TIN でも同様に認められ, 診断に有用である.

▶ 炎症細胞が不規則に線維に囲まれてできる様子は bird's-eye fibrosis と称され, PAM(過ヨウ素酸メセナミン銀)染色など HE(ヘマトキシリン・エオジン)染色でない染色方法で明らかとなる都合上, IgG4-TIN に特徴的である.

▶ IgG4 陽性形質細胞の浸潤は抗好中球細胞質抗体(ANCA)関連血管炎や Sjögren 症候群に伴う TIN, 多中心性 Castleman 病の一部などでも認めることがあり, 鑑別に注意を要する.

▶ 通常 IgG4-RKD では, 壊死性血管炎, 肉芽腫形成, 好中球浸潤, 強い尿細管炎を伴うことは非常にまれである.

▶ IgG4-TIN に合併する代表的な糸球体疾患は膜性腎症(7～10%)で, その他に紫斑病性腎炎, IgA 腎症, 膜性増殖性糸球体腎炎, 管内増殖性糸球体腎炎の報告がある.

5 診断

▶ 高 IgG4 血症や IgG4 陽性形質細胞浸潤は IgG4-RD に特徴的であるが, 他の疾患でもみられる所見であり, 表 15-2[1])に示す所見を呈する場合には, まずは IgG4-RD 以外の疾患である可能性を考える.

▶ 診断基準は, IgG4-RD 包括診断基準と臓器別の診断基準とが存在する. 表 15-3[2))に「IgG4-RKD 診断基準 2020」を, 図 15-2[2))に IgG4-RKD 診断のためのアルゴリズムを示す.

▶「IgG4-RKD 診断基準 2020」は, 臨床・画像所見による腎外病変を追加したことで, 診断基準 2011 より診断性能が向上した.

6 治療と予後

▶ IgG4-TIN は進行すると不可逆的な腎機能低下をきたすことから, たとえ診断時に明らかな腎機能低下を呈していなくとも, 可及的速やかに副腎皮質ステロイドを投与する.

▶ 他臓器の IgG4-RD と同様, 中等量の経口プレドニゾロン(PSL)0.5～

表15-2 2019 ACR/EULAR IgG4-RD 分類基準における除外基準

	除外基準
臨床	発熱(38℃を超える) ステロイド治療に反応なし
血清	明らかな原因を欠く白血球減少,血小板減少 末梢血好酸球増多($>3,000/mm^2$) ANCA 陽性(とくに MPO-または PR3-) 抗 SS-A(Ro)抗体,抗 SS-B(La)抗体陽性 抗 dsDNA 抗体,抗 RNP 抗体,抗 Sm 抗体陽性 他疾患特異的抗体 クリオグロブリン血症
画像	悪性腫瘍や感染を疑わせる所見 急速な増大 Erdheim-Chester 病に合致する長管骨異常 脾腫
病理	悪性腫瘍を示唆する細胞浸潤 炎症性筋線維芽細胞腫瘍に合致するマーカー 著明な好中球浸潤 壊死性血管炎 著明な壊死 一次性肉芽腫性炎症 単球・組織球異常
既存疾患	多中心性 Castleman 病 Crohn 病または潰瘍性大腸炎(肝胆道系単独病変の場合) 橋本病(甲状腺単独病変の場合)

ACR:米国リウマチ学会,EULAR:欧州リウマチ学会,ANCA:抗好中球細胞質抗体,MPO:ミエロペルオキシダーゼ,PR3:プロテイナーゼ 3
〔Wallace ZS, et al.: The 2019 American College of Rheumatology/European League Against Rheumatism classification criteria for IgG4-related disease. Ann Rheum Dis 2020;79:77-87[1]〕

0.6 mg/kg/日による初期治療が著効するため,高用量の副腎皮質ステロイドは不要である.1〜2 か月後には腎機能,低補体血症は改善し,血清 IgG,IgG4 が低下する.

処方例

■ 体重 50 kg の場合の初期治療として
プレドニゾロン(プレドニン® 錠)
1 日 25 mg 1 回 朝食後

表 15-3　IgG4 関連腎臓病診断基準 2020

1. 尿所見，腎機能検査になんらかの異常を認め，血液検査にて高 IgG 血症，低補体血症，高 IgE 血症のいずれかを認める．
2. 画像上，特徴的な異常所見〔びまん性腎腫大，腎実質の多発性造影不良域，単発性腎腫瘤（hypovascular），腎盂壁肥厚病変〕を認める．
3. 血液学的に高 IgG4 血症（135 mg/dL 以上）を認める．
4. 腎臓の病理組織学的に以下の 2 つの所見を認める．
   a. 著明なリンパ球，形質細胞の浸潤を認める．ただし，IgG4 陽性形質細胞が IgG4/IgG 陽性細胞比 40％以上，あるいは 10/HPF を超える．
   b. 浸潤細胞を取り囲む特徴的な線維化を認める．
5. 腎外病変
   a. 腎臓以外の臓器の病理組織学的に著明なリンパ球，形質細胞の浸潤と線維化を認める．ただし，IgG4 陽性形質細胞が IgG4/IgG 陽性細胞比 40％以上かつ 10/HPF を超える．
   b. 腎臓以外の臓器において，以下の臨床・画像所見のいずれかを認める．
      1）両側涙腺腫脹
      2）両側顎下腺あるいは両側耳下腺腫脹
      3）1 型自己免疫性膵炎に合致する画像所見
      4）後腹膜線維症の画像所見

Definite	1＋3＋4a＋4b	Possible	1＋3
	2＋3＋4a＋4b		2＋3
	2＋3＋5a		1＋4a
	1＋3＋4a＋5a or 5b		2＋4a
	2＋3＋4a＋5b		2＋5b
Probable	1＋4a＋4b		
	2＋4a＋4b		
	2＋5a		
	2＋3＋5b		

付記

1. 臨床上，鑑別を要する疾患をあげる．抗好中球細胞質抗体（ANCA）関連血管炎，多中心性 Castleman 病，悪性リンパ腫，extramedullary plasmacytoma など．
2. 画像診断において鑑別を要する疾患をあげる．悪性リンパ腫，腎癌（尿路上皮癌など），腎梗塞，腎盂腎炎（まれに多発血管炎性肉芽腫，サルコイドーシス，癌の転移など）．

〔佐伯敬子，他：IgG4 関連腎臓病診断基準 2020（IgG4 関連腎臓病診断基準 2011 改訂版）．日腎会誌 2021；63：193[2]〕

▶初期量を 2〜4 週間投与したのちに漸減し，PSL 5 mg/日程度の維持療法を継続することで，通常，回復した腎機能は維持され，末期腎不全へ至ることはまれである．

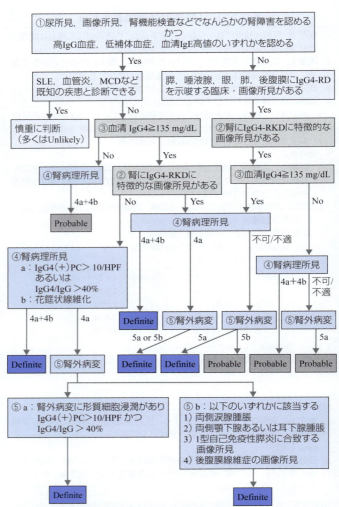

図 15-2　IgG4 関連腎臓病（IgG4-RKD）診断のためのアルゴリズム 2020

SLE：全身性エリテマトーデス，MCD：多中心性 Castleman 病

〔佐伯敬子，他：IgG4 関連腎臓病診断基準 2020（IgG4 関連腎臓病診断基準 2011 改訂版）．日腎会誌 2021；63：194[2)]〕

▶治療前の CT で多発造影不良域を認める腎機能低下症例でも，腎機能改善が得られるが，治療後に造影不良域は萎縮・瘢痕化することが知られている．

▶PSL の減量とともに血清 IgG4 が再上昇するため，再燃については症状，血液所見，画像所見を含めて総合的に判断する．再燃時は PSL の再投与もしくは増量が有効であるが，腎病変での再燃は腎機能低下につながる可能性があるため，PSLの中止は慎重に判断する．

▶ステロイド治療抵抗性・依存性患者の多くに，リツキシマブ投与が有効な治療法であることを示唆するケースシリーズがある（日本では保険適用外）．

▶IgG4-RD 患者では悪性疾患の発生率が通常の 3.5 倍であることを念頭において，慎重な経過観察を要する．

文 献

1) Wallace ZS, et al.：The 2019 American College of Rheumatology/European League Against Rheumatism classification criteria for IgG4-related disease. Ann Rheum Dis 2020；79：77-87

2) 佐伯敬子, 他：IgG4 関連腎臓病診断基準 2020（IgG4 関連腎臓病診断基準 2011 改訂版）．日腎会誌 2021；63：187-197

3) Arai H, et al.：Long-term changes in renal function after treatment initiation and the importance of early diagnosis in maintaining renal function among IgG4-related tubulointerstitial nephritis patients in Japan. Arthritis Res Ther 2020；22：261

16 Fabry 病

1 疾患概念

▶遺伝子変異により，α-ガラクトシダーゼ A（GLA）酵素の欠損，活性低下，あるいはライソゾーム内への酵素移行不全が生じ，GLA の基質であるグロボトリアオシルセラミド（Gb3）が種々の組織・臓器に蓄積する.

▶X 連鎖性遺伝形式をとる．男性ヘミ接合体患者の多くが学童期までに発症し，その後，臓器障害が進行する．ヘテロ接合体女性では，無症状で経過するものから重症例まで認められる.

▶昨今の新生児疾患スクリーニングの普及により，日本人新生児の約 1/7,000 人（0.014%）に Fabry 病が確認されているが，ヘテロ接合体女児の多くで酵素活性が正常範囲内となるため，実際の有病率はさらに高いと推定される.

2 症状

▶その臨床症状から，①古典型，②腎亜型，③心亜型，に分類される.

▶「古典型」は，幼少期から Fabry 病の典型的臨床症状を呈し，臓器障害が重度まで進行する.

▶「腎亜型」は，臨床症状は「古典型」に比し軽度であるが，成人以降に検尿異常や腎機能障害により覚知され，末期腎不全（ESKD）へと進行する.

▶「心亜型」は「腎亜型」より後期の中年期に発症し，心筋障害の結果，左室肥大や心臓電導障害を主徴とする.

▶Fabry 病の診断においては，障害臓器に関連する多彩な症状の有無についての詳細な病歴聴取が必須である．また，近親者における突然死，ESKD，脳血管障害，四肢末端痛，消化器症状（下痢・便秘・腹痛など）の有無は Fabry 病診断の鍵となり，女性ヘテロ接合体患者の診断にも有益な情報となる.

▶表 16-1[1]に Fabry 病の臨床病型を，表 16-2[2]に Fabry 病の代表的臨床症状を頻度順に示す.

表 16-1　**Fabry 病の臨床病型**

症状	古典型	遅発型		女性ヘテロ接合体型
		腎亜型	心亜型	
発症年齢	4〜8 歳	>25 歳	>40 歳	6〜60 歳
平均死亡年齢	41 歳	?	>60 歳	>70 歳
被角血管腫	＋＋	－	－	－〜＋
四肢末端痛	＋＋	－	－	－〜＋
発汗低下	＋＋	－	－	－〜＋
角膜混濁	＋＋	－	－	＋
心合併症	左心肥大/心筋梗塞	左心肥大	左心肥大	左心肥大
腎合併症	ESKD	ESKD	蛋白尿	蛋白尿〜ESKD
脳血管障害	TIA/脳卒中	?		TIA/脳卒中
GLA 残存酵素活性	<1%	<5%	<10%	低下〜正常

ESKD：末期腎不全，TIA：一過性脳虚血発作
〔日本先天代謝異常学会（編）：ファブリー病診療ガイドライン 2020．診断と治療社，2020：4[1]〕

3　診断と検査

▶体幹部の被殻血管腫や毛細血管拡張所見の有無を確認する．

▶生化学検査：血液・尿中の Gb3 測定．尿蛋白や尿沈渣でマルベリー小体，マルベリー細胞の有無を確認する．

▶遺伝学的検査：血液（血漿・白血球）中の GLA 活性，*GLA* 遺伝子解析が保険収載されている．女性ヘテロ接合体患者では，酵素活性が基準値範囲内であっても Fabry 病を否定できないため，遺伝子解析を優先する．近年，新生児疾患スクリーニングの普及により，男児 Fabry 病患者を発端とした家系診断例が増加している．

▶病理診断：皮膚・腎臓・心臓などの組織の Gb3 を確認する病理診断．腎組織の光学顕微鏡下に認められる糸球体上皮細胞の腫大や空胞化，電子顕微鏡でのゼブラ小体は，Fabry 病の糸球体病変を示唆する特徴的な病理所見である．

▶補助的診断：血中 lyso-Gb3，血中・尿中 Gb3 は診断やモニタリングに有用であるが，研究室レベルでの検査となる．

▶生理学的検査，画像検査：頭部 CT/MRI，MR angiography（MRA），心電図，心エコー，心筋シンチグラフィなどで心・脳血管病変を経時的に評価する．

表 16-2　Fabry 病の代表的症状

1. 神経・精神症状	・幼年期〜前期思春期に発症する四肢の神経障害性疼痛や異常知覚 ・運動，寒冷曝露刺激や入浴時の温度変化で誘発される ・多くは年齢が上がるにつれて疼痛の頻度が低下する ・抑うつなどの精神障害
2. 心症状	・左室肥大，不整脈（洞機能不全症候群や房室ブロック），心筋梗塞，心筋虚血，動悸，高血圧など ・男女ともに死因の第 1 位は心疾患である
3. 眼症状	・両側性の渦巻状角膜混濁（細隙灯顕微鏡検査によってのみ観察可能） ・網膜血管障害による視力低下
4. 消化器症状	・食後の腹痛や下痢，悪心・嘔吐など
5. 皮膚症状	・群発性被角血管腫を体幹（胸部，下腹部，腰背部），外陰部，大腿に認める ・毛細血管拡張 ・小神経線維損傷，自律神経障害に起因する低汗・無汗症
6. 聴覚障害	・難聴
7. 腎症状	・蛋白尿で発症し，進行性腎機能障害を呈する ・尿沈渣中のマルベリー細胞やマルベリー小体
8. 血管障害	・若年性の脳卒中，一過性脳虚血発作，脳底動脈虚血，白質病変など

〔Mehta A, et al.：Natural course of Fabry disease：changing pattern of causes of death in FOS- Fabry Outcome Survey. J Med Genet 2009；46：548-552[2)]より一部改変〕

▶感覚器検査：視力低下と渦巻状角膜混濁所見の有無や，難聴の有無を確認する．
▶図 16-1[3)]に Fabry 病の診断アルゴリズムを示す．

4　治療

▶Fabry 病は指定難病に認定され，一定の条件のもとで医療費助成の対象となっている．一生涯の治療が必要であり，また医療費も高額となるため，診断後は速やかに申請を行う．
▶Fabry 病の腎障害に対する代表的治療を表 16-3 に示す．

a 対症療法

▶四肢疼痛：カルバマゼピン，ガバペンチン，フェニトインの内服．

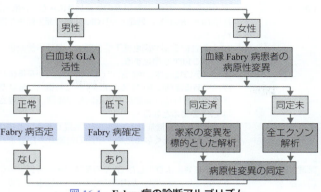

図 16-1　Fabry 病の診断アルゴリズム

〔Laney DA, et al.：Fabry disease practice guidelines：recommendations of the National Society of Genetic Counselors. J Genet Couns 2013：22：555-564[3])より一部改変〕

▶腎障害：レニン・アンジオテンシン系(RAS)阻害薬〔アンジオテンシン変換酵素(ACE)阻害薬，アンジオテンシンⅡ受容体拮抗薬（ARB）〕により尿蛋白減少を図る．慢性腎臓病(CKD)に対しては，血圧コントロール，食事指導など保存的治療を行う．ESKD への進行例では腎代替療法を実施するが，移植後再発例も報告されている．
▶循環器障害：強心薬，β遮断薬，RAS 阻害薬，Na^+/グルコース共役輸送担体 2(SGLT2)阻害薬，利尿薬などの心不全治療，抗不整脈薬，ペースメーカー．
▶脳血管障害：抗血小板療法．
▶突発性難聴：ステロイド療法．

Side memo

Fabry 病患者血中の Gb3 と lyso-Gb3

ヘテロ接合体 Fabry 病患者（女性患者）では GLA 活性が保たれるため，血中 Gb3 の上昇をみないことが多い．一方，Gb3 のセラミド部分から脂肪酸が外れた糖脂質である lyso-Gb3 の血中濃度は，Gb3 の約 1/1,000 であるものの，女性患者であっても Fabry 病でない対照者よりも高く，診断や治療効果の指標として有用である．

表 16-3 Fabry 病の腎障害に対する代表的治療

ERT	・アガルシダーゼα，またはβの点滴静注により，尿蛋白，尿中Gb3，糸球体上皮細胞へのGb3沈着の減少効果が期待できる. ・GLA 活性の欠損や高度低下症例では，遺伝子診断後，速やかに ERT を開始する. ・顕性ヘテロ接合体女性などで GLA 酵素活性が基準値範囲内にある症例においても，Fabry 病に特徴的な症状を呈する，もしくは腎症など臓器障害が確認された場合は ERT の適応となる. ・治療開始時の腎機能低下，蛋白尿が高度であるほどERTの治療効果は低くなるため，早期の治療介入が望まれる.
薬理学的シャペロン療法	・遺伝子変異により生じた GLA のミスフォールディングを安定させ，リソソーム内での酵素活性を回復させる. ・経口投与でき，かつ血液脳関門も通過できる. ・GLA 遺伝子変異型のうち 3〜4 割（amenable mutation）が本治療の適応となるが，有効性は遺伝子変異型により異なると考えられる. ・長期安全性は確認されていない.
RAS 阻害薬	・尿蛋白の軽減（500 mg/gCr 未満）を目標とし，ERT もしくはシャペロン療法に，ACE 阻害薬または ARB を併用する.
CKD 管理	・保存期 CKD に対する標準治療. ・ESKD 症例では腎代替療法.

ERT：酵素補充療法，Gb3：グロボトリアオシルセラミド，GLA：ガラクトシダーゼ A，RAS：レニン・アンジオテンシン系，ACE：アンジオテンシン変換酵素，ARB：アンジオテンシンⅡ受容体拮抗薬，CKD：慢性腎臓病，ESKD：末期腎不全

b 酵素補充療法（ERT）

▶ 症状改善と臓器障害進行抑制を目的とする.

▶ 糖鎖が異なるアガルシダーゼαとβの 2 製剤が使用可能である.

▶ 成人 Fabry 病の腎障害に対する治療内容を表 16-3 に示す.

▶ Infusion reaction（悪寒，発熱，鼻汁，発疹など）に対しては，ヒスタミン H_1 受容体拮抗薬（抗ヒスタミン薬），解熱鎮痛薬，副腎皮質ステロイドの前投与で対処可能であるが，酵素製剤の点滴中に発現した場合には必要に応じて投与を中断し，適切な処置（抗ヒスタミン薬，副腎皮質ステロイド投与など）を行う. IgE 陽転化によりアナフィラキシー症状を呈した例もあり注意を要する.

▶ 腎代替療法導入においても，ERT は継続する必要がある.

処方例

①アガルシダーゼアルファ（リプレガル®）
1回 1 mg/kg 隔週ごとに点滴静注
🔖 40分以上かけて投与する．

または

②アガルシダーゼベータ（ファブラザイム®，アガルシダーゼベータ BS）
1回 0.2 mg/kg 隔週ごとに点滴静注
🔖 初回投与速度は 0.25 mg/分（15 mg/時）以下であるが，体重30 kg以上の患者で忍容性が十分に確認された場合には徐々に速めてもよい．

C 薬理学的シャペロン療法

▶適応については，*GLA* 遺伝子変異型で判定する．
▶透析患者を含む重度腎機能低下症例への薬理学的シャペロン療法は推奨されていない．

処方例

ミガーラスタット（ガラフォルド®）
1カプセル/隔日 経口投与

📖 文 献

1) 日本先天代謝異常学会（編）：ファブリー病診療ガイドライン 2020．診断と治療社，2020
2) Mehta A, et al.：Natural course of Fabry disease：changing pattern of causes of death in FOS-Fabry Outcome Survey. J Med Genet 2009；46：548-552
3) Laney DA, et al.：Fabry disease practice guidelines：recommendations of the National Society of Genetic Counselors. J Genet Couns 2013；22：555-564

17 多発性囊胞腎

1 疾患概念

▶多発性囊胞腎（PKD）は, ①常染色体顕性（優性）多発性囊胞腎（ADPKD）と, ②常染色体潜性（劣性）多発性囊胞腎（ARPKD）, に分類される.

▶2015 年に指定難病に指定された.

▶ARPKD は第 6 染色体長腕の *PKHD1* の異常により発症する.

▶ARPKD の多くは新生児期に囊胞の圧迫による呼吸不全が原因で死亡するが, 長期生存することもある.

▶ARPKD の多くは胎児〜小児期に発症するが, まれに成人で発症することもある.

▶ADPKD は第 16 染色体短腕の *PKD1* 遺伝子異常によるものと, 第 4 染色体長腕の *PKD2* 遺伝子の変異によるものが知られている.

▶ADPKD は遺伝性腎疾患のなかでももっとも頻度が高い（約 3,000〜7,000 人に 1 人）. 加齢とともに囊胞が両腎に増加・増大し, 進行性に腎機能が低下する.

▶2020 年の新規透析導入患者に占める PKD の割合は 2.3％である.

▶ADPKD の多くが家族性であるが, 10％が孤発例であるとされる.

▶本稿では, 腎臓内科として加療することの多い ADPKD を対象として述べる.

2 病態

▶腎実質にさまざまな大きさの囊胞が形成され, 腎実質は圧排され, 尿細管障害, 線維化が進展する.

▶血管が圧迫されることにより, 若年からレニン・アンジオテンシン系（RAS）の亢進した高血圧をきたすことも多い.

▶囊胞は腎以外に肝, 膵, 脾などにもみられ, 脳動脈瘤, 僧帽弁閉鎖不全, 大腸憩室などの異常も伴う.

▶*PKD1* の non-truncating 変異や *PKD2* 変異に比べて, *PKD1* の truncating 変異の腎予後は不良である.

▶ADPKD では, 両腎の容積が 750 mL を超えて大きくなると, 腎臓の増大速度が上昇する.

▶①慢性腎臓病（CKD）重症度分類ヒートマップで赤の部分，②腎容積750 mL以上かつ腎容積増大速度5%/年以上のうち，いずれかを満たした場合に指定難病の対象としている．

▶一方の染色体に遺伝子異常があっても対立遺伝子が正常であれば機能は維持されるが，対立遺伝子の変異が起こると，囊胞の形成が起こると考えられている（セカンドヒットセオリー）．

▶*PKD1*，*PKD2* の遺伝子産物である polycystin 1，polycystin 2 の異常により細胞内への Ca 流入が減少し，cAMP が上昇する．これにより囊胞液分泌亢進，細胞増殖が起こる．

▶バソプレシンが集合管細胞の V_2 受容体に結合すると，cAMP が上昇する．

3 症状

▶臨床症状として，腹部膨満，腰痛，囊胞感染や出血に伴う腹痛，肉眼的血尿，発熱などを呈することもあるが，無症状のことも多い．

▶末期腎不全発症時の年齢中央値は，*PKD1* が 54 歳，*PKD2* は 74 歳である．

▶高血圧の合併頻度は 60％で，脳動脈瘤とともに頭蓋内出血（頻度8％）のリスク因子となる．

4 診断・検査

▶厚生労働省進行性腎障害調査研究班による「多発性囊胞腎診療ガイドライン」の ADPKD の診断基準（**表 17-1**）[1]に基づいて診断する．

▶検尿：尿蛋白/Cr 比が高いほど腎障害が進展しやすい．血尿の悪化があれば，囊胞感染や囊胞出血を疑う．

▶CT，MRI，腹部エコーにより腎容積の評価を行う．

▶腎容積評価の簡便な方法としては楕円体法がある．以下の楕円体の式で推算するが，誤差が大きい．

> ［$\pi/6 \times$ 長径 $\times$ 短径 $\times$ 奥行］

▶特殊なソフトが必要であるが，積分法を用いることで正確な容積が測定可能である．

▶腎長径が 14 cm 以上の場合，腎容積 750 mL 以上である可能性が高い．

▶心エコーで弁膜症の評価を行う．

▶必要に応じて，大腸憩室の評価を行う．

表 17-1　常染色体顕性（優性）多発性囊胞腎（ADPKD）診断基準

1. 家族内発症が確認されている場合	①超音波断層像で両腎に囊胞がおのおの3個以上確認されているもの ②CT，MRI では両腎に囊胞がおのおの5個以上確認されているもの
2. 家族内発症が確認されていない場合	①15歳以下では，CT・MRI または超音波断層像で両腎におのおの3個以上囊胞が確認され，以下の疾患が除外される場合 ②16歳以上では，CT・MRI または超音波断層像で両腎におのおの5個以上囊胞が確認され，以下の疾患が除外される場合
除外すべき疾患	多発性単純性腎囊胞 尿細管性アシドーシス 多囊胞腎（多囊胞性異形性腎） 多房性腎囊胞 髄質囊胞性疾患（若年性ネフロン癆） 多囊胞化萎縮腎（後天性囊胞性腎疾患） 常染色体劣性多発性囊胞腎

〔厚生労働省進行性腎障害調査研究班：常染色体優性多発性囊胞腎診療ガイドライン（第2版）．2002[1)]〕

5　治療

a 進行を抑制する治療

1.　積極的な飲水

▶積極的な飲水（2.5〜4 L/日）により囊胞増大速度の抑制が期待されるが，明確なエビデンスはない．ただし，脱水はバソプレシンを介した囊胞増大に寄与することから，積極的な飲水を奨励する．

2.　バソプレシン V_2 受容体阻害薬（トルバプタン）

▶①腎臓の容積が 750 mL を超える，②腎臓の容積が 5%/年以上の速度で増大する，を満たすものに対して保険適用がある．

▶ADPKD に対する根本的な治療薬ではないが，腎臓の囊胞の増大，腎機能低下を抑制することが報告されている．

▶透析導入の遅延効果が期待され，薬剤開始時期が早いほど，その効果は高い．

▶肝囊胞に対しては無効である．

▶副作用として多尿を認めるが，サイアザイド系利尿薬の併用による改善効果が報告されている．

> **処方例**
> トルバプタン(サムスカ®)
> 60 mg(朝 45 mg, 夕 15 mg)から開始
> 👉忍容性をみながら増量する. 最大用量は 120 mg.

3. 高血圧症を併発した場合の降圧療法

- 高血圧症は腎障害進展因子であるとともに, 脳動脈瘤破裂のリスク因子でもある.
- 140/90 mmHg 未満(尿蛋白陽性では 130/80 mmHg 未満)を目標とした厳重なコントロールを行う.
- 50 歳未満で推算糸球体濾過量(eGFR)>60 mL/分/1.73 m^2 かつ忍容性のある患者に限って, 110/25 mmHg 未満の厳格な降圧療法を行う[2].
- 腎障害進展抑制効果について, 降圧薬の種類による明確なエビデンスはないが, 尿蛋白陰性では, RAS 阻害薬, Ca 拮抗薬, 利尿薬を使用し, 尿蛋白陽性であればRAS阻害薬を第一選択薬として使用する.

4. たんぱく質制限

- 腎機能が低下した ADPKD 患者に対するたんぱく質制限が腎障害進展を抑制するかについては, 明確なエビデンスはない.

5. 生活習慣の改善

- 喫煙は囊胞を増大させることから, 禁煙を指導する.
- カフェイン摂取は cAMP 濃度を上昇させ囊胞増大を促進するとされているが, 明確なエビデンスはない.
- 肥満は囊胞の増大に寄与するため, 体重のコントロールを指導する.

b 合併症に対する治療

1. 血尿

- 約半数例に肉眼的血尿を認める. 持続する場合はトラネキサム酸など止血薬を投与することもあるが, 多くは自然に軽快する.
- 囊胞破裂による大出血もまれにみられ, その際には外科的処置を必要とする.

Side memo

「腹部超音波検診判定基準」の改訂

2021 年度版「腹部超音波検診判定マニュアル改訂版」では, 5 個以上の「囊胞」を両側に認める場合, 多発性囊胞腎として精査が必要と変更された. 今後, 検診後の要精査患者の増加が予想される.

2. 尿路感染症・囊胞感染

- 半数以上の症例でみられる．薬剤の囊胞内移行が悪いため，囊胞内感染をきたすと再発性・難治性になりやすい．敗血症のリスクもあるため，予防・早期治療を心がける．
- 抗菌薬としては囊胞内への透過性が良好なニューキノロン系薬を使用するが，耐性菌が増加している点に注意する．
- 原因菌としてはグラム陰性桿菌が多い．腎機能低下例では抗菌薬の投与量に注意する．

> **処方例**
> レボフロキサシン（クラビット®）・
> 1 日 500 mg 1 回 朝

3. 腹部圧迫症状の強い症例

- 穿刺吸引療法や腎摘出，腎動脈塞栓術が試みられている．
- 囊胞穿刺による吸引療法では，硬化剤を併用する．硬化剤を併用しない場合，すぐに囊胞液の再貯留をきたし，症状改善に至るのが難しい．
- 腎腫大，肝腫大が著明な場合は腹部膨満感が強く，食事摂取量が減少し，栄養不良となることがある．そのような場合は腎動脈塞栓術，肝動脈塞栓術が有効となる．

4. 脳動脈瘤・くも膜下出血

- ADPKD では，血管性中枢神経障害（脳出血，くも膜下出血，脳梗塞など）の頻度が一般より高い．
- とくに脳動脈瘤の頻度は一般では 1％であるが，ADPKD で脳動脈瘤の家族歴がある場合は約 16％，ない場合でも約 6％と高頻度である．
- 脳動脈瘤破裂の頻度は ADPKD 全体で約 1/2,000 人・年であり，一般に比して約 5 倍である．
- 脳動脈瘤による死亡率は ADPKD 患者の 4〜7％である．
- くも膜下出血の平均発症年齢は 41 歳と，一般の 51 歳より若い．
- MR angiography（MRA）によるスクリーニングは ADPKD 診断時に行い，その後は 3〜5 年間隔で行う．
- 脳動脈瘤があれば，外科的クリッピング，コイル塞栓術を考慮する．
- eGFR 30 mL/分/1.73 m² 未満では，造影による MRI は避ける．

📖 文 献

1) 厚生労働省進行性腎障害調査研究班：常染色体優性多発性囊胞腎診療ガイドライン（第 2 版），2002
2) 日本腎臓学会（編）：エビデンスに基づく CKD 診療ガイドライン 2023，東京医学社，2023

18 尿崩症

1 疾患概念

▶尿崩症(DI)は，抗利尿ホルモン(ADH)であるバソプレシン(AVP)作用の欠如により尿濃縮機構が作動しないために多飲や多尿をきたす疾患で，中枢性 DI(CDI)と腎性 DI(NDI)に大別される.

▶ほかに多飲や多尿をきたす疾患として，心因性多飲などがある.

2 多尿をきたす疾患

▶多尿をきたす疾患を表 18-1 に示す.

▶多尿をきたす疾患には，①水利尿が原因で，尿浸透圧 200 mOsm/kg 以下の低張尿を呈するものと，②浸透圧利尿が原因で，等張〜高張尿を呈するもの，がある.

▶多尿が一次的原因のものに CDI と NDI があり，CDI は AVP の分泌不全，NDI は AVP の作用不全による.

▶妊娠時に胎盤から分泌されるバソプレシナーゼにより AVP が分解され，多尿となる病態もまれにある(双胎など胎盤が大きい場合に多いとされる). これは，AVP の代謝亢進によるものである.

▶浸透圧利尿では電解質によるものと，非電解質によるものがある. それぞれの原因物質を表 18-1 に示す.

3 診断/鑑別診断

▶主要症候は大量の低張尿であり，5〜10 L/日に及ぶこともある.

▶DI の診断基準においては，多尿の定義として，3,000 mL/日または 40 mL/kg/日以上(小児では 2,000 mL/m²以上)とされている.

▶これに伴い，口渇，多飲，頻尿を呈する.

▶初期の症状としては，夜間尿が重要である.

▶鑑別のポイントを以下に示す.

a 血漿 AVP 濃度

▶CDI では血漿浸透圧(から予測される数値)に比して血漿 AVP 濃度

301

表 18-1 多尿をきたす疾患

分類	尿浸透圧	一次的原因	原因疾患・原因物質	
水利尿	低張尿	多尿	CDI	・続発性（腫瘍，外傷，感染，炎症，サルコイドーシスなど） ・特発性，家族性
			NDI	・続発性（腎疾患，高カルシウム血症，低カリウム血症，薬剤） ・先天性（遺伝性）
		口渇・多飲	心因性多飲（精神疾患の患者に多い）	
浸透圧利尿	等張〜高張尿	電解質による利尿	食塩摂取過剰	
		非電解質による利尿	ブドウ糖，尿素，D-マンニトール，グリセリン，SGLT2 阻害薬	

CDI：中枢性尿崩症，NDI：腎性尿崩症，SGLT2：Na^+/グルコース共役輸送担体 2

が明らかに低値で，正常〜高値を示す NDI と区別される．

b 高張食塩水負荷試験・水制限試験

▶いずれも AVP 分泌を刺激する試験であるが，安全面から高張食塩水負荷試験を優先すべきとの意見もある．

▶高張食塩水負荷試験：5%食塩水を 0.05 mL/kg/分で 120 分間投与し，開始時から 30 分ごとに血漿 AVP 値と血清 Na 濃度を測定し，尿浸透圧が 300 mOsm/kg を超えないことを確認する．そして，血漿浸透圧高値にもかかわらず血漿 AVP 値が低値であれば，CDI が疑われる．

▶水制限試験：3%の体重減少をめやすとして水制限を行い，尿浸透圧が 300 mOsm/kg を超えないことを確認する．ただし，検査中は厳密に患者を監視する必要があり，終了基準としては，①3%の体重減少，②起立性低血圧，③血清 Na 濃度＞145 mEq/L，④尿浸透圧がプラトーに達する，などがあげられる．なお，心因性多飲では水制限試験により尿量が減少し，尿浸透圧・血漿 AVP 値が上昇する．

c バソプレシン負荷試験

▶DI が疑われる患者で，外因性の AVP 投与（ピトレシン® 5 単位皮下注後，30 分ごとに 2 時間採尿）により，尿浸透圧の上昇（前値と比べて 50%以上の上昇，もしくは 300 mOsm/kg 以上への上昇）がみられれば CDI，みられない場合（前値と比べて 10%以下の上昇）は NDI が考えられる．

d 下垂体 MRI

▶CDI の診断に，下垂体の MRI も有用である．正常では T1 強調像で下垂体後葉の AVP 部位が高信号として見えるが，CDI ではこの高信号が消失する．

4 中枢性尿崩症（CDI）

a 分類

▶CDI の分類を表 18-2 に示す．

b 病態

▶AVP 分泌の低下により腎集合管での水再吸収が低下し，多尿が生じる．乳幼児や意識障害，口渇中枢障害などで自由水の摂収がない場

表 18-2 中枢性尿崩症（CDI）の分類

分類	頻度	病態
特発性	38.6%	・自己免疫機序による視床下部の AVP 産生細胞の減少が原因．
家族性	1.0%	・常染色体顕性（優性）遺伝形式をとり，生後数か月〜数年で発症する． ・Wolfram 症候群は常染色体潜性（劣性）遺伝で，CDI・糖尿病・視神経萎縮・感音性難聴を伴う．
続発性	60.4%	・腫瘍（頭蓋咽頭腫・胚細胞腫），外傷，低酸素脳症，感染症（脳炎，髄膜炎），上室頻拍後（ANP 分泌増加も関与），手術後などが原因． ・下垂体手術後の場合は一過性のことが多く，下垂体茎への損傷が原因となる．

AVP：バソプレシン，ANP：心房性ナトリウム利尿ペプチド

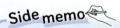

仮面尿崩症（masked DI）

副腎不全を伴った CDI の場合，（AVP 分泌を抑制する）コルチゾール減少の結果，水利尿不全が生じ，DI の症状がマスクされることがある．このときに副腎皮質ステロイドの補充を行うと，多尿が前面に出てくる．このような状態を仮面 DI（masked DI）とよぶ．本症の副腎不全は下垂体前葉機能低下症によることが多く，下垂体前葉機能低下症に対して副腎皮質ステロイド補充を行った場合に，多尿が生じて発見されることが多い．

合には，著しい高ナトリウム血症をきたす可能性がある.

▶特発性の多くは自己免疫が関与するリンパ球性漏斗下垂体後葉炎と考えられているが，のちに脳腫瘍が発見される場合があるので，5年間は MRI をフォローアップすることが推奨される.

▶CDI の女性が妊娠すると，胎盤のバソプレシナーゼにより AVP が分解されるため，多尿が悪化する可能性があり注意する.

c 治療

▶AVP 投与が原則である.

▶AVP 製剤であるピトレシン® は作用時間が2〜4時間と短く，血圧上昇のリスクもあるため，急性期の一時的な使用に限られる.

▶継続的な治療としては，通常，合成 AVP であるデスモプレシン（DDAVP）が用いられる（DDAVP は胎盤でのバソプレシナーゼでは分解されない）.

▶2013 年よりデスモプレシン口腔内崩壊（OD）錠が CDI に保険適用となった. 点鼻製剤とは吸収効率が異なるため，本剤に変更した場合，尿量コントロールのためには1回 60 μg を1日2〜3回投与が必要となることが多い. また，1回投与量を増やしても尿がさらに濃縮されるわけではなく，持続時間が延長するだけである. また，絶食時投与のほうが食後投与に比べて吸収効率が高まることも知られている.

▶点鼻製剤・OD 錠とも，効果持続時間が長すぎると低ナトリウム血症をきたす危険性もあるため，効果の切れる時間帯を設けることが望ましいとされている.

処方例

①デスモプレシン点鼻スプレー

1回 5〜10 μg（乳児では 0.5〜2.5 μg, 小児では 2.5〜5 μg）点鼻 朝1回もしくは朝夕2回

♪感冒やアレルギー性鼻炎などにより鼻汁が多いときは，吸収が低下する可能性がある.

または

②デスモプレシン（ミニリンメルト® OD 錠）

1回 60〜120 μg 1日 1〜3回 食前内服

♪点鼻製剤，OD 錠とも治療効果や持続時間には個人差があるため，各患者で確認する必要がある. また口渇中枢が正常であれば，口渇感に従って飲水することも重要である.

5 腎性尿崩症（NDI）

a 分類
▶NDI の分類を表 18-3 に示す．

b 病態
▶AVP 分泌は保たれているが，腎集合管での AVP 反応性低下のために多尿が生じる．
▶遺伝性のものでは，①集合管細胞の AVP 受容体（V_2受容体：V_2R）異常によるもの（伴性潜性遺伝）と，②水チャネルであるアクアポリン 2（AQP2）の異常によるもの（常染色体遺伝），とがある．
▶続発性ではリチウムによるものが有名である．

表 18-3　**腎性尿崩症（NDI）の分類**

分類	病態
先天性（遺伝性）	腎性尿崩症の約 1/3 を占める．
後天性（続発性）	さまざまな腎疾患や全身疾患，電解質異常（高カルシウム血症，低カリウム血症），薬剤（アムホテリシン B，アミノグリコシド系抗菌薬，シスプラチン，リチウムなど）により，腎における AVP の反応性が減弱するために生じる．

AVP：バソプレシン

無飲性尿崩症
（本態性高ナトリウム血症，口渇欠乏性尿崩症，adipsic DI）

　本症は AVP 分泌と口渇感がともに障害された病態で，高ナトリウム血症をしばしば繰り返す．口渇中枢が障害されていない CDI で自由に飲水できる場合には，血清 Na 濃度は正常高値であるが，本症では口渇中枢が障害されている（口渇による飲水が起こりにくい）ため，著しい高ナトリウム血症に陥りやすい．本症は下垂体前葉機能低下症を合併することも多く，本症の 44％に汎下垂体機能低下症が，28％に部分的な機能低下症がみられるという．また，肥満・睡眠時無呼吸・体温調節異常・てんかん・高ナトリウム血症時の深部静脈血栓症などを合併することも多く，本症は時に致命的となる可能性があるため，注意が必要である．治療としては，AVP 投与とともに定期的に飲水を行うように指導することが重要である．

c 治療

▶ 下記の治療が試みられる.

①多尿のために NDI 患者の半数以上で水腎症や膀胱拡張がみられ, 尿路感染症もしばしば生じる. これらを予防するために, 排尿を頻回にする習慣づけと, 2回排尿法(1回目の排尿後 10〜15 分後に再度排尿する方法)を行う. 幼児〜小児期に教育すべき方法である.

②塩分制限:1日あたり5g以下の塩分制限が試みられる. たんぱく質制限も行うと, より効果は大きい(Side memo 参照).

③サイアザイド系利尿薬:低カリウム血症予防のため, K 製剤と併用する. K 保持性利尿薬の併用でもよい. 循環血漿量の減少の結果, 近位尿細管での水・Na 再吸収が増加すると考えられている.

④非ステロイド性抗炎症薬(NSAIDs):健常人では, プロスタグランジンは AVP 作用に拮抗する. NSAIDs 投与によって腎内のプロスタグランジンが減少する結果, 25〜50%程度の尿量減少が期待できる. ただし, NSAIDs によって効果が異なる. たとえば, イブプロフェンよりもインドメタシンのほうが有効である. サイアザイド系利尿薬との併用も可能であるが, NSAIDs 長期連用のリスクを考慮すると, NSAIDs よりサイアザイド系利尿薬を継続するほうが現実的かもしれない.

⑤DDAVP:続発性 NDI では AVP 抵抗性は部分的で, 多少は AVP に反応することもあるため, 試してみる価値がある. DDAVP 投与で尿浸透圧が 40%程度上昇する例もある.

▶ ただし, すべての NDI で必ずしもサイアザイド系利尿薬や NSAIDs が有効なわけではない. また乳幼児では, 昼夜問わず2時間ごとの水分補給を行う.

Side memo

尿崩症での塩分・たんぱく質制限の効果

AVP 治療を受けていない CDI や NDI では, 尿浸透圧は低値で固定される. 通常の溶質排泄(750 mosmol/日)で尿浸透圧が 150 mOsm/kg H_2O で固定されている状態であれば, 尿量は5L(750÷150)となる. もし, 溶質排泄を 600 mOsm/日に減少できれば, 尿量は4L(600÷150)に減ることになる. 尿の溶質は Na/Cl と尿素が大多数を占めるので, これらを減らすことで尿量を減少させることが可能である. 成人では塩分は3〜5 g/日以下, たんぱく質は1 g/kg 体重/日以下に制限することが望ましい.

処方例

トリクロルメチアジド（フルイトラン®）
1日 2〜8 mg 1〜2回に分割

- K値の値に応じて，①または/かつ②を，さらにこれに加えて③または④のどちらかを併用する．

① L-アスパラギン酸カリウム（アスパラ® カリウム）
　1日 900〜2,700 mg 3回に分割
② スピロノラクトン（アルダクトン® A）
　1日 25〜100 mg を適宜分割投与する
③ メロキシカム（モービック®）
　1日 10 mg 1回 食後
④ セレコキシブ（セレコックス®）
　1日 200 mg 2回に分割 朝夕食後

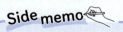

尿崩症の自己管理

中枢性・腎性にかかわらず，DIの管理においては，体重の変化，尿量の増減などに留意しながら，飲水量を調整することも重要である（これは，患者自身もしくは家族ができることでもある）．

19 尿路感染症

1 病因・病態

▶尿路感染症（UTI）は，おもに直腸常在菌（まれに真菌）が上行性に尿路（尿道〜腎盂）に感染した状態である．

2 分類

a 単純性・複雑性

▶尿路の機能的，器質的疾患の有無によって分類する（表19-1）．
▶複雑性膀胱炎の基礎疾患として，高齢者では尿路系悪性腫瘍，神経因性膀胱などが多く，小児では尿路の先天異常が多い．

表 19-1　複雑性尿路感染症の分類

分類	原因（疾患）
器質的	膀胱尿管逆流，尿路結石，前立腺肥大症，尿路先天奇形，尿路系悪性腫瘍，など
機能的	神経因性膀胱，など
合併症など	糖尿病，悪性腫瘍，低栄養状態，副腎皮質ステロイドや免疫抑制薬投与，腎機能低下，妊娠，婦人科疾患手術後，など

Side memo

透析患者の尿路感染症

　尿路感染症は透析患者の感染症のうち10〜20%程度を占めるとされているが，透析患者は尿検体を得にくく診断が困難な場合が多い．また細菌尿は透析患者の25%程度でみられるものの，無症候性細菌尿の場合は治療の適応とはならず，症状を有する急性増悪時に抗菌薬の投与を行う．検出菌はグラム陽性球菌からグラム陰性桿菌まで多岐であることや，末期腎不全という基礎疾患を有することから，複雑性尿路感染症に準じた投与薬剤の選択，投与期間にて治療する．抗菌薬の用法・用量については，透析患者の至適投与法に準じる．

b 症候性・無症候性

▶排尿痛や発熱などの症状の有無によって分類する.

c 感染部位

▶それぞれの感染部位によって, 膀胱(膀胱炎), 腎盂(腎盂腎炎), 腎実質(腎膿瘍)に分類される.

3 検査

a 尿検査

1. 膿尿(尿中白血球)

▶尿試験紙法(エラスターゼ法)は簡便で, 感度・特異度が高い.

▶尿沈渣で白血球 10 個/mm^{3}以上をめやすとするが, 尿路外の炎症性病変でも尿中白血球数は上昇し得るため注意する.

2. 尿中亜硝酸塩

▶尿定性試験の 1 つで, 細菌尿の感度は高くないが特異度が高い.

3. 尿培養

▶外陰部からの混入を除外するため, 中間尿を採取する. 一般的に尿中の細菌数が 10^5 CFU/mL 以上で陽性となっているが, 細菌数が少なくても尿路感染症は起こり得る.

▶無症候性細菌尿に対する定期的な尿培養は必要ない.

4. 尿 Gram 染色

▶抗菌薬投与前の尿 Gram 染色は起因菌の推定に役立つ.

▶抗菌薬投与開始 2～3 日後の尿 Gram 染色は, 抗菌薬の治療効果判定に役立つ.

Side memo

妊婦の膀胱炎

■ 妊婦は無症候性細菌尿であっても腎盂腎炎の発症リスクが高く, 抗菌薬の投与により腎盂腎炎発症リスクを減らすことができる. 原因菌は *E. coli* がもっとも多く, 次いでその他の腸内細菌が検出される.

■ 胎児に対する影響を考慮して, βラクタム系薬を選択する. 安全性の観点から, ST 合剤, キノロン系, アミノグリコシド系抗菌薬の投与は避ける.

b 血液検査

▶急性腎盂腎炎を疑う場合は菌血症への移行を考慮し，血液培養(2セット)を採取する．

▶菌血症を疑う場合は，予後予測や重症度評価に必要な項目の血液検査〔Sequential Organ Failure Assessment(SOFA)score(血小板数・ビリルビン・Cr)やプロカルシトニンなど〕を行う．

c 画像検査

▶再発性や難治性で，解剖学的な要因による複雑性尿路感染症が疑われる場合や，腎膿瘍，腎周囲膿瘍が疑われる場合はエコー検査や CT 検査を施行する．

d その他

▶尿路系悪性腫瘍の鑑別が必要な場合は，尿細胞診や膀胱鏡を施行する．

4　疾患の特徴・治療

▶妊婦と泌尿器科的処置前を除いて，無症候性細菌尿は治療の対象とならない．

a 急性膀胱炎

▶臨床症状は尿混濁，残尿感，膀胱部不快感，頻尿，排尿痛などがあり，通常，発熱は伴わない．

1. 急性単純性膀胱炎

▶既往歴のない閉経前女性に多くみられる．臨床症状(尿混濁，頻尿，排尿時痛，下腹部不快感など)と尿検査から診断される．

▶尿培養による分離菌は Gram 陰性桿菌が多く(大部分は *Escherichia*

Side memo

多発性囊胞腎における囊胞感染

　多発性囊胞腎患者でしばしばみられる合併症である．感染性囊胞に一致した腹痛や発熱を認める．閉鎖腔である囊胞内の感染のため難治性で，再発を繰り返すことがある．起因菌は *E. coli* によることが多いが，尿培養にて検出されない場合が多い．造影 CT や MRI などの画像診断が一助となる可能性がある．治療として，囊胞移行性のよいキノロン系やセファロスポリン系，カルバペネム系抗菌薬が選択される．

coli), 一部 Gram 陽性球菌 (*Staphylococcus saprophyticus* など) が分離される.

2. 高齢女性 (閉経後) の膀胱炎

▶若年女性の膀胱炎と比べ治癒率が低く, 再発率が高い.
▶分離菌として Gram 陽性球菌の割合が低く, E. coli はキノロン耐性率が高い.

処方例

- 急性膀胱炎の治療として, ①〜④のいずれかを行う.
  ①トリメトプリム・スルファメトキサゾール (バクタ®)
    トリメトプリム 80 mg＋スルファメトキサゾール 400 mg
    1日4錠 2回に分割 朝食・夕食後に経口投与 3〜5日間
  ②セファクロル (ケフラール®)
    1日 750 mg 3回に分割 毎食後に経口投与 3〜5日間
  ③アモキシシリン・クラブラン酸 (オーグメンチン®)
    1日 1,125 mg 3回に分割 毎食後に経口投与 3〜5日間
  ④レボフロキサシン (クラビット®)
    1日 500 mg 1回 朝食後に経口投与 3〜5日間
- 患者の抗菌薬投与歴, 院内での病原体, 耐性パターンを考慮する.
- 尿 Gram 染色 (Gram 陰性桿菌, Gram 陽性球菌) は抗菌薬選択の一助となる.

b 急性腎盂腎炎

▶先行する膀胱炎症状 (自覚しない場合あり), 発熱, 全身倦怠感, 患側の肋骨・脊椎角部 (CVA) 圧痛や叩打痛の局所症状が出現し, 悪心・嘔吐を認めることも多い.
▶全身状態が良好な軽症例は外来治療が可能であるが, 菌血症に移行する可能性を念頭においておく必要がある.
▶菌血症を疑う場合は, National Early Warning Score (NEWS) 2 や SOFA score などによる予後予測や重症度評価を行う.
▶抗菌薬治療開始後3日をめやすに empiric therapy の効果判定を行い, 臨床症状, Gram 染色, 感受性試験結果などを踏まえて抗菌薬の切り替えを考慮する. 抗菌薬投与期間は合計 10〜14 日間程度とする.
▶気腫性腎盂腎炎, 膿腎症, 腎膿瘍などでは腹部 CT やエコー検査などの画像診断が有用であり, 必要に応じて泌尿器科的処置 (ドレナージなど) を行う.

1. 単純性腎盂腎炎

▶ 原因菌として Gram 陰性桿菌（おもに *E. coli*）が多く，一部 Gram 陽性球菌が分離される．

▶ 治療には，腎排泄型の抗菌薬（βラクタム系薬・キノロン系薬など）を選択する．アミノグリコシド系薬は安全域が狭いので，腎機能低下時には注意を要する．

2. 複雑性（カテーテル非留置）腎盂腎炎

▶ 原因菌は多岐にわたっており，尿培養検査は必須である．

▶ 過去に抗菌薬治療を受けた症例では，各種抗菌薬に耐性を示す菌が分離されることがある．

処方例

■ Gram 陰性桿菌（おもに *E. coli*）
セフメタゾールナトリウム（セフメタゾール®）
1日 2～4 g 2回に分割 点滴静注

■ Gram 陽性球菌
スルバクタムナトリウム・アンピシリンナトリウム（ユナシン®）
1日 6 g 3回に分割 点滴静注

■ 緑膿菌
セフタジジム（セフタジジム®）
1日 2～4 g 2回に分割 点滴静注

■ 菌血症が疑われる場合（重症例）
①タゾバクタム・ピペラシリン水和物（ゾシン®）
 1日 9～13.5 g 2～3回に分割 点滴静注
または
②メロペネム（メロペン®）
 1日 2～3 g 2～3回に分割 点滴静注

🔑 腎機能に応じて，投与量・投与間隔を変更する．

🔑 血液培養や尿培養の結果，患者の全身状態，抗菌薬の治療効果などに基づいて抗菌薬の変更を検討する．

c カテーテル関連尿路感染症

▶ 原因菌として，*E. coli*，*Klebsiella* 属などの腸内細菌，*Pseudomonas aeruginosa*，*Enterococcus* などが分離される．

▶ 抗菌薬は，*P. aeruginosa* を含めた細菌に有効な広域抗菌薬からの開始を検討する．

▶ 長期間留置されたカテーテルは入れ替えるべきである．

5 鑑別疾患

▶尿路感染症の鑑別疾患を表 19-2 に示す.

表 19-2 尿路感染症の鑑別疾患

疾患名	特徴
性行為感染症	・急性尿道炎や腟炎など. ・膀胱炎症状を生じることがあるが, 尿培養は陰性である.
急性前立腺炎	・直腸診で腫大した前立腺を触れ, 圧痛を認める(菌血症を誘発する危険がある). ・高熱・強い炎症所見を認める. ・画像検査(CT・MRI)で前立腺の炎症を確認する.
尿路結石	・背部や側腹部の強い疼痛や血尿を認める. ・画像検査(KUB, 腹部エコー, 腹部CT)で結石を確認する. ・尿管に嵌頓している場合は尿がうっ滞し, 水腎症を呈し, 尿路感染症を併発することがある.
急性腹症	・婦人科疾患, 急性膵炎, 胆囊炎, 胆管炎などの鑑別を要する.

KUB：kidney, ureter and bladder

20 腎・尿管結石

1 原因

▶結石の組成の頻度は，シュウ酸カルシウムが 75〜80%，尿酸が 5〜15%，リン酸カルシウムが 5%で，10%程度は感染性の結石である．

▶近年の食生活の変化に伴いカルシウム結石がさらに増加傾向にある一方，感染性の結石は減少傾向にある．

▶結石の形成は，尿に溶解した成分からの結晶の核の形成と，その成長，凝集といった物理化学的現象に，結石のマトリックス成分となる尿中の有機物質および尿細管上皮細胞との促進・抑制的作用が複雑に組み合わさって起こると考えられている．

▶高カルシウム尿症や高シュウ酸尿症のほかに，薬物など多数のリスク因子が知られており，再発予防の際に考慮する必要がある．

2 疫学

▶上部尿路結石（腎結石，尿管結石）と下部尿路結石（膀胱結石，尿道結石）の比はほぼ一定しており，上部尿路結石が全体の約 96%を占める．

▶男女比は 24：1 と，男性優位の疾患である．

3 症状・診断

▶尿路の閉塞をきたすと疝痛発作を起こすため，急性腹症の鑑別疾患の 1 つとして念頭において，尿検査（尿潜血反応陽性，沈渣にて赤血球を認める）や画像検査を行う．

▶エコー検査は侵襲が低く迅速に行うことができ，上部尿路の閉塞による水腎や水尿管をみることで良好な診断精度を有するため，最初に行うべき画像検査である．

▶「尿路結石症診療ガイドライン 2013 年版」[1)]によると，急性腹症で尿路結石を疑う場合の確定診断には，腹部単純 CT が推奨されている．感度・特異度とも 95%前後である．

▶CT は尿路結石以外の急性腹症の原因検索にも有用であるが，被曝

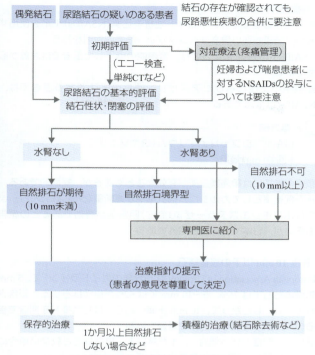

**図 20-1 尿路結石診療のフローチャート
（対象：成人の初回・単発・放射線不透過性結石）**

NSAIDs：非ステロイド性抗炎症薬
〔日本泌尿器学会, 他（編）：尿路結石症診療ガイドライン. 金原出版, 2002[1]〕

量が多いという欠点がある.
▶ KUB（腎・尿管・膀胱撮影），排泄性腎盂尿管造影（上部尿路の通過障害などの確認）は感度・特異度とも低く，とくに尿酸結石やシスチン結石などはX線透過性のため，単純写真では見えないこともある.

4　治療

▶ 診療フローチャートを図 20-1[1]に示す.

a 疼痛発作

- 疼痛発作の際には非ステロイド性抗炎症薬(NSAIDs)坐剤を使用するが,効果が弱い場合はペンタゾシン筋肉内注射を行う.
- NSAIDs の使用にあたっては,腎機能の低下した患者では注意が必要である.
- 妊娠中の女性ならびにアスピリン喘息の既往がある患者では,NSAIDs は禁忌である.

 処方例

ロキソプロフェンナトリウム(ロキソニン®)
1回 60 mg 頓用

- 鎮痛の維持には鎮痛鎮痙薬が有効なこともあるが,補助的である.
- 排石促進薬としてカルシウム拮抗薬やα遮断薬(タムスロシン),またはホスホジエステラーゼ 5(PDE5)阻害薬が有効であるとの報告も多いが,日本では保険適用外である.

b 長径 10 mm 以下の尿管結石

- European Association of Urology の 2022 年のガイドライン[2]で,5 mm 未満の結石では 75%,5〜10 mm では 62%が自然排石すると報告されている.したがって,10 mm 未満の結石では自然排石を期待できるので,飲水を促し無治療で経過をみる.
- 感染や水腎症を伴う場合や,1 か月以上,自然排石されない場合には,泌尿器科で積極的治療を検討する.

c 積極的治療適応の腎結石および尿管結石

- 治療には以下のものがある.
- 結石の部位,大きさにより,体外衝撃波結石破砕術(ESWL),経尿道的尿管砕石術(TUL)を第一選択とする.

1. 体外衝撃波結石破砕術(ESWL)

- 衝撃波エネルギーを体外より照射し,結石を破砕する方法である.
- 上部尿管結石および腎結石の治療における第一選択.
- 中部尿管結石および下部尿管結石で 10 mm 未満のものでは,ESWL,TUL(後述)ともに第一選択となる.
- ESWL の適応禁忌は,妊婦(絶対的禁忌),著しい出血傾向,抗血栓治療中の患者,腎動脈瘤を有する患者である.

2. 経尿道的尿管砕石術(TUL)

- 長径 10 mm 以上の尿管結石では ESWL とともに TUL が第一選択と

なるが，TUL のほうが ESWL より治療成績はよい．

▶下部尿管結石で 10 mm 以上のものは，TUL が第一選択である．

3. 経皮的腎尿管砕石術（PNL または PCNL）

▶経皮的腎瘻を作製し，内視鏡的に結石を破砕，除去する．

▶15〜20 mm を超える腎結石では，ESWL や軟性鏡による TUL では治療困難であることも多く，PNL の適応となる．

▶ESWL，TUL より侵襲的で，出血，気胸，感染，腎盂穿孔などの重篤な合併症をきたすこともある．

4. 開放手術・腹腔鏡下切石術

▶巨大な珊瑚状結石や膿腎症など，限られた症例で適応となる．

5 再発予防

▶腎結石は最初の結石発作後 4 年で 40%，10 年で 60%と再発が多いため，再発に対する予防が必要である．

▶結石の成分を知ることは，再発予防に役立つ．

▶自然排石や ESWL 後の排石を回収し，成分分析を行う．

▶問診が重要である（家族歴や Ca 代謝にかかわる疾患，代謝性疾患の既往，さらに服用中の薬剤などについて）．

▶水分摂取は再発予防に有効であり，1 日 2,000 mL 程度の飲水が推奨される．

▶尿路結石はメタボリックシンドロームの 1 疾患であるという概念が提唱されており，肥満の予防や治療は重要である．

a シュウ酸カルシウム結石

▶初回単発例では飲水指導のみ行う．

▶再発・多発例では家族歴（特発性高カルシウム尿症：常染色体遺伝を呈する家族性特発性高カルシウム尿症や X 染色体潜性（劣性）遺伝を呈する Dent 病，原発性高シュウ酸尿症：alanine-glyoxylate amino-transferase 欠損症や glyoxylate reductase 欠損症）や，服薬歴（ビタミン C，活性型ビタミン D・Ca 製剤）を問診する．

▶フォローアップの検査として，血液生化学検査（血清 Cr，Ca など），尿化学検査（Ca，保険適用外であるがシュウ酸，クエン酸など）を行う．

▶尿中 Ca 排泄量は健常人で 4 mg/kg 体重/日（尿 100 mL に塩酸 1 mL を加える酸性蓄尿が必要）で，400 mg/日を超えるとシュウ酸カルシウム結石やリン酸カルシウム結石のリスクが非常に高い．

▶前述の検査で異常があれば，食事指導（葉菜類の野菜やお茶類の摂取，減塩）や薬物療法を行う．

▶高カルシウム尿症に対しては，サイアザイド系利尿薬が有効である．ただし，低カリウム血症を起こしやすく，低カリウム血症をきたすと尿中クエン酸濃度が下がり結石形成抑制効果が減じるので，クエン酸カリウムの併用が望ましい．

▶原発性高シュウ酸尿症では，ピリドキシン，またはクエン酸製剤を考慮する．

処方例

①クエン酸カリウム・クエン酸ナトリウム（ウラリット®錠・-U散）
1日3～6 g・6～12錠 3回に分割
✐尿検査にてpH 6.5～7.0に入るように用量を調整する．
または
②トリクロルメチアジド（フルイトラン®）
1日1 mg 1回
✐酸化マグネシウムはシュウ酸カルシウム結石予防に有効とされていたが，明確なエビデンスはなく，近年では積極的には用いられない．また，下痢や高マグネシウム血症の副作用があり，ニューキノロン系やテトラサイクリン系抗菌薬との併用で吸収が阻害されるため，併用禁忌である．

b リン酸カルシウム結石

▶純粋なリン酸カルシウム結石は少なく，シュウ酸カルシウムとの混合結石の診断・予防については，前述の「a シュウ酸カルシウム結石」を参照のこと．

▶基礎疾患（尿細管性アシドーシス，副甲状腺機能亢進症，サルコイドーシスなど），服薬歴（アセタゾラミド，ビタミンD・Ca製剤）を問診する．

▶診断には，血液生化学検査〔血清Cr, Ca, Pなどや副甲状腺ホルモン（PTH），ビタミンD_3測定〕，尿化学検査（pH, Cr, Ca, P, 糖・アミノ酸など）を行う．

c 尿酸結石

▶痛風や高尿酸血症などの尿酸代謝異常の有無，プロベネシド，ベンズブロマロンなど尿酸排泄を促進する薬剤の服用の有無を問診する．

▶診断には，血液生化学検査(尿酸，Cr など)，尿化学検査(pH，尿酸，Cr など)を行う．
▶治療は飲水指導や食事療法(動物性たんぱく質，とくにプリン体およびアルコール摂取制限)のほか，薬物療法(アロプリノールまたはフェブキソスタットおよび炭酸水素ナトリウムまたはクエン酸製剤)を行う．

処方例
■ ①〜③のいずれかを用いる．
①アロプリノール(ザイロリック®など)
1日 100〜300 mg 1〜3回に分割
🔑高尿酸血症に対して用いる．腎機能低下例では 50 mg より開始し 100 mg まで増量可．皮疹・発熱などの過敏症に注意する．
②フェブキソスタット(フェブリク®)
1日 20〜40 mg 1回
🔑高尿酸血症に対して用いる．腎機能低下例でも使用可能．10 mg より開始し，60 mg まで増量可．
③トピロキソスタット(ウリアデック®)
1日 20〜80 mg 2回に分割

d シスチン結石

▶家族歴や既往歴を問診する．
▶診断は，尿検査(尿沈渣で特徴的な六角形のシスチン結晶，pH，尿中シスチン定性・定量検査)で行う．
▶治療は飲水指導や食事療法(砂糖，動物性たんぱく質の制限)のほか，薬物療法(炭酸水素ナトリウムまたはクエン酸製剤による尿のアルカリ化，チオプロニン)を行う．

処方例
チオプロニン(チオラ®)
1日 400〜2,000 mg 1〜4回に分割
🔑シスチン尿症に対して用いる．皮疹，無顆粒球症，間質性肺炎などに注意．

e リン酸マグネシウムアンモニウム結石・カーボネイトアパタイト結石

▶ 尿素分解面への感染で尿がアルカリ化してできる結石.

▶ 尿路系通過障害・奇形, 再発を繰り返す尿路感染症などについての問診と, 尿 pH, 沈渣, 細菌培養を行ったうえで, 飲水指導のほか, 抗菌薬の投与, 尿路通過障害の解除を考慮する.

文献

1) 日本泌尿器科学会, 他(編):尿路結石症診療ガイドライン 2013 年版. 第 2 版, 金原出版, 2013
2) European Association of Urology:EAU Guidelines on Urolithiasis. 2023 https://d56bochluxqnz.cloudfront.net/documents/full-guideline/EAU-Guidelines-on-Urolithiasis-2023.pdf(2023 年 9 月閲覧)

21 急性血液浄化療法

1 血液浄化療法の基本

a 血液浄化療法の種類と目的（表 21-1）

▶血液浄化療法は，患者体内に急激に蓄積した毒物および病因物質によって体液の恒常性が著しく損なわれた病態に対し，その原因物質を除去することにより病態改善・治癒を図る治療法で，透析療法とアフェレシス療法に分けられる.

▶透析療法には，①血液透析，②血液濾過，③腹膜透析，がある.

▶透析療法は腎機能が廃絶した患者に対して，尿毒素や過剰な水・電解質を除去することを目的に行う.

▶アフェレシス療法は血液を体から取り出し，血液中の病因物質を除去し，浄化された血液を体に戻すもので，①血漿交換療法，②血液吸着療法，③顆粒球吸着療法，④エンドトキシン吸着療法，などがある.

▶治療法の選択にあたっては，除去しようとする毒性物質の分子量，蛋白結合率，分布容量，コンパートメント（体液のどの区画に存在するか），産生速度などを考慮する.

▶水，K，Na，尿素など小分子物質（分子量<500）は，血液透析で容易に除去することができる. 分子量が大きい物質は血液透析では除去できないため，血漿交換療法や血液吸着療法を行う.

▶蛋白結合率が低い薬物も血液透析で除去できるが，蛋白結合率が高い薬物を除去する場合は活性炭カラムを用いた血液吸着療法を選択する.

▶血栓性血小板減少性紫斑病（TTP）などに対して大量の新鮮凍結血漿（FFP）補充を必要とする場合には，血漿投与によってうっ血性心不全とならないよう，FFP 投与スペースを確保する目的で血漿交換療法が行われることもある.

▶新生児の高ビリルビン血症や重症マラリアに対する交換輸血も，ダイアライザー，フィルターを使用しない血液浄化療法といえる. 本稿では，血液浄化療法についてまとめるが，詳細は成書を参照いただきたい.

321

表 21-1　血液浄化療法で行うことのできる治療

目的	除去する対象物質	治療法	対象疾患
血液中に存在する各種毒性物質を除去	小分子量物質（水・K・尿素）	血液透析	うっ血性心不全 急性腎障害
	薬物・中毒物質	血液透析・血液吸着	薬物中毒
	低分子蛋白（β_2MG，ミオグロビン）	血液透析・血液濾過	急性・慢性腎不全
	免疫関連蛋白（IgG，免疫複合体），高分子蛋白など	血漿交換・免疫吸着	重症筋無力症 SLE マクログロブリン血症 抗 GBM 抗体型腎炎 ANCA 関連血管炎
	顆粒球・リンパ球	GCAP，LCAP	重症潰瘍性大腸炎
大量の血漿成分補充	TTP，HUS に対する大量 FFP 補充など	血漿交換	TTP，HUS 肝不全
大量の血液成分・血球除去	①血液中の毒素除去 ②マラリア原虫，感染赤血球，毒性物質の除去	（全血）交換輸血	①新生児溶血性疾患（ビリルビン除去） ②マラリア症

β_2MG：β_2マイクログロブリン，SLE：全身性エリテマトーデス，GBM：糸球体基底膜，ANCA：抗好中球細胞質抗体，GCAP：顆粒球除去療法，LCAP：白血球除去療法，TTP：血栓性血小板減少性紫斑病，HUS：溶血性尿毒症症候群，FFP：新鮮凍結血漿

b 血液浄化療法の原理

▶透析療法は，半透膜を介した拡散と限外濾過により溶質（尿毒素）を除去する治療である（図 21-1）.

▶拡散（diffusion）は，溶質が高濃度の領域から低濃度の領域へ移行することである. 熱力学的なランダムな運動によって生じる.

▶限外濾過（convection，ultrafiltration）では，膜の孔を容易に通過する溶質が水とともに押し出される圧によって膜を通過する.

▶透析液を増加させることによって透析量は容易に増加できるが，限外濾過は膜の性能ならびに血流量によって単位時間あたりの処理能力に限界があるので，通常は血液濾過単独の治療ではなく，血液透析と組み合わせて行う（表 21-2，表 21-3）[1].

▶単位時間あたりの血液浄化量を規定するのは，血流量（Q_B）と透析液流量（Q_D；ないし置換液・濾過量）の組み合わせである.

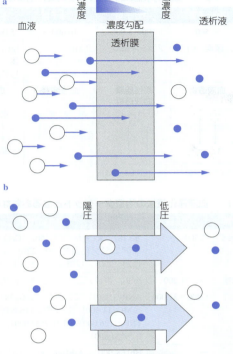

図 21-1 拡散と限外濾過

a：拡散(diffusion)：透析の原理．半透膜である透析膜を介して，溶質が高濃度のコンパートメントから低濃度のコンパートメントに移動．溶質の分子量や濃度によって移動の速さが異なる．

b：限外濾過(ultrafiltration, convection)：透析膜の血液側に圧力がかかると，溶液は膜の反対側に押し出される．押し出された溶液中に含まれる溶質がともに移動する．分子量が異なっても篩係数が等しければ同じ比率で移動する．

- $Q_B \ll Q_D$ (Q_F；濾過流量) である間欠的血液透析(IHD)においては「尿素クリアランス≒Q_B」となり，$Q_B \gg Q_D$ (Q_F) である持続的腎代替療法(CRRT)では「尿素クリアランス≒Q_D」となる(表21-4)．
- アフェレシスには，①血液浄化器による膜分離(血漿交換)，②吸着療法(直接血液吸着，血漿吸着)，③フィルターによる顆粒球吸着療法，④エンドトキシン吸着療法，がある．
- 血漿交換は膜孔の大きな分離膜(プラズマフィルター)で血漿を分離

表 21-2 **血液浄化膜の孔径と除去物質，治療法**

	小分子量	中分子量	低分子量	中大分子量
分子量	＜500	500〜5,000	10,000〜	5,000〜10,000
除去物質	K，尿素，Cr	ブラジキニン	β_2MG，サイトカイン（IL-6など）	IgG，免疫複合体，Albに結合している毒素
治療法・孔径	**血液透析**	**高性能膜血液透析**	**血液濾過**	**血漿交換**

β_2MG：β_2マイクログロブリン，IL：interleukin

表 21-3 **血液浄化療法の治療ターゲットとなるおもな物質**

物質の種類	分子量	それぞれの物質
水溶性小分子物質	＜500	水（18），K（39），尿素（60），Cr（113）グアニジノ化合物（70〜220），ポリオール（120〜200），リボヌクレオシド（300前後）
蛋白結合物質	58〜21,200	AGE，ポリアミン，インドール化合物
中分子物質	5,000〜32,000	ANP（3,080），エンドセリン（4,283），β_2MG（11,800），レプチン（16,000）TNF-α（26,000），IL-1β（32,000），IL-6（24,500）
蛋白質	—	Hb（68,000），Alb（69,000），IgG（160,000），IgM（950,000）

（　）内は原子・分子量

AGE：終末糖化物質，β_2MG：β_2マイクログロブリン，ANP：心房性 Na 利尿ペプチド，TNF-α：腫瘍壊死因子α，IL：interleukin

〔Vanholder R, et al.：Review on uremic toxins：classifications, concentration, and interindividual variability. kidney Int 2003；63：1934-1943[1)]〕

　し，それを破棄し，等量の 5％アルブミンや FFP で置換する方法である．血漿内の病因物質を除去したり，患者血漿中に欠乏している物質を FFP で補充するために行われる．
▶血漿吸着療法は，患者血液から血漿交換分離膜で分離された血漿成分を吸着カラムに通し，病因物質を除去する治療である．アルブミンなどの血漿成分の喪失が少ないという利点がある．
▶直接血液吸着療法は，全血を血液吸着カラムに通し，病因物質を除

表 21-4　各種血液浄化療法の比較

| | 正常腎 | IHD | CRRT | | 高流量 HF |
			CHDF	CHF	
Q_F(L/日)	172.8	0	7.2	24	48
Q_F(mL/時間)	7,200	0	300	1,000	2,000
Q_F(mL/分)	120	0	5	16.7	33.3
Q_D(L/時間)	0	30	0.5(500 mL)	0	0
Q_D(mL/分)	0	500	8.3	0	0
Curea	120	200[*]	13.3	16.7	33.3

Q_F：濾過流量，Q_D：透析液流量，Curea：尿素クリアランス（mL/分），IHD：間欠的血液透析，CHDF：持続的血液濾過透析，CHF：持続的血液濾過，HF：血液濾過，CRRT：持続的腎代替療法

[*]正常腎の Curea は尿細管での再吸収がないと仮定した場合．尿素以外の溶質のクリアランスは個々の溶質の篩係数によって異なる．IHD の Curea は血流量 200 mL/分の場合を示した．

去する治療である．エンドトキシン血症に対してはポリミキシン B カラムを用い，薬物中毒には活性炭カラムを用いる．

c バスキュラーアクセス

▶急性血液浄化で使用するおもなバスキュラーアクセスには，動脈，静脈の直接穿刺と短期型カテーテル留置がある．

▶腎代替療法（RRT）の治療期間が 1 か月以上と予想される場合には，感染予防のために短期型ではなく長期型透析カテーテルを留置することもある．

1. 短期型カテーテル留置

▶透析用ダブルルーメンカテーテルを，内頸静脈や大腿静脈に留置する．鎖骨下静脈の使用は鎖骨下静脈の狭窄を招き，将来，内シャントを作製した際に静脈高血圧となることがあるので，やむを得ない場合を除き避ける．

▶透析終了時にはカテーテル管腔内をヘパリン原液（1,000 IU/mL）で充塡し，カテーテル閉塞を予防する．

2. 静脈穿刺

▶血流量が 50～100 mL/分程度ならば，静脈穿刺で血流を確保することもできる．

3. 動脈直接穿刺

▶緊急時には上腕動脈を直接穿刺し，透析療法を実施することができる．透析終了後には十分な圧迫止血を行う．

d 抗凝固薬

- ▶腹膜透析以外の血液浄化療法では、血液が回路ならびにカラムに接触するため、白血球、血小板、凝固系が活性化され血液が凝固しやすい.
- ▶血液浄化療法を実施するには抗凝固薬を使用するが、出血を防ぐために、①体外循環回路では抗凝固作用を発揮、②体内では出血傾向を抑える抗凝固療法、が求められる.
- ▶おもな抗凝固薬には、①未分画ヘパリン、②低分子ヘパリン、③ナファモスタットメシル酸塩、④アルガトロバン水和物、⑤クエン酸、がある. 出血傾向が強い場合には、抗凝固療法を一切用いずに行う⑥無抗凝固薬療法を選択することもある.

1. 未分画ヘパリン

- ▶未分画ヘパリンはもっとも一般的な抗凝固薬である. アンチトロン

Side memo

篩係数

篩係数(SC)とは濾過の分離性能を示す指標であり、血液中の濃度と濾液中の濃度の比と定義される. SCが1である物質はすべて濾過され(例:尿素, 図), 0に近づけばほとんど濾過されない(例:赤血球)ことを意味する. 血液濾過療法による物質のクリアランスは $Q_F \times SC$ となる. APS®-SA(旭化成メディカル)の β_2 マイクログロブリンの篩係数は0.85, アルブミンの篩係数は0.002である(表).

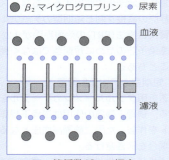

図 篩係数が1の場合

表 β_2 マイクログロブリン(β_2MG), 尿素窒素の篩係数の例

	β_2MG	尿素窒素
血中濃度(mg/dL)	30	80
濾液中濃度(mg/dL)	25	80
篩係数	25/30≒0.85	80/80=1.0

ビン(AT)と結合し, ヘパリン-AT 複合体を形成し, トロンビンⅡa, Ⅸa, Ⅹa, Ⅺa, Ⅻa を不活化する.
▶抗凝固作用のモニタリングは活性化部分トロンボプラスチン時間(APTT)を測定するが, ベッドサイドでは簡便な活性化凝固時間(ACT)を測定する.
▶半減期は 60～90 分だが, 腎不全では延長する.
▶手術が予定される場合は, 12 時間以上前に中止する.
▶投与量のめやすは, APTT で治療前値の 1.4 倍以下, APTT 45 秒以下が推奨される[2].
▶出血傾向がなければ, IHD や低効率血液透析(SLED)では未分画ヘパリンが使用できるが, 24 時間連続の CRRT では出血性合併症に注意し, 必要に応じて変更する.

処方例

ヘパリンナトリウム(ヘパリンナトリウム®)
開始時:1,000～3,000 単位 ワンショット
持続:500～2,000 単位/時間
ACT 150～200 秒, APTT 正常値の 1.5～2 倍程度となるよう調節.

2. 低分子ヘパリン

▶ヘパリンを分画して得られた分子量 4,000～8,000 のヘパリンである. 利点として, 投与量に比例して抗凝固作用がみられるためモニターしなくてよい, ヘパリン起因性血小板減少症(HIT)の発生率が低い, 脂質代謝に与える影響が少ないなどがあげられる.
▶抗Ⅱa 作用が弱く, 抗Ⅹa 活性が中心のため, 開発当初は未分画ヘパリンに比べて出血リスクが軽減すると期待された. しかし, 未分画ヘパリンよりも出血のリスクが低いというエビデンスはない.
▶半減期が長いため, 手術前の使用は危険である.

処方例

パルナパリン(ローヘパ®), ダルテパリン(ダルテパリン®)
①単回投与法
　開始時:10～15(抗Ⅹa 単位)×体重(kg)×治療時間 ワンショット
②持続投与法
　開始時:10～15(抗Ⅹa 単位)×体重(kg) ワンショット
　持続:時間あたり 7.5(抗Ⅹa 単位)×体重(kg)

3. ナファモスタットメシル酸塩

▶ セリンプロテアーゼ阻害薬としての作用，抗Ⅱa，Xa，XⅡa 作用があるため，体外循環療法での抗凝固薬として用いられる．

▶ 分子量は約 540 で，透析で除去されること，半減期が約 8 分と短いことから，出血リスクのある患者の IHD や手術前の透析療法では第一選択となる．

▶ 時間あたりの透析効率が低く連続して治療を行う CRRT では，ナファモスタットといえども出血リスクが増大するため，体内の ACT を延長させずに回路内 ACT が正常の 2 倍前後になるよう調整する．

▶ ナファモスタットを 50〜60 mg/時使用しても ACT が低い場合は，未分画ヘパリンを少量併用し，適切な APTT ないし ACT になるよう調節する．

▶ 回路内 ACT が 225 秒以上になると体内の ACT 延長が観察される場合があるので，出血リスクが高い患者に使用する際には回路内 ACT を 225 秒未満にするのが安全である[3]．

> **処方例**
> ナファモスタットメシル酸塩（ナファモスタット注射用）
> 治療時：20〜30 mg/時間で持続投与
> ✒ 長時間の治療では適宜，ACT をモニターする．

4. アルガトロバン水和物

▶ AT を介さず，選択的にトロンビンの作用を阻害する．

▶ 分子量は 527 と小さいが，急速にトロンビンと結合し，透析ではほとんど除去されない．

▶ 出血性合併症のある患者には適さない．

▶ 高価であり，抗凝固薬としての適応は，①先天性あるいは後天性に AT 低下を伴う場合（AT-Ⅲ 70%以下），②HITⅡ型を発症した場合，である．

> **処方例**
> アルガトロバン（スロンノン®）
> 開始時に 10 mg 投与，以後，持続 5〜40 mg/時間

5. クエン酸

▶ Ca のキレート作用により抗凝固作用を発揮する．

▶ 分子量が 294 と小さいので透析によって除去され，体内で肝臓によって代謝されるため，体外循環での抗凝固薬として，海外でよく用いられる．

表 21-5　抗凝固薬を使用しない血液浄化療法の適応

- 心外膜炎
- 最近の手術歴で出血リスクの高いもの(とくに心臓血管手術, 眼科手術, 腎移植, 脳外科手術)
- 血液凝固障害
- 血小板減少症
- 脳出血
- 活動性の出血

〔Nissenson AR, et al.(eds)：The Dialysis Prescription. In：Handbook of Dialysis Therapy, 6th ed, Elsevier, 2022[4]〕

▶血液浄化器の手前から持続注入する. 回路内クエン酸濃度 3〜5 mmol/L で開始し, 回路内のイオン化 Ca 濃度が 0.25〜0.25 mmol/L となるように調整する.

▶クエン酸蓄積による低カルシウム血症に注意する.

6. 抗凝固薬を使用しない血液浄化療法

▶出血傾向があったり, 重篤な出血性合併症がみられる場合は, 抗凝固薬を使用しない血液浄化療法を選択する(表 21-5)[4].

▶深刻な凝固が起こる頻度は 5〜20% 程度であり, 回路が凝固した場合でも 150 mL 程度の血液喪失なので, 比較的安全に血液浄化療法を実施できる.

▶プライミング時に十分なエア抜きを行い, 十分な血流量を確保するのがコツである.

▶脳出血などで脳圧亢進を防ぐために透析効率を低くしたいときは, 血液浄化器内の凝固を防ぐため, 高血流量, 低透析液流量の透析処方を指示する.

2　急性腎障害に対する血液浄化療法

a 適応

▶急性腎障害(AKI)に対する血液浄化療法の目的は, 溢水, 高カリウム血症などの腎不全の合併症から生命を守り, 水・電解質バランスを是正し, 原疾患, 病態に対する治療を容易にすることにある.

▶支持療法で対応できない溢水, うっ血性心不全, 高血圧, 高度の高カリウム血症, 代謝性アシドーシス, 重症の尿毒症症状などに対して透析療法を開始する(AIUEO；acid-base の異常, 薬物中毒(intoxication), uremia, electolyte 異常, (fluid)overload と覚えておく).

▶「AKI(急性腎障害)診療ガイドライン 2016」に示されている緊急 RRT

表 21-6　緊急腎代替療法（緊急 RRT）の適応

・利尿薬に反応しない溢水
・高カリウム血症あるいは急速に血清 K 濃度が上昇する場合
・尿毒症症状（心膜炎，原因不明の意識障害など）
・重度代謝性アシドーシス

〔AKI（急性腎障害）診療ガイドライン作成委員会（編）：AKI（急性腎障害）診療ガイドライン 2016. 日腎会誌 2017；59：419-533：54[5]〕

表 21-7　血液浄化療法の分類

療法	種類	略語
間欠的療法 （IRRT）	間欠的血液透析 連日血液透析 低効率血液透析	IHD daily HD SLED
持続療法 （24 時間連続） （CRRT）	持続的血液濾過 持続的血液透析 持続的血液濾過透析	CHF（CAVH，CVVH） CHD（CAVHD，CVVHD） CHDF（CAVHDF，CVVHDF）
特殊な CRRT*	high volume CHF high flow CHD high volume CHDF high flow-volume CHDF	

CAVH：持続的動静脈血液濾過，CVVH：持続的静静脈血液濾過，CAVHD：持続的動静脈血液透析，CVVHD：持続的静静脈血液透析，CAVHDF：持続的動静脈血液濾過透析，CVVHDF：持続的静静脈血液濾過透析，CRRT：持続的腎代替療法
*濾過量＞2 L/時，透析液流量が高流量

の適応を，表 21-6[5]に示す．

b 分類

▶AKI に対する血液浄化療法は，治療時間（間欠的か持続的か），浄化法の種類（血液透析か血液濾過か，両者の組み合わせか）によって，表 21-7 のように分類できる．

c 血液浄化療法の実際

1. 間欠的血液透析（IHD）

▶全身状態，血圧が安定している場合の第一選択．
▶浄化量：透析量（Kt/V）が 3.9/週以上となるように調整する．

> **処方例**
> - 体重 50 kg，週 3 回，1 回 4 時間の IHD 施行例
>   使用ダイアライザー：APS®-SA
>   血流量：200 mL/分，透析液流量：500 mL/分

2. 持続血液濾過透析（CHDF）

▶ 循環動態が不安定，ないし除水量が多い場合に選択する．
▶ 24 時間連続で行う．

> **処方例**
> - 体重 50 kg の CHDF 施行例
>   使用ヘモフィルター：エクセルフロー®
>   血流量 100 mL/分，透析液流量 400 mL/分，置換液流量 400 mL/分
>   🗝 KDIGO ガイドライン[6]では 20〜25 mL/kg/時間を推奨しているが，わが国の保険診療を超える．

▶「AKI（急性腎障害）診療ガイドライン 2016」[5]には，「敗血症性 AKI に対しては，わが国において吸着の原理による高サイトカイン血症の是正を目的とした血液浄化療法が行われることもあるが，これについても予後の改善について高いレベルのエビデンスは存在しない」とされている．

▶ しかしながら，AN69ST 膜あるいはポリメタクリル酸メチル（PMMA）膜は，炎症性サイトカインに対する高度な吸着能を有し，重症敗血症および敗血症性ショックの患者に対する血液浄化療法に有用であるとする報告がある．

3. 持続的低効率血液透析（SLED）

▶ 時間あたりの除水量が多く，IHD では血圧低下がみられるような場合に適する．
▶ 連日，1 回 8〜12 時間．

1）CHDF の装置を用いる場合の透析条件

▶ 血流量：200 mL/分．
▶ 透析液流量：2.5 L/時間≒100 mL/分（治療時間 8 時間の場合）．

2）IHD の装置を用いる場合の透析条件

▶ 血流量：100 mL/分．
▶ 透析液流量：300 mL/分．
▶ 治療時間：8 時間では通常の IHD と同等の Kt/V となる．

表 21-8　輸液総量が 2 L/日の場合の時間あたり除水量

	隔日 HD（4 時間）	連日 10 時間の SLED	24 時間連続 CRRT
時間あたり除水量	1,000 mL	200 mL	83 mL

HD：血液透析，SLED：持続的低効率血液透析，CRRT：持続的腎代替療法

表 21-9　持続的腎代替療法（CRRT）の利点と欠点

利点	欠点
・循環動態に与える影響が少なく，全身状態が不良な患者でも施行が可能 ・きめこまかな調節が可能 ・装置が簡便であり，ベッドサイドでの実施が可能 ・効果が緩徐で持続的であり，生理的[*1] ・全身状態の維持が容易 ・施行にあたって高度な熟練度を要求しない	・患者を長時間にわたり拘束する ・持続的な監視が必要であり，施設の体制によってはスタッフの疲弊を招く ・血液と異物（回路・透析膜）が 24 時間接触する ・長期にわたるバスキュラーアクセス維持のため，感染のリスクが高い ・持続的に長期にわたり抗凝固薬を投与するため，出血の可能性を伴う ・医療費が高額となる[*2] ・薬剤投与量の調節が難しい

[*1] 溶質，水を 24 時間連続して除去する点では生理的だが，24 時間異物と接触し，抗凝固薬を使用する点で非生理的である．
[*2] 血液濾過器，血液回路の交換を数日に 1 回とすれば，必ずしも連日の低効率血液透析（SLED），間欠的血液透析（IHD）に比し高額とはいえない．

d 透析療法の選択：間欠的血液透析か持続的血液浄化療法か？

▶IHD，SLED，持続的血液浄化療法のいずれも，生命予後を指標とした治療成績に差はない．各施設のマンパワー，設備を考慮し，もっとも安全な方法を選択する．

▶除水量が多い場合には，IHD では透析中に血圧が低下し，十分な除水ができないことがあるので，SLED ないし CRRT を選択する（表21-8，表21-9）．

▶CRRT には，①持続的に血液透析を行う持続的血液透析（CHD），②持続的に血液濾過を行う持続的血液濾過（CHF），③両者を同時に行う持続的血液濾過透析（CHDF），がある．尿素や K などの小分子物質の除去効率はいずれも同等であるが，中分子量物質をより多く除去することを期待して，CHDF が選択されることが多い．

▶薬物中毒，高カリウム血症，高マグネシウム血症などに対する血液浄化療法は，CRRT ではなく，単位時間あたりの除去効率が高い

IHD を第一選択とする.

e 血液浄化療法の透析量

▶血液浄化量と生命予後に関する大規模多施設ランダム化比較試験では，高用量の血液浄化（35〜40 mL/kg/時以上）の有用性が否定され，KDIGO ガイドライン[6]では，20〜25 mL/kg/時の浄化量を推奨している．通常量といっても体重 60 kg の場合は 29〜30 L/日なので，わが国の血液浄化量（約 15 mL/kg/時）よりも多い.

▶末期腎不全患者に対する維持血液透析では，患者予後によい影響を与える透析量は Kt/V≧1.2〜1.4（週あたり 3.6〜4.2）とされているが，AKI に対しても KDIGO ガイドライン[6]では週あたり 3.9 を推奨している．週あたり Kt/V 3.9 の浄化量を 7 日間で均等に割ると，1 日あたり約 0.55 となる.

▶体重（BW）の 6 割を体水分（V）と仮定すれば，体重あたりの透析量は 1 日あたり ［Kt＝0.55×V＝0.55×0.6×BW＝0.33×BW（L）］．時間あたりでは［0.33×BW÷24≒14 mL/kg×BW］となり，わが国の CHDF で用いられる浄化量に相当する.

▶標準的な浄化量はわが国の保険用量とし，個々の患者の病態にあわせて，必要に応じて浄化量を調整する.

3 アフェレシス療法

▶血漿交換療法のほか，血漿交換操作（分離血漿の廃棄と置換）を伴わない血漿吸着や血球成分除去療法のような治療法を総称して，アフェレシス療法とよぶ.

▶おもなアフェレシス療法の保険適応疾患を表 21-10 に示す.

▶各疾患における適応については，医科診療報酬点数表に記載された施行条件を確認すること.

a 血漿交換療法

▶血漿中に存在する病因物質を除去したり，大量の FFP を補充しなくてはならないときに用いる.

▶英語圏では therapeutic plasma exchange とよぶことが多い.

▶血漿分離器：Plasmaflo™ ［OP-08 W］など.

▶血漿処理量：血漿量の 1.5〜2 倍とする．血漿量は ［体重×0.075×（100－Ht）/100 L］ で計算する.

▶置換液：アルブミン濃度を 5% に調製した生理食塩液（ないし乳酸リ

表 21-10　わが国で保険適用となっているアフェレシス療法の対象疾患

対象疾患	治療法	備考
薬物中毒	PE，HA	一連につきおおむね 8 回
劇症肝炎	PE，PA	ビリルビンおよび胆汁酸の除去を目的とする場合に限られる．一連につきおおむね 10 回
術後肝不全	PE，DFPP，PA	一連につきおおむね 7 回．総ビリルビン 5 mg/dL 以上，ヘパプラスチンテスト 40％以下，または Coma Grade II 以上の場合に適応となる
急性肝不全	PE，DFPP	一連につきおおむね 7 回．PT，昏睡の程度，総ビリルビンおよびヘパプラスチンテストなどの所見から，劇症肝炎または術後肝不全と同程度の重症度と判断できる場合に適応となる
潰瘍性大腸炎	GCAP，LCAP	薬物治療の効果が乏しい，または副作用などで治療が難しいとき，原則，1 クール 10 回
Crohn 病	GCAP	栄養療法や薬物治療の効果が乏しいとき，週 1 回，5 週を 2 クール
慢性 C 型肝炎	PE，DFPP	直近のインターフェロン療法から 5 回を限度．セログループ 1〔ジェノタイプ II（1b）〕型であり，直近のインターフェロン療法施行後に血液中の HCV RNA 量が 100 KIU/mL 以上の場合に適応となる
多発性骨髄腫	PE，DFPP	一連につき週 1 回，3 か月間
マクログロブリン血症	PE，DFPP	一連につき週 1 回，3 か月間
血栓性血小板減少性紫斑病	PE，DFPP	一連につき週 3 回，3 か月間
HUS	PE，DFPP	一連につき 12 回，3 か月間 （米国アフェレシス学会のカテゴリでは，O157 などによる HUS に対するアフェレシスは無効ないし有害であり，あえて実施する場合には倫理委員会の承認が望ましいとされる）
重度血液型不適合妊娠	PE，DFPP	Rh 式血液型不適合妊娠による体内胎児仮死または新生児黄疸の既往あり，間接 Coombs 試験が妊娠 20 週未満で 64 倍以上，20 週以上で 128 倍以上の場合に適応となる
インヒビターを有する血友病	PE，DFPP	インヒビター値が 5 ベセスダ単位以上の場合に限り算定する
悪性関節リウマチ	PE，DFPP，PA	週 1 回．知事によって特定疾患医療受給者と認められ，血管炎による高度の関節外症状を呈し，従来の治療法では効果が得られないもの

（次ページへ続く）

表 21-10　つづき

対象疾患	治療法	備考
関節リウマチ	LCAP	週1回，5週
SLE	PE，DFPP，PA	月4回．知事によって特定疾患医療受給者と認められ，CH50＜20単位，C3＜40 mg/dL，抗DNA抗体値が著しく高く，ステロイド療法が無効で，臨床的にステロイド使用が不適当，RPGNまたはCNSループスと診断されたもの
家族性高コレステロール血症	PE，DFPP	週1回．次のいずれかのうち，黄色腫を伴い，負荷心電図および血管撮影による冠状動脈硬化が明らかな場合 ①空腹時定常状態の血清LDLコレステロール値が370 mg/dLを超えるホモ接合体の者 ②薬物療法を行っても，血清LDLコレステロール値が170 mg/dL以下に下がらないヘテロ接合体の者
閉塞性動脈硬化症	PE，DFPP	一連につき10回，3か月間 ①Fontaine分類Ⅱ以上 ②薬物療法でTC 220 mg/dLまたはLDL-C 140 mg/dL以下に下がらない高コレステロール血症 ③膝窩動脈以下の閉塞または広範な閉塞部位を有するなど，外科的治療が困難で，かつ従来の薬物療法では十分な効果を得られないもの
重症筋無力症	PE，DFPP，PA	一連につき月7回，3か月間 発病後5年以内で重篤な悪化傾向がある場合，または胸腺摘出術や副腎皮質ステロイドが十分奏効しない場合
Guillain-Barré症候群	PE，DFPP，PA	一連につき月7回を限度として3か月間 Hughesの重症度分類で4度以上
慢性炎症性脱髄性多発神経炎	PE，DFPP，PA	一連につき月7回を限度として3か月間
多発性硬化症	PE，DFPP，PA	一連につき月7回を限度として3か月間
抗GBM抗体型RPGN	PF，DFPP	一連につき2クールを限度として行い，1クール（2週間に限る）につき7回を限度
ANCA型RPGN	PF，DFPP	一連につき2クールを限度として行い，1クール（2週間に限る）につき7回を限度
巣状糸球体硬化症	PE，DFPP，PA	一連につき12回，3か月間 従来の薬物療法では効果が得られず，ネフローゼ症候群を持続し，血清コレステロール値が250 mg/dL以下に下がらない場合

（次ページへ続く）

表 21-10 つづき

対象疾患	治療法	備考
同種腎移植	DFPP	二重膜濾過法のみ適応 二重膜濾過法による ABO 血液型不適合間の同種腎移植を実施する場合，または抗リンパ球抗体陽性の同種腎移植を実施する場合に限る
天疱瘡	PE，DFPP	診断が確定した者のうち，他の治療法に難治性のもの，または合併症や副作用でステロイドの大量投与ができないもの．一連につき週 2 回，3 か月間
類天疱瘡	PE，DFPP	
中毒性表皮壊死症	PE，DFPP	一連につき 8 回
Stevens-Johnson 症候群	PE，DFPP	一連につき 8 回
膿疱性乾癬	GCAP	週 1 回，5 週を 1 クール
エンドトキシン血症	HA	吸着式血液浄化器 2 個
川崎病	PE，DFPP	一連につき 6 回を限度

PE：血漿交換，PA：血漿吸着，HA：血液吸着法，DFPP：二重膜濾過血漿交換，GCAP：顆粒球除去療法(アダカラム®を用いた血球成分除去療法)，LCAP：白血球除去療法，PT：プロトロンビン時間，HCV：C 型肝炎ウイルス，HUS：溶血性尿毒症症候群，SLE：全身性エリテマトーデス，RPGN：急速進行性糸球体腎炎，CNS：中枢神経，ANCA：抗好中球細胞質抗体

ンゲル液）．ただし，凝固因子など，血漿成分補充目的の場合には FFP を用いる．
▶血流量：60～120 mL/分．
▶血漿分離速度：血流量の 30%未満(血漿分離器内の血液濃縮を防ぐため)．

b 二重膜濾過血漿交換療法(DFPP)

▶膜孔径の異なる 2 種類の濾過膜を使用して，目的とする血漿分画のみを除去する治療法である．
▶血漿分離膜(一次膜)で血球と血漿を分離し，血漿成分を血漿分画器(二次膜)で分画し，一定以上の分子量の物質を含む血漿成分のみを除去する．
▶血漿交換療法に比べ，置換液として補充するアルブミンが少なくて済むという利点がある．
▶除去したい物質の分子量に応じて，血漿分画膜を選択する．

表 21-11 二重膜濾過血漿交換(DFPP)の対象疾患

- 自己免疫疾患
- 移植前の同種腎移植, 血液型不適合妊娠:血液製剤のリスクを回避できる
- 多発性骨髄腫の一部, マクログロブリン血症:過粘稠症候群(IgM 増加)を呈する疾患
- 高 LDL コレステロール疾患
- 慢性 C 型肝炎(インターフェロン療法と併用)
- 神経疾患
- 急性肝不全
- 天疱瘡・類天疱瘡

LDL:低比重リポ蛋白

表 21-12 血漿吸着療法で用いる吸着器とその対応疾患

吸着器	適応疾患
イムソーバ PH-350®	SLE, 悪性関節リウマチ, 多発性硬化症, Guillain-Barré 症候群, 慢性炎症性脱髄性多発根神経炎
イムソーバ TR-350®	重症筋無力症, 多発性硬化症, Guillain-Barré 症候群, 慢性炎症性脱髄性多発根神経炎
メディソーバ® BL	高ビリルビン血症 ビリルビンを吸着し, 血液ビリルビン濃度を低下させるが, 生命予後, 入院期間短縮などの臨床的意義は確定していない.

SLE:全身性エリテマトーデス

▶DFPP の対象疾患を表 21-11 に示す.

C 血漿吸着療法

▶血漿分離器(一次膜)で分離した血漿を吸着器に通し, 病因物質を吸着して除去する治療である.

▶目的とする病因物質に応じて吸着器を選択する(表 21-12).

▶LDL 吸着は, 家族性高コレステロール血症, 下肢末梢動脈疾患, 巣状糸球体硬化症が適応となる(適応条件が細かく定められている).

処方例
リポソーバー® LA
血流量:100~120 mL/分, 血漿流量:15~30 mL/分,
血漿処理量:3~5 L/回

✎アンジオテンシン変換酵素(ACE)阻害薬の併用は禁忌である(ブラジキニンによる血圧低下が起こる).

表 21-13　急性中毒に対する血液浄化法の適用

中毒原因物質が以下の条件を満たす場合，血液浄化法の適応と考える．

① 分子量が小さい
② 分布容積（Vd）が小さい
③ 蛋白結合率（Pb）が低い（血液吸着では高くてもよい）
④ 脂溶性が低い（水溶性が高い）
⑤ 原因物質の血中濃度が中毒域に達した可能性が高い
⑥ 症状が重篤ある，または今後悪くなる可能性が高い
⑦ 有効な解毒・拮抗薬や特異的治療薬が存在しない

〔日本中毒学会（監），日本中毒学会学術委員会／急性中毒標準診療ガイド改訂委員会：新版 急性中毒標準診療ガイド．へるす出版，2023：107[7]〕

d 血液吸着療法

▶ 全血をカラムに通し，病因物質を除去する治療である．

1. 薬物吸着（表 21-13，表 21-14）[7,8]

▶ 活性炭の疎水結合により，薬物などの物質吸着を行う．

> **処方例**
> ヘモソーバ CHS-350®
> 血流量：100〜200 mL/分
> 抗凝固薬：ヘパリン
> 　　　　　開始時 2,000 単位，持続注入 2,000 単位/時間
> 治療時間：3〜4 時間

▶ わが国では薬物中毒の治療に血液吸着療法を選択する施設が多いが，米国では血液透析を第一選択とする施設が多い．
▶ 大部分の薬物は血液吸着でも血液透析でも除去できるが，血液吸着ではカラムが飽和した時点で効率が低下し，血液透析では蛋白結合率が高い薬物の除去効率は不良となる．

2. エンドトキシン吸着

▶ エンドトキシンを吸着し，血中からエンドトキシンを除去する．
▶ 適応はエンドトキシン血症やグラム陰性桿菌による敗血症．

> **処方例**
> トレミキシン（PMX-20R）
> 血流量：80〜120 mL/分
> 治療時間：2 時間
> 抗凝固薬：ナファモスタットメシル酸塩
> 　　　　　30〜40 mg/時間 持続注入

表 21-14　薬物中毒に対する各種血液浄化療法の特徴

種類	除去できる物質	おもな薬剤
血液吸着	分子量 100～40,000 水溶性，脂溶性 蛋白結合率：高い	ジゴキシン，プロカインアミド，キニジン，バルビツール酸系(ペントバルビタール，フェノバルビタールなど)，アセトアミノフェン，アスピリン，アミノフィリン，テオフィリン
血液透析	分子量＜2,000 水溶性 分布容量＜1 L/kg 蛋白結合率：低い	アテノロール，プロプラノロール，カプトプリル，メチルドパ，ABPC，AMPC，CEZ，アシクロビル，シクロホスファミド，バルビツール酸系(ペントバルビタール，フェノバルビタールなど)，カルバマゼピン，バルプロ酸，エタノール，メタノール，エチレングリコール(非薬剤)，アセトアミノフェン，アスピリン，アミノフィリン，テオフィリン
血液濾過	分子量＜40,000 分布容量＜1 L/kg 蛋白結合率：低い	アミノグリコシド系抗菌薬
血漿交換	蛋白結合率：高い	蛋白結合物質

ABPC：アンピシリン，AMPC：アモキシシリン，CEZ：セファゾリン
〔Winchester JF：Poisoning is the role of the nephrologist diminishing? Am J Kidney Dis 1989：13：171-183[8]〕

3. LDL ならびにフィブリノゲン吸着

▶閉塞性動脈硬化症が適応となる(適応条件が細かく定められている).

処方例
レオカーナ®
血流量：最大 200 mL/分

e 血球成分除去療法

▶白血球成分を吸着して除去する.
▶ビーズ吸着分離素材(アダカラム®)を用いる．単球と顆粒球を吸着し，潰瘍性大腸炎，Crohn 病が適応となる.
▶1 回の治療で除去できる血球量はそれほど多くなく，400 mL の献血を行ったときに失われる白血球量以下である.
▶血液中の白血球数もそれほど低下しないので，治療効果は白血球を除去すること以外の機序が想定される.

処方例

■ 顆粒球除去療法（GCAP）
血球細胞除去用浄水器（アダカラム®）
血流量：30 mL/分で60分間

文 献

1) Vanholder R, et al.：Review on uremic toxins：classifications, concentration, and interindividual variability. Kidney Int 2003；63：1934-1943
2) 江木盛時：抗凝固薬：その使い方とエビデンス．INTENSIVIST 2010；2：297-305
3) 井上芳博，他：メシル酸ナファモスタットを使用した持続的血液浄化療法における至適ACT値の検証．日急性血浄化会誌 2010；1：124-130
4) Nissenson AR, et al.（eds）：The Dialysis Prescription. In：Handbook of Dialysis Therapy, 6th ed, Elsevier, 2022
5) AKI（急性腎障害）診療ガイドライン作成委員会（編）：AKI（急性腎障害）診療ガイドライン 2016．日腎会誌 2017；59：419-533
6) Kidney Disease：Improving Global Outcomes（KDIGO）Diabetes Work Group：KDIGO 2020 Clinical Guideline for Diabetes Management in Chronic Kidney Disease. Kidney Int 2020；98：S1-S115
7) 日本中毒学会（監），日本中毒学会学術委員会／急性中毒標準診療ガイド改訂委員会：新版　急性中毒標準診療ガイド．へるす出版，2023：107
8) Winchester JF：Poisoning is the role of the nephrologist diminishing? Am J Kidney Dis 1989；13：171-183

22 腎代替療法の選択

▶ 腎代替療法として，①血液透析（HD），②腹膜透析（PD），③腎移植，の3つの治療法がある．

▶ さらに近年は，患者高齢化に伴い透析開始年齢は平均71歳となり，併存疾患やフレイルを有する患者も増えていることを背景として，透析や移植以外の方法でのQOL向上と症状の軽減を主眼とする保存的腎臓療法（CKM）の概念も確立されつつある．

▶ 腎不全進行期には，まず，どの治療法で透析生活を始めるか，腎移植あるいはCKMも視野に入れるのか，また，長期的にはこれらの療法をどう組み合わせていくかというビジョンをもつことができるよう，患者に十分な時間をかけて考えてもらう機会を設けることが大切である．

1 説明の現状

▶ 高齢化や医療費増大などの課題に直面しているなか，腎代替療法の選択がわが国ではHDに偏っていることから，平成30（2018）年度診療報酬改定により，「適切な腎代替療法説明」を国として推進する姿勢が明示された．

▶ 2020年以降，質の高い腎代替療法説明を実施する施設では，「腎代替療法指導管理料」が算定可能となった．

▶ 以降，PDでの導入患者数は増加傾向にあるものの，2020年末の日本透析医学会統計調査によると，全国の透析導入患者のうちPDで導入した患者は6%にとどまっている．

▶ また，2019年に行った透析患者を対象としたアンケートでは，透析導入時に治療法を医師と一緒に選択したとは感じていない患者が全体の4割を占め，そうした患者の6割以上は透析開始時も不安が大きいままであったことが明らかになっている[1]．

▶ 患者のQOLや生命予後からは腎移植が望ましいと考えられるため，患者の希望があれば，可能な限り腎移植の可能性を探ることが重要である．

▶ ただし，年齢や家族構成により腎移植が困難な場合も多い．

▶ 本稿では，おもにHDおよびPDに関する腎代替療法の説明につい

て概説する.

2　説明に必要な理論と手法

▶21 世紀に目指すべき医療として患者中心の医療（person-centered care）が掲げられ，医療における意思決定は，共同意思決定（SDM）のプロセスを経て，個々の人生観・価値観が反映されたものとなるべきという考え方が世界的に推奨されている[2].

▶2020 年に国際腹膜透析学会が改訂したガイドライン[3]でも，「至適 PD とは，人生の目標をかなえることを可能とするもの」であり，SDM を通じて患者の well-being（ウェル・ビーイング）を最大化する柔軟な処方を提案すること，と謳っている.

a 末期慢性腎臓病（末期 CKD）患者の心理

▶SDM を実施することは容易ではない．障壁を越えるためのポイントとして，「タイミング（受容状況に応じた対応）」「日常生活の維持」「ピア・サポート」が重要なカギとなる.

▶「透析療法が必要です」と医師に宣告された患者は，喪失感や透析への忌避感から，今後の方針を前向きに考えることが難しい．この困難な過程をうまく進めるためのヒントは，「患者が大切にしてきたこれまでのライフスタイルをどのようにすれば維持できるか」という視点から患者とともに考えることである.

▶国内外の調査や論文でも，「ライフスタイルが大きく変わるのではないか」ということが，患者の最大の不安要因であることが示されている．ライフスタイルの変化を極力小さくするために，どの療法をどのように行うとよいかを患者と一緒に検討し柔軟に提案することで，患者の受容も進む.

▶先輩透析患者との面談は，しばしば患者の不安を軽減し，前向きに

Side memo

Well-being（ウェル・ビーイング）とは

ケンブリッジ辞書によると，「健康で幸せだと感じる状態」のこと.

Well-being とは単に疾患がないこと（身体的健康）を意味するのではなく，精神的・社会的健康を含む包括的な概念で，「それぞれの個人が，生きる目的や意味を感じながら，自身の望む，満足いく人生を送ることができていると感じることのできる，ポジティブな状態」をいう.

透析生活について考えるきっかけとなり効果的である．
▶保存期末期の患者，とくに透析への拒否感が強い患者には，医療者からの説明のみでなく，透析をしながらも個々が大切にしているライフスタイルを維持している先輩透析患者の工夫や経験に直に触れる機会を提供することを検討する．

b 共同意思決定（SDM）

▶医療者と患者の関係は，医療者の決定を患者が認容する一方的なパターナリズムから，インフォームド・コンセントへと移り，医療者が治療法の選択肢についてメリット・デメリットを詳細に説明し，同意を得る形になった．
▶しかし近年，一方的に医学的な情報を提供するのみでなく，個々に異なる患者背景（患者の価値観，家族構成，支援体制など）についての情報を医療者も共有し，医療者と患者が協働して治療法を決定していく，SDM の姿勢がより望ましいと提唱されている．
▶SDM では，双方向に情報を提供，共有することで，療法決定に患者自身がより積極的に参加することができ，治療的教育を有効に進めることができると期待される．また，これらの対話を経て自身の価値観に沿った治療法を選択してもらうことで治療に対する満足度も上昇し，よりよく生きることを支援することができる．
▶SDM 支援ツールとして，「腎臓病あなたに合った治療法を選ぶために」[4]，「腎代替療法選択ガイド 2020」[5]が活用できる．

3 医学的知見の情報提供

▶各腎代替療法の適切な開始時期のめやすを図 22-1[6]に示す．
▶HD に比し，残腎機能保持が期待される PD は糸球体濾過量（GFR）6 mL/分/1.73 m² 程度で開始するべきとされる．
▶先行的腎移植は全身麻酔下での処置が必須であり，GFR 6 mL/分/1.73 m² より早期での実施が求められる．
▶少なくとも CKD ステージ G4 になった段階で，こうした腎代替療法の選択肢に関する医学的知見を患者・家族に提示し，治療の準備をすすめていく必要がある．
▶腎代替療法の説明時には，以下の 4 点を説明する．
　①治療法の選択肢
　②残腎機能保持の重要性

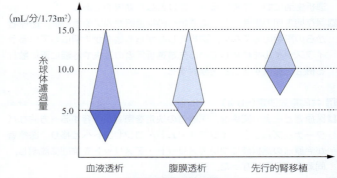

図 22-1 腎代替療法開始時期のイメージ
〔日本透析医学会:維持血液透析ガイドライン:血液透析導入. 日透析医学会誌 2013;46:1137[6]〕

③残腎機能保持のためにできること:食事管理,PD first の理念
④治療方法は必要に応じて併用・変更されること

- HD,PD,腎移植の各治療法についての概略,よい点,問題点の説明や,透析室見学や PD デモンストレーションなど(いずれかの治療法のリスクばかりを強調しないよう注意)を行う.
- 生命予後が腎移植で高いことは重要である.
- HD,PD ともに,残腎機能が保持されているほど予後がよいことは,数多く報告されている.
- 残腎機能保持のためにできることとして,塩分制限(1日食塩6g以下)を含めた食事管理とともに,PD を最初の透析とすること(PD first)を説明する.
- いずれの治療法を選択した場合も,残腎機能保持のための食事管理が非常に重要である.
- 患者の背景因子から HD が better と考えられる場合には,HD を選択した際の自己管理のポイントを説明する.
- PD を選択した場合,2大離脱原因である腹膜炎や体液管理不良を防ぎながら,うまく PD を継続していくためには,自己管理能力が不可欠である.
- 療法説明の場は,腎不全における合併症の進行を抑え,ADL,QOL の高い透析生活を送ってもらうために自己管理能力の習得が不可欠であることを教育するための場でもある.
- なお,わが国の高齢腎不全患者における治療成績に一定の見解はな

いが，導入時年齢が 70 歳以上の患者においては，HD と PD で生存率，入院率，QOL に差がないと報告されている．

4 チーム医療

▶前述のように，患者の心理を把握し，ともに治療法について考える SDM を実践し，食事療法を含めた生活指導を行うには，医師単独では困難である．

▶透析導入直前に腎専門医を受診した患者より，早期に腎専門医を受診し多職種から指導を受けた患者のほうが，入院期間も短くて済むことが報告されている．

▶医師・外来看護師・病棟看護師・栄養士・薬剤師・ソーシャルワーカー・臨床心理士などの多職種，多部門からなるチームを組み，患者・家人に対する教育・支援を行うのが理想である．とくに高齢 PD 患者では，社会福祉サービスの活用や透析メニューの工夫，アシスト PD などにより，本人や家人の QOL を重視した個別化医療を提供することが望ましい．

▶「慢性腎不全」の受容と自己管理意欲の啓発は，透析導入直前ではなく，より早期の段階から行うべきではあるが，少なくとも透析導入期は，患者にこれらを指導できる最後のチャンスである．そこで自己管理能力を身につけてもらえるか否かで患者の予後が大きく変わることを自覚し，チームで患者・家族を支援することが医療者の責務である．

📖 文 献

1) NPO 法人腎臓サポート協会：2019 年会員アンケート結果報告．
   https://www.kidneydirections.ne.jp/wp-content/themes/kidney-web/pdf/report/report_result_2019.pdf
   （2023 年 8 月閲覧）
2) Institute of Medicine (US) Committee on Quality of Health Care in America：Crossing the Quality Chasm：A New Health System for the 21st Century. National Academies Press, 2001
3) Brown EA, et al.：International Society for Peritoneal Dialysis practice recommendations：Prescribing high-quality goal-directed peritoneal dialysis. Perit Dial Int 2020；40：244-253
4) 腎臓病 SDM 推進協会：腎臓病あなたに合った治療法を選ぶために．改訂 3 版，2018　https://www.ckdsdm.jp/document/booklet/images/sdm.pdf（2023 年 9 月閲覧）
5) 日本腎臓学会，他（編）：腎代替療法選択ガイド 2020．ライフサイエンス出版，2020
6) 日本透析医学会：維持血液透析ガイドライン：血液透析導入．日透析医学会誌 2013；46：1137

345

23 保存的腎臓療法

1 保存的腎臓療法は人生の最終段階に末期腎不全に至った際の治療選択肢の1つである

- ▶透析療法による益〔生命予後改善, patient-centered outcome（患者中心予後）の改善など〕が多いとはいえない患者群が存在する．高齢, 合併症, 活動性の低下などが, その患者群の特徴である.
- ▶保存的腎臓療法（CKM）は, これらの慢性腎臓病（CKD）患者に対して, 非透析の保存的療法を提供することが実行可能で, かつ発展の余地がある治療法の1つである.
- ▶KDIGO（Kidney Disease:Improving Global Outcome）の controversies conference[1]によると, CKM は「CKD ステージ G5 の患者に対する計画的で包括的な患者中心のケアであり, 腎臓病の進行を遅らせ, 合併症を最小限に抑えるための介入を含むが, おもに症状管理と心理的・社会的・文化的・精神的サポートに焦点を当てており, 透析療法は含まない」とされる.
- ▶図 23-1 では, KDIGO の定義にある CKD ステージ G5 に限らず, より早期からの連続性をもつ治療として示されている．CKD 進行によって積極的腎保護に困難が伴うにつれ, 緩和治療も並行し, スピ

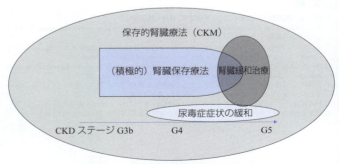

図 23-1 保存的（非透析）療法の概念
この図では, 腎臓病予後対策国際機構（KDIGO）の定義にある慢性腎臓病（CKD）ステージ G5 に限らず, より早期からの連続性をもつ治療として示してある.

リチュアルケア，家族への支援などをすすめていくことになる.

▶CKM は腎代替療法（RRT）と対をなすものとして，透析非導入という選択において実施される療法全体を包含するものであり，幅広い概念といえる.

2 保存的腎臓療法実践は根底に臨床倫理を必要とする

▶CKM を含む医療やケアを実践するにあたって，医療者・ケア従事者は生命・医療倫理の 4 原則，すなわち①自律尊重原則，②無危害原則，③与益原則，④正義原則，を基本的なルールとして遵守しながら，患者への支援を進めることになる.この4原則は，Tom Beauchamp と James Childress によって米国で確立された.

▶わが国の清水による3原則では，自律尊重に対応するものとして「人間尊重」を掲げ，無危害と与益をあわせて「与益」とし，正義を「社会的適切さ」としている[2].

▶「人間尊重」原則は，相手を人として尊重しつつ医療やケアをすすめることに関連し，「与益」原則は相手の益になるように，害を避けるように医療とケアを行うこと，そして「社会的適切さ」原則は医療とケアの資源利用とその配分の公平さ，ならびに法律やガイドラインなどを遵守することなどの社会的な側面に関連している.

3 インフォームド・コンセント取得は保存的腎臓療法実践において必須である

▶CKM を実践するにあたって重要なプロセスであるインフォームド・コンセント（IC）は，透析医学会が「透析の開始と継続に関する意思決定プロセスについての提言」[3]において示した，「腎代替療法が必要に至った時点での意思決定プロセス」（図 23-2）に則って取得することが望ましい.

▶IC において，共同意思決定（SDM）は理想的な実践方法であるといえる．SDM とは，医療者と患者が協働して，患者にとって最善の医療上の決定をくだすに至るコミュニケーションのプロセスであり，医学的情報と患者の価値観，選好に基づいて決定される.

▶SDM の実践によって，患者が家族や臨床医の協力のもと疾患や状態を理解し，情報に基づいた決定をくだす前に治療の利点，リスク，制限，代替案，不確実性を理解すると，意思決定プロセスの共有を円滑に行うことができる.

23

保存的腎臓療法

347

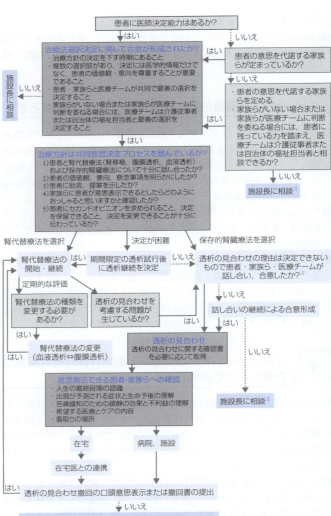

図 23-2 腎代替療法が必要に至った時点での意思決定プロセス

注：解決可能な見合わせ理由として，通院困難，透析中の低血圧，穿刺痛などで，患者は苦痛と考えているが適切な介入により解決できる可能性があるもの

〔透析の開始と継続に関する意思決定プロセスについての提言作成委員会：透析の開始と継続に関する意思決定プロセスについての提言. 日透析医学会誌 2020；53：214[3]〕

4 保存的腎臓療法実施中に生じる自覚症状と対処法

▶末期腎不全を保存的に治療していく際によくみられる症状を取り上げ，現在，有効とされる対処法について記載する[1]．

a 尿毒症性瘙痒症

▶尿毒症性瘙痒症の病態生理学は完全には理解されておらず，複数の複雑なメカニズムが役割を果たす可能性が高い．尿毒症性ニューロパチー，慢性全身性炎症の一環としての皮膚または神経の炎症，およびμ-オピオイド受容体の活性の増加が関係している．

透析の見合わせを検討する状態

透析の見合わせ（差し控えおよび継続中止）を検討する状態について，日本透析医学会が示している（表）[3]．医療チームは，意思決定能力を有する患者および，意思決定能力を有さない患者の家族らに，透析の見合わせを提案することができる．それに際しては，RRT が必要に至った時点での意思決定プロセスに則って行うこととなる．

表 透析の見合わせについて検討する状態

1. 透析を安全に施行することが困難であり，患者の生命を著しく損なう危険性が高い場合
   ① 生命維持が極めて困難な循環・呼吸状態等の多臓器不全や持続低血圧等，透析実施がかえって生命に危険な状態
   ② 透析実施のたびに，器具による抑制および薬物による鎮静をしなければ，安全に透析を実施できない状態
2. 患者の全身状態が極めて不良であり，かつ透析の見合わせに関して患者自身の意思が明示されている場合，または，家族等が患者の意思を推定できる場合
   ① 脳血管障害や頭部外傷の後遺症等，重篤な脳機能障害のために透析や療養生活に必要な理解が困難な状態
   ② 悪性腫瘍等の完治不能な悪性疾患を合併しており，死が確実にせまっている状態
   ③ 経口摂取が不能で，人工的水分栄養補給によって生命を維持する状態を脱することが長期的に難しい状態

〔透析の開始と継続に関する意思決定プロセスについての提言作成委員会：透析の開始と継続に関する意思決定プロセスについての提言．日透析医学会誌 2020：53：215[3]〕

▶最近の系統的レビューでは，低用量のガバペンチンまたはプレガバリンが，尿毒症性瘙痒症に有効であることが判明している．

b むずむず脚症候群

▶尿毒症性のむずむず脚症候群(RLS)の正確な病因メカニズムは不明である．

▶特発性 RLS についてもっとも広く受け入れられている仮説は，ドパミン作動系の機能不全，鉄欠乏症，および貧血である．血清 P 濃度が高いことは，血液透析患者の RLS の存在とも独立して関連するとされる．

▶特発性 RLS の第一選択治療は，ドパミン作動薬である．ドパミン作動薬は血液透析を受けている患者の RLS にも有益性を示すが，その有益性は特発性 RSL に劣る．無症状の末梢神経異常が，RLS に関係しているとされる．

▶末期腎不全では，ガバペンチンはプラセボおよびドパミン作動薬であるレボドパと比較して，RLS 改善効果を示した．そのため筆者らは，ガバペンチンを尿毒症性RLSの第一選択治療として提案している．

▶ベンゾジアゼピン系薬は，その使用に関する限られたエビデンス，および転倒，骨折，認知機能低下などの重大なリスクのために，腎臓病の保存療法を受けている患者における RLS には推奨されないが，もはや経口摂取が困難な患者にとっては唯一の選択肢であり得る．

▶患者が著しい睡眠障害を引き起こす難治性の RLS を経験している場合，またはベンゾジアゼピン系薬が潜在的な併存症状(不安など)を治療し得る場合は使用を考慮してよい．

c 悪心と嘔吐

▶悪心と嘔吐の管理については，一般的に使用されている多くの薬剤は腎不全患者において副作用リスクが高いため，非薬理学的管理を優先する．

▶オンダンセトロンは便秘を惹起しうる．ハロペリドール，メトクロプラミド，およびオランザピンはすべてドパミン拮抗薬であり，一緒に処方するべきではない．さらに，これらの薬剤は血液脳関門を通過し，錐体外路症状を引き起こし，RLSを悪化させる可能性がある．

▶メトクロプラミドは運動促進性の性質をもち，胃不全麻痺のために悪心や嘔吐のある患者のための第一選択薬と考えられる．

▶オランザピンは錐体外路症状を引き起こす危険性は低いが，体重増加や 2 型糖尿病などの代謝性副作用を引き起こすリスクがある．

▶ ハロペリドールは，メトクロプラミドとオランザピンよりも錐体外路症状のリスクが高い．

d 慢性疼痛管理

▶ 非薬理学的療法は，慢性疼痛管理の重要な位置を占める．非薬理学的療法は独立した治療として，または薬理学的治療を強化するために行われる．

▶ 疼痛に対する適切な初期治療戦略の選択は，疼痛の種類による．神経因性疼痛は体性感覚神経系への損傷から生じ，一般的に灼熱感，刺すような痛みなどと表現される．侵害受容性疼痛は感覚受容体の刺激を引き起こす組織損傷から生じ，鋭い，鈍い，または痙攣として表現される．

▶ 腎臓病の保存療法を受けている患者における神経因性疼痛の第一選択薬は，プレガバリンのようなCaチャンネルα2δリガンドであり，トラマドールやオピオイド鎮痛薬は第二選択薬である．一方，侵害受容性疼痛に対する第一選択薬は鎮痛薬である．このうち，オピオイドの推奨度はもっとも低く，低用量で開始され，副作用と全体的な利益について慎重にモニターしつつ用いるべきである．

5 終末期特有の5症状と治療アルゴリズム

▶ 終末期特有の5つの症状（息切れ，痛み，悪心と嘔吐，呼吸器の分泌物，ならびに興奮と落ち着きのなさ）のために治療指針が開発されている（webサイトで閲覧可能）[4]．

▶ 患者の状態が悪化するにつれて，たとえば運動療法のように，ある種の非薬理学的介入は現実的でなくなる．日常生活の活動を支援するために適切な支援が行われていること，および必要に応じて看護が利用可能であることを確認することは重要である．

▶「人生の最終段階のケア」においては，緩和ケア専門チームへの紹介が適切な場合があることが強調されている．終末期においては，疾患の進行および/または投薬のために意識レベルの低下が認められるが，患者が安寧であるなら，それを好ましく受け止める患者および家族が存在することも知っておく必要があるだろう．

📖 文献

1) Davison SN, et al. : Executive Summary of the KDIGO Controversies Conference on Supportive Care in Chronic Kidney Disease : developing a roadmap to improving quality care. Kidney Int 2015 ; 88 : 447-459
2) 清水哲郎：臨床倫理事例検討の進め方．清水哲郎，他（編），臨床倫理の考え方と実践―医療・ケア

チームのための事例検討法，東京大学出版会，2021
3）透析の開始と継続に関する意思決定プロセスについての提言作成委員会：透析の開始と継続に関する意思決定プロセスについての提言，日透析医学会誌 2020；53：173-217
4）Kidney Supportive Care Research Group：Pathway. Conservative Kidney Management（CKM），Healthcare Professional, 2016　https://www.ckmcare.com/Practitioner Pathway/AtAGlance（2023 年 11 月閲覧）

24 慢性透析患者の血液透析導入と管理

1 慢性透析の現況

- 2021年末におけるわが国の慢性透析患者数は349,700人で、図24-1[1]に示すように、近年、増加数が鈍化傾向にある.
- また、国民359人に1人が透析患者となり、わが国の透析患者の有病率は台湾に次いで世界2位である.
- 2021年の新規導入患者数は40,511人であり、ここ数年は多少の変動はあるものの、横ばいの状態である.
- 一方、死亡患者数については、2012～2014年はほぼ横ばいとなっていたが、2015年以降、再び漸増傾向で、2021年の死亡患者数は36,156人であった.
- 導入患者の原疾患の第1位は糖尿病性腎症であるが(40.2%)、ここ数年は横ばいからやや減少傾向である. 次いで腎硬化症が18.2%、

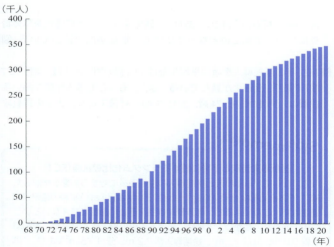

図 24-1 慢性透析患者数の推移

〔花房規男, 他:わが国の慢性透析療法の現況(2021年12月31日現在). 日透析医学会誌 2022;55:665-723[1]〕

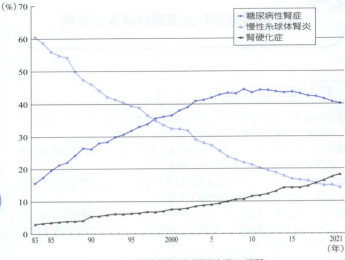

図 24-2　透析導入主要原疾患の推移
〔花房規男, 他：わが国の慢性透析療法の現況（2021年12月31日現在）. 日透析医学会誌 2022：55：665-723[1]〕

慢性糸球体腎炎が14.2%であり，腎硬化症は2019年に慢性糸球体腎炎に代わって第2位となって以降も，増加傾向が続いている（図24-2）[1].

▶2021年の新規導入患者の平均年齢は71.1歳（男性70.4歳，女性72.7歳）であり，高齢化が進んでいる．また，もっとも導入頻度が高い年齢層は，男性が70〜74歳，女性は80〜84歳であり，人生の最終段

Side memo

透析導入時期と予後に関するランダム化比較試験（RCT）

2010年に，早期導入と晩期導入の生命予後に対する影響を検討したRCTであるIDEAL（Initiating Dialysis Early and Late）試験の結果が報告された．これによると，導入時期は生命予後に影響を与えないというものであった．しかし，本試験における実際の導入時 eGFR は，早期導入群 9.0 mL/分/1.73 m²，晩期導入群 7.2 mL/分/1.73 m² であり，"早期"と"晩期"に大きな差がなく，さらにNKF-KDOQIガイドラインが推奨しているような"早期"（eGFR 10〜15 mL/分/1.73 m²）でもなかった．

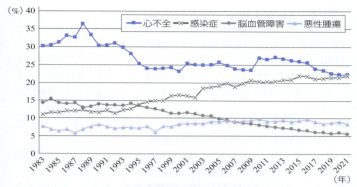

図 24-3 透析患者の死亡原因の推移

〔花房規男,他:わが国の慢性透析療法の現況(2021年12月31日現在).日透析医学会誌 2022;55:665-723[1)]〕

表 24-1 透析患者の生命予後・QOL を規定する因子

1. 腎臓専門医による透析導入前の十分な管理
   (early referral:少なくとも 6 か月以上)
2. 透析療法導入のタイミング
3. 残腎機能
4. 透析量
5. 栄養状態
6. 身体機能(サルコペニア・フレイル)
7. 合併症(貧血,骨ミネラル代謝異常,心・脳・末梢血管合併症,感染症,悪性腫瘍など)
8. 基礎疾患(糖尿病性腎症,腎硬化症などは予後不良)
9. 年齢

階で透析療法が開始されている.

▶慢性透析患者のおもな死亡原因は,心不全(22.4%),感染症(22.0%),悪性腫瘍(8.4%),脳血管障害(5.6%)であり,心不全は横ばいからやや減少傾向,感染症は増加傾向が続いている.また,悪性腫瘍は横ばい,脳血管障害は漸減傾向にある(図 24-3)[1)].

▶表 24-1 に,透析患者の生命予後・QOL を規定する因子を示す.そのほとんどが介入可能なものであり,専門医としてそれぞれの対策を熟知しておく必要がある.

2 透析導入基準

a 透析導入期における腎機能（GFR）評価法

▶腎機能評価法として，①イヌリンクリアランス，②24時間蓄尿による Cr クリアランス(Ccr)，③Ccr と尿素クリアランス(Curea)の平均，④推算糸球体濾過量(eGFR)，⑤Cockcroft-Gault の Ccr 推算式，がある．

▶Cockcroft-Gault による Ccr 推算式では，血清 Cr 値の測定は Jaffe 法（酵素法＋0.2）を使用する(☞p.535 参照)．

▶腎機能低下時には尿細管から Cr や尿素の分泌があり，24時間蓄尿による Ccr 算出法では腎機能を過大評価することとなる．

▶eGFR の推算式については p.99, p.535 を参照されたい．末期腎不全で低栄養により筋肉量が減少している場合には，GFR との乖離がみられる．

▶筋肉量や食事量に影響を受けないシスタチン C を用いた eGFR 評価法もあるが(☞p.99, p.535)，シスタチン C は高度腎機能障害（血清 Cr 値 3.0 mg/dL 以上）ではその値が上げ止まるので，腎機能を反映しにくい．また，甲状腺機能や妊娠，さらには薬剤などの影響を受けるため，注意が必要である．透析導入の判断には使用できない．

▶それぞれの腎機能評価法の欠点を知ったうえで，より現実的な方法で腎機能を評価すべきである．

b わが国における透析導入基準

▶透析療法導入のタイミングは保存的治療の限界という意味にとどま

Side memo

「透析の見合わせ」と「保存的腎臓療法(CKM)」について

　日本透析医学会は，2020年に「透析の開始と継続に関する意思決定プロセスについての提言」[2]を発表した．透析は延命治療であること，さらには透析患者が高齢化し，合併症の頻度が高くなっていることから，医療現場における透析の見合わせ，さらには人生の最終段階における治療の継続や選択について，現時点でのコンセンサスが示されている．患者ならびにその家族と医療チームによる，共同意思決定(SDM)に基づく治療方針の決定および，advance care planning(ACP)の必要性ならびにそのプロセス，さらには透析を見合わせた場合の CKM に関する情報提供プロセスなどが示されている．

表 24-2　慢性腎不全透析導入基準

Ⅰ．臨床症状	1. 体液貯留（全身性浮腫，高度の低蛋白血症，肺水腫） 2. 体液異常（管理不能の電解質，酸塩基平衡異常など） 3. 消化器症状（悪心・嘔吐，食欲不振，下痢など） 4. 循環器症状（重症高血圧，心不全，心包炎） 5. 神経症状（中枢・末梢神経障害，精神障害） 6. 血液異常（高度の貧血症状，出血傾向） 7. 視力障害（尿毒症性網膜症，糖尿病性網膜症） これら1〜7項目のうち3個以上のものを高度（30点），2個を中等度（20点），1個を軽度（10点）とする．		
Ⅱ．腎機能	血清 Cr（Cr クリアランス，mL/分）		点数
	8 mg/dL 以上（10 未満）		30
	5〜8 mg/dL（10〜20 未満）		20
	3〜5 mg/dL（20〜30 未満）		10
Ⅲ．日常生活障害度	尿毒症状のため起床できないものを高度（30点）とする 日常生活が著しく制限されるものを中等度（20点）とする 運動，通学あるいは家庭内労働が困難となった場合を軽度（10点）とする		
Ⅳ．Ⅰ，Ⅱ，Ⅲの総得点 60 点以上を透析導入とする			

注：年少者（10歳以下），高齢者（65歳以上），全身性血管合併症のあるものについては10点を加算

〔川口良人，他：透析導入ガイドラインの作成に関する研究．平成3年度厚生科学研究・腎不全医療研究事業報告書，1992：125-132[3]〕

らず，透析療法導入後の生命予後にも影響を及ぼす．

▶従来，わが国には透析導入に関する正式なガイドラインは存在せず，1991年に厚生科学研究・腎不全医療研究事業により作成された導入基準（表 24-2）[3] を参考にした形で透析導入が行われてきた．この透析導入基準は，そもそも慢性腎炎患者の血液透析導入を想定したものであるが，糖尿病性腎症や腎硬化症由来の患者が導入の中心となっている近年の状況においてでも，「じん臓機能障害」に関する身体障害者手帳の認定基準に使用されている．

▶透析導入の基準となる eGFR についてのエビデンスはないが，2013年の日本透析医学会「血液透析導入に関するガイドライン」[4] では，eGFR＜15 mL/分/1.73 m² となれば，自覚症状と検査データに加えて，他臓器合併症（とくに心血管合併症）の状態などから，透析導入によるリスク・ベネフィットを考慮し，そのタイミングを判断すべきであるが，わが国の透析患者のデータから，eGFR＜2 mL/分/1.73

m^2での導入は生命予後不良であるため避けるべきであるとしている.

▶わが国の実際の透析導入は eGFR＜6 mL/分/1.73 m^2でもっとも生命予後がよい.

c 諸外国における透析導入基準

▶米国においては 1997 年以降, NKF-KDOQI(National Kidney Foundation-Kidney Disease Outcomes Quality Initiative)により, 透析導入に関するガイドラインの策定ならびに改訂が繰り返し行われているが, その根拠は一貫して高い腎機能で透析導入された患者の予後が良好であるという多くの観察研究の結果に基づくものである.

▶米国では, eGFR≧10 mL/分/1.73 m^2で透析導入された患者の割合は1996 年に 25％であったものが, 10 年後の 2005 年には 54％に増加している.

▶2006 年のガイドライン改訂[5]では, 血液透析, 腹膜透析を問わず, CKD ステージ G5(eGFR＜15 mL/分/1.73 m^2)となった時点で, 導入を考慮するよう推奨しており, European Best Practice Guideline(EBPG)においても同様である.

▶2019 年の KDIGO(Kidney Disease：Improving Global Outcome)のControversies Conference[6]では, これまでと違って, 早期導入を支持するエビデンスは存在しないことから, 患者の状態や合併症, さらには生命予後を考慮に入れた導入のタイミングの決定が強調されている. たとえば 60 歳以上の高齢者で, 尿蛋白も少なく腎機能低下速度も比較的緩徐な場合, 透析導入を eGFR＜6 mL/分/1.73 m^2まで待つことも選択肢の 1 つであるとしている.

Side memo

「じん臓機能障害」に関する身体障害者手帳の認定基準

透析医療は公費負担医療であり, 身体障害者の申請が可能である. 「じん臓機能障害」の等級は 1 級, 3 級, 4 級であり, 従来, 認定基準として血清 Cr が使用されてきたが(1 級：8.0 mg/dL 以上, 3 級：5.0 mg/dL以上, 4 級：3.0 mg/dL 以上), 2018 年 4 月より内因性 Ccr 値(1 級：10 mL/分未満, 3 級：10 mL/分以上 20 mL/分未満, 4 級：20 mL/分以上 30 mL/分未満)の基準がすべての年齢で適応されるようになった(2018 年 3 月までは満 12 歳を超える患者では適応なし). さらに 3 級と 4 級については, eGFR(3 級：10 mL/分/1.73 m^2未満, 4 級：10 mL/分/1.73 m^2以上 20 mL/分/1.73 m^2未満)の基準も設けられた.

▶諸外国の透析患者レジストリをみると，透析導入時の腎機能は，人口あたり透析患者が世界でもっとも多い台湾（わが国は世界第2位）ではおおよそ5 mL/分/1.73 m²（以下，単位は同様），オーストラリア7.3，英国8.5，米国11と報告されており，地域差が大きい．

d バスキュラーアクセス作製のタイミング

▶2011年の日本透析医学会「慢性血液透析用バスキュラーアクセスの作製および修復に関するガイドライン」[7]では，腎機能（eGFR＜15 mL/分/1.73 m²）と臨床症状を考慮し，バスキュラーアクセスの作製時期を判断することが推奨されている．

▶諸検査値および臨床症状などから血液透析開始時期を予測し，初回穿刺より最低でも2〜4週間前に作製されることが望ましいとしている．

▶一方，2019年のKDIGOによるControversies Conference[6]では，バスキュラーアクセスについては，患者の生命予後や価値観を考慮した共同意思決定（SDM）による作製時期の決定が重要であるとしており，必ずしも透析導入前にバスキュラーアクセスを作製しておく必要はないとしている．

3 透析量

a 透析量の指標

▶透析量の指標としては，透析で除去され，その除去量がQOLや予後などと関連し，比較的簡単に測定できるという条件が最低必要で

Side memo

透析量 Kt/V と生命予後

透析量 Kt/V（high dose, 1.71 vs standard dose, 1.32）と，透析膜 β_2マイクログロブリンクリアランス（3 mL/分 vs. 34 mL/分）は生命予後に影響を与えないという RCT の結果が，2002年に発表された（HEMO study）．少なくともクリアランスの大きいダイアライザ（大孔径で膜面積が大きな合成膜）を使用して，短時間に見かけ上の高効率透析を実施しても，実際には尿素のリバウンドなどで溶質除去効率は上がらず，短時間に無理な除水をする結果，血圧低下などのエピソードが起こりやすい．結局，生命予後改善にはダイアライザによる透析量よりも，時間のファクターが重要であることを示唆した結果といえる．

あり，小分子物質の代表として尿素（分子量 60），中分子物質の代表として透析アミロイドーシスの原因物質である β_2 マイクログロブリン（分子量 11,800）などが臨床的に使用されている．

▶とくに尿素は体液に一様に分布すると仮定できるので，数学的モデルに適合させやすいという特徴をもつ．したがって，尿素の除去状態を定期的にモニターすることは，適正な透析量の評価として必須である．

b 尿素除去の指標（spKt/V）

▶single-pool Kt/V urea（spKt/V）は，以下に示す Daugirdas の式で計算可能である．

> spKt/V＝$-\ln$（R-0.03）$+$（4$-3.5\times$R）$\times$UF/BW
> R：透析後 BUN/透析前 BUN
> UF：限外濾過量（L）
> BW：透析後の体重（kg）
> K：一定時間あたりの尿素クリアランス（ダイアライザーのクリアランスに相当）
> t：透析時間
> V：総体液量

▶spKt/V は生命予後と相関し，2013 年に発表された日本透析医学会の「維持血液透析ガイドライン：血液透析処方」[8]では，血液透析患者（週 3 回，無尿）の場合，1 回の透析での Kt/V は最低 1.2 以上，できれば 1.4～1.6 を目標とすべきとしている．Kt/V 1.8 まで死亡リスクは軽減する．

▶2006 年に改訂された NKF-KDOQI ガイドライン[5]でも，Kt/V 1.4 以上（残腎機能がない場合）となっている．ただし，Kt/V はあくまでも透析量のめやすであって，透析量の判断は自覚症状や栄養状態，さ

Side memo

Kt/V 測定のための採血

Kt/V 測定のための採血については，心肺循環の影響が 1～2 分と考えられ，透析後の採血は 2 分間血流 50 mL/分までポンプの回転数を落としてから採血をする．ダブルルーメンカテーテルの場合は心肺循環の影響を考慮する必要がないため，30 秒間 50 mL/分に回転数を落として採血をする．

表 24-3　透析量の規定因子

1. 透析時間
2. 血流量
3. ダイアライザ膜面積
4. 脱血不良, 血圧低下(一時的に血流量を下げる必要があるため)
5. バスキュラーアクセス再循環

らには貧血や電解質などの指標で確認する必要があることはいうまでもない.

▶ 2019 年の KDIGO の Controversies Conference[6]では, "adequate dialysis"(わが国では至適あるいは適正透析と訳されている)から"goal-directed dialysis"に変更すべきとの意見も出されており, 患者の求める "goal" を達成するためには, どのような透析処方をすべきかを考える必要がある(SDM に基づく治療方針の決定).

c 透析量に影響を及ぼす因子(表 24-3)

▶ 透析時間は透析量にもっとも影響を与える因子である. 一般的には 4 時間透析が主流であるが, 循環動態の不安定な患者に対しては, 積極的に透析時間の延長を考慮すべきである.

▶ DOPPS(Dialysis Outcomes and Practice Pattern Study;慢性血液透析患者の診療内容と予後に関する国際的観察研究)のデータでは, 透析時間>240 分の死亡リスクに比して, 211〜240 分では 1.19 倍, <211 分では 1.34 倍と有意に高くなることが示されており(図 24-4)[9], 日本透析医学会の 2009 年の統計調査による透析時間と生命予後の解析でも, 3.5 時間未満では死亡リスクが有意に増大する[10].

▶「維持透析ガイドライン:血液透析処方」[8]では, 透析時間は 4 時間以上を推奨している.

▶ 血流量も透析量に影響を与える重要な因子であるが, 両者には直線的な関係はない. なぜなら, 血流量を増加させると, 逆にダイアラ

バスキュラーアクセスの評価

2005 年, 日本透析医学会が策定したバスキュラーアクセスに関するガイドライン[11]では, 内シャントの評価(シャントスリル, シャント雑音, シャント静脈全体の触診, 止血時間の延長, シャント肢の腫脹)を毎週実施することを推奨している.

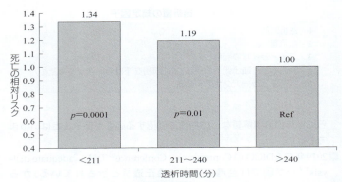

図 24-4　透析時間と死亡リスク

〔Saran R, et al.：Longer treatment time and slower ultrafiltration in hemodialysis：associations with reduced mortality in the DOPPS. Kidney Int 2006；69：1222-1228[9)]より一部改変〕

イザ内での除去効率が低下するため，たとえば血流量を 2 倍にしても，ダイアライザのクリアランス(血流量×ダイアライザ内での除去効率)は 2 倍に増加しない．
▶わが国での血流量は通常 200 mL/分前後であるが，米国では血流量 350〜500 mL/分前後(透析患者の約 35％がグラフトや長期留置カテーテル)で，2.5〜3.0 時間の超効率化透析を実施している(見かけ上 Kt/V は高値であるが，生命予後はきわめて不良)．
▶透析中のバスキュラーアクセスからの脱血不良や血圧低下などによって一時的に血流量を落とすことにより，透析効率は低下する．

Side memo

尿素希釈法による再循環率の測定方法

血液透析開始後 30 分に，限外濾過を停止して測定する．
①動脈側(A)と静脈側(V)からサンプルを採血する．
②採血後，すぐに血流量を 120 mL/分に低下させる．
③血流を下げた 10 秒後に血液ポンプを停止する．
④動脈側のサンプルポートの下流をクランプする．
⑤動脈側のサンプルポートより採血する(S)．
⑥クランプをはずし，血液透析を再開する．
⑦A，V，S の尿素窒素濃度を測定し，再循環率(R)を計算する．
　$R=(S-A)/(S-V)\times100$

したがって，バスキュラーアクセスの評価（ Side memo 参照，☞p.361）ならびに透析中の血圧低下を予防することも，透析量を維持する点で重要である．

▶アクセス再循環の測定には，尿素希釈法（ Side memo 参照，☞p.362）や熱希釈法（冷却した生理食塩液を静脈側回路から急速注入し，温度の低下を動脈側回路で測定する），さらにはクリットラインを用いる方法などがある．

▶2回以上の再循環率の測定で，尿素希釈法を用いた場合は15％以上，尿素希釈法以外の希釈法を用いた場合は5％以上であれば，その原因を検索する必要がある．

d 血液濾過透析（HDF）

▶血液濾過透析（HDF）とは，HDF膜を使用し，拡散による溶質除去（血液透析）と，多量の限外濾過による溶質除去（血液濾過）を同時に行う透析方法で，HDF膜は血液透析膜より膜の細孔径が大きいた

表 24-4　**透析液水質基準**

種類	項目	管理基準	測定頻度
透析用水	細菌数	100 CFU/mL 未満	3か月ごと（基準を満たしていない場合は1か月ごと）
	ET	0.050 EU/mL 未満	
標準透析液	細菌数	100 CFU/mL 未満	*1
	ET	0.050 EU/mL 未満	
超純粋透析液	細菌数	0.1 CFU/mL 未満	*2
	ET	0.001 EU/mL 未満	
オンライン補充液	細菌数	10^{-6} CFU/mL 未満	*3
	ET	0.001 EU/mL 未満	*4

*1 毎月少なくとも末端透析装置2基が試験され，各装置が少なくとも年1回試験されるように装置を順番に測定する．
*2 システムが安定するまでは2週間ごと，透析液製造者によってバリデートされたと判断されたのちは，毎月少なくとも末端透析装置2基が試験され，各装置が少なくとも年1回試験されるように，装置を順番に測定する．
*3 10^{-6} CFU/mL 未満の測定は不可能であり，オンライン補充液は超純粋透析液を担保する．システムが安定するまでは2週間ごと，透析液製造者によってバリデートされたと判断されたのちは，毎月少なくとも末端透析装置2基が試験され，各装置が少なくとも年1回試験されるように，装置を順番に測定する．
*4 システムが安定するまでは2週間ごと，透析液製造者によってバリデートされたと判断されたのちは，毎月すべての末端透析装置および補充液を測定する．

ET：エンドトキシン

〔土田健司，他：正しいオンラインHDFの知識. 日透析医学会誌 2014；47：663-670[12]〕より一部改変〕

め，多量の限外濾過を行うことにより，拡散原理を用いた血液透析では除去されにくい低分子量蛋白が除去可能である．

▶近年，透析液の超純水化(表 24-4)[12]により，50 L 前後の透析液をそのまま置換液として用いる on-line HDF が主流となっている(以前は 10 L 前後の限外濾過を行い，同量の置換液を回路内に補充する

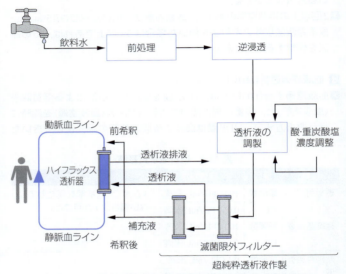

図 24-5　前希釈と後希釈による血液濾過透析(HDF)療法
〔Canaud B, et al.：Hemodiafiltration to Address Unmet Medical Needs ESKD Patients. Clin J Am Soc Nephrol 2018；13：14351443[13]より一部改変〕

間欠補充型血液濾過透析(I-HDF)

I-HDF は，一定時間ごと(例：20〜30 分ごと)に HDF 膜の細孔から透析液を血液側に注入する HDF であり，日本透析医学会統計調査によると，2021 年末の時点で，HDF 患者の約 3 割が I-HDF を実施している．注入した透析液の量は最終的には除水量に加えられるので，ドライウエイトは維持される．この方法は一定時間ごとに輸液をするのと同じ効果があり，透析中の血圧が安定しやすく，末梢循環も保たれやすいなどのメリットがある．

off-line HDF が行われていた).

▶なお HDF には,置換液を HDF 膜の手前から注入する前希釈と,後から注入する後希釈の2種類の方法があるが(図 24-5)[13],わが国では前希釈が主流である.

▶On-line HDF は,透析アミロイド症(原因物質:β_2マイクロアルブミン,分子量:11,800)や透析低血圧など特殊な病態に対して施行されていたが,2012 年の診療報酬改定により,すべての透析患者に対して on-line HDF が施行可能となったことで HDF 患者数は急激に増加しており,2021 年末には 176,601 人に達し(全透析患者の 50.5%),そのうち on-line HDF が 70.5%を占める.

e 夜間(家庭)透析,昼間頻回透析

▶透析患者の生命予後を改善するには,より長時間・頻回の透析(より生理的な人工腎臓)が必要であることはいうまでもない.

▶そこで,従来のスタンダードな透析(週3回2~4時間)から,透析施設に宿泊して週3回,夜間に6~8時間かけて緩徐に行う透析(in-center nocturnal hemodialysis:INHD)や,昼間に 1.5~3時間の透析を週5~7日行う昼間頻回通院透析などが試みられている.

▶緩徐な除水によりドライウエイトが達成できるため,血圧のコントロールが良好となるだけでなく,透析低血圧も予防できる.

▶十分な溶質の除去も得られることから,リン吸着薬の減量が可能となる.貧血も改善し,赤血球造血刺激因子製剤(ESA)の必要量が減少して,生命予後の改善も報告されている.

Side memo

腎不全用経腸栄養剤

通常の経腸栄養剤は 1 kcal/mL の濃度で調製されており,腎不全患者では十分な熱量を補給しようとすると水分過剰になるため,1.5 kcal/mL 以上の濃度が必要である.また,K,P,たんぱく質も制限が必要である.

腎不全では異化亢進を防ぐため,非蛋白エネルギー/窒素比を 300 前後にする必要があるが,透析患者の場合,健常人と同様の 150 程度とすることも可能である.

腎不全では,脂溶性ビタミン(A,D)は過量(中毒)になる危険がある.一方,水溶性ビタミン(B_1,B_6,葉酸,ビタミン C)は透析により喪失するため,適度に補充する必要がある(過量に注意).

亜鉛も欠乏をきたしやすく,亜鉛欠乏は味覚障害や貧血の原因となる.

▶ ただし，INHD は夜間のスタッフ確保が困難であったり，良好な睡眠が保証されないなど課題が多い．また，昼間頻回通院透析は QOL の低下という問題がある．当然，これらの透析方法は従来の透析以上に費用がかかるため，医療経済の現状を考慮すると現実的とはいえない．

▶ 夜間家庭透析（NHHD）ではスタッフの人件費が削減できるため，介助者（穿刺，透析中の監視，抜針，止血など）の問題が解決されればより現実的な方法であり，ヨーロッパやカナダを中心に普及しつつある．2021 年末時点で，わが国の在宅血液透析患者数は 748 人（全透析患者数の 0.2%）と横ばいの状態である．

4 　栄養管理

a 　血液透析患者におけるたんぱく質，エネルギーの適正摂取量

▶ 慢性透析患者の食事療法は，日本腎臓学会による「慢性腎臓病に対する食事療法基準 2007 年版」[14] に準じてきたが，2014 年に日本透析医学会から新たな基準が示された（表 24-5）[15]．

▶ 2007 年版ではたんぱく質摂取量は 1.0〜1.2 g/kg/日としていたが，2014 年の新基準では 0.9〜1.2 g/kg/日とし，エネルギーは 2007 年版の 27〜39 kcal/kg/日から 30〜35 kcal/kg/日と範囲を狭め，かつ後述する栄養障害を予防するためにも，下限値を 27 から 30 に引き上げた．

▶ 肥満，糖尿病患者では程度に応じてエネルギーを減じる．

▶ 透析患者では，高リン血症による血管石灰化が生命予後に大きな影

Side memo

透析時静脈栄養（IDPN）

　50%ブドウ糖＋アミノ酸製剤（総合アミノ酸製剤あるいは腎不全用アミノ酸製剤）を，透析中に 3〜4 時間，透析終了時まで同じペースで回路から投与する．効果発現には数か月が必要である（少なくとも 3 か月での評価が必要）．

　実際には，50%ブドウ糖 200 mL に 200 mL の腎不全用アミノ酸製剤を混入し，適宜，ビタミン製剤や脂肪乳剤を追加する．

　糖処理能は 0.5〜1.5 g/kg/時間とされ，糖尿病患者では IDPN 中，著明な高血糖となることがある．適宜，速効型インスリンを原則静注して対応する．IDPN 中の血糖は 200〜300 mg/dL を目標とする．一方，IDPN 終了後には低血糖が起こりやすいため，透析終了後は慎重な観察が必要である．

響を及ぼすため，P制限がとくに重要である．P摂取量はたんぱく質摂取量と相関するため，たんぱく質×15 mg/日以下とされている．

▶これらの基準は絶対的なものではなく，食事指導後の患者の栄養状態を繰り返し評価しながら，適宜，再指導していく必要がある．

▶2019年に日本透析医学会から「サルコペニア・フレイルを合併した透析期CKDの食事療法」[16]なる提言がなされたが，具体的数字は示されておらず，栄養状態に加えて筋肉量ならびに筋力を定期的に評価することの重要性が強調されている．

b 蛋白異化率（PCR）

▶蛋白異化率（PCR）は定常状態ではたんぱく質摂取量と等しく，栄養

表24-5　慢性透析患者の食事療法基準

	たんぱく質	エネルギー	K	P
血液透析	0.9〜1.2 g/kg[*]/日	30〜35 kcal/kg[*]/日	2,000 mg/日以下	たんぱく質×15 mg/日以下

[*]体重は標準体重

〔日本透析医学会学術委員会ガイドライン作成小委員会栄養問題ワーキンググループ：慢性透析患者の食事療法基準．日透析医学会誌 2014；47：287-291[15]〕

Side memo

栄養評価法

栄養評価法について，表に示す．

表　栄養評価法

①栄養障害スクリーニング検査	・Subjective Global Assessment（SGA）[*1] ・Malnutrition Inflammation Score（MIS）[*2] ・Geriatric Nutritional Risk Index（GNRI）[*3]
②身体計測	・BMI，上腕周囲径，皮下脂肪厚，など
③体成分分析法	・二重エネルギーX線吸収法（DXA） ・バイオインピーダンス法（BIA）
④血液生化学的所見	・血清Alb値，プレアルブミン，など

[*1]主観的指標（食事摂取量の変化，消化器症状，機能制限，栄養要求量を変化させる疾患の有無）＋身体所見（皮下脂肪・骨格筋の減少）をそれぞれ評価し，栄養状態を良好・中等度低栄養・重度低栄養の3段階に分類．

[*2]透析患者用に考案された栄養評価法．SGAの5項目に透析歴，BMI，Alb，TIBCを加えた指標．

[*3]高齢者の栄養評価法．GNRI＝14.89×血清Alb値（g/dL）＋41.7×（DW/IBW）

状態の指標となる.

▶残腎機能が無視できる症例でのPCRは，血液透析では透析後と次回透析前のBUN値より算出する．PCRが0.8g/kg/日未満は予後不良であり，積極的な栄養管理が必要である.

PCRの簡易計算式

Gun＝(次回透析前BUN－透析後BUN)×V/θ

PCR(g/日)＝9.35×(Gun＋1.2)

normalized PCR＝PCR/BW

　Gun：尿素窒素産生速度(mg of urea N/分)

　θ：次回透析までの時間(分)

　V：体液量(dL)

c Protein-energy wasting(PEW)

▶血液透析患者では，1回の透析中に5〜8gのアミノ酸を喪失する(ハイパフォーマンス膜ではAlbも喪失).

▶代謝性アシドーシスや酸化ストレスなども関与し，透析患者は容易に異化亢進状態から低栄養に陥りやすい.

▶体外循環により微細な炎症が惹起され，低栄養と相まって動脈硬化が進展し，心血管合併症の発症に大きく関与している.

▶このような病態に対して，1999年にMIA(malnutrition, inflammation, atherosclerosis)症候群という概念が提唱された．その後2006年に，同様の病態に対してInternational Society of Renal Nutrition and Metabolism(ISRNM)が新しい用語として，protein-energy wasting

Side memo

腎不全患者における完全静脈栄養

市販の50〜70%ブドウ糖溶液を基本に，電解質液などを混ぜて自己調製するか，市販の腎不全用製剤(ハイカリック® RF)を用いる．いずれにしても低ナトリウム・低カリウム・低リン血症が生じやすいため，頻回のモニタリングが必要である.

アミノ酸製剤については，腎不全時の非蛋白エネルギー/窒素比が一般的に200〜300程度であることから(異化亢進時には300〜500)，投与熱量を35〜50 kcal/kg/日とすると，アミノ酸投与量は0.7〜1.0 g/kg/日となる.

インスリンは速効型インスリンを血糖に応じて添加する.

（PEW）を提唱した．

▶PEW に陥るときわめて生命予後が不良であるため，定期的な栄養評価が必須であり，早期に対策を講じることが重要である．

d サルコペニア

▶サルコペニアは，転倒と骨折のおもな原因となるだけでなく，認知機能の低下や生命予後にも影響を与える．

Side memo

Short Physical Performance Battery（SPPB）

簡易身体能力バッテリーである SPPB の測定項目は，①バランステスト，②歩行テスト，③椅子立ち上がりテスト，の 3 つから成り立っている．各テストを合計し，0～12 点で評価する．0～6 点は低パフォーマンス，7～9 点は標準パフォーマンス，10～12 点は高パフォーマンスに分類される．

①バランステスト：閉脚立位→セミタンデム立位→タンデム立位の順で各 10 秒間保持し，実施困難となったところで歩行テストに移行．

実施困難	0 点
閉脚まで可能	1 点
セミタンデムまで可能	2 点
タンデムまで可能	4 点

②歩行テスト：4 m 歩行時間（通常歩行速度）を 2 回測定し，よいほうの結果を使用する．

実施困難	0 点
8.71 秒以上	1 点
6.21～8.70 秒	2 点
4.82～6.21 秒	3 点
4.82 秒未満	4 点

③椅子立ち上がりテスト：腕を組んだままで"できる限り早く"椅子からの起立，着座を 5 回繰り返す．

実施困難	0 点
16.70 秒以上	1 点
13.70～16.69 秒	2 点
11.20～13.69 秒	3 点
11.20 秒未満	4 点

慢性透析患者の血液透析導入と管理

表 24-6 サルコペニアの診断基準値

		男性	女性
握力		<28 kg	<18 kg
5回椅子立ち上がり		12秒以上	
歩行速度		<1.0 m/秒	
SPPB		9以下	
SMI	BIA	<7.0 kg/m²	<5.7 kg/m²
	DXA	<7.0 kg/m²	<5.4 kg/m²

骨格筋指数(SMI):両腕両脚の筋肉量を算出し,身長(m)²で補正した値
SPPB:Short Physical Performance Battery, BIA:バイオインピーダンス法.DXA:二重エネルギーX線吸収法
〔Chen LK, et al.: Asian Working Group for Sarcopenia: 2019 Consensus Update on Sarcopenia Diagnosis and Treatment. J Am Med Dir Assoc 2020; 21: 300-307.e2[18]〕

- ▶ 慢性腎臓病(CKD)では,代謝性アシドーシスや筋内アンジオテンシンⅡの増加による筋蛋白分解の亢進,さらには筋ミオスタチン増加による筋蛋白合成阻害などの機序により,サルコペニアを高率に合併する.
- ▶ スウェーデンにおける新規透析導入患者330例を対象とした研究では,筋肉量の減少ではなく筋力の低下が生命予後と関連することが示されている[17].
- ▶ 日本サルコペニア・フレイル学会は,AWGS2019(Asian Working Group for Sarcopenia 2019)が提唱した診断基準[18]を推奨している.この基準では,サルコペニアを,①筋肉の力(握力),②機能〔歩行速度,5回椅子立ち上がりテスト,Short Physical Performance Battery(SPPB; Side memo 参照, ☞p.369)のいずれかで評価〕,③量〔バイオインピーダンス法(BIA法)もしくは二重エネルギーX線吸収法(DXA法)で計測〕,という3つの指標によって判定する(表24-6)[18].
- ▶ サルコペニアの判定には筋肉量が低下していることが必須条件とな

透析液ブドウ糖濃度

透析前血糖値が高い患者では,透析液ブドウ糖濃度(100～150 mg/dL)との差が大きいため,透析中に急激に血糖値が低下する.さらにその反動として,グルカゴンなどの血糖上昇ホルモンの関与により,透析終了後には著明な高血糖を生じることがある(透析起因性高血糖).

表 24-7 フレイルの診断基準

項目	評価基準
1. 体重減少	6 か月で 2〜3 kg 以上の体重減少
2. 筋力低下	握力：男性＜26 kg，女性＜18 kg
3. 疲労感	（この 2 週間に）わけもなく疲れたような感じがする
4. 歩行速度	通常歩行：＜1.0 m/秒
5. 身体活動	①軽い運動・体操などをしていますか？ ②定期的な運動・スポーツをしていますか？ 上記いずれも「週 1 回もしていない」と回答

3 つ以上に当てはまる場合はフレイルと診断，1 つまたは 2 つ該当する場合はフレイル前段階と診断．
〔Satake S, et al.：The revised Japanese version of the Cardiovascular Health Study criteria（revised J-CHS criteria）．Geriatr Gerontol Int 2020；20：992-993[20]〕

り，筋力と機能のいずれかが低下している場合にサルコペニア，両方ともに低下している場合に重症サルコペニアと判定する．

e フレイル

- フレイル（「虚弱な」という意味）とは，要支援・要介護の危険性が高い状態をいい，健康寿命の最終段階である．
- フレイルの 3 大原因は，①サルコペニアを含めた骨関節疾患，②脳血管障害，③認知症，であるが，透析患者においてはこれらの疾患を高率に発症するため，フレイルの合併率が非常に高い．
- 米国の新規透析導入患者 2,275 名を対象とした調査では，透析導入時にすでに約 68％の患者がフレイルと診断され，フレイルでない患者に比して 1 年生存率は有意に低いことが報告されている[19]．
- 2020 年に日本版フレイル基準（J-CHS 基準）が改訂され，Fried らの CHS（Cardiovascular Health Study）基準をもとに，日本人高齢者に合った指標に修正された（表 24-7）[20]．

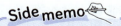

透析患者の脳内血糖

透析患者の場合，一般的に動脈硬化が強く，とくに高齢者では脳内血糖が末梢静脈血糖値の約 50％程度となることもあるので，注意が必要である．

表 24-8　腎不全用経腸栄養剤の組成

	リーナレン®LP	リーナレン®MP	レナウェル®A	レナウェル®3	エンシュア・リキッド®*
濃度（kcal/mL）	200/125	200/125	200/125	200/125	250/250
たんぱく質（g）	2.0	7.0	0.75	3	8.8
炭水化物（g）	37	32	32.3	30	34.2
脂質（g）	5.6	5.6	8.9	8.9	8.8
Na（mg）	60	120	60	60	200
K（mg）	60	60	20	20	370
Ca（mg）	60	60	10	10	130
P（mg）	40	70	20	20	130
Mg（mg）	30	30	3	3	50

* : エンシュア・リキッド® は腎不全用ではないが，参考として表に掲載．

f Nutritional support

▶血清 Alb の低下，ドライウエイトの低下，さらには食事摂取量の低下（PCR＜0.8 g/kg/日）など PEW の徴候を発見した場合，原因を検索するとともに，nutritional support を開始する．

▶腎不全用経腸栄養剤（表 24-8）にてたんぱく質・熱量を補うが，低カリウム血症などの電解質異常に注意が必要である．

▶腎不全用経腸栄養剤は濃度が高く，脂肪が多いため，下痢を生じやすく，時間をかけて投与する（Side memo 参照，☞p.365）．

▶経口摂取が十分でない場合，透析中にブドウ糖とアミノ酸製剤の輸

Side memo

持続グルコースモニター（CGM）

　皮膚に粘着式のモニターで，皮下に埋め込んだ極細の針を介して，間質液のグルコース濃度を 10 秒間隔で測定し，5 分間の平均値，すなわち 1 日に 288 回の血糖を測定する持続血糖測定機器である．従来，病院以外での血糖測定は患者自身が自己血糖測定器を使用し，たとえば朝・昼・夕・眠前と自己測定していたが，CGM は皮膚に粘着した状態で 6 日間の血糖を連続して測定することができ，今まで知り得なかった睡眠中や仕事中，透析患者であれば透析による血糖の変動を測定することができる．ただし，CGM は血液内のグルコース濃度を直接測定していないので，従来の自己血糖測定と合わせて評価することが重要である．

液(透析時静脈栄養；IDPN, **Side memo** 参照, ☞*p.366*)を施行することにより，透析中の異化を抑制する．

g 血糖管理

▶「血液透析患者の糖尿病治療ガイド 2012」[21)]では，血糖管理の指標として随時血糖値(透析前血糖値)，ならびにグリコアルブミン(GA)を推奨しており，それぞれ目標値として 180〜200 mg/dL 未満，20.0％未満(低血糖になりやすい患者では 24.0％未満)を暫定的目標値と定めている．

▶GA は血清 Alb 値の影響を受けるため，Alb の漏出や代謝異常を有する患者，たとえばネフローゼレベルの蛋白尿を呈する患者や腹膜透析患者(透析液への Alb の漏出)，さらには甲状腺機能亢進/低下症の患者などにおいては，その解釈に注意が必要である．

▶HbA1c については，赤血球寿命の短縮(120 日→60 日)，透析回路内残血などによる失血，ESA による造血亢進などにより，見かけ上，低値になるため，血液透析患者の血糖管理状況を正しく反映しないことも知っておく必要がある．

5 合併症対策

a 高血圧

1. 成因

▶体液依存性：目標体重の設定の誤り(高めのドライウエイト設定)，透析間体重の過剰増加．

▶体液非依存性：レニン・アンジオテンシン系亢進，そのほか内分泌異常，自律神経異常，ESA．

Side memo

降圧薬の排泄経路と投与量調節

Ca 拮抗薬，アンジオテンシンⅡ受容体拮抗薬(ARB)，$\alpha\beta$ 遮断薬，多くの β 遮断薬はほとんどが肝排泄性であり，減量不要である．

一方，アンジオテンシン変換酵素(ACE)阻害薬や，一部の β 遮断薬(アテノロール，ビソプロロール，ベタキソロール，ナドロール，カルテオロール，ピンドロールなど)は腎排泄の割合が比較的高く，減量が必要である．

2. 降圧目標と降圧薬

▶2005年，NKF-KDOQIのガイドラインでは，心血管合併症予防の観点から，透析前血圧140/90 mmHg未満，透析後血圧130/80 mmHg未満を推奨した[22]．しかし，透析患者の目標血圧に関するRCTはほとんどないため，これらの目標値については，観察研究の結果や非透析患者におけるRCTの結果を参考にしたものであり，エビデンスに乏しい．

▶日本透析医学会の統計調査において，収縮期血圧が120〜160 mmHgで死亡率がもっとも低いU字型現象がみられることから，2011年の日本透析医学会による「血液透析患者における心血管合併症の評価と治療に関するガイドライン」では，週初めの透析前血圧として140/90 mmHgを目標とすることは妥当であるとしている[23]．

▶2020年に発表されたKDIGO Controversies Conferenceの報告[24]では，透析患者の降圧目標に関するRCTがほとんどなく，非透析患者に比して合併症の頻度や重症度も異なり，また個人差も大きいことから，降圧目標の設定は困難とされ，個別治療の重要性が強調されている（KDIGO 2021 Clinical practice guideline for the management of blood pressure in chronic kidney disease[25]では上記理由により，降圧目標設定に関して透析患者は除外されている）．

▶降圧薬の種類については，非透析患者で第一選択薬とされるレニン・アンジオテンシン系（RAS）阻害薬やCa拮抗薬を第一選択とするが，前述のように個々の患者の病態に即した降圧薬の選択が重要である．さらに，透析前血圧だけでなく，透析中の血圧や透析間の血圧を考慮した降圧薬の投与設計が必要である．

▶透析中の過度の血圧低下を予防し，morning surgeを抑制するために，降圧薬を夜間に内服することや，降圧薬の透析性を考慮した処方が必要となる．

Side memo

ACE阻害薬，ARB使用時の注意点

①高カリウム血症（無尿患者でも腸管のアルドステロン分泌を抑制し，血清Kが上昇する）．

②貧血の増悪（ESAの作用を阻害）．

③ACE阻害薬は陰性荷電の強い膜〔ポリアクリロニトリル（PAN）膜やデキストラン硫酸セルロースを用いた膜〕を用いるとアナフィラキシー様ショック症状を引き起こすことがあるため，併用を避ける．

▶降圧目標の達成を意識しすぎると，透析低血圧の頻度が高くなるといった報告もあることから，あくまでもテーラーメイドな降圧療法を心がける．

3. 体液量の適正化（適正なドライウエイトの設定）

▶過剰な体液は血圧上昇，降圧薬抵抗性に繋がるため，透析患者における適正な体液量の評価は非常に重要である．

▶体液量の評価にゴールドスタンダードとされる方法はなく，浮腫の有無，心胸比や下大静脈径，透析中の血圧などから総合的に判断する．

▶透析後のヒト心房性Na利尿ペプチド（hANP）の値（40 pg/mL以内），さらにはその経時的変化も有用である．

▶BIA法は比較的正確に，再現性をもって体液量を計測できるが，限られた施設でしか使用できない．

b 透析中低血圧

1. 透析中低血圧の原因

▶透析中低血圧の頻度は，定義により10～70％である（図24-6，表24-9）[27]．

▶透析中低血圧は患者のQOLやADLを低下させ，バスキュラーアクセスの閉塞や生命予後にも大きな影響を与える．

▶生命予後との関連という点では，透析中低血圧の定義として，透析中の最低血圧90 mmHg未満が妥当であり（図24-7）[27]，2020年に発表されたKDIGO Controversies Conferenceの報告[24]でも同様の定義が推奨されている．

Side memo

赤血球造血刺激因子製剤（ESA）と血圧上昇

血中エリスロポエチン（EPO）濃度がきわめて高い再生不良性貧血患者で高血圧を認めないこと，さらには自己血貯血など腎不全以外の患者では，ESA投与にもかかわらず血圧上昇を認めないことから，ESA投与後の血圧上昇はESA自体の作用ではないと考えられてきた．すなわち，ESAにより貧血が改善すると，貧血下でのhypoxic vasodilatationが解除され，一方で循環血液量の増加（貧血のための代償性あるいは腎機能低下による体液貯留の結果）が是正されないことが原因とされてきた．しかし最近では，血管内皮にもEPO受容体が存在し，ESAが直接，血管内皮に作用し，一酸化窒素（NO）の産生を亢進させることが明らかとなっている．一方で，血管内皮障害があるとNO産生が抑制され，ESAにより血圧が上昇しやすいことが報告されている[26]．

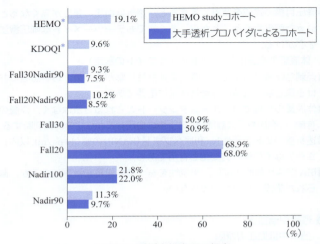

図 24-6 透析中低血圧の頻度

HEMO study に登録された患者と米国大手透析プロバイダで透析中の患者におけるそれぞれの定義を用いた場合の透析中低血圧の頻度

*米国大手透析プロバイダのコホートには,透析中の症状や処置の記載がなかったため,頻度を評価できなかった.

〔Flythe JE, et al.: Association of mortality risk with various definitions of intradialytic hypotension. J Am Soc Nephrol 2015;26:724-734[27]より一部改変〕

表 24-9 透析中低血圧の定義

	定義
HEMO[*1]	血圧低下により,限外濾過量・血流量の調整,生理食塩液投与が必要
KDOQI[*2]	透析前収縮期血圧と透析中最低収縮期血圧の差が 20 mmHg 以上,かつ,筋肉痙攣・頭痛・嘔吐・胸痛・ふらつきなどの症状あり
Fall30Nadir90	透析前収縮期血圧と透析中最低収縮期血圧の差が 30 mmHg 以上,かつ,透析中最低収縮期血圧<90 mmHg
Fall20Nadir90	透析前収縮期血圧と透析中最低収縮期血圧の差が 20 mmHg 以上,かつ,透析中最低収縮期血圧<90 mmHg
Fall30	透析前収縮期血圧と透析中最低収縮期血圧の差が 30 mmHg 以上
Fall20	透析前収縮期血圧と透析中最低収縮期血圧の差が 20 mmHg 以上
Nadir100	透析中最低収縮期血圧<100 mmHg
Nadir90	透析中最低収縮期血圧<90 mmHg

[*1]HEMO study で用いられた定義
[*2]KDOQI ガイドラインの定義

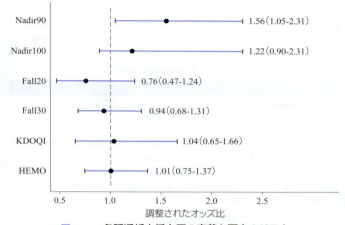

図 24-7 各種透析中低血圧の定義と死亡のリスク
〔Flythe JE, et al.：Association of mortality risk with various definitions of intradialytic hypotension. J Am Soc Nephrol 2015；26：724-734[27)]より一部改変〕

▶透析中低血圧と認知症発症との関連も報告[28)]されており，その機序として透析中の脳内各所の血流低下が指摘されている．

▶透析中低血圧の原因として，表 24-10 に示すようにさまざまなものがあげられるが，臨床的に重要なものは，やはり時間あたりの除水量過多と自律神経障害である．

2. 透析中低血圧の対策

▶透析患者が高齢化し，糖尿病を含めた合併症を高率に有することを考えると，透析実施において透析中低血圧の予防は第一優先に考えるべき課題である．

▶透析中低血圧には複数の原因が関与していることが多く，それぞれ

逆説的反射性血管収縮障害

除水による代償性の交感神経緊張状態のもとで左室内血液量が極端に減少すると，左室後下壁にある mechanoreceptor が刺激され，突然，交感神経の抑制状態が起こり，脈拍や末梢血管抵抗が低下する現象がみられる．このような現象は，逆説的反射性血管収縮障害（paradoxical withdrawal of reflex vasoconstriction）とよばれている．

の原因に対して適正な対応が必要である（表 24-11）．

▶もっとも重要な対策は，時間あたりの除水量を減らすことである．そのためには塩分・水分制限（尿量＋15 mL/kg/日以内）を指導し，

表 24-10　透析中低血圧の原因

機序	要因
1. 循環血液量の減少	・時間あたりの除水量の過剰（透析間体重過剰増加） ・ドライウエイトの低すぎる設定 ・透析液 Na 濃度の低値 ・低栄養や炎症による体液の third space（胸水・腹水など）への移行，plasma refilling の低下 ・出血（消化管出血，後天性多嚢胞化萎縮腎の出血など）
2. 血管収縮性の低下	・自律神経障害（逆説的反射性血管収縮障害，圧受容体反射障害を含む） ・降圧薬 ・透析液温度 ・組織の虚血（アデノシン仮説） ・貧血 ・酢酸透析 ・透析中の食事摂取
3. 心由来	・心筋障害（虚血，尿毒症，高血圧心，アミロイドーシス） ・不整脈 ・抗不整脈薬，β 遮断薬
4. アナフィラキシーショック	・薬剤（メシル酸ナファモスタット，ACE 阻害薬など） ・透析機器関連（透析膜の first use 症候群，EOG など）

ACE：アンジオテンシン変換酵素，EOG：エチレンオキサイドガス

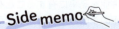

圧受容体反射障害

　自律神経障害を有する患者においては，圧受容体反射（baroreflex）の障害によるバソプレシン（AVP）分泌不全を認める．実際，透析中低血圧を呈する患者に，10% NaCl 20 mL あるいは 50%ブドウ糖 20 mL を急速投与し，血漿浸透圧をわずかに上昇させることで内因性の AVP 分泌が刺激され血圧が上昇すること，さらには外因性の AVP 持続投与で著明に血圧が上昇することが報告されている．以上のことから，透析中低血圧を呈する患者では，圧受容体反射障害による AVP 分泌不全を有するものの，浸透圧刺激に対する AVP 分泌能は保持されており，AVP に対する昇圧反応も亢進している可能性がある．透析中低血圧予防としての AVP 投与の可能性も期待できる．

表 24-11　透析中低血圧の対策

① 時間あたりの除水量の調整（透析時間の延長・透析回数を増やす）
② 透析間体重増加の抑制（目標体重の 6% 未満）
③ 適切なドライウエイトの設定
④ 透析液 Na 濃度の適切な設定（140 mEq/L 以上）
⑤ 適正な降圧薬の投与設計
⑥ 透析液温度の低値設定（35℃前後）
⑦ 血液濾過透析（HDF/I-HDF）
⑧ 貧血の改善
⑨ 無酢酸透析
⑩ 透析中の食事や経腸栄養の中止
⑪ 心精査
⑫ 昇圧薬投与

I-HDF：間歇補充型血液濾過透析

透析間の体重増加をドライウエイトの 6% 未満に抑えるよう指導することが重要である．
▶ 透析液温度を 35℃前後に下げることは，寒気以外に重篤な副作用がないため，まず考慮すべきである．透析液温度を鼓膜温度－0.5℃に設定することで，大脳白質の傷害を抑制できたとする報告もある．
▶ 血液透析から HDF/I-HDF への移行を考慮する．
▶ 酢酸不耐症の患者には，無酢酸透析液への変更が有用である．
▶ 昇圧薬の静脈内投与については，透析を継続するという点では有効であるが，生命予後を改善するエビデンスはないため，最終段階での選択肢と考えるべきである．

処方例
■ 経口薬：①または/および②を投与する．
① メチル硫酸アメジニウム（リズミック®）
　1 回 10 mg（原則，透析開始時に内服）

アデノシン仮説

発作型血圧低下を呈する患者では，アデノシン三リン酸（ATP）の分解産物，またはアデノシンの産生が亢進しているため，アデノシン受容体拮抗薬またはカフェインの投与が発作型血圧低下の頻度を減少させることが示されている．すなわち，透析中の除水による腹部臓器血流の低下がアデノシンの産生を誘導し，その強力な血管拡張作用により突然の血圧低下が生じるというものである．

②ドロキシドパ（ドプス®）

1回200〜400 mg（原則，透析開始30〜60分前に内服）

▶実際には血圧低下の時間帯などを考慮し，内服時間を調節する．併用により効果が高まることが期待される．

■ 注射薬：①〜③のうち1つを選択して投与する．

①フェニレフリン（ネオシネジン® コーワ注）

0.1〜0.5 mg/時で開始し，症状などにより増減（適宜，単回投与を併用）

②ドパミン

3 μg/kg/分より開始し，症状などにより増減

③ノルアドレナリン

0.05 μg/kg/分より開始し，症状などにより増減

▶静脈内投与を必要とする患者は心血管合併症や感染症などを合併していることが多く，むやみにこれらの薬剤を使用せず，血圧低下の原因をできるだけ検索することが重要である．

▶血圧低下の徴候があれば，適宜10% NaCl 20〜40 mL，50%ブドウ糖液20〜40 mLを急速静注する．ただし，10% NaClは口渇を誘発する可能性が高いため，透析終了前30分以内の使用は避ける．

3. ショック〜プレショックの治療

処方例

①生理食塩液100〜500 mL 急速静注

または/および

②5%アルブミナー® 100〜250 mL 急速静注

▶投与量は患者の状態をみながら適宜，調整する．

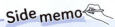

左室局所壁運動異常

透析中，血圧が低下しやすい患者においては，透析中に左室局所の心筋血流の低下に伴う壁運動異常がみられ，透析終了後もしばらく壁運動異常の回復が遅れることが報告されている．心筋の虚血後早期に血流が再開された場合，一時的に心筋の動きが悪くなる現象を気絶心筋（stunned myocardium）とよび，それが繰り返された場合には冬眠心筋（hibernating myocardium）となり，ついには心臓の動きが悪くなり，心不全を発症する．

c 心不全

▶慢性透析患者の死亡原因の第1位は心不全である（死亡原因の22.4%）.

▶透析導入時，約80%の患者に心肥大を認め，将来の心不全発症に繋がる．したがって，心エコーによる評価は欠かせない.

▶透析患者では，呼吸困難や起坐呼吸といった典型的な心不全徴候を呈さないことも多く，非典型的な徴候を見逃さないことが重要である（表24-12）.

▶BNPやヒト脳性ナトリウム利尿ペプチド前駆体N端フラグメント（NT-proBNP）による心負荷・虚血のモニタリングも有用であるが，透析を含むCKD患者における明確なカットオフ値は明らかにされていないため，BNPの経時的変化で評価する必要がある.

▶血液透析患者は週3回の透析により体液量や電解質が大きく変動するため，透析のタイミングと心血管疾患発症や突然死発症のタイミングが連動する特徴を示す（図24-8）[29].

▶突然死に関しては，発症率の週平均を1とすると，週最後の透析開始から12時間までの突然死発症率は1.7倍，週明けの透析開始直前までの12時間の発症率は3倍である.

d 感染症・不明熱

1. 透析患者の感染症・不明熱の特徴

▶透析患者では細胞性免疫の低下や好中球機能の低下のため，感染症や不明熱の合併頻度が高い.

▶細胞性免疫の低下は特徴的で，結核（とくに肺外結核）の発症頻度が高く，透析患者の結核発生率は報告により2～5%（非透析患者の十数倍）となっている.

Side memo

透析中低血圧と自律神経障害

透析患者では，尿毒症や糖尿病など原疾患に伴う自律神経障害を合併していることが多い．通常，除水に伴う循環血液量の減少は交感神経を刺激し，腹部や皮膚などの容量血管床の抵抗血管を収縮させ，静脈還流が増加する．同時に血管床の内圧が低下しplasma refillingが増加するため，静脈還流が増大し血圧低下を予防する．しかし，自律神経障害によってこのような代償機序が働かなくなると，血圧が低下しやすくなる.

24
慢性透析患者の血液透析導入と管理

表 24-12 心不全の原因，徴候，対策

原因	1. 高血圧 2. 体液過剰 3. 貧血 4. Ca・iP 代謝異常 5. 酸化ストレス 6. 内シャント 7. 冠動脈疾患 8. 高血糖 9. アミロイドーシス
徴候	1. 胸部 X 線写真での心拡大・肺うっ血・胸水 2. 腹水 3. 呼吸困難，起坐呼吸 4. 血圧低下（透析中も含めて） 5. 疲労感・不眠・冷感
対策	1. 原因精査と治療（例：冠動脈疾患のスクリーニング） 2. 厳重な血圧・体液管理（適切なドライウエイトの設定） 3. 腎性貧血の積極的治療（Hb 10〜11 g/dL，症例により Hb 12 g/dL） 4. 内シャントの評価：大シャント（心拍出量の 20% 以上）の可能性 5. BNP/NT-proBNP によるモニタリング 6. Ca・P 代謝異常の是正 7. 血糖の是正

BNP：脳性ナトリウム利尿ペプチド，NT-proBNP：ヒト脳性ナトリウム利尿ペプチド前駆体 N 端フラグメント

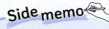

BNP と NT-proBNP

BNP は腎に存在する中性エンドペプチダゼーにおいても代謝されるため，腎機能の影響を受けるが，実際には腎機能が低下した患者でも BNP は正常であることも多く，無症候性の BNP 上昇は潜在的な心疾患や心負荷あるいは虚血を疑う必要がある．とくに BNP が急に上昇した場合は精査が必要である．一方，NT-proBNP は腎排泄性であり，腎機能の影響を受けて著明に上昇する（表）．

表　BNP と NT-proBNP の違い

	BNP	NT-proBNP
分子量	3,500	8,500
血清での測定	不可	可
代謝	クリアランスレセプター	腎
半減期	22 分	60〜120 分

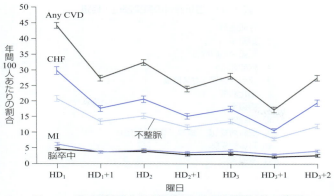

図 24-8 週の各曜日と心血管疾患による入院頻度との関係
CVD：心血管疾患，CHF：うっ血性心不全，MI：心筋梗塞
注：HDは週始めの1回目の透析日
〔Foley RN, et al.：Long interdialytic interval and mortality among patients receiving hemodialysis. N Engl J Med 2011；365：1099-1107[29]より一部改変〕

▶血液培養陽性（黄色ブドウ球菌やレンサ球菌）の場合，感染性心内膜炎を疑うことを忘れてはならない．とくにバスキュラーアクセスカテーテルが留置された患者では，血流感染症のリスクが内シャントを有する患者に比して約10倍高いため，注意が必要である．

▶透析患者の不明熱については，やはり感染症をまず除外すべきであるが，悪性腫瘍，膠原病，血管炎，さらには透析液中の発熱物質（エンドトキシンなど）の，血液内への流入なども考慮すべきである．

2. 感染部位

▶おもな感染部位や経路を表 24-13 に示す．
▶糖尿病による動脈硬化病変進展の結果，下肢血流障害が起こり，加

高血糖と心不全

1型糖尿病患者約2万人を平均9年間観察した研究において，HbA1c 6.5％未満に比してHbA1c 10.5％以上では，心不全の発症が約4倍高いことが示された．高血糖では冠動脈の動脈硬化性病変が進行しやすいだけでなく，微小血管障害を引き起こすことや，心筋のエネルギー代謝に影響を与えることなどが原因と考えられている[30]．

表 24-13 透析患者の感染部位・経路

1. 呼吸器系
2. 尿路系
3. 感染性心内膜炎
4. 敗血症
5. ブラッドアクセス関連
6. 消化器系
7. 胆道系
8. 口腔内
9. 皮膚病変(皮下膿瘍,壊疽,褥創)
10. 耳鼻科疾患
11. 眼内炎

えて糖尿病性神経障害による感覚鈍麻や視力障害により,とくに傷をつくりやすくなっていることから,小さな傷が悪化して大きくなり,潰瘍形成,壊死,最終的には下肢切断に至ることが多い.

▶また,靴擦れ,深爪などが原因となり,急速に悪化して切断に至ることもある.足のトラブルを回避するため,予防ならびに早期発見・早期治療が重要である(Side memo 参照, ☞p.385).

3. 感染症・不明熱の診断手順における注意事項

▶透析患者の感染症や不明熱を精査する際に,免疫能の検査への影響や腎機能の腫瘍マーカーへの影響については,とくに注意が必要である(表24-14).

e 悪性腫瘍

▶悪性腫瘍はわが国における死亡原因の第1位であり,全死亡者の約27%を占める.

▶透析患者の死亡原因としては第3位であり,全死亡者の約9%を占め,その頻度は10年以上変わっていない(図24-3[1], ☞p.355).

エンドトキシン

エンドトキシンは,とくにハイパフォーマンス膜では透析液側から血液側へ流入し,発熱(とくに透析終了後の発熱)やアミロイドーシスなどの透析合併症の原因となる.したがって,透析液配管・回路の徹底した滅菌,ダイアライザー流入側透析液回路への除菌フィルターの設置など,透析液の浄化を徹底することが重要である(表24-4, ☞p.363).

表 24-14 感染症・不明熱の診断手順における注意事項

1. ツベルクリン反応：透析患者では，陰性でも細胞性免疫低下のため結核の否定はできない．
2. インターフェロン-γ 測定試験（QFT）：高齢者では陽性率が低下する．また過去の結核罹患でも陽性となるため，あくまでも補助診断として使用する．
3. β-D グルカン値はセルロース系膜では高値となるため，診断的価値が乏しい．著明高値は真菌・カリニ感染症を疑う．
4. 無尿患者で尿路感染症を疑う場合は，カテーテル尿あるいは膀胱洗浄液の採取も考慮する．
5. 留置カテーテル，とくに中心静脈カテーテルは，カテーテルを使って採取した血液とともに，抜去したカテーテル先端も培養に提出する．
6. 腫瘍マーカーは腎機能に影響を受けるものが多く，判定には注意が必要である（CEA，proGRP，TPA，PTHrP など）．

proGRP：ガストリン放出ペプチド前駆体，PTHrP：副甲状腺ホルモン関連蛋白，TPA：組織ポリペプチド抗原

- ▶透析患者における悪性腫瘍の発症頻度については，一般人口と比較して高いとする報告と低いとする報告があり，国や地域によって異なる．
- ▶透析患者に悪性腫瘍が発生しやすい原因として，①慢性炎症，②免疫力低下，③栄養障害，④抗酸化能低下，⑤発癌性物質蓄積，などが考えられている．
- ▶一般人口における 2020 年の部位別死亡数は，男性では第 1 位が肺癌，次いで胃癌と大腸癌がほぼ同数，女性では大腸癌が第 1 位，第 2 位が肺癌，第 3 位が膵臓癌である．透析患者では，腎癌や膀胱癌，肝癌そして消化器系癌，さらには多発性骨髄腫が多い．
- ▶悪性腫瘍の早期発見のため，便潜血や CT など定期的なスクリーニング検査を実施すべきである．

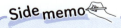

フットケア

透析患者のフットケアとして，以下のような内容を行う．
①定期的な足の観察
②鶏眼，胼胝の処置，ネイルケア
③適切な靴の選択
④外傷・熱傷・感染症（白癬など）の予防

文 献

1) 花房規男, 他：わが国の慢性透析療法の現況(2021年12月31日現在). 日透析医学会誌 2022；55：665-723
2) 透析の開始と継続に関する意思決定プロセスについての提言作成委員会：透析の開始と継続に関する意思決定プロセスについての提言. 日透析医学会誌 2020；53：173-217
3) 川口良人, 他：透析導入ガイドラインの作成に関する研究. 平成3年度厚生科学研究・腎不全医療研究事業報告書, 1992；125-132
4) 日本透析医学会：維持血液透析ガイドライン：血液透析導入. 日透析医学会誌 2013；46：1107-1155
5) National Kidney Foundation. KDOQI Clinical Practice Guidelines and Clinical Practice Recommendations for 2006 Updates：Hemodialysis Adequacy, Peritoneal Dialysis Adequacy and Vascular Access. Am J Kidney Dis 2006(Suppl 1)；48：S1-S322
6) Chan CT, et al.：Dialysis initiation, modality choice, access, and prescription：conclusions from a Kidney Disease：Improving Global Outcomes(KDIGO) Controversies Conference. Kidney Int 2019；96：37-47
7) 日本透析医学会バスキュラーアクセスガイドライン改訂・ワーキンググループ委員会：慢性血液透析用バスキュラーアクセスの作製および修復に関するガイドライン 2011年版. 日透析医学会誌 2011；44：855-937
8) 日本透析医学会：維持血液透析ガイドライン：血液透析処方. 日透析医学会誌 2013；46：587-632
9) Saran R, et al.：Longer treatment time and slower ultrafiltration in hemodialysis：associations with reduced mortality in the DOPPS. Kidney Int 2006；69：1222-1228
10) 日本透析医学会統計調査委員会：図説 わが国の慢性透析療法の現況(2009年12月31日現在). 日本透析医学会, 2010
11) 日本透析医学会 慢性血液透析用バスキュラーアクセスの作製および修復に関するガイドライン. 日透析医学会誌 2005；38：1491-1551
12) 土田健司, 他：正しいオンラインHDFの知識. 日透析医学会誌 2014；47：663-670
13) Canaud B, et al.：Hemodiafiltration to Address Unmet Medical Needs ESKD Patients. Clin J Am Soc Nephrol 2018；13：1435-1443
14) 日本腎臓学会企画委員会小委員会「食事療法ガイドライン改訂委員会」：慢性腎臓病に対する食事療法基準2007年版. 日腎会誌 2007；49：871-878
15) 日本透析医学会学術委員会ガイドライン作成小委員会栄養問題ワーキンググループ：慢性透析患者の食事療法基準. 日透析医学会誌 2014；47：287-291
16) 日本透析医学会学術委員会栄養問題検討ワーキンググループ：サルコペニア・フレイルを合併した透析期CKDの食事療法. 日透析医学会誌 2019；52：397-399
17) Isoyama N, et al.：Comparative associations of muscle mass and muscle strength with mortality in dialysis patients. Clin J Am Soc Nephrol 2014；9：1720-1728
18) Chen LK, et al.：Asian Working Group for Sarcopenia：2019 Consensus Update on Sarcopenia Diagnosis and Treatment. J Am Med Dir Assoc 2020；21：300-307.e2
19) Johansen KL, et al.：Significance of Frailty among Dialysis Patients. J Am Soc Nephrol 2007；18：2960-2967
20) Satake S, et al.：The revised Japanese version of the Cardiovascular Health Study criteria(revised J-CHS criteria). Geriatr Gerontol Int 2020；20：992-993
21) 血液透析患者の糖尿病治療ガイド作成ワーキンググループ委員：血液透析患者の糖尿病治療ガイド2012. 日透析医学会誌 2013；46：311-357
22) National Kidney Foundation：K/DOQI clinical practice guidelines for cardiovascular disease in dialysis patients. Am J Kidney Dis 2005；45(Suppl 3)：S1-S154
23) 日本透析医学会：血液透析患者における心血管合併症の評価と治療に関するガイドライン. 日透析医学会誌 2011；44：337-425

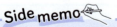

赤血球造血刺激因子製剤(ESA)と腫瘍マーカー

ESAが胎児性ヘモグロビン(HbF)を増加させ, 同時にCEAを増加させることが報告されている(エポエチン45 U/kg週3回投与により, CEA平均5.8 ng/mLから43.2 ng/mLへ増加). α-フェトプロテイン(AFP)も同様の機序による上昇の可能性がある.

24) Flythe JE, et al.：Blood pressure and volume management in dialysis：conclusions from a Kidney Disease；Improving Global Outcomes (KDIGO) Controversies Conference. Kidney Int 2020；97：861-876
25) Kidney Disease：Improving Global Outcomes (KDIGO) Blood Pressure Work Group：KDIGO 2021 Clinical Practice Guideline for the Management of Blood Pressure in Chronic Kidney Disease. Kidney Int 2021；99(3S)：S1-S87
26) d'Uscio LV, et al.：Essential role of endothelial nitric oxide synthase in vascular effects of erythropoietin. Hypertension 2007；49：1142-1148
27) Flythe JE, et al.：Association of mortality risk with various definitions of intradialytic hypotension. J Am Soc Nephrol 2015；26：724-734
28) Assimon MM, et al.：Cumulative exposure to frequent intradialytic hypotension associates with new-onset dementia among elderly hemodialysis patients. Kidney Int Rep 2019；4：603-606
29) Foley RN, et al.：Long interdialytic interval and mortality among patients receiving hemodialysis. N Engl J Med 2011；365：1099-1107
30) Lind M, et al.：Glycaemic control and incidence of heart failure in 20,985 patients with type 1 diabetes：an observational study. Lancet 2011；378：140-146

多嚢胞化萎縮腎(ACDK)と腎癌

わが国の透析患者の腎癌発生率は健常人の 14～17 倍ときわめて高く(米国は 3.7 倍)，若い男性患者，長期透析患者，多嚢胞化萎縮腎(ACDK)のため腎が腫大している患者はハイリスクである．症状はほとんどないことが多いが，肉眼的血尿や不明熱，あるいは Hb 上昇(内因性 EPO 産生)が発見の契機となることもある．定期の画像スクリーニングとしては，エコーより造影 CT のほうが優れている．早期に腎癌を診断し，腎摘除術を行う．また，その後も対側腎を 3～6 か月ごとに画像スクリーニングする．

25

慢性透析患者の腹膜透析導入と管理

1　カテーテル挿入術のポイント

▶カテーテルは適切な位置（Douglas窩）に挿入する点が重要である．手術手技とともに，腹膜，腹壁の解剖を熟知した医師とともに行う．

▶カテーテルの埋没までを初回に行い，1か月以上経過したあとで導入時に出口部を作製する段階的腹膜透析導入法（SMAP法）が，近年では一般的になってきている．

▶癒着などが予想される場合には，腹腔鏡を用いた手術が望ましい．

▶手術直前に抗菌薬投与を行う．通常，第一世代セフェム系抗菌薬を用いる．

▶出口部は，皮膚のしわの位置にならないように術前にチェックする．

▶出口部は，ベルトラインを避ける．なお，ベルトラインは，男性では臍より下，女性では臍より上になる点に注意する．

▶出口部は，腹部出口，前胸部出口，上腹部出口，肩甲骨出口がある．

▶種々のカテーテルがある．出口部との関係を含めてカテーテルの長さを考え，特徴を踏まえて適するものを使用する．

▶手術の流れは，皮膚切開→脂肪層切開→腹直筋鞘前葉切開→腹直筋鈍的分離→腹直筋鞘後葉切開→腹膜切開→タバコ縫合をかけておく→カテーテル挿入→注液排液が良好であることを確認する→タバコ縫合を締めカテーテルに1針固定→カフを3〜6点程度，腹膜と結紮固定する→腹直筋鞘前葉を閉める→皮下カフの位置で一度出し→タンネラーで皮下トンネルを作製して埋没する→皮膚縫合．

2　透析液・透析方法決定のポイント

a 透析液を決めるポイント

▶透析液は以下の点と表25-1に示すポイントをもとに，表25-2から選択する．
　①液量
　②浸透圧物質（ブドウ糖液，イコデキストリン）
　③中性液か酸性液か
　④Ca濃度

表 25-1　透析液を決めるポイント

項目	具体的に配慮すべき点
体格	目標透析量
残存腎機能	必要透析量
腹膜透過性	処方設定
注液量	腹腔内容量
交換回数	ライフスタイル
治療時間	連続または間歇
使用糖濃度	必要除水量

▶ブドウ糖液濃度により浸透圧が異なり，濃度が高いほど除水が可能になる．

▶イコデキストリン液（エクストラニール®）は分子量が大きいため，腹膜を介して急速に吸収されることもなく，主として膠質浸透圧物質として作用し，血漿との等浸透圧を維持しながら限外濾過効果をもたらすことが特徴である．糖尿病性腎症の血糖コントロールにもよい効果をもたらすと評価されている．

▶腹膜障害の観点から，今日では中性液が用いられている．

▶血清 P 値のコントロール目的で炭酸カルシウム（$CaCO_3$）をリン吸着薬として用いるが，多くの $CaCO_3$ を用いることができるといった理由で，低カルシウム透析液（2.5 mEq/L）を用いる場合が多い．

b 自動腹膜透析（APD）の利点と欠点

▶連続携行式腹膜透析（CAPD）と自動腹膜透析（APD）の種類とバッグ交換のサイクル例を図 25-1 に示す．

▶APD の利点は，①日中の交換回数を減らすことができるため，日中の行動がより自由になる，②接続回数が少なくなるため感染の機会が減り，腹膜炎になる可能性が低くなる，③液交換の回数を増やすことができ，腹膜透過性が高い患者もコントロールが可能になる，点である．

▶APD の欠点は，費用が高く，医療経済的に負担となる点である．

表 25-2　腹膜透析液の種類と組成

メーカー	商品名	電解質濃度(mEq/L)						ブドウ糖(g/dL)	浸透圧(mOsm/L)	pH
		Na	Ca	Mg	Cl	乳酸	重炭酸			
バクスター	ダイアニール N PD-2 1.5/2.5	132	3.5	0.5	96	40	—	1.36/2.27	346/396	6.5~7.5
	ダイアニール N PD-4 1.5/2.5	132	2.5	0.5	95	40	—	1.36/2.27	346/395	6.5~7.5
	レギュニール HCa 1.5/2.5/4.25	132	3.5	0.5	101	10	25	1.36/2.27/3.86	346/396/484	6.8~7.8
	レギュニール LCa 1.5/2.5/4.25	132	2.5	0.5	100	10	25	1.36/2.27/3.86	346/396/484	6.8~7.8
	エクストラニール	132	3.5	0.5	96	40	—	7.5(イコデキストリン)	282	5.0~5.7
	ダイアニール PD-2 1.5/2.5/4.25	132	3.5	0.5	96	40	—	1.36/2.27/3.86	346/396/484	4.5~5.5
	ダイアニール PD-4 1.5/2.5/4.25	132	2.5	0.5	95	40	—	1.36/2.27/3.86	344/395/483	4.5~5.5
JMS	ペリセート®360 N/400 N	132	4	1.0	102	35	—	1.55/2.27	360/400	6.5~7.5
	ペリセート®360NL/400NL	132	2.3	1.0	98.3	37	—	1.60/2.32	360/400	6.5~7.5
テルモ	ミッドペリック 135/250	135	4	1.5	105.5	35	—	1.35/2.5	353/417	6.3~7.3
	ミッドペリック L135/250	135	2.5	0.5	98	40	—	1.35/2.5	350/414	6.3~7.3
	ニコペリック®	132	3.5	0.5	96	40	—	7.5(イコデキストリン)	282	6.2~6.8

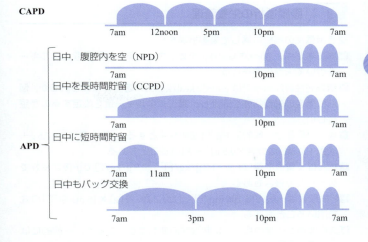

図 25-1 連続携行式腹膜透析(CAPD),自動腹膜透析(APD)の治療形態と種類

NPD:夜間腹膜透析,CCPD:連続周期的腹膜透析

c 開始時の処方例

処方例

CAPD の処方例を示す.

■ 残腎機能があるとき

1.5%ブドウ糖液 1.5 L×3 のバッグ交換

■ マイナスバランスが強い場合(Side memo 参照, ☞p.392)

1.5%ブドウ糖液 1.5 L×2+エクストラニール® 1〜1.5 L

■ 残腎機能がないとき

1.5%ブドウ糖液 2 L×4 のバッグ交換

🌶除水の必要性に応じてエクストラニール® を使用.

🌶必要に応じて 2.5%ブドウ糖液を用いる.

3 腹膜透析の栄養管理

▶患者個々の病態に適した栄養指導を行う.

▶総エネルギー 30〜35 kcal/kg をめやすとする. 腹膜吸収エネルギーを引いて栄養指導を行う.

▶糖尿病性腎症患者では 30〜32 kcal/kg/日が適当と考えられるが, 個別に患者の栄養状態を評価し, 適正エネルギー量を設定するのが望ましい.

▶塩分摂取量は一般的に 6 g/日をめやすとする. [除水量(L)×7.5 g+尿量 100 mL につき×0.5 g][1] を用いることもある.

▶たんぱく質摂取量は 0.9〜1.2 g/kg/日[1]. 0.9 g/kg/日で予後が良好であったとの報告もある.

▶P 摂取量は一般的に 700 mg/日. [たんぱく質(g)×15 mg 以下]の式を用いることもある.

▶透析液量が少量の場合, K 制限が必要なことがあるが, 一般的には K 制限は不要である.

4 適正透析

▶適正透析とは, 透析に関連する特別な症状や合併症を生じさせることなく, 生体内環境を可能な限り腎機能が正常な場合に近づけ, かつ死亡率を可能な限り低下させるような透析条件をいう[1].

▶適正腹膜透析の評価は,「溶質除去」と「適切な体液状態」を指標として定期的に行う.

▶「溶質除去」(腹膜透析量)は週間尿素 Kt/V で評価し, 適正透析量として残存腎機能と合わせて最低値 1.7 を維持する[1,2].

▶体液量過剰状態を起こさないように, 適切な限外濾過量を設定す

Side memo

除水量(正味限外濾過量)

正味限外濾過量＝(毛細血管限外濾過量)ー(リンパ管吸収量)と考えられている.

腹膜透過性亢進で浸透圧差が早期に消失すると, 毛細血管限外濾過量が低下し, 正味限外濾過量がマイナスバランスになることがある. また, リンパ管吸収が高い際にも起こる. 長時間 1.5％ブドウ糖液を貯留していても, 浸透圧低下で同様の現象が起きる.

る．尿量が維持でき，残腎機能のみで管理できる場合，除水は不要である．

▶適正透析が実施されているにもかかわらず腎不全症候や低栄養が出現する場合，処方の変更あるいは他の治療法への変更を検討する．

a 腹膜透析患者での体液コントロールの問題点

▶わが国の腹膜透析患者の体液バランスに関する調査によると[3]，以下のような報告がある．
　①約 25～30％の症例が体液量過剰といわれている．
　②体液量過剰は，わが国の腹膜透析離脱理由の第一の原因にあげられている．
　③体液量過剰群で有意に血圧高値となる．

b 体液異常に対するアプローチ

1. 適切な評価

▶浮腫の有無，心胸比，良好な血圧，残存腎機能の推移，除水量を定期的に評価し，適正な体重設定をする．

▶心エコー所見，脳性 Na 利尿ペプチド（BNP），心房性 Na 利尿ペプチド（ANP）値なども参考になる．

2. 食事指導

▶適切な水分と塩分の摂取量（一般に 6 g/日）を指導する．

▶血液透析に比べて腹膜透析の食事制限は比較的自由，とする考えは捨てる．

3. 利尿薬の使用

▶ループ利尿薬の投与は尿量維持に有用である．

▶ループ利尿薬に加えて，スピロノラクトン，サイアザイド系利尿薬を加えることは選択肢の 1 つである．

> **処方例**
>
> ■腹膜透析患者の体液過剰に対して，①のみ，または②を追加する．
> ①フロセミド（ラシックス®）
> 　1 日 40 mg 1 回から 1 日 200 mg 2 回に分割まで増量可能
> ②スピロノラクトン（アルダクトン® A）
> 　1 日 12.5～25 mg 1 回

4. 残腎機能保護

▶腎毒性のある薬剤〔アミノグリコシド系抗菌薬，非ステロイド性抗

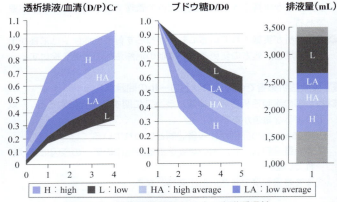

図 25-2　腹膜平衡試験（PET）と腹膜透過性

High では透過性が高く，浸透圧勾配が早く消失する．そして除水はできなくなる．
〔Twardowski ZJ：Clinical value of standardized equilibration tests in CAPD patients. Blood Purif 1989；7：95-108[4]／腹膜透析ガイドライン改訂ワーキンググループ（編）：腹膜透析ガイドライン 2019．日本透析医学会，2019[1]〕

炎症薬（NSAIDs），造影剤など）の使用を避ける．
▶アンジオテンシン変換酵素（ACE）阻害薬，アンジオテンシンⅡ受容体拮抗薬（ARB）は，一般的に残腎機能を保護するとされる．
▶無尿患者では，除水量を 750 mL/日以上（≒NaCl 6 g 相当）にする．

5. 患者教育
▶体液過剰の診断とその意義を教育する．

c 腹膜機能保護
▶腹膜平衡試験（PET）は定期的（半年に 1 回程度）に行う．
▶腹膜炎を回避する．
▶より生体適合性の高い透析液を使用する（中性液）．
▶腹膜へのブドウ糖の曝露を減らす（高濃度糖透析液の使用を減らす）．

d 腹膜平衡試験（PET）
▶腹膜機能を検査する方法であり，2.5%ブドウ糖液を 10 分間で注入し，4 時間後に 20 分で排液．透析排液/血清（D/P）Cr 比，ブドウ糖 D/D0，排液量により，①high，②high average，③low average，④low，の 4 つのカテゴリーに分類する（図 25-2）[1,4]．

e 除水不全(ultrafiltration failure)

▶除水不全とは，体液量過剰の臨床所見があり，4.25%ブドウ糖液 2 L の 4 時間貯留後，400 mL 以上の除水が得られない場合(2.5%ブドウ糖液 2 L の 4 時間貯留後，100 mL 以上の除水が得られない場合も同様に判断される)をいう．

▶除外すべき体液量過剰の原因を**表 25-3** に示す．

▶腹膜透析における除水不全の原因を**表 25-4** に示す．

f 適正透析のための腹膜透析処方の調節

1. クリアランスを上げる

▶1 回注液量を増やす．

▶交換回数を増やす．

2. 除水を増やす

▶糖濃度を調整する．

▶貯留時間を適正化し，長時間貯留をなくす．

▶イコデキストリン透析液を使用する．

▶APD を用いる．

▶血液透析と併用する．

表 25-3　除外すべき他の体液量過剰(fluid overload)の原因

・塩分・水分の過剰摂取
・残腎機能低下による尿量の低下
・透析液の不適切な選択
・バッグ交換のコンプライアンス不良
・リークやカテーテル異常による排液不良が原因の体液量過剰状態
・高血糖による浸透圧勾配の障害

表 25-4　腹膜透析療法における除水不全の原因

種類	原因
Type 1 UF failure	rapid transporter(血管面積の増大)
Type 3 UF failure	腹膜面積の減少
Type 2 UF failure	aquaporin-1 の機能障害
Type 4 UF failure	リンパ管吸収の増大

5 腹膜透析関連合併症

a 腹膜炎

▶除水不全とともに，わが国の腹膜透析離脱の最大の原因である．

1. 予防

▶清潔なバッグ交換，良好な出口部管理の繰り返し教育が重要である．

▶筆者が経験した患者の腹膜炎をきたした原因としては，①手を洗わずにバッグ交換を行っていた，②マスクをせずバッグ交換を行い，くしゃみをして腹膜炎になった，③イヌ，ネコを抱きながらバッグ交換ルームに入っていた，④速く液が入るという理由で注液時，バッグに穴を開けていた，⑤他のことを行いながら（例：パソコンゲームをしながら）バッグ交換をしていた，などがあげられる．

▶鼻腔培養を行って，メチシリン耐性黄色ブドウ球菌（MRSA）が検出された場合は，ムピロシン（バクトロバン®）で除菌を行うとよい．

▶低カリウム血症は腹膜炎のリスク因子であることが広く認識されているので注意する．

▶ヒスタミン H_2 受容体拮抗薬，プロトンポンプ阻害薬（PPI）の使用は腹膜炎のリスク因子となるため，不必要な投薬は避ける．

▶大腸内視鏡，大腸ポリペクトミー，婦人科的処置の際には抗菌薬予防投与が必要である．

▶導入後約 6 か月あたりになるとバッグ交換手技，管理が自己流になりやすくなるため，再教育が必要である．

2. 診断と治療

▶排液が混濁している場合，腹膜炎の合併を考える．

▶排液の細胞数とその種類，排液の培養により確認できる．

▶腹膜炎の診断基準を表 25-5[1]に示す．

3. 腹膜炎の感染経路

▶腹膜炎の感染経路を表 25-6 に示す．

表 25-5　腹膜炎の診断基準

①腹膜炎の臨床徴候である腹痛および透析排液混濁，またはいずれか一方
②透析排液中の白血球数が $100 \mu L$ 以上または，$0.1 \times 10^9/L$ 以上（最低 2 時間の貯留後）で，多核白血球が 50%以上
③透析排液培養陽性

〔腹膜透析ガイドライン改訂ワーキンググループ（編）：腹膜透析ガイドライン 2019.
日本透析医学会，2019[1]〕

表 25-6 腹膜炎の感染経路

	感染経路	原因
外因性感染	経カテーテル感染	透析液交換時 接続チューブ交換時(タッチコンタミネーション)
	傍カテーテル感染	出口部感染 皮下トンネルからの波及
	カテーテル挿入術時のカテーテル感染	
内因性感染	経腸管感染	憩室炎,虚血性腸炎などからの菌の移行
	血行性感染	
	経腟感染	

4. 腹膜炎の症状

▶ 排液混濁(もっとも多い,ほぼ100%でみられる),腹痛(ない場合もあるので注意),悪心・嘔吐,発熱,悪寒,下痢.

▶ 患者が知っている病名である風邪や腸炎などと訴える場合があるので注意する.

▶ 腹膜透析患者では,まず排液をみることからはじめる.

5. 排液が混濁したらやるべきこと

①排液の白血球細胞数・細胞分画(Giemsa染色をしないと好酸球性腹膜炎は診断できない).

②Gram染色と培養.

③出口部およびトンネル部の観察(傍カテーテル感染のチェック).

④血液培養.

⑤必要に応じてCT,エコーによる画像診断(憩室炎,トンネル感染診断に役立つ).

⑥容易に菌血症に陥るため,WBCカウント,培養の検体を採取したら,ただちに抗菌薬を投与する[5].

⑦血算(白血球数),CRPのデータに振り回されないように.

6. 腹膜透析排液の適切な細菌学的培養方法

▶ 排液50 mLを3,000 gで15分間遠心分離し,3〜5 mLの滅菌生理食塩液に再懸濁後,①固形培地,②血液培養ボトル,に入れる(「ISPDガイドライン2022」[5]では,②を重視している).

▶ 遠心分離が不可能な場合は,5〜10 mLの排液を直接,血液培養ボトルに注入する.

▶ 両方を行うことで培養陰性率5%未満となる.培養陰性率15%以上

397

表 25-7　混濁した排液の鑑別疾患

- ・感染性腹膜炎（細菌，抗酸菌，真菌，その他）
- ・無菌性腹膜炎
- ・化学物質による腹膜炎
- ・好酸球性腹膜炎
- ・血性排液
- ・悪性新生物（まれ）
- ・乳び排液

の施設は検討が必要である．
▶これをしっかり行わないと，培養陰性腹膜炎になってしまう．菌が同定できていないと治療に難渋するため，しっかり行う必要がある．

7. 混濁した排液の鑑別疾患
▶混濁した排液をみた際の鑑別疾患を表 25-7 に示す．

8. 治療
▶治療は，「腹膜透析ガイドライン 2019」[1]，「ISPD ガイドライン 2022」[5]に沿って治療することが望ましい．
▶APD の透析バッグへ抗菌薬を混注し，APD を継続しながら腹膜炎治療を行った場合，十分な治療域の抗菌薬濃度を確保できず治療失敗に陥ることがあるため注意する．腹膜炎治療中は CAPD へ移行し，抗菌薬投与することも検討する．
▶排液混濁がみられた場合には，まず以下の経験的治療（empiric therapy）から開始する（図 25-3）[5]．
　①原因菌が同定される前は，Gram 陽性菌と Gram 陰性菌の両方を治療対象として開始する．
　②Gram 陽性菌が検出された場合は，第一世代セファロスポリンかバンコマイシンで治療する．
　③Gram 陰性菌が検出された場合は，第三世代セファロスポリンかアミノグリコシド系抗菌薬で治療する．
▶「ISPD ガイドライン 2022」より，第四世代セファロスポリン系抗菌薬のセフェピムによる単剤治療も新しい選択肢となった[5]．

処方例
セファゾリンナトリウム（セファメジン®）1 g，セフタジジム 1 g を透析バッグに混注，貯留時間は 6 時間以上（十分吸収させて血中・組織濃度を高める）1 日 1 回

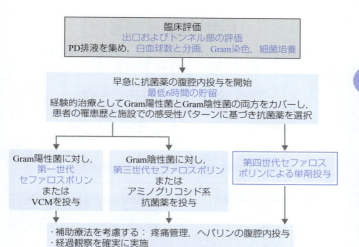

図 25-3 腹膜炎と診断された腹膜透析患者に対する初期対応のアルゴリズム

VCM：バンコマイシン

〔Kam-Tao Li P, et al.：ISPD peritonitis guideline recommendations：2022 update on prevention and treatment. Perit Dial Int 2022；42：110-153[5]より一部改変〕

9. 同定した菌種ごとの治療

1) 黄色ブドウ球菌による腹膜炎（図 25-4）[5]

▶ 重篤な腹膜炎を起こす．

▶ 多くの場合はタッチ・コンタミネーションである．傍カテーテル感染も少なくないので，以下の対応を行う．

　①出口部感染の有無をしっかりみる．

　②第一世代セフェム系抗菌薬を最低3週間投与する．MRSAにはバンコマイシンを用いる．

　③リファンピシンは，黄色ブドウ球菌腹膜炎の再発・再燃予防の補助療法となる．

2) コアグラーゼ陰性ブドウ球菌による腹膜炎（図 25-5）[5]

▶ 一般的に，タッチ・コンタミネーションが原因である．

▶ 腹膜炎の程度は軽度で，抗菌薬によく反応する．半数がメチシリン耐性表皮ブドウ球菌（MRSE）であり，この場合はバンコマイシンを使用する．

▶ 時に，再燃性腹膜炎をきたす．バイオフィルム形成によることが多

図 25-4　黄色ブドウ球菌性腹膜炎の治療アルゴリズム
MRSA：メチシリン耐性黄色ブドウ球菌，VCM：バンコマイシン，REP：リファンピシン，DAP：ダプトマイシン
〔Kam-Tao Li P, et al.：ISPD peritonitis guideline recommendations：2022 update on prevention and treatment. Perit Dial Int 2022；42：110-153[5])〕

い．この場合は，カテーテルの入れ替えを検討する．

3）レンサ球菌と腸球菌（図 25-6)[5)]による腹膜炎

- ▶レンサ球菌性腹膜炎は激しい腹痛をきたすことがある．口腔内感染と関連するものもある．
- ▶レンサ球菌性腹膜炎は，比較的予後がよい．
- ▶初期投与のセファゾリンの腹腔内投与継続の治療が有効である．
- ▶腸球菌の治療薬は耐性によって異なるため，注意を要する（図 25-6)[5)]．
- ▶腸球菌は消化管由来のものが多く，本菌の腹膜炎では腹腔内の問題を確認することが重要である．
- ▶タッチ・コンタミネーションもある．

4）Gram 陰性菌（*Pseudomonas aeruginosa*, *Acinetobacter*, *Stenotrophomonas*）による腹膜炎（図 25-7)[5)]

- ▶緑膿菌性腹膜炎はカテーテル感染に関連している場合が多い．

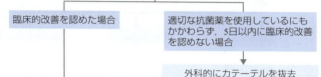

図 25-5 腹膜透析排液中にコアグラーゼ陰性ブドウ球菌を含むその他の Gram 陽性菌を認めた場合の治療アルゴリズム

〔Kam-Tao Li P, et al.：ISPD peritonitis guideline recommendations：2022 update on prevention and treatment. Perit Dial Int 2022；42：110-153[5]〕

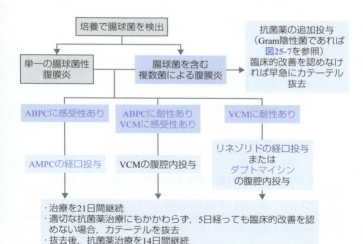

図 25-6 腹膜透析排液中に腸球菌を認めた場合の治療アルゴリズム
ABPC：アンピシリン，VCM：バンコマイシン，AMPC：アモキシシリン
〔Kam-Tao Li P, et al.：ISPD peritonitis guideline recommendations：2022 update on prevention and treatment. Perit Dial Int 2022；42：110-153[5]〕

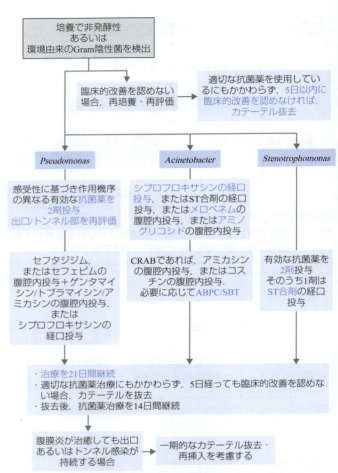

図 25-7 Gram陰性菌に対する腹膜炎の治療アルゴリズム
CRAB：carbapenem-resistant *Acinetobacter baumannii*，ST：トリメトプリム/スルファメトキサゾール，ABPC/SBT：アンピシリン/スルバクタム
〔Kam-Tao Li P, et al.：ISPD peritonitis guideline recommendations：2022 update on prevention and treatment. Perit Dial Int 2022；42：110-153[5]〕

▶予後が悪く，高率にカテーテル抜去，血液透析へ移行になる．
▶耐性化のため，2種類の抗菌薬を用いて治療を行う．

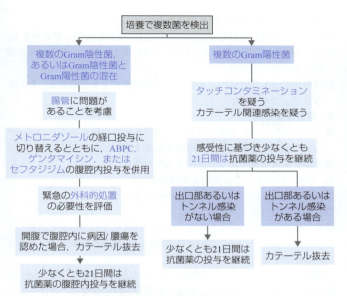

図 25-8 複数菌による腹膜炎の治療アルゴリズム
ゲンタマイシンの長期投与は避けるべきであり、7日を超えて投与継続する場合には、腎臓医あるいは感染症の専門家の助言を求める
〔Kam-Tao Li P, et al.：ISPD peritonitis guideline recommendations：2022 update on prevention and treatment. Perit Dial Int 2022；42：110-153[5]〕

処方例
- 緑膿菌性腹膜炎に対して、①＋アミノグリコシド系抗菌薬（②）または③を組み合わせ、2剤を使用する．
  ① セフタジジム（セフタジジム®）
     1日 1～1.5 g 1回
  ② ゲンタマイシン（ゲンタマイシン®）
     1日 0.6 mg/kg 1回
  ③ シプロフロキサシン（シプロキサン®）
     1日 400 mg 2回に分割

5）複数菌による腹膜炎（図 25-8）[5]
▶ 複数の腸内細菌、とくに嫌気性菌が検出された場合は、腹腔内臓器（壊死性胆嚢炎、虚血性腸疾患、虫垂炎、憩室疾患）が原因の可能性

が高く，検査には CT が有用である．

▶カテーテル抜去となる可能性が高いため，外科医にコンサルトする．

▶CT が有用なことが多いが，CT で異常が検出されなくても完全に腹腔内疾患を否定できない．

▶複数の Gram 陽性菌による腹膜炎は抗菌薬によく反応する．離脱にならないことが多い．

6) 真菌性腹膜炎

▶真菌が同定された場合，ただちにカテーテルを抜去する．カテーテル抜去後，抗真菌薬による治療を最低 2 週間は継続する．

▶真菌感染は重篤であり，症例の 25%は死に至る．

7) マイコバクテリウム属による腹膜炎

▶頻度は高くない．アジアで多くみられる．

▶診断が困難なことがある．

▶本病態が考えられるときには，培養に特別な注意が必要である．
　①塗抹：100〜150 mL の排液を遠沈し，沈渣を塗抹検査し，繰り返し検鏡する．
　②培養：50〜100 mL の排液を遠沈したのち沈渣を培養し，PCR も行う．

▶分画でリンパ球が多くみられる．ただし，好中球優位の場合もあるため，リンパ球優位でないからといって，マイコバクテリウム属による腹膜炎は否定できない．

▶カテーテル抜去時には，大網や腹膜の生検も施行する（検鏡，培養，PCR）．

▶治療は抗菌薬の多剤併用で行う．

8) 培養陰性の腹膜炎（図 25-9）[5]

▶3 日間培養を続けても培養されない場合は，培養法，白血球数，その分画を含めて再検討が必要である．特殊培地が必要な微生物もあるので，細菌学検査室とよく相談する．

▶5 日経過しても改善が乏しい場合は，カテーテル抜去を考慮すべきである．

10. 腹膜炎治療期間

▶最短の腹膜炎治療期間は 2 週間．

▶重症例では 3 週間が推奨される．

11. 腹膜透析関連腹膜炎におけるカテーテル抜去の適応

▶腹膜透析関連腹膜炎をきたした場合の，カテーテル抜去の適応を表25-8 に示す．

12. 侵襲的処置時の抗菌薬予防投与

▶腹膜透析患者においては，侵襲的な医療行為により腹膜炎が誘発さ

```
                    1日目，2日目ともに培養陰性
                              │
                         経験的治療を継続
                              │
                 3日目でも培養陰性である場合，臨床評価を行い，
                  PD排液中の白血球数と分画を再度実施
                              │
           ┌──────────────────┴──────────────────┐
    臨床的改善を認めた場合                    臨床的改善を認めない場合
           │                                        │
   ゲンタマイシンを中止し，              まれな菌種の可能性を考え，特殊培養
   セファゾリンの腹腔内投与を             （例：マイコバクテリウム，レジオネラ）
      14日間継続投与                      真菌の可能性も考慮
                                                 │
                                    ┌────────────┴────────────┐
                                 培養陽性                    培養陰性
                                    │                          │
                           感受性に基づき治療を変更      5日を経過しても臨床的
                           特定された起因菌に基づき      改善を認めない場合，
                             治療期間を設定              カテーテル抜去
                                    │
                    ┌───────────────┴───────────────┐
              臨床的改善を                       臨床的改善を
              認めた場合                         認めない場合
                    │                                │
           起因菌に基づき抗菌薬投与を      カテーテル抜去        カテーテル抜去後も
             最低14日間継続投与          カテーテル抜去後も     抗菌薬を最低14日間
                                         抗菌薬を最低14日間       継続投与
                                           継続投与
```

図 25-9 培養陰性の腹膜炎の治療アルゴリズム

〔Kam-Tao Li P, et al.: ISPD peritonitis guideline recommendations: 2022 update on prevention and treatment. Perit Dial Int 2022; 42: 110-153[5]〕

れることがあるので，予防的抗菌薬投与が推奨されている．

処方例

■ 歯科処置前
アモキシシリン（サワシリン® カプセル 250 mg）
1 回 8 カプセル 処置 1～2 時間前
■ ポリペクトミー 処置 1～2 時間前
アモキシシリン（アモキシシリン® カプセル 250 mg）1 回 4 カプセル＋シプロフロキサシン（シプロキサン® 錠 200 mg）1 回 2 錠 1～2 時間前 内服[6]

▶大腸ポリペクトミーでなく，大腸内視鏡検査で観血的処置を行わな

表 25-8　腹膜透析関連腹膜炎におけるカテーテル抜去の適応

- ・難治性腹膜炎[*]
- ・再燃性腹膜炎(カテーテル入れ替えで済む場合あり)
- ・難治性出口部感染とトンネル感染(出口部変更術で対応可能な場合あり)
- ・真菌性腹膜炎[*]
- ・治療に反応しないマイコバクテリウム属による腹膜炎[*]
- ・複数の腸内細菌が検出された腹膜炎(腸管の異常の可能性)[*]

[*]カテーテル抜去必須

い場合でも腹膜炎を誘発する率が高い. そのため, 抗菌薬の予防投与が推奨されている[1,5)].

▶一方, 上部消化管内視鏡検査施行時には, 抗菌薬の予防投与は必須ではない[1,5)].

▶侵襲的婦人科処置の前にも抗菌薬予防投与を行う.

13. 好酸球性腹膜炎

▶腹膜透析開始後, 数日～数週間後に排液の混濁と排液中の好酸球が増加することがある.

▶好酸球が白血球中 10%以上, 100/mm^{3}以上で好酸球性腹膜炎と診断する.

▶原因としては, 透析バッグやチューブの可塑剤によるアレルギー反応が考えられている.

▶多くが自然に消失するが, 抗アレルギー薬や副腎皮質ステロイドの投与が必要な場合がある. また, 感染症(真菌など)に伴って生じる場合もある.

b 出口部トンネル感染

1. 予防

▶カテーテル留置・出口部作製後まもなくコロニー化(菌が定着)するため, これを予防する.

▶カテーテル留置時に抗菌薬を予防的に投与することで, 感染リスクを減らすことができる.

▶カテーテル留置後, 清潔に保つ. 手術室で dressing シールをする. これによって術後感染がなく, カテーテルも固定される.

▶日常的な出口部トンネルのケア方法について, 表 25-9 に示す.

2. 診断と治療

▶視診で確認すべき内容を表 25-10 に示す.

▶ただ単に出口部に痂皮がついているのみ, または単に発赤があるだ

表 25-9　日常的な出口部トンネルのケア方法

- 毎日，清潔に保つ．
- シャワーは可（被覆せずに直接，浴槽へ入ることは避ける）．
- 出口部の外傷（trauma）を予防するため，カテーテルはテープで固定する．
- 痂皮（crust）は無理やりとらない．
- 傷ができた場合はコロニー化した菌が入り込み炎症・感染を起こすので，外傷後は数日間，抗菌薬を内服するよう患者に指導しておく．
- 海外ではムピロシン（バクトロバン® 鼻腔用軟膏），ゲンタマイシン（ゲンタシン®）クリームの有用性がいわれているが，わが国では適応症の問題で使用が難しい．

表 25-10　出口部感染の視診での評価

- purulent discharge（分泌物）：膿がでていれば感染．Gram 染色で白血球の菌貪食像が認められれば確実．
- redness and skin induration（発赤）：発赤のみでは感染でないこともある．とくに出口部を作製した初期は高頻度に発赤を認める．
- crust（痂皮）
- swelling（腫脹）

けでは感染といえない．
▶視診，触診に加え，症例によっては，エコー，CT 検査によって炎症の波及の程度・トンネル感染の有無（外部カフに及んでいるかどうか）を確認する．
▶Gram 染色，培養検査ともに必須．
▶図 25-10 に示すアルゴリズムに則って治療を行う．

処方例

- Gram 陽性球菌：第一世代セフェム系抗菌薬
  セファレキシン（ケフレックス® カプセル 250 mg）
  1 回 2 カプセル　1 日 2 回
- Gram 陰性桿菌：キノロン系抗菌薬
  塩酸シプロフロキサシン（シプロキサン® 錠 200 mg）
  1 回 1 錠　1 日 2 回

▶起炎菌が Gram 陽性球菌で，臨床的改善が遅い場合，または重篤な場合は，リファンピシン 450〜600 mg/日 経口投与を追加する．
▶ただし，リファンピシンの副作用（消化器症状，皮疹，肝障害，アレルギー・免疫反応など）や相互作用（カルシウム拮抗薬などの降圧薬の効果減弱がみられる）に注意して使用する．

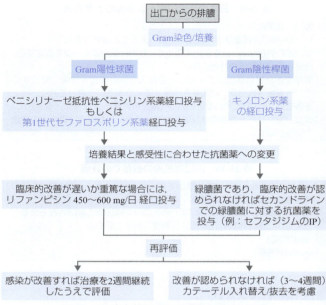

図 25-10 出口部トンネル感染の診断と治療

▶内科的治療で改善しない場合は，外科的処置(出口部変更術)を行う．この場合，チタニウムエクステンダーを用いて出口部変更を行う方法を推奨する．

▶カテーテル感染の判断にはエコー所見が参考となる．

c カテーテル異常

1. カテーテル閉塞の原因

▶一方向の注排液障害で，入るが出ない場合はフィブリン，大網，卵管采，腹膜垂が，また，出るが入らない場合はフィブリン(アコーディオンクロット)が原因である．

▶両方向の注排液障害では，ねじれ，屈曲，臓器間への迷入，フィブリンが原因である．

2. 予防法

▶腹膜壁アンカー技術(PWAT)が有用とされる．

3. 診断

▶単純写真でカテーテルの位置を確認する．必要な際には(フィブリ

ンクロットによる閉塞，大網巻絡による閉塞が疑われる場合）単純CT，カテーテル造影を行う．また，しばしばカテーテル造影後に撮影するCTが有用な場合がある．

4. 治療

▶原因によって対処法は異なるが，①圧をかけて透析液注入，②α修復，③カテーテル入れ替え，④腹腔鏡下治療，⑤catheter repair by the forefinger（CRF）法，などがある．CRF法は大網巻絡の解除に有効である．

d 被嚢性腹膜硬化症（EPS）

▶びまん性に肥厚した腹膜の広範な癒着により，持続的，間欠的あるいは反復性にイレウス症状を呈する症候群．あくまでも臨床的診断である．

1. 現時点でのEPSの認識

▶長期腹膜透析に多く合併し，基本的に透析液による腹膜劣化がかかわっている．PETを定期的に行い，腹膜劣化をモニターすることがすすめられている．

▶治療期間がEPS発症リスクに関連していることは明らかであるが，治療期間を限定しても，EPS発症を完全に回避することは困難と考えられる．

▶発症には腹膜炎が関与する症例がみられる．

▶腹膜透析中止後に多く発症する．そのため，中止後は炎症反応，イレウス症状に注意する．

▶副腎皮質ステロイドが有効な症例がみられる．

▶腸閉塞が遷延する場合には，腸管癒着剥離術が必要となる．

▶中性化透析液下でのEPS発症の最大のリスク因子は腹膜炎であり，その予防が重要である．

2. EPSに対する治療戦略

▶EPSの発症予防，診断，治療法について，表25-11に示す．

e その他の異常

1. 胸水貯留（横隔膜交通症）

▶腹腔内から横隔膜を通って，透析液が胸腔へリークすることによって発生する．

▶右側に多くみられる．

▶胸痛，胸部圧迫感，咳嗽，呼吸困難，（貯留側の）呼吸音の減弱などの症状を呈する．

409

表 25-11 被嚢性腹膜硬化症(EPS)に対する治療戦略

事項	具体的な対応
発症予防	・腹膜炎を避ける. ・長期 PD の回避. ・PD 液の選択(酸性液,高濃度ブドウ糖液を避ける).
早期発見・診断	・PET,PD 排液細胞診,生化学的マーカー,画像診断を行う. ・造影 CT が有用(新生の血管が強調される). ・腹腔洗浄(適応,有効性に関して議論あり).
治療法	・副腎皮質ステロイド:プレドニゾロン(プレドニン®)15 mg/日程度で開始.炎症が強いときには効果がみられることがある. ・中心静脈栄養によって十分な栄養,消化管の減圧を行う. ・EPS を熟知した外科チームによる外科治療は医学的妥当性があると考えられる.

PD:腹膜透析,PET:腹膜平衡試験

▶診断には,まずは胸部 X 線写真を撮る.また,[穿刺吸引したグルコース濃度>患者血液グルコース濃度]で診断が可能である.部位診断には,腹腔内造影 CT が有用である.

▶根治的治療としては,手術があげられる.胸腔鏡下手術で腹膜透析の長期継続が可能になるといった報告が出ている.また残腎機能があれば,夜間は透析液を排液して腹腔内を空にし,昼間のみの透析を行う方法もしばしばとられる.

2. 透析液の漏出(ヘルニアを伴う場合と伴わない場合がある)

▶腹腔内から腹壁内へ貯留液が漏れだすことがあり,必要に応じてアイソトープ検査,造影 CT を行い,漏出部位を確認する.

▶対処法は,漏出部位を特定できれば,外科的に治療を行う.

▶ヘルニアを合併した場合は,外科的修復を試みる.

▶腹腔を空にして保存的に経過を観察すると,自然に閉じる場合もある.

f 腹膜透析を中止,他の治療法へ変更するタイミング

▶尿量が減り残腎機能が低下した場合に,腹膜透析を継続するためには,以下に示す①②の条件を満たす必要がある.

　①体液量過剰状態を起こさない(適切な NaCl の除去):腹膜透析で最低 750 mL の除水(約 6 g の NaCl に相当)が必要になる.

　②腹膜透析量:最低 Kt/V>1.7 を保つ必要がある.

▶適正透析が実施されているにもかかわらず腎不全症候や低栄養が出

現する場合，処方の変更，あるいは他の治療法（腹膜透析＋血液透析，血液透析，腎移植）への変更を検討する．

▶併用療法（腹膜透析 6 日/週＋血液透析 1 日/週）にて，体液量管理，血圧・貧血コントロール，β_2 マイクログロブリン値の改善が期待できる．

文 献

1) 腹膜透析ガイドライン改訂ワーキンググループ（編）：腹膜透析ガイドライン 2019．日本透析医学会，2019

2) Brown EA, et al.：International Society for Peritoneal Dialysis practice recommendations：Prescribing high-quality goal-directed peritoneal dialysis. Perit Dial Int 2020；40：244-253

3) Nakayama M, et al.：Multicenter survey on hydration status and control of blood pressure in Japanese CAPD patients. Perit Dial Int 2002；22：411-414

4) Twardowski ZJ：Clinical value of standardized equilibration tests in CAPD patients. Blood Purif 1989；7：95-108

5) Kam-Tao Li P, et al.：ISPD peritonitis guideline recommendations：2022 update on prevention and treatment. Perit Dial Int 2022；42：110-153

6) Suzuki Y, et al.：Oral Antibiotics are Effective for Preventing Colonoscopy-associated Peritonitis as a Pre-emptive Tnerapy in Patients on Peritoneal Dialysis. Intern Med 2021；60：353-356

26 CKD 患者の骨代謝の管理

1 概念

▶ 腎臓はさまざまなホルモンの標的臓器として，またビタミン D の活性化臓器として，骨の主要成分である Ca・P の恒常性維持に重要な役割を担っている．

▶ 慢性腎臓病(CKD)では比較的早期のステージから，これらの恒常性維持機構に異常をきたすため，CKD 患者の診察にあたっては骨代謝異常の存在をつねに意識する必要がある．また腎疾患の治療ではしばしば副腎皮質ステロイドが使用されるため，グルココルチコイド誘発性骨粗鬆症にも注意が必要である．

▶ なお，CKD における骨ミネラル代謝異常は心血管疾患などを介して生命予後にも影響を及ぼすため，骨限定疾患ではなく全身性疾患(CKD に伴う骨・ミネラル代謝異常：CKD-MBD)として，病態を捉えなければならない．

2 診察・検査・web ツール

a 医療面接
▶ 使用薬物(副腎皮質ステロイドなど)，続発性骨粗鬆症をきたす他疾患の有無，生活習慣，家族歴などを聴取する．

b 身体診察
▶ 脊柱変形の有無，腰背部痛の有無，身長の短縮の有無などを確認する．
▶ 25 歳時と比較し 4 cm 以上の身長の短縮があれば，椎体骨折リスクは明らかに高い．

c 胸椎・腰椎単純 X 線写真
▶ 椎体骨折は，①臨床骨折(腰背部痛などの明らかな症状があり X 線写真で骨折が確認されたもの)と，②形態骨折(臨床症状とは無関係に X 線写真により判定された骨折)，に分けて考える．
▶ 臨床骨折は全椎体骨折の 1/3 にすぎない．

412

d 骨塩定量（二重エネルギー X 線吸収測定法：DEXA）

▶一般的には，大腿骨近位部および腰椎を定量する．

▶脊柱変形や腹部大動脈血管石灰化を有する症例における腰椎骨塩定量は，正確性を欠く．

▶炭酸ランタンは X 線吸収性であるため，同薬剤を服用中の患者では腰椎骨密度が過大評価される可能性があるとの指摘がある．

▶副甲状腺機能亢進症では皮質骨主体に骨量変化を生じるため，該当症例では橈骨骨幹部(1/3 遠位部)を定量する．

▶骨量の経時的変化測定は，測定の再現性（変動係数：CV）に定数を掛けて算出される最小有意変化(LSC)が検出限界となる．LSC は以下で定義される．

$$LSC = Z' \times CV \times \sqrt{2}$$

▶95%の信頼水準では Z'=1.96 であるため，CV=1.5%であれば，$1.96 \times 1.5 \times \sqrt{2} = 4.2\%$以上の測定値変化が認められたときに，当該患者の骨量が有意に変化したと判定できる．

▶CKD 患者における二重エネルギー X 線吸収測定法(DEXA)を用いた骨密度測定結果は骨折リスクを必ずしも反映しないとされてきたが，透析患者における最近のメタ解析では，腰椎や橈骨の低骨密度と骨折が有意に相関することが報告されている．

▶骨粗鬆症は，「骨強度の低下を特徴とし，骨折のリスクが増大した骨格疾患」と定義される[1]．骨強度は骨密度(70%)と骨質(30%)の 2 つの要因により規定されており，DEXA は骨密度を評価するための検査である．

▶グルココルチコイド誘発性骨粗鬆症など，骨密度が保たれていても骨質の悪化により骨折しやすくなる病態が存在することには注意が必要である．

e 血液尿検査

1. 血液生化学（血清 Ca，P，Mg など）

▶低アルブミン血症(4.0 g/dL 未満)があるときには，補正 Ca 濃度を算出する．

補正 Ca 濃度＝実測 Ca 濃度＋(4−血清アルブミン濃度)

▶なお，血液透析患者の安定期の血液検査データは，週初回の透析開始時の値を用いることが一般的である．

2. 尿生化学（尿 Ca，P など）

▶Ca 製剤やビタミン D 製剤を使用する際，尿 Ca/Cr 比が 0.3 以上にならないよう注意する．

3. アルカリホスファターゼ（ALP）

▶肝胆道系疾患の合併がない症例においては，骨型アルカリホスファターゼ（BAP）のかわりに，経時的な骨形成を評価する指標として ALP が有用である．

4. インタクト副甲状腺ホルモン（iPTH）

▶副甲状腺機能亢進の有無を確認する．

▶副甲状腺ホルモン（PTH）は 84 個のアミノ酸で構成され，iPTH 測定系は PTH（1-84）と PTH（7-84）の両者を検出する．PTH（1-84）を特異的に検出する whole PTH 測定系も存在するが，iPTH 測定に基づくエビデンスが蓄積されているため，臨床現場では iPTH を測定することが多い．

5. ビタミン D

▶ビタミン D は肝臓で 25 位，腎臓で 1 位が水酸化され活性型となる．

▶血清 25-ヒドロキシビタミン D〔25（OH）D〕の測定は，ビタミン D 欠乏性くる病，もしくは骨軟化症の診断・治療時のみ算定可能であったが，2019 年より原発性骨粗鬆症患者に対する薬剤治療方針決定補助としても算定可能となった．

▶25（OH）D はビタミン D の充足状態の指標とされる．

▶25（OH）D はビタミン D 結合蛋白と結合して血中に存在するため，ネフローゼ症候群では尿中に漏出し，その血清濃度は低下する．

6. 骨代謝マーカー

▶腎機能の影響を受けにくい骨形成マーカーとして I 型プロコラーゲン-N-プロペプチド（P1NP），BAP，腎機能の影響を受けにくい骨吸収マーカーとして酒石酸抵抗性酸性ホスファターゼ-5b（TRACP-5b）がある．

▶P1NP は骨芽細胞増殖期，BAP は骨芽細胞成熟期のマーカーであり，P1NP のほうが変化する時相が早い．

▶経時的測定による治療効果判定においては，個々の測定系で定められた最小有意変化（MSC）を超える変化が認められて初めて「効果あり」と判断できる．

▶骨代謝マーカーによって評価される骨代謝回転は，骨質規定因子の 1 つである．

7. 線維芽細胞増殖因子 23（FGF23）

▶保険上，線維芽細胞増殖因子 23（FGF23）関連低リン血症性くる病・

骨軟化症の診断，または治療効果判定のために測定することが可能である．

f 副甲状腺エコー

▶CKD に伴う二次性副甲状腺機能亢進症は，基本的に副甲状腺びまん性過形成を経て結節性過形成に進行する．

▶結節性過形成となった副甲状腺細胞では，ビタミン D 受容体や Ca 受容体の発現が低下し，内科的治療に抵抗性が生じる．

▶副甲状腺推定体積 500 mm³ 以上，または長径 1 cm 以上（おおよそ iPTH＞500 pg/mL に相当）であれば，結節性過形成を呈している可能性が高い．副甲状腺推定体積を以下の式で計算するとともに，血流の有無などを評価する．

> 副甲状腺推定体積＝長径×短径×厚さ×$\pi/6$

g ⁹⁹ᵐTc-MIBI シンチグラフィ

▶⁹⁹ᵐTc-MIBI はミトコンドリアに集積する薬剤である．

▶投与 5〜10 分後の早期相では甲状腺にも集積するが，甲状腺に比べて副甲状腺における wash out が遅いため，2〜3 時間後の遅延相では機能亢進した副甲状腺のみが描出される．

▶⁹⁹ᵐTc-MIBI シンチグラフィは縦隔内などの異所性副甲状腺探索に有用である．

h FRAX®

▶FRAX®（Fracture Risk Assessment Tool）は，「年齢，性別，体重，身長，骨折歴，両親の大腿骨近位部骨折歴，現在の喫煙，グルココルチコイド使用，関節リウマチ，続発性骨粗鬆症，アルコール摂取，骨密度」に基づく骨折確率推定モデルである．

▶10 年以内の大腿骨近位部骨折の発生リスクと，10 年以内の主要な骨粗鬆症骨折（脊椎，前腕，股関節，肩の臨床的骨折）の発生リスクが算出される．

▶web サイト（https://www.sheffield.ac.uk/FRAX/tool.aspx?lang=jp）から，誰でも自由に使用できる．

---

3 保存期 CKD における治療

▶CKD ステージ G1〜2 では，グルココルチコイド誘発性骨粗鬆症と原発性骨粗鬆症を中心に管理する．

415

▶CKD ステージ G3〜5 では前述に加え，二次性副甲状腺機能亢進症
や高リン血症が認められた場合に対処する．

▶骨代謝異常に対する薬物治療を理解するには，骨の新陳代謝（骨リ
モデリング）メカニズムを知っておく必要がある．

▶骨リモデリングは，破骨細胞が骨吸収することで開始される．

▶破骨細胞の分化には，骨細胞などが産生する破骨細胞分化因子
（RANKL）が必須である．PTH や炎症性サイトカインは骨細胞にお
ける RANKL の発現を亢進させ，破骨細胞の分化を誘導する．

▶一方，骨芽細胞の分化には Wnt シグナルが必須である．骨芽細胞か
ら分化した骨細胞により産生されるスクレロスチンは Wnt シグナ
ル阻害因子であり，骨形成抑制性に作用する．

a グルココルチコイド誘発性骨粗鬆症
1. 成因および臨床的特徴
▶骨形成低下と骨吸収亢進の両者が認められるが，骨形成低下が主病

Side memo

ビスホスホネート製剤の作用メカニズムと服用方法

ビスホスホネートはヒドロキシアパタイトへの親和性が高く，体内に
吸収されたのち，骨に吸着される．ビスホスホネート製剤は非常に安定
な薬剤であるため，骨に吸着された同薬剤の半減期は少なくとも数年と
いわれている．骨に吸着されたビスホスホネートは骨吸収の際に破骨細
胞に取り込まれ，アポトーシス誘導などを介して破骨細胞機能を抑制する．

ビスホスホネート経口製剤の内服方法は，同薬剤がアパタイトに親和
性が高いため特殊である．起床時に十分量の水（約 180 mL）とともに服
用する．このとき，水以外の飲食，ならびに他の薬剤の内服を避けなけれ
ばならない．ミネラルウォーターによる内服も避けなければならない．
これは，ビスホスホネートが Ca などと錯体を形成して吸収が阻害される
のを防止するためである．経口ビスホスホネート製剤の生体利用率は適
切に内服しても 1％未満であり，経口製剤で十分な効果が得られない症
例に対しては静注製剤の使用を考慮する．また，経口ビスホスホネート
製剤は咽喉頭・食道粘膜に対して局所刺激症状を生じることがあるため，
食道狭窄やアカラシアを有する症例では使用禁忌であり，服用後，少な
くとも 30 分間は横にならないよう指導する．腎不全患者ではビスホスホ
ネート製剤の排泄遅延が懸念され，添付文書上，リセドロン酸は高度な
腎機能障害のある者（Ccr 30 mL/分未満）では使用禁忌であり，アレンド
ロン酸は高度な腎機能障害のある患者では使用注意となっている．

態であるとされる.

▶プレドニゾロン換算 5 mg/日以上の副腎皮質ステロイドを 3 か月以上内服すると骨折率は 50%増加し,長期使用患者の 30〜50%に骨折が発生する[2].

2. 検査

▶副腎皮質ステロイド治療中は 6 カ月〜1 年ごとに,胸腰椎単純 X 線写真撮影,DEXA を施行する.

▶骨量減少はステロイド開始後最初の数か月が 8〜12%/年と高く,以後,2〜4%/年で減少する.このため,ステロイド開始早期からの治療介入が重要である.

▶グルココルチコイド誘発性骨粗鬆症では,原発性骨粗鬆症に比べて骨密度からみた骨折閾値が高く,骨密度が低下する前に骨折リスクが増大することが知られている.

3. 治療

▶図 26-1[2]のスコア 3 点以上ならば,薬物療法が推奨される.治療薬としては,窒素含有ビスホスホネート製剤(経口,注射剤),抗RANKL 抗体,テリパラチド,活性型ビタミン D 製剤あるいは選択的エストロゲン受容体モジュレーター(SERM)の使用が推奨される(表 26-1)[2].

▶妊娠の可能性がある若年女性に対する妊娠前のビスホスホネート製剤使用は,有益性が勝るときに限定して使用し,妊娠中の使用は避ける.

処方例

■ グルココルチコイド誘発性骨粗鬆症の治療は①〜④のなかから選択する.なお,ビスホスホネート製剤と活性型ビタミン D₃製剤は併用する場合もある.

①アレンドロン酸(ボナロン®)
  35 mg 1 回/週

②リセドロン酸(アクトネル®)
  17.5 mg 1 回/週または 75 mg 1 回/月

✔アレンドロン酸およびリセドロン酸は起床時に水約 180 mL とともに内服.服用後,少なくとも 30 分は横にならず,飲食ならびに他の薬剤の経口摂取も避ける.

③アルファカルシドール(ワンアルファ®)
  1 日 0.25〜1.0 μg 1 回 経口投与

④カルシトリオール(ロカルトロール®)
  1 日 0.25〜0.5 μg 1 回 経口投与

417

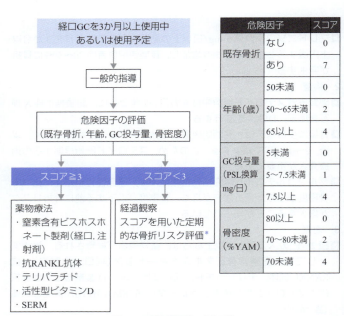

図 26-1　診療アルゴリズム

2014年改訂版で決定したスコアカットオフ値を用いた 2023年版のアルゴリズム.
GC：グルココルチコイド，RANKL：receptor activator of nuclear factor-kappa B ligand，SERM：選択的エストロゲン受容体モジュレーター，PSL：プレドニゾロン，YAM：young adult mean

*6か月〜1年ごとの腰椎単純 X 線撮影，骨密度測定

〔グルココルチコイド誘発性骨粗鬆症の管理と治療のガイドライン作成委員会（編）：グルココルチコイド誘発性骨粗鬆症の管理と治療のガイドライン 2023. 南山堂，2023：xⅲ[2)]〕

アルミニウム骨症

過去に，水酸化アルミニウムがリン吸着薬として使用されていた時代があった．アルミニウムは透析患者の体内に蓄積し骨症・脳症を引き起こすため，現在，リン吸着薬として水酸化アルミニウムが使用されることはない．しかし現在でも，胃炎の治療薬などにアルミニウムが含まれたものがある．以下の薬剤はアルミニウムを含有しているため，透析患者では原則，使用しない．

マーロックス®，キャベジン U®，アルサルミン®，ネオユモール®，バファリン®（胃粘膜保護剤として乾燥水酸化アルミニウムゲルを含有）．

表 26-1 グルココルチコイド誘発性骨粗鬆症(GIO)における薬物療法

製剤	薬剤名	剤型・用量
ビスホスホネート製剤	アレンドロン酸	5 mg/日, 35 mg/週 経口, 900 μg/4 週 点滴
	リセドロン酸	2.5 mg/日, 17.5 mg/週, 75 mg/月 経口
	ミノドロン酸	1 mg/日, 50 mg/4 週 経口
	イバンドロン酸	100 mg 月 1 回 経口
活性型ビタミン D₃製剤	アルファカルシドール	0.25 μg, 0.5 μg, 1 μg/日 経口
	カルシトリオール	0.25 μg, 0.5 μg/日 経口
	エルデカルシトール	0.5 μg, 0.75 μg/日 経口
PTH1 受容体作動薬	遺伝子組換えテリパラチド	20 μg/日 皮下注
	テリパラチド酢酸塩	56.5 μg/週 1 回 皮下注
SERM	ラロキシフェン	60 mg/日 経口
	バゼドキシフェン	20 mg/日 経口
抗 RANKL 抗体	デノスマブ	60 mg/6 か月 皮下注

SERM:選択的エストロゲン受容体モジュレーター, RANKL:receptor activator of nuclear factor-kappa B ligand
〔グルココルチコイド誘発性骨粗鬆症の管理と治療のガイドライン作成委員会(編):グルココルチコイド誘発性骨粗鬆症の管理と治療のガイドライン 2023. 南山堂, 2023[2)]をもとに著者作成〕

b 原発性骨粗鬆症

1. 診断

▶原発性骨粗鬆症の診断は図 26-2[1)]のフローチャートに従って行う.

▶脆弱性骨折とは, 立った姿勢からの転倒あるいは, それ以下の外力によって生じた骨折を意味する. またその他の脆弱性骨折とは, 肋骨・骨盤・上腕骨近位部・橈骨遠位端・下腿骨に生じた骨折を指す.

▶骨密度の測定部位は, 腰椎あるいは大腿骨近位部を原則とする.

2. 薬物治療開始基準

▶原発性骨粗鬆症の薬物治療開始基準(図 26-3)[1)]に従い, 薬物治療を開始する.

▶同基準では, 骨粗鬆症と診断されていない者でも骨粗鬆症患者と同レベルの骨折リスクを有する場合は薬物治療の対象とされている.

▶具体的には, 「脆弱性骨折がなく骨密度が若年成人平均値(YAM)の70%より大きく 80%未満の者」のうち「脆弱性骨折以外の臨床的危険因子」を有する者が薬物治療対象者となる.

419

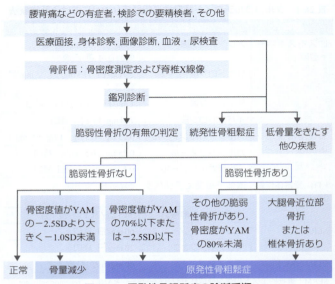

図 26-2　原発性骨粗鬆症の診断手順

YAM：若年成人平均値
〔骨粗鬆症の予防と治療ガイドライン作成委員会（編）：骨粗鬆症の予防と治療ガイドライン 2015 年版．ライフサイエンス出版，2015：18[1)]〕

- ▶脆弱性骨折以外の臨床的危険因子とは，①過度のアルコール摂取（1日 2 単位以上），②現在の喫煙，③大腿骨近位部骨折家族歴，の 3 つを指し，アルコールと喫煙に関しては総合的な評価を FRAX® にて行うため，図 26-3 のフローチャートに従い薬物治療開始の必要性を判断する．
- ▶なお，図 26-3 は原発性骨粗鬆症の薬物治療開始基準に関するフローチャートであり，FRAX® 項目のうち，グルココルチコイド使用，関節リウマチ，続発性骨粗鬆症に当てはまるものには適用されない．

3. 治療

- ▶以下，薬物治療について述べるが，栄養，運動，飲酒，喫煙など日常生活に対する介入も重要である．
- ▶保存期 CKD における骨粗鬆症治療のエビデンス（表 26-2）[4)]，および骨粗鬆症治療薬の CKD 患者への投与上の注意点（表 26-3）[5)]を示す．

1）ビタミン D 製剤

- ▶ビタミン D は，おもに腸管からの Ca 吸収を促進することにより効

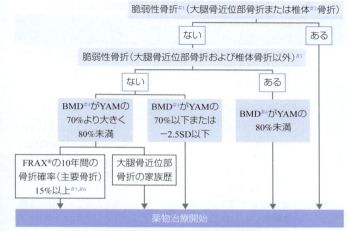

図 26-3　原発性骨粗鬆症の薬物治療開始基準

[#1]：軽微な外力によって発生した非外傷性骨折．軽微な外力とは，立った姿勢からの転倒か，それ以下の外力をさす．

[#2]：形態椎体骨折のうち，2/3 は無症候性であることに留意するとともに，鑑別診断の観点からも脊椎 X 線像を確認することが望ましい．

[#3]：その他の脆弱性骨折：軽微な外力によって発生した非外傷性骨折で，骨折部位は肋骨，骨盤（恥骨，坐骨，仙骨を含む），上腕骨近位部，橈骨遠位端，下腿骨．

[#4]：骨密度（BMD）は原則として腰椎または大腿骨近位部骨密度とする．また，複数部位で測定した場合にはより低い%値または SD 値を採用することとする．腰椎においては L1～L4 または L2～L4 を基準値とする．ただし，高齢者において，脊椎変形などのために腰椎骨密度の想定が困難な場合には大腿骨近位部骨密度とする．大腿骨近位部骨密度には頸部または total hip（total proximal femur）を用いる．これらの測定が困難な場合は橈骨，第二中手骨の骨密度とするが，この場合は%のみ使用する．

[#5]：75 歳未満で適用する．また，50 歳代を中心とする世代においては，より低いカットオフ値を用いた場合でも，現行の診断基準に基づいて薬物治療が推奨される集団を部分的にしかカバーしないなどの限界も明らかになっている．

[#6]：この薬物治療開始基準は原発性骨粗鬆症に関するものであるため，FRAX® の項目のうちグルココルチコイド，関節リウマチ，続発性骨粗鬆症にあてはまる者には適用されない．すなわち，これらの項目がすべて「なし」である症例に限って適用される．

〔骨粗鬆症の予防と治療ガイドライン作成委員会（編）：骨粗鬆症の予防と治療ガイドライン 2015 年版．ライフサイエンス出版，2015：63[1)]〕

果を発揮する．骨吸収抑制薬を用いる際の，低カルシウム血症防止目的でも用いられる．

▶エルデカルシトールは従来の活性型ビタミン D 製剤に比べ，強力な

表 26-2 保存期 CKD における骨粗鬆症治療のエビデンス

CKD ステージ	骨粗鬆症治療薬	推奨の強さ	エビデンスレベル	備考
G1, G2	健常人同等と考えられるため,「骨粗鬆症の予防と治療ガイドライン」に準じる			
G3a, G3b	ビスホスホネート製剤*	2	C	
	ロモソズマブ*	2	C	
	デノスマブ*	2	C	低カルシウム血症に注意
	PTH 製剤	2	C	二次性副甲状腺機能亢進症合併例では避ける
	選択的エストロゲン受容体調整薬	2	D	男性および閉経前女性には不適
	活性型ビタミン D 製剤	2	D	高カルシウム血症に注意
G4, G5	根拠となるエビデンスが乏しく,明確な推奨はできない			

注:表はエビデンスレベル順,備考のない順にまとめており,推奨の順番を表すものではない.
*:骨吸収抑制薬を使用する際には事前に歯科受診を行い,骨吸収抑制薬関連顎骨壊死(ARONJ)の合併予防・早期発見に努める.
〔日本腎臓学会(編):エビデンスに基づく CKD 診療ガイドライン 2023. 東京医学社, 2023[4]〕

骨量増加作用をもつ.しかし,エルデカルシトールの PTH 抑制作用は他の活性型ビタミン D 製剤に比べて弱いため,二次性副甲状腺機能亢進症時にはエルデカルシトールより従来の活性型ビタミン D 製剤を用いるほうがよい.

▶活性型ビタミン D 製剤を用いる際には,高カルシウム血症,高リン血症,高カルシウム尿症を引き起こさないように注意する.

処方例
①アルファカルシドール(ワンアルファ®)
　1 日 0.25〜0.5 μg 1 回 経口投与
または
②エルデカルシトール(エディロール®)
　1 日 0.5〜0.75 μg 1 回 経口投与

2) 選択的エストロゲン受容体モジュレーター(SERM)
▶SERM は閉経後早期の骨吸収亢進に対して用いる.

表 26-3 骨粗鬆症治療薬の慢性腎臓病患者(CKD患者)への投与上の注意点

薬物		保存期腎不全 GFR(mL/分/1.73 m^2) ≧35	保存期腎不全 GFR(mL/分/1.73 m^2) <35	透析 (CKD-5D)
アルファカルシドール, カルシトリオール		病態に応じ使用量を変更		
エルデカルシトール		血清Ca濃度上昇にとくに注意		
SERM(ラロキシフェン, バゼドキシフェン)		慎重投与		
ビスホスホネート薬	アレンドロン酸	慎重投与		
	リセドロン酸	慎重投与	禁忌 (Ccr<30 mL/分)	禁忌
	ミノドロン酸	慎重投与		
	エチドロン酸	使用回避		
	イバンドロン酸	慎重投与		
	ゾレドロン酸	慎投与	禁忌	禁忌
エルカトニン		通常投与量可能		
デノスマブ		慎重投与(重度の腎機能障害患者は低カルシウム血症を起こすおそれがある)		
副甲状腺ホルモン薬		慎重投与		
ロモソズマブ		慎重投与(重度の腎機能障害患者・透析を受けている患者は低カルシウム血症が発現しやすい)		

〔日本骨粗鬆症学会 生活習慣病における骨折リスク評価委員会(編):生活習慣病骨折リスクに関する診療ガイド2019年版.ライフサイエンス出版,2019[5]〕

▶静脈血栓塞栓症(深部静脈血栓症,肺塞栓症,網膜静脈血栓症を含む)が現れることがあるため,血栓傾向のある患者では使用しない.

 処方例
①ラロキシフェン(エビスタ®)
1日60 mg 1回 経口投与
または
②バゼドキシフェン(ビビアント®)
1日20 mg 1回 経口投与

3）ビスホスホネート製剤

▶数多くのエビデンスを有する骨吸収抑制薬である．
▶低カルシウム血症をきたす可能性がある点と，薬剤排泄遅延の観点から，腎不全患者において使用が制限される点には注意が必要である．
▶ビスホスホネート製剤に関するその他の注意点は，Side memo を参照すること（☞p.416）．
▶なお，第一世代ビスホスホネート製剤（エチドロン酸）は骨軟化症をきたす恐れがあるため，あえて選択する理由はない．
▶経口投与が困難な症例や，経口薬で骨吸収マーカーが低下せず適切な内服ができていないことが疑われる症例については，静注製剤の投与を考慮する．

処方例

■①〜③の経口薬，④の静注薬のなかから選択して用いる．
①アレンドロン酸（ボナロン®）
　35 mg 1 回/週
②リセドロン酸（アクトネル®）
　17.5 mg 1 回/週
③ミノドロン酸（ボノテオ®）
　50 mg 1 回/4 週
🔥①〜③のいずれも，起床時に水約 180 mL とともに内服．
🔥服用後，少なくとも 30 分は横にならず，飲食ならびに他の薬剤の経口摂取も避ける．
④イバンドロン酸（ボンビバ®）
　1 mg 1 回/月　緩徐に静注

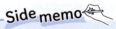

非定型大腿骨骨折

　ビスホスホネート製剤を長期使用した患者の大腿骨骨幹部に，非定型大腿骨骨折（AFF）が起きることがある．AFF が起こる数週〜数か月前から罹患部位の前駆痛があるとされており，そのような症状を認めた場合には画像検査などを行い，ビスホスホネート製剤の中止を検討する．また AFF は両側性に生じる可能性があるため，片側で AFF が起きた場合は対側の画像検査も行うべきである．

4) デノスマブ

- デノスマブは RANKL に対するヒト型モノクローナル抗体製剤である．RANKL の受容体 RANK への結合を阻害し，破骨細胞分化を抑制する．
- 骨粗鬆症治療効果は明らかであるが，重篤な低カルシウム血症をきたすことがあるので注意が必要である．とくに，二次性副甲状腺機能亢進症を有する CKD 患者において，血清 Ca 濃度が「PTH 上昇→RANKL 上昇→破骨細胞による骨からの Ca 放出」によって保たれている症例では，入院加療を必要とする重篤な低カルシウム血症をきたすことがある．
- 低カルシウム血症防止のため，Ca/天然型ビタミン D_3/Mg 配合錠の使用が推奨されている．なお，同配合錠に含まれるビタミン D は天然型であり，CKD 患者（＝ビタミン D 活性化が抑制されている）では，活性型ビタミン D 製剤の使用も検討する．

処方例

デノスマブ（プラリア®）
60 mg 1 回/6 か月 皮下注
■ デノスマブによる低カルシウム血症防止として
沈降炭酸カルシウム（Ca として 305 mg）/コレカルシフェロール（200 IU）/炭酸マグネシウム（Mg として 15 mg）配合錠（デノタス® チュアブル錠）
1 日 2 錠 1 回 経口投与
✎ デノタス® はチュアブル錠のため，噛み砕いて服用する．

5) PTH1 受容体作動薬

- テリパラチドは，PTH の N 末端から 34 番目までのアミノ酸からなる製剤である〔PTH(1-34)〕．
- アバロパラチドはヒト PTHrP アナログ製剤である．
- 副甲状腺機能亢進症による持続的な PTH 濃度上昇は骨量減少を引き起こすが，間欠的 PTH 投与は骨量を増加させる．
- 添付文書上，エルデカルシトール，ビスホスホネート製剤，デノスマブの適応症は「骨粗鬆症」となっているが，テリパラチドおよびアバロパラチドの適応症は「骨折の危険性の高い骨粗鬆症」であり，骨粗鬆症のいわゆる第一選択薬ではない．SERM やビスホスホネート製剤による治療を行っても骨折を生じた症例や，骨密度低下が著しい症例などで使用を検討する．
- 高カルシウム血症を引き起こす可能性があるため，使用に際しては

定期的に血清 Ca 濃度などを測定し，確認しながら用いる．
▶テリパラチドには 2 種類の製剤があるが，いずれも投与可能期間は 24 か月までである．また，アバロパラチドの投与可能期間は 18 か月までである．投与期間終了後は他の薬剤に切り替える必要がある．

> **処方例**
> ①テリパラチド（フォルテオ®）
>   20 μg/日 皮下注
> または
> ②テリパラチド（テリボン®）
>   56.5 μg/週 皮下注
> または
> ③アバロパラチド（オスタバロ®）
>   80 μg/日 皮下注

6）ロモソズマブ

▶ロモソズマブはヒト化抗スクレロスチンモノクローナル抗体製剤である．骨細胞により産生されるスクレロスチンを阻害し Wnt シグナルを増強させることにより，骨形成を促進する．

薬剤関連顎骨壊死

ビスホスホネート製剤に関連する顎骨壊死（BRONJ）とデノスマブ（抗RANKL 抗体）に関連する顎骨壊死（DRONJ）をまとめて，骨吸収抑制薬関連顎骨壊死（ARONJ）という．また最近では，ベバシズマブ（bevacizumab）やスニチニブ（sunitinib）を含む血管新生阻害薬などによる顎骨壊死も含めて，薬剤関連顎骨壊死（MRONJ）という疾患概念で薬剤に起因する顎骨壊死対策が議論されている．口腔粘膜は咀嚼などにより傷害を受けやすく，粘膜傷害による感染は容易に顎骨に波及する．また，抜歯などの侵襲的治療によっても顎骨は感染を生じやすい．他の骨に比べてきわめて感染を起こしやすい環境下にあるという顎骨の性質が，MRONJ の発症に深く関与する．このため，骨吸収抑制薬投与前に，歯科受診により口腔内衛生状態を改善することが望ましい．なお，骨吸収抑制薬治療中の患者に対して歯科治療を行う際に骨吸収抑制薬を休薬するか否かについては，さまざまな議論がある．「顎骨壊死検討委員会ポジションペーパー 2023」[3]では，「抜歯時に骨吸収抑制薬を休薬しないことを提案する（弱く推奨する）」とされている．

- テリパラチドと同様，適応症は「骨折の危険性の高い骨粗鬆症」である．
- アレンドロン酸と比較して，虚血性心疾患・脳血管障害が高くなる傾向があると報告されている．骨折抑制のベネフィットと心血管系事象の発現リスクを十分に理解したうえで，適用患者を選択する．
- また，低カルシウム血症に注意が必要である．
- 治療期間は 12 か月とされており，治療期間終了後は他の薬剤に切り替える必要がある．

> **処方例**
> ロモソズマブ（イベニティ®）
> 210 mg（105 mg 製剤 2 本） 1 回/月 皮下注

4. 治療効果判定

- 骨塩定量・骨代謝マーカー測定などにより治療効果を判定する．
- 骨吸収抑制薬投与時には，投与開始時と投与 3〜6 か月の時点で TRACP-5b を測定し，変化率を算出する．骨形成の変化は骨吸収抑制にカップリングして二次的に生じるため，骨形成マーカーの変化は治療開始時と投与 6 か月後を測定目途とする．
- TRACP-5b は，12.5％以上低下すると，骨吸収が抑制されていると考えられる．
- 過剰な骨吸収抑制が長期にわたる場合は，骨吸収抑制薬の休薬を考慮する．
- 骨形成促進薬投与時には，投与開始時と投与 4 か月ごろを目途に骨形成マーカーを測定する．
- 評価に骨代謝マーカー変化を用いることのできる薬物は，骨代謝に大きい影響を与える薬物のみであり，エルデカルシトールを除く活性型ビタミン D 製剤や Ca 製剤の効果判定を骨代謝マーカーで行うことは困難である．

C 慢性腎臓病に伴う骨・ミネラル代謝異常（CKD-MBD）

1. 病態

- 腎不全の進行とともに，FGF23，PTH などのリン利尿因子上昇およびビタミン D 活性化抑制などにより，単位ネフロンあたりのリン利尿（FE_P）が亢進し，ネフロン数減少に伴う腎リン排泄能低下を代償する．
- 代償が不十分になる CKD ステージ G4 以降では，血清 P 濃度が上昇する．

表 26-4　**保存期 CKD 患者における血清 P 濃度管理目標**

CKD ステージ	ガイドライン	P（mg/dL）
3〜4	K/DOQI	2.7〜4.6
	KDIGO 2017	高ければ正常域に下げる
	JSDT 2012	施設基準値
5	K/DOQI	3.5〜5.5
	KDIGO 2017	高ければ正常域に下げる
	JSDT 2012	施設基準値

K/DOQI：Kidney Disease Outcomes Quality Initiative，KDIGO：Kidney Disease:Improving Global Outcome，JSDT：日本透析医学会
〔日本透析医学会：慢性腎臓病に伴う骨・ミネラル代謝異常の診療ガイドライン．日透析医学会誌 2012；45：301-356[6]/National Kidney Foundation：K/DOQI clinical practice guidelines for bone metabolism and disease in chronic kidney disease. Am J Kidney Dis 2003；42（Suppl 3）：S1-S201[7]/Kidney Disease：Improving Global Outcomes（KDIGO）CKD-MBD Upadate Work Group：KDIGO 2017 Clinical Practice Guideline Update for the Diagnosis, Evaluation, Prevention, and Treatment of Chronic Kidney Disease-Mineral and Bone Disorder（CKD-MBD）. Kidney Int Suppl（2011）2017；7：1-59[8]をもとに作成〕

2. 治療

1）食事リン制限

▶本稿では慣例にならい「リン」と表記しているが，実際には「リン酸」であることには注意されたい．

▶食事中のリン含有量はたんぱく質含有量と密接な正相関関係にあるため，たんぱく質制限を行えばリン制限にもつながる．しかしながら，高齢 CKD 患者が増加しているわが国の状況下では，たんぱく質制限を介した安易なリン制限は栄養障害を助長させる可能性があるため，注意が必要である．

▶食品に含まれるリンには，吸収されにくいリン（たとえば植物由来リンなど）と吸収されやすいリン（食品添加物など）がある．加工食品類に含まれる保存料由来のリンは非常に吸収されやすく，これらを避けるのも有効なリン制限手法の1つである．乳製品もリン含有量が多いので基本的に避ける．

▶「CKD 診療ガイドライン 2023」では，「リン制限食が生命予後に及ぼす影響は明らかではなかった」とされている[5]．

▶保存期 CKD 患者における血清 P 濃度の管理目標を，表 26-4[6〜8]に示す．

2）リン吸着薬

▶保存期 CKD 患者に対するリン吸着薬投与の有用性については，必

ずしも明確ではない．一部の研究では，保存期 CKD 患者に対するリン吸着薬使用が血管石灰化を悪化させることが報告されている．
▶CKD が進行し，明らかな高リン血症を呈している者にはリン吸着薬の使用を考慮する．

処方例

■ ①～③の薬剤から1種類または複数を組み合わせて用いる．
①沈降炭酸カルシウム（カルタン®）
　1 日 3.0 g 3 回に分割 食後投与
②炭酸ランタン水和物（ホスレノール®）
　1 日 750 mg 3 回に分割 食後投与
③クエン酸第二鉄水和物（リオナ®）
　1 日 1,500 mg 3 回に分割 食後投与

🖊いずれの薬剤も血清 P 濃度などを参考に，添付文書に定められた範囲内で用量調節する．なお，基本は均等な分 3 投与であるが，食事内容を聴取して朝，昼，夕の服用錠数に傾斜をつけることも考慮する．

🖊ホスレノール®にはチュアブル錠，顆粒分包，口腔内崩壊錠（OD 錠）がある．チュアブル錠は必ず噛み砕いて服用する．

3）ビタミン D 製剤

▶二次性副甲状腺機能亢進症については，高カルシウム血症・高リン血症を引き起こさないよう注意しつつ，ビタミン D 製剤を使用する．

処方例

①アルファカルシドール（ワンアルファ®）
　1 日 0.25～0.5 μg 1 回 経口投与
または
②カルシトリオール（ロカルトロール®）
　1 日 0.25 μg 1 回 経口投与

4　CKD ステージ G5D における治療

▶CKD-MBD 管理が中心である．血液生化学として，血清 P 濃度，血清 Ca 濃度，iPTH 濃度を測定し，図 26-4[6]に示す 9 分割図に従い治療する．
▶「慢性腎臓病に伴う骨・ミネラル代謝異常の診療ガイドライン」[6]において，管理優先度は血清 P 濃度＞血清補正 Ca 濃度＞iPTH 濃度と

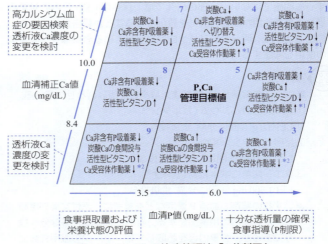

図 26-4 P, Ca の治療管理法「9 分割図」
「↑」は開始または増量，「↓」は減量または中止を示す．
[*1] 血清 PTH 濃度が高値，[*2] もしくは低値の場合に検討する．
〔日本透析医学会：慢性腎臓病に伴う骨・ミネラル代謝異常の診療ガイドライン．日透析医学会誌 2012；45：311[6)]〕

されている．

a リン管理

1. 管理目標値

- 血清 P 濃度の目標値：3.5〜6.0 mg/dL（週の初回透析開始時の値を用いる）．

2. 治療

- 食事リン制限：制限内容は保存期 CKD と同様である．
- リン吸着薬：①Ca 含有リン吸着薬（炭酸カルシウム）と，②Ca 非含有リン吸着薬（セベラマー，ビキサロマー，炭酸ランタン，クエン酸第二鉄，スクロオキシ水酸化鉄），に分けて考える．Ca 含有・非含有リン吸着薬の使い分けは，基本的に 9 分割図に従う（図 26-4）．
- iPTH<60 pg/mL で骨のバッファ機能低下が疑われる症例や血管石灰化を有する症例では，Ca 非含有リン吸着薬を選択する．
- リン吸着阻害薬：腸管における傍細胞リン輸送を阻害する薬剤としてテナパノル（フォゼベル®）が，2023 年 9 月に製剤販売承認された．

詳細については，販売開始後に薬剤添付文書などを確認されたい．

処方例

- リン吸着薬として，①〜⑥から選択して投与する．

①沈降炭酸カルシウム(カルタン®)
　1日3.0 gまで 3回に分割 食後投与
②セベラマー塩酸塩(レナジェル®)
　1日3.0〜9.0 g 3回に分割 食前投与
③ビキサロマー(キックリン®)
　1日1.5〜7.5 g 3回に分割 食前投与
④炭酸ランタン(ホスレノール®)
　1日750〜2,250 mg 3回に分割 食後投与
⑤スクロオキシ水酸化鉄(ピートル®)
　1日750〜3,000 mg 3回に分割 食前投与
⑥クエン酸第二鉄(リオナ®)
　1日1.5〜6.0 g 3回に分割 食後投与

- ホスレノール®にはチュアブル錠，顆粒分包，OD錠がある．チュアブル錠は必ず噛み砕いて服用する．
- ピートル®にはチュアブル錠と顆粒分包がある．チュアブル錠は必ず噛み砕いて服用する．
- ピートル®とリオナ®はどちらも鉄含有リン吸着薬であるが，ピートル®の効能は透析中のCKD患者における高リン血症の改善，リオナ®の効能はCKD患者における高リン血症の改善および鉄欠乏性貧血である．保存期CKD患者に使えるか否かという違いがある点には注意が必要である．
- セベラマー塩酸塩(レナジェル®，フォスブロック®)も保存期CKD患者には適用がない．
- 食前投与の薬剤と食後投与の薬剤がある．

b Ca管理

1. 管理目標値

- 血清補正Ca濃度の目標値：8.4〜10.0 mg/dL(週の初回透析開始時の値を用いる)．
- 血清Ca値が高いと異所性石灰化が亢進し，心疾患関連死が増加する．一方，低いと二次性副甲状腺機能亢進症が悪化する．

2. 治療

- 低カルシウム血症の場合，Ca製剤を用いる．血清P濃度が6.0 mg/dL

未満であれば，活性型ビタミン D 製剤の併用を考慮する．
▶高カルシウム血症の場合，まずは活性型ビタミン D 製剤や Ca 製剤の過剰投与など医原性の要因を取り除く．低カルシウム透析液を用いるのも 1 つの手段である．不動やサルコイドーシスなど，高カルシウム血症を引き起こす病態の鑑別も行う．

> **処方例**
> 乳酸カルシウム
> 1 日 1.5～3.0 g 3 回に分割 経口投与
> ✒炭酸カルシウムと比較し，乳酸カルシウムは腸管吸収効率がよい．
> ✒低カルシウム＋高リン血症であれば，炭酸カルシウムの使用を考慮する．
> ✒Ca 製剤の腸管吸収は空腹時のほうがよいため，必要であれば食間投与も検討する．

C 副甲状腺ホルモン（PTH）管理

1. 管理目標値

▶iPTH 濃度の目標値：60～240 pg/mL．
▶iPTH の管理目標値は健常人よりも高いが，これは生命予後の観点から設定されている[9]．iPTH と生命予後は J カーブ関係にあり，iPTH が低すぎても高すぎても生命予後が悪化する．
▶管理優先度は血清 P 濃度＞血清補正 Ca 濃度＞iPTH 濃度とされているが，iPTH レベルを適切に保つと血清 P・Ca 濃度の管理が容易になるため，血清 P・Ca 濃度とともに iPTH 濃度の適正化を図る．
▶透析患者において，iPTH 濃度はおおむね骨代謝回転を反映する．iPTH 濃度が低いと，骨における P・Ca のバッファ機能が低下する．一方，iPTH 濃度が高いと骨からの P・Ca 溶出が亢進する．

> **リン吸着薬の数に注意**
> 透析患者は数多くの薬剤を内服しており，内服錠数の約半分を占めるのがリン吸着薬である．あまりにリン吸着薬の量が多いと，処方しても実際には服用されない場合があるので，服薬アドヒアランスについても注意が必要である．

2. 治療

1) iPTH＜60 pg/mL の場合
①活性型ビタミン D 製剤の中止・減量．
②Ca 含有リン吸着薬から Ca 非含有リン吸着薬への変更．
③低カルシウム透析液の使用．

2) iPTH＞240 pg/mL の場合
▶軽度の上昇であれば，活性型ビタミン D 製剤を内服させる．
▶重度(iPTH＞300 pg/mL 程度)であれば，活性型ビタミン D 製剤の静脈注射，Ca 受容体作動薬を使用する．
▶活性型ビタミン D 製剤を使用する際には，高カルシウム血症，高リン血症に注意が必要である．また，Ca 受容体作動薬を使用する際には低カルシウム血症に注意が必要である．

処方例

■ ①〜⑧を 1 種類または複数組み合わせて投与する．

①アルファカルシドール(ワンアルファ®)
　1 日 0.25〜0.5 μg　1 回　経口投与

②カルシトリオール(ロカルトロール® カプセル)
　1 日 0.25 μg　1 回　経口投与

③カルシトリオール(ロカルトロール® 注)
　0.5〜1.5 μg/回　週 1〜3 回
✐透析終了の返血時に，透析回路静脈側に注入する．

④マキサカルシトール(オキサロール®)
　2.5〜20 μg/回　週 3 回
✐透析終了の返血時に，透析回路静脈側に注入する．

⑤シナカルセト(レグパラ®)
　1 日 25〜100 mg　1 回　経口投与

⑥エボカルセト(オルケディア®)
　1 日 1〜12 mg　1 回　経口投与

⑦エテルカルセチド(パーサビブ®)
　2.5〜15 mg/回　週 3 回
✐透析終了の返血時に，透析回路静脈側に注入する．

⑧ウパシカルセト(ウパシタ®)
　25〜300 μg/回　週 3 回
✐透析終了の返血時に，透析回路静脈側に注入する．

3) 内科的治療に抵抗性の二次性副甲状腺機能亢進症（iPTH＞500 pg/mL）の場合

▶副甲状腺摘出術（PTx）＋自家副甲状腺移植術を考慮する.

▶PTx 後の hungry bone syndrome（飢餓骨症候群）時には，大量の活性型ビタミン D 製剤と Ca 製剤で血清 Ca 濃度を補正する必要がある.

5 腎移植後の治療

▶遷延する相対的な副甲状腺機能亢進症により，透析期と異なり高カルシウム血症，低リン血症が観察される. このため，移植前から副甲状腺に対する十分な管理を行うことが大切である.

▶生体腎移植の前に PTx が必要な副甲状腺腫大を認めた場合は，移植に先立って PTx を行うことが望ましい.

▶移植後は骨の PTH 抵抗性が消失するため，移植後 1 年で骨塩量が大幅に減少することが多い. このため，活性型ビタミン D 製剤やビスホスホネート製剤を保存期 CKD の使用条件に準じて用いる.

📖 文 献

1) 骨粗鬆症の予防と治療ガイドライン作成委員会（編）：骨粗鬆症の予防と治療ガイドライン 2015 年版. ライフサイエンス出版, 2015
2) グルココルチコイド誘発性骨粗鬆症の管理と治療のガイドライン作成委員会（編）：グルココルチコイド誘発性骨粗鬆症の管理と治療のガイドライン 2023. 南山堂, 2023
3) 顎骨壊死検討委員会：薬剤関連顎骨壊死の病態と管理：顎骨壊死検討委員会ポジションペーパー 2023. https://www.jsoms.or.jp/medical/pdf/2023/0217_1.pdf（2023 年 5 月閲覧）
4) 日本腎臓学会（編）：エビデンスに基づく CKD 診療ガイドライン 2023. 東京医学社, 2023
5) 日本骨粗鬆症学会 生活習慣病における骨折リスク評価委員会（編）：生活習慣病骨折リスクに関する診療ガイド 2019 年版. ライフサイエンス出版, 2019
6) 日本透析医学会：慢性腎臓病に伴う骨・ミネラル代謝異常の診療ガイドライン. 日透析医学会誌 2012；45：301-356

Side memo

Ca 受容体作動薬

Ca 受容体作動薬は Ca 受容体に対して，「Ca 濃度が高い」と疑似的に刺激する薬剤である. Ca 受容体は消化管にも分布し，ガストリン分泌上昇，胃酸分泌上昇，グレリン分泌抑制，コレシストキニン分泌促進，ペプチド YY（PYY）分泌促進，大腸における水分分泌抑制などにかかわっているため，Ca 受容体作動薬使用時には消化器症状が出現しやすい. 内服薬では，エボカルセトのほうがシナカルセトより消化器症状が出現しにくい.

7) National Kidney Foundation：K/DOQI clinical practice guidelines for bone metabolism and disease in chronic kidney disease. Am J Kidney Dis 2003；42（Suppl 3）：S1-S201

8) Kidney Disease：Improving Global Outcomes（KDIGO）CKD-MBD Update Work Group：KDIGO 2017 Clinical Practice Guideline Update for the Diagnosis, Evaluation, Prevention, and Treatment of Chronic Kidney Disease-Mineral and Bone Disorder（CKD-MBD）. Kidney Int Suppl（2011）2017；7：1-59

9) Taniguchi M, et al.：Serum Phosphate and Calcium Should be Primarily and Consistently Cortrolled in Prevalent Hemodialysis Patients. Ther Apher Dial 2013；17：221-228

27 CKD 患者の腎性貧血管理

1 診療ガイドライン

▶ 腎性貧血診療に関するわが国のガイドラインとして，「エビデンスに基づく CKD 診療ガイドライン 2023」[1] と，「慢性腎臓病患者における腎性貧血治療のガイドライン 2015 年版」[2]（以下，JSDT ガイドライン 2015 とする）がある．

2 腎性貧血の成因

▶ 腎性貧血とは，赤血球造血に必要なエリスロポエチンが腎臓の障害により十分に産生されないことを主因とする貧血である．

▶ エリスロポエチンは腎尿細管間質に存在する線維芽細胞の一部であるエリスロポエチン産生細胞から分泌され，骨髄赤芽球系前駆細胞のエリスロポエチン受容体に作用することで，成熟赤血球への分化・増殖を促進する．

▶ 慢性腎臓病（CKD）の進行に伴い，エリスロポエチン産生細胞は筋線維芽細胞に形質転換するかアポトーシスに陥り，エリスロポエチン産生能が低下する．このため，Hb の低下に見合った量のエリスロポエチンが産生されず，腎性貧血を生じる．

▶ また，エリスロポエチンへの反応性が低下すること（エリスロポエチン低反応性）も，CKD 患者の貧血の成因として重要である．

3 腎性貧血の診断

a 基準値

▶ 貧血の診断には，実測値である Hb を用いる（Ht は計算値である）．

▶ 「JSDT ガイドライン 2015」では貧血の診断に関して，健常人の Hb の平均値と標準偏差から表 27-1[2] に示す基準値を定めている．ただし，治療開始基準や目標とする Hb 値については別途記載する．

b 鑑別疾患

▶ CKD 以外のさまざまな疾患を除外する必要がある（図 27-1）[2]．

表 27-1 貧血の診断基準(Hb 値)

	60 歳未満	60 歳以上 70 歳未満	70 歳以上
男性	<13.5 g/dL	<12.0 g/dL	<11.0 g/dL
女性	<11.5 g/dL	<10.5 g/dL	<10.5 g/dL

〔日本透析医学会：慢性腎臓病患者における腎性貧血治療のガイドライン 2015 年版. 日透析医学会誌 2016；49：109[2]〕

▶とくに，消化管出血，鉄欠乏性貧血，悪性腫瘍，慢性炎症，葉酸・ビタミン B_{12} 欠乏の鑑別は重要である. また高齢者では，骨髄異形成症候群などの骨髄疾患も念頭におく.

c 血中エリスロポエチン濃度の測定

▶CKD 患者が，貧血にもかかわらず血中エリスロポエチン濃度低値を示す場合に，腎性貧血と診断する.

▶「JSDT ガイドライン 2015」では，血中エリスロポエチン濃度 50 mIU/mL 未満（ラジオイムノアッセイ法）で腎性貧血と診断することを提案している. ただし，わが国で現在，広く用いられている化学発光酵素免疫測定法では，およそ 30 mIU/mL 未満に相当する点に注意する.

▶血中エリスロポエチン濃度が前述の値を上回る場合は，他疾患の関与も疑うべきである.

4 貧血の頻度

a 保存期 CKD 患者

▶わが国の保存期 CKD 患者 4,460 例を対象にした横断研究において，Hb 11 g/dL 未満または赤血球造血刺激因子製剤（ESA）の使用で定義される貧血の頻度は表 27-2 のように報告されており，CKD ステージ G3b 以降に急速に増加する[3].

▶糖尿病性腎症では，より早期のステージ G3a から増加する.

▶注意すべきポイントとして，絶対的鉄欠乏〔トランスフェリン飽和度（TSAT）20%未満かつ血清フェリチン 100 ng/mL 未満〕が全ステージを通じて 9.3〜18%に認められる. したがって，CKD 患者の貧血診療において，鉄欠乏性貧血の除外は必須である.

▶また，造血に必要な鉄の利用障害を示唆する相対的鉄欠乏（TSAT 20%未満かつ血清フェリチン 100 ng/mL 以上）が 24.6〜41.2%と高率に認められるのも CKD 患者の特徴である.

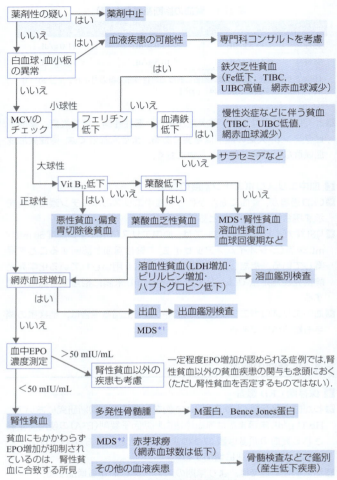

図 27-1 腎性貧血の鑑別診断

[*1]MDS における貧血は、大球性・正球性共に認められ、網赤血球数も減少から増加まで必ずしも一定しない。MDS では白血球や血小板にも異常を認めることが多いため、この点が MDS を疑う一助になる。診断には骨髄検査が必須であるため、疑った場合は専門科へのコンサルトを考慮する。

TIBC：総鉄結合能、UIBC：不飽和鉄結合能、MDS：骨髄異形成症候群、MCV：平均赤血球容積

〔日本透析医学会：慢性腎臓病患者における腎性貧血治療のガイドライン 2015 年版. 日透析医学会誌 2016；49：112[2])〕

表 27-2　保存期 CKD 患者の貧血の頻度

CKD ステージ	G1+G2	G3a	G3b	G4	G5
全体	2.5%	5.2%	16.2%	40.0%	73.8%
糖尿病性腎症	0%	19.6%	28.8%	52.6%	75.0%

〔Tanaka S, et al.：Prevalence, treatment status, and predictors of anemia and erythropoietin hyporesponsiveness in Japanese patients with non-dialysis-dependent chronic kidney disease：a cross-sectional study. Clin Exp Nephrol 2022；26：867-879[3]〕

b 血液透析患者

▶大半の血液透析患者が貧血治療を必要とするが，ESA 不使用でも貧血を呈さない症例が 1.8%存在すると報告されている[4].

▶このような症例の特徴として，男性，喫煙家，BMI 高値，長い透析歴，囊胞腎などがあげられている.

5　症状と所見

▶典型的な腎性貧血では Hb の低下は緩徐であるため，貧血の自覚症状に乏しいことが多い．しかし，ESA などによる貧血の是正により症状が改善する症例も見受けられるため，症状の有無にかかわらず，治療の開始基準と目標値に則って貧血治療を開始すべきである.

▶腎性貧血では，赤血球寿命の短縮により幼弱赤血球の割合が高くなり，平均赤血球容積（MCV）が高値になる傾向がある．このため，MCV が正常であっても鉄欠乏性貧血を除外することはできず，TSAT や血清フェリチンの測定が不可欠である.

6　治療

a 腎性貧血の治療

▶CKD 患者が貧血を呈する場合には，図 27-1[2] に示す鑑別疾患をまず除外する．とくに，鉄欠乏の診断と是正は重要である.

▶Hb が後述する治療開始基準に至った時点で，ESA の投与を開始する.

▶わが国で使用可能な ESA は 5 種類である（表 27-3）.

▶保存期 CKD 患者や腹膜透析患者では，通院間隔を考慮して長時間作用型製剤を皮下注射することが多い．血液透析患者では，透析回路から静脈内投与を行うことが一般的である.

表 27-3　わが国で使用可能な赤血球造血刺激因子製剤

短時間作用型	エポエチンアルファ
	エポエチンベータ
	エポエチンカッパ
長時間作用型	ダルベポエチンアルファ
	エポエチンベータペゴル

b 治療開始基準と目標 Hb 値

▶個々の症例の QOL, 背景因子, 病態に応じて, 目標値は柔軟に設定することが望ましい.

1. 保存期 CKD 患者, 腹膜透析患者

▶維持すべき目標 Hb 値は, 10 g/dL 以上, 13 g/dL 未満とする[1].
▶複数回の検査で Hb 10 g/dL 未満となった時点で治療を開始する[1].

2. 血液透析患者

▶維持すべき目標 Hb 値は, 週初めの血液検査で 10 g/dL 以上, 12 g/dL 未満とする.
▶複数回の検査で Hb 値 10 g/dL 未満となった時点で治療を開始する.

c 赤血球造血刺激因子製剤(ESA)の投与経路・投与量

1. 保存期 CKD 患者, 腹膜透析患者

▶投与経路：バスキュラーアクセス作製のための血管温存の観点からも, 皮下注射が望ましい.
▶投与量は添付文書の記載に基づいて投与する(表 27-4).

2. 血液透析患者

▶投与経路：血液透析回路からの静脈内投与が一般的である.
▶投与量は添付文書の記載に基づいて投与する(表 27-5).

d 鉄補充療法

1. 鉄補充療法の基準

▶「JSDT ガイドライン 2015」[2]では, 血清フェリチン 50 ng/mL 未満を絶対的鉄欠乏と定義し, この基準に当てはまる場合は, ESA に先行して鉄補充療法を行うことを推奨している.
▶ESA 投与中の症例では, 血清フェリチン 100 ng/mL 未満または TSAT 20%未満の場合に鉄補充療法を行う.
▶鉄過剰による酸化ストレス, 感染症, 心血管イベントのリスク上昇が懸念されるため, 血清フェリチン 300 ng/mL 以上となる鉄補充療

表 27-4 保存期 CKD 患者，腹膜透析患者に対する赤血球造血刺激因子製剤(ESA)の用法・用量

薬剤名	用法・用量
エポエチンアルファ エポエチンベータ	・週 1 回 6,000 単位の皮下投与から開始する. ・Hb 値が維持されている場合は 1 回 6,000〜12,000 単位を 2 週に 1 回投与する. ・投与間隔が短くなるため，患者の利便性を考慮して今日ではあまり用いられない.
ダルベポエチンアルファ	・初回投与量は 2 週に 1 回 30 μg とし，他の ESA からの切り換え例では 2 週に 1 回 30〜120 μg で開始する. ・維持投与量は 2 週に 1 回 30〜120 μg である. ・Hb 値が維持されている場合は，倍量を 4 週に 1 回投与するが，1 回あたりの最高投与量は 180 μg である.
エポエチンベータペゴル	・初回投与量は 2 週に 1 回 25 μg とし，他の ESA からの切り換え例では 4 週に 1 回 100 μg または 150 μg とする. ・維持投与量は 4 週に 1 回 25〜250 μg である. ・最高投与量は 250 μg である.

表 27-5 血液透析患者に対する赤血球造血刺激因子製剤(ESA)の用法・用量

薬剤名	用法・用量
エポエチンアルファ エポエチンベータ エポエチンカッパ	・1 回 1,500 単位の週 3 回投与から開始し，1 回 3,000 単位まで増量可能である.
ダルベポエチンアルファ	・初回投与量は週 1 回 20 μg とし，他の ESA からの切り換え例では週 1 回 15〜60 μg で開始する. ・維持投与量は 15〜60 μg/週である. ・週 1 回投与で Hb 値が維持されている場合は，倍量を 2 週に 1 回投与とすることも可能である. ・1 回あたりの最高投与量は 180 μg である.
エポエチンベータペゴル	・初回投与量は 2 週に 1 回 50 μg とし，他の ESA からの切り換え例では 4 週に 1 回 100 μg または 150 μg とする. ・維持投与量は 4 週に 1 回 25〜250 μg である. ・最高投与量は 250 μg である.

法は推奨されない．
- ESA投与中は，造血に伴い鉄の消費が亢進する．また，血液透析患者では回路内残血や頻回の採血，出血性合併症により鉄欠乏を生じやすく，1〜3か月に1度は鉄動態を評価する．

2. 鉄補充の方法

- 保存期CKD患者や腹膜透析患者では，バスキュラーアクセス作製のための血管温存の観点からも，経口投与を優先する．
- 鉄含有リン吸着薬は鉄補充としても有用である．
- 消化器症状などで服用困難な場合や，経口鉄剤では貧血の改善が不十分な場合は静脈内投与を検討する．
- 血液透析患者では透析回路からの静注鉄製剤投与が容易であり，第一選択となる場合が多い．しかし，経口投与でも貧血の改善が十分に得られることはしばしばあり，個々の患者の鉄欠乏・貧血の程度と副作用，服薬アドヒアランスを勘案して選択する．

処方例
含糖酸化鉄（フェジン®）
40 mg 週1回または2週に1回
- 透析終了時に，透析回路返血側から2分以上かけて投与するのが一般的である．
- 高度の鉄欠乏があれば，より積極的な投与も考慮するが，鉄過剰に注意する．

- 2020年よりカルボキシマルトース第二鉄（1回500 mg）も使用可能となったが，含糖酸化鉄よりも高用量での投与となり鉄過剰の懸念がある．診療報酬上の留意事項として，「原則として血中Hb値が8.0 g/dL未満の患者に投与することとし，血中Hb値が8.0以上の場合は手術前など早期に高用量の鉄補充が必要であって含糖酸化鉄による治療で対応できない患者にのみ投与すること」とされている．

7 赤血球造血刺激因子製剤（ESA）低反応性と対策

- 高用量のESAを投与しても目標Hb値を維持できない状態をESA低反応性とよぶ．明確な定義は確立していないが，わが国の保険診療で認められた用量のESAで目標Hb値が維持できない場合は，ESA低反応性の可能性がある．
- ESA低反応性症例は予後不良であり，その原因として，①低反応性を惹起する背景の病態，②低いHb値，③高用量ESAによる副作

表 27-6 赤血球造血刺激因子製剤（ESA）低反応性を惹起するおもな病態

病態	具体例
出血・失血	消化管出血，月経などの出血，回路内残血
造血障害・慢性炎症	感染症，炎症性疾患，自己免疫疾患 アルミニウム中毒，鉛中毒，高度の副甲状腺機能亢進症（線維性骨炎），透析不足，レニン・アンジオテンシン系阻害薬，悪性腫瘍
ビタミン・微量元素の不足	鉄欠乏，銅欠乏，亜鉛欠乏，葉酸・ビタミン B_{12} 欠乏，ビタミン C 欠乏，ビタミン E 欠乏
造血器腫瘍・血液疾患	多発性骨髄腫，溶血，異常ヘモグロビン症
脾機能亢進症	
抗エリスロポエチン抗体	
その他の因子	カルニチン欠乏

用，があげられる．
▶高用量の ESA は，高血圧，血栓塞栓症，心疾患，脳卒中のリスクを上昇させ，悪性腫瘍の進展に関与する可能性があるため，低反応性を惹起する病態を是正することで，可能な限り高用量での使用は回避する．
▶ESA 低反応性を惹起するおもな病態を表 27-6 に示す．

8 低酸素誘導因子プロリン水酸化酵素（HIF-PH）阻害薬

▶低酸素誘導因子（HIF）は，低酸素に対する生体応答を制御する中心的な転写因子である．正常酸素濃度下では，HIF-α はプロリン水酸化酵素（PHD）により水酸化され，プロテアソーム分解される．低酸素化では PHD 活性が低下し，HIF-α は安定化する．HIF-2α がエリスロポエチン産生に関与する．

鉄剤投与上の注意

含糖酸化鉄の禁忌として，重篤な肝障害がある．また，感染症，ウイルス肝炎，発作性夜間ヘモグロビン尿症例への鉄剤投与は慎重に行う．

表 27-7 低酸素誘導因子プロリン水酸化酵素(HIF-PH)阻害薬一覧

一般名(商品名)	開始用量	最高用量
ロキサデュスタット (エベレンゾ®)	(ESA 未治療)50 mg(週 3 回) (ESA 切り換え)70〜100 mg(週 3 回)	3.0 mg/kg
ダプロデュスタット (ダーブロック®)	保存期 CKD 　(ESA 未治療)2〜4 mg 　(ESA 切り換え)4 mg 血液透析・腹膜透析 　4 mg	24 mg
バダデュスタット (バフセオ®)	300 mg	600 mg
エナロデュスタット (エナロイ®)	保存期 CKD・腹膜透析 　2 mg(食前または就寝前) 血液透析 　4 mg(食前または就寝前)	8 mg
モリデュスタット (マスーレッド®)	保存期 CKD 　(ESA 未治療)25 mg 　(ESA 切り換え)25〜50 mg 血液透析・腹膜透析 　75 mg	200 mg

ESA:赤血球造血刺激因子製剤,HMG-CoA:ヒドロキシメチルグルタリル-CoA.

▶HIF-PH 阻害薬は PHD を阻害することで HIF-α を安定化させ,内因性エリスロポエチンの産生を促進する経口治療薬である.

> **抗エリスロポエチン抗体による赤芽球癆**
>
> ESA の投与中に,抗エリスロポエチン抗体の出現を伴う続発性赤芽球癆が発生することがある.特定の製剤(エポエチンアルファ)の皮下投与で圧倒的に多く発生することが知られているが,それ以外の製剤や静脈内投与でも発生し,その頻度は 1 万人あたり年間 0.02〜0.16 人とされる.初期治療は ESA の中止であるが,自然寛解はまれであり,カルシニューリン阻害薬などの免疫抑制治療を行う[5].

併用注意
・リン結合性ポリマー(セベラマー, ビキサロマー)
・多価陽イオンを含有する経口薬剤(Ca, 鉄, Mg, アルミニウムなどを含む薬剤)
・HMG-CoA 還元酵素阻害薬
・プロベネシド, gemfibrozil(国内未承認)
・CYP2C8 阻害薬(クロピドグレル, トリメトプリムなど)
・リファンピシン
・多価陽イオン(Ca, 鉄, Mg, アルミニウムなど)を含有する経口薬剤
・プロベネシド
・BCRP の基質となる薬剤(ロスバスタチン, シンバスタチン, アトルバスタチン, サラゾスルファピリジン, など)
・OAT3 の基質となる薬剤(フロセミド, メトトレキサート, など)
・リン吸着薬(セベラマー塩酸塩, ビキサロマー, 炭酸ランタン)
・多価陽イオン(Ca, 鉄, Mg, アルミニウムなど)を含有する経口製剤
・HIV プロテアーゼ阻害薬(アタザナビル, リトナビル, ロピナビル・リトナビル, など)
・チロシンキナーゼ阻害薬(ソラフェニブ, エルロチニブ, ニロチニブ, など)
・トラニラスト
・多価陽イオン(Ca, 鉄, Mg, アルミニウムなど)を含有する経口製剤

BCRP：乳癌耐性蛋白, OAT3：有機アニオントランスポーター 3, HIV：ヒト免疫不全ウイルス

▶HIF-PH 阻害薬の用法・用量ならびに, 併用に注意が必要なものを表 27-7 に示す.

▶ESA 投与後の血中エリスロポエチン濃度は生理的範囲を大きく逸脱するのに対し, HIF-PH 阻害薬では上昇が軽度である.

▶HIF は鉄代謝にも密接に関与しており, HIF-PH 阻害薬による鉄利用能(体内への鉄取込み, 網内系からの鉄リサイクル)の向上も貧血改善に寄与している. したがって, 炎症などで血清フェリチンが高く, 鉄利用障害が示唆される ESA 低反応例に有用かもしれない.

▶鉄利用能の亢進により鉄欠乏を招きやすいため, 定期的に鉄動態を評価し, 必要に応じて鉄補充を行う.

▶HIF は造血以外のさまざまな生理反応にもかかわることから, 現時点では副作用の懸念が十分に払拭されていない. とくに, 血栓症,

糖尿病性網膜症をはじめとする網膜増殖性疾患，悪性腫瘍の進展について，注意深い経過観察が必要である．

▶本剤の添付文書には「本剤投与中は患者の状態を十分に観察し，血栓塞栓症が疑われる徴候や症状の発現に注意すること」と記載されており，脳梗塞，心筋梗塞，肺塞栓に注意が必要である．

文 献

1) 日本腎臓学会：エビデンスに基づく CKD 診療ガイドライン 2023．東京医学社，2023
2) 日本透析医学会：慢性腎臓病患者における腎性貧血治療のガイドライン 2015 年版．日透析医学会誌 2016；49：89-158
3) Tanaka S, et al.：Prevalence, treatment status, and predictors of anemia and erythropoietin hyporesponsiveness in Japanese patients with non-dialysis-dependent chronic kidney disease：a cross-sectional study. Clin Exp Nephrol 2022；26：867-879
4) Goodkin DA, et al.：Naturally occurring higher hemoglobin concentration does not increase mortality among hemodialysis patients. J Am Soc Nephrol 2011；22：358-365
5) Bennett CL, et al.：Long-term outcome of individuals with pure red cell aplasia and antierythropoietin antibodies in patients treated with recombinant epoetin：a follow-up report from the Research on Adverse Drug Events and Reports（RADAR）Project. Blood 2005；106：3343-3347

28 CKD 患者の妊娠・出産の管理

▶妊娠中には生理的な血行動態学的適応が腎臓および全身性に起こり，糸球体濾過量（GFR）は増加，腎容積は増大する．

▶正常な妊婦であっても，妊娠は腎臓に負荷がかかるため，腎疾患患者が妊娠した場合，母体と児の両者にさまざまな程度のリスクを伴うことは，多くの観察研究で明らかである．

▶一方，自己免疫疾患や原発性糸球体腎炎などは若年女性でも多い疾患であり，慢性腎臓病（CKD）をもちながら，妊娠・挙児を希望する症例は少なくない．そのような場合の治療指針として，2017 年に腎臓内科医をおもな対象とした「腎疾患患者の妊娠：診療ガイドライン 2017」[1]が日本腎臓学会から発刊されている．

1 妊娠が腎臓に及ぼす生理的な影響

a 腎サイズの変化

▶妊娠によって腎の長径は 1〜1.5 cm 増大し，腎容積は約 30％増大する．

▶尿路系は拡張し，とくに腹部血管の圧迫を受けやすい右腎に水腎症を生じやすい．

b 腎血漿流量，糸球体濾過量の変化

▶平均血圧，全身血管抵抗は低下，心拍出量，腎血漿流量（RPF），GFR は増加する．

▶GFR は妊娠 4 週で 20％，9 週で 45％増加し，妊娠満期には 40％増加している．

▶妊娠初期には GFR より RPF のほうがより増加するため，濾過率（FF）はやや低下する．その後，妊娠 12 週〜妊娠後期に RPF は非妊娠時レベルまで低下するが，GFR は上昇し続けるため，FF は上昇する．これらの値は，出産後 4〜6 週で非妊娠時の状態に戻る．

c 循環血漿量，血圧の変化

▶腎以外に卵巣と脱落膜からレニンが産生され，またエストロゲンの影響により肝でアンジオテンシノーゲンが産生されるため，レニンおよびアルドステロン値は上昇する．

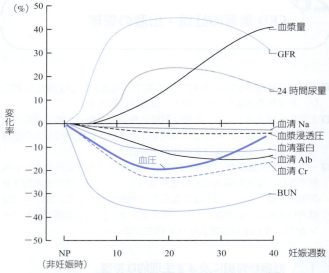

図 28-1　妊娠により生じる種々のパラメータの変化

〔Davison JM：Renal haemodynamics and volume homeostasis in pregnancy. Scand J Clin Lab Invest Suppl 1984；169：15-27[2)]〕

- レニン・アンジオテンシン系（RAS）の活性化の影響で，Na 貯留と循環血漿量の増加が起こる．
- Na は 900～1,000 mEq 貯留し，体液は 6～8 L 増加する．一方，さまざまな要因により血管拡張が起こり，血圧は低下する．

d 検査所見（図 28-1）[2)]

- Ht，血清 Cr，BUN は低下する．
- 血清 Na，血漿浸透圧は低下する．
- 妊娠初期には血清尿酸値はやや低下するが，妊娠末期にかけて尿酸クリアランスが低下し，血清尿酸値は上昇する．

2　CKD 患者が妊娠を希望したときのリスク評価

a CKD 患者が妊娠を希望した場合

- 軽度～中等度の CKD 患者の妊娠についての報告によると，CKD 症例では妊娠後に蛋白尿が増加し，血清 Cr も上昇した．CKD ステー

表 28-1　母体の妊娠前後の蛋白尿と血清 Cr 値

CKD stage	初回蛋白尿 (g/日)	最終回蛋白尿 (g/日)	初回 vs 最終回	初回血清 Cr 値 (mg/dL)	最終回血清 Cr 値 (mg/dL)	初回 vs 最終回
1 (n=45)	0.11	0.16	p=0.014	0.67	0.74	p=0.005
2 (n=13)	0.13	0.35	p=0.084	0.89	1	p=0.142
3 (n=11)	0.7	2.45	p=0.004	1.5	1.78	p=0.013
4〜5 (n=3)	0.63	1.63	NA	2.74	2.7	NA
全症例 (n=72)	0.19	0.31	p<0.001	0.74	0.79	p<0.001

〔Piccoli GB, et al.：Pregnancy and chronic kidney disease：a challenge in all CKD stages. Clin J Am Soc Nephrol 2010；5：844-855[3]〕

ジごとの検討でも，妊娠前よりも妊娠後で悪化する傾向がみられた（表 28-1)[3].

▶CKD 症例から出生した児の予後は，帝王切開率，早産率，在胎週数，出生体重，集中治療室収容率のいずれも有意差をもって健常人から出生した児より悪かった．また健常人から出生した児と CKD ステージ G1 の患者から出生した児を比較したところ，すべてにおいてすでに有意差が認められた（表 28-2)[3]．このことから，CKD 患者の妊娠は，早期のステージであっても，妊娠中には厳重な管理が必要と考えられる．

▶CKD 重症度分類のステージ G1〜2 であっても，妊娠合併症のリスクは高い．また CKD ステージ G3〜5 では，腎機能障害が重度になるほど妊娠合併症のリスクは高く，腎機能低下，透析導入の可能性もある．

▶妊娠を希望する腎疾患患者に対しては，腎機能，尿蛋白を再評価し，治療中の薬剤が妊娠に影響がないかを確認する．そのうえで，このようなリスクについて十分説明する必要がある[1]．

b 原疾患別の注意点

▶現段階では，腎炎の組織型による妊娠への影響の違いは明らかではない.

表 28-2　胎児の予後

| | 対照 (n=267) | CKD ステージ | | | | |
		G1 (n=61)	G2 (n=15)	G3 (n=11)	G4 (n=4)	全ステージ
帝王切開率	24.7%	57.4%	40%	81.8%	75%	58.2%
37週前出産	4.9%	32.9%	40%	90.9%	100%	44%
34週前出産	1.5%	14.8%	13.3%	54.5%	50%	20.9%
在胎週数	39.2±1.9	36.9±2.9	36.7±2.9	33.6±2.8	32±3.2	36.2±3.2
出生体重	3,268±500.4	2,795.7±745	2,671.3±518	2,050.5±696	1,246.3±397.1	2,631.7±786.5
NICU入室率	1.1%	18%	20%	54.5%	100%	26.7%

〔Piccoli GB, et al. ：Pregnancy and chronic kidney disease ：a challenge in all CKD stages. Clin J Am Soc Nephrol 2010 ；5 ：844-855[3]〕

▶代表的な疾患，注意すべき疾患の注意点を以下に示す．

1. IgA 腎症

▶腎炎の組織型としては IgA 腎症の頻度がもっとも高く，若年での発症も多いため，妊娠・出産が可能な女性が罹患していることが多い．

▶IgA 腎症では，尿蛋白が少なく腎機能が保たれていると，妊娠・出産の予後はよい．

▶また，妊娠・出産は IgA 腎症の長期予後にほとんど影響を及ぼさない．妊娠後の腎機能低下のリスク因子は，妊娠前の尿蛋白と考えられている．

2. ループス腎炎

▶全身性エリテマトーデス（SLE）は比較的若年女性に好発するため，その経過中に妊娠・出産することも少なくない．

▶SLE 患者では，早期分娩，子宮内発育遅延，妊娠高血圧症候群，子癇などの合併症の頻度が高くなる．

▶妊娠合併症のリスク因子は，SLE の疾患活動性，ループス腎炎（LN），抗リン脂質抗体陽性，高血圧などである．

▶妊娠合併症のリスクを低下させるため，妊娠前 6 か月間の寛解維持が必要である．

▶抗 SS-A 抗体を有する場合，1〜2％で胎児に房室ブロックがみられ

るため，注意を要する．

▶抗リン脂質抗体症候群合併妊娠に対する基本的治療は，妊娠初期からの低用量アスピリン＋未分画ヘパリン療法である．

3. 糖尿病性腎症

▶妊娠初期の血糖コントロールが不良の場合，児の先天異常や流産の頻度が高くなるため，妊娠前からの治療・管理が必要であり，計画妊娠が望まれる．

▶血糖コントロール指標が正常に保たれていることが望ましい．HbA1c 7.0%未満が，妊娠が許容されるめやすである．

▶糖尿病性腎症第2期（早期腎症期）程度までは，合併症のリスクは高いものの，腎機能に明らかな影響は認められないことが多いが，3期（顕性腎症期）以降の妊娠は合併症リスクが高く，腎機能悪化のおそれがあり，十分な説明が必要である．

▶妊娠高血圧症候群（とくに妊娠高血圧症）を発症した糖尿病合併女性は，将来的に腎症や網膜症の増悪リスクが高いため，分娩後も慎重なフォローアップが必要である．

4. 多発性嚢胞腎

▶多発性嚢胞腎例が妊娠した場合，妊娠高血圧症候群，帝王切開の合併症の頻度が高くなる．

▶多発性嚢胞腎の約7%に脳動脈瘤の合併を認めるため，分娩前に脳動脈瘤の有無を精査することが望ましい．

▶多発性嚢胞腎に対し，嚢胞の増殖と腎不全の進行を抑制するため，バソプレシンV_2受容体拮抗薬の1つであるトルバプタンが，2014年3月に承認された．添付文書では，トルバプタンは動物実験で催奇形，胚・胎児死亡が認められており，妊娠および妊娠を希望する患者には投与せず，投与時は適切な避妊をすることが必要とされている．

5. 透析患者

▶健常妊婦と比較して人工流産，自然流産，胎児死亡，新生児死亡の頻度が高く，妊娠予後も良好とはいえない．

▶1971年に初めて，透析患者の出産が報告された．1980年代の透析患者の妊娠率ならびに生児を得る確率は低く，1990年代以降は妊娠率も生児を得る確率も高くなったものの，依然，生児を得る確率は60〜80%と低い．

▶頻回長時間透析により，生児率が上昇するという報告もある（表28-3）[1]．

▶透析患者が妊娠・出産を強く希望する場合は，妊娠予後や合併症，頻回長時間透析による妊娠予後改善の可能性について，十分情報提

28

CKD患者の妊娠・出産の管理

451

表 28-3　透析患者の妊娠予後および合併症

報告者	報告年	研究期間	国	研究デザイン	妊娠数	人工流産(%)	自然流産(%)[§]
Shahir AK	2013	1966〜2008	Australia and New Zealand	レジストリー	49	22	6
Bahadi A	2010	1999〜2007	Morocco	症例集積,単施設,後ろ向き	9	0	22
Luders C	2010	1988〜2008	Brazil	症例集積,単施設,後ろ向き	52	0	0
Asamiya Y	2009	1986〜2007	Japan	症例集積,単施設,後ろ向き	33	15	14
Barua M	2008	2001〜2006	Canada	コホート,多施設,後ろ向き	7	14	0
Chou CY	2008	1999〜2006	Taiwan	症例集積,単施設,後ろ向き	13	23	0
Tan LK	2006	1995〜2004	Singapore	症例集積,単施設,後ろ向き	11	0	18
Haase M	2005	2000〜2004	Germany	症例集積,単施設,前向き	5	0	0
Malik GH	2005	1992〜2003	Saudi Arabia	症例集積,単施設,前向き	12	0	25
Eroglu D	2004	2000〜2002	Turkey	症例集積,単施設,後ろ向き	7	0	0
Moranne O	2004	1995〜2001	France	不明	7	14	0

平均値±SD，平均値あるいは中央値（最小値–最大値）
—：記載なし．[§]：人工中絶例を除いた%，[#]：生児のみの値

胎児死亡(%)§	新生児・乳児死亡(%)§	生児(%)§	出生時体重(g)	妊娠週数	早産(%)	母体高血圧(%)	羊水過多(%)
10	5	79	2,531 (800〜4,200)	—	53	—	5
22	0	56	2,380 (1,800〜2,900)#	35 (34-36)#	100	56	44
8	6	87	1,554±663	32.7±3.1	85	70	40
4	18	64	1,414±759	28.3±9.0	92	39	39
0		100	2,417±657	36.2±3.0	50	33	0
30	20	50	1,511±284	30.8±1.6	100	40	60
0	0	82	1,390±705	31 (2〜36)	100	64	18
0	0	100	1,765±554	32.8±3.3	80	40	40
0	17	58	1,700 (1,115〜2,300)	31.5 (27〜36)	100	67	42
0	14	86	1,400 (420〜2,640)	32 (26〜36)	100	43	29
0	17	83	1,495 (660〜1,920)	31 (24〜34)	100	50	83

〔日本腎臓学会学術委員会 腎疾患者の妊娠：診療の手引き改訂委員会：腎疾患患者の妊娠：診療ガイドライン 2017. 診断と治療社，2017：30[1)]〕

供する.

6. 腎移植患者

▶腎移植後は妊孕性の回復がみられ, 透析患者よりも妊娠率は上昇する.

▶合併症として, 妊娠高血圧腎症, 妊娠糖尿病, 帝王切開, 早産の頻度が健常妊婦よりも高いことがあげられる. 早産の原因として, 高血圧の合併や免疫抑制薬使用による易感染性などの関与が考えられる.

▶腎機能が安定し, 感染症や催奇形性のある薬剤の使用がなく, 免疫抑制薬も維持量の患者に対しては, 移植後 1 年以上経過すれば比較的安全に妊娠・出産が可能と思われる.

---

3 CKD 患者の妊娠管理

a 腎機能の評価

▶妊娠中, 血清 Cr は低下する.

▶正確な腎機能評価は Cr クリアランス測定が望ましい.

b 尿検査

▶蛋白尿スクリーニングには, 随時尿の試験紙法による尿蛋白半定量法を用いる. ただし, 随時尿による蛋白尿スクリーニングでは, しばしば偽陽性になるため, 正確に測定するためには蓄尿を行う.

▶蛋白尿スクリーニングでは, 中間尿を採取することが望ましい.

▶尿蛋白 2+ 以上は病的蛋白尿の可能性が高い.

▶随時尿での尿蛋白定量/尿 Cr 定量(P/C 比)は, 妊婦における蛋白尿評価においても 24 時間尿中蛋白定量法の代替法として用いられている.

▶妊婦においては, 尿中蛋白排泄量 300 mg/日以上あるいは 0.27 g/gCr を病的蛋白尿として考える.

c 血圧管理

▶正常妊婦では, 妊娠初期〜20 週にかけて血圧は軽度低下し, その後, 40 週にかけて軽度上昇する. 診察室での測定のみでは白衣高血圧, 仮面高血圧の可能性があり, 家庭血圧測定も重要である.

▶降圧薬を内服している場合は, 妊娠判明した時点で妊婦が使用可能な降圧薬に変更する.

▶妊娠高血圧症候群では, 血圧 160/110 mmHg 以上の重症高血圧で降圧療法が必要となる. 降圧目標は軽症高血圧レベル(140〜160/80〜110 mmHg)とする.

表 28-4　妊娠中の腎生検の適応

①妊娠 30～32 週以前
②妊娠により腎機能が悪化
③妊娠高血圧腎症以外の疾患が疑われる
④分娩以外の治療が考慮される

〔Lindheimer MD, et al.：Renal biopsy in pregnancy-induced hypertension.
J Reprod Med 1975；15：189-194[4)]〕

d 血糖管理

▶母体や児の合併症を予防するため，妊娠中の血糖管理は朝食前血糖値 70～100 mg/dL，食後 2 時間血糖値 120 mg/dL 未満，HbA1c 6.2% 未満を目標とする．

▶妊娠前，妊娠中，周産期，授乳期の薬物治療にはインスリンを用いる．

e 腎生検の適応

▶妊娠中に出現した尿異常や腎機能低下が糸球体腎炎によるものか妊娠高血圧腎症によるものかを鑑別するには，腎生検が必要である．

▶妊娠中の腎生検の適応について，表 28-4[4)]に示す．

▶妊娠中は腎生検合併症の出現率が高い．母体ならびに児へのリスクを考慮すると，妊娠中に腎生検を施行することは慎重でなければならない．

f 維持透析患者

▶妊娠中の透析は，透析前の BUN 50 mg/dL 未満を目標として，週 4 回以上，週あたりの透析時間は 20 時間以上をめやすに行う．

▶過度の除水による低血圧を予防するため，透析間の体重増加を抑える．妊娠中期～末期にかけては，体液量の評価を行いつつ，ドライウエイトは週あたり 0.3～0.5 kg の増加をめやすとする．

▶貧血の管理は，目標 Hb 値 10～11 g/dL とする．

4　妊娠中に使用できる薬物

a 降圧薬

▶妊娠中の経口降圧薬の第一選択はメチルドパ，ヒドララジン，ラベタロールで，妊娠20週以降であれば長時間作用型ニフェジピンとアムロジピンが使用可能である．1剤で十分な降圧が得られない場合，2 剤併用する．

455

▶また，緊急に降圧が必要とされる場合は，静注薬(ニカルジピン，ニトログリセリン，ヒドララジン)を用いる．

1. 経口薬

1) メチルドパ

▶中枢性交感神経抑制薬で，現在でも妊娠高血圧症候群の治療にもっともよく用いられる降圧薬である．

▶明確なエビデンスはないが，40年以上にわたり使用されており，母体および児に重篤な副作用があったとする報告はほとんどない．

▶一般的な副作用としては，眠気，口渇感，全身倦怠感，溶血性貧血，肝障害などがあげられている．

処方例
メチルドパ(アルドメット®)
1日 250〜2,000 mg 1〜3回に分割 経口投与

2) ヒドララジン

▶血管拡張薬で，副作用としては頭痛，心悸亢進，心不全などの副作用がある．

処方例
ヒドララジン(アプレゾリン®錠)
1日 30〜200 mg 3〜4回に分割 経口投与

3) ラベタロール

▶ $\alpha_1\beta$ 遮断薬で，欧米諸国では比較的よく用いられており，少なくとも安全性の面で大きな問題はないと思われる．

処方例
ラベタロール(トランデート®)
1日 150〜450 mg 3回に分割 経口投与

4) 長時間作用型ニフェジピン・アムロジピン

▶添付文書では，妊娠20週未満または妊娠している可能性のある女性では以前と同様に禁忌とされているが(動物実験ではあるが，催奇形性が報告されている)，妊娠20週以降の妊婦に投与する場合には，治療上の有益性が危険性を上回ると判断された場合にのみ投与することと改訂された．

▶急激かつ過度の血圧低下とならないよう長時間作用型製剤の使用を基本とし，剤形ごとの特徴を十分理解したうえで投与すること，母体や胎児および新生児の状態を十分に観察し，過度の血圧低下や胎

児胎盤循環の低下などの異常が認められた場合には適切な処置を行うこととされている．
- ニフェジピンとアムロジピン以外のCa拮抗薬に関しては，添付文書上，妊婦および妊娠している可能性のある女性では禁忌とされている．

> **処方例**
> ニフェジピン（ニフェジピン CR 錠）
> 1日 20〜40 mg 1回 経口投与

2. 静注薬

1）ニカルジピン
- Ca拮抗薬で，おもに手術時の異常高血圧の救急処置，高血圧緊急症，および急性心不全に使用されている．
- 副作用として，麻痺性イレウス，低酸素症，肝機能障害がある．

> **処方例**
> ニカルジピン
> 5%ブドウ糖液で希釈し，ニカルジピン塩酸塩として 0.01〜0.02%（1 mL あたり 0.1〜0.2 mg）溶液を 0.5〜6 μg/kg/分で投与開始
> ☞血圧をモニターしながら，速度を調整する．

2）ニトログリセリン
- 手術時の低血圧維持，手術時の異常高血圧の救急処置，急性心不全および不安定狭心症に使用されている．
- 重大な副作用として，急激な血圧低下，心拍出量低下などがある．

3）ヒドララジン
- 経口投与と静脈投与が可能であることから古くより使用されており，経験的に安全とされている．

4）硫酸マグネシウム（$MgSO_4$）
- 降圧薬ではないが，子癇治療薬 $MgSO_4$ は軽い降圧作用を有する．
- 子癇の切迫症状を有する重症の妊娠高血圧腎症患者に対しては子癇発症予防効果もあり，分娩誘導を行うときや産褥24時間など子癇発症のリスクが高い状況で広く使用されている．

b 免疫抑制薬

- 副腎皮質ステロイドは，添付文書上，妊婦または妊娠している可能性のある女性には，治療上の有益性が危険性を上回ると判断される

場合にのみ投与することとされており，病状の維持に必要な場合，妊娠中も継続して使用可能である．

▶シクロスポリン，タクロリムスは催奇形性はとくに認められておらず，病状の維持に必要な場合は継続して使用可能である．添付文書上も，妊娠または妊娠している可能性のある女性には，治療上の有益性が危険性を上回ると判断される場合にのみ使用することとされている．

▶アザチオプリンは，早産や奇形率が高いという報告や出生児の発達障害のリスク因子であるとの報告もみられ，添付文書上，妊娠または妊娠している可能性のある女性には治療上の有益性が危険性を上回ると判断される場合にのみ投与すること，妊娠する可能性のある女性には本剤が有するリスクを説明することとされ，可能な限り，投与期間中の妊娠は避けることが望ましいとされている．

▶ミコフェノール酸モフェチルは，胎児奇形の危険性が多く報告されており，妊娠中の使用は禁忌である．

▶シクロホスファミドは催奇形性が認められ，量と年齢により妊孕性に影響を及ぼす．したがって，妊娠を希望する際には使用を控えるべきである．

Side memo

レニン・アンジオテンシン系(RAS)阻害薬

　RAS阻害薬〔アンジオテンシン変換酵素(ACE)阻害薬，アンジオテンシンⅡ受容体拮抗薬(ARB)〕は胎児奇形のおそれがあり，羊水過少症，胎児・新生児の死亡，新生児の低血圧，腎不全，高カリウム血症，頭蓋の形成不全などさまざまな障害をもたらすため，妊婦には禁忌である．

　しかし，CKD患者では腎保護を目的としてRAS阻害薬を内服している症例も多い．妊娠判明時には中止すべきであるが，妊娠初期のRAS阻害薬の使用は催奇形性の頻度が高くなるとする報告と，他の降圧薬と同様との報告があり，一定しない．胎児への安全性を考慮し，妊娠可能な女性へのRAS阻害薬の投与は慎重に検討し，妊娠を希望した時点で薬剤の変更を考慮すべきである．内服中の患者への妊娠に関する十分な教育も必要であり，内服中に妊娠が明らかとなった場合は可及的速やかに中止するよう説明する．

　一方，腎保護作用を期待して内服継続している患者にとっては，妊娠を希望した時点での薬剤の変更は腎機能悪化の不利益を被る可能性もあるため，催奇形性は他の降圧薬とほぼ同等であるという十分な説明と同意のうえで，妊娠成立まで継続することも可能である．

- ミゾリビンは催奇形性を疑う症例報告があり，添付文書上，妊婦には使用禁忌である．
- 欧米でのSLE治療アルゴリズムでループス腎炎に対する第一選択薬となっているヒドロキシクロロキンが，2015年7月にわが国でもSLEに対して認可された．添付文書では，妊婦に対しては，治療上の有益性が危険性を上回ると判断される場合のみ投与することとなっている．SLE患者では妊娠中，本剤を継続した群が中止した群より病勢が安定し，副腎皮質ステロイドの増量が不要で，児の予後も良好であったとの報告が多数ある．乳汁移行もわずかにあるが，米国小児学会の声明をはじめ，欧米の臨床では授乳可とされている場合が多く，母乳栄養との両立が容認されている．

5 産褥期の注意点

a 腎生検を検討すべき時期

- 出産後12週以降も尿蛋白が持続している場合，妊娠高血圧腎症以外の腎疾患を念頭において，腎生検を検討すべきである．
- 出産後12週以前であっても，高度の蛋白尿が持続する場合や妊娠高血圧腎症が否定的な場合などは，専門医の判断で腎生検を考慮すべきである．

b 出産後の腎予後

- 妊娠前の腎機能が悪いほど，出産後の腎機能低下のリスクは高くなる．

Side memo

授乳中に使用できる薬物

授乳中，安全に使用できる降圧薬はラベタロール，メチルドパ，ヒドララジン，ニフェジピン，ニカルジピン，ジルチアゼム，アムロジピン，カプトプリル，エナラプリルである．免疫抑制薬に関してはエビデンスは少ないが，児に明らかに異常がみられたという報告はない．ほかに腎疾患関連薬として安全に使用できるとされるのは，アロプリノール(痛風治療薬)，カルシトリオール(活性型ビタミンD製剤)，スピノロラクトン(利尿薬)である．

LactMed® や国立成育医療研究センター「妊娠と薬情報センター」などの専門webサイトでは，最新の情報が追加されている．

▶妊娠高血圧症候群の既往は末期腎不全のリスクとなりうる.

6 妊娠高血圧症候群

▶以前は妊娠中毒症という名称で, 高血圧, 蛋白尿, 浮腫が3主徴とされてきたが, 2005年に妊娠高血圧症候群(pregnancy induced hypertension：PIH)と改められ, 妊娠20週以降の高血圧と蛋白尿の状態によって診断されていた. PIHの本態は高血圧であるとされ, 浮腫は症候から除外された.

▶その後, 妊娠前からの高血圧や, 妊娠20週以前に発生した高血圧もPIHに加えることになり, 2018年には英語表記が"hypertensive disorders of pregnancy(HDP)"に変更された. 今後も定義・分類の見直しが検討されている.

a 定義

▶HDPの病型分類を表28-5[5]に示す.

▶分娩後12週までに高血圧がみられる場合, または高血圧に蛋白尿が伴う場合のいずれかである.

▶高血圧のみで蛋白尿を伴わない場合を妊娠高血圧症(gestational hypertension), 蛋白尿を伴う場合には妊娠高血圧腎症(preeclampsia)※, 高血圧あるいは蛋白尿が妊娠20週より以前からあり, 20週以降に増悪する, または肝機能障害や神経障害, 子宮胎盤機能不全などを伴う場合には加重型妊娠高血圧腎症(superimposed preeclampsia)という.

▶妊娠20週以降に初めて痙攣発作を起こし, てんかんや二次性痙攣が否定されるものは子癇(eclampsia)という.

b 病態

▶病態はいまだにすべて解明されてはいないが, 近年2つのステージでHDPを発症すると考えられている.

▶第1ステージは, 胎盤形成時の絨毛細胞浸潤不良による胎盤低酸素の悪循環である. 正常妊娠においては, 絨毛細胞が脱落膜へ侵入し, 脱落膜らせん動脈の血管内皮細胞や血管平滑筋に置き換わり, らせん動脈のリモデリングが起こるが, 妊娠高血圧腎症では絨毛細胞の侵入とリモデリング不全のため胎盤は低酸素状態が続き, 血管内皮増殖因子(VEGF)の可溶型受容体である soluble fms-like tyrosine

---

※蛋白尿を認めない場合でも, 妊娠高血圧腎症とする場合もある.

表 28-5 妊娠高血圧症候群（HDP）の病型分類

妊娠高血圧腎症（PE）	1) 妊娠20週以降に初めて高血圧を発症し, かつ蛋白尿を伴うもので, 分娩後12週までに正常に復する場合. 2) 妊娠20週以降に初めて発症した高血圧に, 蛋白尿を認めなくても, 以下のいずれかを認める場合で, 分娩12週までに正常に復する場合. ①基礎疾患のない肝機能障害〔肝酵素上昇（ALTもしくはAST＞40 IU/L）, 治療に反応せず他の診断がつかない重度の持続する右季肋部もしくは心窩部痛〕 ②進行性の腎障害（Cr＞1.0 mg/dL, 他の腎疾患は否定） ③脳卒中, 神経障害（間代性痙攣, 子癇・視野障害・一次性頭痛を除く頭痛など） ④血液凝固障害〔HDPに伴う血小板減少（＜15万/μL）・DIC・溶血〕 3) 妊娠20週以降に初めて発生した高血圧に, 蛋白尿を認めなくても子宮胎盤不全を伴う場合.
妊娠高血圧（GH）	妊娠20週以降に初めて高血圧を発症し, 分娩12週までに正常に復する場合で, かつ妊娠高血圧腎症の定義に当てはまらないもの.
加重型妊娠高血圧腎症（SPE）	1) 高血圧が妊娠前あるいは妊娠20週までに存在し, 妊娠20週以降に蛋白尿, もしくは基礎疾患のない肝機能障害, 脳卒中, 神経障害, 血液凝固障害のいずれかを伴う場合. 2) 高血圧と蛋白尿が妊娠前あるいは妊娠20週までに存在し, 妊娠20週以降に, いずれかまたは両症状が増悪する場合. 3) 蛋白尿のみを呈する腎疾患が妊娠前あるいは妊娠20週までに存在し, 妊娠20週以降に高血圧が発症する場合. 4) 高血圧が妊娠前あるいは妊娠20週までに存在し, 妊娠20週以降に子宮胎盤機能不全を伴う場合.
高血圧合併妊娠（CH）	高血圧が妊娠前あるいは妊娠20週までに存在し, 加重型妊娠高血圧腎症を発症していない場合.

HDP：hypertensive disorders of pregnancy, DIC：播種性血管内凝固
〔日本妊娠高血圧学会：妊娠高血圧症候群の診療指針2021—Best practice Guide—. メジカルビュー社, 2021：8[5]より一部抜粋〕

kinase 1（sFlt-1）の産生を刺激し, 胎盤増殖因子（PIGF）の産生を抑制する. sFlt-1の過剰産生と低 PlGF 状態は free VEGF を減少させ, 胎盤での血管新生を抑制する. トランスフォーミング増殖因子 β（TGF-β）の可溶型受容体である soluble endoglin（sEng）の産生が増加し, 血管弛緩作用を抑制し, さらに胎盤は低酸素状態となる.

▶第1ステージで過剰産生された sFlt-1, sEng などの抗血管新生因子の母体循環系への移行が第2ステージである. sFlt-1は全身の血管

内皮細胞の機能を障害して高血圧や蛋白尿を惹起し，sEng も血管内皮機能を障害する．

▶ アンジオテンシンⅡ受容体 type 1 の自己抗体も妊娠高血圧腎症の病態形成に関与している可能性が示唆され，RAS の関与も注目されている．

c 疫学

▶ 妊婦の約 10％に発症する．

▶ リスク因子としては，高齢，遺伝的要因（妊娠高血圧腎症，高血圧，糖尿病の家族歴），高血圧症，腎疾患，糖尿病，肥満，初産などが知られている．

d 分類

▶ 重症分類を表 28-6[5]に示す．2018 年の分類から，軽症という用語は用いず，尿蛋白の多寡による重症分類も行わないと変更になった．

▶ 発症時期による分類として，妊娠 34 週未満に発症するものを早発型，妊娠 34 週以降に発症するものを遅発型という（表 28-6）[5]．

表 28-6　症候による亜分類

| ①重症について | 次のいずれかに該当するものを重症と規定する．なお，軽症という用語はハイリスクではない妊娠高血圧症候群と誤解されるため，原則，用いない．
1. 妊娠高血圧，妊娠高血圧腎症，加重型妊娠高血圧腎症，高血圧合併妊娠において，血圧が次のいずれかに該当する場合

| 収縮期血圧 | 160 mmHg 以上の場合 |
拡張期血圧	110 mmHg 以上の場合 | 2. 妊娠高血圧腎症，加重型妊娠高血圧腎症において，母体の臓器障害または子宮胎盤機能不全を認める場合 ※蛋白尿の多寡による重症分類は行わない．
②発症時期による病型分類	妊娠 34 週未満に発症するものは，早発型（EO） 妊娠 34 週以降に発症するものは，遅発型（LO） ※わが国では妊娠 32 週で区別すべきとの意見があり，今後，本学会で区分点を検討する予定である．

〔日本妊娠高血圧学会：妊娠高血圧症候群の診療指針 2021―Best practice Guide―．メジカルビュー社，2021：9[5]より一部抜粋〕

e 診断

▶ 妊娠時に高血圧を認めた場合に HDP と診断する.

▶ 白衣高血圧, 仮面高血圧など診察室では本来の血圧とは異なることがあり, 注意が必要である.

▶ 24 時間尿蛋白排泄量 300 mg 以上で病的蛋白尿と判断する.

▶ 随時の尿蛋白/Cr 比でも代用できる. 0.3 g/g・CRE 以上または, 24 時間の蓄尿または随時尿での P/C 比測定が実施できない場合は, 2 回以上の随時尿を用いたペーパーテストで 2 回以上連続して尿蛋白 1+ 以上陽性が検出された場合を, 蛋白尿と診断することを許容する.

f 治療

▶ 妊娠高血圧腎症は胎盤機能不全, 胎児機能不全, 子癇などの重篤な合併症をきたしやすい状態のため, 原則として入院管理を行う.

▶ 降圧治療は 160/110 mmHg 以上の重症高血圧に対して行う. 使用できる薬剤は, ヒドララジン, メチルドパ, アテノロール, 妊娠 20 週以降で長時間作用型ニフェジピンである (Side memo 参照, ☞p.459).

▶ 180/120 mmHg 以上では, 高血圧緊急症として速やかに降圧治療を開始する. また子癇発作予防に硫酸マグネシウムを投与する.

▶ HELLP (hemolysis, elevated liver enzyme, low platelet count) 症候群の合併がみられたら, 適切な方法で児の早期分娩を図る.

▶ 母体の腎機能障害や肝機能障害など臓器障害の併発や, コントロール不能な重症高血圧, 胎児機能不全などの所見が認められる場合も妊娠の終結がすすめられる. 予防としては, リスクの高い患者に対する低用量アスピリン療法が検討されている.

g 予後

▶ 通常, HDP は分娩が終了すると軽快する. しかし, 分娩後に子癇を発症することもあり注意が必要である.

▶ 分娩後 12 週以降も高血圧, 蛋白尿が持続する場合は加重型妊娠高血圧腎症とされ, 引き続き内科での管理が必要となる.

▶ HDP の既往のある女性は中高年になると, 高血圧, 脳・心血管障害, メタボリックシンドローム, さらには腎疾患などを発症しやすい.

▶ 生活習慣改善の指導によって心血管障害のリスクが減少したとの報告もあり, 出産後の健康管理も重要である.

7 妊婦の緊急治療を要する疾患

a 産科播種性血管内凝固（産科 DIC）

▶診断基準を表 28-7 に示す．

1. 治療

▶基礎疾患を除外し，出血や DIC の原因が子宮内の胎児胎盤にあると診断された場合は，速やかな娩出が必要である．

> **処方例**
> ■ 抗 DIC 治療として，①～⑥のうちいずれかを行う．
> ①新鮮凍結血漿
> 1 日 12～15 単位（960～1,200 mL）
> ✔フィブリノゲン 100 μg/mL 未満で適応．
> ②濃厚赤血球
> ✔血小板 1 万～2 万/μL 以下で適応．
> ✔外科的処置が必要な場合は 5 万/μL 以下で考慮する．
> ③アンチトロンビンⅢ
> 1 日 1,500～3,000 単位 点滴静注
> ✔アンチトロンビン活性 70％以下で適応．
> ④抗凝固療法
> ヘパリン 1 日 10,000～15,000 単位
> 低分子ヘパリン 1 日 4,000～5,000 単位
> ダナパロイドナトリウム 1,250 単位 12 時間ごと
> ⑤蛋白酵素阻害薬
> ガベキサートメシル酸塩 20～39 mg/kg/日
> ナファモスタットメシル酸塩 0.06～0.20 mg/kg/日
> ⑥抗急性循環不全薬
> ウリナスタチン 1 日 10 万～30 万単位

b 子癇（eclampsia）

1. 定義

▶妊娠 20 週以降に初めて痙攣発作を起こし，てんかんや二次性痙攣が否定されるもの．

▶HDP の妊婦に起こるが，重症のみではなく軽症でも起こり，妊娠中，分娩中，産褥期のいずれの時期にも発症する．

2. 症状

▶前駆症状として，頭痛，頭重，視覚異常，上腹部痛，悪心・嘔吐があるが，前駆症状を認めないこともある．

表 28-7　産科 DIC 診断基準

		点数
1 **基礎疾患**	**a）常位胎盤早期剥離**	
	[1] 子宮硬直，児死亡	5
	[2] 子宮硬直，児生存	4
	[3] 超音波断層所見および CTG 所見による早剥の診断	4
	b）羊水塞栓症	
	[1] 急性肺性心	4
	[2] 人工換気	3
	[3] 補助呼吸	2
	[4] 酸素放流のみ	1
	c）DIC 型後産期出血	
	[1] 子宮から出血した血液または採血血液が低凝固性の場合	4
	[2] 2,000 mL 以上の出血（出血開始から 24 時間以内）	3
	[3] 1,000 mL 以上 2,000 mL 未満の出血（出血開始から24 時間以内）	1
	d）子癇	
	[1] 子癇発作	4
	e）その他	
	[1] その他の基礎疾患	1

		点数
2 **臨床症状**	**a）急性腎不全**	
	[1] 無尿（≦5 mL/時）	4
	[2] 乏尿（5<～≦20 mL/時）	3
	b）急性呼吸不全（羊水塞栓症を除く）	
	[1] 人工換気または時々の補助呼吸	4
	[2] 酸素放流のみ	1
	c）心，肝，脳，消化管などに重篤な障害（それぞれ 4 点を加える）	
	[1] 心（ラ音または泡沫性の喀痰など）	4
	[2] 肝（可視黄疸など）	4
	[3] 脳（意識障害および痙攣など）	4
	[4] 消化管（壊死性腸炎など）	4
	d）出血傾向	
	[1] 肉眼的血尿およびメレナ，紫斑，皮膚粘膜，歯肉，注射部位などからの出血	4

（次ページへ続く）

表 28-7 つづき

			点数
2 臨床症状	e）ショック症状		
	[1] 脈拍≧100/分		1
	[2] 血圧≦90 mmHg（収縮期）または 40%以上の低下		1
	[3] 冷汗		1
	[4] 蒼白		1

			点数
3 検査項目	[1] 血清 FDP≧10 µg/mL		1
	[2] 血小板数≦10 万/mm³		1
	[3] フィブリノゲン≦150 mg/dL		1
	[4] プロトロンビン時間（PT）≧15 秒（≦50%） またはヘパプラスチンテスト≦50%		1
	[5] 赤沈≦4 mm/15 分または≦15 mm/時		1
	[6] 出血時間≧5 分		1
	[7] その他の凝固・線溶・キニン系因子（例：AT-Ⅲ≦18 mg/dL または≦60%），プレカリクレイン，α_2-PI，プラスミノゲン，その他の凝固因子≦50%		1

注：合算して 8 点以上となったら，DIC としての治療を開始する．

▶痙攣発作は突発性，全身性であり，典型例では強直性から間代性痙攣に移行する．

3. 発症機序

▶HDP では，血管内皮細胞の障害により脳血流自動調節能が破綻，血管原性浮腫をきたし，高血圧脳症の病態となる．

4. 治療

▶痙攣発作時には母体救急処置を最優先し，バイタルサインの確認，気道確保，静脈ルート確保，酸素投与，分娩前には胎児心拍数の確認を行う．他の痙攣発作を起こす疾患，とくに脳卒中との鑑別は，生命予後や治療方針の決定に重要である．

▶患者の容態が落ち着いたら，脳出血，脳梗塞など脳卒中の有無や脳浮腫の確認のため，頭部 CT，頭部 MRI を施行する．子癇は高頻度に HELLP 症候群，凝固障害を合併するため，血液検査も行う．

▶痙攣の抑制のため，抗痙攣薬の投与を行う．硫酸マグネシウム 4 g を 20 分以上かけて静注，その後 1～2 g/時で持続点滴静注するが，

難治性痙攣や痙攣重積時にはジアゼパムやフェニトインなどを使用する.

▶血圧 160/110 mmHg 以上の場合は, 降圧を開始する.

▶痙攣発作後は胎児機能不全に陥りやすいため, 適切な方法で早期娩出を図る.

c HELLP 症候群

▶HELLP 症候群は, 妊娠後期に溶血, 血小板減少, 肝酵素上昇を主病変とするものであるが, 蛋白尿, 急性腎障害, さらには意識障害, DIC などを引き起こしやすい.

1. 症状

▶初発症状は, 心窩部痛・上腹部痛, 悪心・嘔吐, 頭痛などである. 高血圧を合併していることが多い.

2. 診断

▶溶血(血清間接ビリルビン値上昇, 血清 LDH 上昇, 病的赤血球の出現), 肝機能障害, 血小板減少(10 万/μL 以下)で診断する.

3. 治療

▶妊娠 34 週以降であれば早期分娩とし, 34 週未満では母体の病態が安定していれば, 胎児の肺成熟目的に副腎皮質ステロイドを投与し, 24〜48 時間待機してから妊娠の終結とする.

▶同時に, 高血圧の管理, 子癇の予防(硫酸マグネシウム投与), DIC の治療などを行う.

d 急性妊娠脂肪肝(AFLP)

1. 症状

▶頭痛, 全身倦怠感, 悪心・嘔吐, 右季肋部痛を認める. 一般的には高血圧と蛋白尿は伴わない.

▶初期には凝固異常に伴う消化管出血, 急性腎障害, 感染, 膵炎, 低血糖を合併し, 病態の後期には肝性脳症を発症する.

2. 診断

▶肝機能障害, 凝固異常, 腎機能障害を呈し, 画像診断にて脂肪肝を認めることから診断できる.

3. 治療

▶早期の妊娠終結, および DIC, 肝不全, 腎不全に対する治療を行う.

| 8 | その他の注意すべき妊娠合併症 |

a 妊娠糖尿病（GDM）

1. 定義

▶妊娠中に初めて発見，または発症した糖代謝異常である．妊娠時に診断された明らかな糖尿病は含めない．

2. 診断

▶75 g 経口ブドウ糖負荷試験（75 g OGTT）で空腹時血糖 92 mg/dL 以上，1 時間値 180 mg/dL 以上，2 時間値 153 mg/dL 以上の 1 つ以上を満たす．

3. 治療

▶食事療法，運動療法を行っても，血糖の目標値（☞p.455）に達しない場合はインスリン治療を開始する．

4. 予後

▶ほとんどの症例は分娩後，耐糖能異常は改善するが，将来，糖尿病になりやすい．

b 尿路感染症（urinary tract infection）

1. 症状

▶頻尿，排尿時痛などを訴えるが，無症候性細菌尿もみられる．

2. 治療

▶原因菌としては Gram 陰性桿菌が多く，大腸菌がほとんどである．治療にはペニシリン系やセフェム系抗菌薬の経口投与を行う．

▶一般的に，妊娠中は膀胱尿管逆流（VUR）が起きやすく，膀胱炎から上行性に腎盂腎炎になりやすいことを考え，早めに治療を開始する．

📖 文 献

1) 日本腎臓学会学術委員会 腎疾患患者の妊娠：診療の手引き改訂委員会：腎疾患患者の妊娠：診療ガイドライン 2017．診断と治療社，2017
2) Davison JM：Renal haemodynamics and volume homeostasis in pregnancy. Scand J Clin Lab Invest Suppl 1984；169：15-27
3) Piccoli GB, et al.：Pregnancy and chronic kidney disease；a challenge in all CKD stages. Clin J Am Soc Nephrol 2010；5：844-855
4) Lindheimer MD, et al.：Renal biopsy in pregnancy-induced hypertension. J Reprod Med 1975；15：189-194
5) 日本妊娠高血圧学会：妊娠高血圧症候群の診療指針 2021—Best practice Guide—．メジカルビュー社，2021

29 移植腎患者の管理

1 腎移植

▶腎移植には大きく分けて生体腎移植と献腎移植があり(図 29-1)，全国で約 2,000 例ほどが行われている．
▶日本では 9 割以上が生体腎移植である[1]．

a 献腎移植

▶献腎移植を受けるには日本臓器移植ネットワークへ登録し，平均 15 年の待機期間が必要である．
▶所在地やヒト白血球抗原(HLA)マッチ数(161 点満点)，待機日数(約 1 点/年)で点数化される．
▶患者が 16 歳未満では 14 点，16 歳以上 20 歳未満では 12 点加点される．
▶先行的献腎移植申請が可能である．
▶献腎移植の 5 年腎生着率は 88%，10 年腎生着率は 74%であった[1]．

b 生体腎移植

▶近年は，透析療法を経ずに腎移植を行う先行的腎移植(PEKT)が増加している．
▶PEKT では，移植腎生着率や生存率が良好である．
▶生体腎移植の 5 年腎生着率は約 93%，10 年腎生着率は 81%であった[1]．
▶高齢者や糖尿病関連腎臓病(DKD)を原疾患とする末期腎不全の患者での生体腎移植が増加している．
▶ABO 血液型適合腎移植と血液型不適合腎移植の長期生着率はほぼ同程度か，不適合移植でやや悪い．

図 29-1 腎移植の分類

表 29-1　**生体腎移植レシピエントの条件**

①末期腎不全であること
②全身感染症がないこと
③活動性肝炎がないこと
④悪性腫瘍がないこと

〔日本移植学会：生体腎移植ガイドライン．http://www.asas.
or.jp/jst/pdf/guideline_002jinishoku..pdf（2023 年 5 月閲覧）[3]〕

▶生体腎移植術前評価には少なくとも 3〜6 か月程度要するため，推算糸球体濾過量（eGFR）20〜30 mL/分/1.73 m² で腎移植施設へ紹介することが望ましい．

▶eGFR 10 mL/分/1.73 m² 未満で，PEKT を施行することが望まれる[2]．

1. レシピエントの条件

▶レシピエントの条件を表 29-1[3] に示す．

▶ヒト免疫不全ウイルス（HIV）や C 型肝炎ウイルス（HCV）感染症は，治療により腎移植が可能となることがある．

▶B 型肝炎キャリアは腎移植の禁忌ではない．ただし，HBe 抗体陽性であることが望ましい．

2. 術前検査

▶行うべき術前検査を表 29-2 に示す．

▶腎移植の手術リスクは中等度とされており，心肺機能として 4 METs 以上の運動耐容能があることが望ましい．詳細は文献[4]を参照いただきたい．

▶低心機能でも，4 METs 以上の運動耐容能があれば腎移植が可能となることがある．

▶腎移植により，虚血性心疾患など血管病変の進行を抑制することが可能である．

▶悪性腫瘍治癒後，一定期間，再発がなければ腎移植が可能となる．

3. ワクチン接種

▶腎移植後は免疫抑制薬の内服が必要であるため，生ワクチンの接種は基本的に禁忌となる（表 29-3）．詳細は文献[5]を参照いただきたい．

▶腎移植前は，生ワクチン接種は免疫抑制薬開始 1 か月前まで，不活化ワクチン接種は 2 週間前までに施行する．

▶インフルエンザウイルスワクチンは移植後 1 か月以降から接種がすすめられている．その他の不活化ワクチンは，3〜6 か月以降である．

4. 原疾患の評価

▶原疾患と腎移植後の再発率を表 29-4[6] に示す．

470

表 29-2　生体腎移植の術前検査

免疫学的	・組織適合性検査(HLA タイピング，リンパ球クロスマッチ，抗HLA 抗体スクリーニングなど)
循環器系	・心エコー，安静時心電図，負荷心電図，頸動脈エコー，ABI/PWV ・ハイリスク症例では負荷心筋シンチグラフィや冠動脈CT，など
呼吸器系	・呼吸機能検査・胸部 X 線，CT
消化器系	・上部消化管内視鏡検査・便潜血・腹部エコー，CT
泌尿器系	・膀胱造影検査，血清 PSA 値
頭頸部系	・頸部エコー，頭部 CT や MRI で副鼻腔炎やう歯，歯周病の有無を確認
感染症	・麻疹ウイルス，風疹ウイルス，水痘/帯状疱疹ウイルス，ムンプスウイルス，サイトメガロウイルス，EB ウイルス，B 型肝炎ウイルス，C 型肝炎ウイルス，HIV や HTLV-1 の各種抗体および抗原検査，結核(T-SPOT® など)

HLA：ヒト白血球抗原，ABI：足関節上腕血圧比，PWV：脈波伝播速度，PSA：前立腺特異抗原，HIV：ヒト免疫不全ウイルス，HTLV-1：ヒト T 細胞白血病ウイルス 1 型

表 29-3　ワクチンの種類

生ワクチン	麻疹ウイルス 風疹ウイルス 水痘ウイルス ムンプスウイルス
不活化ワクチン	肺炎球菌 B 型肝炎ウイルス ヒトパピローマウイルス 帯状疱疹ウイルス インフルエンザウイルス
mRNA ワクチン	新型コロナウイルス

▶末期腎不全に至った原因精査のため，腎生検を含めた病理学的検査や血清学的検査を可能な限り行い，原疾患を把握する.

▶腎移植前，原疾患の病勢は，一定期間安定していることが望ましい.

5. *Helicobacter pylori* 除菌

▶胃・十二指腸潰瘍や胃癌の原因菌である.

▶除菌に用いるクラリスロマイシンと，免疫抑制薬であるカルシニューリン阻害薬(CNI)は非常に強い相互作用があるため，術前に除菌することがすすめられる.

表 29-4　腎移植後再発性腎炎

原疾患	発症様式	再発率	発症時期	移植腎喪失
IgA 腎症	再発	30〜60%	3〜5 年	10〜30%
FSGS	再発	30〜60%	移植直後 または 数か月〜数年	〜50%
膜性腎症	再発	10〜45%	1〜2 年	〜30%
MPGN I 型	再発	25〜65%	1 年以内	〜33%
C3 腎炎	再発	高率	数か月〜数年	50%
DDD	再発	高率	1 年以内	10〜20%
PGNMID	再発	高率？	数か月〜数年	
LCDD	再発	比較的高率	1 年以内？	不明
非典型 HUS	再発	高率 （遺伝子異常に よって異なる）	1 年以内	40〜50%
抗 GBM 腎炎	再発	〜10%	1 年以内	〜5%
	de novo	3%	数年	まれ
ANCA 関連腎炎	再発	〜10%	数年	〜5%
ループス腎炎	再発	〜10%	数年	〜5%

FSGS：巣状分節性糸球体硬化症，MPGN：膜性増殖性糸球体腎炎，DDD：dense deposit disease，PGNMID：単クローン性 IgG 沈着型増殖性糸球体腎炎，LCDD：軽鎖沈着症，HUS：溶血性尿毒症症候群，GBM：糸球体基底膜，ANCA：抗好中球細胞質抗体
〔大塚康洋：腎移植後の再発腎炎，新生腎炎．日本腎病理協会/日本腎臓学会（編）：腎生検病理アトラス改訂版，東京医学社，2017：356[6]〕

2　組織適合性検査[7]

▶腎移植後早期に起こる，急性拒絶反応の原因となる既存抗体を検出するために行う．

▶抗 HLA 抗体は，過去の移植や妊娠・輸血で感作される．

▶抗 HLA 抗体のなかでも，ドナー特異的抗体（DSA）の有無が大切である．

▶腎移植前にすでに存在する抗体を preformed DSA という．

▶腎移植後新たに産生された DSA を de novo DSA といい，graft loss の原因となる．

a　HLA タイピング

▶HLA 遺伝子をコードする第 6 染色体短腕上の HLA 抗原クラス I（A

座，B座，C座)，およびクラスⅡ(DR座，DQ座，DP座)のタイプを決め，HLA-A, B, C, DRをアレル表記で表す(例：HLA-B*40:02).

b リンパ球クロスマッチ

▶レシピエント血清中に，ドナーのTおよびBリンパ球に対する抗体が存在するかどうかを調べる．

▶補体依存性細胞傷害(CDC)法やリンパ球細胞傷害試験(LCT)，フローサイトメトリークロスマッチ(FCXM)などが行われる．

c 抗HLA抗体(スクリーニング検査)

▶レシピエント血清中，パネルリンパ球に対する抗体が何%存在するかを調べる．Flow PRA法などがある．

d 抗HLA抗体(抗体同定検査)

▶スクリーニングで検出された抗体がDSAであるかを判別する．フローサイトメトリーやLuminex®を用いた方法がある

3 生体腎移植

a 免疫抑制薬

▶T細胞およびB細胞を抑制することで，拒絶反応を抑えることが大切である．

▶1990年代に登場したCNI(ネオーラル®，プログラフ®，グラセプター®)や代謝拮抗薬(セルセプト® など)によって，腎移植の短期および長期成績は飛躍的に改善された．

▶現在は，副腎皮質ステロイドを加えた3剤を標準治療としているところが多い．

▶図 29-2 に，免疫抑制薬の作用機序を示す．

Side memo

腎移植の費用

　腎移植の費用は，手術や検査，移植後免疫抑制薬などにかかる．これらは自立支援医療や障害者医療費助成制度で賄われ，自己負担はほとんどない．腎移植ドナーの手術費用の自己負担もほとんどない．ただし腎移植術前検査に関しては，一部，自己負担が生じることがあるため，移植施設への確認が必要である．

473

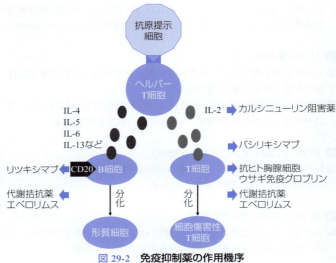

図 29-2 免疫抑制薬の作用機序

1. カルシニューリン阻害薬(CNI)

▶シクロスポリン(ネオーラル®),タクロリムス(プログラフ®),タクロリムス徐放製剤(グラセプター®)がある.

 処方例

①シクロスポリン(ネオーラル®)

1日 8 mg/kg 2回に分割 朝夕で開始

	周術期	維持期
トラフ(ng/mL)	150〜250	<100
C2(ng/mL)	1,000〜1,200	600〜800
AUC(ng·hr/mL)	3,000〜3,500	1,500〜2,000

C2:投与2時間後血中濃度,AUC:薬物血中濃度時間曲線下面積

②タクロリムス(プログラフ®)

1日 0.2 mg/kg 2回に分割 朝夕で開始

	周術期	維持期
トラフ(ng/mL)	8	5
AUC(ng·hr/mL)	3〜5	50

③タクロリムス徐放製剤（グラセプター®）
1 日 0.15 mg/kg 1 回 朝で開始

	周術期	維持期
トラフ(ng/mL)	6〜8	3〜4

▶CNI はヘルパー T 細胞のイムノフィリン（シクロフィリンあるいは FK binding protein）に結合して，カルシニューリンの活性化を阻害する．また，interleukin(IL)-2 を抑制して T 細胞の活性化を抑制する．

▶治療薬物モニタリング（TDM）を行い，用量調整する必要がある．

▶CYP3A4 により代謝されるため，併用薬剤に注意する．

▶柑橘類の摂取によって，本剤の血中濃度が上昇することがある（表29-5）．

▶副作用は腎毒性，高血圧，脂質異常症，耐糖能異常，肝障害，手足の震え，多毛（タクロリムスでは脱毛）などがある．

▶CNI による腎毒性によって以下を生じるため，注意を要する．
　①急性腎障害：輸入細動脈の攣縮によって腎血流の低下が起こる．病理学的に，近位尿細管に微細な空胞がみられる．
　②慢性腎障害（CNI 腎症）：慢性的な血流障害が原因である．病理学的に，CNI 慢性細動脈症（CAA）や尿細管の萎縮と間質線維化（IF/TA）を特徴とする．

2. 代謝拮抗薬

▶ミコフェノール酸モフェチル（セルセプト®），アザチオプリン（アザニン®），ミゾリビン（ブレディニン®）がある．

▶プリン代謝阻害作用を有し，T リンパ球や B リンパ球を選択的に阻害する．

▶白血球減少や下痢などの副作用がある．

3. mTOR 阻害薬（エベロリムス）

▶細胞の成長・増殖，生存および血管新生などにかかわる細胞内情報

Side memo

ABO 血液型不適合腎移植における術後輸血

　ABO 血液抗体を含んだ輸血を避ける必要があるため，注意が必要である[8]．
- 赤血球輸血：レシピエントの血液型を使用する．
- 血小板・新鮮凍結血漿輸血：AB 型を使用する．

表 29-5　柑橘類に含まれる 6',7'-ジヒドロキシベルガモチンの含有量

	柑橘類	果汁（μg/mL）	皮（μg/mL）
摂取に注意が必要（果汁・皮）	グレープフルーツ	**13**	**3,600**
	スウィーティ	**17.5**	**2,400**
	メロゴールド	**12.5**	**75**
	晩白柚（バンペイユ）	**12.5**	**75**
	レッドポメロ	**6.4**	**240**
	橙（ダイダイ）	**3.2**	**72**
	文旦（ブンタン）	**2.25**	**660**
	八朔（ハッサク）	**0.92**	**20**
	サワーポメロ	**1**	**1,000**
	メキシカンライム	**0.96**	**35**
	甘夏ミカン	**0.6**	**1,040**
	パール柑	**0.9**	**20**
	三宝柑（サンポウカン）	**0.4**	**40**
果汁は摂取できるが皮に注意が必要	レモン	0.05	**180**
	日向夏（ヒュウガナツ）	0.12	**28.5**
	スウィートオレンジ	0.01	**16**
	カボス	0.01	**1.44**
果汁・皮とも摂取可能	ネーブルオレンジ	0.05	0.24
	温州ミカン	0	0
	椪柑（ポンカン）	0	0.08
	伊予柑（イヨカン）	0	0.2
	デコポン	0	0
	柚（ユズ）	0.01	0.04
	スダチ	0	0.14
	金柑（キンカン）	0	0.02

太字：CNI 投与の際に注意が必要なもの

伝達分子である哺乳類ラパマイシン標的蛋白質（mTOR）に結合し，細胞増殖シグナルを阻害して，T リンパ球や B リンパ球，腫瘍細胞の増殖を抑制する．
▶抗サイトメガロウイルス作用を有している．
▶創傷治癒遅延や口内炎，脂質異常症などの副作用がある．

4. バシリキシマブ(シムレクト®)

▶ CD25 に対するマウスモノクローナル抗体で，IL-2 受容体を介してT 細胞の活性化および増殖を抑制する．
▶ 日本のほとんどの腎移植施設で使用されている．
▶ 総投与量は 40 mg で，移植日 20 mg，移植後 4 日目に 20 mg を投与する．
▶ 移植後早期の急性細胞性拒絶反応を抑制する．
▶ 再移植時の再投与は，過敏性反応に注意が必要である．

5. リツキシマブ(リツキサン®)

▶ ヒト B リンパ球の表面抗原 CD20 に対する，ヒト-マウスキメラ型モノクローナル抗体である．
▶ リツキシマブの登場で，ABO 血液型不適合腎移植に対して術前脾摘が不要となった．
▶ 腎移植後抗体関連拒絶反応や再発性腎炎の治療に使用する．
▶ 1 回使用量 375 mg/m^2 で保険収載されているが，免疫過剰抑制に注意が必要である．

6. 抗ヒト胸腺細胞ウサギ免疫グロブリン(サイモグロブリン®)

▶ ヒト胸腺細胞を抗原としたウサギから得られた，ポリクローナル抗体である．
▶ T 細胞表面抗原に高い親和性があり，T 細胞の機能を抑制する．
▶ 日本では腎移植後の急性拒絶反応で保険適用となっており，ステロイド抵抗性の際に使用される．
▶ 海外では，移植時の導入療法として使用されている[9]．
▶ Infusion reaction や白血球減少，血小板減少などの副作用の頻度が高いため，注意が必要である．
▶ 処方例として使用ガイド[10]の用法・用量を示すが，副作用の観点から総投与量 6 mg/kg までとし，副作用がみられた場合には中止することが望ましい．

処方例

■ 急性拒絶反応の治療として
抗ヒト胸腺細胞ウサギ免疫グロブリン(サイモグロブリン®)
1.5 mg/kg/日を 6 時間以上かけて点滴静注 7〜14 日間
🖝 使用にあたっては，副腎皮質ステロイド，ヒスタミン H$_1$ 受容体拮抗薬(抗ヒスタミン薬)，非ステロイド性抗炎症薬を併用する．

b 術前脱感作療法

▶ABO 血液型や preformed DSA の有無により，腎移植前の脱感作療法の有無が異なる．

1. ABO 血液型適合腎移植（ドナー血液型 O 型の場合の血液型不一致含む）

▶脱感作療法は不要である．
▶図 29-3 に，ABO 血液型適合腎移植のプロトコルを示す．

2. ABO 血液型不適合腎移植

▶レシピエントの血中に存在する抗 A and/or 抗 B 抗体を除去する．
▶代謝拮抗薬や副腎皮質ステロイドを一定期間内服し，リツキシマブの点滴を行う．また血漿交換を併用して，機械的に抗体を除去する．
▶通常は術前にリツキシマブ 100〜200 mg/body を 1 回または 2 回投与し，抗体産生を抑制する．
▶図 29-4 に，ABO 血液型不適合腎移植のプロトコルを示す．

処方例

■術前に①〜③を行う．
①ミコフェノール酸モフェチル（セルセプト® カプセル 250）
　1 日 1,500 mg 2 回に分割 朝夕 移植 14 日前から投与
②リツキシマブ（リツキサン®）
　100〜200 mg/回 移植 14 日前と 1 日前に投与

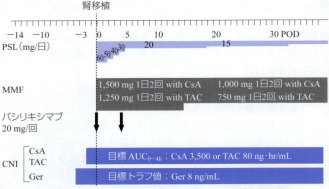

図 29-3　ABO 血液型適合腎移植に対する免疫抑制療法
POD：術後，PSL：プレドニゾロン，MMF：ミコフェノール酸モフェチル，CNI：カルシニューリン阻害薬，CsA：シクロスポリン，TAC：タクロリムス，Ger：タクロリムス徐放性製剤，AUC：薬物血中濃度時間曲線下面積

③血漿交換療法(二重膜濾過血漿交換)
計 2～4 回

3. DSA 陽性腎移植

▶ レシピエントの血中に存在する DSA を除去する.
▶ 代謝拮抗薬や副腎皮質ステロイドを一定期間内服し, リツキシマブの点滴を行う. また血漿交換を併用して, 機械的に抗体を除去する.
▶ 大量 γ-グロブリン療法の使用が保険適用となった.
▶ 処方例は「2. ABO 血液型不適合腎移植」と同様.

4 周術期管理

▶ 腎移植後は十分な尿量が得られ腎機能が改善するが, とくに献腎移植後は虚血再灌流障害や急性尿細管壊死で尿量が乏しく, 血液透析を要することがある.
▶ 十分な補液や飲水を行い, 血圧を適正に保ち, 尿量を確保する.
▶ 移植腎の血流をドプラエコーで確認する.

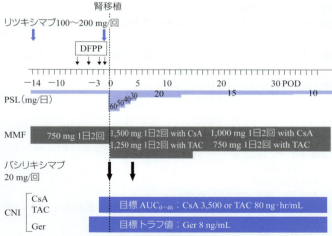

図 29-4　ABO 血液型不適合腎移植に対する免疫抑制療法
DFPP：二重膜濾過血漿交換, POD：術後, PSL：プレドニゾロン, MMF：ミコフェノール酸モフェチル, CNI：カルシニューリン阻害薬, CsA：シクロスポリン, TAC：タクロリムス, Ger：タクロリムス徐放性製剤, AUC：薬物血中濃度時間曲線下面積

▶免疫抑制薬（とくに CNI）の濃度を適正に保つ．

▶発熱の有無に関係なく，感染症の併発に注意する．

5　腎移植後の管理

▶感染症，悪性腫瘍，心疾患が 3 大死因である．

▶移植腎が機能したままの死亡（death with functioning graft：DWFG）が増加している．

▶移植腎に影響を及ぼす因子について，表 29-6 に示す．

▶服薬アドヒアランスのみならず，生活習慣病の管理が大切である[11]（表 29-7）．生活習慣病の管理目標を表 29-8 に示す．

▶運動は移植腎機能の悪化を抑制する[12]．

a　腎移植後高血圧

▶高血圧は心血管疾患や graft loss のリスク因子である．

▶血圧の管理目標は，収縮期/拡張期血圧 130/80 mmHg 未満である．

▶アンジオテンシン変換酵素（ACE）阻害薬，アンジオテンシン II 受容体拮抗薬（ARB）が第一選択である．

b　腎移植後糖尿病（PTDM）

▶腎移植後 1 年以内に発症する新規糖尿病は 15% 程度，1 年以降は 5% 程度である．

▶CNI によるインスリン分泌の減少，副腎皮質ステロイドによるインスリン抵抗性がおもな原因である．

▶定期的に糖尿病のスクリーニングを行う．

表 29-6　周術期の移植腎機能に影響を及ぼす因子

・体液バランスの増減
・急性拒絶反応
・急性 CNI 腎障害
・虚血再灌流障害や急性尿細管壊死
・再発性腎炎（巣状糸球体硬化症や非典型溶血性尿毒症症候群の再発に注意が必要）
・感染症
　➡外科的合併症（移植腎動静脈の血栓や屈曲，出血や血腫・lymphocele による血管や尿管の圧迫，urinary leak など）

CNI：カルシニューリン阻害薬

表 29-7　腎移植後管理

腎移植特異的因子	古典的因子	腎不全特異的因子
拒絶反応 感染症 遷延性副甲状腺機能亢進症 急性・慢性 CNI 腎障害 （輸入細動脈の攣縮による） 移植腎動脈狭窄	高齢 高血圧 脂質異常症 糖尿病 （移植後新規糖尿病を含む） 喫煙 肥満 貧血	尿毒症 体液過剰 心負荷 Ca/P 異常 栄養障害

表 29-8　生活習慣病の管理目標

高血圧	収縮期/拡張期血圧 130/80 mmHg 未満
糖尿病	HbA1c 6.5〜7.0%未満
脂質異常症	一次予防　LDL-C 120 mg/dL 未満 二次予防　LDL-C 100 mg/dL 未満 （高リスク群は 70 mg/dL 未満）
	空腹時　TG 150 mg/dL 未満 随時　　TG 175 mg/dL 未満
肥満	BMI 25 未満
生活習慣	運動（有酸素運動およびレジスタンス運動） 禁煙

LDL-C：低比重リポ蛋白コレステロール，TG：中性脂肪

▶免疫抑制薬の減量により改善することもある．

▶管理目標値は HbA1c 6.5〜7.0%未満である（症例ごとに目標値は異なる）．

▶治療薬は Na$^+$/グルコース共役輸送担体 2（SGLT2）阻害薬やジペプチジルペプチダーゼIV（DPP-4）阻害薬，インスリン抵抗性改善薬を中心に使用する．コントロール困難であれば，インスリン分泌促進薬やインスリン治療を考慮する．

c 腎移植後脂質異常症

▶腎機能の回復や免疫抑制薬の使用により，脂質異常症をきたしやすい．

▶低比重リポ蛋白（LDL）コレステロール，中性脂肪ともに上昇しやすい．

▶LDL コレステロールの治療は，HMG-CoA 還元酵素阻害薬（スタチン）やエゼチミブで開始する．

- CNI とスタチンの併用でスタチン濃度が上昇するため，スタチンは少量から開始すべきである．
- 高中性脂肪血症の治療は，ω3系多価不飽和脂肪酸製剤で開始する[13]．

d 腎移植後肥満

- 肥満は心血管疾患や graft loss のリスク因子である．
- 腎移植後の高血圧や糖尿病（PTDM），脂質異常症の発症リスクを高める．
- BMI 25 kg/m^{2}未満が望ましい．

e 腎移植後貧血

- 貧血の改善によって移植腎機能の悪化を抑制できる．
- ARB や免疫抑制薬などによる薬剤性貧血に注意する．
- 目標 Hb 値は 13 g/dL 未満である[14]．

f 遷延性（3次性）副甲状腺機能亢進症

- 腎機能の改善にかかわらず，副甲状腺が退縮せずに機能亢進状態が持続するものをいう．
- 長期透析者や高用量の Ca 受容体作動薬（calcimimetics）を使用している者のほうがきたしやすい．
- 骨痛や高カルシウム血症の原因となる．
- 移植後骨折や心血管疾患のリスク因子である．
- 腎移植前の副甲状腺摘出術（PTx）が望ましい．
- 治療の第一選択は PTx である．エボカルセト（オルケディア®）を使用することがあるが，保険適用外である．

g 腎移植後の骨ミネラル代謝異常

- 術前の慢性腎臓病に伴う骨・ミネラル代謝異常（CKD-MBD）からのキャリーオーバー，遷延性副甲状腺機能亢進症，免疫抑制薬の内服，および移植腎機能低下によりもたらされる病態である．
- 腎移植後 1 年は骨密度が低下しやすい．
- 定期的な骨量検査が推奨される．
- 治療としては，活性型ビタミン D 製剤やビスホスホネート製剤が用いられることがあるが，エビデンスに乏しい．おのおのの病態にあった治療選択が望まれる[15]．

h 拒絶反応

1. 急性抗体関連型拒絶反応
- 血尿や蛋白尿,腎機能の悪化,血小板減少などを認める.
- 腎移植後早期(1か月以内)にみられる.
- ABO血液型不適合腎移植やDSA陽性腎移植の術後に多い.
- 血管内皮を主体に傷害され,移植糸球体炎や傍尿細管毛細血管(PTC)炎を主体とする.

処方例
- 急性抗体関連型拒絶反応を認めた場合,①~④を行う.
  ① メチルプレドニゾロン(ソル・メドロール®)
     1日 0.5~1.0 g 3日間
  ② リツキシマブ(リツキサン®)
     100~200 mg 1回 点滴静注
  ③ 血漿交換療法(二重膜濾過血漿交換)
     計2回
  ④ 大量 γ-グロブリン療法
     1日 400 mg/kg 5日間(保険適用外)

2. 慢性活動性抗体関連型拒絶反応
- 蛋白尿を主体として,軽度腎機能の悪化を伴うことがある.
- 腎移植後3か月以降にみられる.
- DSAの確認が必要である.
- 治療方針は定まっていない.

3. 急性T細胞性拒絶反応
- 蛋白尿は軽微(陰性のことも多い)で,腎機能障害を認める.
- 怠薬などにより重度の場合,発熱や肉眼的血尿,移植腎の腫脹を認める.
- 間質や尿細管の炎症が主体である.

処方例
① メチルプレドニゾロン(ソル・メドロール®)
   1日 0.5 g~1.0 g 3日間
② 抗ヒト胸腺細胞ウサギ免疫グロブリン(サイモグロブリン®)
   1日 1.5 mg/kg を点滴静注 総投与量 6.0 mg/kg まで

4. 慢性活動性T細胞性拒絶反応
- 2017年の Banff 分類より登場した.

▶間質の線維化や尿細管炎を認めるが，治療や予後との関連は不詳である.

ⅰ 腎移植後再発性腎炎

1. 原発性巣状糸球体硬化症
▶再発率は高く，graft loss の原因となる.
▶典型例としては腎移植直後から高度な蛋白尿を呈するが，数か月〜数年後に蛋白尿を呈することもある.
▶なんらかの循環因子が原因といわれているが，同定されていない.
▶遺伝子解析技術の進歩により，原因遺伝子が明らかとなってきている.
▶移植後再発のリスクは原腎が，①若年発症，②末期腎不全への進行が早い，③人種（African-American で高い），④遺伝子変異がない，ことなどである.
▶腎移植前に，再発予防として血漿交換やリツキシマブ投与を行うことがある.
▶再発時は血漿交換やリツキシマブを中心とした治療を行う.

2. IgA 腎症
▶原腎が IgA 血管炎の場合，より再発しやすい.
▶新たな糸球体性血尿の出現には注意を要する.
▶移植後再発のリスクは原腎が，①若年発症，②末期腎不全への進行が早い，ことなどである[16].
▶移植後早期のプロトコール生検で IgA 沈着症を認めた場合，ドナーの持ち込み病変の可能性に注意を要する.
▶治療に関して十分なエビデンスは存在しない.

3. 原発性膜性腎症
▶腎移植後の膜性腎症には，再発や de novo，ドナー由来がある.
▶再発の際には緩徐に蛋白尿が増加する.
▶膜型ホスホリパーゼ A2 受容体抗体（抗 PLA2R 抗体）との関連が示唆される.
▶ドナー由来は通常，プロトコール生検で診断され，自然に軽快する.
▶de novo 膜性腎症は，拒絶反応や感染症との関連が示唆されている.
▶再発時の治療には，リツキシマブが効果的であることが多い.

4. 原発性膜性増殖性糸球体腎炎
▶病理学的サブタイプによって分類され，おのおの再発率や腎予後が異なる.

- 補体第二経路の制御異常で起こる C3 腎症（dense deposit disease や C3 腎炎）は，腎移植後に高率に再発する．補体異常に関連した遺伝子や自己抗体が診断の一助となる．
- Type 1 型は C3 腎症ほどではないが再発率が高く，予後不良である．
- 治療に関して十分なエビデンスは存在しない．

5. 非典型溶血性尿毒症症候群（非典型 HUS）

- 微小血管症性溶血性貧血，血小板減少，急性腎障害の 3 徴候を病態とする．
- 非典型 HUS は，補体活性化制御因子の異常をきたす遺伝子の先天的あるいは後天的な異常に加え，腎移植や感染，薬剤投与が契機となって急性に発症する．
- 移植直後〜1 年以内に発症することが多い．
- 急性抗体関連型拒絶反応や薬剤性腎症などと鑑別を要する．
- 治療には，血漿交換療法やヒト化抗 C5 モノクローナル抗体製剤であるエクリズマブがある．

j 腎移植後悪性腫瘍

- 腎移植後 3 大死因の 1 つである．
- 年 1 回のスクリーニングが必要である．

k 移植後リンパ増殖性疾患（PTLD）

- 免疫抑制薬内服中の臓器移植後あるいは骨髄移植後に発症するリンパ組織の増殖やリンパ腫の総称である．
- PTLD の 50〜80％は Epstein-Barr ウイルス（EBV）感染が原因であり，移植後 1 年以内に起こる早期 PTLD では 80％以上が EBV と関連している．
- 免疫抑制下による細胞傷害性 T 細胞の機能抑制が原因の 1 つである．
- 脳やリンパ節，消化管，肝臓などに生じる．
- ドナー EBV 既感染/レシピエント EBV 未感染では PTLD のリスクが高い．移植後血中 EBV-DNA PCR 法によるモニタリングが必要である．EBV 量の増加があれば，免疫抑制薬を減量する．
- PTLD 診断は組織診断で行う．
- まずは免疫抑制薬を減量したうえで，組織診断に基づいて治療を行う．

l 腎移植後感染症

- 宿主の免疫状態によるため，発症時期はある程度決まっている．日

表 29-9　腎移植後感染症

腎移植後 1 か月以内	1～6 か月	6 か月以降
ドナー由来 ・ヘルペス感染症 　（CMV，HSV など） ・肝炎ウイルス 　（HBV，HCV など） ・HIV，HTLV-1 ・結核菌 **レシピエント由来** ・術前からの保菌 ・周術期感染症 ・血流感染 ・尿路感染 ・創部感染	・ニューモシスチス肺炎 ・ヘルペス感染症 　（CMV，HSV，VZV，EBV） ・肝炎ウイルス 　（HBV，HCV など） ・アデノウイルス ・インフルエンザウイルス ・結核菌 ・クリプトコッカス	・市中感染症 　（肺炎，尿路感染など） ・PTLD ・JC ウイルス ・CMV（予防投与あり）

CMV：サイトメガロウイルス，HSV：単純ヘルペスウイルス，HBV：B 型肝炎ウイルス，HCV：C 型肝炎ウイルス，HIV：ヒト免疫不全ウイルス，HTLV-1：ヒト T 細胞白血病ウイルス 1 型，VZV：水痘帯状疱疹ウイルス，EBV：Epstein-Barr ウイルス，PTLD：移植後リンパ増殖性疾患

〔Fishman JA：Infection in solid-organ transplant recipients. N Engl J Med 2007；357：2601-2614[17]／Rubin RH, et al.：Infection in the renal transplant recipient. Am J Med 1981；70：405-411[18]／Fishman JA, et al.：Infection in organ-transplant recipients. N Engl J Med 1998；338：1741-1751[19]）をもとに著者作成〕

和見感染は腎移植後 1 か月以降に増加する．6 か月以降は市中感染がメインとなる．

▶予想されうる発症時期以外に罹患する場合や頻回に感染症を繰り返す場合は，過剰免疫抑制やアウトブレイクの可能性を考える．

▶全身状態を考慮して，免疫抑制薬の減量を考慮すべきである．

▶腎移植後感染症の好発時期を表 29-9[17～19]に示す．

1. サイトメガロウイルス（CMV）

▶腎移植後に高頻度に認められるウイルス感染症である．

▶若年の CMV 抗体陽性率は低下している．

▶CMV viremia（ウイルス血症のみ），CMV syndrome（自覚症状あり，臓器障害なし），CMV disease（臓器障害あり）に分けられる．

▶感染様式は，CMV 既感染ドナー（CMV 抗体陽性）から未感染レシピエント（CMV 抗体陰性）への移植後に起こる初感染や，免疫抑制薬下による CMV の再活性化がある．

▶検査はこれまで CMV アンチゲネミア法が主流であったが，2020 年に CMV-DNA PCR 法が保険収載された．

▶早期発見により CMV viremia で治療開始することが望ましい.

▶CMV disease としては，網膜炎や脳炎，肺炎，心膜炎，肝炎，胃腸炎，Guillain-Barré 症候群が起こる可能性がある．このうち，下血を伴う腸炎の頻度が高い.

▶mTOR 阻害薬（エベロリムス）は，CMV 感染症の発症抑制および治療薬として期待される.

▶CMV viremia の治療は，早期投与法（preemptive therapy）と予防投与法（prophylactic therapy）に分けられる．早期投与法は CMV 抗原や PCR 法で陽性あるいは治療開始基準を満たせば，症状がなくても治療を開始する．予防投与法は ABO 不適合腎移植やリツキシマブ使用症例，CMV 抗体陽性ドナーから CMV 抗体陰性レシピエントへの腎移植などハイリスク症例に行う．腎移植後早期から最大 200 日間，投与可能である.

> ### 処方例
>
> ■ 腎移植後の CMV 感染治療には重症度などを鑑みて，①〜③のうちから治療を選択する.
>
> ①バルガンシクロビル（バリキサ®）
> 　初期量 1 日 900 mg 2 回に分割 3 日間（腎機能調節要）
> 　維持量 1 日 450 mg 1 回（腎機能調節要）
> ✔おもに CMV viremia で使用する.
>
> ②ガンシクロビル（デノシン®）
> 　初期量 1 日 5.0 mg/kg 2 回に分割 1 日間（腎機能調節要）
> 　維持量 1 日 2.5 mg/kg 1 回（腎機能調節要）
> ✔おもに CMV disease や重症 CMV 感染症で使用する.
>
> ③ホスカルネット（ホスカビル®）
> 　投与量は添付文書参照.
> ✔ガンシクロビル耐性 CMV にも効果があるとされている.
> ✔Cr クリアランス 0.4 mL/分/kg 未満の患者には使用禁忌となっている.

2. 単純ヘルペスウイルス（HSV）

▶腎移植後早期に多い.

▶多くは HSV の再燃である．まれにドナーからの持ち込みがある.

▶ほとんどは，口唇や生殖器に水疱や潰瘍形成がみられる．まれに，全身播種や臓器障害を呈することもある.

処方例
- 皮膚粘膜限局に対して，①〜③のいずれかで治療を行う．
  ① アシクロビル（ゾビラックス®）
    1日1,200 mg 3回に分割 5日間（腎機能調節要）
  ② バラシクロビル（バルトレックス®）
    1日2,000 mg 2回に分割 5日間（腎機能調節要）
  ③ ファムシクロビル（ファムビル®）
    1日1,000 mg 2回に分割 5日間（腎機能調節要）
- 播種性あるいは臓器障害あり
  アシクロビル（ゾビラックス®）
  1回5〜10 mg/kg 8時間おきに点滴静注（腎機能調節要）

3. 水痘・帯状疱疹ウイルス（VZV）
- 水痘の発症はまれであるが，臓器障害や播種性血管内凝固（DIC）を伴う水痘を発症することがある．
- 帯状疱疹は腎移植後にしばしばみられるウイルス感染症である．播種や重症化例も経験される．

処方例
- 皮膚粘膜限局に対して，①〜④のいずれかで治療を行う．
  ① アシクロビル（ゾビラックス®）
    1日4,000 mg 5回に分割 7日間（腎機能調節要）
  ② バラシクロビル（バルトレックス®）
    1日3,000 mg 3回に分割 7日間（腎機能調節要）
  ③ ファムシクロビル（ファムビル®）
    1日1,500 mg 3回に分割 7日間（腎機能調節要）
  ④ アメナビル（アメナリーフ®）
    1日400 mg 1回 7日間（腎機能調節不要，CNIと相互作用あり）
- 中枢神経領域や播種性あるいは臓器障害あり
  アシクロビル（ゾビラックス®）
  1回10 mg/kg 8時間おきに点滴静注（腎機能調節要）

4. アデノウイルス
- 腎移植後に出血性膀胱炎を引き起こす．
- 症状としては，発熱・肉眼的血尿・尿道痛・膀胱刺激症状がある．
- 腎機能障害を合併することは少なくない．多くは自然に改善するが，拒絶反応を合併することもある．

▶ 診断は PCR 法でウイルスを同定する（保険適用外）.

▶ 治療は免疫抑制薬の減量である.

5. Epstein-Barr ウイルス（EBV）

▶ ドナー EBV 既感染／レシピエント EBV 未感染で感染が起こるリスクが高い.

▶ 伝染性単核球症や移植後リンパ増殖症の原因となる（「移植後リンパ増殖性疾患（PTLD）」参照, ☞p.485）.

6. BK ウイルス（BKV）

▶ ポリオーマウイルスの 1 つで, 通常, 小児期に不顕性感染し, 腎尿路系に潜伏感染する.

▶ BKV 感染は, BKV 尿症→BKV 血症→BKV 腎症と進展する.

▶ BKV 腎症まで進展すると graft loss の原因となるため, BKV 血症を早期発見することが重要である.

▶ BKV 腎症の診断は腎生検による. SV40（simian virus 40）や電子顕微鏡でウイルス粒子を確認する.

▶ 尿細胞診で decoy cell を認めたら, 血中 BKV-DNA PCR 法で確認する（保険適用外）.

▶ 治療は BKV 血症・腎症に対して免疫抑制薬の減量を行う.

7. JC ウイルス

▶ ポリオーマウイルスの 1 つで, 通常, 小児期に不顕性感染し, 免疫抑制下で再活性化することがある.

▶ 認知機能低下や四肢麻痺などの症状を認める.

▶ 診断は脳 MRI や脳脊髄液で JC ウイルスを同定することによる.

8. B 型肝炎ウイルス（HBV）再活性化[20]

▶ 免疫抑制下で HBV が再増殖することをいう.

▶ HBV 既感染（HBs 抗原陰性, HBc 抗体陽性, HBs 抗体陽性）者が, 腎移植後に通常の免疫抑制療法に加え, リツキシマブなどの追加治療が必要となった際に注意が必要である.

▶ 定期的に血中 HBV-DNA PCR 法でモニタリングを行い, 必要に応じて肝臓専門医へコンサルトする.

9. 結核菌

▶ 腎移植後の結核発症リスクは高い.

▶ 免疫抑制薬により T 細胞系を抑制することが原因である.

▶ 大部分は潜在性結核の再燃であり, まれにドナーからの持ち込み感染がある.

- T-SPOT® により潜在性結核が疑われたら，半年間のイソニアジドの予防投与が必要である．
- 活動性結核に対してリファンピシンを使用する場合は，CNI の血中濃度が低下するため注意が必要である．

10. *Pneumocystis jirovecii*

- ニューモシスチス肺炎（PCP）の原因真菌である．
- 感染者からの飛沫・空気感染，あるいは無症状の保菌者からの感染が考えられている．
- 初期は感冒症状程度であることがあり，注意が必要である．
- 画像ではスリガラス影を呈するが，特異的な所見はない．
- 診断は，気管支肺胞洗浄液で菌体を証明する．β-D-グルカンは診断の一助になる．
- アウトブレイクを起こすため，長期的な予防投与が必要である．

処方例

- 予防投与として
  スルファメトキサゾール 400 mg・トリメトプリム 80 mg（バクタ®）
  1回1錠 週に 2〜3 回
- PCP 治療として，①と②を併用する．
  ①スルファメトキサゾール 400 mg・トリメトプリム 80 mg（バクタ® あるいはバクトラミン® 注）
  トリメトプリム換算で1日量 15〜20 mg/kg 分3 14〜21 日間（腎機能に応じて用量調節要）
  ②プレドニゾロン（プレドニン®）
  1日 80〜120 mg を 5〜7 日間，その後，減量する．

11. *Cryptococcus*

- ハトの糞に含まれる *Cryptococcus* を吸い込むことで感染する．
- 腎移植後は再燃による発症が多い．
- 肺病変のみならず，中枢神経系病変や播種性病変に注意が必要である．
- 肺のスクリーニング検査で偶発的に発見されることがあり，肺癌との鑑別を要する．
- 肺クリプトコッカス症の診断は，気管支洗浄液からの分離・培養や胸腔鏡による肺生検による．

処方例

■ 肺病変のみ
フルコナゾール
1日 400 mg を 6～12 か月間
✍ CNI の用量調整が必要.

■ 中枢神経系および播種性病変,重症肺病変
①導入期:アムホテリシン B 脂肪製剤(3～4 mg/kg/日)+フルシトシン 100 mg/kg/日 6 時間おき最低 2 週間
②地固め期:フルコナゾール 1 日 400～800 mg 8 週間
③維持期:フルコナゾール 1 日 200～400 mg 6～12 か月

m 腎移植後電解質異常

▶ 腎移植後に頻度の高い電解質異常および酸塩基異常について,以下に概説する.

1. 低ナトリウム血症

▶ 体液過剰の判断をし,原因を検索して対処する.
▶ 副腎皮質ステロイド内服中の発熱時などに,相対的副腎不全が起こる.
▶ 飲水過多による希釈性低ナトリウム血症が起こる.

2. 高カリウム血症

▶ 移植腎機能低下時や代謝性アシドーシス,薬剤性によることが多い.
▶ 薬剤性では,原因として CNI,スルファメトキサゾール・トリメトプリム(ST)合剤,ARB が多い.

3. 低カリウム血症

▶ CNI などの薬剤性尿細管機能異常が考えられる.
▶ 移植腎動脈狭窄が原因で起こることがある.

4. 高カルシウム血症

▶ 遷延性副甲状腺機能亢進症によることがある.
▶ 遷延する際は,PTx や Ca 受容体作動薬の内服を考慮する.
▶ 活性型ビタミン D 製剤内服中であれば,減量・中止する.

5. 低リン血症

▶ 線維芽細胞増殖因子 23(FGF23)や遷延性副甲状腺機能亢進症による.
▶ 有効な治療法はない.

6. 低マグネシウム血症

▶ CNI により遠位尿細管の transient receptor potential melastatin 6 (TRPM6)の発現が低下し,Mg の再吸収障害が引き起こされることが原因である.

▶低カルシウム血症や PTDM の原因となる.

▶Mg 製剤の補充を行う. CNI 濃度の調節や種類の変更を行うこともある.

7. 代謝性アシドーシス

▶移植後腎機能低下や CNI による尿細管障害, 副甲状腺ホルモンによる重炭酸イオンの排泄亢進・高カルシウム血症, 急性 T 細胞性拒絶反応治療後にみられる.

▶炭酸水素ナトリウム製剤による補正を行う.

6 腎移植後妊娠[21]

▶腎移植は, 血液透析や腹膜透析と比較して高い妊孕性が得られる.

▶腎移植後 1 年以上経過し, 腎機能が安定し, 蛋白尿がないことが条件である(表 29-10)[21].

▶ミコフェノール酸モフェチル(セルセプト®)は催奇形性があるため, 受胎 6 週間前までに変更する.

▶妊娠中の拒絶反応の発症率は, 通常と変わらない.

▶腎移植後妊娠は, 早産や低出生体重児の発生率が高い. 出生した児の発育は良好である.

▶妊娠や出産は, 妊娠前の移植腎機能がよければ, 移植腎に対する影響は少ない.

▶CMV 未感染レシピエントの妊娠・出産は先天性感染症を引き起こす可能性があり, 注意が必要である.

表 29-10 腎移植後妊娠基準

- ・腎移植後 1 年以上経過しており, 全身状態が良好である.
- ・移植腎機能が安定している(血清 Cr 値が 2 mg/dL 以下, 1.5 mg/dL 以下が望ましい)
- ・有意な蛋白尿がない(500 mg/日未満).
- ・過去 6 か月以内に急性拒絶反応がなく, ドナー特異的 HLA 抗体がない.
- ・ACE 阻害薬や ARB を使用せずに血圧が正常にコントロールできている.
- ・エコー検査で移植腎が正常である(腎盂腎杯の拡張がない).
- ・推奨される免疫抑制薬で安定してコントロールされている(プレドニゾロン 15 mg 以下, アザチオプリン 2 mg/kg 以下, シクロスポリンやタクロリムスが治療域レベルである, ミコフェノール酸モフェチルやエベロリムスは受胎を望む 6 週間前には中止する).

ACE：アンジオテンシン変換酵素, ARB：アンジオテンシンⅡ受容体拮抗薬
〔日本移植学会 臓器移植後妊娠・出産ガイドライン策定委員会：臓器移植後妊娠・出産ガイドライン 2021. ブイツーソリューション, 2021[21]〕

7 \ 生体腎移植ドナー

a ドナーの条件[3]

▶生体ドナーの条件を表 29-11 に示す.

b 術前評価

▶6 親等以内の血族と配偶者, および 3 親等以内の姻族が生体腎移植
ドナーとなりうる.

▶日本移植学会と日本臨床腎移植学会作成の「生体腎移植のドナーガ
イドライン」に示されている生体腎移植ドナーと, marginal donor
の基準について, 表 29-12[22]に示す.

▶腎提供により末期腎不全のリスクは上昇するため[23], 慎重に術前評
価を行う必要がある.

▶腎提供後に末期腎不全に至る割合は, 0.2〜0.5％程度である[24].

▶ドナーの腎機能評価に, 血清 Cr 値に基づく糸球体濾過量(GFR)推算
式は用いるべきでない.

c 術後フォローアップ

▶生涯にわたり腎移植ドナーをフォローアップすることは必須である.

▶高血圧や肥満, 糖尿病, 脂質異常症などの生活習慣病に注意を払い,
定期的な運動や禁煙を心がけてドナーの健康を保つ.

29
移植腎患者の管理

表 29-11　生体ドナーの条件

1. 以下の疾患または状態を伴わないこととする
a. 全身性の活動性感染症
b. HIV 抗体陽性
c. Creutzfeldt-Jakob 病
d. 悪性腫瘍(原発性脳腫瘍および治癒したと考えられるものを除く)
2. 以下の疾患または状態が存在する場合は, 慎重に適応を決定する
a. 器質的腎疾患の存在(疾患の治療上の必要から摘出されたものは移植の対象から除く)
b. 70 歳以上
3. 腎機能が良好であること

表 29-12 生体腎移植ドナーと marginal donor 基準

	生体腎移植ドナー基準	Marginal donor 基準
年齢	20 歳以上 70 歳以下	20 歳以上 80 歳以下
血圧	140/90 mmHg 未満	降圧薬なし：140/90 mmHg 未満 降圧薬あり：130/80 mmHg 未満 血圧による臓器障害なし
BMI	30 kg/m²以下 (25 kg/m²以下が望ましい)	32 kg/m²以下 (25 kg/m²以下が望ましい)
GFR	80 mL/分/1.73 m²以上	70 mL/分/1.73 m²以上
蛋白尿	150 mg/日 or 150 mg/gCr 未満 または アルブミン尿が 30 mg/gCr 未満	アルブミン尿が 30 mg/gCr 未満
糖尿病	適応外	内服薬使用で HbA1c 6.5%以下, インスリン治療中は適応外
器質的 腎疾患	適応外	適応外

GFR：糸球体濾過量

〔生体腎移植ドナーガイドライン策定合同委員会：生体腎移植のドナーガイドライン．http://www.asas.or.jp/jst/pdf/manual/008.pdf(2023 年 5 月閲覧)[22)]をもとに作成〕

文 献

1) 日本移植学会：ファクトブック 2022．2022　http://www.asas.or.jp/jst/pdf/factbook/factbook2022.pdf(2023 年 5 月閲覧)

2) Grams ME, et al.：Trends in the timing of pre-emptive kidney transplantation. J Am Soc Nephrol 2011；22：1615-1620

3) 日本移植学会：生体腎移植ガイドライン．http://www.asas.or.jp/jst/pdf/guideline_002jinishoku..pdf(2023 年 5 月閲覧)

4) 日本循環器学会, 他：2022 年改訂版 非心臓手術における合併心疾患の評価と管理に関するガイドライン．2023 年 2 月 24 日更新　https://www.j-circ.or.jp/cms/wp-conte5nt/uploads/2022/03/JCS2022_hiraoka.pdf(2023 年 5 月閲覧)

5) 日本移植学会 成人臓器移植予防接種ガイドライン策定委員会：成人臓器移植予防接種ガイドライン 2018 年版．メディカルレビュー社, 2018

6) 大塚康洋：腎移植後の再発腎炎, 新生腎炎．日本腎病理協会/日本腎臓学会(編)：腎生検病理アトラス改訂版, 東京医学社, 2017：356

7) 日本移植学会：組織適合性検査プロトコール集(標準方法)(案)．2012　http://www.asas.or.jp/jst/pdf/info_20130115.pdf(2023 年 5 月閲覧)

8) Chung Y, et al.：Choice of ABO group for blood component transfusion in ABO-incompatible solid organ transplantation：a questionnaire survey in Korea and guideline proposal. Ann Lab Med 2022；42：105-109

9) Kidney Disease：Improving Global Outcomes(KDIGO)Diabetes Work Group：KDIGO 2020 Clinical Practice Guideline for Diabetes Management in Chronic Kidney Disease. Kidney Int 2020；98(4S)：S1-S115

10) 日本移植学会：抗ヒト胸腺細胞ウサギ免疫グロブリン使用ガイド(腎移植)　http://www.asas.or.jp/jst/news/doc/20140723/info003.pdf(2023 年 5 月閲覧)

11) 日本臨床腎移植学会ガイドライン作成委員会：移植後内科・小児科系合併症の診療ガイドライン 2011．日本医学館, 2011

12) 日本腎臓リハビリテーション学会：腎臓リハビリテーションガイドライン．南江堂, 2018

13) 日本動脈硬化学会：動脈硬化性疾患予防ガイドライン 2022 年版．日本動脈硬化学会, 2022

14) 日本透析医学会：慢性腎臓病患者における腎性貧血治療のガイドライン 2015 年版. 日透析医学会誌 2016；49：89-158
15) 日本透析医学会：慢性腎臓病に伴う骨・ミネラル代謝異常の診療ガイドライン. 日本透析医学会誌 2012；45：301-356
16) Chailimpamontree W, et al.：Probability, predictors, and prognosis of posttransplantation glomerulonephritis. J Am Soc Nephrol 2009；20：843-851
17) Fishman JA：Infection in solid-organ transplant recipients. N Engl J Med 2007；357：2601-2614
18) Rubin RH, et al.：Infection in the renal transplant recipient. Am J Med 1981；70：405-411
19) Fishman JA, et al.：Infection in organ-transplant recipients. N Engl J Med 1998；338：1741-1751
20) 日本肝臓学会肝炎診療ガイドライン作成委員会：B 型肝炎治療ガイドライン. 第 4 版, 2022　https://www.jsh.or.jp/lib/files/medical/guidelines/jsh_guidlines/B_v4.pdf（2023 年 5 月閲覧）
21) 日本移植学会 臓器移植後妊娠・出産ガイドライン策定委員会：臓器移植後妊娠・出産ガイドライン 2021. ブイツーソリューション, 2021
22) 生体腎移植ドナーガイドライン策定合同委員会：生体腎移植のドナーガイドライン. http://www.asas.or.jp/jst/pdf/manual/008.pdf（2023 年 5 月閲覧）
23) O'keeffe LM, et al.：Mid-and Long-Term Health Risks in Living Kidney Donors：A Systematic Review and Meta-analysis. Ann Intern Med 2018；168：276-284
24) Fehrman-Ekholm I, et al.：Incidence of end-stage renal disease among live kidney donors. Transplantaion 2006；82：1646-1648

30 小児腎疾患患者の管理

1 小児の腎と腎機能の特徴

▶小児の特徴は，つねに成長し発達していくという点にある．ほぼすべてのデータにおいて，年齢ごとの正常値をつねに意識する必要がある．

a 腎サイズ

▶腎サイズは年齢とともに増大する（表 30-1）[1]．
▶身長から簡便に腎サイズを求めることができる．

腎長径(cm)＝{身長(m)×2}＋5 cm

▶−2 SD の基準は ［{身長(m)×2}＋5］×0.85 cm で算出できる（身長 130 cm 未満）．

b 腎機能[2]

▶在胎 36 週でネフロン形成は終了し，ネフロン数は完成する．早産児はネフロン形成途中で出生するため，腎機能は正期産児に比して低い．
▶正期産児の出生時の体表面積あたりの糸球体濾過量(GFR)は成人の約 1/5，生後 2 か月で 1/2，2 歳前後で成人と同程度となる．
▶血清 Cr の基準値は年齢，性別によって異なる．年齢，性別に準じた血清 Cr の基準値を表 30-2，表 30-3[3]に示す．
▶推算 GFR(eGFR)は血清 Cr 値と身長から算出できる．日本人小児の eGFR を算出する式として 5 次式を用いる（表 30-4）．
▶3 か月以上 17 歳未満の小児 GFR の基準値を表 30-5[4,5]に示す．
▶2 歳以上 12 歳未満の血清 Cr 予測基準値は，［身長(m)×0.3(mg/dL)］で算出ができる．
▶正確な GFR の評価にはイヌリンクリアランス検査が有用である．しかし検査手技が煩雑であるうえ，乳幼児では自立排尿が確立しておらず，蓄尿のための導尿カテーテル留置といった侵襲的な処置を要する．
▶腎機能障害の診断にあたり，血清 Cr の異常値を認識することが重要である．

表 30-1 日本人小児の年齢別腎長径の基準値(0〜18歳)

年齢	腎長径平均値 (cm)	＋2 SD	−2 SD
0〜2 か月	5	6.1	3.9
3〜5 か月	5.4	6.7	4.2
6〜8 か月	5.5	6.9	4.2
9〜11 か月	5.7	6.8	4.6
12〜17 か月	5.9	6.9	4.9
18〜23 か月	6.2	7.4	5
2 歳	6.5	7.5	5.6
3 歳	6.8	7.9	5.7
4 歳	7.2	8.5	5.8
5 歳	7.5	8.7	6.3
6 歳	7.8	9.1	6.5
7 歳	8	9.5	6.6
8 歳	8.3	9.7	7
9 歳	8.4	9.8	6.9
10 歳	9	10.5	7.6
11 歳	9.4	10.9	7.9
12 歳	9.7	11.5	8
13 歳	10.1	11.7	8.5
14 歳	10.1	11.6	8.6
15 歳	10.3	12	8.6
16 歳	10.4	12.8	7.9
17 歳	10.7	11.7	9.8
18 歳	10.1	11.1	9.1

〔Fujita N, et al. : Ultrasonographic reference values and a simple yet practical formula for estimating average kidney length in Japanese children. Clin Exp Nephrol 2022 : 26 : 808-818[1)]〕

▶血清 Cr 値は筋肉量に比例し，腎機能に反比例する．血清 Cr 値は重症心身障害児，神経筋疾患，低栄養児など筋肉量が著しく少ない場合は低くなり，スポーツ選手のように筋肉量が著しく多い場合は高くなる．

▶血清 Cr 値のみでなく，血清シスタチン C(CysC)値や血清 β_2 マイクログロブリン(β_2MG)値による評価も合わせて使用する．

表 30-2　**血清 Cr 基準値（mg/dL；3 か月以上 12 歳未満）**

年齢	2.5%tile	50.0%tile	97.5%tile	年齢	2.5%tile	50.0%tile	97.5%tile
3〜5 か月	0.14	0.2	0.26	5 歳	0.25	0.34	0.45
6〜8 か月	0.14	0.22	0.31	6 歳	0.25	0.34	0.48
9〜11 か月	0.14	0.22	0.34	7 歳	0.28	0.37	0.49
1 歳	0.16	0.23	0.32	8 歳	0.29	0.4	0.53
2 歳	0.17	0.24	0.37	9 歳	0.34	0.41	0.51
3 歳	0.21	0.27	0.37	10 歳	0.3	0.41	0.57
4 歳	0.2	0.3	0.4	11 歳	0.35	0.45	0.58

〔Uemura O, et al. : Age, gender, and body length effects on reference serum creatinine levels determined by an enzymatic method in Japanese children : a multicenter study. Clin Exp Nephrol 2011 ; 15 : 694–699[3]〕

表 30-3　**血清 Cr 基準値（mg/dL；12 歳以上 17 歳未満，男女別）**

年齢（歳）	男児			女児		
	2.5%tile	50.0%tile	97.5%tile	2.5%tile	50.0%tile	97.5%tile
12	0.4	0.53	0.61	0.4	0.52	0.66
13	0.42	0.59	0.8	0.41	0.53	0.69
14	0.54	0.65	0.96	0.46	0.58	0.71
15	0.48	0.68	0.93	0.47	0.56	0.72
16	0.62	0.73	0.96	0.51	0.59	0.74

〔Uemura O, et al. : Age, gender, and body length effects on reference serum creatinine levels determined by an enzymatic method in Japanese children : a multicenter study. Clin Exp Nephrol 2011 ; 15 : 694–699[3]〕

表 30-4　**推算糸球体濾過量（eGFR）のための 5 次式**

eGFR（mL/分/1.73 m²）	$eGFR = 110.2 \times \dfrac{\text{血清 Cr 基準値(mg/dL)}}{\text{血清 Cr 実測値(mg/dL)}} + 2.93$
血清 Cr 基準値（mg/dL）	男児：$-1.259Ht^5 + 7.815Ht^4 - 21.39Ht^2 - 11.71Ht + 2.628$ 女児：$-4.536Ht^5 + 27.16Ht^4 - 63.43Ht^2 - 40.06Ht + 8.778$ Ht：身長(m)

▶血清 CysC 値，血清 β_2MG 値ともに，血清 Cr 値と異なり筋肉量の影響を受けないため，体格に比して筋肉量が少ない児でも，腎機能のよい指標となり得る．

▶各年齢の血清 CysC，血清 β_2MG の基準値を表 30-6[6]，表 30-7[7]に示す．

表 30-5 糸球体濾過量基準値（mL/分/1.73 m²；3 か月以上 17 歳未満，男女共通）

年齢	2.5%tile	50.0%tile	97.5%tile	mean	SD
3～5 か月	76.6	91.7	106.7	91.7	9.5
6～11 か月	75.7	98.5	133	100.8	15.8
12～17 か月	83.3	106.3	132.6	106.6	13.7
18 か月～16 歳	83.5	113.1	156.7	115.2	18.3

〔Uemura O, et al.：Reference glomerular filtration rate levels in Japanese children：using the creatinine and cystatin C based estimated glomerular filtration rate. Clin Exp Nephrol 2015；19：683-687[4]/Uemura O, et al.：Mean and standard deviation of reference glomerular filtration rate values in Japanese children. Clin Exp Nephrol 2016；20：317-318[5]〕

表 30-6 血清シスタチン C 基準値（mg/L，3 か月以上 12 歳未満は男女共通，12 歳以上 17 歳未満は男女別）

年齢	2.5%tile		50.0%tile		97.5%tile	
3～5 か月	0.88		1.06		1.26	
6～11 か月	0.72		0.98		1.25	
12～17 か月	0.72		0.91		1.14	
18～23 か月	0.71		0.85		1.04	
2～11（歳）	0.61		0.78		0.95	
	男児	女児	男児	女児	男児	女児
12～14	0.71	0.61	0.86	0.74	1.04	0.91
15～16	0.53	0.46	0.75	0.61	0.92	0.85

〔Uemura O, et al.：Cystatin C-based equation for estimating glomerular filtration rate in Japanese children and adolescents. Clin Exp Nephrol 2014；18：718-725[6]〕

c 小児慢性腎臓病（小児 CKD）の診断と CKD ステージ判定

▶小児慢性腎臓病（小児CKD）の診断基準（表30-8）[8]を用いて診断する.

▶診断基準を満たす場合は CKD と診断し，GFR に基づきステージ判定を行う（表 30-9）[8].

▶2 歳未満は表 30-10 のステージ判定表を用いて判定する.

▶一方，2 歳以上は表 30-10[9]，表 30-11[9～11]のステージ判定表を使用するか，または表 30-4 に示す式から算出した eGFR に基づき，表 30-9[8]を用いて判定する.

▶小児においては，表 30-8 に示す定義を満たさなくても，腎機能がお

499

表 30-7　血清 β_2 マイクログロブリン基準値（mg/L；3か月以上17歳未満）

年齢	2.5% tile	50.0% tile	97.5% tile	年齢	2.5% tile	50.0% tile	97.5% tile
3〜5 か月	1.5	1.8	3.2	8 歳	1	1.4	2.5
6〜8 か月	1.4	1.8	2.6	9 歳	1	1.4	2.1
9〜11 か月	1.3	1.7	3.3	10 歳	0.9	1.3	1.9
1 歳	1.4	1.7	3.1	11 歳	1	1.3	2.3
2 歳	1	1.5	2.5	12 歳	1	1.3	1.8
3 歳	1	1.5	2.3	13 歳	1	1.3	1.8
4 歳	1.1	1.4	2.5	14 歳	0.9	1.3	2
5 歳	1.1	1.4	2.3	15 歳	0.8	1.2	1.8
6 歳	1.1	1.4	2.3	16 歳	0.8	1.2	1.8
7 歳	1	1.4	2.1	全年齢	1	1.4	2.3

〔Ikezumi Y et al.：Establishment of a normal reference value for serum β_2 microglobulin in Japanese children：reevaluation of its clinical usefulness. Clin Exp Nephrol 2013；17：99–105[7]〕

表 30-8　小児慢性腎臓病（小児 CKD）の診断基準

①尿異常，画像診断，血液，病理で腎障害の存在が明らか．とくに蛋白尿の存在が重要．
②GFR＜60 mL/分/1.73 m^2（ただし 2 歳未満は GFR＜50%）
①②のいずれか，または両方が 3 か月以上持続する

〔日本腎臓学会（編）：エビデンスに基づく CKD 診療ガイドライン 2023．東京医学社，2023[8]〕

表 30-9　小児慢性腎臓病（小児 CKD）のステージ分類（2 歳以上）

病期ステージ	重症度の説明	進行度による分類 GFR（mL/分/1.73 m^2）
1	腎障害は存在するがGFRは正常または亢進	≧90
2	腎障害が存在し，GFR 軽度低下	60〜89
3	GFR 中等度低下	30〜59
4	GFR 高度低下	15〜29
5	末期腎不全	＜15

＊腎障害とは，蛋白尿をはじめとする尿異常や画像検査での腎形態異常や病理組織検査での異常所見などを意味する
＊透析治療が行われいる場合は 5D，移植治療が行われている場合は 1–5T
〔日本腎臓学会：エビデンスに基づく CKD 診療ガイドライン 2023．東京医学社，2023：207[8]より一部改変〕

表 30-10 　血清 Cr 値による CKD ステージ判定表（mg/dL；
3 か月以上 12 歳未満）

年齢	ステージ 2	ステージ 3	ステージ 4	ステージ 5
3～5 か月	0.27～	0.41～	0.81～	1.61～
6～8 か月	0.30～	0.45～	0.89～	1.77～
9～11 か月	0.30～	0.45～	0.89～	1.77～
1 歳	0.31～	0.47～	0.93～	1.85～
2 歳	0.33～	0.49～	0.97～	1.93～
3 歳	0.37～	0.55～	1.09～	2.17～
4 歳	0.41～	0.61～	1.21～	2.41～
5 歳	0.46～	0.69～	1.37～	2.73～
6 歳	0.46～	0.69～	1.37～	2.73～
7 歳	0.50～	0.75～	1.49～	2.97～
8 歳	0.54～	0.81～	1.61～	3.21～
9 歳	0.55～	0.83～	1.65～	3.29～
10 歳	0.55～	0.83～	1.65～	3.29～
11 歳	0.61～	0.91～	1.81～	3.61～

〔Ishikura K, et al.：Pre-dialysis chronic kidney disease in children：results of
a nationwide survey in Japan. Nephrol Dial Trasnplant 2013：28：2345-
2355[9]より一部改変〕

表 30-11 　血清 Cr 値による CKD ステージ判定表（mg/dL；12 歳以上
19 歳未満）

年齢	ステージ 2		ステージ 3		ステージ 4		ステージ 5	
	男児	女児	男児	女児	男児	女児	男児	女児
12 歳	0.71～	0.70～	1.07～	1.05～	2.13～	2.09～	4.25～	4.17～
13 歳	0.79～	0.71～	1.19～	1.07～	2.37～	2.13～	4.73～	4.25～
14 歳	0.87～	0.78～	1.31～	1.17～	2.61～	2.33～	5.21～	4.65～
15 歳	0.91～	0.75～	1.37～	1.13～	2.73～	2.25～	5.45～	4.49～
16 歳	0.98～	0.79～	1.47～	1.19～	2.93～	2.37～	5.85～	4.73～
17 歳	0.97～	0.74～	1.45～	1.11～	2.89～	2.21～	5.77～	4.41～
18 歳	0.97～	0.74～	1.45～	1.11～	2.89～	2.21～	5.77～	4.41～

〔Ishikura K, et al.：Pre-dialysis chronic kidney disease in children：results of a nationwide
survey in Japan. Nephrol Dial Trasnplant 2013：28：2345-2355[9]より一部改変/17～18 歳
の基準値は厚生統計要覧：身長の平均値（2009 年）[10]/Uemura O, et al.：Creatinine-
based equation to estimate the glomerular filtration rate in Japanese children and adolescents
with chronic kidney disease. Clin Exp Nephrol 2014：18：626-633[11]をもとに作成〕

おむね正常の 75％以下〔2 歳以上：eGFR＜90 mL/分/1.73 m^2, 2 歳未満：ステージ判定表（表 30-10）のステージ 2〕の時点から，CKD に準じた管理が必要となる．

d 血圧

▶わが国の小児を対象とした血圧健診では，約 0.1〜3.0％が高血圧の基準を満たした[12]．

▶小児高血圧の原因は成人と同様，肥満や家族歴と関連するものが多いが，成人と比較して二次性高血圧の頻度が高く，このうち 60〜80％が先天性腎尿路異常（CAKUT）を含む腎実質性疾患や腎動脈狭窄など腎臓に関連する疾患とされる．とくに低年齢で高血圧の度合いが著しいほど，二次性高血圧を強く疑う．

▶適切な血圧測定が必要である．可能であれば安静後に座位で測定し，体格にあったマンシェット（カフ）サイズを選択する．ゴム囊の幅が上腕周囲長の 40％を超え，長さが上腕周囲を 80％以上取り囲むものを選択する．年齢別のカフサイズのめやすは，3〜6 歳未満で 7 cm 幅，6〜9 歳未満で 9 cm 幅，9 歳以上で 12 cm 幅である．

▶1 サイズ小さいカフを選択すると，血圧は 6〜9％上昇する．

▶年齢・性別により血圧の基準値が異なる．わが国では小児高血圧の基準値として，2017 年度版の「米国小児高血圧ガイドラインにおける 50%tile 身長小児の性別・年齢別血圧基準値」を用いることが多い（表 30-12）[13]．

▶高血圧の基準（表 30-13）[13] と照らして，95%tile に相当する高血圧 Stage 1 は生活指導や薬物療法が必要となる場合もあるため，専門医への紹介が必要である．Stage 2 はただちに治療を検討すべき高血圧と認識する必要がある．

2 学校検尿

▶現在，学校検尿の最大の目的は慢性糸球体腎炎の早期発見である．腎臓病は無症候性に進行することが多く，有症状時にはすでに腎障害が進行している例もあるため，検尿での早期発見・早期治療が予後改善に有用である．

▶小児期において，IgA 腎症の発見契機は約 80％が学校検尿である．

▶検尿を採取する際には体位性（起立性）蛋白尿を検出しないよう，早朝第一尿（安静時尿）を提出する．

▶月経時の検尿は経血混入により尿潜血が陽性となるため，可能であ

表 30-12 米国小児高血圧ガイドラインにおける50％tile身長小児の性別・年齢別血圧基準値

年齢 （歳）	男児			女児		
	90th	95th	95th＋ 12 mmHg	90th	95th	95th＋ 12 mmHg
1	100/53	103/55	115/67	100/56	103/60	115/72
2	102/56	106/59	118/71	103/60	106/64	118/76
3	103/59	107/62	119/74	104/62	108/66	120/78
4	105/62	108/66	120/78	106/65	109/69	121/81
5	106/65	109/69	121/81	107/67	110/71	122/83
6	107/68	111/71	123/83	108/69	111/72	123/84
7	109/70	112/73	124/85	109/70	112/73	124/85
8	110/71	114/74	126/86	110/72	113/74	125/86
9	110/73	115/76	127/88	111/73	114/75	126/87
10	112/74	116/77	128/89	112/73	116/76	128/88
11	114/75	118/78	130/90	114/74	118/77	130/89
12	117/75	121/78	133/90	118/75	122/78	134/90
13	121/75	125/78	137/90	121/76	124/79	136/91
14	126/77	130/81	142/93	122/76	125/80	137/92
15	128/79	132/83	144/95	122/77	126/81	138/93
16	129/80	134/84	146/96	123/77	127/81	139/93
17	131/81	135/85	147/97	124/77	127/81	139/93

〔Flynn JT, et al.：Subcommittee on Screening and Management of High Blood Pressure in Children. Clinical Practice Guideline for Screening and Management of High Blood Pressure in Children and Adolescents. Pediatrics 2017：140：e20171904[13]〕

れば採尿を延期する.
▶1回の検尿では擬陽性を認める可能性がある．1次検尿，2次検尿と2回繰り返して行うことで，精密検査対象者数が1/3〜1/6に減少する.
▶1次，2次検尿ともに有所見である場合，3次精密検診を受診する．3次精密検診では問診（既往歴，家族歴を含む），身長・体重・血圧などの身体所見を含めた診察，尿検査，エコー検査，必要に応じて血液検査を行い，その結果に基づき暫定診断（表 30-14）[14]，管理区分を決定する.

a 血尿のみ陽性群
▶学校検尿受検者の約 0.1〜0.2%にみられる.

表 30-13　小児の血圧基準

年齢	血圧基準		
1 歳以上 13 歳未満	正常		収縮期・拡張期血圧とも 90%tile 未満
	高値血圧		収縮期または拡張期血圧が 90%tile 以上 95%tile 未満 または 120/80 mmHg 以上 95%tile 未満
	高血圧	Stage 1	収縮期または拡張期血圧が 95%tile 以上 95%tile＋12 mmHg 未満 または 130/80 mmHg 以上 139/89 mmHg 以下
		Stage 2	収縮期または拡張期血圧が 95%tile＋12 mmHg 以上 または 140/90 mmHg 以上
13 歳以上	正常		収縮期・拡張期血圧とも 120/80 未満
	高値血圧		拡張期血圧が 80 mmHg 未満であるが，収縮期血圧が 120 mmHg 以上 129 mmHg 未満
	高血圧	Stage 1	収縮期または拡張期血圧が 130/80 mmHg 以上 139/89 mmHg 以下
		Stage 2	収縮期または拡張期血圧が 140/90 mmHg 以上

〔Flynn JT, et al.：Clinical Practice Guideline for Screening and Management of High Blood Pressure in Children and Adolescents. Pediatrics 2017；140：e20171904[13]〕

▶血尿単独陽性の場合，約 2％の児から慢性糸球体腎炎が見つかる.

▶血尿以外に尿所見異常がなく，そのほか腎臓の病気に関連した症状がないものを無症候性血尿と暫定的に診断する.

▶血尿の原因疾患としてもっとも多いのが菲薄基底膜症候群である. そのほか重要な疾患として，遺伝性腎炎（Alport 症候群），悪性腫瘍（Wilms 腫瘍）などがある.

▶まれではあるが悪性腫瘍や腎尿路結石を否定するため，血尿単独であってもエコー検査を実施することが望ましい.

▶血尿単独であっても，時間経過とともに蛋白尿が出現し慢性糸球体腎炎と診断されることがあるため，尿検査の定期フォローアップが重要である.

▶血尿単独の場合でも，血尿が高度である場合は血液検査を行い，低補体血症や腎機能障害の合併がある場合は早期の腎生検を検討する.

b 蛋白尿のみ陽性群

▶まずは体位性（起立性）蛋白尿の可能性を考え，早朝第一尿による評

表 30-14　3 次精密検診の尿所見による暫定診断

暫定診断名	尿蛋白定性	尿蛋白/Cr 比	尿潜血	尿沈渣
異常なし	(−)〜(±)	<0.15 g/Cr	(−)〜(±)	赤血球 <4 個/HPF
無症候性血尿	(−)〜(±)	<0.15 g/Cr	(+)以上	赤血球 ≧5 個/HPF
無症候性蛋白尿	(+)以上	≧0.15 g/gCr	(−)〜(±)	赤血球 <4 個/HPF
体位性蛋白尿	早朝尿 (−)〜(±)	早朝尿 <0.15 g/Cr	(−)〜(±)	赤血球 <4 個/HPF
	随時尿 (+)以上	随時尿 ≧0.15 g/gCr	(−)〜(±)	
無症候性血尿・蛋白尿，腎炎の疑い	(+)以上	≧0.15 g/gCr	(+)以上	赤血球 ≧5 個/HPF
白血球，尿路感染症の疑い	(−)〜(±)	<0.15 g/Cr	(−)〜(±)	白血球 ≧50 個/HPF
その他	高血圧など他の状態や確定診断名が付いている場合，記入			

＊蛋白尿は定性よりも尿蛋白/Cr 比の値を優先する．
＊体位性(起立性)蛋白尿の随時尿に赤血球を認める場合がある．
〔日本学校保健会：学校検尿のすべて．令和 2 年度改訂．2021　https://www.gakkoho ken.jp/book/ebook/ebook_R020070/index_h5.html#1 (2023 年 5 月閲覧)[14]〕

価であることを確認する．
▶膜性腎症などの糸球体腎炎が発見される割合は約 1%である．また，悪性腫瘍，高血圧や肥満に伴う蛋白尿，CAKUT など，医療介入を必要とする疾患は約 10%に認められる．
▶CAKUT の有無を調べるには，尿検査で低分子蛋白尿の有無を，またエコー検査で腎形態異常の有無を確認する．
▶高度の蛋白尿がある場合はネフローゼ症候群を考えるが，軽度であってもネフローゼ症候群や尿細管疾患などの初期である可能性があるため，定期的な検尿が必要である．

c 血尿と蛋白尿が陽性の群

▶血尿，蛋白尿が同時に認められる場合，約 65%の児が最終的に糸球体腎炎と診断される．
▶1 度は血液検査，エコー検査を行う．血液検査では一般項目に加え，血清補体値や免疫グロブリン，必要に応じて抗核抗体なども確認する．

▶高度の蛋白尿がある場合や高血圧，腎機能障害を認める場合は早期に腎生検を行い，診断を確定させて，治療を開始する.

3 代表的な腎疾患の診断と治療

a 特発性ネフローゼ症候群

▶ネフローゼ症候群は高度蛋白尿と低アルブミン血症，全身浮腫をきたす病態の総称であり，このうち明らかな原因疾患がないものを特発性ネフローゼ症候群（idiopathic nephrotic syndrome）という（定義する）.

▶①高度蛋白尿（夜間蓄尿で 40 mg/時/m^{2}以上），または早朝尿で尿蛋白/Cr 比 2.0 g/gCr 以上，かつ②低アルブミン血症（血清 Alb 2.5 g/dL以下）を認めるもの，と定義している.

▶小児ネフローゼ症候群の約 90%が特発性ネフローゼ症候群（一次性ネフローゼ症候群）である.

▶わが国における発症頻度は年間 6.5 人/小児人口 10 万人で，半数以上が 5 歳未満で発症しており，男女比は 2：1 と男児に多い.

1. 病型

▶副腎皮質ステロイド治療への反応性は良好なことが多く，約 90%がステロイド感受性ネフローゼ症候群であるが，再発を繰り返し，頻回のステロイド治療や免疫抑制治療が必要になることがある.

▶約 30〜40%は頻回再発型ネフローゼ症候群（初発から半年以内に 2回以上の再発，もしくは任意の 1 年間に 4 回以上の再発を認める場合），あるいはステロイド依存性ネフローゼ症候群（ステロイド減量中またはステロイド中止後 14 日以内に 2 回連続して再発した場合）となる.

▶ネフローゼ症候群の病型を図 30-1[15)]に示す.

▶小児特発性ネフローゼ症候群の腎病理組織型は，そのほとんどが微小変化型である.後述するステロイド抵抗性ネフローゼ症候群では，約 70%が微小変化型，約 20%が巣状分節性糸球体硬化症（FSGS）である.

2. 原因

▶原因は不明であるが，疾患感受性遺伝子に B 細胞機能異常，T 細胞機能異常，液性因子など，なんらかの免疫学的な誘因や抗原刺激など複数の因子が加わり発症すると考えられている.

▶小児期発症ステロイド抵抗性ネフローゼ症候群患者のうち，約 30%はポドサイト関連の蛋白をコードする遺伝子の異常による.

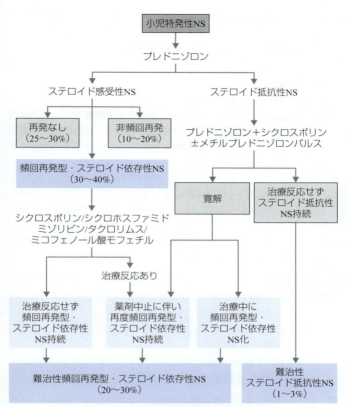

図 30-1　ネフローゼ症候群(NS)の病型
〔日本小児腎臓学会(監),難治性疾患政策研究事業「小児腎領域の希少・難治性疾患群の診療・研究体制の確立」(厚生労働科学研究費補助金):小児特発性ネフローゼ症候群診療ガイドライン 2020. 診断と治療社,2020[15]〕

- ステロイド抵抗性ネフローゼ症候群では,早期に遺伝子解析を行う.原因遺伝子が同定された場合は不要な免疫抑制療法を回避できるなど,治療方針決定に有用な情報となる.

3. 腎生検の適応

- ネフローゼ症候群発症時に,以下の①〜⑤を認めた場合は微小変化型以外の病理組織型,あるいは特発性ネフローゼ症候群以外の疾患が疑われるため,ステロイド治療開始前に腎生検による組織診断を

行ったうえで治療方針を決定する．
① 1 歳未満
② 持続的血尿（RBC≧10/HPF），肉眼的血尿
③ 高血圧，腎機能障害
④ 低補体血症
⑤ 腎外症候（発疹，紫斑など）

▶ カルシニューリン阻害薬の長期投与が必要となる場合は，血液検査で明らかな腎機能障害が認められない場合でも，投与開始後は定期的に腎生検を行い（初回の腎生検は治療開始 2～3 年後をめやすにする），腎毒性の有無を評価する．

4. 治療

▶ 小児特発性ネフローゼ症候群の多くが微小変化型である．そのため，初発・再発時とも副腎皮質ステロイドを第一選択薬として治療を行う．

▶ 小児特発性ネフローゼ症候群の初発時治療は，8 週間治療（ISKDC 法）を選択することが推奨される．

> **処方例**
>
> ■ 小児特発性ネフローゼ症候群の初発時治療として
> プレドニゾロン（プレドニン®）
> 1 日 60 mg/m²または 2 mg/kg（最大 60 mg）を 1～3 回に分割して連日投与 4 週間
> その後，1 日 40 mg/m²または 1.3 mg/kg（最大 40 mg）を朝 1 回 隔日投与 4 週間

▶ 4 週間のステロイド治療の間に蛋白尿が陰性化しない症例は，ステロイド抵抗性ネフローゼ症候群として，免疫抑制治療の追加を行う．

▶ 再発時は初発時とステロイドの内服方法が異なり，ISKDC 変法や長期漸減法が選択される．

▶ 頻回再発型・ステロイド依存性ネフローゼ症候群では，長期にステロイドの内服を要することが多いため，ステロイドによる副作用がとくに問題となる．これを回避するために，シクロスポリンやシクロホスファミドが用いられる．近年，ミコフェノール酸モフェチルやリツキシマブ（抗 CD20 モノクロナール抗体）が選択されることもある．

▶ ステロイドの副作用は多岐にわたるため，さまざまな側面から経時的に評価し介入する必要がある．

▶比較的頻度が高く重要な副作用としては，高血圧，眼圧上昇，不整脈，耐糖能異常，精神障害，易感染性，脂質異常症（高脂血症），骨密度の低下などがある．さらに小児では，とくに成長障害が大きな問題となる．

▶ステロイドの副作用を見落とさないために，血圧測定，定期的な眼科受診を行う．また長期にステロイド投与を要する場合には，骨密度や骨年齢も確認するとよい．重度のステロイド合併症を伴う場合は，免疫抑制療法の併用を検討すべきである．

5. 長期的な予後

▶小児期発症のネフローゼ症候群患者は，成人期以降も継続して管理が必要となることはまれではない．

▶とくに頻回再発型やステロイド依存性ネフローゼ症候群では，多くは小児期に治癒せず，成人期以降も継続した管理を要する患者の割合が約 20〜50％と報告されている．

▶ステロイド感受性ネフローゼ症候群や免疫抑制治療により完全寛解もしくは部分寛解が得られた場合の 10 年腎生存率は，90％と良好である．

▶ステロイド抵抗性ネフローゼ症候群のうち，免疫抑制薬に反応しない症例の 10 年腎生存率は 30〜40％と不良であり，末期腎不全に至るリスクが高い．

b IgA 腎症

▶IgA 腎症は IgA を主体とした糸球体メサンギウム領域への特異的沈着に加え，メサンギウム細胞増多やメサンギウム基質の増生を認める，慢性糸球体腎炎のなかでもっとも頻度が高い疾患である．

▶わが国の IgA 腎症の小児期の発症頻度は 4.5〜9.9 人/人口 10 万人/年で，0〜9 歳では 3.2〜5.6 人，10〜19 歳で 6.1〜10.2 人/10 万人/年であり，より年長児で発症頻度が高い．

▶小児患者（20 歳未満）の男女比は，1.19〜1.87：1 と男児に多い．

▶わが国では 70％以上が学校検尿を契機に発見されている．

▶わが国の小児の長期予後の報告では，腎生存率は 10 年で 90％，20 年で 80％と成人に比較して良好であるが，これは学校検尿などによる早期発見・早期治療開始によるものの可能性が考えられる．

▶15 歳以下の初回腎生検時に腎機能正常であった小児 IgA 腎症患者の臨床病理所見と予後の関係が検討され，臨床症状と腎組織像を組み合わせた重症度の定義が提案された（表 30-15）[16]．

表 30-15　小児 IgA 腎症の重症度分類

重症度		定義
軽症	臨床症状	軽度蛋白尿（早朝蛋白尿/Cr 比 1.0 未満） かつ 腎機能正常（eGFR 90 mL/分/1.73 m²以上）
	病理組織像	メサンギウム細胞増多，半月体形成，癒着，硬化病変のいずれかの所見を有する糸球体が全糸球体の 80% 未満，かつ半月体形成を認める糸球体が 30%未満であるもの
重症		軽症例以外の症例

〔日本小児腎臓病学会：小児 IgA 腎症診療ガイドライン 2020．診断と治療社，2020[16]〕

1. 腎生検の適応

▶血尿単独例は原則，腎生検の適応にならないが，肉眼的血尿を反復する場合は腎生検を考慮してもよい．

▶早朝尿蛋白/Cr 比 0.15 g/gCr 以上が持続する場合は 6 か月，早朝尿蛋白/Cr 比 0.5 g/gCr 以上が持続する場合は 3 か月が腎生検の適応の 1 つのめやすである．

▶高度蛋白尿やネフローゼ状態を呈する場合や，腎機能障害を認める場合には，より早期に腎生検を行うことが望ましい．

2. 腎病理組織

▶表 30-15 の分類とは異なり，世界的には Oxford 分類を用いて病理組織学的評価が行われる．

▶Oxford 分類に使用される病変は，メサンギウム増多（M），管内増殖（E），分節性硬化（S），尿細管萎縮/間質線維化（T），活動性半月体（C）であり，MEST-C と示される．

▶小児では依然，腎病理組織と予後との関連が検証された研究は少ない．

▶一方，成人では Oxford 分類が広く使用されているが，どのカテゴリーであればどの治療を選択すべきである，といった点が示されておらず，今後の課題である．

3. 治療

▶表 30-15 の重症度に応じて決定する．

▶軽症例は，レニン・アンジオテンシン系（RAS）阻害薬による治療を行う．ただし，RAS 阻害薬を 3～6 か月程度使用しても，尿蛋白/Cr 比 1.0 g/gCr 以上の蛋白尿を認める場合はステロイド投与を検討する．

▶重症例では多剤併用療法が有効であることが，ランダム化比較試験

で示されている.

▶ 以前は副腎皮質ステロイド，免疫抑制薬，ワルファリン，抗血小板薬による治療が一般的であったが，現在は副腎皮質ステロイド，免疫抑制薬，RAS阻害薬の3剤による治療が，「小児IgA腎症診療ガイドライン2020」[16]に記載されている．しかしながら，以前から選択されている4剤による多剤併用療法に加え，RAS阻害薬を加えた5剤などによる治療を否定するものではない.

4. 長期的な予後

▶ 小児期発症群の予後は成人発症群と比較して良好で，わが国では小児IgA腎症の10年腎生存率は86〜95%と報告されている.

▶ 予後を規定する因子として，①臨床的因子，②組織学的因子，③治療因子，が報告されている.

▶ リスク因子として，①臨床的因子では高度蛋白尿，腎機能障害，高血圧が，②組織学的因子ではメサンギウム細胞増多，管内細胞増多，半月体形成，糸球体硬化，尿細管間質病変が報告されている.

C 紫斑病性腎炎

▶ IgA血管炎は小型血管を炎症の場とする全身の血管炎であり，臨床的に診断する.

▶ IgA血管炎は凝固異常や血小板低下を伴わない紫斑，関節痛，腹痛が3徴といわれ，一部で腎症（血尿・蛋白尿・腎機能障害）を合併し，紫斑病性腎炎（IgA vasculitis with nephritis；IgA血管炎関連腎炎）を発症する.

▶ 紫斑病性腎炎はIgA血管炎患者の約20〜60%に合併する糸球体腎炎で，多彩な臨床症状と経過をとり得る.

▶ 臨床的には，顕微鏡的血尿から血尿＋高度蛋白尿による低アルブミン血症を呈する症例や腎機能障害を合併する症例まで，その重症度は幅広い.

▶ 腎生検によって診断された，わが国の紫斑病性腎炎の発症頻度は1.32人/小児人口10万人/年で，好発年齢は4〜9歳と，大半は小児期に発症する．男女比は1.2：1と，やや男児に多い.

▶ 重症例では慢性腎機能障害に進展する可能性があり，適切に病勢を把握し，重症度を評価して治療を選択する必要がある．とくにネフローゼ症候群の持続や腎機能低下例は長期予後が不良である可能性が高いことを認識し，早期に腎生検を行い治療介入すべきである.

▶ 紫斑病性腎炎の発症時期は，IgA血管炎発症から1週間以内に85%，6か月以内に97%が発症すると報告されており，IgA血管炎発症後6

か月間は紫斑病性腎炎の合併がないか評価するため，血圧と早朝尿所見のフォローアップを行うことが望ましい．

1. 病態

▶IgA 血管炎/紫斑病性腎炎は，IgA を含む免疫複合体による全身性の細血管炎である．

▶IgA 腎症と同じ病態機序をもつ疾患であり，ガラクトース欠損型の異常糖鎖 IgA を含む免疫複合体による小型血管壁への沈着による免疫反応が本態であると考えられる．

2. 腎病理組織

▶IgA 腎症と同様の腎病理組織像を呈し，病理組織のみでは IgA 腎症と鑑別できない．

▶紫斑病性腎炎の腎病理組織評価には ISKDC 分類が用いられる．

▶長期予後との関連についてはさらなる検討が必要と考えられ，IgA 腎症の腎病理評価に用いられる Oxford 分類による評価の有用性が検討されている．

3. 治療

▶確立した治療法はないため，病態が類似しているといわれる IgA 腎症に準じた治療が提案されることが多い．

▶ISKDC 分類 grade Ⅰ〜Ⅱや軽度蛋白尿症例にはアンジオテンシン変換酵素（ACE）阻害薬，アンジオテンシンⅡ受容体拮抗薬（ARB）の投与が行われることが多い．

▶ISKDC 分類 grade Ⅲ〜Ⅴ，ネフローゼ症候群，急性腎炎症候群合併症例に対しては，副腎皮質ステロイド，免疫抑制薬±抗血小板薬，ACE 阻害薬/ARB による多剤併用療法が行われることが多い．

▶紫斑病性腎炎は病巣感染に伴って発症・増悪することが多いため，副鼻腔炎やう歯がある場合には積極的な治療が推奨される．

▶紫斑病性腎炎は寛解後も長期に経過したのちに再燃する症例があるため，尿所見の改善後も定期的な経過観察が必要である．

4. 重症度評価と長期予後

▶紫斑病性腎炎は臨床上，多彩な経過をとる腎炎であるため，発症時の尿所見や腎病理組織から個々の症例の経過や予後を予測することは困難であり，臨床的重症度と病理組織学的重症度を合わせて評価をする．とくに，ネフローゼ症候群，腎機能低下，ISKDC 分類 grade Ⅲb 以上などの臨床的・病理組織学的重症例では積極的に治療を検討すべきである．

▶臨床的には，血尿単独や血尿＋軽度蛋白尿（尿蛋白/Cr＜0.5 g/gCr）症例は多くが軽症で，約 80％は無治療経過観察で尿所見が消失する

ことが多い．しかし適切な治療が行われない場合，ネフローゼ症候群を呈した症例の 40%，さらに急性腎炎症候群とネフローゼ症候群（高度蛋白尿＋血清 Alb＜3.0 g/dL）の併発症例では 50%以上が慢性腎不全へ進行する．

▶ネフローゼ症候群が 3 か月以上持続した症例では，治療を行っても 41%が末期腎不全へ進行したとする報告がある．そのため，ネフローゼ症候群が 3 か月以上持続しないよう治療開始を検討する必要がある．

▶腎病理組織では，半月体形成や分節性病変（硬化，癒着，壊死）を認める糸球体の割合が多い症例や，間質の線維化を認める症例は病理学的不良であるとされる．ISKDC 分類 grade IV 以上（半月体形成 ≧50%）では，約 35%が長期経過観察で慢性の腎機能障害を呈する．

4 小児慢性腎臓病（小児 CKD）

▶日本における CKD の有病率は，3 か月〜15 歳以下の児を対象としたコホート研究によると，CKD ステージ 3〜5 の有病率は 2.98 人/10 万人と推定されている．

▶日本における末期腎不全の原因疾患は，1968〜1979 年の調査では糸球体疾患が 82%で，そのうち慢性糸球体腎炎が 50%を占めていたが，2006〜2011 年では，それぞれ 21%，4%と大幅に減少し，代わりに CAKUT が 50%を占めている．

▶2011 年の全国調査では，CKD ステージ 3 以上の原因疾患の 91%が非糸球体性腎疾患，62%が CAKUT であり，非糸球体性疾患を原疾患とする割合が増加している．

a 発見契機

▶わが国における CKD ステージ 3〜5 の発見契機は，CAKUT では 31.7%が胎児〜新生児期のエコー検査で，13.7%は偶然行われた検査や尿路感染症を契機に発見されていた．学校検尿，3 歳検尿で発見されたものはそれぞれ 9.7%，3.2%である．

▶CAKUT 以外の疾患の発見契機としては，18.9%が偶然行われた検査，18.3%が新生児期のショックなどに対して行われた検査，11.2%が胎児期〜新生児期に行ったエコー検査であった．学校検尿，3 歳検尿はそれぞれ 7.1%，4.1%であった．

30

小児腎疾患患者の管理

513

b 先天性腎尿路異常（CAKUT）

▶わが国の末期腎不全の原疾患の 39.8%を CAKUT が占める.

▶CAKUT は多様な腎尿路形態異常の一群の総称であり，このうち低形成・異形成腎はわが国の小児の保存期 CKD および末期腎不全の最多原疾患である.

c 小児 CKD の管理

▶患児が心身ともに正常な発達，成長を遂げ，可能な限り健常児と同様に日常生活を送ることができるよう，児にとって最適な管理について，医師を含めた多職種で検討を行う.

1. 運動制限

▶身体活動の低下は肥満や QOL の低下につながる可能性があることから，高血圧や心不全の合併がない場合，積極的な運動制限は行わない.

▶軽度の腎異常所見や，状態が安定しており腎機能が正常の 1/2 以上の場合，運動制限は不要で，むしろ適度な運動がすすめられる．一方，腎機能障害の進行や高度蛋白尿を認める，高血圧の合併や浮腫など状態が安定していない場合には主治医と相談し，状態によっては激しい運動は控えることが望ましい.

2. 栄養管理

▶体格年齢相当のエネルギー摂取が望ましい.

▶CKD の乳幼児は栄養摂取不足となることが多く，低栄養は成長や発達に影響をもたらす．とくに幼少期の栄養摂取量が将来的な中枢神経発達に関与する可能性があるため，経口摂取不良で十分量のエネルギー量摂取が困難な場合は，積極的に経管栄養の併用も考慮する.

▶小児の成長障害には食事のほかに複数の因子が関連しているため，一律に必要なエネルギー量を示すことは難しいが，一般的に CKD 患児は健常児と同等のエネルギー量が必要となることが多い．ただし，CKD 患児の体格は健常児よりも小柄であることが多いため，年齢に合わせたエネルギー量ではなく体格相当を目指す.

▶たんぱく質制限による腎機能障害の抑制効果はエビデンスがなく，成長障害をきたす可能性もあることから，たんぱく質制限は推奨されない.

▶小児 CKD におけるたんぱく質摂取量は，日本人の食事摂取基準の推奨量を目指す．ただし，過剰摂取は高リン血症や高窒素血症，代謝性アシドーシスの増悪につながるため，避けるべきである.

▶小児 CKD の原因疾患として最多である CAKUT では，Na 再吸収障

害や尿濃縮力障害のため，比較的病初期から Na・水の喪失が起こる．不要な塩分・水分制限を行うことで成長障害や腎機能障害の進行をきたす可能性があるため，注意が必要である．ただし，原疾患によらず CKD の進行に伴い溢水や高血圧を認めた場合には，必要に応じて塩分や水分の制限を行う．なお，塩分制限は食事摂取量の低下や，これに伴う成長・発達障害をきたすこともあるため，制限は食事量をみながら可能な範囲で緩徐に行う．

d 小児 CKD の合併症

1. 成長障害

▶小児 CKD における成長障害の要因は，栄養摂取不足，水・電解質異常，骨・ミネラル代謝異常，代謝性アシドーシス，貧血，内分泌学的異常など複数の要因が関与する．

▶CKD ステージ 3 で成長障害が顕在化し，CKD の進行に比例して低身長が顕在化する．

▶十分な栄養と電解質やアシドーシスの管理を行うとともに，適応を満たせば，積極的に遺伝子組換えヒト成長ホルモン(rhGH)療法を行う．

▶rhGH に対する保険収載された治療適応は，①骨年齢が男子 17 歳未満，女子 15 歳未満，②現在の身長が同性，同年齢の-2.0 SD 以下，または年間の成長速度が 2 年以上連続して-1.5 SD 以下，③血清 Cr 値が年齢性別ごとの中央値の 1.5 倍以上が持続，もしくは eGFR<75 mL/分/1.73 m^2，である．

2. 貧血

▶小児 CKD の貧血の原因としては，腎性貧血，鉄欠乏性貧血が主因であることが多い．

▶貧血は生存率の低下や運動耐用能の低下，QOL の低下や入院頻度の増加に関与するとの報告があり，積極的に治療を行う．

▶腎性貧血に対する治療として，赤血球造血刺激因子製剤(ESA)投与が行われる．

▶ESA 治療の開始基準は，複数回の検査で Hb 11.0 g/dL 未満となる場合である．

▶ESA 投与により血圧上昇や血栓塞栓症のリスクが増加するため，高血圧や血栓既往がある場合などでは個々の症例に応じて目標 Hb 値を決定する．成人では Hb 13.0 g/dL を超えると有害事象が増加すると報告されているが，小児では心血管イベント増加の報告はなく，Hb の目標上限値は設定されていない．

515

▶わが国で小児に対して使用可能な ESA には，遺伝子組換えヒトエリスロポエチン製剤（rHuEPO）とダルベポエチンアルファ（DA）がある．一般的に，小児のほうが成人と比べ体格に比して必要 ESA 量が多い．

▶2019 年に，低酸素誘導因子プロリン水酸化酵素（HIF-PH）阻害薬が腎性貧血に対する治療として承認されたが，小児患者の臨床試験は行われていない．今後，小児 CKD 患者への適応拡大が期待される．

▶十分量の ESA 投与でも貧血が改善しない場合は，ESA 抵抗性の原因検索を行う．CKD に伴う骨・ミネラル代謝異常（CKD-MBD）の管理不良や，カルニチン，銅，亜鉛などの微量元素不足も原因となる．

▶鉄欠乏も重要な貧血の原因である．鉄剤治療の開始基準は，血清トランスフェリン飽和度［TSAT＝（血清鉄/TIBC）×100（%）］≦20%，かつ，血清フェリチン値≦100 ng/mL（100 μg/L）である．

3. 骨・ミネラル代謝異常

▶CKD-MBD は，CKD に伴って認められる骨・ミネラル代謝異常症である．CKD の進行に伴い顕在化する合併症で，副甲状腺機能，骨代謝，ミネラル代謝，血管石灰化など広い病態を含む概念である．

▶血清 Ca・P の管理目標値は CKD ステージによらず，年齢相当の基準値範囲内に管理する．また intact 副甲状腺ホルモン（intact PTH）は，CKD ステージ 3 までは正常範囲内（≦70 pg/mL），ステージ 4 では≦100 pg/mL，ステージ 5/5D では 100〜300 pg/mL を目標に管理を行う．

▶Ca・P 高値に対して，まずは食事療法を行う．乳幼児期には P 含有量の少ない特殊ミルクの使用も選択肢となる．P 値の低下が十分でなければ，リン吸着薬の内服を行う．

▶管理は血清 P 値→血清 Ca 値→intact PTH 値の順で優先的に行い，血清 P，Ca 値が至適範囲に管理されても intact PTH 値が高値である場合は，活性型ビタミン D 製剤の投与を検討する．

e 腎代替療法

▶腎代替療法には腹膜透析，血液透析，腎移植がある．

▶小児では，最終的には腎移植を目指して管理を行う．

▶小児では，体格や安全に実施できる年齢，病態や社会的な状況を考慮して，総合的に判断し選択する必要がある．医師は患児，家族に対して十分な情報提供を行い，時間をかけていずれを選択するのか相談し決定する．

▶腎代替療法導入が急な事象とならないよう，先行的腎移植も見据え

て，腎機能が eGFR 30 mL/分/1.73 m²まで低下する前に，腎代替療法導入施設へ紹介するのが望ましい．

📖 文 献

1) Fujita N, et al.：Ultrasonographic reference values and a simple yet practical formula for estimating average kidney length in Japanese children. Clin Exp Nephrol 2022；26：808-818
2) 小児慢性腎臓病(小児 CKD)：小児の「腎機能障害の診断」と「腎機能評価」の手引き編集委員会(編)；小児慢性腎臓病(小児 CKD)：小児の「腎機能障害の診断」と「腎機能評価」の手引き．診断と治療社，2019　http://www.jspn.jp/guideline/pdf/20191003_01.pdf(2023 年 5 月閲覧)
3) Uemura O, et al.：Age, gender, and body length effects on reference serum creatinine levels determined by an enzymatic method in Japanese children；a multicenter study. Clin Exp Nephrol 2011；15：694-699
4) Uemura O, et al.：Reference glomerular filtration rate levels in Japanese children：using the creatinine and cystatin C based estimated glomerular filtration rate. Clin Exp Nephrol 2015；19：683-687
5) Uemura O, et al.：Mean and standard deviation of reference glomerular filtration rate values in Japanese children. Clin Exp Nephrol 2016；20：317-318
6) Uemura O, et al.：Cystatin C-based equation for estimating glomerular filtration rate in Japanese children and adolescents. Clin Exp Nephrol 2014；18：718-725
7) Ikezumi Y et al.：Establishment of a normal reference value for serum β_2 microglobulin in Japanese children：reevaluation of its clinical usefulness. Clin Exp Nephrol 2013；17：99-105
8) 日本腎臓学会(編)：エビデンスに基づく CKD 診療ガイドライン 2023．東京医学社，2023
9) Ishikura K, et al.：Pre-dialysis chronic kidney disease in children：results of a nationwide survey in Japan. Nephrol Dial Trasnplant 2013；28：2345-2355
10) 厚生労働省：第 2 編 保健衛生 第 1 章保健；身長・体重の平均値．校正統計要覧(令和 4 年度)．https://www.mhlw.go.jp/toukei/youran/indexyk_2_1.html
11) Uemura O, et al.：Creatinine-based equation to estimate the glomerular filtration rate in Japanese children and adolescents with chronic kidney disease. Clin Exp Nephrol 2014；18：626-633
12) 日本高血圧学会高血圧治療ガイドライン作成委員会(編)：高血圧治療ガイドライン 2019．ライフサイエンス出版，2019
13) Flynn JT, et al.：Clinical Practice Guideline for Screening and Management of High Blood Pressure in Children and Adolescents. Pediatrics 2017；140：e20171904
14) 日本学校保健会：学校検尿のすべて．令和 2 年度改訂，2021　https://www.gakkohoken.jp/book/ebook/ebook_R020070/index_h5.html#1(2023 年 5 月閲覧)
15) 日本小児腎臓学会(監)，難治性疾患政策研究事業「小児腎領域の希少・難治性疾患群の診療・研究体制の確立」(厚生労働科学研究費補助金)：小児特発性ネフローゼ症候群診療ガイドライン 2020．診断と治療社，2020
16) 日本小児腎臓病学会：小児 IgA 腎症診療ガイドライン 2020．診断と治療社，2020

31 高齢 CKD 患者の管理

▶ 加齢に伴う生理的な変化により，糸球体濾過量（GFR）は低下する．70 歳以上の高齢者の約 30％，80 歳以上の約 50％が，推算 GFR（eGFR）60 mL/分/1.73 m²未満の慢性腎臓病（CKD）患者である．

▶ 糖尿病や高血圧などの合併症は，GFR の低下に拍車をかける．

▶ 高齢 CKD 患者の診断・治療は成人 CKD 患者と大きな違いはないが，高齢者は生理機能や薬剤の代謝・排泄能が低下しているため，若年者よりも薬物治療による副作用をきたしやすい．高齢者が急性の腎機能低下を呈した場合は，薬剤性の腎障害の頻度が高く，なかでも降圧薬は腎機能低下や電解質異常の原因となる．

▶ また，フレイル・サルコペニアを予防するためにも，病態に応じてたんぱく質制限の緩和が必要となる．

1 高齢者の CKD 診断

▶ 加齢に伴う生理的な変化によって，輸入細動脈の硝子化が起こる．それに伴って糸球体硬化をきたし，GFR が低下する．

▶ 加齢に伴う糸球体硬化により，傍髄質ネフロンの糸球体では輸入細動脈と輸出細動脈の間に短絡が形成され，腎皮質血流の低下と髄質血流の増加をもたらす．このため，皮質優位の腎萎縮が起こる．

▶ 高齢 CKD 患者に発症する腎イベント，心血管イベントの相対リスクは青壮年の CKD 患者と同等であり，高齢者（65 歳以上）においても CKD の診断基準は同じである．

▶ 加齢による（生理的な）GFR 低下も，死亡率の上昇や心血管疾患リスクの増加に関連する．

2 高齢者の腎機能低下速度

▶ 一般に，40 歳以上 70 歳未満では GFR が 50 mL/分/1.73 m²未満になると，また 70 歳以上では GFR が 40 mL/分/1.73 m²未満になると，腎機能低下速度は約 2 倍速くなる．

▶ 加齢に伴う腎機能の低下速度は個人差が大きく，1/3 の症例では低下はみられない．

表 31-1　**高齢者に多い腎疾患**

	一次性	二次性	泌尿器疾患
糸球体疾患	膜性腎症 MCNS 巣状分節性糸球体硬化症 IgA腎症	糖尿病性腎臓病 顕微鏡的多発血管炎 （ANCA関連血管炎） 腎アミロイドーシス 肝炎ウイルス関連腎炎	
血管性疾患		高血圧性腎症 （腎硬化症） 腎動脈狭窄症 （動脈硬化症） コレステロール塞栓症 虚血性腎症	
尿細管間質疾患・他	慢性間質性腎炎	骨髄腫腎 痛風腎 薬剤性腎障害	前立腺肥大症 （腎後性腎不全） 尿路結石 腎尿路悪性腫瘍

MCNS：微小変化型ネフローゼ症候群，ANCA：抗好中球細胞質抗体
〔日本腎臓学会（編）：CKD診療ガイド2012. 東京医学社，2012：32[1]〕

▶ 高齢者においても，腎機能が急速に低下する場合は加齢以外の原因を検討すべきである．

▶ フレイルなどで筋肉量が低下した高齢の患者では，血清Cr値に基づいたeGFRが過大評価されることがある．筋肉量が低下している症例では，シスタチンCによるeGFR推算式が推奨される（☞p.535参照）．

3　高齢者で注意すべき疾患

▶ 高齢者に多い腎疾患を示す（表31-1）[1]．

▶ 高齢者のネフローゼ症候群でもっとも多いのは膜性腎症で，54.8%を占める．また微小変化型ネフローゼ症候群（MCNS）は必ずしも青壮年に多いものではなく，高齢者においてもネフローゼ症候群の約20%は微小変化型である．

▶ 高齢者で予後が悪く注意すべき糸球体疾患として，抗好中球細胞質抗体（ANCA）関連血管炎と腎アミロイドーシスがある．

519

▶2〜3 か月の間に急激に腎機能が低下し，尿異常，CRP 上昇を呈した患者では，ANCA 関連血管炎の可能性を疑う．胸部 X 線（肺胞出血や間質性肺炎）の確認も重要である．

▶腎アミロイドーシスや多発性骨髄腫では，蛋白尿が高度でも，試験紙法では軽度の蛋白尿を示すことがあり，見逃してはならない．

4 高齢 CKD 患者の治療の実際

▶高齢 CKD 患者の治療においては目標数値にこだわらず，患者の生命予後や個々の患者の病態に合わせて，個別に管理目標を設定することが必要である．

▶本項における高齢者とは 75 歳以上をさす．

a 降圧治療

▶CKD 患者の高血圧の 50％以上が仮面高血圧である．また，高齢者は白衣高血圧をきたしやすい．したがって，CKD 患者の血圧を管理するためには家庭での血圧測定が必須となる．なかでも早朝血圧が心血管疾患の発症リスクともっとも相関するため，CKD 患者に早朝家庭血圧を測定してもらうことが，降圧治療の第一歩である．

▶高齢者はフレイルを考慮する必要がある．米国全国健康・栄養調査（NHANES）によると，65 歳以上の高齢者で歩行速度が 0.8 m/秒（6 m/7.5 秒）以上の場合，非高血圧者に比べて高血圧患者で予後が不良であったが，0.8 m/秒未満では予後は変わらなかった．

▶6 m 歩行できないフレイル患者では，140 mmHg 未満への降圧は全死亡や心血管死などのリスクが高まるという報告がある．

1. 高齢 CKD 患者の降圧目標

▶高齢 CKD 患者の降圧目標としては，150/90 mmHg 未満をまず達成し，忍容性がある場合に 140/90 mmHg まで降圧する．蛋白尿や糖尿病を合併する場合には，可能であれば130/80 mmHg 未満を目指す．

▶降圧薬を用いて，収縮期血圧を 110 mmHg 未満に維持することは避ける．

▶冠動脈病変を有する場合には，拡張期血圧 70 mmHg 以上となるようにする．

▶SPRINT（Systolic Blood Pressure Intervention Trial）研究のサブ解析[2]では，75 歳以上の高齢高血圧患者を対象とした場合，収縮期血圧＜120 mmHg を降圧目標とした厳格降圧群では主要複合アウトカム（脳・心血管イベント，急性心不全，心血管死）が抑制されていたが，

末期腎不全への進展抑制は認められなかった.

▶降圧療法による CKD 発症予防効果に関するメタ解析では，全年齢を対象とした解析で厳格降圧治療による CKD 発症のリスク低下が認められた．65〜75 歳を対象とした場合も同様に CKD 発症リスクは低減したが，一方，75 歳以上を対象とした場合では有意なリスク低減は認められなかった.

▶厳格な降圧治療による心血管死，総死亡については，75 歳以上を対象とした場合でも，リスク低減が認められた.

▶血圧は季節により変動する．高齢者では，夏季には脱水や過剰降圧による低血圧，さらには急性腎障害に至ることがあり，高齢者の降圧治療については配慮が必要である.

▶発熱や下痢，嘔吐などを伴うシックデイ時には血圧自己測定をすすめるとともに，レニン・アンジオテンシン系（RAS）阻害薬や利尿薬の中止などを患者に指示しておく.

▶降圧薬による過降圧を避けるため，患者に立ちくらみがないかを問診し，起立性低血圧が起こっていないことを確認する.

▶起立性低血圧は，起立 3 分後に血圧が 20 mmHg 以上低下した場合と定義する.

▶食後血圧低下は，食後 1 時間での 20 mmHg 以上の血圧低下で診断される.

2. 第一選択薬

▶高齢者では内分泌系としてレニン・アンジオテンシン・アルドステロン系が低下しており，RAS 阻害薬の効果がしばしば減弱している．一方，RAS 阻害薬によって急激な GFR 低下や高カリウム血症を生じやすく，感受性が亢進しているともいえる.

▶細小動脈硬化による腎硬化症の合併頻度が高いことを念頭において，降圧薬を選択する.

▶75 歳以上の高齢 CKD 患者の降圧薬選択は，CKD ステージ G1〜3 では 75 歳未満と同様であるが，CKD ステージ G4〜5 では Ca 拮抗薬を第一選択とする（表 31-2）[3].

b 血糖管理

▶糖尿病を合併した 75 歳以上の高齢 CKD 患者においては，血糖降下療法による重症低血糖や，それに伴う転倒に注意を要する.

▶高齢者の血糖管理目標は，患者の特徴や健康状態（年齢，認知機能，身体機能，併発疾患，重症低血糖のリスク，余命）などを考慮して，個別に治療目標を設定する.

521

表 31-2 高齢 CKD 患者の降圧薬選択

ステージ		75 歳未満		75 歳以上
		蛋白尿（＋）	蛋白尿（−）	
G1〜3	第一選択	ACE 阻害薬，ARB	ACE 阻害薬，ARB，Ca 拮抗薬，サイアザイド系利尿薬（体液貯留）から選択	75 歳未満と同様
	第二選択	Ca 拮抗薬（CVD ハイリスク）サイアザイド系利尿薬（体液貯留）		
G4〜5	第一選択	ACE 阻害薬，ARB	ACE 阻害薬，ARB，Ca 拮抗薬，長時間作用型ループ利尿薬（体液貯留）から選択	Ca 拮抗薬
	第二選択	Ca 拮抗薬（CVD ハイリスク）長時間作用型ループ利尿薬（体液貯留）		

ACE：アンジオテンシン変換酵素，ARB：アンジオテンシンⅡ受容体拮抗薬，CVD：心血管疾患
〔日本腎臓学会（編）：エビデンスに基づく CKD 診療ガイドライン 2018. 東京医学社，2018：28[3]〕

▶高齢者糖尿病では，低血糖のリスクが高いことや低血糖により老年症候群をきたしやすいことから，高齢者糖尿病の血糖コントロール目標（HbA1c 値）を参考にする（図 31-1）[4].

▶HbA1c 8.0％未満（下限 7.0％）をめやすに，個別の状況を鑑みて目標 HbA1c 値を設定する.

▶Na^+/グルコース共役輸送担体 2（SGLT2）阻害薬は，糖尿病合併・非合併にかかわらず，CKD 患者において腎保護効果を示すため，リスクとベネフィットを十分に勘案して積極的に使用を検討する.

▶糖尿病合併 CKD 患者では，アルブミン尿（蛋白尿），腎機能に関係なく SGLT2 阻害薬の腎保護効果が期待できるため，積極的に投与する.

▶eGFR 15 mL/分/1.73 m^2未満では，新規に SGLT2 阻害薬を開始しない. 継続投与して 15 mL/分/1.73 m^2未満となった場合には，副作用に注意しながら継続する.

▶SGLT2 阻害薬投与後に eGFR の低下を認める場合があるため，投与後早期（2 週間〜2 か月程度以内）に eGFR の評価を行う.

▶高齢 CKD 患者へ SGLT2 阻害薬を投与する際には，サルコペニアやフレイルの発症・増悪に注意する.

▶経口血糖降下薬のうち，腎排泄性であるスルホニル尿素（SU）薬，ビグアナイド薬やグリニド薬は腎排泄の遷延を認めるため，使用には注意を要する.

患者の特徴・健康状態[1]		カテゴリーI ①認知機能正常 かつ ②ADL自立	カテゴリーII ①軽度認知障害〜軽度認知症 または ②手段的ADL低下,基本的ADL自立	カテゴリーIII ①中等度以上の認知症 または ②基本的ADL低下 または ③多くの併存疾患や機能障害
重症低血糖が危惧される薬剤(インスリン製剤,SU薬,グリニド薬など)の使用	なし[2]	7.0%未満	7.0%未満	8.0%未満
	あり[3]	65歳以上75歳未満 7.5%未満(下限6.5%) / 75歳以上 8.0%未満(下限7.0%)	8.0%未満(下限7.0%)	8.5%未満(下限7.5%)

図 31-1　高齢者糖尿病の血糖コントロール目標(HbA1c値)

治療目標は,年齢,罹病期間,低血糖の危険性,サポート体制などに加え,高齢者では認知機能や基本的 ADL,手段的 ADL,併存疾患なども考慮して個別に設定する.ただし,加齢に伴って重症低血糖の危険性が高くなることに十分注意する.

注1 認知機能や基本的 ADL(着衣,移動,入浴,トイレの使用など),手段的 ADL(IADL:買い物,食事の準備,服薬管理,金銭管理など)の評価に関しては,日本老年医学会のホームページ(www.jpn-geriat-soc.or.jp/)を参照する.エンドオブライフの状態では,著しい高血糖を防止し,それに伴う脱水や急性合併症を予防する治療を優先する.

注2 高齢者糖尿病においても,合併症予防のための目標は 7.0%未満である.ただし,適切な食事療法や運動療法だけで達成可能な場合,または薬物療法の副作用なく達成可能な場合の目標を 6.0%未満,治療の強化が難しい場合の目標を 8.0%未満とする.下限を設けない.カテゴリーIIIに該当する状態で,多剤併用による有害作用が懸念される場合や,重篤な併存疾患を有し,社会的サポートが乏しい場合などには,8.5%未満を目標とすることも許容される.

注3 糖尿病罹病期間も考慮し,合併症発症・進展阻止が優先される場合には,重症低血糖を予防する対策を講じつつ,個々の高齢者ごとに個別の目標や下限を設定してもよい.65 歳未満からこれらの薬剤を用いて治療中であり,かつ血糖コントロール状態が図の目標や下限を下回る場合には,基本的に現状を維持するが,重症低血糖に十分注意する.グリニド薬は,種類・使用量・血糖値等を勘案し,重症低血糖が危惧されない薬剤に分類される場合もある.

[重要な注意事項]

糖尿病治療薬の使用にあたっては,日本老年医学会編「高齢者の安全な薬物治療ガイドライン」を参照すること.薬剤使用時には多剤併用を避け,副作用の出現に十分に注意する.

〔日本老年医学会・日本糖尿病学会(編・著):高齢者糖尿病診療ガイドライン 2023.南江堂,2023:94[4]〕

▶糖尿病合併 CKD 患者で，ステージ G4〜5 の場合は，慎重投与や禁忌となる糖尿病治療薬に注意が必要である（「付録：腎機能低下時の薬剤投与量」参照，☞p.710）.

▶高齢者では，ビグアナイド薬は GFR 45 mL/分/1.73 m²未満では減量し，30 mL/分/1.73 m²未満では禁忌である.

▶GFR 30 mL/分/1.73 m²未満の高齢者への SU 薬やチアゾリジン薬投与は禁忌である．投与する場合は腎機能に注意して用いる.

c 脂質管理

▶脂質異常症を有する CKD 患者に対するヒドロキシメチルグルタリル-CoA（HMG-CoA）還元酵素阻害薬（スタチン），およびスタチンとエゼチミブ併用による脂質低下療法は，心血管イベント発症および腎機能悪化を抑制する可能性があり，高齢 CKD 患者でもこれらを用いた脂質管理を考慮する．ただし，これらの脂質低下療法の全死亡に対する効果は明確ではなく，腎保護効果も腎機能低下率の抑制効果のみであり，末期腎不全などのハードアウトカムに対する抑制効果は認められていない.

▶スタチンは脂質低下作用に加えてプラーク安定化作用があり，粥状動脈硬化病変を有する高齢 CKD 患者では使用を考慮する.

▶プロ蛋白転換酵素サブチリシン/ケキシン 9 型（PCSK9）阻害薬については，現時点では明確なエビデンスはない.

▶脂質異常症合併 CKD 患者へのフィブラート系薬の使用は，心血管イベントの発症抑制において有用な可能性はあるが，中〜高度腎機能低下患者では慎重投与もしくは禁忌である.

▶肝代謝である新規ペルオキシソーム増殖因子活性化受容体α（PPARα）モジュレーター（ペマフィブラート）は従来，血清 Cr 値 2.5 mg/dL 以上は禁忌であったが，現在は eGFR 30 mL/分/1.73 m²未満で慎重投与となっている．ただし，CKD 患者でのエビデンスはまだ十分ではない.

d 貧血治療

▶高齢 CKD 患者に貧血を認めた場合，絶対的鉄欠乏（血清フェリチン値 50 ng/mL 未満）がある場合は，まず鉄剤の投与を開始する.

▶鉄欠乏に注意し，トランスフェリン飽和度（TSAT）20%以上，またはフェリチン値 100 ng/mL 以上に維持する.

▶保存期 CKD 患者の腎性貧血に対する赤血球造血刺激因子製剤（ESA）あるいは低酸素誘導因子プロリン水酸化酵素（HIF-PH）阻害

薬投与時には，Hb 13 g/dL 以上を目指さない．

▶ 腎性貧血治療の目標 Hb の下限値は 10 g/dL をめやすとし，個々の症例の QOL や背景因子，病態に応じて判断する．

▶ 炎症，感染症を有する高齢 CKD 患者に対する腎性貧血治療では，ESA の反応性が不良となる可能性があり，その場合は HIF-PH 阻害薬投与を考慮する．

e 骨ミネラル代謝異常の管理

▶ 高齢保存期 CKD 患者のミネラル管理は，血清 P 値を 4.5 mg/dL 未満に維持する．

▶ 高リン血症を認める場合は，リン吸着薬が末期腎不全への進展のリスクを抑える可能性があり，使用を考慮する．

▶ 保存期 CKD 患者の高リン血症に対する治療において，Ca 非含有リン吸着薬は Ca 含有リン吸着薬に比べて，死亡や末期腎不全のリスク減少や血管石灰化の進行を遅延する可能性があるため，Ca 非含有リン吸着薬を考慮する．

▶ 保存期 CKD 患者において，活性型ビタミン D 製剤は症例ごとに適応を検討し，投与を考慮してもよいが，高カルシウム血症を認めた場合は減量・中止する．

▶ リン制限食が生命予後に及ぼす効果は明らかではない．

▶ 骨粗鬆症を伴う保存期 CKD 患者（CKD ステージ G1〜3b）において，骨粗鬆症に対する薬物治療は，介入しない場合に比べて骨折リスクを低減させる効果が期待できるため，薬剤特有の副作用に注意しながら慎重に治療する．一方，CKD ステージ G4〜5 に関してはエビデンスが乏しい．

f 尿酸管理

▶ 高尿酸血症を有する CKD 患者に対する尿酸低下療法は，腎機能低下を抑制する可能性があるため考慮する．しかしエビデンスレベルは低く，欧米では無症候性高尿酸血症に対する尿酸低下療法は推奨されていない．

▶ 尿酸値の管理目標に関してはエビデンスが不十分であり，現時点では，「高尿酸血症・痛風の治療ガイドライン第 3 版」[5]で推奨されている「血清尿酸値 8.0 mg/dL 以上で薬物治療を開始，6.0 mg/dL 以下を目標とする」が妥当と考えられる．

g 代謝性アシドーシス

▶代謝性アシドーシスを伴う保存期CKD（CKDステージG3〜5）において，炭酸水素ナトリウムなどによる治療は腎機能低下を抑制する可能性がある．ただしNa負荷となるため，浮腫悪化に注意する．

▶CKDステージG3b期以降，静脈血ガス分析を行い，重炭酸イオン濃度が21 mmol/Lを下回れば炭酸水素ナトリウム1日あたり1.0ないし1.5 gから治療を開始する．

▶治療目標は24 mmol/L前後とする．

h たんぱく質制限

▶高齢CKD患者のたんぱく質制限は，0.8〜1.0 g/kg/日をめやすとして行う．

▶高齢CKD患者では，たんぱく質制限によりフレイル・サルコペニアを発症・悪化させる可能性がある．

▶フレイル・サルコペニアを合併した高齢CKD患者では，腎機能障害進展リスクと心血管疾患リスクを評価する．

▶フレイル・サルコペニアを合併したCKDステージG3の患者のうち，尿蛋白＞0.5 g/gCrで腎機能障害進展リスクの高い患者はたんぱく質制限を優先するが，尿蛋白＜0.5 g/gCrで腎機能障害進展リスクの低い患者ではたんぱく質制限を緩和する（上限は1.3 g/kg/日）．

i 禁煙

▶高齢者においても禁煙は腎機能低下抑制と関連していることが報告されており，禁煙を指導する．

j 腎代替療法の導入

▶腎機能が低下し末期腎不全の状態になると，生命維持のために腎代替療法（RRT）が必要となる．

▶2020年の新規透析導入患者の平均年齢は約71歳であり，RRT選択はまさに高齢者のCKDの中心的な課題となっている．

▶RRTには腎移植，血液透析，腹膜透析（連続携行式腹膜透析；CAPD）の3つの方法があり，患者とその家族には3つのRRTに関して説明を行うとともに，非導入（「保存的腎臓療法」参照，☞p.346）についても説明する（表31-3，透析の見合わせを検討する状態については，p.349のSide memo参照）[6,7]．

▶eGFR 30 mL/分/1.73 m²未満となった時点で，RRTについての説明を行う．

表31-3 患者または家族に対して維持透析非導入・中断の提案を考慮すべき状態

1. 非尿毒症性認知症
2. 転移性または切除不能な固形癌もしくは治療不応性の血液悪性腫瘍
3. 肝・心・肺疾患の末期状態：ベッド上臥位か車椅子の生活で，日常動作にも介助が必要な状態
4. 日常の活動や運動能を著しく制限する不可逆性の神経系の疾患：脳卒中，低酸素脳症
5. 生命の危機を伴う多臓器不全
6. 毎回の透析時にブラッドアクセスを維持するために薬剤による鎮静や器具による制動を必要とする場合

〔Hirsch DJ, et al.：Experience with not offering dialysis to patients with a poor prognosis. Am J Kidney Dis 1994；23：463-466[6]〕

▶RRT の説明に際しては，医療者は医学的なエビデンスを，また患者は自分にとって大切なこと，日々の生活スタイルやスケジュールなどをお互いに伝え，さらに医療者からの提案もふまえて話し合いをすすめていく（共同意思決定；SDM）.

文 献

1) 日本腎臓学会（編）：CKD 診療ガイド 2012. 東京医学社，2012：32
2) Williamson JD, et al.：Intensive vs Standard Blood Pressure Control and Cardiovascular Disease Outcomes in Adults Aged≧75Years：A Randomized Clinical Trial. JAMA 2016；315：2673-2682
3) 日本腎臓学会（編）：エビデンスに基づく CKD 診療ガイドライン 2018. 東京医学社，2018：28
4) 日本老年医学会・日本糖尿病学会（編・著）：高齢者糖尿病診療ガイドライン 2017. 南江堂，2017：46
5) 日本痛風・核酸代謝学会ガイドライン改訂委員会：抗尿酸血症・痛風の治療ガイドライン. 第 3 版，診断と治療社，2019
6) Hirsch DJ, et al.：Experience with not offering dialysis to patients with a poor prognosis. Am J Kidney Dis 1994；23：463-466
7) 透析の開始と継続に関する意思決定プロセスについての提言作成委員会：透析の開始と継続に関する意思決定プロセスについての提言. 日透析医学会誌 2020；53：173-217

32 腎疾患の検査法

1 腎機能検査

a 腎疾患の入院時検査(腎炎, 腎不全)
▶表 32-1 に必要最小限の検査を示す. 各自で適宜, 追加すること.

b 病変部位別の検査法
▶表 32-2 に, 腎臓の各ネフロン部位別の検査法を示す.

2 尿沈渣

a 尿沈渣をみる手順
①新鮮尿 10 mL を 1,500 rpm×5 分間遠心.
②上清を捨て, 沈渣に染色液(Sternheimer 染色液)を 1 滴滴下.

表 32-1 腎疾患の入院時検査

検査の種類		項 目
検尿		尿潜血, 尿蛋白, 尿沈渣
血液検査	共通項目	検血 Cr, BUN, シスタチン C, 血清電解質(Na, K, Cl, Ca, P, Mg), 血糖(食前), 尿酸, TP, Alb, T-Chol, TG, HDL-C, LDL-C, AST, ALT
	腎炎の場合	IgG, IgA, IgM, 血清蛋白電気泳動, 抗核抗体, C3, C4, CH_{50}, レニン活性, アルドステロン
	腎不全の場合	血液ガス, iPTH
尿化学(蓄尿)		Ccr, 1 日尿蛋白量, Na(塩分摂取量), U_{UN}(蛋白摂取量)
尿検査	腎炎の場合	尿蛋白電気泳動, 尿蛋白 Cr 比 尿 β_2MG, 尿 α_1MG, 尿 NAG
画像検査		胸部 X 線, 腎エコー 腎血流ドプラ
腎外合併症の検索		ECG, 眼底検査, 骨塩定量

iPTH：intact 副甲状腺ホルモン, Ccr：クレアチニンクリアランス, MG：マイクログロブリン, NAG：N-アセチルグルコサミニダーゼ, ECG：心電図

③ピペットで撹拌してスライドガラス上に1滴とり，カバーガラスをかけて100倍で円柱を観察．400倍(HPF)で円柱の性状および血球を観察する．

b 鑑別すべき重要な疾患

▶ 糸球体腎炎〔顆粒円柱（Side memo 参照），変形した赤血球〕．
▶ 尿路感染症（白血球，白血球円柱，細菌）．
▶ 泌尿器科疾患（赤血球，白血球，上皮細胞）．

c 赤血球，白血球

▶ 赤血球，白血球とも5/HPFで陽性（病的意義あり，基準値は0〜1/HPF）．

表 32-2 腎臓各ネフロン部位の検査法

部位	日常検査	精密検査
糸球体	検尿（定性，沈渣），Cr，BUN，Ccr，シスタチン C	イヌリン法による GFR 測定
近位尿細管	尿 α_1MG，尿 β_2MG，尿 NAG，尿糖，尿 pH，血液ガス，FE_{Na}	尿中アミノ酸測定，重炭酸負荷試験，%TRP
遠位尿細管〜集合管	尿量，尿比重，尿 pH，血液ガス	Fishberg 濃縮試験，塩化アンモニウム負荷試験，バソプレシン負荷試験，TTKG
腎盂腎杯尿路系	尿赤血球，尿白血球，尿細胞診，尿培養，腎エコー，IVP	CT ウログラフィー
腎血行動態	腎エコー（腎動脈ドプラ検査）	レノグラム，腎動脈造影，RBF（パラアミノ馬尿酸クリアランス）

Ccr：クレアチニンクリアランス，GFR：糸球体濾過量，MG：マイクログロブリン，NAG：N-アセチルグルコサミニダーゼ，FE_{Na}：ナトリウム排泄率，%TRP：尿細管リン再吸収率，TTKG：尿細管カリウム濃度勾配，IVP：静脈性腎盂造影，RBF：腎血流量

顆粒円柱

基質に血漿蛋白成分の凝集したもの，または細胞成分の分解したものが含まれて顆粒状にみえる．円柱の分類として用いられている Lippman 分類では，硝子顆粒円柱（HG）は硝子円柱に，粗大顆粒円柱（CG），微細顆粒円柱（FG），ろう様円柱（WX）は細胞性円柱に分類される．顆粒の大きさは，HG→CG→FG→WX の順で細かくなる．HG は顆粒円柱には含まれないが，本稿では臨床的意義を重視して HG も顆粒円柱に含めた．

▶変形した赤血球は糸球体腎炎の存在を示唆する(Hb が溶出し変形すると，赤血球数に比べ潜血反応が強陽性となることがある).

▶赤血球が認められるが，潜血陰性の場合はアスコルビン酸の服用を確認する.

▶Sternheimer 変法では，白血球は淡染細胞(生きた細胞)と濃染細胞(死滅した細胞)に分かれる．淡染細胞が多いほど感染の活動性が高い.

d 円柱

▶顆粒円柱は糸球体腎炎の存在を強く示唆する.

▶顆粒が細かいほど腎炎が進行していると考えてよい.

▶赤血球円柱も糸球体病変〔急性糸球体腎炎(AGN)，急速進行性糸球体腎炎(RPGN)やループス腎炎など急性で活動性の高い病変〕の存在を示唆する.

3 糸球体機能検査

a 糸球体濾過量の測定

1. イヌリンクリアランス(Cin)

▶もっとも正確に糸球体濾過量(GFR)が測定できる.

▶基準値は 90～150 mL/分/1.73 m^2.

▶試薬の調製方法は，イヌリード® 注 1 バイアル(4 g/40 mL：常温で沈殿している)をホットプレートまたは沸騰水中で 20 分加熱して溶解させ，生理食塩液 360 mL または 500 mL に希釈する(従来，添付されていた 360 mL の生理食塩液は現在，添付されていない．シリンジなどを使って生理食塩液 500 mL バッグから 140 mL 除去してもよいが，500 mL に希釈し，輸液速度は変更せずにクリアランス検査

Side memo

シスタチンC

シスタチン C は 120-アミノ酸の cysteine protease inhibitor である．すべての有核細胞から産生，分泌され，他の低分子蛋白と同様に糸球体で自由に濾過されたのち，近位尿細管で再吸収，代謝される．Cr と異なり，クリアランスや産生量を評価することはできない．腎外での代謝が推測され，末期腎不全では血清シスタチン C は 6 mg/L 程度で頭打ちとなり，腎機能低下に伴う血清濃度の増加は抑制される．血清 Cr 値 3 mg/dL 以上では，腎機能測定にシスタチン C を使用しないほうがよい.

を行っても問題ない).

1) 標準法(図 32-1)

①生理食塩液で希釈したイヌリン 150 mL を 300 mL/時の速度で 30 分持続静注し,次いで 100 mL/時の速度で 90 分持続静注する.
②イヌリン静注開始後 30 分に排尿させる.
③イヌリン静注開始後 45 分,75 分,105 分に採血を行う.
④イヌリン静注開始後 60 分,90 分,120 分に採尿を行う.

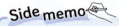

血尿・尿蛋白を見つけたら

血尿や尿蛋白をみた場合に鑑別すべき疾患と,行うべき検査を表に示す.

表 血尿・尿蛋白の鑑別疾患と検査

検尿所見	鑑別すべき疾患	行うべき検査	備考
血尿のみ	泌尿器科疾患(結石,悪性腫瘍,ナットクラッカー現象など),腎炎	腎エコー,IVP,尿沈渣,尿細胞診,腎炎一般の検査(表 32-1).以上の検査で異常が認められなければ泌尿器科へ紹介(膀胱鏡など).	中年以降の血尿では,つねに悪性腫瘍を念頭におく.腎炎で血尿のみならば,活動性は低いことが多い.血尿のみの場合は,先に泌尿器科を受診させたほうがよいことも多い.
蛋白尿のみ	腎炎(膜性腎症,微小変化群など),起立性蛋白尿,尿路感染症	早朝尿および来院時尿の検尿(早朝尿で尿蛋白陰性ならば起立性蛋白尿),1 日尿蛋白量,腎炎一般の検査,腎エコー.腎炎が疑われ尿蛋白 1 g/日以上ならば腎生検.	
血尿+蛋白尿	腎炎,悪性腫瘍	血尿のみの場合の検査に加え,1 日尿蛋白量を測定.腎炎が疑われ尿蛋白 0.5 g/日以上ならば腎生検(若年者では 0.2〜0.5 g/日でも適応になりうる).	腎炎の場合,活動性が高いことも多いので注意.

IVP:静脈性腎盂造影

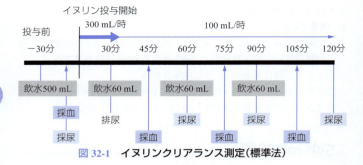

図 32-1 イヌリンクリアランス測定(標準法)

2) 簡易法(図 32-2)

①生理食塩液で希釈したイヌリン 150 mL を 300 mL/時の速度で 30 分持続静注し,次いで 100 mL/時の速度で 90 分持続静注する.
②イヌリン静注開始後 45 分に排尿させる.
③イヌリン静注開始後 45 分と蓄尿終了時(105 分をめやす)に採血を行う.
④イヌリン静注開始後 105 分をめやすに採尿を行う.イヌリンの血中濃度は 2 点の平均を用いる.

$$GFR(mL/分) = \frac{尿中イヌリン濃度 \times 尿量(mL)/蓄尿時間(分)}{血清イヌリン濃度}$$

▶基準値と比較する場合は,×1.73/(患者の体表面積)によって体表面積補正を行う.

$$体表面積(m^2) = 体重(kg)^{0.425} \times 身長(cm)^{0.725} \times 7,184 \times 10^{-6}$$

Side memo

尿蛋白/Cr 比,尿 Alb/Cr 比

尿蛋白は尿の希釈,濃縮によって(+)〜(+++)と変動する.そこで,随時尿を尿中 Cr 濃度で補正し,尿中 Cr 1 g あたりの尿蛋白や尿 Alb を調べると,1 日尿 Cr 排泄量はほぼ 1 g なので,蓄尿しなくても随時尿から 1 日の尿蛋白量,尿 Alb 量が推定可能であり,外来での尿蛋白,尿 Alb のフォローアップに有用である.腎障害のスクリーニング時には,早朝尿の蛋白/Cr 比 0.15 g/gCr 以上,Alb/Cr 比 30 mg/gCr 以上を異常とする.

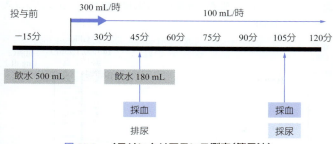

図32-2 イヌリンクリアランス測定（簡易法）

2. クレアチニンクリアランス（Ccr）

▶2時間法と24時間法があるが，24時間法は飲水による水負荷が不要であることと，同時に1日尿蛋白，Na，UN排泄量も得られるため，臨床的に頻用されている．

▶Ccrはイヌリンクリアランスより20～30%高値となる．

▶Ccrの測定法は，一定時刻に完全排尿後，翌日の同時刻まで蓄尿し（同時刻になったらそれほど尿意がなくても排尿してもらう），尿量，尿Cr濃度，血清Cr濃度を測定して，以下の式で計算する．

$$Ccr(mL/分) = \frac{尿Cr濃度 \times 尿量(mL)/1{,}440}{血清Cr濃度}$$

3. 他の試薬によるクリアランス

▶欧米では^{125}I-イオタラメート（造影剤），^{99m}Tc-DTPA（レノグラム用薬剤），^{51}Cr-EDTAなど，放射性物質でラベルしたGFR物質がイヌリンの代わりに用いられる．測定が簡便である点に特徴がある．

▶^{125}I-イオタラメートの腎クリアランスは米国でGFRとして用いられている．欧州では^{99m}Tc-DTPA，^{51}Cr-EDTA，イオヘキソールの血漿

Side memo

多彩な尿沈渣（telescoped sediment）

Telescoped sedimentとは，種々の血球成分や円柱など，ほぼすべての有形成分が同時に尿中に出現している状態をいう．RPGNやループス腎炎など活動性の高い病変に認められる．

クリアランスが GFR として測定されている.
▶bolus で静注後の血漿濃度減衰カーブと投与量から, クリアランスが算出される.

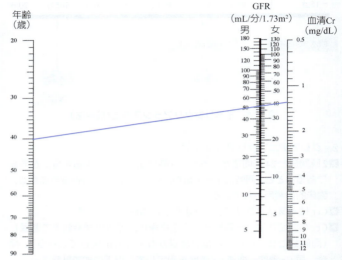

図 32-3 日本人用 GFR 推算ノモグラム(GFR を推算するためのノモグラム)

例:40歳で血清Cr=1.3 mg/dLでは男性は51 mL/分/1.73 m², 女性は38 mL/分/1.73 m²

Side memo

腎不全における eGFR 以外の腎機能評価の指標

1. BUN/Cr 比

栄養状態およびたんぱく質摂取量の評価, 高窒素血症の原因の推定手段として, 外的因子に影響されやすい BUN と影響されにくい Cr との比を求める.

①腎不全における基準値(目標値)は BUN/Cr≦10.
②BUN/Cr>10 の場合はたんぱく質過剰摂取, 消化管出血, 体蛋白異化亢進, 脱水, 薬剤(とくに利尿薬)が原因として考えられる.

2. 血清 Cr 逆数プロット

- Cr>2.5 mg/dL 以上の CKD 患者では, 時間経過と 1/Cr が負の直線相関になる.
- 回帰直線を描くことによって, 治療効果の判定, 透析導入時期の推定が可能である.

▶血漿クリアランスは蓄尿が必要ないため簡便であるが，DTPA の血漿クリアランスはイヌリンクリアランスより高値であり，体液量増加によって誤差が増加するなどの問題がある．

4. GFR 推算式

▶血清 Cr(mg/dL)と年齢，性別で体表面積補正された GFR が推算できる(図 32-3)．血清 Alb を加えた式はより正確である．

▶血清シスタチン C(mg/dL)を用いた推算式も利用可能である．18 歳以上に適用する．

▶血清シスタチン C は筋肉量の影響を受けにくいため，長期臥床例など筋肉量が通常と異なる症例の GFR 推算に有用と思われる．

日本人の血清 Cr による GFR 推算式

JSN eGFRcr(mL/分/1.73 m^2) =

[男性] $194 \times Cr^{-1.094} \times$ 年齢(歳)$^{-0.287}$

[女性] $194 \times Cr^{-1.094} \times$ 年齢(歳)$^{-0.287} \times 0.739$

日本人の血清 Cr，血清 Alb による GFR 推算式

eGFR$_{creat-Alb}$(mL/分/1.73 m^2) =

[男性] $44 \times Cr^{-1.085} \times Alb^{0.486} \times 0.995^{年齢}$

[女性] $44 \times Cr^{-1.085} \times Alb^{0.486} \times 0.995^{年齢} \times 0.739$

日本人の血清シスタチン C による GFR 推算式

JSN eGFRcys(mL/分/1.73 m^2) =

[男性] $(104 \times Cys\text{-}C^{-1.019} \times 0.996^{年齢}) - 8$

[女性] $(104 \times Cys\text{-}C^{-1.019} \times 0.996^{年齢} \times 0.929) - 8$

---

5. Ccr の推算式

Cockcroft-Gault の式

Ccr(mL/分) =

[男性] $\dfrac{[(140 - 年齢) \times 体重(kg)]}{[血清\ Cr(mg/dL) \times 72]}$

[女性] $\dfrac{[(140 - 年齢) \times 体重(kg)]}{[血清\ Cr(mg/dL) \times 72]} \times 0.85$

---

b 蛋白透過選択性(Selectivity Index)

▶分子量の小さなトランスフェリンと，分子量の大きい IgG のクリアランスの比．

$C_{IgG}/C_{trans} = (尿中\ IgG/血清\ IgG)/(尿中\ trans/血清\ trans)$

表 32-3　蛋白透過選択性の基準値

基準値	蛋白透過選択性
0.2 未満	高選択性
0.2〜0.7	低選択性
0.7 以上	無選択性

▶基準値を表 32-3 に示す.

4　尿細管機能検査

a　尿中 N-アセチルグルコサミニダーゼ（尿中 NAG）

▶近位尿細管からの逸脱酵素.

▶近位尿細管障害を反映しており，間質性腎炎，アミノグリコシド系抗菌薬による腎障害などの検出に有用である.

▶基準値は 1〜5 U/L.

b　尿中 β_2 マイクログロブリン，尿中 α_1 マイクログロブリン

▶ β_2 マイクログロブリン（β_2MG；分子量約 12 kDa），α_1 マイクログロブリン（α_1MG；分子量約 30 kDa）の低分子蛋白で，主として近位尿細管で再吸収，異化される.

▶ β_2MG は，尿 pH が 5.5 以下の場合には酸性プロテアーゼにより分解され低値になる.

▶近位尿細管障害を反映.

▶尿 β_2MG の基準値は 230 μg/L 以下，尿 α_1MG の基準値は 10 mg/L 以下.

c　Na 排泄率（FE_{Na}）

$$FE_{Na}\% = C_{Na}/Ccr \times 100$$
$$= [尿中 Na \times 血清 Cr]/[血清 Na \times 尿中 Cr] \times 100$$

▶尿細管での Na 再吸収状態を反映し，急性腎障害（AKI）の鑑別にかかわる.

▶基準値は 0.5〜10%で，通常 1%以下である.

d 重炭酸負荷試験

- 近位尿細管における HCO_3^- の排泄率を測定し，近位型尿細管性アシドーシス(RTA)と遠位型 RTA を鑑別する．
- 静注法による HCO_3 再吸収極量($Tm_{HCO_3^-}$)測定と，経口法による HCO_3^- 排泄率($FE_{HCO_3^-}$)の測定があるが，患者への負担が少なく，実施も容易な後者が選択されることが多い．

1. 静注法
- 静注法の手順を図 32-4 に示す．
- 基準値は 2.4〜2.6(mEq/100 mL GFR)．

2. 経口法
- 経口法の手順を図 32-5 に示す．
- 基準値は，正常および遠位型 RTA では 3%以下，近位型 RTA では 10%以上である．

e 尿細管 P 再吸収率(%TRP)

- P は近位尿細管で 80%再吸収される．

$$\%TRP = 100 - FE_P = \left(1 - \frac{[尿中 P \times 血清 Cr]}{[血清 P \times 尿中 Cr]}\right) \times 100$$

f 塩化アンモニウム負荷試験

- 尿酸性化能を評価する(RTA との鑑別)．
- 試験中に代謝性アシドーシスをきたし，悪心などがみられることがあるので注意する．
- 塩化アンモニウム負荷試験の手順を図 32-6 に示す．
- 健常人では，内服 2 時間後の pH<5.3 である．すべての検体で pH>5.5 ならば尿酸性化障害が疑われる．

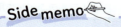

蛋白透過選択性の推定

日常の臨床では，尿蛋白の電気泳動パターンをみることで選択性の推定が可能である．高選択性ならば尿蛋白の 80%以上がアルブミンであるが(Alb/γ-Glb>5.0)，選択性が低くなるほどグロブリンの割合が増加する(血清蛋白の構成比率に近づく)．

①炭酸水素ナトリウム(メイロン®)250 mL
＋5％ブドウ糖溶液 250 mL
体重×2〜3 mL/時で点滴静注
(血漿 HCO_3^- が 2〜3 mEq/時で上昇するように)

↓

②1 時間ごとに採尿，中間時点で採血
HCO_3^- 濃度および Cr 濃度を測定
HCO_3^- 測定は生化学的方法もあるが，日本では血液ガス分析器を用いるのが一般的である

↓

③以下の式で計算する
HCO_3^- 排泄量(mEq/100 mL GFR)
＝尿 $HCO_3^- \times 0.1 \times$ 血清 Cr/尿中 Cr
HCO_3^- 再吸収量(mEq/100 mL GFR)
＝血清 $HCO_3^- \times 0.1 - HCO_3^-$ 排泄量
HCO_3^- 再吸収量が一定となった段階で $Tm_{HCO_3^-}$ とする

図 32-4　重炭酸負荷試験(静注法)の手順

①$NaHCO_3$ 4〜6 g を 3 日間服用し，
血中 HCO_3^- が 22〜28 mEq/L になるのを確認

↓

②血液，尿を同時に採取し，
HCO_3^- 濃度および Cr 濃度を測定

↓

$$FE_{HCO_3^-}(\%) = \frac{[尿中\ HCO_3^- \times 血清\ Cr]}{[血中\ HCO_3^- \times 尿中\ Cr]} \times 100$$

図 32-5　重炭酸負荷試験(経口法)の手順

g 尿細管カリウム濃度勾配(TTKG)

▶低カリウム血症の発症に遠位尿細管へのミネラルコルチコイド作用亢進が関与している場合の鑑別診断に利用する．

▶TTKG は皮質集合管での尿中 [K^+] が血清 [K^+] の何倍であるかを算出したもので，ミネラルコルチコイドが作用していれば，TTKG は 7 倍以上の値を示す．一方，ミネラルコルチコイドの作用がなければ，TTKG は 2 倍以下の値を示す．

▶尿浸透圧が血清浸透圧より高く，尿中 Na 濃度が 25 mEq/L 以上の場

①午前8時に排尿，以後1時間ごとに8回採尿

↓

②午前10時，第2回採尿後に NH₄Cl 0.1 g/kg 内服開始（1時間以内に内服させる）

↓

③各尿の pH を測定

図 32-6　塩化アンモニウム負荷試験の手順

合のみ，TTKG 測定意義がある．

1. 方法

$$\mathrm{TTKG} = \frac{[尿 K 濃度/血清 K 濃度]}{[尿浸透圧/血清浸透圧]}$$

2. 基準値

- 基準値は 7〜9．
- アルドステロン分泌亢進により TTKG 7 以上に上昇．
- アルドステロン分泌低下時には TTKG 2 以下となる．

h Fishberg 濃縮試験

- 糸球体濾液の比重は 1.010，浸透圧は 290 mOsm/kg であるが，これがどの程度まで濃縮されるかを測定することで，尿細管（とくに集合管）の機能を評価しうる．
- 腎不全患者には行わない．水制限試験（後述）がより安全であり推奨される．
- Fishberg 濃縮試験の手順を図 32-7 に示す．
- 3回の尿のうち，少なくとも1回が比重 1.022 以上あるいは浸透圧 850 mOsm/kg 以上であれば正常である．

i バソプレシン試験（ピトレシン®試験）

- 尿濃縮試験（Fishberg 濃縮試験と水制限試験）と比較して，飲水制限の不要な点が有利であるが，水中毒には注意が必要である．
- バソプレシンには血管収縮作用，昇圧作用があるため，心血管系の疾患を合併している場合には注意が必要である．
- バソプレシン試験の手順を図 32-8 に示す．
- 基準値は比重 1.020 以上あるいは浸透圧 800 mOsm/kg 以上で，腎性

①前日18時以降絶飲絶食

②就寝前に排尿

③起床時(午前6時),第1回採尿

④臥床を保ち,1時間後(午前7時),第2回採尿

⑤さらに1時間後(午前8時),第3回採尿

⑥各検体について比重あるいは浸透圧を測定

図32-7 **Fishberg 濃縮試験の手順**

①朝食前にバソプレシン(ピトレシン®)
5単位を皮下注
(またはデスモプレシン40μgを点鼻)

②4時間ごとに3回採尿,以後,
尿意ごとに注射24時間後まで採尿

③各検体について比重あるいは浸透圧を測定
腎性尿崩症が疑われれば,
尿中 cAMP も測定(Side memo 参照,☞p.541)

図32-8 **バソプレシン試験の手順**

尿崩症では反応がみられない.

5 腎血流量,腎血漿流量

▶腎血漿流量(RPF)の測定にはパラアミノ馬尿酸(PAH)クリアランスを用いる.腎血流量は Ht を用いて RPF から算出する.GFR を表すイヌリンクリアランスと同時に測定することが多い.

a 方法

- パラアミノ馬尿酸ソーダ（分子量234）10%液20 mL（PAHとして2 g）を，生理食塩液360 mLにイヌリンとともに希釈し，後はイヌリンクリアランスの測定方法に従って行う．
- PAHクリアランスもイヌリンクリアランスと同じ方法で計算する．
- PAHは糸球体濾過と尿細管分泌により排泄され，クリアランス測定には血漿濃度5 mg/dL以下が必要である．このため，GFR＜40 mL/分ではPAH使用量を半量にする．

b 基準値

- 男女ともRPF 350〜650 mL/分/1.73 m^2，平均500 mL/分/1.73 m^{2}である．
- RPFは正常でも，近位尿細管障害によりPAHクリアランスが低値を示す場合がある．

$$腎血流量 = RPF \times 100/(100-Ht)$$

6　種々の腎疾患の特殊検査

a 多尿

- 尿崩症（中枢性あるいは腎性）と心因性多尿の鑑別が重要である．
- 血清・尿浸透圧やAVP測定を行う．
- 多尿をみた場合，水制限試験，バソプレシン試験などにより腎性，中枢性，心因性を鑑別し，中枢性の場合は，頭部MRIなど画像検査を行う．

腎性尿崩症の分類

AVPに対する反応性により，障害部位が推定される（表）．

表　腎性尿崩症障害部位の鑑別

障害部位	バソプレシンに対する尿中cAMPの反応	旧来の分類
V$_2$受容体異常	無反応	2型
水チャネル異常	上昇（正常）	1型

①検査前に完全排尿

↓

飲水禁止
②30 分ごとに尿量，尿浸透圧，体重を測定，
60 分ごとに血清浸透圧を測定

↓

③体重が 3%減少すれば検査終了

図 32-9　水制限試験の手順

①検査前に血清 AVP，尿浸透圧，血清浸透圧を測定

↓

②5%高張食塩水を 0.05 mL/kg/分で 120 分点滴静注

↓

③30 分ごとに 2 時間まで採血，採尿を行う．

図 32-10　高張食塩負荷試験の手順

1. 水制限試験（Dashe 法）

- 水制限試験の手順を図 32-9 に示す．
- 心因性多尿では，尿浸透圧/血清浸透圧（Uosm/Posm）が前値の 2 倍以上に上昇する．一方，尿崩症では Uosm/Posm＜1 となる．

2. 高張食塩負荷試験

- 高張食塩負荷試験の手順を図 32-10 に示す．
- 心因性多尿では AVP 分泌の増加と Uosm の上昇がみられ，Uosm/Posm＞1 となる．尿崩症では Uosm の上昇はなく，Uosm/Posm＜1 となる．

3. バソプレシン試験

- *p.539* 参照のこと．

4. 頭部 MRI

- 中枢性尿崩症にはトルコ鞍の MRI の診断価値が高い．

b 特発性浮腫

- 特発性浮腫では水負荷試験を行う場合がある．この検査は特発性浮

```
①夜間 12 時間飲水禁止
```

```
②早朝空腹時に 20 mL/kg 体重を飲水（約 30 分かけて）
```

```
③4 時間後まで 30 分ごとに尿量を測定
    （立位および臥位）
```

図 32-11　水負荷試験の手順

表 32-4　水負荷試験の判定基準

	臥位	立位
正常	負荷量の 70％以上を排泄	負荷量の 70％以上を排泄
特発性浮腫	負荷量の 70％以上を排泄	水排泄が減少

腫に特異的なものではなく，診断的価値はそれほど高くない．
▶水負荷試験の手順を図 32-11 に示す．
▶水負荷試験の判定基準を表 32-4 に示す．

c 高カルシウム尿症

▶尿中 Ca＞300 mg/日または尿中 Ca/Cr 比＞0.3 が持続する場合には，高カルシウム尿症と定義する．
▶サイアザイド系利尿薬を投与することにより，Ca 排泄量を減少させることが可能である．
▶サイアザイド系利尿薬は遠位尿細管に作用し，Ca 再吸収を促進する．

d 高尿酸血症の原因の鑑別

▶尿酸産生過剰が原因か，排泄低下が原因かを鑑別する．
▶鑑別のために行う検査項目を表 32-5 に示す．

e 腎性貧血の鑑別診断
1. エリスロポエチンの評価

▶腎不全患者における腎性貧血では，骨髄における造血は低下し，それに対するエリスロポエチンの反応性増加がみられない．
▶まずは，骨髄での造血能の指標となる，網赤血球数指数（reticulocyte index）とエリスロポエチンを調べる．

表 32-5　高尿酸血症の鑑別診断のための検査

検査項目	計算式	基準値
尿酸クリアランス（C_{UA}）	尿中 UA×尿量/血清 UA	6〜12 mL/分 6 mL/分未満なら排泄低下
尿酸排泄率（FE_{UA}）	C_{UA}/Ccr×100	5〜11% 腎機能障害に伴う二次性尿酸排泄低下では，むしろ高値となることが多い
尿中 UA/Cr 濃度比	スポット尿の濃度から計算	0.8 以上なら産生過剰，0.4 以下なら排泄低下

$$\text{reticulocyte index} = \frac{[\text{網赤血球}(\%) \times \text{患者 Ht}/45]}{2}$$

※基準値 1.0 以上

▶エリスロポエチンの基準値は 4.2〜23.7 mIU/mL である．

▶貧血があるにもかかわらずエリスロポエチンが正常範囲内である場合は，反応性が低下しているとみなすべきである．

▶詳細は「CKD 患者の腎性貧血管理」（☞p.436）を参照．

2. 鉄貯蔵量の評価

▶腎性貧血に対するエリスロポエチン製剤投与中は，鉄欠乏にならないようにフェリチン，血清鉄などにも注意する．

▶血清フェリチン<100 ng/mL，またはトランスフェリン飽和度（TSAT）<20%になるとエリスロポエチンに対する貧血改善効果が低下するので，鉄剤の投与を開始する．

7　腎エコー，腎血流ドプラ法

▶腎機能障害，検尿異常，高血圧症，動脈硬化症など多様な病態・疾患が，腎エコーの検査対象となる．

▶腎臓内科にとって，腎エコーは簡便で情報の多い検査である．

▶おもな観察項目は，①腎臓の大きさ，②腎動脈と腎内動脈の血流波形，③瘤の有無，などである．

▶急性腎障害（AKI）と慢性腎不全の鑑別のためにも，有用な検査である．

a 検査方法

▶腸管ガスの影響を少なくするため，可能であれば絶食のうえ行う．

▶被験者は仰臥位となる（図 32-12）．

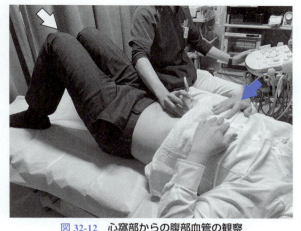

図 32-12 心窩部からの腹部血管の観察
心窩部からのプローブの圧迫が行いやすいように手を胸に置き(➡),両膝を立てる(⇨).

- エコー検査の前に,触診で腎臓腫大の有無の確認,ならびに聴診で血管雑音の聴取を行う.
- プローブは中心周波数 3.5〜5.0 MHz のコンベックス型,あるいは 2.5〜3.5 MHz のセクタ型を用いる.
- 左右腎臓は側腹部より観察する(図 32-13).
- 評価部位によっては,側臥位や腹臥位(背部からの観察)も有用である.
- 腹部血管は上腸間膜動脈を中心に tilting scan 操作(図 32-14)を行い,観察部位を徐々に尾側へ向けることで,腎動脈分岐部の観察が容易となる.
- 腹部血管を描出する際には,呼気に合わせて息止めを行ってもらいつつ,プローブを圧迫する操作が有用である.過度な圧迫にならないよう注意が必要である.

b 腎エコー(Bモード)

1. 正常像

- 腎臓のサイズは,参考として成人では長径約 10 cm である.腎長径はプローブを操作することで最大径となるように描出し,計測する.
- 皮質と髄質はエコー輝度が低い.中央のエコー輝度が低い部分は central echo complex(CEC)とよばれ,脂肪・血管・腎盂・腎杯から

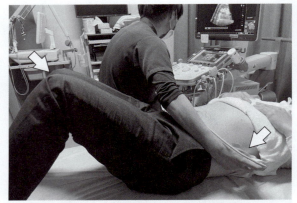

図 32-13 側腹部からの腎臓の観察
観察しにくい場合は，立てた膝を反対側に倒すことで観察が容易となる場合がある．

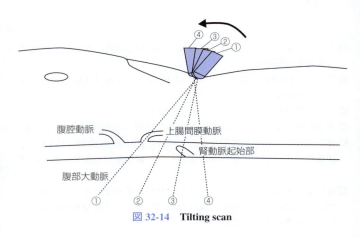

図 32-14 Tilting scan

なる（図 32-15）．

2. サイズの異常

▶慢性腎不全では腎臓の萎縮を認める．

▶背景に慢性腎不全のない AKI では，腎臓の萎縮を認めない．

▶Cr の経過が不明な腎障害を認めた際に，腎臓のサイズを確認することは慢性腎不全と AKI の鑑別に役立つ．

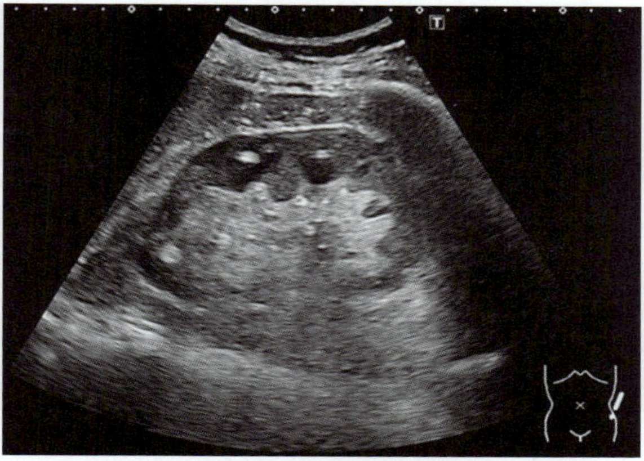

図 32-15　Bモードでの腎形態（腎機能正常例）

▶腎臓サイズの左右差を認める場合，腎動脈狭窄など血管病変や尿管結石による腫大などを疑う．

▶腎摘出後や機能的片腎では，代償性の肥大を認めることがある．

3. 輪郭の異常

▶慢性腎不全では，腎臓表面に凹凸不整を認める．

▶腎梗塞や腎盂腎炎では，陳旧性変化として限局的な陥凹を認める．

4. 内部構造の異常

▶水腎症では腎盂・腎杯の拡大を認める．

▶尿管結石は音響陰影を伴う高エコー域としてみえる．

▶両側腎に囊胞が多発する際には多発性囊胞腎を疑う．

▶腫瘤性病変を認める際には腎細胞癌などを疑う．

5. 腎静脈の観察

▶ナットクラッカー現象では，上腸間膜動脈と腹部大動脈の間に左腎静脈が圧迫された所見が観察される．

▶ネフローゼ症候群では腎静脈血栓が原因，あるいは増悪因子となることがある．

c 腎血流ドプラ法

▶おもな観察範囲は，心窩部の腹部大動脈から腎動脈である．

▶腎臓内科では，腎血管性高血圧を疑う場合に，腎動脈狭窄症の評価として実施することが多い．

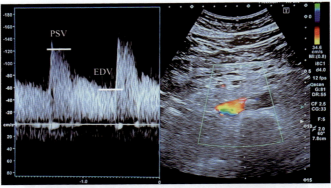

図 32-16　腎動脈のパルスドプラ法(正常波形)

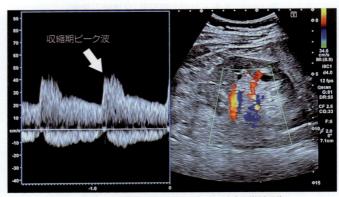

図 32-17　区域動脈のパルスドプラ法(正常波形)

- パルスドプラ法にて，収縮期最高血流速度(PSV)，拡張末期血流速度(EDV)を計測する(図 32-16).
- 区域動脈の正常波形では，収縮期ピーク波を認める(図 32-17).
- 腎動脈狭窄では収縮期ピーク波が欠如する(図 32-18)[1].
- Renal aortic ratio(RAR)は大動脈と腎動脈でのPSV比として，以下の式で定義される.

$$\text{Renal aortic ratio(RAR)} = \frac{腎動脈起始部\ PSV}{腹部大動脈\ PSV}$$

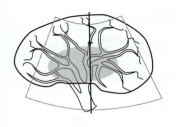
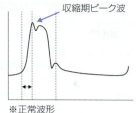

※正常波形

図 32-18 腎動脈狭窄波形の特徴
〔日本超音波医学会用語・診断基準委員会, 他：超音波による腎動脈病変の標準的評価法. Jpn J Med Ultrasonics 2015；42：185-200[1)]をもとに作成〕

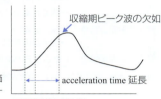

※腎動脈狭窄波形

表 32-6 腎動脈狭窄のエコー所見

直接所見	間接所見
腎動脈起始部 PSV＞180 cm/秒 Renal aortic ratio＞3.5 狭窄後乱流	腎内の動脈血流の所見 　平坦な血流波形 　Acceleration time＞0.07 秒 　Resistance index (RI) の左右差＞0.15 　収縮期ピーク波の欠如

PSV：収縮期最高血流速度
60°以下の入射角で上記の所見が認められる場合, ＞60％の狭窄率が推定される.
〔Rundback JH, et al.：Guidelines for the reporting of renal artery revascularization in clinical trials. American Heart Association. Circulation 2002；106：1572-1585[2)]をもとに作成〕

▶Resistance index (RI) は腎内血流 (区域動脈あるいは葉間動脈) で評価し, 以下のように定義される.

$$\text{Resitance index (RI)} = \frac{\text{腎内血流 PSV} - \text{腎内血流 EDV}}{\text{腎内血流 PSV}}$$

▶腎動脈狭窄のエコー所見としての計測基準の例として, 表 32-6[2)] に示すエコー所見がある.
▶そのほかに, 腎動脈瘤, 腎動脈解離, あるいは腎梗塞などが腎血流ドプラ法で観察可能である.

表 32-7　静脈性腎盂造影の画像診断のポイント

腎・尿路の形態	腎の輪郭	腫大, 萎縮, 凹凸不整 →腫瘍, 腎梗塞, 慢性腎盂腎炎などが鑑別にあがる
	腎杯・腎盂	陰影欠損 →腫瘍, 結石などが鑑別にあがる 水腎症
	尿管	結石, 腫瘍, 周囲からの圧排 →病変が高度になれば, 片側水腎・水尿管症
	膀胱	萎縮・拡張, 陰影欠損 →病変が高度になれば, 両側水腎・水尿管症
腎排泄状態	排尿後立位像	残尿, 遊走腎 →腎下垂の有無で遊走腎を診断
	分腎機能検査	DIP よりも IVP のほうが優れる

DIP：点滴静注腎盂造影, IVP：静脈性腎盂造影

8　静脈性腎盂造影

▶静脈性腎盂造影(IVP)では, 造影剤を静注後 5〜10 分間隔で, 20〜25 分まで仰臥位で撮影する.

▶最後に排尿後, 立位で撮影する.

▶画像診断のポイントを表 32-7 に示す.

9　CT ウログラフィー

▶CT ウログラフィー(CTU)は, 薄いスライス厚で, 腎臓から骨盤までの尿路全長を 1 回の息止めで撮影できる.

▶腎盂・尿管癌が強く疑われる場合, エコー・IVP に代わって CTU を第一選択として行うことが推奨されている[3].

Side memo

慢性腎不全の腎エコー所見

■ 慢性腎不全では, 腎萎縮が認められることが多い. 一方, 糖尿病性腎症やアミロイドーシスでは, 腎臓のサイズが保たれることもある.

■ B モードでは, 皮質, 髄質, CEC の区別が明確でなくなることがある.

■ 腎血流ドプラ法では腎内血流の PSV が低下する. さらに EDV が低下するため, resistance index(通常 0.65 前後)が 0.8 以上に上昇する.

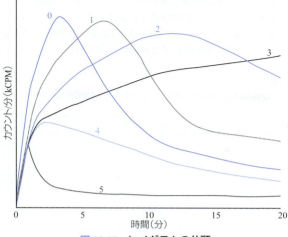

図 32-19　レノグラムの分類

0：正常型，1：腎動脈狭窄型〔RAS 阻害薬投与による%uptake ピーク遅延（>5 分）〕，2：高度腎動脈狭窄型（より大きなピーク遅延），3：尿路通過障害型，4：腎実質障害型，5：無機能型

- ▶CTU は非糸球体性血尿の原因検索において，尿路系上皮細胞癌全般，尿路結石や腎細胞癌などの診断に十分な感度を有している．
- ▶尿路を十分に拡張させる必要があり，撮影前の水分補給により尿量を増やすことが重要となる．

10　レノグラム（図 32-19）

- ▶^{99m}Tc-DTPA（GFR と相関），^{99m}Tc-MAG3（腎血漿流量と相関）が用いられる．
- ▶^{99m}Tc-DTPA はイヌリンや Cr と同じクリアランス特性を有し，投与初期に腎に集積する DTPA の割合（%uptake）は GFR と相関するため，Gates らは%uptake から GFR を推算する式を作成した（Gates 法を用いた GFR 測定法）．採血や蓄尿が不要で，レノグラム撮影時に GFR が算出でき，分腎機能を評価できる利点がある．
- ▶ただし，放射線が腎の深さに依存して減衰するため，Gates 法では腎の深さを推算したうえで補正しているが，実測 GFR との誤差は大きい．

▶非ステロイド性抗炎症薬（NSAID）の服用により，%uptake のピークレベルが減少することには注意が必要である.

▶レニン・アンジオテンシン系（RAS）阻害薬の服用による%uptake ピークの遅れは，腎動脈狭窄の診断に有用である.

📖 文 献

1) 日本超音波医学会用語・診断基準委員会, 他：超音波による腎動脈病変の標準的評価法. Jpn J Med Ultrasonics 2015；42：185-200
2) Rundback JH, et al.：Guidelines for the reporting of renal artery revascularization in clinical trials. American Heart Association. Circulation 2002；106：1572-1585
3) 日本泌尿器科学会（編）：腎盂・尿管癌診療ガイドライン 2014 年版. メディカルレビュー社, 2014

33 腎生検の手技と患者管理

▶腎生検は腎疾患の病理組織学的診断に必要不可欠な手技であり，治療の選択や予後予測に重要な情報源となる．

▶検査に伴う合併症を最小限に抑え，診断に必要な腎組織を十分採取できるかがポイントである．患者から「あんなつらい検査，もう2度と受けたくない」と言われないようにしたい．

▶腎生検には，①経皮的腎生検，②腹腔鏡下腎生検および，③開放腎生検，があるが，本稿では，もっとも多く行われている①経皮的腎生検の手技について提示する．「腎生検ガイドブック2020」[1]も参照されたい．

1 腎生検前のチェック項目

a 問診
▶既往歴や併存症，出血傾向や感染徴候，血栓傾向，抗菌薬や局所麻酔に対するアレルギーがないかを確認する．

b 身体所見
▶身長，体重，血圧，腎生検穿刺部位の皮膚周囲に創部や感染巣がないかを確認する．

c 血液検査
▶末梢血検査：WBC，RBC，Hb，Ht，Plt，白血球分画．
▶凝固系検査：プロトロンビン時間(PT)，活性化部分トロンボプラスチン時間(APTT)，フィブリノゲン，FDP(またはD-dimer)．
▶感染症：HBs抗原，HCV抗体，梅毒検査(RPR/TPHA)，HIV抗体．
▶血液型：ABO型，Rh型．

d 画像検査
▶エコーで腎臓の大きさ，腎皮質の厚み，水腎症や囊胞の有無，馬蹄腎などを確認する．
▶エコーで腎臓が不明瞭な場合や，生検予定部位に囊胞がある場合にはCTで確認する．

553

e 内服薬の確認

▶抗血小板薬や抗凝固薬など出血のリスクを高める薬剤を服用している場合は，休薬を考慮する（表33-1）[1].

▶休薬によって重篤な血栓症などのリスクが高まる場合は，腎生検の延期や中止も考慮する.

f インフォームド・コンセント

▶面談室などプライバシーの保てる場所で行う.

▶腎生検の必要性や合併症，検査の手順についてわかりやすい言葉で説明し，書面で同意を得る．輸血の可能性についても説明し，必要な際は輸血同意書も取得しておく.

2 エコープローブと生検針

▶一般的なエコープローブには，リニア型，セクタ型，コンベックス型の3種類がある．腎生検では，腹部臓器の観察に優れ，プローブの接地面が小さく肋骨などの陰影を避けて腎臓が描出しやすいマイクロコンベックス型が頻用される.

▶腎生検では自動生検針が使用される．発射装置と生検針が一体となったオールディスポーザブルタイプと，発射装置は再使用で針のみ交換しながら単回使用する発射装置リユースタイプの2種類に大別される.

▶生検針の太さは16Gもしくは18G，生検針のストローク長（発射時に飛び出す針の長さ）は22mmもしくは16mmを使用することが多い．針が太く，ストロークが長いほうが，より多くの腎組織を採取できるが，出血のリスクが高まる恐れがある.

3 当日の準備

▶検査前は絶食とする．飲水は可能で，降圧薬など必要な薬は普段どおり内服してもらう．血糖降下薬や出血に関連のある薬剤は，あらかじめ中止や内服時間の変更（検査後など）を指示しておく.

▶末梢静脈で点滴ルートを確保する．輸液は細胞外液補充液（生理食塩液やラクテック®，ヴィーン®Fなど）を使用する.

▶止血薬（アドナ®，トランサミン®など）を点滴内に混注して使用する施設もある.

▶抗菌薬（セファゾリンなど）を検査直前に投与する場合もあるが，感

表33-1 腎生検前に中止すべき薬剤とその中止時間のめやす[*1]

	薬剤一般名 (おもな商品名)	半減期 (時間)	休薬期間[*2]
抗血小板薬	チクロピジン(パナルジン®)	1.5～1.7	10～14日 (中止後も効果持続)
	クロピドグレル(プラビックス®)	6.9	14日 (中止後も効果持続)
	シロスタゾール(プレタール®)	10.1～13.5	2～4日
	イコサペント酸(エパデール)	58～65	7～10日
	ベラプロスト (ドルナー®/プロサイリン®)	1.1	2～3日
	リマプロスト (プロレナール®/オパルモン®)	0.5	1日
	サルポグレラート(アンプラーグ®)	0.6～0.9	1～2日
	アスピリン(バイアスピリン®)	0.4	7～10日 (中止後も効果持続)
	ジピリダモール(ペルサンチン®)	1.7	1～2日
	プラスグレル(エフィエント®)	0.9～4.9	14日
	塩酸ジラゼプ(コメリアン®)	3	1日
抗凝固薬	ヘパリン(ヘパリンナトリウム)	0.67	1日
	ダルテパリン(フラグミン®)	1.5～1.8	1日
	ワルファリン(ワーファリン®)	55～133	5日 (中止後も効果持続)
	ダビガトラン(プラザキサ®)	10.7～11.8	標準 Ccr≧50：1日 30≦Ccr＜50：2日 出血リスクが高い場合 Ccr≧50：2～4日 30≦Ccr＜50：4日 (Ccr＜30は投与禁忌)
	エドキサバン(リクシアナ®)	4.9	1日
	リバーロキサバン(イグザレルト®)	5.7～12.6	1日
	アピキサバン(エリキュース®)	6.1～8.1	1～2日

[*1] 浦部晶夫, 他(編)：今日の治療薬 解説と便覧 2017, 南江堂, 2017 より引用, 一部改変
[*2] 半減期については文献によりデータが異なり個人差もあるため, 個々の患者のリスクを勘案のうえで休薬期間を決定する.
〔日本腎臓学会腎生検ガイドブック改訂委員会：腎生検ガイドブック 2020. 東京医学社, 2020：40[1)]〕

染対策（マスク，キャップ，滅菌ガウン，滅菌手袋，大きなドレープの使用）を行い，清潔操作が行える環境であれば必ずしも必要ない．

▶尿道バルーンカテーテル留置は，検査中および安静中の安全な排尿確保や，肉眼的血尿の早期発見に有用だが，痛みや不快感，羞恥心などから患者の負担となり得る．ベッド上での排尿対応や導尿対応が可能であれば，尿道バルーンカテーテル留置は必須ではない．

▶病理組織用伝票を作製しておく〔光学顕微鏡（光顕）用，蛍光抗体染色用，電子顕微鏡（電顕）用〕．

4 腎生検の実際

a 生検前の準備

▶腎生検は病棟処置室や病室で実施されることが多いが，十分なスペースが求められる．カーテンなどで遮光し室内を暗くできると，エコー画面が見やすくなる．

▶患者は緊張していることが多い．声かけを心掛け，できる限り和やかな雰囲気で検査を実施できるよう配慮する．

▶迷走神経反射予防のため，腎生検直前にアトロピン硫酸塩 0.5 mg を筋注で使用する施設もある．

▶末梢点滴は，体位によって滴下しなくなる場合がある．生検前に点滴漏れがないことも確認しておく．

▶患者をベッド上で腹臥位にし，臍の下に畳んだバスタオルを込める．自動血圧計を装着し，迷走神経反射からの徐脈などバイタルサインの変化に早期に対応できるよう，心電図モニターも装着する．

▶検査中は血圧 160/100 mmHg 以下にコントロールする．顕著に血圧が高い場合はニカルジピン 1〜2 mg を静注し，血圧の安定を確認後に生検を実施する．

b 生検部位の決定

▶皮膚消毒の前にエコーで腎臓の形態を確認し，穿刺位置を決めてマーキングを行う．左腎下極を穿刺することが多いが，必ずしも左腎にこだわる必要はない．腎臓が描出しやすく穿刺部位に嚢胞など障害がないほうを選択する．

▶腎臓の中心部には太い動脈が集まるため，なるべく針が中心部に当たらないよう腎下極外側から検体を採取することが多い．しかし，端すぎると針が腎臓に当たらず組織が採取できない．

▶針のストローク長（22 mm や 16 mm など）を考慮し，生検の際に針

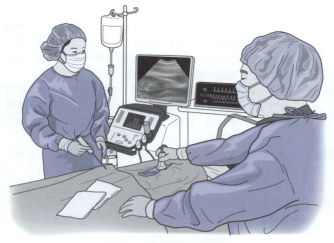

図 33-1　腎生検の実施風景
2 名の術者がマキシマル・バリア・プリコーション(キャップ,マスク,滅菌ガウン,滅菌手袋,大きなドレープの使用)で行う.患者をベッド上で腹臥位にし,自動血圧計,心電図モニターを装着.ワゴンなど清潔台に必要な物品を揃えておく.

が腎臓を突き抜けないよう,腎臓の厚みがある場所を選択する.消毒前の位置決めが,腎生検手技のうえでもっとも重要なポイントである.

c 清潔領域の確保

- 腎生検は,中心静脈カテーテル挿入手技と同様,マキシマル・バリア・プリコーション(キャップ,マスク,滅菌ガウン,滅菌手袋,大きなドレープの使用)で行う(図 33-1).
- 穿刺予定部位の皮膚をポビドンヨードで消毒する.穿刺部位がずれることもあるため,余裕をもって十分な範囲を消毒しておく.
- ワゴンなど清潔台となる場所を用意し,生検針,局所麻酔用注射器,覆布,エコープローブカバー袋,エコーガイドキット(清潔部分),ガーゼを用意する.
- エコーガイドアダプターを装着したエコープローブを滅菌エコープローブカバー袋に入れ,その上からエコーガイドキットを装着する.
- 局所麻酔や腎組織採取の際,針でエコープローブカバー袋を刺さないよう注意する.

d 局所麻酔

▶カテラン針を装着した注射器で，0.5%キシロカイン®を用いて穿刺部皮膚表面を十分に麻酔し，その後，エコーガイド下に皮下組織，筋膜，腎表面の順に麻酔していく．腎表面の麻酔の際は患者に息止めをしてもらい，腎臓が動かない状態で行う．

▶エコーガイドキットに注射器が当たり深い位置の麻酔ができない場合は，エコーガイドキットを1度外し，エコーガイド下に深部の麻酔を追加する．皮膚表面，筋膜，腎表面の3点を重点的に麻酔しておくことがポイントである．

▶カテラン針の長さは6または7cmである．自施設で使用しているカテラン針の長さを覚えておくと，穿刺の深さが視覚的にわかりやすい．

▶局所麻酔後は腎臓採取の操作で患者が痛みを訴えることはない．もし痛みを訴える場合は処置を中断し，速やかに局所麻酔を追加する．

e 生検の手技

▶腎生検は術者と介助者の2名での実施が望ましい．2名で行うと，術者は生検針を両手で操作でき，介助者は検体採取直後から用手圧迫できるため，より安全に検査が実施可能となる．

▶メスで皮膚に5mm程度の切開をおく．生検針が太いため，真皮の切開が不十分な場合は穿刺の際に強い力が必要となり，思いがけず深く刺してしまうことがある．生検針が進みにくい場合は皮膚切開を追加する．

▶腎生検発射装置のばねを引き，ロックがかかっていることを確認する．穿刺のたびに毎回確認する．

▶介助者に腎臓が見やすい場所でエコープローブを固定してもらい，術者はエコーガイド下に生検針を進める．針が動いているときのほうが，針の先端位置を確認しやすい．この際，右手で針を押し進め，左手は針が深く刺さり過ぎないようブレーキに使用するとよい．

▶皮膚から腎臓表面までは4〜6cmであることが多いが，やせ型の患者では2〜3cmと極端に浅い場合がある．その場合は，とくに針が深く進み過ぎないよう注意する．

▶腎表面まで生検針を進めたのち，患者の呼吸で腎採取部位の詳細な位置を決める．通常，息を少し吸ったところで息止めする場合が多いが，息を吐いて止めてもらったほうがよい場合もある．

▶腎生検発射装置のロックを解除する．発射の際は，針そのものをつかんでいると外套針が進まず腎組織を採取できないため，発射時は

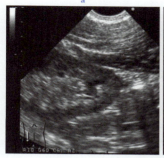 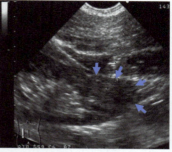

図 33-2　**腎生検直後の血腫**

a：腎生検前，b：用手圧迫後
腎生検直後の腎周囲血腫（b，➡）は，腎生検前の画像（a）と比較することで容易に判断できる．

針を直接つかまないようにする．発射ボタンを押す際に針を押し込まないよう，しっかり固定して発射ボタンを押す．
- 生検針を抜いたら，介助者に穿刺部位を用手圧迫してもらう．
- 採取した検体は，腎生検針からガーゼや濾紙に移し，乾燥を防ぐため低張電解質液（3号液，ソリタ®-T3など）に浸しておく．生理食塩液に浸すと，短時間であっても電顕検体では顕著なアーチファクト像が出現するため，検体の乾燥回避には低張電解質液が推奨される．
- 検体は2～3本採取する．検体がうまく採取できない場合は，術者を交代して対応するとよい．

f 生検後の対応

- 検体採取が終了したら，10～15分間，穿刺部位を用手圧迫する．用手圧迫後，エコーで腎穿刺部位の血腫の大きさ，カラードプラ法で腎実質から腎外に出る血流（活動性の出血），腎実質内のモザイクエコー（動静脈瘻）の有無を確認する．
- 腎周囲の血腫の厚みが2 cmを超えていると貧血が進行しやすいため，より慎重な観察が必要である（図 33-2）．
- 穿刺部位を消毒後，ガーゼ圧迫を行い，テープやさらしで強固に固定する．穿刺部の砂嚢圧迫は必須ではない．砂嚢や長時間の強固な固定は患者に余分な苦痛を与える可能性があり，必要最小限としたい．
- 患者を仰臥位とし，バイタルサインを確認して帰室する．

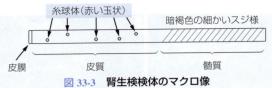

図 33-3 腎生検検体のマクロ像

5 検体処理

- 実体顕微鏡や光顕で，検体に十分な糸球体が含まれているのを確認するのが望ましい(図 33-3)．
- 検体が2本以上確保され，十分な皮質が含まれている場合，検体の1本の皮質部分を蛍光抗体法用1片と電顕用2片に切り分けることが多い．
- 蛍光抗体法用は3 mm以上の大きめの切片が望ましい．
- 検体が少ない場合，まず光顕用検体の確保が優先される．次に，蛍光抗体法用検体もしくは電顕用検体のどちらかにしか検体が分けられない場合は，強く疑う疾患を考慮し，より診断に有用な情報が得られるほうを提出する．
- 光顕用検体は10％中性緩衝ホルマリン溶液に，電顕用検体はグルタルアルデヒド溶液に浸して固定する．
- 蛍光抗体法用検体はO. C. T. コンパウンドを少量入れた，平坦な底面をもつ浅い容器に検体を置き，よく馴染ませたのちにO. C. T. コンパウンドを流し込み，速やかに液体窒素やドライアイスで凍結させる．ドライアイスに有機溶媒を併用して使用する際は，生検組織が有機溶媒に直接触れないように注意する．

6 腎生検後の安静と観察

- 腎生検後は出血性合併症を予防するため，原則として4～6時間の仰臥位安静と翌朝までのベッド上安静が推奨される．腎周囲の出血や肉眼的血尿は，腎生検後から6時間以内に起こりやすいため，とくに慎重な観察が推奨される．
- 腎生検翌朝に，貧血の進行がないかを血液検査で確認する．患者の訴え，肉眼的血尿，バイタルサインにも問題がないことを確認したのちに安静を解除し，点滴を抜去する．
- 抗凝固薬や抗血小板薬は腎生検後1～2日で再開する場合が多いが，

基礎疾患や薬剤の種類，腎生検後の出血量などを考慮して決定する．

▶腎生検後の運動制限は1〜2週間後に解除されることが多い．負荷の強い激しい運動は，4週間以後の許可が望ましい．

7　合併症とその対策

▶腎生検により起こり得る合併症について熟知しておく必要がある．もっとも懸念されるのは出血性合併症である．

▶わが国のアンケート調査では，輸血が必要な出血性合併症は0.62%，腎生検後に腎動脈塞栓術による止血処置が必要であったのは0.17%であった．

▶腎生検のハイリスク症例以外でも重篤な出血をきたすことがあるため，腎生検を受けたすべての患者に対して，合併症の早期発見に努めなければならない．

▶重篤な出血性合併症の初期サインは，腰背部痛，腹痛，尿意があるのに出ない，血圧低下，頻脈，徐脈，意識レベルの低下，肉眼的血尿である．

a 腎周囲への出血

▶腎周囲に血腫を合併する割合は85%程度で，その出血量は30〜40 mLである．

▶まれではあるが，後腹膜へ出血した場合は大量出血となることがある．大量出血を疑った場合はCTで血腫の大きさを確認し，活動性出血が疑われた場合は造影CTを追加する．造影CTで仮性動脈瘤や活動性の出血所見があれば，選択的腎動脈塞栓術による止血術を依頼する．

▶日頃から放射線科医や，自院で対応できない場合は止血処置ができる病院へ出血時の緊急止血対応を相談しておくことが重要である．

b 肉眼的血尿・動静脈瘻

▶肉眼的血尿の合併頻度は5%程度である．

▶腎実質内で形成された動静脈瘻は肉眼的血尿の原因となり，穿刺部付近で血管雑音（bruit）として聴取されることがある．通常は数日内に消失することが多い．

▶尿路に大量に出血すると膀胱内で血栓が形成され，尿道を閉塞し膀胱タンポナーデをきたすことがある．その際は3-way型尿道バルーンカテーテルを留置し，生理食塩液で膀胱内を持続洗浄し対応する．

c 迷走神経反射

▶過度の緊張や検査時の痛み，長時間安静による腰痛などによって誘発される．冷や汗を伴いながら，血圧低下，徐脈をきたす．

▶硫酸アトロピン 0.5 mg を点滴側管から静注することで，速やかに改善する．

d 腰痛・筋肉痛

▶同一姿勢での長時間安静により，腰痛や筋肉痛をきたす．安静解除により速やかに消失する．

▶ベッド上仰臥位での絶対安静時間を短くすることで，腰痛や筋肉痛を緩和できる．

▶腰痛は腎周囲への大量出血の初期徴候でもあり，安易に鎮痛薬のみで対応しないようにしたい．

e 発熱

▶腎生検当日～翌日にかけて，37.0～37.5℃程度の発熱を認めることがある．血腫の吸収熱などが原因といわれている．

f 穿刺部位の違和感

▶穿刺部周囲の不快感や重たい感じを訴えることがある．2 週間程度で自然に軽快することが多い．

g 薬剤アレルギー

▶局所麻酔薬や抗菌薬使用時はアナフィラキシーショックをきたす可能性がある．薬剤使用時には，つねに注意深く観察することが必要である．

文 献

1) 日本腎臓学会腎生検ガイドブック改訂委員会(編)：腎生検ガイドブック 2020. 東京医学社，2020

34 腎生検の適応と基本的な見方

1 腎生検の適応と禁忌

▶腎生検は腎臓専門医の行う検査としてもっとも重要なもので，腎生検法には，①経皮的腎生検，②開放腎生検，③鏡視下腎生検，④移植腎生検，がある．

▶腎生検の目的は，腎疾患を臨床病理学的に分析し，病態を把握することで治療方針を決定し，治療効果や予後を推定することである．腎生検なくして診断確定できない腎臓病は多く，近年の新しい疾患概念の登場で，腎生検の重要性はますます高まっている．

▶腎生検は観血的検査であり，腎生検後出血は不可避である．出血量が多い場合には経カテーテル動脈塞栓術（TAE）や観血的止血処置を必要とする重大合併症を惹起する可能性もある．

▶腎生検に際しては，得られる情報の有用性と合併症の危険性を十分に検討し，検査を受ける患者に対して十分な説明を行い，正確な理解に基づく合意を得たうえで行うことが求められている．

▶また，腎生検情報を最大限に引き出すには，質の高い標本作製と特殊染色などの検査が不可欠である．

▶新たな腎病理診断概念の登場や遺伝子検査，質量分析などの新手法が導入された結果，従来の一般的腎生検の対象より適応を拡大していく方向性が見受けられる．日本腎臓学会の「腎生検ガイドブック2020」[1]では，腎生検実施対象のアンケート調査が示されており，血尿単独，蛋白尿単独，血尿と蛋白尿陽性，急速進行性糸球体腎炎（RPGN），急性腎障害（AKI），尿検査に異常のない腎機能低下，糖尿病，ハイリスク例などの調査結果が示されている．腎生検実施者は一読することを強く推奨する．

▶活動性糸球体腎炎疑い，ネフローゼ症候群やRPGNのように絶対的適応に近い対象もあるが，軽微な血尿単独症例などでは腎生検を行わない施設が多い．

▶リスクが高くても腎生検が必要と判断した際には，開放腎生検や鏡視下腎生検を選択することで安全に腎生検実施が可能となる．

▶進行性が乏しいと予測され，積極的治療介入の必要ない場合は腎生検しない選択が望まれる．

a 腎生検の適応

1. 検尿異常（血尿単独例，蛋白尿単独例，血尿＋蛋白尿合併例）

▶無症候性微少血尿が腎生検対象となることは少ない．血尿の高度例で，変形赤血球や細胞性円柱を確認した際には腎生検を考慮する．

▶無症候性微少血尿でも，IgA腎症や遺伝性腎炎（Alport症候群）などが疑われる場合は，腎生検を行う施設は多くなる．

▶蛋白尿単独例では，尿蛋白量が0.5 g/gCrを超すと腎生検を行うが，高度な腎機能低下例では行わない施設が多い．

▶血尿と蛋白尿が合併する場合は治療対象となる糸球体疾患の可能性が高いため，腎生検が行われる．

2. ネフローゼ症候群

▶ネフローゼ症候群は一次性，二次性を問わず，原則として腎生検の適応となる．

▶治療開始前に腎生検を行い，病理診断に基づき治療方針を確定する．しかし，微小変化型ネフローゼ症候群（MCNS）の可能性が高く全身性浮腫がある場合には治療を先行させ，浮腫消失後に腎生検するほうが安全で，腎生検後肺塞栓症など重大な合併症予防となり，入院期間の短縮にも有用である．

3. 急速進行性糸球体腎炎（RPGN）

▶RPGNでは，腎生検により半月体形成性壊死性糸球体腎炎，二次性糸球体疾患，血管炎，尿細管間質疾患などの鑑別診断が可能となり，その重症度，慢性化所見により治療方針が定まるため，絶対的適応となる．

4. 急性腎障害（AKI）

▶臨床的にAKIを示す症例の原因は多岐にわたり，原因疾患や病態の鑑別と，予後や慢性化の評価に腎生検は必要である．

▶原因を特定する必要がある病態が疑われた場合は，腎生検を行う．臨床的に急性尿細管間質性腎炎，血栓性微小血管症（TMA；溶血性尿毒症症候群），薬剤性尿細管障害，血管炎症候群などが疑われた際の診断確定は，治療方針決定に有用である．

5. 全身性疾患に伴う腎病変

▶糖尿病では，中等度以上の蛋白尿を認める際には半数以上の施設で腎生検が実施され，3.5 g/gCr以上の高度蛋白尿例では大半の施設が実施している．

▶典型的糖尿病性腎症以外の糸球体疾患の可能性が高い場合は，腎生検診断が必要である．糖尿病発症から早すぎる高度蛋白尿や血尿，細胞円柱の存在が，腎生検を考える指標となる．

表 34-1　**腎生検の禁忌**

・管理困難な出血傾向がある(高度な血小板減少,中止できない抗凝固薬使用中など)
・腎実質感染症(腎盂腎炎や腎膿瘍),後腹膜腔感染症や敗血症がある
・コントロール不良の重篤高血圧(十分な降圧管理後に行うことは可能)
・機能性片腎(腎生検が不可欠な場合は,開放腎生検や鏡視下腎生検により安全に実施することは可能である.また,移植腎は機能性片腎でも腎生検を実施する)

▶糖尿病性腎症を除く多くの全身性疾患に伴う腎障害では,腎生検が診断確定,病態把握,治療方針決定,予後推定などに非常に有用な情報を与えてくれる.とくに,膠原病・自己免疫疾患〔ループス腎炎,抗好中球細胞質抗体(ANCA)血管炎,Goodpasture 症候群,抗糸球体基底膜(GBM)抗体型腎炎,多発動脈炎,強皮症腎などの膠原病腎症〕や M 蛋白血症などの蛋白異常症(多発性骨髄腫,軽鎖沈着症,重鎖沈着症),アミロイドーシス,クリオグロブリン血症などでは診断に有用な特徴的病理所見の出現率が高く,腎生検施行の意義が大きい.

b 腎生検の禁忌

▶表 34-1 に示すような状況下では腎生検実施により重篤な合併症が発生すると予測されるため,腎生検を行わない.
▶また,明らかな萎縮腎,水腎症,多発性嚢胞腎〔常染色体優性多発性嚢胞腎(ADPKD),常染色体劣性多発性嚢胞腎(ARPKD)〕では,腎生検を行う意義がないため行わない.

2　腎生検病理診断の基本と診断手順

▶「腎生検病理アトラス改訂版」[2)]を参考に,腎生検病理診断を進めることを推奨する.

a 腎生検診断の基本

▶腎生検診断を光学顕微鏡(光顕)所見のみで正確に行うことはできない.
▶腎臓病の形態分類に加え,病態診断の目的には 3 つの検査法が必要である.

34

腎生検の適応と基本的な見方

565

1. 光学顕微鏡（光顕）

▶腎生検診断の基本となり，形態分類の基礎となる．

2. 免疫組織染色（標準は蛍光抗体法）

▶免疫グロブリン（サブクラス含め），補体，フィブリノーゲン，軽鎖などの沈着様式と部位を確認する．病態解析の基礎となる．

▶酵素抗体法は，免疫病理学の情報が光顕切片と同じ組織上で確認できる利点がある．

3. 電子顕微鏡（電顕）

▶光顕で把握できない腎病変が，超微形態変化として把握できる．

▶免疫複合体の有無や沈着部位，基底膜異常の確認，沈着した細線維のサイズや微細構造などを確認する．細胞質内に沈着する特殊構造体を把握する．

b 光学顕微鏡診断に必要な染色法と留意事項

▶以下に示す4つの基本染色の特性を理解して，腎病変の性質が明らかになるように病変を観察する．

▶原則として，びまん性に出現する腎臓病を対象に腎生検は行われるが，巣状にしか出現しない病変も多い．臨床像と生検所見が合致しない場合は，採取された腎生検組織に含まれていない病変が存在する可能性も検討する．

1. HE（hematoxylin eosin）染色

▶病理診断の基本染色である．良質なHE染色では，腎生検所見の全体像把握が可能となる．

▶糸球体病変に加え間質尿細管・血管病変の総合的評価に有用で，浸潤細胞の種類判定や尿細管円柱の性質把握，フィブリノイド壊死，血栓性病変の把握に必要である．

2. PAS（periodic acid Schiff）染色

▶糸球体・尿細管・血管の基底膜やメサンギウム基質，近位尿細管刷子縁などを構成する糖蛋白や真菌類などが赤紫に濃染する．

▶糸球体病変を中心に，腎生検で確認したい病変が識別しやすいが，細胞質の染色性に劣るため，上皮細胞などの病変を見落としやすいことに留意する必要がある．

▶糖蛋白濃度の違いにより染色性に違いがあり，それを利用して診断する．基底膜や大量の免疫グロブリンを含む免疫複合体沈着などではPAS強陽性となり，一方，糖蛋白濃度が低いと弱陽性になる．

3. Masson染色

▶弾性線維染色を加えたElastica Masson染色が望ましい．Elastica

Masson 染色では，膠原線維と弾性線維を染め分けることが可能となる．

▶動脈病変，とくに内膜肥厚性病変や血管炎の詳細が把握できる．また，沈着した免疫複合体の新旧やフィブリノイド壊死，フィブリン析出などの識別に優れる．

▶間質線維化の程度を半定量的に評価することに適している．

4. PAM（過ヨウ素酸メセナミン銀）-HE 染色

▶PAM 染色は膠原線維を染色するため，基底膜（糸球体，Bowman 囊，尿細管，毛細血管），メサンギウム基質，間質線維化を評価するのに優れる．

▶PAM 染色は膠原線維の骨格のみを示すため，病変を的確に理解するには後染色で HE 染色を加えることが必要である．これにより，細胞と細胞外基質の関係が把握できる．

c 蛍光抗体法の診断手順

▶蛍光抗体法の診断手順を以下に示す．

①観察している腎生検標本の光顕所見を意識して観察する．

②免疫グロブリン（IgG，IgA，IgM），補体（C1q，C3，C4，移植腎では C4d も加える），フィブリノゲン，軽鎖（κ，λ），重鎖（IgG_{1-4}やIgA_{1-2}などのサブクラス染色）などを観察する．

③沈着部位と沈着パターンを確認し，沈着の強度を記録する．

④免疫複合体型糸球体腎炎では顆粒状に沈着する．

⑤沈着部位と沈着している免疫グロブリンや補体の種類と組み合わせで，糸球体腎炎の病型が判別できる．

▶糸球体係蹄壁に沿った顆粒状沈着でも，IgG 優位のびまん性係蹄壁細顆粒型沈着は膜性腎症，C3 優位の係蹄沿いの不揃いな沈着は溶連菌感染後急性糸球体腎炎，C3 優位の糸球体係蹄末梢側のリボン状フリンジパターンは膜性増殖性糸球体腎炎（MPGN）を示唆する．

▶メサンギウム領域やパラメサンギウムの半球状，ドーム状の IgA 主体の沈着は，IgA 腎症を示唆する．

▶抗 GBM 抗体型腎炎では，基底膜に沿った線状の沈着が確認できる．

▶非免疫学的疾患でも，糖尿病性腎症では非特異的に弱い糸球体係蹄への IgG の線状沈着が確認される．

▶蛍光抗体法で陰性，あるいはきわめて弱い蛍光沈着しか確認されないときには，MCNS のような免疫学的機序の関与が想定されていない疾患，あるいは pauci-immune 型の ANCA 血管炎などの可能性を示唆している．

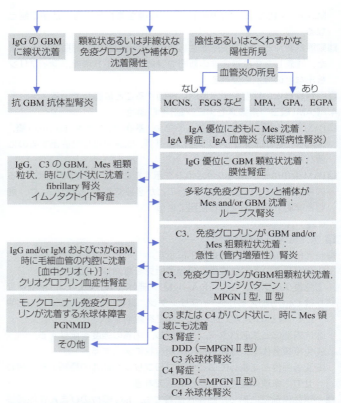

図 34-1 免疫グロブリンと補体沈着からの免疫組織学的糸球体疾患診断

GBM：糸球体基底膜，Mes：メサンギウム，PGNMID：単クローン性 IgG 沈着型増殖性糸球体腎炎，MCNS：微小変化型ネフローゼ症候群，FSGS：巣状分節性糸球体硬化症，MPA：顕微鏡的多発血管炎，GPA：多発血管炎性肉芽腫症，EGPA：好酸球性多発血管炎性肉芽腫症，MPGN：膜性増殖性糸球体腎炎，DDD：dense deposit disease

▶図 34-1 に，免疫グロブリンと補体の沈着様式と部位から判断する腎病理診断に役立つ所見を示す．近年，モノクローナル免疫グロブリン沈着による新しい糸球体疾患の概念が増え，注目されている．

d 電子顕微鏡観察の要点

▶電顕診断のスタートは，正常な腎臓の構造を電顕所見として理解す

ることである．糸球体基底膜と血管腔の位置関係から，内皮細胞・上皮細胞・メサンギウム細胞の特徴を理解する．

▶ メサンギウム基質の識別と内皮下腔の確認，遊走細胞の識別が重要である．高電子沈着物の沈着部位の同定と，沈着物の微細構造，細線維構造などの判別が必要になる．

▶ 免疫複合体型糸球体腎炎の詳細な病態解析には，電顕観察が有用である．

▶ 腎生検で診断する場合，電顕が不可欠な疾患を正確に理解することが必要であり，以下の疾患があげられる．

▶ 糸球体基底膜病変では，Alport 症候群，糸球体基底膜菲薄化症，Nail-patella 症候群などが重要である．

▶ 沈着病のうち，アミロイドーシスやクリオグロブリン腎症，イムノタクトイド腎症，fibrillary 腎炎，フィブロネクチン腎症などの細線維沈着をきたす疾患では，細線維構造沈着物の超微形態と線維径の測定が不可欠である．

▶ 軽鎖沈着症などでは，免疫組織情報との組み合わせで診断される．

▶ TMA や抗体関連型慢性拒絶反応などの内皮細胞を惹起する病態では，内皮細胞や内皮下腔に浮腫性病変などが観察できる．

▶ 上皮細胞内の特徴的所見を示す疾患として Fabry 病がある．

▶ ミトコンドリア異常症なども診断には電顕が必須である．

e 腎生検診断の手順

1. 的確な診断が可能な生検標本かを検討する
▶ 適切な腎生検診断には，採取切片内に観察できる 7 個以上の糸球体と 2 本以上の細動脈が必要である．
▶ 観察する切片数は多いほうが望ましい．

2. 主たる病変はどこにあるかを考える
▶ 臨床情報から，予測される病変はなにかを考える（表34-2）．

3. 病変の広がりと分布を評価する
▶ 病変の広がりと分布を表現する用語とその定義について，表34-3 に示す．

4. 光顕所見に基づく腎病理評価の進め方と糸球体病変の診断法
▶ 日本腎臓学会腎病理診断標準化委員会では，より精度の高い腎生検データベース（J-RBR）を目指し，2018 年に表34-4 に示す新しい分類に変更し，登録作業と臨床研究を進めている．
▶ 表34-5 に示す観察すべき必須項目を確認しながら，腎生検標本内の病変を評価する．

表 34-2　予測される主病変から考えられる疾患

主病変	考えられる疾患
糸球体	・原発性糸球体疾患 ・二次性糸球体疾患（ループス腎炎などの膠原病性腎症や血管炎による壊死性糸球体腎炎，糖尿病性腎症，TMA，アミロイドーシスや各種沈着病など） ・Alport 症候群など遺伝性腎炎など
尿細管間質	・間質性腎炎 ・尿細管障害 ・骨髄腫腎（cast nephropathy） ・腎移植後拒絶反応 ・ウイルス性腎症 ・ネフロン癆 ・ADTKD ・特殊なアミロイドーシスなど
血管病変	・各種血管炎 ・良性腎硬化症 ・悪性腎硬化症 ・コレステリン塞栓症 ・慢性拒絶反応など

TMA：血栓性微小血管症，ADTKD：常染色体顕性（優性）尿細管間質性腎疾患

表 34-3　病変の広がりと分布を表現する用語とその定義

対象		病変分布
標本全体	びまん性 （diffuse）	病変がほとんどすべて（50%以上）の糸球体に存在する場合
	巣状 （focal）	病変が一部（50%未満）の糸球体に存在する場合
個々の糸球体	全節性/球状 （global）	病変が糸球体の全体（50%以上）に広がっている場合
	分節性 （segmental）	病変が糸球体の一部（50%未満）に局在する場合

▶皮質髄質比は，7：3のように記載する．

▶全節性硬化を示す糸球体を除いた糸球体では，糸球体係蹄壁病変・増殖性病変（管内・管外・メサンギウム・その他）・分節性硬化性病変・癒着性変化などに注目し，診断を進める．

　①微小変化：糸球体の基本構造が保たれ，光顕上は目立った病変が確認できない．しかし，光顕で病的所見が確認できないが，蛍光

表 34-4 **日本腎臓学会腎病理診断標準化委員会による腎生検データベース（J-RBR）での腎病理診断分類**

病理診断	原因となる病態	
IgA 腎症[*1]	一次性	
	二次性	肝障害，その他
IgA 沈着症		
微小変化型ネフローゼ症候群（MCNS）	一次性	
	二次性	悪性腫瘍，薬剤性，その他
巣状分節性糸球体硬化症（FSGS）	一次性	
	二次性	遺伝性，肥満，低出生体重，高血圧/動脈硬化，薬剤性，その他
膜性腎症	一次性	
	二次性	悪性腫瘍，薬剤性，感染症，その他
膜性増殖性糸球体腎炎（MPGN）	一次性	MPGN I 型，MPGN III 型
	二次性	（原疾患を記載する）その他，原因不明
C3 腎症	dense deposit disease（DDD）C3 腎炎	
血管炎	ANCA 関連血管炎（MPO-ANCA，PR3-ANCA，その他の ANCA）	MPA，GPA，EPGA，薬剤性，その他
	抗 GBM 抗体型	
	IgA 血管炎（紫斑病性腎炎）	
	結節性多発動脈炎	
	二次性 ANCA 関連血管炎	薬剤性，その他
膠原病関連腎症	ループス腎炎（ISN/RPS 分類）Sjögren 症候群，尿細管間質性腎炎，その他関節リウマチ強皮症，血栓性微小血管症，その他その他	
感染関連腎炎	溶連菌感染後糸球体腎炎	
	MRSA 関連腎炎	
	その他のブドウ球菌関連/感染後糸球体腎炎	
	B 型肝炎関連腎炎	膜性腎症，その他
	C 型肝炎関連腎炎	MPGN，その他
	パルボウイルス関連腎炎，HIV 関連腎炎，その他	

（次ページへつづく）

表 34-4 つづき

病理診断	原因となる病態	
その他の糸球体腎炎	C1q 腎症 その他（診断名を記載する）	
高血圧・動脈硬化性疾患	良性腎硬化症（動脈硬化性/本態性高血圧症） 悪性腎硬化症 コレステロール塞栓症 その他	
血栓性微小血管症（TMA）/内皮細胞障害	STEC-HUS aHUS 妊娠高血圧症候群 薬剤性 その他	
糖尿病性腎症		
アミロイドーシス	AA，AL，AH，AHL，その他	
パラプロテイン血症/類縁疾患	単クローン性免疫グロブリン沈着症（LCDD，HCDD，LHCDD） 単クローン性 IgG 沈着型増殖性糸球体腎炎（PGNMID），円柱腎症 その他	
クリオグロブリン血症性血管炎	血液・リンパ節疾患 C 型肝炎関連，B 型肝炎関連，悪性腫瘍に伴うもの，その他	
その他の糸球体沈着症	イムノタクトイド糸球体症 細線維性糸球体腎炎（fibrillary 糸球体腎炎） フィブロネクチン腎症 コラーゲン線維性腎症 その他	
脂質関連腎症	リポ蛋白糸球体症，LCAT 欠損症，その他	
先天性/家族性腎疾患	先天性ネフローゼ症候群 Alport 症候群，菲薄基底膜病 Fabry 病，ミトコンドリア病 常染色体優性遺伝性尿細管間質性腎疾患（ADTKD） ネフロン癆/ネフロン癆関連繊毛病 多発性嚢胞腎（ADPKD，ARPKD），その他 先天性腎尿路異常（CAKUT）/syndromic CAKUT，non-syndromic CAKUT 爪膝蓋骨症候群/LMX1B 関連腎症 その他の先天性遺伝性腎疾患	
尿細管間質障害	尿細管間質性腎炎	薬剤性，感染関連
	IgG4 関連腎臓病，サルコイドーシス，尿細管間質性腎炎・ぶどう膜炎症候群（TINU 症候群），その他の間質性腎炎	
	急性尿細管壊死，その他	

（次ページへつづく）

表 34-4 つづき

病理診断	原因となる病態	
移植腎	拒絶反応（超急性，急性/慢性，抗体関連型/T リンパ球関連型）	
	移植腎における薬剤関連腎症	カルシニューリン阻害薬関連腎症，その他
	移植関連感染症	BK ウイルス，アデノウイルス，EB ウイルス，CMV
	移植後リンパ増殖性疾患（PTLD）特記すべき所見なしその他	
その他	特記すべき所見なし，その他，診断不能	

*1Oxford 分類／Japanese Histological grade を記載

ANCA：抗好中球細胞質抗体，MPO：ミエロペルオキシダーゼ，PR3：プロテイナーゼ 3，GBM：糸球体基底膜，MPA：顕微鏡的多発血管炎，GPA：多発血管炎性肉芽腫症，EPGA：好酸球性多発血管炎性肉芽腫症，ISN/RPS（International Society of Nephrology/. Renal Pathology Society），STEC-HUS：志賀毒素産生性大腸菌による溶血性尿毒症症候群，aHUS：非典型溶血性尿毒症症候群，AA：血清アミロイド A，AL：免疫グロブリン軽鎖（L），AH：免疫グロブリン重鎖（H），AHL：免疫グロブリン重軽鎖（HL），LCDD：軽鎖沈着症，HCDD：重鎖沈着症，LHCDD：軽鎖重鎖沈着症，ADP-KD：常染色体顕性（優性）多発性囊胞腎，ARPKD：常染色体潜性（劣性）多発性囊胞腎，EB：Epstein-Barr，CMV：サイトメガロウイルス

抗体で膜性腎症が診断されることや，電顕でアミロイドーシスが診断されることもある.

②巣状分節性糸球体硬化症（FSGS）：採取された組織内に典型的分節性硬化性病変や癒着などがあれば，診断は可能である. しかし，この疾患の特徴として明らかな分節性硬化や癒着がないことも多いため，微小変化との鑑別が困難な場合も多い. また，原発性糸球体疾患以外の疾患で二次性巣状分節性硬化性病変をきたすことが多いことを理解しておくことが必要である.

③増殖性病変：増加している細胞の種類と部位に注目する. 毛細血管内の細胞増多が主であれば管内増殖性糸球体腎炎，メサンギウム領域での細胞増殖が主体であればメサンギウム増殖性腎炎，半月体形成・壊死性病変が主であれば管外増殖性腎炎と診断する. 光顕での診断は難しくない例が多いが，それぞれの病態を確定するには図 34-1 に示す免疫グロブリンと補体沈着の組み合わせと，電顕での高密度沈着物の特徴的な沈着部位によって診断を確定させることができる.

④膜性腎症：糸球体係蹄壁の均質な肥厚が特徴であるが，肥厚が軽

表 34-5 光学顕微鏡診断における必須病変

主病理診断：
皮質髄質比：
1．糸球体：総数（　　個）
　a．急性活動性病変　定量評価
　　　メサンギウム細胞増殖（　　個），
　　　糸球体毛細血管係蹄内細胞増殖（　　個），
　　　細胞性（線維細胞）半月体（活動性病変）（　　個）
　b．慢性病変　定量評価
　　　球状糸球体硬化（　　個），分節状糸球体硬化（　　個），
　　　線維性半月体形成（　　個），癒着（　　個），虚脱（　　個）
　c．定性的評価
　　　糸球体係蹄壁病変（点刻像，棘形成，係蹄壁二重化）
　　　糸球体の腫大，傍メサンギウム沈着物，傍糸球体装置の腫大，
　　　血栓形成
　d．特殊病変（付記）
　　　Kimmelstiel-Wilson 結節と滲出病変，巣状分節性糸球体硬化症の虚
　　　脱糸球体と管外性細胞増殖病変（非半月体），メサンギウム融解，
　　　フィブリン血栓，ワイヤーループ病変，巣状分節性壊死性病変，など
2．尿細管間質：
　a．急性活動性病変
　　　間質の炎症，尿細管炎，肉芽腫の有無，泡沫細胞の有無
　b．慢性病変
　　　尿細管萎縮/間質線維化
　　　腎皮質において，糸球体と大血管領域を除いた尿細管間質領域を
　　　10%単位で定量評価
3．血管病変：
　a．動脈病変（小葉間動脈，弓状動脈）：内膜肥厚を全層と比較し段階的
　　　（<25%，26〜50%，>50%）に評価
　b．細動脈病変：内膜の硝子化の有無で評価
　　　上記の病変以外の病変（中膜筋の肥大，動脈壊死，細動脈硬化，動
　　　脈炎，肉芽腫）があれば付記

　　　度な場合は係蹄壁内の点刻像所見，肥厚が明らかになるとスパイ
　　ク病変，さらに肥厚すると二重化も出現する．
　⑤膜性増殖性糸球体腎炎（MPGN）：後述するように，タイプにより
　　病変が異なっている．典型的な糸球体係蹄壁の二重化や分葉化病
　　変，リボン状の係蹄壁肥厚などを認める例では診断は容易であ
　　る．しかし，二次性糸球体病変の多くで MPGN 様形態を呈する
　　ため，蛍光抗体と電顕の詳細解析を行うことが必要である．
▶腎組織病変には急性期や慢性期の時相差や，活動性と非活動性の病

変があり，こうした病変が混在すると病変は複雑になる．腎生検診断では基本病変を確実に理解することが重要である．

3　腎生検病理と臨床の考え方

▶表 34-6 に，糸球体疾患の臨床的特徴と病理組織所見を対比して示す．

▶臨床的にとくに重要と思われる疾患について，以下に解説を述べる．

a 微小変化（ネフローゼ症候群，持続性・反復性の微少血尿を示す）

▶光顕所見ではとくに病変が認められない状態（minor abnormality）である．

▶ネフローゼ症候群を伴う際には，電顕で上皮細胞足突起の消失が観察される．蛍光抗体法は陰性である．このような所見をみた場合には MCNS と診断する．

▶微少血尿のみの場合は，電顕にて診断される糸球体基底膜菲薄症，あるいは蛍光抗体で診断されるメサンギウム増殖性病変を伴わない非進行性 IgA 腎症が多い．

b 巣状分節性糸球体硬化症（ネフローゼ症候群の場合）

▶腎生検で分節性硬化性病変を確認して診断する．

▶発症から日の浅い時期の腎生検では，分節性硬化性病変が確認できないこともある．この場合は MCNS との鑑別が難しい．

▶蛍光抗体法では IgM や C3 が硬化性病変部に沈着することが多く，診断に有用である．

▶FSGS のコロンビア分類が提唱され，variant として，①collapsing variant，②cellular variant，③perihilar variant，④tip variant，⑤NOS（not otherwise specified），に区分される．

c 膜性腎症（ネフローゼ症候群，蛋白尿優位な慢性腎炎症候群）

▶糸球体基底膜上皮下の連続する免疫複合体沈着が，びまん性に均質な糸球体係蹄壁肥厚を起こしてくる．

▶光顕の PAM 染色で，スパイク（spike）や点刻像（bubbly appearance）を示す．

▶蛍光抗体法では，係蹄沿いに IgG と C3 が連続性に細顆粒状に沈着する．

▶特発性膜性腎症の IgG サブクラスは 50〜70％で IgG4 が優位となる

575

表 34-6　臨床症候と腎病変の関係の理解

腎病変		臨床症状	蛋白尿	血尿	
				顕微鏡的	肉眼的
糸球体の疾患	一次性糸球体疾患	微小糸球体病変 （minor glomerular abnormalities）	＋＋ −〜±	●	○
		巣状分節性糸球体硬化症（FSGS）	＋＋	○	
		膜性腎症（MN）	＋＋		
		膜性増殖性糸球体腎炎（C3 腎症） （MPGN）	＋＋	●	○
		管内増殖性糸球体腎炎 （endocapillary proliferative glomerulonephritis）	＋	●	○
		半月体形成性糸球体腎炎 （crescentic glomerulonephritis）	＋〜＋＋	●	○
		IgA 腎症 （IgA nephropathy）	−〜＋〜 ＋＋	●	●
	二次性糸球体疾患	紫斑病性腎炎（IgA 血管炎） （purpura nephritis）	＋〜＋＋	●	●
		ループス腎炎 （lupus nephritis）	−〜＋〜 ＋＋	○	○
		糖尿病性腎症/ 糖尿病性糸球体硬化症 （diabetic nephropathy/ diabetic glomerulosclerosis）	＋〜＋＋		
		腎アミロイドーシス （renal amyloidosis）	＋＋		
尿細管間質の疾患		急性間質性腎炎 （acute interstitial nephritis）	−〜＋	○	
		慢性間質性腎炎 （chronic interstitial nephritis）	−〜＋＋	○	
		急性尿細管壊死（ATN）	−〜＋	○	○
血管系の疾患		良性腎硬化症 （benign nephrosclerosis）	−〜＋		
		悪性腎硬化症 （malignant nephrosclerosis）	＋〜＋＋	○	
		血栓性微小血管症（障害）（TMA）	−〜＋	○	
		顕微鏡的多発血管炎（MPA）	＋〜＋＋	○	

●：代表的な臨床症候，○：あり得る臨床症候

慢性腎炎症候群	ネフローゼ症候群	急性腎炎症候群	急速進行性糸球体腎炎症候群	急性腎障害
	●			
○	●			
○	●			
○	●	○	○	○
○	○	●		○
○			●	
●	○	○		
○	○	○	○	○
●	●	○	○	○
●	●			
○	●			
○				●
●				
		○		●
●				
			●	
○	○		○	●
○			●	○

が，単独例は少ない．

▶二次性（膠原病性）膜性腎症の IgG サブクラスは，IgG1，IgG2，IgG3 の優位例が多い．

▶悪性腫瘍，薬剤性，ウイルス感染など多くの病態に関連した二次性膜性腎症がある．

d 膜性増殖性糸球体腎炎（ネフローゼ症候群，慢性腎炎症候群）

▶MPGN は，一次性と C3 腎症，二次性に区分される．従来の電顕所見による分類を病因論的に区分した，図 34-2 に示す新しい概念が提唱され，受け入れられている．

▶一次性はタイプ I とタイプ III に区分され，ともに免疫複合体型糸球体腎炎であり，C3 低値の低補体性腎炎の臨床像をとることが多い．

▶タイプ I の免疫複合体の沈着部位は内皮下に多くみられ，管内増殖性病変が強いことが多い．メサンギウム嵌入性変化を伴う係蹄壁の二重化（double contour/tram track）を示す．分葉型糸球体病変を示すことも多い．蛍光抗体法では，糸球体係蹄に沿って C3 が多量に沈着している．

▶タイプ III は Burkholder 型と Strife/Andres 型に細分され，内皮細胞下に加え，上皮下や基底膜内にも多量の免疫複合体が沈着することが多い．二次性 MPGN の多くはタイプ III を示すため，原疾患検索が必要である．免疫グロブリンが関連する多くの沈着病はタイプ III をとることが多い．原疾患によっては C3 以外の補体成分（C1q，C4）が沈着する．

▶C3 腎症は，dense deposit disease（DDD）と C3 糸球体腎炎に細分される．DDD は電顕での基底膜内への特徴的な連続するリボン状高電子密度沈着物が特徴的である．C3 腎症は免疫複合体型腎炎と考えるより，補体代謝障害との関連が想定されている．C3 の著しい低下が持続する例が多い．C3NeF の存在や補体の Factor H/I 欠損，partial lipodystrophy に合併するなどの特徴がある．

▶近年，C4 腎症として C3 腎症と酷似した疾患概念が追加された．C4 腎症は，C4-DDD と C4 糸球体腎炎に細分される．

▶二次性 MPGN には，びまん性活動性ループス腎炎や C 型肝炎関連糸球体腎炎などがある．クリオグロブリン腎症やフィブロネクチン腎症など，沈着による多くの二次性糸球体疾患は MPGN 様の光顕所見を呈することが多いため，原因の検索が重要である．

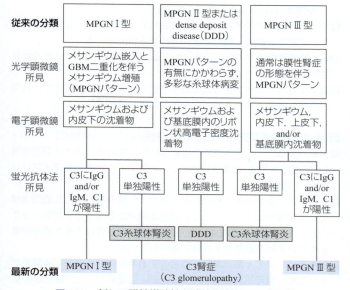

図 34-2　新しい膜性増殖性糸球体腎炎（MPGN）分類
GBM：糸球体基底膜，DDD：dence deposit disease

e 管内増殖性糸球体腎炎（急性腎炎症候群，溶連菌感染後急性糸球体腎炎）

- 糸球体係蹄内腔への好中球，単球などの浸潤と内皮細胞の腫大，メサンギウム領域の細胞増多により，血管腔が高度に狭小化している．光顕の PAS 染色や Masson 染色で hump が確認できることも多い．
- 蛍光抗体法では，係蹄に沿って粗大顆粒状に，C3 や IgG が特徴的な starry sky appearance で陽性染色される．
- 典型的な感染後急性糸球体腎炎では，電顕にて上皮下の大きな hump が確認される．
- 一過性に C3 は低下するが，自然に回復していく．

f IgA 腎症（慢性腎炎症候群，持続性血尿，反復性肉眼的血尿）

- 光顕所見はメサンギウム増殖性糸球体腎炎であるが，病変の程度が微小変化に近いレベルから巣状糸球体腎炎のレベル，びまん性メサンギウム増殖性腎炎から高度なメサンギウム増殖が係蹄壁にまで及

び MPGN 的な病変を示すこともある.

▶巣状分節状の糸球体障害が繰り返されることが多く，また多くは小半月体病変を認め，新旧病変が混在する特徴がある.

▶IgA 優位に IgG や C3 がメサンギウムに沈着する．診断は蛍光抗体法で確定する.

▶電顕ではパラメサンギウムの高電子密度沈着物が基本変化で，病変が高度になると沈着部位が内皮下に拡大していく.

g 半月体形成性壊死性糸球体腎炎（急速進行性糸球体腎炎）

▶光顕所見は，糸球体基底膜の広範な破綻に続発する管外性細胞増殖（＝細胞性半月体）と壊死性病変（フィブリノイド壊死やフィブリン析出）を特徴とする.

▶半月体は，Bowman 上皮細胞が 3 層以上に積み重ねられた細胞増殖で，糸球体係蹄から漏れ出した遊走細胞や凝固関連因子が加わったのが急性期所見（細胞性半月体）であり，時間が経過すると細胞線維性半月体を経て線維性半月体に移行していく.

▶日本では，ANCA 関連血管炎に合併する半月体形成性糸球体腎炎が多いため，蛍光抗体法で pauci-immune 型であることの確認が必要である.

▶それ以外の半月体形成性糸球体腎炎は，免疫複合体型〔感染後糸球体腎炎，メチシリン耐性黄色ブドウ球菌（MRSA）腎炎，膠原病性腎症，その他〕が多く，抗 GBM 抗体型腎炎は日本では少ない.

▶腎生検診断をする前に一次性腎疾患，二次性腎疾患の鑑別ができていることも多いが，腎生検診断より二次性腎臓病を考え始めることも多い.

▶近年の科学進歩により，腎生検組織診断に難渋する病変に対し診断解明の糸口が見つかる可能性が出現した．1 つは，従来の検索では原因が特定できない糸球体へのアミロイドーシスやその他の沈着病に対し，腎生検組織を用いた質量分析を行うことで診断特定できる可能性がある．2 つめとして，家族歴のある，あるいは新規発症の遺伝性疾患に対し次世代シーケンサーを用いた検索をすることで，遺伝子異常が特定できることである．重要な役割を担う蛋白に関与する遺伝子異常を診断することは，診断の本質に迫ることである．倫理面での配慮が必要であるが，疑いがあるときには適正な対応を考えるべきである.

▶腎生検の見方の基本を紹介したが，診断に際しては手元に信頼できる腎病理アトラスを置き，つねに参照しながら経験を重ねることが

必要であることを再度強調したい．

文献

1) 日本腎臓学会腎生検ガイドブック改訂委員会（編）：腎生検ガイドブック 2020．東京医学社，2020
2) 日本腎病理協会，他（編）：腎生検病理アトラス改訂版，東京医学社，2017

35 腎疾患治療薬の使い方のコツ

1 副腎皮質ステロイド

a ステロイド投与対象
①ネフローゼ症候群(微小変化型など).
②増殖性変化の強い糸球体腎炎.
③急速進行性糸球体腎炎.
④IgA 腎症に対する扁桃摘出と組み合わせて投与.
⑤他の方法でコントロール不良な慢性糸球体腎炎による蛋白尿.
⑥活動性の高い膠原病.
▶①〜⑥に加えて,慢性的な腎機能の低下がない場合に投与する.
▶「ネフローゼ症候群」(☞p.132),「全身性エリテマトーデス」(☞p.156)も参照のこと.

b ステロイドの副作用対策
▶表 35-1 に示す.

c ステロイド投与法
▶大量投与後の漸減が基本.
▶初期投与量は 0.5〜1.0 mg/kg 体重,最大 60 mg/日.以下の①〜③を考慮して投与量を決定する.
　①患者の年齢(高齢者には減量),基礎合併症(感染巣がある場合などは減量).
　②疾患の活動性.
　③予想される治療への反応性(組織像,過去の反応性).

1. ステロイドの減量法

> **処方例**
> ①30 mg までは 10 mg ずつ 2 週〜1 か月ごとに漸減(30 mg 以下なら外来治療で可).
> ②15〜30 mg までは 5 mg ずつ 1〜3 か月ごとに漸減.
> ③15 mg 以下では 2.5 mg ずつ 2〜3 か月ごとに漸減.
> ④隔日投与を行う場合もある.

表 35-1　副腎皮質ステロイドの副作用とその対策

分　類	副作用
比較的短期間で発症し，重篤になりやすい	・感染（投与前に歯科・耳鼻科受診，30 mg/日まで原則，外泊禁止，血清 IgG 測定） ・潰瘍（便潜血チェック，腹症状問診） ・糖尿病（検尿，昼食後 2 時間の血糖値チェック） 　➡異常があれば血糖日内変動（daily profile）の確認 ・血栓症（ネフローゼ症候群ではとくに注意が必要，FDP，D-dimer，下肢の左右差の確認） ・精神症状（不眠が多い，喜怒哀楽が顕著に，ステロイド減量を検討） ・緑内障（投与前および入院中に眼科受診）
比較的長期間の投与で発症	・骨粗鬆症（入院中および 1 年に 1 回骨塩定量を行う，プレドニゾロン換算 5 mg/日以上を 3 か月以上使用する場合は，予防的に投薬治療を行う） ・大腿骨頭壊死〔SLE のステロイド治療中に多い，自覚症状（股関節の痛み）があれば MRI にて評価〕 ・白内障（入院中に眼科受診） ・服用自己中断による急性副腎不全（発熱・消化器症状）
その他	・満月様顔貌，中心性肥満，皮膚線条 ・白血球（好中球）増多 ・痤瘡 ・多毛 ・月経異常 ・高血圧・脂質異常症・動脈硬化 ・de novo B 型肝炎

FDP：フィブリン・フィブリノゲン分解産物．SLE：全身性エリテマトーデス

▶漸減は最初速く，内服量が減少してきたら緩徐に行う．とくに頻回再発型の微小変化群では慎重に行う．

▶再発や再燃がなければ約 2 年で離脱できる（糸球体腎炎）．

2. ステロイドパルス療法の適応症例

▶活動性の高い症例．

▶半月体形成性腎炎．

▶薬物療法が無効な症例，副作用で薬物療法が十分施行できない症例．

▶IgA 腎症における扁桃摘出術の後療法としてのステロイド治療には，パルス療法を組み合わせる．回数や量に関しての指針はない．

▶膠原病では，体外循環による抗体の除去にパルス療法を併用すると効果的である．

▶1 回のパルス療法で効果が不十分な場合は，2〜3 回繰り返すことが

ある(繰り返すと感染症などの合併症のリスクが高くなるため, より注意が必要である).

3. 処方例

1) ステロイドパルス療法

処方例

メチルプレドニゾロン(ソル・メドロール®) 500〜1,000 mg＋5%ブドウ糖 250 mL 点滴静注(2〜3時間かけて)×3日
■ 終了後
プレドニゾロン(プレドニン®)
50 mg(2週)➡40 mg(2週)➡30 mg(4週, 外来にて)➡25 mg

2) 扁桃摘出後ステロイドパルス療法

処方例

メチルプレドニゾロン(ソル・メドロール®) 500 mg＋5%ブドウ糖 250 mL 点滴静注(2〜3時間かけて)×3日(1クール目)
■ 終了後
プレドニゾロン(プレドニン®)
20〜40 mg(2週)
✔体重に応じて増減する.
✔2週〜2か月間で3回繰り返すこともある(Pozzi法).

d ステロイド投与前チェックリスト

▶ステロイド投与前のチェックリストを表35-2に示す.
▶感染症を治療してからでないとステロイド投与できないため, 入院治療開始までに耳鼻科と歯科は受診しておくことが望ましい.
▶ステロイドは消化管潰瘍のリスク因子ではないが, 患者の状態に応じてプロトンポンプ阻害薬(PPI), ヒスタミン H_2 受容体拮抗薬などを併用する[1].
▶便潜血は2回ずつの測定が望ましい.
▶ステロイド投与によって, これまで存在しなかった耐糖能異常が出現したり増悪したりすることがあるため, ステロイド投与前に患者の耐糖能を評価しておく必要がある.
▶HbA1cが正常であっても境界型糖尿病の症例は存在するので, 原則的には全員75g経口ブドウ糖負荷試験(75g OGTT)を行う.
▶HbA1cが明らかな高値(≧6.5%, NGSP値)をとる糖尿病患者には, 75g OGTTを施行する必要はない.

表 35-2　ステロイド投与前チェックリスト

	確認内容
感染症	□自覚症状，発熱の有無 　➡該当部位の精査および加療 □血液検査（WBC，CRP） □IgG（500 mg/dL 以下にならないように） □β-D-グルカン[真菌感染，ニューモシスチス肺炎の確認] □サイトメガロウイルス感染（C7-HRP） □尿検査 □胸部 X 線 □耳鼻科受診 □歯科受診 □バクタ® 投与（保険適用）またはベナンバックス® 吸入 　（予防投与，1 回/月，保険適用外）[ニューモシスチス肺 　炎予防] □結核に関する問診 □IGRA またはツベルクリン反応検査 □HBs 抗原*，HCV 抗体 □ワクチン接種状況の確認（肺炎球菌，インフルエンザ， 　COVID-19 など）
消化管潰瘍	□便潜血 　➡陽性の場合には上部消化管造影，上部消化管内視鏡
耐糖能	□空腹時血糖 　➡高値の場合には HbA1c
緑内障・白内障	□眼科受診
その他	□循環動態

IGRA：インターフェロンγ遊離試験

*HBs 抗原陰性➡HBs 抗体・HBc 抗体測定，どちらか陽性なら HBV-DNA 測定

　HBs 抗原陽性➡HBe 抗原・HBe 抗体，HBV-DNA 測定

▶ステロイドによる血糖値上昇はステロイド漸減とともに改善することが多いが，もともと耐糖能異常が存在した症例では，元の状態に戻らない可能性もあることを十分に説明しておく．

▶ネフローゼ症候群の高度の血管内脱水は，ステロイド投与後の急性腎障害（AKI），血栓症を招く．必要があればアルブミンを補充する．

▶パルス療法施行中はステロイドのミネラル・コルチコイド作用のため，水分・塩分が貯留傾向になる．高度な低アルブミン血症の症例では浮腫が強く，AKI になることもある．そのような症例には，適宜，アルブミン製剤の投与や利尿薬追加を行う．ただし，ループ利尿薬は AKI 発症を増加させるので注意する．

e ステロイド加療中チェックリスト（入院中）

1. 副作用

▶入院中のステロイド加療時のチェックリストを表 35-3 に示す.

▶プレドニゾロン 30 mg までは原則的に外泊禁止.

▶手洗い, うがい, 外出時のマスク着用を励行する.

▶骨粗鬆症については *p.416* を参照.

▶プレドニゾロン 5 mg 以上でビスホスホネート製剤の投与を考慮する.

▶ステロイド精神病の症状が強い場合は, ステロイドの減量ないし中止が必要である.

表 35-3　**ステロイド加療中チェックリスト（入院中）**

<table>
<tr><th colspan="2"></th><th>確認内容</th></tr>
<tr><td rowspan="30">副作用</td><td>感染症</td><td>□自覚症状, 発熱の有無
　➡該当部位の精査および加療
□血液検査（WBC, CRP）
□IgG（500 mg/dL 以下にならないように）
□β-D-グルカン［真菌感染, ニューモシスチス肺炎の確認］
□サイトメガロウイルス（C7-HRP 測定）
□尿検査</td></tr>
<tr><td>消化管潰瘍</td><td>□自覚症状
　➡適宜, 下記精査
□便潜血（1 回/週程度）
　➡陽性の場合には上部消化管造影, 上部消化管内視鏡</td></tr>
<tr><td>耐糖能（尿糖が出ていたら）</td><td>□昼食後 2 時間血糖
　➡高値の場合は日内変動（毎食前・食後 2 時間と眠前）</td></tr>
<tr><td>緑内障, 白内障</td><td>□眼科受診</td></tr>
<tr><td>骨粗鬆症</td><td>□骨塩定量（1 回/0.5〜1 年）</td></tr>
<tr><td>ステロイド精神病</td><td>□症状聴取（不眠から始まることが多い）</td></tr>
<tr><td>血栓症</td><td>□ステロイドパルス時には抗凝固療法, 抗血小板療法を考慮</td></tr>
<tr><td rowspan="2">効果判定</td><td>蛋白尿</td><td>□1 日尿蛋白（2〜5 回/週）</td></tr>
<tr><td>免疫関係（膠原病）</td><td>□各種抗体（1 回/2 週程度）
□補体・補体価（1 回/2 週程度）
□赤沈（1〜2 回/週）</td></tr>
</table>

2. 効果判定

▶1日尿蛋白については，「ネフローゼ症候群」(☞ p.132)を参照.

▶ステロイドパルス中はNa排泄にも注意し，連日，尿検査を行うことが望ましい.

▶各種抗体の治療に対する反応性は早く，特異性は高い.ただし，検査結果が出るまでに数日～1週間かかる.

▶補体・補体価の治療に対する反応は，抗体より2週間ほど遅れる.

▶赤沈の治療に対する反応は早く，特異性は低い.手軽，安価で，検査結果が数時間後にわかる.

f ステロイド加療中チェックリスト(外来)

▶外来でのステロイド加療中のチェックリストを表 35-4 に示す.

▶ステロイドパルス時には，抗凝固療法，抗血小板療法を行うことにより大腿骨頭壊死が減少する.

表 35-4　ステロイド加療中チェックリスト(外来)

		確認内容
副作用	感染症	□自覚症状，発熱の有無 ➡該当部位の精査および加療 □血液検査(WBC，CRP) □尿検査 □必要に応じて胸部X線 □HBs抗体またはHBc抗体が陽性ならHBV-DNAを1～3か月ごとに測定
	消化管潰瘍	□自覚症状 ➡適宜，下記精査 □便潜血(1回/1～2か月) ➡陽性の場合には上部消化管造影，上部消化管内視鏡
	耐糖能	□HbA1c，尿糖
	緑内障，白内障	□自覚症状時，眼科再診
	骨粗鬆症	□骨塩定量(1回/0.5～1年)*
	大腿骨頭壊死	□股関節痛の有無 ➡有症時にはMRI
効果判定	蛋白尿	□1日尿蛋白(1回/1～2か月) ➡蓄尿が難しい場合は尿蛋白/尿Cr比
	免疫関係(膠原病)	□各種抗体(1回/1～2か月) □補体・補体価(1回/月)

＊：保険適用は1回/4か月

587

(側注)
35　腎疾患治療薬の使い方のコツ
1　副腎皮質ステロイド

2 免疫抑制薬

a シクロスポリン(ネオーラル®)

▶シクロスポリンは真菌から分離された抗菌物質で, 11個のアミノ酸からなる環状ペプチドである.

1. 作用機序

▶カルシニューリン(T細胞においてIL-2, IL-4などのサイトカイン産生を誘導するCa^{2+}-カルモジュリン依存性の脱リン酸化酵素)を阻害し, T細胞性免疫を抑制する.

▶アルキル化薬と比べて細胞増殖抑制作用がないため安全性が高いと考えられ, 移植の拒絶反応や各種免疫疾患の治療に広く用いられている.

▶従来, 糸球体上皮(足細胞)障害を誘発するT細胞の活性化を抑制し, 抗蛋白尿効果を発揮する機序に加え, 足細胞においてカルシニューリンが引き起こす脱リン酸化をシクロスポリンが直接阻止して, 蛋白尿を減少させる機序が明らかにされている.

2. 投与対象

▶臓器移植, ネフローゼ症候群(頻回再発型あるいはステロイド抵抗性)など.

3. 投与法

▶ネフローゼ症候群の頻回再発型には1.5 mg/kg/日, ステロイド抵抗性には3 mg/kg/日を経口投与することが推奨されている.

▶一般的には, 副腎皮質ステロイドと併用して使用し, 糖尿病などで副腎皮質ステロイドが使用できないときは単独投与されることもあるが, 単独投与では再発が多い.

▶均一化されたマイクロエマルジョン製剤の実用化により血中濃度が安定化したため, 1日1回 食前投与が推奨されている.

▶服用2時間後の血中濃度(C2)600〜1,200 ng/mLが至適濃度と考えられている.

▶多くの薬剤と相互作用があるため, 注意が必要である(表35-5).

> **処方例**
> ■ ネフローゼ症候群に対して
> シクロスポリン(ネオーラル®)
> 1日 1.5〜3.0 mg/kg 1回 朝

4. 副作用

▶腎障害, 高血圧, 耐糖能障害, 多毛, 歯肉腫脹, 頭痛, 振戦, 消化

器症状(悪心, 嘔吐)など.

b タクロリムス(プログラフ®)

▶タクロリムスは放線菌の一種が産生するマクロライド系の化合物で, わが国で発見された免疫抑制薬である.

1. 作用機序

▶Tリンパ球の FK506 binding protein(FKBP)とよばれる蛋白と結合し, 抗原情報伝達経路中にある脱リン酸化酵素で転写因子 NFAT (nuclear factor of activated T cell)を活性化するカルシニューリンを阻害することにより, Tリンパ球からのサイトカイン産生を抑制する.

▶免疫抑制作用は強力で, シクロスポリンの10～100倍ともいわれる.

2. 投与対象

▶臓器移植, ループス腎炎などが保険適用とされている. 原発性糸球体疾患では, ステロイド抵抗性ネフローゼ症候群に対して有効性が報告されている(保険適用外).

3. 投与法

> **処方例**
> ■ ループス腎炎に対して
> タクロリムス(プログラフ®)
> 1日 1.5～3 mg 1回 夕食後

▶タクロリムスの血中濃度は内服 12 時間後に評価し, 通常 5～10 ng/mL を保つようにする.

▶翌朝の血中濃度 10 ng/mL 以上で有害作用が増加するため, それ以下に保つようにする.

4. 副作用

▶腎障害, 高カリウム血症, 耐糖能障害, 高血圧, 心不全, 消化器症状(悪心・嘔吐)など.

c シクロホスファミド(エンドキサン®)

▶シクロホスファミドはナイトロジェンマスタードの誘導体として開発され, アルキル化薬の代表的な薬剤である.

1. 作用機序

▶アルキル化作用により DNA を架橋し, 合成阻害することで細胞増殖を抑制する.

▶悪性腫瘍治療薬として使用されていたが, リンパ球(とくにBリンパ球)の DNA 合成を阻害し, 細胞性・液性免疫ともに強力に抑制す

表 35-5　カルシニューリン阻害薬(CNI)の薬物相互作用

薬物	機序	作用
抗てんかん薬（フェニトイン，フェノバルビタール，カルバマゼピン）	CYP3A4 誘導	CNI の代謝が促進され，血中濃度が低下する
セントジョーンズワート		
リファンピシン，イソニアジド		
アゾール系抗真菌薬（ケトコナゾール，フルコナゾール，イトラコナゾール）	CYP3A4 阻害	CNI の代謝が抑制され，血中濃度が上昇する
マクロライド系抗菌薬（エリスロマイシン，クラリスロマイシン）		
カルシウム拮抗薬（ベラパミル，ジルチアゼム，ニカルジピン）		
グレープフルーツジュース		
HMG-CoA 還元酵素阻害薬（スタチン）	CNI による CYP3A4 阻害	スタチンの血中濃度が上昇し，横紋筋融解症や筋炎が増加する
ペマフィブラート	CNI による有機アニオントランスポーターおよび CYP3A4 阻害	ペマフィブラートの血中濃度が上昇する
ボセンタン	CYP3A4 誘導および CNI による CYP3A4 阻害	CNI の血中濃度が低下し，ボセンタンの血中濃度が上昇する
アリスキレン	CNI による P 糖蛋白阻害	アリスキレンの血中濃度が上昇する
酸化マグネシウム，コレスチラミド	吸収への影響	同時投与された薬剤の吸収の低下
アミノグリコシド系抗菌薬，アムホテリシン B	腎毒性薬の相加	腎毒性が高まる
非ステロイド性抗炎症薬	輸入細動脈の血管収縮	腎毒性が高まる

CYP3A4：チトクローム P450 3A4 酵素

ることから，腎疾患の治療薬としても使用されている．
- ▶プロドラッグであり，肝臓で代謝されて活性をもち，2本のDNA鎖を結びつけることにより核酸の機能に影響を与え，DNA複製や転写を阻害し，増殖抑制，細胞死，機能障害を引き起こす．
- ▶リンパ球増殖を妨げるので免疫抑制作用を有し，臓器移植時の拒絶反応を抑える免疫抑制薬として使われるほか，全身性エリテマトーデス(SLE)や血管炎の治療に使用されている．

2. 投与対象

- ▶悪性腫瘍のほか，2010年8月より治療抵抗性のリウマチ性疾患〔SLE，全身性血管炎(顕微鏡的多発血管炎，多発血管炎性肉芽腫症，結節性多発動脈炎，好酸球性多発血管炎性肉芽腫性，大動脈炎症候群など)，多発性筋炎/皮膚筋炎，強皮症，混合性結合組織病，および血管炎を伴う難治性リウマチ性疾患〕，副腎皮質ステロイドによる適切な治療を行っても十分な効果が得られないネフローゼ症候群が保険適用とされた．

3. 投与法

処方例

シクロホスファミド(エンドキサン®)
1日 50〜100 mg 1回 朝 経口投与 8〜12週間

■ パルス療法として

シクロホスファミド(エンドキサン®)
500 mg/m^{2}を生理食塩液または5%ブドウ糖液に溶解し，1時間以上かけて点滴静注．投与前後に十分な補液を行う．1か月に1回，6か月まで．

✒パルス療法は経口法とほぼ同等の効果で，副作用が少ないことが報告されている．

- ▶腎排泄であるため，腎機能低下例では減量する必要がある．

4. 副作用

- ▶骨髄抑制による白血球減少，性腺機能障害，悪性腫瘍の発現率が用量依存性に上昇するため，総投与量を10 g以内にするのが望ましい．
- ▶代謝産物であるアクロレインは出血性膀胱炎，膀胱癌の原因となるため，予防のために①経口薬は朝服用し，日中に水分を十分とること，②就寝前は排尿して膀胱を空にすること，③点滴静注投与時には補液を十分に行い，尿量を確保すること，などに留意する．アクロレインと結合し無毒化する，メスナやビタミンCの併用も有効とされる．

d アザチオプリン（イムラン®）

▶ アザチオプリンは，プリンアナログの前駆物質 6-メルカプトプリン（6-MP）のイミダゾール誘導体で，プロドラッグとして吸収され，速やかに 6-MP に分解される．

▶ 6-MP はプリン類似物質としてプリン代謝を阻害し，DNA，RNA および蛋白質合成を阻害して，T細胞に関与する免疫反応を抑制する．

1. 作用機序

▶ 生体内でグルタチオンなどと反応して，酵素反応を介さずに速やかに 6-MP に分解され，さらにヒポキサンチン-グアニンホスホリボシルトランスフェラーゼ（HGPRT）で代謝されて，6-チオグアニン・ヌクレオチドあるいはチオイノシン酸に代謝される．これらがプリン類似体の活性物質として，*de novo* 経路の律速酵素イノシンーリン酸デヒドロゲナーゼ（IMPDH）を阻害して DNA 合成を阻害し，免疫抑制作用を発揮する．

2. 投与対象

▶ 臓器移植（腎移植，肝移植，心移植，肺移植）における拒絶反応の抑制，ステロイド依存性の Crohn 病の寛解導入および寛解維持，ならびにステロイド依存性の潰瘍性大腸炎の寛解維持，治療抵抗性のリ

Side memo

ベナンバックス® 吸入

1. 対象
- 高齢者．
- IgG＜500 mg/dL.
- 易感染性宿主（compromised host）.

2. 処方例
- ペンタミジンイセチオン（ベナンバックス®）300 mg を注射用蒸留水 3〜5 mL に溶解し，ネブライザーを使用して 30 分かけて吸入．
- ベナンバックス® は，静脈内投与を行うと低血糖などの深刻な副作用を生じうるが，吸入で用いた場合にはきわめて副作用が少ない．このため，予防投与としては吸入が望ましい（1 回/月で効果が持続する）．
- ベナンバックス® の吸入は局所刺激が強く，吸入が困難な場合はスルファメトキサゾール・トリメトプリム（バクタ®）内服を選択する．
- バクタ® を 1 日 1 錠または 2 錠を 3 回/週.

ウマチ性疾患〔全身性血管炎(顕微鏡的多発血管炎,多発血管炎性肉芽腫症,結節性多発動脈炎,好酸球性多発血管炎性肉芽腫症,大動脈炎症候群など),SLE,多発性筋炎,皮膚筋炎,強皮症,混合性結合組織病,および難治性リウマチ性疾患〕,自己免疫性肝炎が保険適用とされている.
- 白血球数 3,000/mm³ 以下の患者への投与は禁忌とされている.

3. 投与法
- 血管炎や SLE に対しては,1 日量として 1～2 mg/kg 相当量を経口投与する.
- 症状により適宜,増減可能であるが,1 日量として 3 mg/kg を超えないこと.

> **処方例**
> アザチオプリン(イムラン®, アザニン®)
> 1 日 50～100 mg 1 回 朝

4. 副作用
- 免疫抑制による易感染性のほか,発疹,肝機能障害,骨髄抑制,間質性肺炎などがある.長期使用例では悪性腫瘍の発症に注意すべきである.
- 高尿酸血症治療薬のフェブキソスタットやトピロキソスタットは,アザチオプリンの代謝酵素であるキサンチンオキシダーゼを阻害するため,アザチオプリンの血中濃度が上昇し,副作用リスクが高まることから併用禁忌である.
- 服用開始後早期に発現する重度の急性白血球減少と全身脱毛が *NUDT15* 遺伝子多型と関連することが明らかとなり,2019 年 2 月より *NUDT15* 遺伝子多型検査が保険収載された.初めてアザチオプリンを開始する症例においては開始前に本検査を実施し,適応を判断することが推奨されている.

e ミゾリビン(ブレディニン®)
- ミゾリビンはわが国で開発されたプリン代謝拮抗薬で,活性化免疫細胞のような増殖が盛んな細胞で核酸合成を阻害することにより,免疫抑制効果を示す.
- 腎障害や骨髄抑制などの重篤な副作用は比較的少ない.

1. 作用機序
- 生体内でミゾリビン-5' リン酸に代謝され,*de novo* 経路の律速酵素 IMPDH を阻害し,活性化 T リンパ球,B リンパ球の増殖・機能を抑

制する. 核酸代謝の *de novo* 経路のみを阻害するため, リンパ球の増殖を特異的に抑えることができる.

2. 投与対象
▶ 腎移植, 原発性糸球体疾患を原因とするネフローゼ症候群（ステロイド抵抗性), およびループス腎炎が保険適用とされている.
▶ 白血球数 3,000/mm^3 以下の患者への投与は禁忌とされている.

3. 投与法
▶ 効果（混合リンパ球反応試験でリンパ球増殖抑制率 50％以上）を発現するのに, 1.0 μg/mL 以上の血中濃度が必要と考えられている.
▶ 承認されている服用法（1 日 150 mg を 3 回に分割）では十分な血中濃度が得られず, 臨床効果もみられない可能性がある. 1 日 100～150 mg を 1 回で内服する方法では血中濃度が上昇し, 臨床症状の改善につながることが報告され, 本薬剤の有用性が見直されている.
▶ 腎排泄性であるため, 腎不全患者へ投与する際には減量が必要である.

> **処方例**
> ミゾリビン（ブレディニン®）
> 1 日 150 mg 1 回 朝

4. 副作用
▶ 他の免疫抑制薬と比較して副作用が少ない薬剤であるが, トラフ値が 4 μg/mL を超えると胃腸障害, 肝障害, 血小板減少, 高尿酸血症, 脱毛などの副作用が指摘されている.

f ミコフェノール酸モフェチル（セルセプト®）

▶ ミコフェノール酸モフェチル（MMF）は, 細胞内 *de novo* 経路のみを選択的に阻害する薬剤で, 臓器移植の拒絶反応に対する優れた抑制効果が実証されている.

1. 作用機序
▶ プロドラッグであり, 体内でミコフェノール酸（MPA）に代謝されたのち, ミゾリビンとは異なる機序で核酸代謝の *de novo* 経路の律速酵素 IMPDH を阻害し, 活性化 T リンパ球, B リンパ球の増殖・機能を抑制する.
▶ salvage 経路には作用しないため, リンパ球細胞の増殖を選択的に抑制し, 優れた免疫抑制効果を発揮する.

2. 投与対象
▶ 移植領域に加え, 2015 年 7 月にループス腎炎に対する保険適用が追加された.

- 原発性糸球体疾患は適用外であるが，抗好中球細胞質抗体（ANCA）関連血管炎の寛解導入・維持にも有効とされている．

3. 投与法
- 薬物動態の個体差が大きいため，血中濃度を測定し投与量を調節するのが望ましい．
- 血中濃度のピークは内服後 1〜2 時間．
- MMF の活性体の MPA は，95％が薬理活性を有さないフェノール性水酸基グルクロン酸抱合体（MPAG）に代謝され，胆汁に排泄される．その後，MPAG は腸管内で加水分解され，再び MPA となり体内に取り込まれ，腸肝循環が形成される．腸内での MPA 生成が，MMF の副作用である下痢の原因となっている．
- MPAG は尿中からほぼ完全に排泄されるため，MPAG の体内動態は腎機能によって大きく影響される．腎機能障害によってMPAGが体内に蓄積すると，MPAG の胆汁排泄機構が亢進し，腸肝循環率が向上する結果，血中 MPA 濃度が高まるため，推算糸球体濾過量（eGFR）＜25 mL/分/1.73 m^{2}の腎機能低下例では減量が必要とされている．

> **処方例**
> ミコフェノール酸モフェチル（セルセプト®）
> 1 日 1,000〜2,000 mg 2 回に分割 朝夕

4. 副作用
- 消化器症状（下痢，悪心，腹痛），汎血球減少，感染症，不妊，悪性腫瘍などがある．重篤な感染症や性腺機能に対する悪影響は少ない．
- 催奇形性があるため，妊婦または妊娠している可能性のある女性への投与は禁忌とされている．

g リツキシマブ（リツキサン®）

- リツキシマブは，ヒト免疫グロブリンの定常部領域（IgG1κ）とマウス抗 CD20 抗体の可変部領域からなるキメラ型の抗 CD20 モノクローナル抗体であり，B 細胞表面に発現する分化抗原である CD20 を標的とする分子標的治療薬である．

1. 作用機序
- CD20 抗原に結合し，補体依存性細胞傷害作用，抗体依存性細胞介在性細胞傷害作用，およびアポトーシス誘導により CD20 陽性細胞を傷害する．

2. 投与対象

- 保険適用は CD20 陽性の B 細胞性非 Hodgkin リンパ腫であるが，2013 年 6 月に免疫抑制下の CD20 陽性の B 細胞性リンパ増殖性疾患，多発血管炎性肉芽腫症，顕微鏡的多発血管炎が，2014 年 8 月に頻回再発型またはステロイド依存性難治性ネフローゼ症候群（小児期に発症した症例に限る）が追加で保険適用とされた．
- リツキシマブ単回投与を半年ごとに 4 回投与する前向き研究で再発，ステロイド投与量の減少が認められ，成人例においても有効性・安全性を示唆する多数の研究結果が報告されている．

3. 投与法

- 初回投与はできる限り入院で行い，infusion reaction 予防のため，投与 30 分前にヒスタミン H_1 受容体拮抗薬（抗ヒスタミン薬），解熱鎮痛薬などを投与し，その後リツキシマブを 50 mg/時の投与速度で開始する．以後，30 分後ごとに 100→150→200→250 mg/時と投与速度を漸増する．

> **処方例**
> リツキシマブ（リツキサン®）
> 375 mg/m²（最大量 500 mg/回）を 1 週間間隔で 4 回点滴静注
> または
> 500 mg 1 回 点滴静注

4. 副作用

- infusion reaction，B 型肝炎ウイルスの再活性化，JC ウイルスの活性化による進行性多巣性白質脳症の発症，感染症，びまん性肺線維症など．

h ベリムマブ（ベンリスタ®）

- ベリムマブ（遺伝子組換え）は，可溶型 B リンパ球刺激因子（BLyS，別名：B cell activating factor belonging to the TNF family（BAFF）および TNFSF13B）に選択的に結合し，その活性を阻害する完全ヒト型抗 BLyS モノクローナル抗体製剤である．

1. 作用機序

- BLyS を阻害することで，B 細胞の生存や形質細胞への分化を抑制し，結果的に抗核抗体の産生を抑制する．

2. 投与対象

- 既存治療で効果不十分な SLE に対し，2017 年 9 月に保険適用が承認された．標準治療を行っても中等度以上の疾患活動性を有する場合

に，ベリムマブを追加投与することが推奨されている．グルココルチコイドの減量を意図して，寛解維持療法に加えることも有用とされている．
▶ また活動性ループス腎炎の寛解導入療法において，標準治療にベリムマブを追加投与することで，2年後の腎障害が有意に軽減したことが報告されている．

3. 投与法
▶ 点滴製剤は1回 10 mg/kg を初回，2週後，4週後に点滴静注し，以後4週間隔で投与する．点滴は1時間以上かけて行う．皮下注製剤は週に1回，200 mg を皮下注射する．

> **処方例**
> ベリムマブ(ベンリスタ®)
> 200 mg 週1回 皮下注

4. 副作用
▶ ショック・アナフィラキシーなどの重篤な過敏症，肺炎・敗血症・結核などの感染症，進行性多巣性白質脳症，間質性肺炎，うつ病，自殺念慮，自殺企図など．

3　抗血小板薬，抗凝固薬

a ジピリダモール(ペルサンチン®)，ジラゼプ塩酸塩(コメリアン®)

1. 投与対象
▶ ジピリダモールはステロイド抵抗性ネフローゼ症候群に保険適用がある．
▶ ジラゼプ塩酸塩は軽度～中等度の腎機能障害を呈する IgA 腎症に保険適用がある．
▶ 副腎皮質ステロイドやレニン・アンジオテンシン系(RAS)阻害薬など，他剤との併用で用いられる．

2. 作用
▶ 尿蛋白減少作用が期待され，ジピリダモールは腎機能障害の進行抑制効果を示す報告もある．
▶ 腎予後改善を含む長期的な効果は証明されていない．

3. 機序
▶ 血小板の粘性や凝固抑制を介した腎微小循環系の改善と，血小板からのケミカルメディエーター放出を抑制する．

4. 副作用

1) 頭痛

▶頭痛は投与開始から3日ほどで治まることが多いため，低用量より開始し増量する．症状が継続する症例では投与中止も考慮する．

2) 出血

▶消化管出血，眼底出血を定期的に確認する．

▶腎生検などの侵襲的な検査や，抜歯，手術などの観血的処置を行う場合には，3〜7日前に投与を中止する．

▶脳梗塞など腎疾患以外の疾患に対して，すでにクロピドグレル硫酸塩やアスピリンなどの抗血小板薬を投与されている場合には，ジピリダモール，ジラゼプ塩酸塩の併用で出血傾向が強く現れることがあるので，併用薬には注意が必要である．

3) その他

▶消化器症状（腹痛，悪心・嘔吐），肝機能障害，めまい，発疹．

▶ジピリダモールは狭心症を増悪させる可能性があるため，重篤な冠動脈疾患を有する症例には慎重な使用が必要である．

▶ジピリダモールを投与している患者にアデノシンを投与する場合，12時間以上の間隔をあけること．

5. 処方例

▶ジピリダモールは投与開始4週間を目標として投薬し，ジラゼプ塩酸塩は投与開始6か月を目標として投薬する．その後，腎機能や尿蛋白の程度に応じて投薬継続の可否を検討する．効果が認められない場合は中止を考慮する．

> **処方例**
> ジピリダモール（ペルサンチン®）
> 1日 300 mg 3回に分割 毎食後
> または
> ジラゼプ塩酸塩（コメリアン®）
> 1日 300 mg 3回に分割 毎食後
> ✔年齢，症状により適宜，増減する．

b エパデール®（エイコサペンタエン酸：EPA）

▶魚脂由来である．

▶空腹時は吸収が低下するため，食直後の服用が望ましい．

▶血清脂質低下作用，抗血小板作用，抗炎症作用を呈する．

▶本来の保険適応症は脂質異常症や閉塞性動脈硬化症であるが，IgA

腎症の腎予後を改善する可能性がある(保険適用外).
- 腎生検などの侵襲的検査や抜歯, 手術などの観血的処置を行う場合は, 1週間前に投与中止する.
- 脂質異常症患者へのヒドロキシメチルグルタリル-CoA(HMG-CoA)還元酵素阻害薬(スタチン)とEPAの併用投与により, 心血管イベントの発生率は低下する(JELIS試験)[2]ことから, 心血管イベントを生命予後の規定因子とする慢性腎臓病(CKD)患者にとって, EPAの投与は臨床的な有用性が期待される.
- 副作用として, 出血傾向と下痢, 胃部不快感などの消化器症状を示す.

処方例
イコサペント酸エチル(エパデール S900®)
1日 1,800 mg 3回に分割 毎食直後または2回に分割 朝夕食直後

c ヘパリン

1. 投与対象
- ネフローゼ症候群を呈し, 有効循環血漿量低下, 下腿浮腫, 副腎皮質ステロイド治療など深部静脈血栓症のリスクを有する患者, あるいは血中FDPや尿中FDPが高値を示す患者.

2. 作用
- ネフローゼ症候群, SLE, 抗リン脂質抗体症候群などの過凝固状態の解消, 深部静脈血栓症のリスクが軽減する.

3. 投与方法

処方例
■ 低用量未分画ヘパリン
未分画ヘパリン
8時間もしくは12時間ごとに5,000単位を皮下注射
■ 用量調節未分画ヘパリン
未分画ヘパリン
最初に3,500単位を皮下注射し, 投与4時間後の活性化トロンボプラスチン時間(APTT)が正常値上限となるように, 8時間ごとに前回投与量±500単位で皮下注射

- 過凝固状態にある症例では, ワルファリン(ワーファリン®)で後療法を行う.

4. 注意

▶ 出血性副作用が出現した際にはヘパリンを減量または中断し，適切な検査および処置を行う.

▶ 急速にヘパリンの効果を抑制する必要がある場合には，プロタミン硫酸塩の静脈内投与を行う. 1,000 単位のヘパリンを中和するためには，10～15 mg のプロタミンが必要である.

▶ 通常，APTT を測定して血液凝固能の改善程度を評価しながら，1 回につきプロタミン硫酸塩 50 mg を超えないように，生理食塩液または 5%ブドウ糖注射液 100～200 mL で希釈し，10 分間以上をかけて徐々に静脈内投与する.

d ワルファリン(ワーファリン®)

1. 投与対象

▶ ネフローゼ症候群，SLE，抗リン脂質抗体症候群など，過凝固状態が持続する疾患の治療および血栓症予防.

2. 投与方法

▶ 年齢，合併症，全身状態を考慮して，プロトロンビン時間－国際標準化比(PT-INR)1.5～2.5 をめやすにコントロールする.

▶ ワルファリンはプロテインCを枯渇させ一時的に凝固亢進状態となるため，急性期はヘパリンの持続点滴(あるいは皮下注)を併用する.

3. 副作用

▶ 出血傾向.

4. 禁忌

▶ 出血もしくは出血する可能性のある症例，重篤な腎機能障害・肝機能障害を有する症例.

Side memo

ヘパリン起因性血小板減少症

ヘパリン起因性血小板減少症(HIT)は，ヘパリン投与に伴い血小板が活性化され，凝集形成に伴い血小板数の減少と血栓形成(0.2～5%)を呈する. 投与後数日で血小板減少を呈するため，投与後は全血算検査でスクリーニングを行う. 4Ts スコア(血小板減少の程度，発症時期，続発症，他の要因の有無)を用いて臨床的な可能性の検証を行うとともに，HIT 抗体価の測定を行う. 可能性がある場合は速やかにヘパリンの投与を中止し，抗トロンビン製剤であるアルガトロバンを使用する.

5. 注意
- ワルファリン内服開始から効果の発現までに3〜5日間を要する．
- PT-INRは定期的に検査すること．
- ビタミンKを多く含有する食品(納豆，クロレラ，青汁など)の摂取や，ビタミン製剤の投与により作用が減弱する．薬物相互作用が多く，併用薬や薬剤変更時には確認を要する．
- 骨粗鬆症用ビタミンK_2治療薬のメナテトレノン(グラケー®)や真菌症治療薬のミコナゾール(フロリード®)は併用禁忌．
- 食事摂取量が低下した場合や，抗菌薬使用で腸内細菌叢への影響が想定される場合には効果が増強する．
- 出血傾向を呈した場合は，ビタミンK投与により比較的速やかにワルファリンの効果を拮抗することができる．

e 直接トロンビン阻害薬(ダビガトラン；プラザキサ®)

1. 投与対象
- 保険適用上の対象は，非弁膜症性心房細動患者の虚血性脳卒中や全身性塞栓症の発症抑制のみである．

2. 投与方法
- PT-INRモニタリングは不要である．

> **処方例**
> ダビガトラン(プラザキサ®)
> 1日300 mg 2回に分割 経口投与
> - 中等度の腎機能障害(Ccr 30〜50 mL/分)や出血性素因のある症例(70歳以上の高齢者や消化管出血の既往)に対しては，1日220 mgを2回に分割して経口投与とし，投与量を減じる．
> - 高度の腎機能障害(Ccr 30 mL/分以下)を呈する症例やイトラコナゾールとの併用は禁忌．
> - 臨床的に出血リスクのある器質的病変(6か月以内の出血性脳卒中など)や止血障害のある症例へは禁忌．

3. 副作用
- 消化不良，下痢，上腹部痛，貧血，出血傾向(鼻出血，皮下出血など)．

4. 注意
- 中等度の腎機能障害(Ccr 30〜50 mL/分)や高齢者，出血性素因のある症例へは慎重投与．

f 第Xa因子阻害薬(リバーロキサバン；イグザレルト®)

1. 投与対象
- 深部静脈血栓症および肺血栓塞栓症の治療と再発抑止(小児例への使用も保険適用あり).
- 非弁膜症性心房細動患者の虚血性脳卒中や全身性塞栓症の発症抑制.

2. 投与方法
- PT-INR モニタリングは不要である.

>
> **処方例**
>
> ■ 深部静脈血栓症および肺血栓塞栓症に対して
> リバーロキサバン(イグザレルト®)
> 1日 30 mg 2回に分割 食後に経口投与 初期3週間,その後
> 1日 15 mg 1回
> - 高度の腎機能障害(Ccr 30 mL/分以下)へは禁忌.
> - 小児例では,急性期の適切な初期治療(ヘパリン投与など)が5日以上なされたのちに投与すること.体重に応じて投与量を調整する.
>
> ■ 非弁膜症性心房細動患者の虚血性脳卒中や全身性塞栓症の発症抑制に対して
> リバーロキサバン(イグザレルト®)
> 1日 15 mg 1回 経口投与
> - 高度の腎機能障害(Ccr 15 mL/分以下)への投与は禁忌.
> - 中等度の腎機能障害(Ccr 30〜50 mL/分)では1日 10 mg 1回へ減量する.
> - Ccr 15〜29 mL/分に対しては慎重投与.

3. 副作用
- 出血傾向(鼻出血,歯肉出血,結膜出血,皮下出血など),月経過多,肝機能障害.

4. 注意
- 中等度以上の腎機能障害を呈する症例では,適応症に応じて投与期間や投与量の調整を要する.
- 急性細菌性心内膜炎,Child-Pugh 分類 B または C 相当の肝障害へは禁忌.
- ヒト免疫不全ウイルス(HIV)プロテアーゼ阻害薬,イトラコナゾール,ボリコナゾール,ミコナゾールとは併用禁忌.
- エリスロマイシン,クラリスロマイシン,リファンピシンや抗血小板・抗凝固薬との併用には注意を要する.

g 第Xa因子阻害薬(アピキサバン；エリキュース®)

1. 投与対象
▶深部静脈血栓症および肺血栓塞栓症の治療と再発抑制.
▶非弁膜症性心房細動患者の虚血性脳卒中や全身性塞栓症の発症抑制.

2. 投与方法
▶PT-INR モニタリングは不要である.

> **処方例**
> ■ 深部静脈血栓症および肺血栓塞栓症に対して
> アピキサバン(エリキュース®)
> 1日 20 mg 2回に分割 経口投与 7日間, その後, 1日 10 mg 2回に分割
> ✒高度腎機能障害(Ccr 30 mL/分以下)へは投与禁忌.
>
> ■ 非弁膜症性心房細動患者の虚血性脳卒中や全身性塞栓症の発症抑制に対して
> アピキサバン(エリキュース®)
> 1日 10 mg 2回に分割 経口投与
> ✒ただし, 80歳以上の高齢者, 体重 60 kg 以下, 血清 Cr 値 1.5 mg/dL 以上のうち2つ以上に該当する患者へは1日 5 mg 2回に分割に減量する.
> ✒高度の腎機能障害(Ccr 15 mL/分以下)へは投与禁忌.

3. 副作用
▶出血傾向(鼻出血, 消化管出血, 眼底出血など), 肝機能障害, 三叉神経痛.

4. 注意
▶ショックや低血圧が遷延するような血行動態が不安定な肺血栓塞栓患者や, 手術での摘除が必要な症例には使用を控える.
▶血液凝固異常および臨床的に重要な出血リスクを有する肝疾患者には禁忌.
▶イトラコナゾール, ボリコナゾール, フルコナゾール, クラリスロマイシン, エリスロマイシンや抗血小板・抗凝固薬との併用には注意を要する.

h 第Xa因子阻害薬(エドキサバントシル酸塩；リクシアナ®)

1. 投与対象
▶深部静脈血栓症および肺血栓塞栓症の治療と再発抑制.
▶非弁膜症性心房細動患者の虚血性脳卒中や全身性塞栓症の発症抑制.

- 下肢整形外科手術施行症例(膝関節全置換術,股関節全置換術,股関節骨折手術)における静脈血栓塞栓症の発症抑制(原則として入院中に限り使用可能).

2. 投与方法

- PT-INR モニタリングは不要である.

> **処方例**
> - 腎機能障害を示す症例に対して
> エドキサバントシル酸塩(クリシアナ®)
> 1日 30 mg 1回 経口投与
>
> 🔹ただし,「非弁膜症性心房細動患者の虚血性脳卒中や全身性塞栓症の発症抑制」症例への使用の際に,出血リスク*が高い高齢患者(80歳以上)に対しては,年齢,患者の状態に応じて,1日 15 mg 1回 経口投与への減量を考慮.
> 🔹下肢整形外科手術施行症例における静脈血栓塞栓症の発症抑制のための使用では,高度の腎機能障害(Ccr 30 mL/分以下)には禁忌.それ以外の適応症例に対する使用の場合,さらなる高度の腎機能障害(Ccr 15 mL/分以下)で禁忌となる.
>
> *出血リスクとは,頭蓋内・眼内・消化管などの出血の既往,45 kg 以下の低体重,抗血小板薬の使用,非ステロイド性抗炎症薬(NSAIDs)の常用,Ccr 15~30 mL/分未満の腎機能障害をいう.

3. 副作用

- 出血傾向(鼻出血,皮下出血,創傷出血など),月経過多,肝機能障害.

4. 注意

- Ccr 50 mL/分以上,体重 60 kg 超の場合は1日 60 mg 1回(併用薬に応じて1日 30 mg 1回に減量),体重 60 kg 以下の場合は1日 30 mg 1回の投与を行う.
- 体重 40 kg 未満の高齢患者(80歳以上)に対しては慎重投与.
- 急性細菌性心内膜炎や血液凝固障害を有する肝疾患患者への投与は禁忌.
- 急性期の初期治療(ヘパリン投与など)がなされたのちに使用すること.
- ショックや低血圧が遷延するような血行動態が不安定な肺血栓塞栓患者や,手術での摘除が必要な症例には,血行動態が安定したのちに使用すること.
- キニジン硫酸塩,ベラパミル塩酸塩,クラリスロマイシン,アジスロマイシン,エリスロマイシン,イトラコナゾール,シクロスポリ

ンとの併用の際には，腎機能障害の程度により，さらに投与量を減じることを考慮する．
- 抗血小板・抗凝固薬や NSAIDs との併用には注意を要する．

4　利尿薬

- 腎疾患治療には，降圧あるいは過剰な体液量を軽減するために用いる．
- 作用部位および，その機構によって分類されており，おもにループ利尿薬，サイアザイド（チアジド）系利尿薬が用いられ，症例に応じてミネラルコルチコイド受容体（MR）拮抗薬やバソプレシン V_2 受容体拮抗薬が選択される（図 35-1）．
- そのほか，浸透圧利尿薬は脳浮腫の軽減のために，また炭酸脱水素酵素阻害薬は眼科治療の際に用いられることが多く，いずれの薬剤も腎疾患に対して投与されることはない．
- すべての利尿薬に共通するが，腎機能低下に伴い薬剤の反応性は乏しくなる．とくにループ利尿薬やサイアザイド系利尿薬は蛋白結合率が高いため，糸球体からの濾過ではなく，パラアミノ馬尿酸と同様，有機アニオントランスポーターを介した尿細管分泌によって管

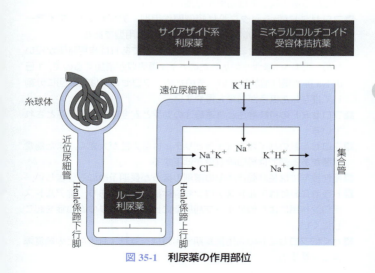

図 35-1　**利尿薬の作用部位**

腔中で効果を発揮する．そのため，この両薬剤は低蛋白血症や腎血流低下があると効果の減弱が顕著となる．

a ループ利尿薬

1. 作用機序

▶Henleの太い上行脚に存在する，2型Na-K-2Cl（NKCC2）を阻害する．

2. 特徴

▶腎髄質においてNa$^+$再吸収抑制による浸透圧低下が生じるため，Na$^+$排泄増加とともに水利尿作用を発揮する．

▶K$^+$およびCa^{2+}の排泄促進作用も有しており，注射薬は高カリウム血症や高カルシウム血症の緊急治療に用いられる．

▶低ナトリウム血症，低カリウム血症，高尿酸血症，代謝性アルカローシスに注意が必要だが，サイアザイド系利尿薬に比べると低ナトリウム血症は生じにくい．

▶高血圧症に保険適用があるのはフロセミドのみで，一般に浮腫改善薬として認識されている．

▶低心拍出や腎機能障害例では効果を発する閾値が高くなり，通常より高用量を必要とする．

▶フロセミドはAlbと結合した状態で尿細管腔内に分泌され，効果を発揮する．そのため，ネフローゼ症候群や肝硬変など低アルブミン血症のある状態では効果を発揮しにくい．

▶フロセミド（ラシックス®）は短時間作用型，アゾセミド（ダイアート®），トラセミド（ルプラック®）は長時間作用型である．

▶単回投与したフロセミドは，腎機能が正常であれば作用時間が短いため，尿中Na排泄が増加したのちNa再吸収が増加するので，1日のNa排泄量は増加しない．そのため，フロセミドは複数回に分割して投与したほうが効果を得やすい．

▶フロセミドの持続静注と急速静注の効果と安全性はほぼ同等とされている．

▶フロセミドのバイオアベイラビリティは個人差が大きく，また腸管浮腫がある例では経口吸収量が低下する．

▶慢性投与には長時間作用型の薬剤のほうが長期予後にも望ましい．

▶トラセミドにはアルドステロン受容体拮抗作用があり，抗アルドステロン作用により他のループ利尿薬に比べて低カリウム血症を起こしにくい．

▶とくにフロセミドの高用量長期使用時は，難聴，耳鳴などの聴覚障害に注意する．

▶ネフローゼ症候群，肝硬変ともに有効循環血漿量が低下している場合が多く，利尿薬で急激に利尿を促進すると，腎前性腎不全を引き起こす可能性があるため留意する.

処方例

- CKD ステージ G4 以降（eGFR＜30 mL/分/1.73 m²）の高血圧に対して，①または②を投与する.
①アゾセミド（ダイアート®）
  1 日 30〜120 mg 1〜2 回に分割 朝夕
②フロセミド（ラシックス®）
  1 日 40 mg 2 回に分割 朝夕食後
- 血清 K 濃度が低値の場合
トラセミド（ルプラック®）
1 日 4 mg 1 回 朝食後
- ネフローゼ症候群による浮腫に対して
フロセミド（ラシックス®）
1 日 120 mg 3 回に分割 毎食後
- 上記で効果のない場合
フロセミド（ラシックス® 注）
10〜20 mg/時 持続静注

b サイアザイド系利尿薬およびサイアザイド系類似利尿薬

1. 作用機序

▶遠位尿細管に存在する Na-Cl 共輸送体（NCC）を阻害する.

2. 特徴

▶NCC 阻害によって Na^+ 再吸収が抑制されるため，Na^+ 排泄の増加とそれに伴う水利尿作用を有する. 髄質の浸透圧低下は生じないため水利尿効果は弱く，Na^+ 排泄が勝るため，ループ利尿薬に比して利尿作用は格段に弱く，低ナトリウム血症を生じやすい.

▶また，低カリウム血症，高尿酸血症，代謝性アルカローシスを起こしやすい.

▶糸球体濾過量（GFR）＜30 mL/分/1.73 m²以下では作用が期待できないが，ループ利尿薬との併用で利尿効果が回復する. 体液コントロールが困難な症例では，ループ利尿薬との併用が考慮される.

▶トリクロルメチアジドのみ浮腫に保険適用を有するが，おもに降圧薬と理解され，高血圧症の治療初期から使用可能である.

▶作用時間が長く，1 日 1 回投与とすることが多い.

- 降圧効果・利尿効果に用量依存性はないが，低カリウム血症や代謝異常などの副作用には用量依存性が認められる．降圧を目的とする場合は少量にとどめる．
- サイアザイド系類似薬（インダパミド；ナトリックス®）は，サイアザイド系利尿薬（トリクロルメチアジド；フルイトラン®），ヒドロクロロチアジドなどよりも降圧効果に優れ，代謝性副作用が少ないとの報告がある．そのため，最近の各国の高血圧ガイドラインでは，降圧薬としての推奨薬剤はサイアザイド系ではなくサイアザイド系類似薬としている．
- ループ利尿薬とは異なり，Ca^{2+}排泄抑制作用を有する．尿路結石や骨粗鬆症の抑制効果が報告されているが，ビタミンD製剤などと併用する際には高カルシウム血症に留意する．
- 近年では，アンジオテンシンⅡ受容体拮抗薬（ARB）との配合剤としても多数上市されている．

> **処方例**
> - CKDステージG3まで（eGFR≧30 mL/分/1.73 m²）の高血圧患者に対して
> ①トリクロルメチアジド（フルイトラン®）
>   1日1mg 1回 朝食後
> または
> ②インダパミド（ナトリックス®）
>   1日1mg 1回 朝食後
> - ネフローゼ症候群による浮腫（ループ利尿薬でコントロール困難な場合，ループ利尿薬に加えて）に対して
> トリクロルメチアジド（フルイトラン®）
> 1日1〜4mg 1回 朝食後，または，1日4mg 2回に分割 朝夕食後

c ミネラルコルチコイド受容体拮抗薬（☞p.614 も参照）

1. 作用機序

- MR拮抗薬（スピロノラクトン，エプレレノン）は，皮質集合管尿細管におけるMRを阻害することでアルドステロン作用を抑制〔上皮型Naチャネル（ENaC）およびKチャネル（ROMK）をともに抑制〕し，利尿効果をもたらす．そのため，Na^+の再吸収とK^+排泄が低下する．
- トリアムテレン（トリテレン®）はENaCを阻害することによってNa利尿をもたらすが，Na再吸収低下に伴い皮質集合管でのK排泄も

抑制される．結果として，MR 拮抗薬とトリアムテレンのいずれも Na$^+$-K$^+$交換輸送を抑制する．

2. 特徴

▶トリアムテレンは，ENaC 抑制不全のため低カリウム血症と高血圧を呈する Liddle 症候群の治療に用いられる．

▶低蛋白血症を伴う浮腫（ネフローゼ症候群，肝硬変など）は二次性アルドステロン症を呈しており，MR 拮抗薬の効果が期待できる．スピロノラクトンは肝硬変による腹水・浮腫の治療に対する第一選択薬となる．

▶サイアザイド系利尿薬やループ利尿薬に比し，MR 拮抗薬の作用発現は緩徐で，持続時間が長い．

▶MR 拮抗薬は，心，血管，腎糸球体など尿細管以外にも作用し，臓器保護効果を示す．

▶MR 拮抗薬はループ利尿薬やサイアザイド系利尿薬と異なり K$^+$排泄を促進しないが，その反面，糖尿病や腎機能低下例への投与では高カリウム血症が生じやすい．とくに，アンジオテンシン変換酵素（ACE）阻害薬，ARB，レニン阻害薬との併用は慎重に行う．

▶サイアザイド系利尿薬あるいはループ利尿薬との併用が，高カリウム血症のリスクを下げる．

▶エプレレノン（セララ®）は，スピロノラクトンよりも MR 選択性が高く，性ホルモンを介した副作用（女性化乳房，勃起障害，性欲低下，不正性器出血など）が少ないが，微量アルブミン尿または蛋白尿を伴う糖尿病患者や中等度以上の腎機能障害の患者（Ccr 50 mL/分未満）では，高カリウム血症を起こす可能性があるため禁忌となっている．

▶エサキセレノン（ミネブロ®）は，非ステロイド型選択的 MR 拮抗薬であり，性ホルモンを介した副作用は少ない．重度の腎機能障害（eGFR 30 mL/分/1.73 m^{2}未満）には使用できない．

処方例

■ 高カリウム血症を伴わない，ループ利尿薬でコントロール困難な浮腫には，ループ利尿薬に加えて
スピロノラクトン（アルダクトン® A）
1 日 25 mg 1 回 朝食後，または，1 日 100 mg 2 回に分割 朝夕食後

■ Liddle 症候群に伴う高血圧に対して
トリアムテレン（トリテレン®）
1 日 200 mg 2 回に分割 朝夕食後

609

d バソプレシン V₂受容体拮抗薬

1. 作用機序

▶ 髄質集合管に存在するバソプレシン V₂受容体を抑制し，水チャネルであるアクアポリン 2 を阻害することで水利尿作用を発揮する．

2. 特徴

▶ 水を選択的に排泄促進し，尿中への電解質の喪失が少ない点が特徴．

▶ うっ血性心不全や肝硬変に伴う浮腫治療に適応がある．他の利尿薬で効果不十分の場合に使用を検討する．

▶ Na 排泄作用を有さないため，高ナトリウム血症に留意する．一方，ループ利尿薬では増悪する，希釈性低ナトリウム血症を合併している体液貯留症例では使用しやすい．

▶ 浮腫に対する長期投与は避ける．

▶ 重篤な高ナトリウム血症を生じるリスクがあるため，口渇感を認めた際に飲水が可能な患者に対して，入院下で投与開始・再開する．

▶ 投与前後で血清 Na 濃度を慎重にモニターし，高ナトリウム血症を認めた場合は速やかに中止し，必要に応じて補液を行うことが望ましい．また，肝障害にも注意が必要である．

▶ バソプレシン V₂受容体抑制は腎嚢胞増大抑制効果もあるため，常染色体顕性多発性嚢胞腎に対する進行抑制薬としても用いられる．

▶ 2022 年 6 月にトルバプタンの後発品が上市されたが，後発品の適応はループ利尿薬などの他の利尿薬で効果不十分な肝硬変における体液貯留，心不全における体液貯留とされており，先発品にある常染色体顕性多発性嚢胞腎への投与は認められていない（2023 年 9 月時点）．

> **処方例**
>
> ■ 心不全を伴う浮腫にはループ利尿薬に加えて
> トルバプタン（サムスカ®）
> 1 日 15 mg 1 回 朝食後
> ■ 肝硬変に伴う体液貯留にはループ利尿薬に加えて
> トルバプタン（サムスカ®）
> 1 日 7.5 mg 1 回 朝食後
> ■ 常染色体顕性多発性嚢胞腎の進行に対して
> トルバプタン（サムスカ®）
> 1 日 120 mg 2 回に分割（朝食後 45 mg，夕食後 15 mg）から開始し，忍容性に応じて 1 日 240 mg 2 回に分割（朝 90 mg，夕 30 mg）まで増量
> ✍ 十分な飲水（2～3 L/日）が必要．

e その他の利尿薬

▶いずれも，腎疾患に対して使用されることはまれである．

▶浸透圧利尿薬である D-マンニトールとグリセリン（グリセオール®）はいずれも水利尿作用を有するため，使用にあたっては高ナトリウム血症に留意が必要である．

▶炭酸脱水素酵素阻害薬であるアセタゾラミド（ダイアモックス®）は眼科領域での使用が多い．近位尿細管に作用し HCO_3^- 再吸収を抑制するため，代謝性アシドーシスに留意する．

5 レニン・アンジオテンシン・アルドステロン系阻害薬

▶レニン・アンジオテンシン・アルドステロン系（RAAS）阻害薬は，アルブミン尿（蛋白尿）を呈する腎疾患に対し，降圧と独立した腎保護効果を有する．

▶高血圧治療には，ACE 阻害薬あるいは ARB が第一選択薬として用いられる．RAAS 阻害薬の併用は，高カリウム血症や AKI のリスクが高くなるため，慎重に行う必要がある．

▶潜在する尿路異常や腎動脈狭窄，NSAIDs 投与下，脱水時などでは，RAAS 阻害薬によって急激な腎機能低下（Cr 値の 30%以上または 1 mg/dL 以上の上昇）や高カリウム血症が生じやすい．

a アンジオテンシン変換酵素阻害薬/アンジオテンシンⅡ受容体拮抗薬

1. 作用機序

▶おもにアンジオテンシンⅡの作用を抑制する．

2. 特徴

▶降圧に依存しない抗蛋白尿作用を有する．血圧のみではなく，蛋白尿の推移も参考に効果判定を行い，用量調節する．

▶腎機能低下症例には少量から開始し，投与 1～2 週間後に血圧・腎機能・電解質を確認する．

▶減塩が不十分な場合，降圧作用は減弱する．

▶降圧には，本薬の増量よりも Ca 拮抗薬か利尿薬（腎機能低下がなければサイアザイド系）との併用が優れる．

▶ACE 阻害薬は腎排泄のものが多いため，過量投与に留意する．

▶腎に対しては，ACE 阻害薬と ARB は同等の効果を有する．

▶ACE 阻害薬は，ARB に比べ血管浮腫や咳嗽が生じやすい．

▶催奇形性があり，妊婦には禁忌である．妊娠可能年齢の女性に対し

ては十分に説明し，同意のもとに投与するなどの配慮を要する．
- ▶75 歳未満の尿蛋白を認める CKD 患者の高血圧治療には，ACE 阻害薬あるいは ARB を第一選択薬として用いる．CKD ステージ G4〜5 では，腎機能悪化や高カリウム血症に注意し，出現時には速やかに減量・中止し，Ca 拮抗薬へ変更する．
- ▶75 歳以上の高齢者の CKD ステージ G4〜5 では，脱水や虚血に対する脆弱性を考慮し，Ca 拮抗薬の使用を推奨する．
- ▶CKD 患者への ACE 阻害薬と ARB との併用の有益性は明確には示されていない．単剤に比べ，併用したほうが尿蛋白減少効果は有意に高いが，腎機能低下，高カリウム血症，低血圧，失神のリスクが上昇することなどから，併用する場合は細心の注意が必要である．
- ▶ARB のロサルタンおよびイルベサルタンは尿酸低下作用を有する（URAT1 阻害作用）．
- ▶ACE 阻害薬と ARB はインスリン抵抗性改善作用を有するが，ARB のテルミサルタンはこれに加え，ペルオキシソーム増殖因子活性化受容体(PPAR)γ活性化作用を有する．

処方例

■ アルブミン尿を有する糖尿病患者(高カリウム血症のない場合)に対して

ACE 阻害薬あるいは ARB から 1 種類を選択．通常用量から開始し，1 か月後に血圧・腎機能・電解質を確認する．

■ 75 歳未満のステージ G4 以降の CKD 患者(GFR<30 mL/分/1.73 m^2)に対して

ACE 阻害薬あるいは ARB から 1 種類を選択．通常用量の半量から開始し，2 週間後に血圧・腎機能・電解質を確認する．

b アンジオテンシン受容体ネプリライシン阻害薬

1. 作用機序

- ▶アンジオテンシン受容体ネプリライシン阻害薬(ARNI)は，ネプリライシンと RAAS を同時に阻害する，新規作用機序を有する薬剤である．
- ▶ネプリライシン阻害によって，内因性の心臓ホルモンである心房性および脳性 Na 利尿ペプチド(ANP および BNP)を増加させて作用する．

2. 特徴

- ▶わが国では 2020 年に，標準治療を受けている慢性心不全患者に対し，ACE 阻害薬または ARB からの切り替えとして認可された．さ

らに2021年9月，高血圧症の保険適用を追加取得した．
▶心不全と高血圧症で用法・用量が異なるため，注意が必要である．
▶腎機能障害での使用は添付文書上，慎重投与となっており，CKDステージG4〜5ではほぼデータがない（多くの臨床治験ではeGFR＜30 mL/分/1.73 m^{2}が除外されている）．
▶血管浮腫が出現するおそれがあるため，本剤投与前にACE阻害薬が投与されている場合は，少なくとも本剤投与開始36時間前にACE阻害薬投与を中止する．また，本剤投与終了後にACE阻害薬を投与する場合は，本剤の最終投与から36時間後まではACE阻害薬を投与しない．

処方例

- ACE阻害薬あるいはARB投与下で血圧コントロール不良のCKD合併高血圧患者に対して，ACE阻害薬またはARBから切り替えて投与する場合

サクビトリルバルサルタン（エンレスト®）
1日 200 mg 1回 朝食後

- 透析中や厳重な減塩療法中の患者，利尿薬を服用中の患者は1日1回100 mgで開始する．また，高齢者，ステージG4以降のCKD患者（GFR＜30 mL/分/1.73 m^2），肝臓の働きが中等度に低下している場合も1日1回100 mgで開始し，慎重に腎機能・電解質を確認する．

- ACE阻害薬からの切り替え時は，本剤投与開始36時間前にACE阻害薬投与を中止する．

- CKD合併慢性心不全患者に対して，ACE阻害薬またはARBから切り替えて投与する場合

サクビトリルバルサルタン（エンレスト®）
1日 100 mg 2回に分割 朝夕食後

- 忍容性が認められる場合は，2〜4週間の間隔で段階的に1回200 mgまで増量．また，高齢者，ステージG4以降のCKD患者（GFR＜30 mL/分/1.73 m^2），肝臓の働きが中等度に低下している場合は，慎重に腎機能・電解質を確認する．

- ACE阻害薬からの切り替え時は，本剤投与開始36時間前にACE阻害薬投与を中止する．

c 直接的レニン阻害薬

1. 作用機序
- 直接的レニン阻害薬(DRI)は，レニンを阻害し，アンジオテンシンⅠ産生を抑制する．

2. 特徴
- 糖尿病患者，あるいは eGFR 60 mL/分/1.73 m²未満の CKD 患者に対する DRI と ACE 阻害薬または ARB との併用は，高カリウム血症，腎機能低下，低血圧などのリスクを増大させることが危惧されるため，DRI と他の RAS 阻害薬との併用は原則禁忌で，血圧コントロールが不良の場合のみに併用可とされている．
- 作用は ACE 阻害薬/ARB に類似しており，腎機能低下，高カリウム血症，催奇形性などの副作用に留意が必要である．
- ACE 阻害薬や ARB と異なり単剤でのエビデンスが少なく，第一選択薬として推奨されていない．

> **処方例**
> ■ ARB 投与下で，血圧コントロール不良かつ蛋白尿を有する非糖尿病性腎疾患に対して，現在の治療に追加して
> アリスキレン(ラジレス®)
> 1 日 150 mg 1 回 朝

d ミネラルコルチコイド受容体拮抗薬(☞p.608 も参照)

1. 作用機序
- MR を阻害し，皮質集合管での ENaC の抑制による利尿作用と，心・血管・糸球体細胞における直接作用を有する．

2. 特徴
- ACE 阻害薬あるいは ARB との併用により，抗蛋白尿効果を有する．腎疾患に対し単独で用いられることは少ない．
- 2022 年 3 月，フィネレノン(ケレンディア®)が 2 型糖尿病を合併する CKD(末期腎不全または透析施行中の患者を除く)に対し保険適用を取得したが，本剤投与により eGFR が低下することがあることから，eGFR が 25 mL/分/1.73 m²未満の患者には，リスクとベネフィットを考慮したうえで，本剤投与の適否を慎重に判断する．
- 糖尿病や腎機能低下例では高カリウム血症が発症しやすい．とくに ACE 阻害薬，ARB，DRI との併用時は十分留意する．
- 高カリウム血症のリスクが高く，エプレレノンは微量アルブミン尿または蛋白尿を伴う糖尿病患者や，中等度以上の腎機能障害の患者

では禁忌となっている.

▶ サイアザイド系利尿薬あるいはループ利尿薬との併用で,高カリウム血症のリスクが低下する.

▶ エサキセレノンおよびフィネレノンは化学構造中にステロイド骨格を有さず,選択的にMRに結合することでMRの過剰活性化を抑制するため,性ホルモンを介した副作用は少ない.

処方例

■ 血圧管理が不十分で,高カリウム血症を伴わない糖尿病性腎症に対して,①または②を用いる.

①スピロノラクトン(アルダクトン®A)
　1日25mg 1回 朝食後

②フィネレノン(ケレンディア®)
　eGFR 60mL/分/1.73 m²以上:1日20mg 1回 朝食後
　eGFR 60mL/分/1.73 m²未満:10mgから投与を開始し,血清K値,eGFRに応じて,投与開始から4週間後をめやすに20mgへ増量

✍ フィネレノンは降圧作用としてはやや弱く,血圧が低下しないことが望ましい症例に使用する.

■ 血圧管理が不十分で,高カリウム血症を伴わない糖尿病性腎症以外の腎疾患に対して,①〜③のいずれかを用いる.

①スピロノラクトン(アルダクトン®A)
　1日25mg 1回 朝食後

②エプレレノン(セララ®)
　1日25〜50mg 1回 朝食後

③エサキセレノン(ミネブロ®)
　1日2.5〜5mg 1回 朝食後

✍ エプレレノンとエサキセレノンは糖尿病にも投与可能で,エサキセレノンは降圧効果がもっとも強い.

6　SGLT2阻害薬

▶ Na^+/グルコース共役輸送担体2(SGLT2)阻害薬は,近位尿細管におけるグルコースの再吸収を阻害することにより,血糖降下作用をもたらす薬剤として開発された.

▶ 複数の大規模臨床試験では,糖尿病合併・非合併にかかわらず,腎機能低下の進展と心血管疾患の発症抑制に対するSGLT2阻害薬の

有用性が示されている.

a 作用機序

▶近位尿細管に発現する SGLT2 を阻害し, グルコースと Na の再吸収を抑制する. その結果, 尿中への糖の排泄を促進し, 血糖降下作用を示す.

▶遠位尿細管の緻密斑に到達する Na が増加し, 輸入細動脈の拡張が抑制される.

▶腎尿細管における酸化ストレスの低減, 血圧の低下, 体重減少効果も腎保護効果を促すと考えられる.

b 対象疾患

▶2 型糖尿病, 一部の薬剤は 1 型糖尿病, 慢性心不全, CKD に対し有効性を示す(表 35-6)[3].

c 効能

▶血糖降下作用. インスリン分泌を促さないため, 単剤使用では低血糖を示す可能性は低い.

▶中等度の腎機能障害のある症例では, 血糖降下作用が十分に得られない可能性がある.

▶血圧降下作用(Na 利尿による体液減少, 交感神経活性抑制作用などに起因する).

▶血清尿酸値の改善.

▶体重の減少.

d 使用に対する注意

▶1 型糖尿病症例への使用はケトアシドーシスのリスクを伴うため, 糖尿病専門医のもとで使用されることが望ましい. なお, 1 型糖尿病症例に対し適応を有する SGLT2 阻害薬はダパグリフロジンとイプラグリフロジンである.

▶ケトアシドーシスやその初期症状を繰り返す症例, 極端な糖質制限が疑われる症例への使用は控えるべきである. また, アルコール多飲者, 感染症を呈する症例などでは, 本剤使用によるケトアシドーシスの増加がみられる.

▶全身倦怠感, 悪心・嘔吐, 腹痛を認める場合は, 血糖値が正常であってもケトアシドーシスを呈する可能性があるため, 血中・尿中ケトン体の確認を行う必要がある.

表 35-6　**心・腎疾患に効能を示す SGLT2 阻害薬**

一般名 (商品名)	適応			備考
	1型・2型 糖尿病	慢性 心不全	CKD[*3]	
エンパグリフロジン (ジャディアンス®)	2型のみ可	○[*1] 10 mg/日 まで	適応なし[*4]	2型糖尿病は25 mgまで増量可. 慢性心不全は10 mgを超える用量の有効性は証明されていない.
ダパグリフロジン (フォシーガ®)	1型[*2], 2型とも可	○[*1] 10 mg/日	糖尿病, 非糖尿病ともに適応あり 10 mg/日	左室駆出率の低下した慢性心不全症例に使用すること. eGFR 25 mL/分/1.73 m²未満では十分な腎保護効果を得られない可能性がある.
カナグリフロジン (カナグル®)	2型のみ可	適応なし	2型糖尿病を合併する CKD	eGFR 30 mL/分/1.73m²未満の患者では新規に投与をしないこと.

[*1]慢性心不全の標準的な治療を受けている患者に限る.
[*2]適切なインスリン治療を行った患者に限る.
[*3]高度の腎機能障害または透析中の末期腎不全患者には投与しないこと.
[*4]EMPA-KIDNEY 試験の結果から, 今後の保険適用が期待される.
CKD：慢性腎臓病, eGFR：推算糸球体濾過量
〔Heerspink HJL, et al.：Dapagliflozin in Patients with Chronic Kidney Disease. N Engl J Med 2020；383：1436-1446[3)]〕

▶インスリンやスルホニル尿素(SU)薬などインスリン分泌を促す薬剤との併用時は, 低血糖に十分に留意する. SGLT2 阻害薬の投与後, 糖毒性改善に伴いインスリンの効果が増強し, 重症低血糖を示すことがある. 本剤の投与時にはあらかじめ, インスリン製剤の減量を検討することが望ましい.

▶利尿薬との併用や高齢者への投与は脱水症を呈する可能性がある. そのため, 浮腫を呈さない程度の適度な水分補給が必要である.

▶エリスロポエチンが増加するため, Hb 値や Ht 値の上昇がみられる.

▶食事摂取量の不足(食欲不振, 糖質制限など), 栄養不良の状態, 飢餓状態, 不規則な食事摂取, 激しい筋肉運動を行う者, アルコール

多飲者，副腎機能不全，下垂体機能不全を認める症例には投与中止を考慮すべきである．
- 発熱，下痢，嘔吐，食欲不振を示す場合（シックデイ），休薬を必要とする．投与中にはシックデイ時の休薬や中止などの対応について指導を行う．
- 周術期には，ストレスや絶食によるケトアシドーシスが惹起される可能性があるため，術前3日前からの休薬を要する．再開は十分量の摂食が可能となってから行うこと．
- 75歳以上の高齢者，もしくは65歳以上の老年症候群（サルコペニア，認知機能低下，ADLの低下）を有する者には，症例に応じた慎重な投与が望ましい．
- 服薬に関して家族の協力が得られない認知機能低下症例への投与は注意を要する．
- 発疹，紅斑などの皮膚症状が出現した際には，皮膚科へコンサルテーションを行う．皮膚症状は投与後2週間以内に発症することが多く，早期より十分な注意が必要である．外陰部や会陰部では，壊死性筋膜炎が出現することがある．
- 尿路感染症（腎盂腎炎や膀胱炎）や性器感染症（外陰部腟カンジダ症など）を呈することがあり，適宜，問診や検査を必要とする．

e CKD症例に対する投与

- 投与後早期（2週間〜2か月程度）にeGFRの低下（initial dip）を呈する場合があるため，経時的に腎機能の測定および評価を必要とする．
- 高度腎機能障害（eGFR 15 mL/分/1.73 m^{2}未満），あるいは透析中の末期腎不全を呈する症例では，新規に本剤の使用を開始すべきではない．副作用に注意を払いながら継続投与することは可能である．
- 糖尿病合併CKD症例に対するSGLT2阻害薬の投与は，アルブミン尿の有無にかかわらず，腎保護効果が期待される．
- 糖尿病非合併CKD患者においてもSGLT2阻害薬は腎保護効果を有すると考えられ，使用可能なクリニカルエビデンスを有するSGLT2阻害薬の投与を検討する（表35-6）[3]．

処方例

ダパグリフロジン（フォシーガ®）
1日10 mg 1回 経口投与
- eGFR 25 mL/分/1.73 m^{2}未満では，十分な腎保護効果が得られない可能性がある．

▶多発性嚢胞腎，ループス腎炎，ANCA 関連血管炎，免疫抑制療法中の患者への SGLT2 阻害薬投与について，腎保護に関する十分なクリニカルエビデンスはないため，適応については症例ごとに慎重に判断すること．

▶心不全に対する SGLT2 阻害薬の有効性が明らかになっているが，eGFR が低下するほど心不全リスクに対する有効性は減弱する．

▶高齢 CKD 患者への投与は，サルコペニアやフレイルの発症・増悪の可能性が懸念される．

f 現在と今後の方向性

▶米国糖尿病学会/欧州糖尿病学会は「2 型糖尿病の血糖管理に関するコンセンサスステートメント」を共同で発表し[6)]，SGLT2 阻害薬を使用した複数の大規模臨床試験の結果を用いて，心腎疾患リスクの高い糖尿病患者に対し，心腎保護のため SGLT2 阻害薬使用の推奨を示した．

▶わが国でも，「CKD 診療ガイドライン 2023」[4)] において，糖尿病の有無にかかわらず SGLT2 阻害薬の使用を推奨している．一方で，糖尿病非合併 CKD の正常アルブミン尿を呈する症例に対するエビデンスの蓄積，開始時期についての有効性，安全性の検討など，今後の知見の蓄積が待たれる．

Side memo

CKD 診療ガイドライン 2023

■「CKD 診療ガイドライン 2023」では「糖尿病非合併 CKD 患者において，蛋白尿を有する場合，SGLT2 阻害薬は腎機能低下の進展抑制および心血管イベントと死亡の発生抑制が期待できるため，投与を推奨する」[4)] と記載されている．

■ DAPA-CKD 試験[3)]では，蛋白尿（尿中 Alb/Cr 比 200〜5,000 mg/g）を有する CKD（eGFR 25〜75 mL/分/1.73 m^2）患者を対象とし，蛋白尿を有さない CKD 患者が含まれていなかったこと，EMPA-KIDNEY 試験[5)]では，蛋白尿を有さない糖尿病非合併 CKD 患者への明確なエビデンスがなく，非糖尿病患者では蛋白尿を有する場合のみの推奨となっている．

7 便秘に対する治療薬

a 便秘の原因

▶一般的な便秘の原因としては，①単純性便秘，②腸管運動障害による便秘，③器質的便秘，④薬剤など治療に伴う便秘，⑤精神的要因による便秘，などがあげられる．

Side memo

重要な大規模臨床試験

1. DAPA-CKD 試験[3]

■ 蛋白尿（尿中 Alb/Cr 比 200～5,000 mg/g）を有する CKD（eGFR 25～75 mL/分/1.73 m²）4,304 症例にダパグリフロジン投与を行った，無作為二重盲検プラセボ並行群間試験．

■ 糖尿病非合併 CKD 患者が 32％含まれ，SGLT2 阻害薬投与群で主要複合エンドポイント（eGFR の 50％以上の持続的な低下，末期腎不全への進展，心血管死または腎臓死），腎複合エンドポイント（eGFR の 50％以上の持続的な低下，末期腎不全への進展または腎臓死），心血管複合エンドポイント（心血管死・心不全入院），全死亡の発生がいずれも有意に抑制された．糖尿病非合併 CKD 患者においても SGLT2 阻害薬の有効性が示された．

■ 主要複合エンドポイント，腎複合エンドポイント，心血管複合エンドポイントのすべてで，624 例（14.5％）の CKD ステージ G4 患者に対する SGLT2 阻害薬の有効性・安全性が示された．糖尿病の有無にかかわらず蛋白尿を有する場合，CKD ステージ G4 の患者も SGLT2 阻害薬は選択しうる．

■ 多発性嚢胞腎，ループス腎炎，ANCA 関連血管炎の患者は除外されている．

2. EMPA-KIDNEY 試験[5]

■ 蛋白尿の有無にかかわらず eGFR 20～45 mL/分/1.73 m²の CKD 患者，もしくは蛋白尿（尿中 Alb/Cr 比 200 mg/g 以上）を有する eGFR 45～90 mL/分/1.73 m²の CKD 患者 6,609 人を対象に，エンパグリフロジン投与を行った無作為二重盲検プラセボ並行群間試験．

■ 糖尿病非合併 CKD 患者が 54％含まれ，SGLT2 阻害薬投与群で主要複合エンドポイント（末期腎不全への進展，eGFR 10 mL/分/1.73 m²未満への低下，eGFR の 40％以上の持続的な低下，腎臓死，心血管死）が有意に抑制された．

■ 主要複合エンドポイントの改善効果は，糖尿病合併の有無，eGFR のステージ別に行ったサブグループ解析でも有効性を呈した．

▶透析患者における単純性便秘には，除水による便水分含有量の低下，K制限に伴う食物繊維摂取不足ならびに運動不足が深く関与している．

▶透析患者ではリン吸着薬を使用されることが多いが，塩酸セベラマーなどのCa非含有リン吸着薬，あるいは高カリウム血症の治療目的で使用される陽イオン交換樹脂は，頑固な便秘を招くことがある．

▶そのほか糖尿病などを基礎疾患とする透析症例では，自律神経障害による腸管運動障害が原因の便秘をきたすことも少なくない．

b 便秘の治療

1. 生活習慣改善ならびに食事療法

▶適度な運動は腸管運動を改善させ，便通をよくする可能性があるが，ADLが低下している場合は限界がある．

▶食物繊維は便通を良好にするだけでなく，腸内細菌叢を正常に保ち，腸管運動も改善させる．

▶K制限が必要な多くの透析患者では，食事から十分な食物繊維を摂取することが困難であり，しばしば，K，PおよびMgを含まない食物繊維加工品の使用が有効である．

2. 薬物療法

▶生活習慣の改善や食事療法で改善しない場合に，薬物療法の適応になる．透析患者の便秘の原因からみて，まずは便水分量を増やす目的で浸透圧性下剤が用いられることが多い．頓用または短期間の使用にとどめる．

▶塩類下剤は高マグネシウム血症の原因として重要であり，投与は避けたほうがよいが，使用せざるを得ない場合，血清Mg濃度を十分モニタリングする必要がある．

▶効果が不十分であれば，刺激性下剤を使用することが多いが，連用により耐性をきたす薬剤が多いことが問題である．

▶小腸のクロライドチャネルを活性化する薬剤（ルビプロストン），胆汁酸トランスポーターを阻害する薬剤（エロビキシバット）ならびに腸粘膜上皮細胞のグアニル酸シクラーゼ受容体を活性する薬剤（リナクロチド）は，水の分泌を促進したり，腸管内輸送を促進したりすることで効果を発揮する．最近，これら作用機序の異なる薬剤が，慎重投与ながら使用可能となった．

c 処方の実際

1. 浸透圧性下剤

処方例

①ラクツロース(ラグノス® NF 経口ゼリー分包)
　1日 24 g 2回に分割(1回2包)
または
②モビコール® 配合内用剤 LD
　1日2包 1回

✔成人および12歳未満の小児に対する初回投与量. 以降, 症状に応じて用量を調整する(最大6包).

2. 刺激性下剤

処方例

■ 浸透圧性下剤で効果が不十分な場合, ①〜③のうちから1種類を選択.
①センノシド(プルゼニド®)
　1日 24 mg 1回 就寝前
②ピコスルファートナトリウム(ラキソベロン内用液®)
　1日 10〜15 滴(0.67〜1.0 mL) 1回
✔習慣性が少ないとされる.
③酸化マグネシウム
✔Mg の使用は有効な場合が多いが, 高マグネシウム血症をきたすため, 血清 Mg 値測定を行い, 3.0 mg/dL 以上にならないようにする.

3. その他

処方例

■ 浸透圧性下剤, 刺激性下剤のほかに, ①〜③も使用可能である. 便秘の状況によっては第一選択薬のこともある.
①ルビプロストン(アミティーザ®)
　1日 48 μg 2回に分割 朝夕
②エロビキシバット(グーフィス®)
　1日 10 mg 1回 食前, 最大 15 mg
③リナクロチド(リンゼス®)
　1日 0.5 mg 1回 食前

8 　瘙痒感に対する治療薬

a 透析瘙痒症の特徴

▶透析患者の瘙痒感は，患者の QOL を著しく低下させるとともに，最近では生命予後にも関連するとの報告もされている重要な合併症である．

▶透析患者のかゆみには，尿毒素物質や Ca/P など透析患者特有の異常が関与していると指摘されているほか，皮膚の乾燥などにより本来，表皮真皮境界に存在する C 線維自由神経終末が表皮内に侵入してかゆみを感じやすくなること，さらに中枢神経系でオピオイド μ 受容体が優位になることが関係していることが明らかにされている．

b 透析瘙痒症への対応

▶まず，十分な透析と Ca/P のコントロールを図ったうえで，瘙痒感への特異的なケア・投薬を実施する．

▶瘙痒感への対策は，普段のスキンケアを含めて根気よく続けていく必要があり，医療スタッフなどの協力を得ることが大切である．

▶乾燥により末梢性のかゆみが悪化しやすいため，後述する保湿薬を使用する．

▶入浴時に石鹸をつけて強く洗いすぎない，ナイロンタオルでこすらない，皮膚に傷をつけないように掻く，体温上昇によるかゆみの増悪を避けるため過度に体を温めすぎない，といった患者指導を行う．これらの対処を継続することで皮膚のバリア機能を維持回復させ，また表皮に侵入した神経終末が退縮していく皮膚の環境を整える．

▶皮疹を伴う場合，接触性皮膚炎，尋常性乾癬，掌蹠膿疱症，痒疹，白癬，疥癬など他の皮膚疾患の可能性も考慮し，必要に応じて皮膚科へのコンサルテーションも検討する．

c 透析瘙痒症の投薬

▶鎮痒薬の外用剤のほか，抗ヒスタミン薬がよく使用される．しかし，腎機能障害患者に慎重投与である薬も多いため，投与量や副作用に注意する．

▶従来の治療に抵抗性の透析瘙痒症に対して，ナルフラフィンの投与が可能である．

1. 外用剤

処方例
- **保湿薬**
  尿素(ウレパール®, ケラチナミン®), ヘパリン類似物質(ヒルドイド® ソフト軟膏)
- **鎮痒薬**
  クロタミトン・メントール(オイラックス® 49 g+l-メントール® 1 g を混和)

2. 内服薬

処方例
瘙痒に対して, ①～③の抗ヒスタミン薬のうち1種類を選択する. 効果がみられない場合に, ナルフラフィンを用いる.
- **抗ヒスタミン薬**
  ①塩酸ヒドロキシジン(アタラックス®-P カプセル)
  　1日25 mg 1回 就寝前
  ②塩酸エピナスチン(アレジオン® 錠)
  　1日20 mg 1回 就寝前
  ③フマル酸エメダスチン(レミカット® カプセル)
  　1日2 mg 1回 就寝前
- **オピオイドκ受容体作動薬**
  ナルフラフィン塩酸塩(レミッチ® OD 錠)
  1日2.5 μg 1回 就寝前

3. 注射薬

処方例
①グリチルリチン製剤(強力ネオミノファーゲンシー®)
　20 mL 透析終了時 静注
または
②ワクシニアウイルス接種家兎炎症皮膚抽出液(ノイロトロピン® 注射液 3.6 単位)
　3 mL 透析終了時 静注

d その他の対応

▶血液濾過透析(HDF)への変更やダイアライザーの変更〔PMMA(ポリメタクリル酸メチル)膜, 特定積層型ダイアライザー〕が, かゆみ

の改善に有効との報告もされており，検討してみる価値がある．

9 非ステロイド性抗炎症薬とアセトアミノフェン

▶プロスタグランジンは腎血管を拡張し，腎血流を維持する作用がある．また尿細管において，Cl^-の再吸収と抗利尿ホルモン（ADH）の作用を抑制し，利尿を促す方向に働く．

▶NSAIDs は，このプロスタグランジンの産生を抑制するため腎血流量が低下し，水分と塩分の貯留を招く．また，K の再吸収を促進，レニン分泌を抑制することで高カリウム血症をきたしうる．したがって，その使用は最小限にすべきであるが，尿量減少など副作用を生じた場合でも，早期に中止すれば可逆性である．

a 非ステロイド性抗炎症薬

1. 副作用

1）腎血流低下

▶Na や水分の体内貯留による顔や下肢の浮腫，高血圧．

▶GFR 低下による尿量低下，腎機能低下．

▶高カリウム血症．

2）他の臓器障害（腎不全患者ではより起こしやすい）

▶胃粘膜障害（胃粘膜血流低下，粘液産生低下などによる）．

▶出血傾向．

2. 腎障害のリスクが高まる病態

▶NSAIDs によって腎障害のリスクが高まる病態を表 35-7 に示す．

3. 選択的 COX-2 阻害薬

▶腎血流低下作用が弱く，腎機能障害は起こしにくいとされているが，現在のところ，腎への安全性に関する明確なエビデンスはない．

表 35-7　NSAIDs によって腎障害のリスクが高まる病態

病態	原因
腎血流低下状態	既存の腎障害，高齢者，脱水，糖尿病など
循環血漿量低下状態	うっ血性心不全，ネフローゼ症候群，肝硬変，利尿薬投与時など
他の薬剤との併用時	ACE 阻害薬，ARB，利尿薬，SGLT2 阻害薬

ACE：アンジオテンシン変換酵素，ARB：アンジオテンシンⅡ受容体拮抗薬，
SGLT2：Na^+/グルコース共役輸送担体 2

625

実際，高齢者や高度腎機能低下者においては，他の NSAIDs と同様な腎障害の報告もされており，注意が必要である．

▶ セレコキシブは最高血中濃度到達時間（Tmax）が 2 時間と効果発現までの時間が長く，NSAIDs やアセトアミノフェンに比べ，頓用での使用には適さない可能性がある．

4. 吸収型鎮痛消炎薬（エスフルルビプロフェン；ロコア® テープ，など）

▶ 近年，経口薬に匹敵するような鎮痛効果を有する貼付薬が使用できるようになった．これらは経口の NSAIDs に比べ，血中濃度のピークは低く，消失が遅いという特徴がある．

▶ 現在まで，貼付薬による腎障害の報告はほぼないが，経口薬と同様の副作用を起こす危険性は否定できず，使用にあたっては注意が必要である．

b アセトアミノフェン

▶ 鎮痛解熱薬のアセトアミノフェンは NSAIDs と異なり，末梢のプロスタグランジン生成をほとんど抑制しないため，腎障害は少ないとされている．

▶ しかし2013年，米国よりアセトアミノフェンと少量〜中等量のアルコールを併用すると腎疾患リスクが増加するという新たな報告もあり，使用量は最小限が望ましい．

処方例

■ 解熱・鎮痛目的で腎機能低下患者に用いる場合，①〜③のうち 1 種類を選択する．

①ロキソプロフェンナトリウム（ロキソニン®）
　1 日 180 mg 3 回に分割 内服
　頓用の場合は 1 回 60〜120 mg 内服
　🔖重篤な腎障害には禁忌とされるため，使用は最小限にとどめる．

②セレコキシブ（セレコックス®）
　通常，1 日 200 mg 2 回に分割 朝夕食後
　関節リウマチ，手術後などは 1 日 200〜400 mg 2 回に分割 朝夕食後

③アセトアミノフェン（カロナール®）
　1 回 400 mg をめやすに適宜増減（最大 1,600 mg 程度）

10　脂質異常症治療薬

- 高 LDL-C（低比重リポ蛋白コレステロール）血症に対しては，スタチン，あるいはエゼチミブ，もしくは両者の併用を行う．
- スタチン不耐症，かつエゼチミブで十分 LDL-C を低下できない場合には，プロ蛋白転換酵素サブチリシン/ケキシン 9 型（PCSK9）阻害薬を使用する．
- CKD 患者において，スタチン単独，またはスタチン＋エゼチミブで LDL-C を低下させることにより，冠動脈疾患と脳卒中を低下させることが，SHARP 試験[7]で示されている．
- PCSK9 阻害薬（エボロクマブ）は家族性高コレステロール血症治療に有効であり，CKD 患者においても使用可能である．
- 高中性脂肪（TG）血症については，フィブラート系薬を使用することで TG は低下し，高比重リポ（HDL）は上昇するが，心血管イベントを減少させたデータはない．
- 急性膵炎を惹起する可能性がある TG 500 mg/dL 以上の場合には，ペマフィブラートを使用して高 TG 血症を治療する．
- スタチン，フィブラート系薬は横紋筋融解症の可能性があるため，CK を測定してフォローアップする．

a　HMG-CoA 還元酵素阻害薬（スタチン）

1. 効果

- 肝でのコレステロール合成の律速酵素である HMG-CoA 還元酵素を拮抗的に阻害する．
- Non-HDL，LDL-C が低下する．
- 腎機能低下時でも用量調節は必要ない．
- ロスバスタチンと比較して，アトルバスタチンのほうが腎予後がよいという疫学的研究がある[8]．

2. 副作用

- 肝障害，横紋筋融解症．
- 糖尿病の新規発症が，プラセボに比較して 9%増加する．
- シクロスポリンとの薬物相互作用に注意する（濃度が上昇する）．

処方例
アトルバスタチン（リピトール®）
1 日 5〜10 mg 1 回　夕食後

b 小腸コレステロールトランスポーター阻害薬(エゼチミブ)

1. 効果
- 小腸における胆汁酸および食事性コレステロールの吸収を選択的に阻害する.
- TC, LDL-C を低下させる.
- スタチンとの併用で相加作用がある.

2. 副作用
- シクロスポリンとの薬物相互作用に注意する.

> **処方例**
> エゼチミブ(ゼチーア®)
> 1日 10 mg 1回 夕食後

c PCSK9 阻害薬

1. 効果
- PCSK9 蛋白に対する単クローン抗体製剤.
- PCSK9 と LDL 受容体の結合を阻害することによって LDL 受容体の分解を抑え, 血中 LDL-C の肝細胞への取り込みを促進する.
- スタチンに上乗せする形で投与する. スタチン不耐症の場合は, 単独で投与もできる.
- 家族性高コレステロール血症にも有効である.

2. 副作用
- とくになし.

> **処方例**
> エボロクマブ(レパーサ®)
> 140 mg 2週間に1回 皮下注

d フィブラート系薬

1. 効果
- 核内受容体であるペルオキシソーム増殖因子活性化受容体α (PPARα)のリガンドとして作用し, PPARα を活性化させる.
- リポ蛋白リパーゼ(LPL)活性上昇, 肝性 TG リパーゼの活性を高める. 肝における脂肪酸の合成を抑制し, 脂肪酸酸化亢進により TG の合成を抑制する. カイロミクロン, 超低比重リポ蛋白(VLDL), 中間比重リポ蛋白(IDL)の異化を促進する.
- アポリポ蛋白 A-Ⅰ(apoA-Ⅰ), apoA-Ⅱの合成を亢進し, HDL-C を

上昇させる.
- PROMINENT 試験でペマフィブラートは TG を低下させ HDL を上昇させたが, 心血管イベント発症はプラセボと変わらなかった[9].

2. 副作用
- ベザフィブラート, フェノフィブラートは, 腎機能に関係なく血清 Cr 値を約10%程度上昇させる. ペマフィブラートは臨床的に影響があるほどは血清 Cr 値を上昇させない.
- 腎機能低下時には, ベザフィブラートを使用することが望ましい.
- ペマフィブラートは GFR 30 mL/分/1.73 m^{2}未満の場合には, 横紋筋融解のリスクがあるため慎重投与となっている. 投与する場合, 最大用量は 1 日 0.2 mg であり, 腎機能低下による使用の制限はない.
- フェノフィブラートは血清 Cr 値が 2.5 mg/dL 以上, または Ccr が 40 mL/分未満の腎機能障害のある患者では禁忌である.
- ベザフィブラートは血清 Cr 値 2.0 mg/dL 以上では禁忌である.
- CKD 患者においてもスタチンとペマフィブラートの併用は可能であるが, 横紋筋融解に注意が必要である. 使用後, CK 測定し, フォローアップする.

処方例
ペマフィブラート(パルモディア®)
1 日 0.2〜0.4 mg 2 回に分割 朝夕食後

e イコサペント酸エチル

1. 効果
- TG を低下させる.
- 肝での VLDL 合成を抑制し, VLDL の異化を促進する.

2. 副作用
- 肝障害, 黄疸.
- 出血.

処方例
①イコサペント酸エチル(エパデール®)
　1 日 1,800 mg 2 回に分割 朝夕食直後
または
②オメガ-3 脂肪酸エチル(ロトリガ®)
　1 日 2 g 1 回 食直後
☞高 TG 血症の場合は 1 日 4 g 2 回に分割

11 抗菌薬

▶抗菌薬を適切に使用するには，感染症治療の原則として，①どの臓器・解剖が，②どの微生物による感染症であるか，を予測して抗菌薬を選択することが重要である[10]．

▶腎不全患者では腎機能正常者に比べ，①②の感染症をきたしやすい．
　①T細胞活性低下による細胞性免疫低下によるもの，
　②血液透析のバスキュラーアクセス関連による黄色ブドウ球菌感染症など．

▶細胞性免疫低下は透析導入直前と導入後2年以内にピークとなるため，結核の再活性に注意する（肺外結核が多い）．

▶抗菌薬の投与に際し，必要であれば腎機能に応じて減量や投与間隔の変更を行う．透析性がある場合には透析後に追加投与が必要となる（「腎機能低下時の薬剤投与における注意点・薬剤性腎障害」参照，☞p.679）．

▶腎機能障害でも減量が不要な抗菌薬を理解しておくことは有用であ

表 35-8　腎機能障害時に用量調整の必要ない抗菌薬，抗真菌薬，抗結核薬

抗菌薬	抗真菌薬	抗結核薬
アジスロマイシン（ジスロマック®）	ミカファンギン（ファンガード®）	リファンピシン（リファジン®）
セフトリアキソン（ロセフィン®）	ボリコナゾール（ブイフェンド®）経口	イソニアジド（イスコチン®）
クリンダマイシン（ダラシン®）	イトラコナゾール（イトリゾール®）	
セフォペラゾン・スルバクタム（ワイスタール®）		
リネゾリド（ザイボックス®）		
ミノサイクリン（ミノマイシン®）		
モキシフロキサシン（アベロックス®）		
ドキシサイクリン（ビブラマイシン®）		

〔Gilbert DN, et al.(eds)：日本語版サンフォード感染症治療ガイド 2022．菊池賢(日本語版監修)，ライフサイエンス出版．2022[11]をもとに作成〕

表 35-9　高度腎不全には避けるべき薬剤

抗細菌薬	抗真菌薬
テトラサイクリン系薬 ST 合剤（予防投与は可）	ボリコナゾール静注

る（表 35-8，表 35-9）[11].

a 黄色ブドウ球菌に対するおもな抗菌薬

1. セファゾリン
▶メチシリン感受性黄色ブドウ球菌（MSSA）の第一選択.
▶レンサ球菌に対して有効. 一部の *Escherichia coli* と *Klebsiella pneumonia*, *Proteus mirabilis* にも有効.
▶嫌気性菌, メチシリン耐性黄色ブドウ球菌（MRSA）, 腸球菌, *Listeria*, *Rickettsia*, *Chlamydia*, *Mycoplasma*, *Legionella* には無効.
▶髄液への移行性が悪く, 髄膜炎には使用できない.

2. バンコマイシン
▶ほとんどすべての Gram 陽性菌（球菌, 桿菌）に有効.
▶MRSA に対しては第一選択. MSSA に対しては, バンコマイシンよりセファゾリンの抗菌作用が優れている.
▶経口投与されても消化管からは吸収されない.
▶タゾバクタム・ピペラシリンとの併用で腎機能障害が報告されているが, 尿細管排泄低下による腎機能低下を伴わない Cr 上昇の機序もあるため, シスタチン C を測定し鑑別する[12].
▶High-flux 膜では透析での除去のため十分な血中濃度に到達しない可能性があり, 初期投与 25〜30 mg/kg で行う（表 35-10）[11,13]. MRSA の最小発育阻止濃度（MIC）が 2 μg/mL 以上のときは治療成績が悪くなる.
▶Red man syndrome（red neck syndrome）を避けるために, 1 時間以上かけ, 500 mg/時間以下の速度で投与する.

3. テイコプラニン
▶バンコマイシンと同様の抗菌活性. 骨への移行も良好.
▶Red man syndrome（red neck syndrome）の出現はバンコマイシンより少ない.
▶カテーテル関連血流感染症に対しては, バンコマイシンと同等の効果を示す.
▶黄色ブドウ球菌が起因菌の心内膜炎にはトラフ>20 μg/mL が必要.

表 35-10　透析患者における抗菌薬の投与量・投与方法

バンコマイシン	血液透析		
	投与時期	初回(mg/kg)	維持(mg/kg)
	透析後	25[*1]	10[*2]
	透析中	35[*3]	10〜15[*2]

[*1] 次回透析が24時間以内に予定されている場合は 20〜25 mg/kg へ減量考慮.
[*2] 中 2 日の場合には 25%増量.
[*3] 終了 2 時間前(15 mg/分).
15〜20 μg/mL の透析前濃度を維持することで,薬物血中濃度時間曲線下面積(AUC)400〜600 を達成する可能性あり.

投与 3 回目透析前血中濃度による調整

透析前の血中濃度 (μg/mL)	維持量 (mg/kg)
15 未満	250〜500 mg 増量
15〜25	変更せず
26〜35	250〜500 mg 減量
35 以上	投与保留

調整後は毎回測定.血中濃度が達成されたら透析前血中濃度を少なくとも週に 1 回は測定し,投与量を調整する.

ダプトマイシン	複雑性軟部組織感染では 4 mg/kg,血流感染では 6 mg/kg を,透析終了後,48 時間ごとに投与. 透析終了 30 分前に投与する場合は 7〜9 mg/kg を考慮.中 2 日となる週末は 50%増量する(例:6→9 mg/kg)
セファゾリン	毎透析後 2 g 静注,週末(中 2 日のとき)3 g
ゲンタマイシン	毎透析後 1 mg/kg(最高 100 mg)
セフタジジム	毎透析後 1 g〔耐性が考えられる場合は 2g を中 2 日で増量し投与,重症患者では 1 日 1 回(毎日)投与が望ましい〕
ミカファンギン	毎日 100 mg 静注
フルコナゾール	毎日 200 mg 経口

〔Gilbert DN, et al.(eds):日本語版サンフォード感染症治療ガイド 2022.菊池　賢(日本語版監修),ライフサイエンス出版,2022[11)]/Drew RH, et al.:Vancomycin:Parenteral dosing, monitoring, and adverse effects in adults. UpToDate. Waltham, MA:UpToDate Inc. http://www.uptodate.com(Accessed on November 2023)[13)]をもとに作成〕

髄液への移行が不良.

4. リネゾリド

▶Gram 陽性球菌に有効で,ペニシリン耐性肺炎球菌(PRSP),MRSA,バンコマイシン耐性腸球菌(VRE)にも有効である.

- VRE に対する第一選択.
- 血流感染では，その静菌的作用からあまり使用されない.
- 腎不全では代謝物の蓄積があり，投与期間が2週間を超えると貧血，白血球減少，血小板減少がみられる，また長期投与では末梢神経障害に注意する．高度腎不全では血小板減少と貧血が起こりやすいので，とくに注意が必要である.
- 選択的セロトニン再取り込み阻害薬(SSRI)を使用している場合，セロトニン症候群をきたす可能性があり，併用を避ける.

5. デジゾリド
- リネゾリドと同様の作用機序.
- リネゾリド非感受性の Gram 陽性球菌にもいくらか活性をもつ.
- 注射薬と内服薬(バイオアベイラビリティ良好)もあり.
- 皮膚軟部組織感染症について，リネゾリドに比して非劣性.
- 腎不全でも減量は不要である.
- 血小板減少の副作用あり(臨床試験では 6 日間で 2.3%).

6. ダプトマイシン
- Gram 陽性菌に有効で，MRSA，VRE にも有効である.
- 血流感染に使用可能．炎症のない血液脳関門はほとんど通過しない.
- 肺のサーファクタントと相互作用し効力が消失するため，肺炎(経気管支)には無効である.
- 右心系感染性心内膜炎には有効性が認められているが，左心系感染性心内膜炎には有効性が認められていない.
- CPK 上昇の副作用があるため，CPK を定期的に測定する(骨格筋のみで心筋は影響を受けない).
- ブドウ糖を含む希釈液とは配合不適で，生理食塩液もしくは乳酸リンゲルと配合可能.
- プロトロンビン時間(PT)が見かけ上，延長することがある.
- ダプトマイシン血中濃度がトラフレベル(次の投与前)で検体を採取すると，影響を軽減できる.

b バスキュラーアクセス感染症(とくにカテーテル感染)
- 血液透析患者は，バスキュラーアクセスからの血流感染を起こしやすい.
- シャント閉塞時や AKI などで透析カテーテル使用時の発熱は，カテーテルを温存すべきか判断に迷う状況が多い[*1].
- 「血液透析中の発熱」はバスキュラーアクセス感染の徴候の 1 つであり，血液培養を採取する.

633

表 35-11　抗菌薬と治療目的となる微生物

	MSSA	MRSA	CNS	緑膿菌	カンジダ
CEZ	◎	×	△	×	×
VCM	○	○	○	×	×
VCM＋CAZ	○	○	○	○	×
VCM＋CAZ＋MCFG/FLCZ	○	○	○	○	○

MSSA：メチシリン感受性黄色ブドウ球菌，MRSA：メチシリン耐性黄色ブドウ球菌，CNS：コアグラーゼ陰性ブドウ球菌，CEZ：セファゾリン，VCM：バンコマイシン，CAZ：セフタジジム，MCFG：ミカファンギン，FLCZ：フルコナゾール（*C. krusei* および *C. glabrata* は耐性）

Gram 陽性球菌が検出され感受性が判明するまでの間，VCM＋CEZ を推奨する論文もある．

▶自己血管シャントに比し血流感染の相対危険度は，人工血管（1.47），カフ付きカテーテル（8.49），カフなしカテーテル（9.87）の報告があり，カテーテルからの血流感染が多い．

▶血液透析患者の血液培養陽性例報告では，カテーテル使用では黄色ブドウ球菌 32.1%，Gram 陰性桿菌 18.4%（緑膿菌 2.2%），コアグラーゼ陰性ブドウ球菌（CNS）32.3%である．シャント使用でも Gram 陰性桿菌 9.9%（緑膿菌 2.2%）となっており，予測的治療では Gram 陰性桿菌を考慮する必要がある．

▶血液培養で黄色ブドウ球菌が検出された場合は，心内膜炎，骨髄炎，化膿性関節炎，硬膜外膿瘍，血栓性静脈炎などの転移病変に注意する．

▶バスキュラーアクセス感染が疑われる状況[*2]での予測的治療を以下に示す[15]．

1.　予測的治療（頸静脈へカテーテルが挿入されている場合）

▶軽症〜中等症（血圧低下なし）の場合，血液培養 2 セットを採取したのち（1 つは末梢より），発熱源が不明ならカテーテルを再留置もしくはガイドワイヤー下で交換する．必要に応じて抗菌薬投与を考慮する（表 35-11）．

▶重症（血圧低下あり）の場合，血液培養＋カテーテルを再留置，もし

[*1]：2009 年の米国感染症学会（IDSA）のカテーテル関連血流感染ガイドラインに詳細なカテーテル感染診断の手順や抗菌薬治療期間などのアルゴリズムが掲載されており，渥美宗久，他：免疫不全と重症感染症―(9)慢性腎不全患者における重症感染症．INTENSIVIST 2010；2：199-207[14]で詳しく解説されている．
[*2]：カテーテル留置中の発熱．

くはガイドワイヤー下で交換する．

処方例
投与量はそれぞれ表 35-10 を参照のこと．
■ 軽症〜中等症（血圧低下なし）では，①または②を用いる．
①セファゾリン
②バンコマイシン＋セフタジジムまたはゲンタマイシン
■ 重症（血圧低下あり）
バンコマイシン＋セフタジジムまたはゲンタマイシン

2. 予測的治療（大腿静脈へカテーテルが挿入されている場合）

処方例
■ 重症（血圧低下あり）
バンコマイシン＋セフタジジム＋ミカファンギンまたはフルコナゾール

▶血液培養もしくはカテーテル先端培養で菌が検出された後は，感受性に基づいて抗菌薬を変更する．カテーテル感染と診断されたのちは原則，カテーテルを抜去する．

C 抗菌薬と相互作用

▶腎機能に応じた用量調節以外にも，腎疾患症例では多種類に及ぶ薬剤を使用している場合が多く，抗菌薬を投与する前に相互作用を確認する（表 35-12）．

表 35-12 抗菌薬投与前に確認すべき相互作用（腎疾患で使用される頻度の高い薬剤）

抗菌薬	併用薬剤	効果
アンピシリン アモキシシリン	アロプリノール	発疹の頻度上昇
フルコナゾール イトラコナゾール ボリコナゾール	Ca 拮抗薬	Ca 拮抗薬血中濃度上昇
	シクロスポリン タクロリムス	シクロスポリン，タクロリムス血中濃度上昇
	カルバマゼピン	フルコナゾール，イトラコナゾール血中濃度上昇 （ボリコナゾール禁忌）

（次ページへつづく）

表 35-12　つづき

抗菌薬	併用薬剤	効果
フルコナゾール イトラコナゾール ボリコナゾール	ワルファリン	ワルファリンの効果増強
	リファンピシン	フルコナゾール，イトラコナゾール血中濃度低下 リファンピシン血中濃度上昇 （ボリコナゾール禁忌）
イトラコナゾール	H_2ブロッカー，制酸薬	イトラコナゾール吸収低下
イトラコナゾール ボリコナゾール	プロトンポンプ阻害薬	イトラコナゾール，ボリコナゾール血中濃度低下，プロトンポンプ阻害薬の血中濃度上昇
ミカファンギン	ニフェジピン	ニフェジピン血中濃度上昇
ドキシサイクリン	鉄，Mg^{2+}	ドキシサイクリンの吸収低下
	ワルファリン	ワルファリンの効果増強
エリスロマイシン アジスロマイシン クラリスロマイシン	シクロスポリン ジゴキシン ジギトキシン	シクロスポリン，ジゴキシン，ジギトキシンの血中濃度上昇
エリスロマイシン クラリスロマイシン	リファンピシン	エリスロマイシン，クラリスロマイシンの血中濃度上昇・低下
	タクロリムス	タクロリムスの血中濃度上昇
	ワルファリン	ワルファリンの効果増強
クラリスロマイシン	コルヒチン	コルヒチンの血中濃度上昇（致命的，避ける）
メトロニダゾール	シクロスポリン	シクロスポリンの血中濃度上昇
	ワルファリン	ワルファリンの効果増強
リファンピシン[*1]	コルチコステロイド	コルチコステロイドの血中濃度低下
	タクロリムス	タクロリムスの血中濃度低下
	シクロスポリン	シクロスポリンの効果減弱
	ニフェジピン	ニフェジピンの血中濃度低下
シプロフロキサシン レボフロキサシン モキシフロキサシン[*2]	Ca^{2+}, Fe^{2+}, Mg^{2+}	シプロフロキサシン，レボフロキサシン，モキシフロキサシンの吸収低下
	ワルファリン	ワルファリンの効果増強
モキシフロキサシン	リファンピシン	モキシフロキサシンの血中濃度低下

（次ページへつづく）

表 35-12 つづき

抗菌薬	併用薬剤	効果
リネゾリド	SSRI	セロトニン症候群
	リファンピシン	リネゾリドの血中濃度低下

*[1]シトクロム P450（CYP）に関する相互作用は「表 39-5 おもな CYP の基質，阻害薬，誘導薬」（☞p.692）を参照.

*[2]ニューキノロン系抗菌薬は制酸薬，消化性潰瘍薬，鉄剤などの金属カチオン（アルミニウム，Mg，Ca，鉄など）含有製剤との併用により吸収が低下し，効果が減弱する．先にニューキノロン系抗菌薬を内服する場合，金属カチオン含有製剤を 2 時間後に投与する．先に金属カチオン含有製剤を内服する場合は，ニューキノロン系抗菌薬は 3〜6 時間後に投与するという報告もある.

SSRI：選択的セロトニン再取り込み阻害薬

12 腎機能低下時の造影剤の使用

▶造影剤を使用した画像診断は，日常臨床において多くの有益な情報をもたらすが，腎機能が低下した患者に対する造影剤使用により，造影剤腎症（CIN）や腎性全身性線維症（NSF）を起こすリスクがある.

a ヨード系造影剤

▶ヨード系造影剤による CIN は，「ヨード系造影剤使用後 72 時間以内に，血清 Cr 値が前値より 0.5 mg/dL 以上または 25％以上増加した場合」と定義される[16].

▶CIN も AKI の 1 つであるが，CIN は腎機能低下症例で起こりやすいため，KDIGO ガイドラインの基準である「血清 Cr 値が前値より 0.3 mg/dL 以上増加」では鋭敏すぎる可能性がある.

▶一般的に CIN は非乏尿性で可逆性であるが，透析療法を要したり，不可逆性の変化を残す場合もある.

▶CIN が腎機能正常者に起こることはまれであり，腎機能低下は CIN のもっとも強いリスク因子である.

▶造影 CT など経静脈的造影剤投与の場合は eGFR 30 mL/分/1.73 m^2 未満の CKD 患者に対して，また心臓カテーテル検査など経動脈的造影剤投与の場合は eGFR 60 mL/分/1.73 m^2 未満の CKD 患者に対して，CIN 発症のリスクを説明したうえで，輸液など適切な予防策を講じるとともに，造影剤検査後には腎機能の推移を 3 日目まで慎重にモニターすることが望ましい．ただし，合併症や併発症，病態によって CIN のリスクが高くなることもあり，造影検査前のリスク評価も必要である.

表 35-13　**造影剤腎症(CIN)のハイリスク群**

- ・腎機能低下
- ・脱水状態
- ・糖尿病
- ・高齢者
- ・心不全
- ・低血圧
- ・貧血
- ・薬剤使用(利尿薬，NSAIDs，降圧薬，ジピリダモール，ボセンタン，アミノグリコシド系抗菌薬，バンコマイシン，アムホテリシン B)

NSAIDs：非ステロイド性抗炎症薬

表 35-14　**慢性腎臓病(CKD)患者に対する造影剤腎症(CIN)の予防法**

- ・造影剤使用直前の腎機能の把握(血清 Cr を測定し eGFR で評価)
- ・造影剤の量は最小限とする
- ・造影剤を減量するために，低管電圧撮影や逐次近似画像再構成の併用を考慮する
- ・造影剤検査前後に生理食塩液(緊急時は重曹液)で輸液する
- ・予防的な利尿薬(とくにループ利尿薬)投与を控える
- ・NSAIDs の使用中止
- ・48 時間以内の頻回の造影検査を控える
- ・RAS 阻害薬の開始や増量を控える

eGFR：推算糸球体濾過量，NSAIDs：非ステロイド性抗炎症薬，RAS：レニン・アンジオテンシン系

▶ハイリスク群(表 35-13)では，造影剤使用により得られるメリットと CIN を起こすリスクを評価し，代替検査も検討したうえで，臨床上，必要な造影検査や治療は予防策を講じたうえで行う．

▶造影剤投与量は CIN のリスク因子の 1 つであり，投与量は必要最小限にする．なお，造影剤を減量するために，低管電圧撮影や逐次近似画像再構成の併用も考慮する．

▶CIN の予防法を表 35-14 に示す．

b ビグアナイド薬と造影剤

▶乳酸アシドーシスはビグアナイド薬によるもっとも重篤な副作用であり，いったん発症すると予後不良で，致死率も高い．

▶日本糖尿病学会では，eGFR 30 mL/分/1.73 m² 未満の症例に対してはメトホルミンは禁忌，30〜45 mL/分/1.73 m² の症例に対しては慎重投与としている．

▶ビグアナイド薬服用患者において，ヨード造影剤の投与により一過性に腎機能が低下した場合，ビグアナイド薬の腎排泄が減少し，乳酸の血中濃度が上昇するために，乳酸アシドーシスを起こす危険性があるとされている．

▶ビグアナイド薬服用患者にヨード造影剤を投与する場合は，CINのリスクを考慮したうえで，緊急検査時を除き，造影剤使用の前後2日間はビグアナイド薬を休薬するなど適切な処置を講じる．

c ガドリニウム含有造影剤

▶重篤な腎障害のある患者へのガドリニウム造影剤使用に関連した，NSFの発症が報告されている．NSFはガドリニウム造影剤投与後数日〜数か月，時に数年後に皮膚の腫脹や硬化，疼痛などで発症する疾患であり，進行すると四肢関節の拘縮を生じ，活動が著しく制限される．

▶現時点で確立された治療法はなく，死亡例も報告されている．すでにNSFと診断されていれば，ガドリニウム造影剤は投与すべきではない．

▶ガドリニウム造影剤を使用する造影MRI検査にあたっては，eGFRで腎機能を評価する．

▶透析患者を含むeGFR 30 mL/分/1.73 m²未満の場合には，造影MRI検査におけるガドリニウム造影剤は原則として使用しないことが推奨される．eGFR 30〜59 mL/分/1.73 m²では，患者の利益がリスクを上回る場合には使用してもよいが，NSFの発症の報告が多いオムニスキャン®の使用は避ける．eGFR 60 mL/分/1.73 m²以上では，NSF発症リスクは低い．

▶NSFの発症リスクを高める原因として，①ガドリニウム造影剤の大量あるいは反復投与，②大きな組織障害（活動性感染症，動静脈血栓症，大きな外科手術など），③エリスロポエチンの併用，があげられる．造影MRI検査では必要最小量を投与すべきである．また腹水や

Side memo

造影剤腎症（CIN）予防のための輸液法

1. 生理食塩液を造影開始6時間前より1 mL/kg/時で輸液し，造影終了後は1 mL/kg/時で6〜12時間輸液する．
2. 緊急症例では，重曹液を造影開始1時間前より3 mL/kg/時で輸液し，造影終了後は1 mL/kg/時で6時間輸液する．

35

腎疾患治療薬の使い方のコツ

12

腎機能低下時の造影剤の使用

639

羊水など体腔内に体液貯留が認められる場合には，ガドリニウム造影剤が長期間滞留する可能性があるため，使用は慎重に判断する．

📖 文 献

1) 日本消化器病学会（編）：糖質ステロイド投与は消化性潰瘍発生（再発）のリスク因子か？消化性潰瘍診療ガイドライン2020（改訂第3版），2020；155

2) Yokoyama M, et al.：Effects of eicosapentaenoic acid on major coronary events in hypercholesterolaemic patients（JELIS）：a randomised open-label, blinded endpoint analysis. Lancet 2007；369：1090-1098

3) Heerspink HJL, et al.：Dapagliflozin in Patients with Chronic Kidney Disease. N Engl J Med 2020；383：1436-1446

4) 日本腎臓学会（編）：CKD診療ガイドライン2023．東京医学社，2023

5) The EMPA-KIDNEY Collaborative Group：Empagliflozin in Patients with Chronic Kidney Disease. N Engl J Med 2023；388：117-127

6) Davies MJ, et al.：Management of Hyperglycemia in Type 2 Diabetes, 2022. A Consensus Report by the American Diabetes Association（ADA）and the European Association for the Study of Diabetes（EASD）. Diabetes Care 2022；45：2753-2786

7) Baigent C, et al.：The effects of lowering LDL cholesterol with simvastatin plus ezetimibe in patients with chronic kidney disease（study of Heart and Renal Protection）：a randomised placebo-controlled trial. Lancet 2011；377：2181-2192

8) Shin JM, et al.：Association of Rosuvastatin Use with Risk of Hematuria and Proteinuria. J Am Soc Nephrol 2022；33：1767-1777

9) Pradhan AD, et al.：Triglyceride Lowering with Pemafibrate to Reduce Cardiovascular Risk. N Engl J Med 2022；387：1923-1934

10) 青木　眞：感染症の治療原則．レジデントのための感染症診療マニュアル第4版．医学書院，2020

11) Gilbert DN, et al.（eds）：日本語版サンフォード感染症治療ガイド2022．菊池　賢（日本語版監修），ライフサイエンス出版，2022

12) Miano TA, et al.：Association of vancomycin plus piperacillin-tazobactam with early changes in creatinine versus cystatin C in critically ill adults：a prospective cohort study. Intensive Care Med 2022；48：1144-1155

13) Drew RH, et al.：Vancomycin：Parenteral dosing, monitoring, and adverse effects in adults. UpToDate. Waltham, MA：UpToDate Inc. http://www.uptodate.com（Accessed on November 2023）

14) 渥美宗久，他：免疫不全と重症感染症―(9)慢性腎不全患者における重症感染症．INTENSIVIST 2010；2：199-207

15) Fisher M, et al.：Infectious Complications From Vascular Access. In：Nissenson AR, et al（eds），Handbook of Dialysis Therapy, 6th ed, Elsevier, 2023：198-210

16) 日本腎臓学会，他（編）：腎障害者における造影剤使用に関するガイドライン2018．日腎会誌 2019；61：933-1081　https://cdn.jsn.or.jp/data/guideline-201911.pdf（2023年6月閲覧）

📖 参考文献

・NSFとガドリニウム造影剤使用に関する合同委員会（日本医学放射線学会・日本腎臓学会）：腎障害患者におけるガドリニウム造影剤使用に関するガイドライン（第2版：2009年9月2日改訂）　http://www.jsn.or.jp/jsn_new/news/guideline_nsf_090902.pdf（2023年6月閲覧）

36 がんと腎臓

▶近年, 悪性腫瘍患者の増加, 慢性腎臓病(CKD)患者の増加, がん治療法の飛躍的進歩と多様化により, がん治療中の腎障害, 透析・移植を含めた腎臓病患者におけるがん治療に遭遇する頻度が高くなっており, 実臨床における onconephrology の重要性が高まっている.

▶腎機能低下患者における腎機能評価, 投薬設計については「腎機能低下時の薬剤投与における注意点・薬剤性腎障害」(☞p.679)を参照いただき, 本稿ではがん薬物療法を含め, がん治療患者に合併する腎障害の要点について記載する.

1 がん薬物療法以外の要因

▶がん治療中の腎障害(表 36-1)には, がん薬物療法以外の要因も存在するため, 総合的な評価が必要である.

2 がん薬物療法の分類

▶がん薬物療法は, ①非選択的細胞障害性化学療法(古典的化学療法)と, ②生物学的がん治療(targeted therapy), の 2 つに大別される(図 36-1).

▶免疫チェックポイント阻害薬(ICI)とキメラ抗原受容体遺伝子導入T細胞注入療法(CAR-T 療法), ワクチン療法などを総称してがん免疫

表 36-1 腎障害の原因

分類	病態・原因
腎前性	下痢, 嘔吐, 食欲不振, 低血圧, 肝硬変による肝腎症候群, ネフローゼ症候群, 心機能低下, 敗血症性ショック, NSAIDs, RAS 阻害薬, 造影剤
腎性	血管炎, 間質性腎炎, 腫瘍細胞の腎直接浸潤, ネフローゼ症候群
腎後性	尿路閉塞, 骨髄腫関連円柱症
その他	抗菌薬, 造影剤, 片腎摘出, 腫瘍崩壊症候群, 高カルシウム血症, 放射線治療

NSAIDs:非ステロイド性抗炎症薬, RAS:レニン・アンジオテンシン系

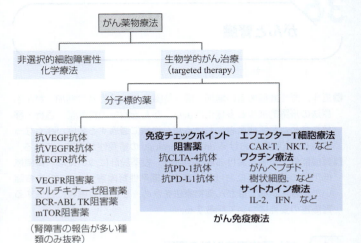

図 36-1　がん薬物療法の分類
VEGF：血管内皮増殖因子，VEGFR：血管内皮増殖因子受容体，EGFR：上皮成長因子受容体，mTOR：哺乳類ラパマイシン標的蛋白質，CTLA-4：細胞傷害性Tリンパ球抗原4，PD-1：programmed cell death-1, PD-L1：programmed cell death ligand-1, CAR-T療法：抗キメラ抗原受容体遺伝子導入T細胞注入療法，NKT：natural killer T, IL-2：interleukin-2, IFN：interferon

療法とよび，腎臓内科医としても対応を求められる機会が増加している．

3　がん薬物療法に伴う腎障害

▶殺細胞性抗がん薬を含む古典的化学療法（図 36-2），ICI を含む分子標的薬による腎障害（図 36-3）ともに，傷害部位は糸球体から集合管までネフロン全体にわたり，結果として起こる臨床徴候は急性腎障害（AKI），ネフローゼ症候群を含めた糸球体障害に加えて，電解質異常，酸・塩基平衡異常など多彩である．
▶非掲載の薬物や詳細については各薬剤の添付文書，最新のガイドライン[1]を参照のこと．

a 古典的化学療法（図 36-2）

1. シスプラチン
▶90％以上はアルブミンなどの蛋白と結合し，遊離型として存在する

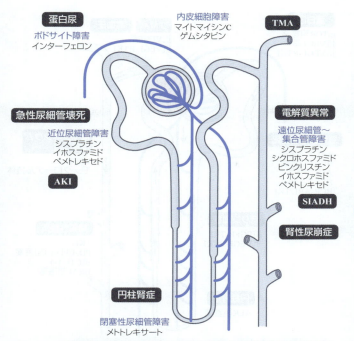

図 36-2 殺細胞性抗悪性腫瘍薬を含む古典的化学療法による腎障害
SIADH：抗利尿ホルモン不適切分泌症候群，TMA：血栓性微小血管症

残りの 10％が用量依存性に腎毒性を発揮する．
- 腎毒性を発揮する遊離型シスプラチンは投与後 2 時間程度で排泄されるため，尿細管が曝露される濃度と時間を最小限に抑えることが効果的であり，十分量の補液と利尿薬投与による尿量確保が重要である．
- シスプラチン投与前・中・後で，生理食塩液または 0.45％食塩液 1,000～2,000 mL の補液を行う．
- 投与中の尿量確保に留意しながら，必要に応じて D-マンニトールあるいはフロセミドを併用する．
- 全身状態良好，短時間補液に耐えうる心機能，一定以上飲水可能などの条件を満たしている場合には，外来でのショートハイドレーション法も考慮可能である（表 36-2）[2]．
- 低マグネシウム血症は腎毒性増強につながるため，血清 Mg 濃度に

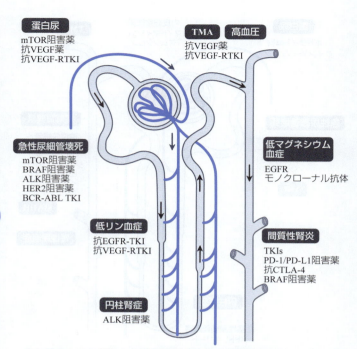

図 36-3 分子標的薬による腎障害

mTOR：哺乳類ラパマイシン標的蛋白質，VEGF：血管内皮増殖因子，VEGFR-TKI：血管内皮増殖因子受容体チロシンキナーゼ阻害薬，CTLA-4：細胞傷害性 T リンパ球抗原 4，BRAF：B-rapidly accelerated fibrosarcoma，ALK：未分化リンパ腫キナーゼ，HER2：ヒト上皮成長因子受容体 2 型，BCR-ABLTKI：breakpoint cluster region-abelson チロシンキナーゼ阻害薬，EGFR：上皮成長因子受容体，PD-1：programmed cell death-1，PD-L1：programmed cell death ligand-1

表 36-2 ショートハイドレーション法

- 4〜4.5 時間程度で生理食塩液を含めた 1,600〜2,500 mL の輸液
- シスプラチン投与終了までに 1 L 程度の経口補液
- 計 8 mEq の Mg 補充
- D-マンニトールあるいはフロセミド投与

〔日本肺癌学会ガイドライン検討委員会ショートハイドレーションに関わる手引き作成チーム：シスプラチン投与におけるショートハイドレーション法の手引き．2015　https://www.haigan.gr.jp/uploads/files/photos/1022.pdf（2023 年 6 月閲覧）[2]〕

留意しながら Mg 投与を検討する（高齢・腎機能低下者では，過剰投与による高マグネシウム血症にも注意する）．
- 他の白金製剤であるカルボプラチンとオキサリプラチンは腎毒性が軽減されている．

2. メトトレキサート（MTX）

- 90％以上は腎から排泄される．MTX や代謝産物が尿細管腔内で結晶化し，尿細管閉塞から腎障害が惹起される．
- 溶解度は pH 依存性であるため，尿のアルカリ化と十分な補液による尿量確保が基本である．
- 骨髄抑制，消化管毒性などの軽減目的に行うホリナート救援療法の際には，尿のアルカリ化と補液がとくに重要である．
- 利尿薬選択の際には，尿細管管腔内の酸性化を促すような薬剤（フロセミド，サイアザイド系利尿薬など）は避ける．
- MTX 排泄に寄与する有機アニオントランスポーター（OAT）の基質となる薬剤〔フロセミド，プロベネシド，ペニシリン，非ステロイド性抗炎症薬（NSAIDs）など〕の併用は，血中濃度上昇，毒性増強につながるため避ける．
- MTX を分解する遺伝子組み換え酵素製剤グルカルピダーゼ（メグルダーゼ®）※が，2021 年 9 月にわが国でも「MTX・ロイコボリン救援療法による MTX 排泄遅延時の解毒」を効能・効果として承認された．

3. ペメトレキセド

- MTX の構造的アナログであり，プリン・ピリミジン代謝を抑制することで DNA 合成を阻害する．
- 近位尿細管管腔側に発現する葉酸受容体や基底膜側の葉酸キャリアにより取り込まれ，細胞内の葉酸代謝が阻害されることで，急性尿細管壊死による AKI，集合管障害による腎性尿崩症，尿細管性アシドーシスが起こる．
- Cr クリアランス 45 mL/分未満では慎重投与．

4. イホスファミド

- 腎毒性の強いアルキル化薬であり，尿細管障害による Fanconi 症候群，腎性尿崩症や AKI などを起こす．
- OCT2（organic cation transporter 2）により細胞内輸送され，代謝産物であるクロロアセトアルデヒドが尿細管毒性を発揮する．
- 中等度以上の腎障害には累積投与量が重要であり，腎障害をきたす

※ロイコボリンは，グルカルピダーゼ投与前後 2 時間以上の間隔をあけて投与する．

のは $100\,mg/m^2$ 以上の場合が多い.

▶ 類薬であるシクロホスファミドの出血性膀胱炎予防に用いられるメスナは,腎障害予防には無効である.

▶ OCT2 の基質となるシメチジンは,腎毒性を軽減する可能性がある.

5. ゲムシタビン

▶ 細胞周期特異的ピリミジンアナログであり,幅広いがん種に用いられる.

▶ 内皮障害に伴う血栓性微小血管症(TMA)による AKI を発症する.

▶ 血漿交換,血漿輸注,副腎皮質ステロイドなどの有効性は確立していない.

▶ TMA と診断した場合は速やかに休薬し,高血圧に対しては降圧薬による対症療法を行う.

b 生物学的がん治療

1. 分子標的薬(図 36-3)

1) 血管新生阻害薬〔抗 VEGF 抗体,抗 VEGFR 抗体,VEGFR-TKI(VEGFR マルチキナーゼ TKI)〕

▶ 血管内皮増殖因子受容体チロシンキナーゼ阻害薬(VEGFR-TKI)は,おもに VEGFR,血小板由来増殖因子受容体(PDGFR)のチロシンキナーゼ(TK)を阻害し,血管内皮増殖を抑制する.

▶ 血管新生阻害薬投与に伴う腎障害として,蛋白尿,高血圧,腎機能障害,TMA などが重要である.

▶ VEGF シグナル阻害による腎病理組織像は,TMA,微小変化群/巣状分節性糸球体硬化症(MCD/FSGS)が主体.

▶ VEGF シグナル阻害による TMA は腎局所 TMA を呈することが多く,血小板減少,破砕赤血球などが認められないことも多い.そのため,腎生検による診断が重要である.

▶ 血管新生阻害薬投与に伴う腎障害に対して,血漿交換,血漿輸注,副腎皮質ステロイドなどの有効性は確立していない.

▶ ソラフェニブやレゴラフェニブでは,膵外分泌抑制に伴って引き起こされるビタミン D 吸収低下による低リン血症,低カルシウム血症がしばしば認められる.

▶ 蛋白尿 2＋以上を認めた場合は尿蛋白定量を行い,2 g/日あるいは 2 g/gCr 以上を一時休薬のめやすとする.

2) EGFR 阻害薬(抗 EGFR 抗体,EGFR-TKI)

▶ 細胞の分化,増殖に重要なシグナル伝達を担う,上皮成長因子受容体(EGFR)を阻害する.

▶EGF シグナルは，遠位尿細管の Mg チャネルである TRPM（transient receptor potential melastatin）の発現制御にかかわるため，副作用として低マグネシウム血症が重要である．

▶一般的に，低分子化合物 EGFR-TKI と比較して，中和抗体製剤のほうが低マグネシウム血症の発現頻度が高い．

▶高度の低マグネシウム血症は低カリウム血症，低カルシウム血症に繋がるため，Mg に加えて K，Ca も測定する．

3) HER2 阻害薬（抗 HER2 抗体，HER2-TKI）

▶主要な副作用として，心毒性による心機能障害がある．

▶心腎合併症あるいは併用薬剤による影響が主であり，直接的な腎障害については証明されていない．

4) ALK 阻害薬（ALK-TKI）

▶未分化リンパ腫キナーゼ（ALK）-TKI の１つであるクリゾチニブ投与による血清 Cr 上昇は一過性であり，Cr の尿細管分泌が可逆性に低下する可能性がある．

▶可逆性の複雑性腎嚢胞形成についても報告がある．

5) BRAF 阻害薬

▶血清 Cr 上昇は初回投与から２か月以内に起こり，男性に多くみられる．

▶BRAF 阻害薬投与に伴う腎障害として，急性間質性腎炎，急性尿細管壊死，Fanconi 症候群と，それに伴う低リン血症，低ナトリウム血症，低カリウム血症などの電解質異常，軽度の蛋白尿などの報告がある．

6) MEK 阻害薬

▶主要な副作用として，左室駆出率低下，心不全がある．

▶維持透析を含めた CKD 患者への投与時には，心不全悪化徴候に注意が必要である．

7) mTOR 阻害薬

▶おもな腎合併症は，蛋白尿，血清 Cr 上昇，高血圧，低リン血症である．

▶間質性肺疾患，感染，高血糖にも注意を要する．

8) プロテアソーム阻害薬

▶骨髄腫あるいは一部のリンパ腫に適応があることから，治療初期に大量の腫瘍細胞死によって起こる腫瘍崩壊症候群に注意する．

▶NF-κB シグナル抑制に伴う，VEGF 産生低下による TMA にも注意を要する．

9) PARP 阻害薬

▶おもな副作用は，骨髄抑制，消化器症状である．

▶️ ポリアデノシン5′ニリン酸リボースポリメラーゼ（PARP）阻害薬である オラパリブ投与中に認める血清 Cr 上昇は，Cr 分泌低下が主体である．

▶️ オラパリブ投与中に血清 Cr 上昇を認めた場合には，シスタチン C による推算糸球体濾過量（eGFR）の測定が推奨される．

2. 免疫チェックポイント阻害薬（ICI）

▶️ 免疫チェックポイント PD-1/PD-L1（programmed cell death-1/programmed cell death ligand 1），CTLA-4（cytotoxic T-lymphocyte-associated antigen-4）に対する中和抗体薬．

▶️ ICI による自己免疫の過剰活性化に伴う副作用を，免疫関連有害事象（irAE）とよぶ．

▶️ irAE による腎障害の発生頻度は，ICI 単剤で 1〜2%，抗 PD-1/抗 CTLA-4 併用で 4〜5% 程度である．

▶️ 腎障害の約半数は急性間質性腎炎であるが，微小変化型ネフローゼ症候群（MCNS），FSGS，TMA，膜性腎症，ループス腎炎，pauci-immune 型半月体形成性糸球体腎炎，IgA 腎症，C3 腎症など，さまざまな病型を呈する．

▶️ irAE による AKI のリスク因子として，プロトンポンプ阻害薬が報告されている．

▶️ 内分泌障害に伴う低ナトリウム血症，集合管間在細胞に対する自己免疫反応による遠位尿細管性アシドーシスの報告もある．

▶️ 急性間質性腎炎の可能性がきわめて高い場合や腎生検リスクが高い場合には，経験的副腎皮質ステロイド投与を考慮する．

▶️ 急性間質性腎炎以外の病態が否定できない場合，または血尿・蛋白尿を伴う場合には，副腎皮質ステロイド投与前に腎生検を考慮する．

▶️ 臨床的あるいは腎生検を含め組織学的に急性間質性腎炎と診断した場合には，速やかに副腎皮質ステロイド（プレドニゾロンを CKD ステージ G2 では 0.5〜1 mg/kg/日，G3〜4 では 1〜2 mg/kg/日）を開始する．

▶️ 漫然とした副腎皮質ステロイドの継続投与は ICI の抗腫瘍効果を損ねるリスクがあるため，1〜2 か月程度で漸減し，腎機能が正常化したら中止することが推奨される．

3. キメラ抗原受容体遺伝子導入 T 細胞注入療法（CAR-T 療法）

▶️ CAR-T 療法とは，N 端から順に，腫瘍抗原特異的なモノクローナル抗体，膜貫通部分，共刺激シグナル部分，そして CD3ζ 鎖シグナル部分をコードする遺伝子を導入した T 細胞を輸注する治療法である．

▶️ 有害事象の病態の基本は，治療に伴って起こるサイトカイン放出症候群（CRS）である．

▶CRS に伴う毛細血管漏出症候群(capillary leak syndrome)，マクロファージ活性化症候群/血球貪食性リンパ組織球症(MAS/HLH)による腎血流低下からの AKI，種々の電解質異常も認められる.

▶CRS において，IL-6 がもっとも重要なサイトカインの１つであり，IL-6 受容体モノクローナル抗体であるトシリズマブが有効である.

▶腫瘍崩壊症候群に伴う腎障害にも注意が必要である.

📖 文 献

1) 日本腎臓学会，他(編)：がん薬物療法時の腎障害診療ガイドライン 2022．ライフサイエンス出版，2022

2) 日本肺癌学会ガイドライン検討委員会ショートハイドレーションに関わる手引き作成チーム：シスプラチン投与におけるショートハイドレーション法の手引き．2015　https://www.haigan.gr.jp/uploads/files/photos/1022.pdf(2023 年 6 月閲覧)

37 臨床論文を理解し，臨床研究を行うために必要な基礎知識

▶臨床研究は，疾患の頻度，原因，診断，治療，予後などに関して，臨床現場で得た洞察から仮説を立て，それを検証することによって一般化することをおもな目的とする．そして臨床研究によって一般化された事実を，目の前の患者に適用できるかを検討するためにも，臨床研究論文を正確に読めるような基礎知識を身に着けることはきわめて重要である．

1　臨床疑問の構造化：PE(I)CO

▶臨床研究の目的は，ある集団における要因と結果の関連を明らかにすることである．
▶その第一歩は，臨床上の疑問（clinical question）を解決するために，一定の型に当てはめること（＝構造化）である．構造化された疑問は research question となる．
▶Research question は，どんな患者・集団に対して（Patients），どのような曝露因子・介入因子（Exposure・Intervention）があると，そうでない比較対照（Comparator）と比較してどのような結果（Outcome）がもたらされるか，という「PE(I)CO」の形で構造化されることが一般的である（表 37-1）．

2　研究デザイン

▶PE(I)CO を設定したあとに，適切な研究デザインを選択する．

表 37-1　**PE(I)CO による research question の構造化**

要素	日本語	例
Patient/Participant	対象集団	ネフローゼ症候群患者において
Exposure/Intervention	曝露因子/介入因子	ステロイドパルス療法は
Comparator	比較対照	通常のステロイド治療と比較して
Outcome	結果	寛解までの日数が短い

▶それぞれの研究デザインがどのような目的に適しているかを，表37-2 に示す．

a システマティックレビュー/メタ解析

▶薬剤などの医学的介入による治療効果や曝露因子の影響に関する研究論文を網羅的に検索し，メタ解析によって結果を統合する．

▶治療介入効果を検証した研究のなかではもっとも高いエビデンスレベルに位置づけられる．

▶統計学的検出力が高まるため，まれにしか発症しない副作用などの評価が可能となる．

▶メタ解析の対象となる研究1つ1つの質が低い場合に，誤った結論を導く可能性がある．

b ランダム化比較試験

▶介入研究の一種であり，研究対象者群が無作為に割りあてられる．

▶無作為割付けを行うことで，測定された背景因子だけでなく，測定されていない背景因子も群間で揃えることができる．

▶さらに盲検化を行うことにより，割付けたあとも理論上は両群で偏りが生じにくくなり，脱落や別の群の治療とのクロスオーバーなどが生じにくくなる．

▶厳格な組み入れ・除外基準によって現実世界と大きく異なる対象者ばかり集まる可能性がある．研究結果自体の信頼性は高くとも，外的妥当性は保証されない．

▶高額な研究費を要するため，アウトカム発生に時間のかかる疾患が対象になりにくく，長期予後を追跡することが難しい．

c コホート研究

▶「まだイベントを生じていないが，将来的にイベントを生じうる集

表37-2 **臨床研究の種類と目的**

調べたいもの	介入研究	コホート研究	症例対照研究	横断研究
疾患や診療の実態				○
要因とアウトカムの関連		◎	○	○
治療・予防法の効果	◎	○		
診断法の性能	○	○		○

団」を対象として，曝露因子をもつ群ともたない群に分けてアウトカムを測定・比較する.

▶喫煙や環境因子などの害悪の程度を推し量る研究は，倫理的な観点からランダム化比較試験では評価できず，コホート研究がもっとも信頼性の高いデザインとなる.

▶ランダム化比較試験では組み入れ基準から外れてしまうような患者群も対象となりうるため，外的妥当性が高い一方，比較に際しては背景の偏りがつねに問題になるなど，内的妥当性はランダム化比較試験に劣る.

▶アウトカムの発生頻度が低い疾患の場合，大規模かつ前向きに情報を長期間収集するような研究では，多大な労力と費用が必要となる.

d 症例対照研究

▶まずアウトカムを発症した症例を同定し，次にその対照となるアウトカム非発症の症例を選択して比較する.

▶これらの症例について，時間をさかのぼって情報を収集し，アウトカム発症に関連する因子を同定する.

▶症例対照研究は，とくに珍しい疾患などを検討する際には非常に有効な方法であり，効率よく研究を進めることができる.

▶ただし，注意深い研究デザインと，適切な対照群の設定が行われていなければ，誤った結論を導く可能性がある. 症例対照研究における対照群は，「イベントを起こさなかったが，イベントを起こしうる集団に属していた患者」である必要がある.

e 記述研究・横断研究

▶疾患分布や診療実態をありのままに記述する研究であり，とくに知見の不足した領域においては貴重な疫学データを提供する.

▶時間的な前後関係が不明であるため，因果関係を推定することは困難である.

3 バイアス

a バイアスの概論

▶アウトカムと曝露因子，あるいは介入因子の関連を歪める因子を考慮に入れることは重要である.

▶真の関連を正しく示すことができないのは，値のばらつきや個人差などによる偶然誤差と，要因とアウトカムの関連を系統的にゆがめ

表 37-3　偶然誤差と系統誤差

偶然誤差		偶然生じる誤差．サンプルサイズを増やすことで減じることができる．
系統誤差	選択バイアス	対象者を選択する際に生じる偏り．
	情報（誤分類）バイアス	曝露因子やアウトカムを測定する際に，情報の取り違いや測定方法が不十分であるために一方向に偏って測定結果が出てしまうこと．
	交絡	曝露因子とアウトカムの双方に関連する因子が，比較する群のどちらか一方に偏ることによって生じる．統計学的に対処が可能．

る系統誤差（＝バイアス）による．

▶偶然誤差は対象者数を増やすことによって影響が小さくなるが，バイアスは数を増やしても影響は減らないため，適切に対処する必要がある．

▶バイアスは，患者を調査対象として組み入れる際に生じる選択バイアス，曝露因子やアウトカムの評価や分類を行う際に誤って分類する情報（誤分類）バイアス，そして曝露因子とアウトカムの共通の原因である交絡に分けられる（表 37-3）．

▶このうち，交絡のみ統計学的な手法によって是正することが可能であるのに対し，他の2つについては研究デザイン時に対処しておく必要がある．

b 選択バイアス

1. Length-time bias

▶たとえば，疾患に罹患している期間が長い症例ほど予後がよく，研究対象者にされやすい．

2. Survivor treatment selection bias

▶たとえば，生存期間が長い症例ほど治療介入を受けやすい．裏を返すと，薬剤を使う間もなく死亡した患者が薬剤非使用群に多い．

3. Immortal-time bias

▶たとえば，ある疾患の治療薬の効果をコホート研究で検証したいとき，治療薬を用いた群と用いなかった群の間で比較をする．入院時点を観察開始とした場合に，治療薬を投与した群は，入院後から治療薬投与までの間，生存していたことが確約されてしまう．これをimmortal-time biasとよぶ（図 37-1）．曝露状態を時間依存性変数として扱うなどの対処が必要と考えられる．

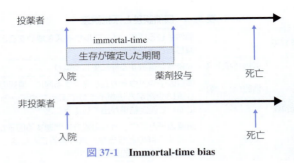

図 37-1 **Immortal-time bias**

c 情報(誤分類)バイアス

1. Reporting bias
▶たとえば,喫煙,飲酒,塩分摂取量など,不健康とされる生活習慣などを研究対象者が過小に報告する傾向がある.

2. Recall bias
▶たとえば,ある薬剤の副作用を調べるのにアンケート調査を行った際,薬剤の副作用がすでに話題に上っていると,副作用らしい症状を生じた人はよりその薬剤を使用したことを思い出しやすい.

3. Lead-time bias
▶たとえば,健康診断などでスクリーニングを受けた群では疾患が早期に発見されるため,スクリーニングを受けない患者に比べて疾患罹患期間が長くなり,見かけ上の予後が良好であると判断される.

d 交絡
▶たとえばアルコールと肺癌について検討する際,両者に影響を与えうる喫煙の影響が関係している可能性を考える必要がある.
▶一般的に交絡に対処する方法は,①対象者の限定,②多変量解析による調整/層別化,③マッチング,などがある.

4 統計解析

a 統計解析の目的
▶研究の対象となる条件をすべて満たす患者を漏れなく集めることができれば,統計は不要である.このような集団を母集団とよぶが,実際には限られた集団をサンプリングして標本集団(研究対象者)とし,そこで得られた結果から真の値を推定することが統計学の目的

である.

▶統計解析は，①記述統計と，②分析的統計，の2種類に大別されるが，前者はサンプリングが適切に行われたかを判断するために標本集団を記述する．次に，その標本集団のデータから真実の値を推定するという行為を，分析的統計を駆使して行う．この真実の値が95%の確率で含まれるとされるのが，95%信頼区間である.

b 記述統計

▶たとえば，男女，糖尿病の有無といったカテゴリー変数と，年齢，身長，推算糸球体濾過量(eGFR)といった連続変数のそれぞれにおいて要約値を報告する.

▶カテゴリー変数では，標本集団の中でどの程度の割合を占めるかを，人数と割合(%)で表現する.

▶連続変数では，その分布に応じて平均値(標準偏差)あるいは中央値[四分位範囲]で表現する．値の分布が正規分布に近ければ前者，それ以外であれば後者の表現をすることが多い．四分位範囲とは25パーセンタイル値と75パーセンタイル値のことである.

▶生存時間分析では，イベントが一定期間の間にどれだけ発生したかを発生率(incidence rate)という指標で表現する．これは，フォローアップした人数と期間の総和でイベント数を割った値であり，人年法で表現されることが多い.

c 分析的統計

▶アウトカムを従属変数(もしくは目的変数)，曝露因子あるいは介入因子を独立変数(もしくは説明変数)として扱い，交絡因子を調整することで正しい推定結果が導き出される.

▶従属変数の種類によって，選択する解析方法はある程度決まっている．連続変数ならば重回帰分析，二値変数で時間の概念を無視してよいならロジスティック回帰分析，そして生存時間分析ならばCox比例ハザードモデルがよく用いられる(表37-4).

▶交絡因子の候補としては，①過去の複数の研究において選択されている，あるいは②医学的知識に基づいて想定される，といった情報に基づいて絞り込み，優先順位を決める．データに依存して選択するような，「単変量解析で有意だったものを多変量解析に投入する」や，「ステップワイズ法に基づいて変数選択する」といった方法は推奨されない.

表 37-4　代表的な多変量モデル

多変量解析モデル	アウトカム	効果指標	投入できる共変量の上限数
重回帰分析	連続変数（正規分布）	回帰係数（β）	症例数/15
ロジスティック回帰分析	二値変数	オッズ比	目的変数の少ないほうの数/10
Cox 比例ハザードモデル	二値変数とイベント発生までの時間	ハザード比	イベント数/10

表 37-5　要因とアウトカムのクロス集計表

	アウトカム発生	アウトカム非発生（コホート研究）	アウトカム非発生（症例対照研究）
曝露因子あり	A	B	b
曝露因子なし	C	D	d
計	A＋C	B＋D	b＋d

偏りなく抽出すると B：D＝b：d となる

コホート研究では，曝露群のオッズと非曝露群のオッズの比をとった AD/BC がオッズ比である．一方，リスク比は曝露群の発生割合 A/（A＋B）と非曝露群の発生割合 C/（C＋D）の比である．
症例対照研究では，アウトカム発生群における曝露のオッズ A/C とアウトカム非発生群における曝露のオッズ b/d の比がオッズ比となるが，アウトカム非発生群から均一に対照群を抽出できていれば B/D＝b/d であり，コホート研究同様に AD/BC となる．

5　結果の見かた

▶回帰分析を用いて群間比較を行う際の指標は，「差」あるいは「比」で表現される．たとえばイベント発生率の違いは，発生率比（rate ratio）または発生率差（rate difference）で表現する．

▶同じ発生率比 1.5 で表現される比較であっても，それが 100 人に 1 人の事象なのか，10,000 人に 1 人の事象なのかによって大きく意味が異なる．そこで発生率差の逆数をとることで，何人に介入を行うことで 1 人のイベント発生を減らせるか，という指標である number needed to treat（NNT）が算出できる．

▶多変量解析においては，重回帰分析では差をとり，ロジスティック回帰分析や Cox 比例ハザードモデルでは比をとる．

▶比として表現されるのはオッズ比とリスク比である．要因とアウトカムの関係を 2×2 の表にまとめると（表 37-5），オッズ比はコホー

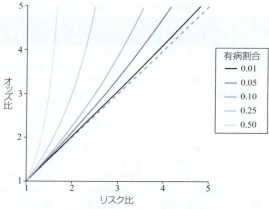

図 37-2 オッズ比とリスク比の関係性

ト研究・症例対照研究いずれにおいても用いることが可能であるが，リスク比はコホート研究にしか用いることができない．
- オッズ比は，イベントの頻度が低い珍しいアウトカムである場合にはリスク比に近似することができ，数学的な便利さから頻繁に用いられる指標である．オッズ比は，{(1－有病割合)×リスク比}/(1－リスク比×有病割合)の式で与えられることを考慮すると，オッズ比がリスク比と近似できるかはイベントの発生割合に依存している（図 37-2）．有病割合 5～10％程度までが限度で，それを超える場合はオッズ比のほうが大きな値になってしまう．

6　既存情報を用いる臨床研究

- 近年，「リアルワールドデータ」とよばれる，既存の診療情報，個人の健康関連情報などの大量のデータを解析してエビデンスを創出する動きが活発化してきている．
- 現在，研究に用いることができるデータベースとしては，電子カルテデータ，DPC データベース，保険者ベースの各種レセプトデータベースなどがある．
- 各種データベースの特徴，利点，欠点について表 37-6 に示す．

表 37-6 **各種データベースの特徴・利点・欠点**

データベースの種類	特徴	利点	欠点
電子カルテデータ	おもに単一医療機関のデータ．検体検査，処方，病名，部門情報など多岐にわたる．	検体検査データを用いることができる．処方は用法用量情報が取得可能．	他医療機関の情報は取得できない．医療機関ごとにデータ品質が一定しない．
DPC データベース	定型的に収集された，さまざまな項目を含んだ入院の情報が取得可能．	地域または全国レベルで収集されたものであれば，悉皆性の高い情報を利用可能．	同一人物であっても，他機関での診療情報と連結できない．※条件付きで可能
レセプトデータベース	各種算定，診療行為，処方，病名，医療費などの情報が医療機関をまたいで取得可能．	医療機関をまたいだ情報取得が可能．しばしば特定健診データを利用可能．	検体検査情報は取得できない．処方の用法用量に関する詳細情報がない．

38 輸液製剤の使い方

▶輸液を行う際には各輸液製剤の特徴を知り，病態に合ったものを選択することが重要である．
▶本稿では，各輸液製剤の分類とそれらの特徴を示したうえで，輸液量の決定方法について述べる．

1 輸液製剤の分類

▶輸液には，現時点で体液欠乏がある場合の不足分を補充する是正輸液（correction fluid）と，経口摂取が不能または不十分である場合に体液バランスを維持する，経口摂取の代わりとしての維持輸液（maintenance fluid）があり，輸液療法は是正輸液と維持輸液とを組み合わせて行う．

a 血漿の浸透圧と比べた分類

▶輸液製剤は血漿の浸透圧 285±5 mOsm/L と比べ，①高い高張液，②等しい等張液，③低い低張液，に分類される．
▶高張液は血漿の浸透圧よりも高いため，細胞内から細胞外へ水が出る．10%食塩液，20%ブドウ糖液，10%アミノ酸液やその他の補正用の製剤などがこれに分類される．
▶等張液は血漿の浸透圧にほぼ等しいため，輸液前後で細胞内外の水の移動がない．生理食塩液や乳酸リンゲル液が代表的である．
▶低張液は浸透圧が血漿の浸透圧よりも低いため，細胞外から細胞内に水が入っていく．蒸留水は低張液であるが，極度の低浸透圧であるため，このまま血管内に入れると赤血球内に水が移動し溶血を起こすので，実際には輸液製剤として使用できない．5%ブドウ糖液は浸透圧としては等張であるが，血管内で速やかにブドウ糖が分解され，体内では低張液として働くため，輸液の際には低張液として分類されている．
▶既存の低張液に分類されている輸液製剤は，溶血が起こらないようブドウ糖を添加することで，等浸透圧に近づけられている．

659

b 血漿電解質濃度と比べた分類

▶電解質濃度が血漿(細胞外液)と比べ低いのか等しいのかによって,低張電解質液,等張電解質液に分類される.

▶米国では 0.9%生理食塩液,0.45%食塩液,5%ブドウ糖液,乳酸リンゲル液が市販されており,これらを混合して用いている.

▶乳酸リンゲル液は,より細胞外液に近づけるため生理食塩液に K^+ や Ca^{2+} を添加し,その分,同じ陽イオンである Na^+ 濃度を下げたものである.しかし,これを大量投与すると HCO_3^- が希釈され,代謝性アシドーシスとなる.HCO_3^- は不安定で,Ca^{2+} と沈殿をきたすため,アルカリ化薬として,さらに乳酸が添加されている.

▶現在は,酢酸を加えた酢酸リンゲル液や,代謝を介さずに速やかなアルカリ化作用を示す重炭酸イオンを用いた製剤も市販されている.

▶日本で用いられている輸液製剤は,ブドウ糖液と生理食塩液をさまざまな比で混合したものと考えると理解しやすい.

▶1 号液は生理食塩液と5%ブドウ糖液を1:1 に混合したものであり,2 号液は1:2 に混合し細胞内成分である K^+ や P を追加したもの,3 号液は1:3 に混合し K^+ を追加したもの,4 号液は1:4 に混合したものである(表 38-1).

▶細胞外液を補充するのか,細胞内液を補充するのかによってこれらを使い分けることが重要である.2020 年,一般用静脈栄養製剤の投与禁忌とされている「重篤な腎障害のある患者」から「透析または血液濾過を実施している患者」が除外された.末期腎不全患者にも,病態に応じた,適切な補液を行う.

▶輸液療法を行う際に必要な,表 38-1 に示す輸液製剤の具体的な成分表(表 38-2,表 38-3),また末梢静脈栄養輸液(PPN)製剤(表 38-4),アミノ酸製剤(表 38-5),脂肪製剤・微量元素製剤・総合ビタミン剤(表 38-6),中心静脈栄養輸液(TPN)製剤(表 38-7),補正用製剤(表 38-8)の成分表を示す(なお,表の数値に関しては,2023 年 10 月現在の各製品添付文書,その他から抜粋ならびに算出した).

表 38-1　血漿電解質濃度と比べた分類

				NS：D_5W	1 L 投与した場合の ICF，ECF，血管内
等張電解質液	細胞外液補充液	生理食塩液リンゲル液乳酸リンゲル液酢酸リンゲル液重炭酸リンゲル液			ICF 0 mL ECF 1,000 mL 血管内 250 mL
低張電解質液	開始液（1号）	無K低張維持液	等張電解質液の 1/2〜2/3 の Na^+，Cl^-を含む	1：1 3/5 等張液	ICF 270 mL ECF 730 mL 血管内 183 mL
	脱水補給液（2号）	細胞内液補充液	Na^+，Cl^-，Lactate$^-$に加え，K^+，Mg^{2+}，P などの細胞内成分を含む	1：2 2/3 等張液	ICF 220 mL ECF 780 mL 血管内 195 mL
	維持液（3号）		維持輸液に適する	1：3 1/3 等張液	ICF 425 mL ECF 575 mL 血管内 144 mL
	術後回復液（4号）	自由水が多い	腎機能低下がみられる術後，新生児，乳幼児，高齢者に適する	1：4 1/5 等張液	ICF 530 mL ECF 470 mL 血管内 117 mL

NS：生理食塩液，D_5W：5%ブドウ糖液，ICF：細胞内液，ECF：細胞外液

表 38-2 細胞外液補充液と糖液剤

■細胞外液補充液

	製品名	電解質濃度					
		Na⁺	K⁺	Mg²⁺	Ca²⁺	Cl⁻	Lac⁻
生理食塩液	生理食塩液	154				154	
リンゲル液	リンゲル液「オーツカ」	147	4		4.5	155.5	
	リンゲル液「フソー」	147.2	4		4.5	155.7	
乳酸リンゲル液	ラクテック®注	130	4		3	109	28
	ラクテック®D輸液	130	4		3	109	28
	ラクテック®G輸液	130	4		3	109	28
	ポタコール®R輸液	130	4		3	109	28
	ソルラクト®輸液	131	4		3	110	28
	ソルラクトTMR輸液	131	4		3	110	28
	ラクトリンゲル液"フソー"	130.4	4		2.7	109.4	27.7
酢酸リンゲル液	フィジオ®140輸液	140	4	2	3	115	
	ヴィーン®D輸液	130	4		3	109	
	ソルアセト®D輸液	131	4		3	109	
	ソルアセト®F輸液	131	4		3	109	
	ソリューゲン®F注	130	4		3	109	
重炭酸リンゲル液	ビカネイト®輸液	130	4	2	3	109	
	ビカーボン®輸液	135	4	1	3	113	

*1 添加物に由来するものを含む.
*2 糖質(G：グルコース，S：ソルビトール，M：マルトース)
*3 生理食塩液に対する比

■糖液剤

製品名	糖質*1	熱量	pH	浸透圧比*2
	g/L	kcal/L		
大塚糖液5%	G50	200	3.5-6.5	約1
大塚糖液10%	G100	400	3.5-6.5	約2
大塚糖液20%	G200	800	3.5-6.5	約5
大塚糖液40%	G400	1,600	3.5-6.5	約9
大塚糖液50%	G500	2,000	3.5-6.5	約12
大塚糖液70%	G700	2,800	3.5-6.5	約15

*1 糖質(G：グルコース，M：マルトース，X：キシリトール)   (次ページへつづく)
*2 生理食塩液に対する比

(mEq/L)				糖質*²	熱量	pH	浸透圧比*³
Ace⁻	HCO₃⁻	Glu⁻	Cit³⁻	g/L	kcal/L		
				0	0	4.5-8.0	1
				0	0	5.0-7.5	約1
				0	0	5.0-7.5	0.9-1.1
				0	0	6.0-7.5	約1
				G50	200	3.5-6.5	約2
				S50	200	6.0-8.5	約2
				M50	200	3.5-6.5	約2
				0	0	6.0-7.5	約0.9
				M50	200	3.5-6.5	約1
				0	0	6.0-7.5	0.8-1.0
25		3	6	G10	40	5.9-6.2	約1
28				G50	200	4.0-6.5	1.8-2.1
28				G50	200	4.0-6.5	約2
28				0	0	6.5-7.5	約0.9
28				0	0	6.5-7.5	0.8-1.0
	28		4*¹	0	0	6.8-7.8	約1
	25		5	0	0	6.8-7.8	0.9-1.0

■糖液剤（つづき）

製品名	糖質*¹	熱量	pH	浸透圧比*²
	g/L	kcal/L		
テルモ糖注 5%	G50	200	3.5-6.5	約0.9
テルモ糖注 10%	G100	400	3.5-6.5	約2
テルモ糖注 50%	G500	2,000	3.5-6.5	約12
マルトス® 輸液 10%	M100	400	4.0-6.0	約1
キリット® 注 5%	X50	200	4.0-7.5	約1
キシリトール注 5%「フソー」	X50	200	4.5-7.5	1.1-1.3

表 38-3　**電解質輸液**

	製品名	電解質濃度					
		Na$^+$	K$^+$	Mg^{2+}	Ca^{2+}	Cl$^-$	Lac$^-$
開始液 (1 号液)	KN1 号輸液	77				77	
	ソルデム® 1 輸液	90				70	20
	ソリタ®-T1 号輸液	90				70	20
脱水補給液 (2 号液)	KN2 号輸液	59	25	2		49	25
	ソリタ®-T2 号輸液	84	20			66	20[*1]
	ソルデム® 2 輸液	77.5	30			59	48.5
維持液 (3 号液)	KN3 号輸液	50	20			50	20
	フルクトラクト® 注	50	20			50	20
	ソルデム®3A 輸液	35	20			35	20
	ソリタ®-T3 号輸液	35	20			35	20
	リプラス® 3 号輸液	40	20			40	20
	アクチット® 輸液	45	17	5		37	
	EL-3 号輸液	40	35			40	20
	ヴィーン®3G 輸液	45	17	5		37	
	ソルデム®3AG 輸液	35	20			35	20
	ソリタ®-T3 号 G 輸液	35	20			35	20
	フィジオゾール® 3 号輸液	35	20	3		38	20
	フィジオ® 35 輸液	35	20	3	5	28	
	10%EL-3 号輸液	40	35			40	20
	KNMG3 号輸液	50	20			50	20
	ソリタックス®-H 輸液	50	30	3	5	48	20
術後回復液 (4 号液)	ソリタ®-T4 号輸液	30				20	10
	KN4 号輸液	30				20	10
	ソルデム® 6 輸液	30				20	10
その他	フィジオ® 70 輸液	70	4		3	52	

[*1] 添加物として L-乳酸含むため，全体としては 28 mEq/L

[*2] CH$_3$COO$^-$

[*3] H$_2$PO$_4^-$

[*4] G：グルコース，M：マルクソース，F：フルクトース

[*5] 生理食塩液に対する比

(mEq/L)			mmol/L	糖質*4	熱量	pH	浸透圧比*5
Ace⁻	Glu⁻	Cit³⁻	P	g/L	kcal/L		
				G25	100	4.0-7.5	約1
				G26	104	4.5-7.0	約1
				G26	104	3.5-6.5	約1
			6.5	G23.5	94	4.5-7.0	約1
			10	G32	128	3.5-6.5	約1
				G14.5	58	4.5-7.0	約1
				G27	108	4.0-7.5	約1
				F27	108	4.0-7.5	約1
				G43	172	5.0-6.5	約1
				G43	172	3.5-6.5	約1
				G50	200	4.5-5.5	1.4-1.5
20*2			10*3	M50	200	4.3-6.3	0.9-1.0
			8	G50	200	4.0-6.0	約2
20*2			10*3	G50	200	4.3-6.3	1.3-1.7
				G75	300	5.0-6.5	約2
				G75	300	3.5-6.5	約2
				G100	400	4.0-5.2	約3
20	5		10	G100	400	4.7-5.3	約3
			8	G100	400	4.0-6.0	約3
				G100	400	3.5-7.0	約3
			10	G125	500	5.7-6.5	約3
				G43	172	3.5-6.5	約1
				G40	160	4.0-7.5	約1
				G40	160	4.5-7.0	約0.9
25				G25	100	4.7-5.3	約1

表 38-4　末梢静脈栄養輸液（PPN）製剤

製品名	電解質濃度							
	Na⁺	K⁺	Mg²⁺	Ca²⁺	Cl⁻	SO₄⁻	Lac⁻	Ace⁻
	mEq/L							
アミノ酸加総合電解質液								
ツインパル® 輸液	35[*1]	20	5	5	35	5	20	
プラスアミノ® 輸液	約34				約34			
アミノ酸・ビタミン B₁ 加総合電解質液								
ビーフリード® 輸液	35[*1]	20	5	5	35[*1]	5	20	16
パレセーフ® 輸液	34.2[*1]	20	5	5	35.2	5	20	19[*1]
アミノ酸・水溶性ビタミン液								
パレプラス® 輸液	34.2[*1]	20	5.1	5	35.2	5.1	25.5	1.2
	電解質濃度							
	mEq/容器							
アミノ酸・脂肪・水溶性ビタミン液								
エネフリード® 輸液[*3]	35[*1]	20	5	5	35[*1]	5	21.1	16.4[*1]

製品名	浸透圧比[*4]（混合後）	pH（混合後）	Vit B₁ チアミン塩化物塩酸塩（mg/L）	Vit B₂ リボフラビンリン酸エステルナトリウム（mg）	Vit B₆ ピリドキシン塩酸塩（mg）
アミノ酸加総合電解質液					
ツインパル® 輸液	約3	約6.9			
プラスアミノ® 輸液	約3	4.0-5.2			
アミノ酸・ビタミン B₁ 加総合電解質液					
ビーフリード® 輸液	約3	約6.7	1.92		
パレセーフ® 輸液	約3	約6.7	2[*5]		
アミノ酸・水溶性ビタミン液					
パレプラス® 輸液	約3	約6.9	3.81	2.5	2.5
アミノ酸・脂肪・水溶性ビタミン液					
エネフリード® 輸液[*3]	約3	約6.4	3.82	2.3	3.66

[*1] 添加剤に由来するものを含む
[*2] G：グルコース
[*3] 1,100 mL あたり
[*4] 浸透圧比：生理食塩液に対する比
[*5] チアミンが 500 mL 中 1,000 mg

Glu⁻	Cit³⁻	P	Zn	糖質[*2]	総遊離アミノ酸	非蛋白熱量/窒素	窒素量	熱量
		mmol/L		g/L	g/L		g/L	kcal/L
5		10	5	G75	30	64	4.71	420
				G75	27.14	71	4.2	408
	6	10	5	G75	30	64	4.7	420
5		10	4.8	G75	30	64	4.7	420
	12[*1]	10	4.9	G75	30	64	4.7	420
		mmol/容器	mmol/容器	g/容器	g/容器			
5	6.3	10[*1]	5	G75	30[*1]	105[*1]	4.75[*1]	620[*1]

（下段へつづく）

水溶性 Vit					
Vit B₁₂	ナイアシン	パントテン酸	Vit C	葉酸	ビオチン
シアノコバラミン (μg)	ニコチン酸アミド (mg)	パンテノール (mg)	アスコルビン酸 (mg)	(mg)	(μg)
5	20	7.5	100	0.2	50
2.5	20	7.04	100	0.3	30

表 38-5　アミノ酸製剤

製品名	電解質濃度（mEq/L）			総遊離アミノ酸（g/L）
	Na⁺	Cl⁻	Ace⁻	
高濃度アミノ酸製剤				
アミパレン® 輸液	約 2		約 120	100
アミゼット® B 輸液				100
プロテアミン® 12 注射液	約 150	約 150		113.64
腎不全用アミノ酸液				
キドミン® 輸液	約 2		約 45	72.05
ネオアミユー® 輸液	約 2		約 47	59.2
肝不全用アミノ酸液				
アミノレバン® 点滴静注	約 14	約 94		79.86
モリヘパミン® 点滴静注	約 3		約 100	74.7

*¹ 浸透圧比：生理食塩液に対する比

表 38-6　脂肪乳剤・微量元素製剤・ビタミン剤

■脂肪乳剤

製品名	精製大豆油（%）	精製卵黄レシチン（%）	濃グリセリン（%）	カロリー（kcal/dL）	浸透圧比	pH
イントラリポス® 輸液 10%	10	1.2	2.2	110	約 1	6.5-8.5
イントラリポス® 輸液 20%	20	1.2	2.2	200	約 1	6.5-8.5

■高カロリー輸液用総合ビタミン剤

製品名	Vit B₁ チアミン塩化物塩酸塩(B₁：チアミンとして)(mg)	Vit B₂ リボフラビンリン酸エステル Na(B₂：リボフラビンとして)(mg)	Vit B₆ ピリドキシン塩酸塩(B₆：ピリドキシンとして)(mg)	Vit B₁₂ シアノコバラミン(mg)	ナイアシン ニコチン酸アミド(mg)
オーツカ MV 注	3.9（3.1）	4.6（3.6）	4.9（4）	0.005	40
ダイメジン・マルチ注	3	5.08（4）	4	0.01	40
ビタジェクト注キット	3	5.08（4）	4	0.01	40
マルタミン® 注射用	5	5	5	0.01	40

*² ビタミン A 油にはラッカセイ油が含まれる.

	窒素量 (g/L)	BCAA 含量率 E/N比	BCAA 含量率 %	熱量 (kcal/L)	浸透圧比[*1]	pH
	15.65	1.79	30	400	約3	6.5~7.5
	15.6	1.61	31	400	約3	6.1~7.1
	18.15	1.05	21.3	454	約5	5.7~6.7
	10	3.37	45.8	288	約2	6.5~7.5
	8.15	4.04	42.2	236	約2	6.6~7.6
	12.22	1.23	35.5	319	約3	5.5~6.5
	13.18	0.83	36.9	299	約3	6.6~7.6

■高カロリー輸液用微量元素製剤

製品名	2 mL 中の元素量（μmol） Fe	Mn	Zn	Cu	I	浸透圧比[*1]	pH
メドレニック®注	35	1	60	5	1	0.48～0.58	4.5～6.0
エレメンミック®注	35	1	60	5	1	約0.5	4.5～6.0
ボルビックス®注	35	1	60	5	1	約0.5	4.5～6.0
エレジェクト®注シリンジ	35	1	60	5	1	約0.5	4.5～6.0

[*1] 生理食塩液に対する比

パントテン酸 パントテノール（パントテン酸として）(mg)	Vit C アスコルビン酸 (mg)	葉酸 (mg)	ビオチン (mg)	Vit A （Vit A 単位）	Vit D$_3$ コレカルシフェロール(IU)	Vit E トコフェノール酢酸エステル(mg)	Vit K$_1$ フィトナジオン (mg)
14 (15)	100	0.4	0.06	3,300[*2]	200	10	2
14.04 (15)	100	0.4	0.1	3,300	10 μg エルゴカルシフェロール	15	2
14.04 (15)	100	0.4	0.1	3,300	10 μg エルゴカルシフェロール	15	2
15	100	0.4	0.1	4,000[*2] 国際単位	400	15	2（メナテトレノン）

表 38-7　中心静脈栄養輸液（TPN）製剤（1）

製品名	液量 (mL)	電解質量 mEq/袋							
		Na⁺ *¹	K⁺	Mg²⁺	Ca²⁺	Cl⁻	SO₄⁻	Lac⁻	Ace⁻ *¹
①高カロリー輸液用キット製品（糖・電解質液）									
リハビックス®-K1 号	500	5	10	1	4			9	1
リハビックス®-K2 号	500		15	2.5	7.5			2.5	2.5
ハイカリック® 液-1 号	700		30	10	8.5	10			25
ハイカリック® 液-2 号	700		30	10	8.5	10			25
ハイカリック® 液-3 号	700		30	10	8.5	10			22
ハイカリック® RF 輸液	500	25		3	3	15		15	
②高カロリー輸液用キット製品（糖・電解質・アミノ酸液）									
ピーエヌツイン®-1 号	1,000	50	30	6	8	50	6		34
ピーエヌツイン®-2 号	1,100	50	30	6	8	50	6		40
ピーエヌツイン®-3 号	1,200	51	30	6	8	50	6		46
③高カロリー輸液用キット製品（糖・電解質・アミノ酸・脂肪乳剤）									
ミキシッド® L	900	35	27	5	8.5	44	5		25
ミキシッド® H	900	35	27	5	8.5	40.5	5		25
④高カロリー輸液用キット製品（糖・電解質・アミノ酸・総合ビタミン液）									
ネオパレン® 1 号	1,000	50	22	4	4	50	4		47
ネオパレン® 2 号	1,000	50	27	5	5	50	5		53
フルカリック® 1 号	903	50	30	10	8.5	49		30	11.9
フルカリック® 2 号	1,003	50	30	10	8.5	49		30	11.9
フルカリック® 3 号	1,103	50	30	10	8.5	49		30	11.9
⑤高カロリー輸液用キット製品（糖・電解質・アミノ酸・総合ビタミン・微量元素液）									
エルネオパ® NF1 号	1,000	50	22	4	4	50	4	11	39
エルネオパ® NF2 号	1,000	50	27	5	5	50	5	14	48
ワンパル® 1 号	800	50	25	6	8	50	6.1	5.2	29
ワンパル® 2 号	800	50	30	6	8	50	6.1	4.6	40

*¹ 添加物に由来するものを含む（ワンパル Ace⁻，フルカリックを除く）．
*² 単位の記載がないものは mmol/袋
*³ 生理食塩液に対する比
*⁴ ビタミン A 油として．ビタミン A 油には落花生油が含まれる
*⁵ レチノールパルテミン酸エステルとして
*⁶ コレカルシフェロールとして
*⁷ エルゴカルシフェロールとして

| 電解質量 | | | | 微量元素 | | | | | 糖質 | 総遊離アミノ酸（g/袋） | 非蛋白熱量/窒素 |
| mEq/袋 | | | mmol/袋 | μmol/袋 | | | | | g/袋 | | |
Glu⁻	Cit³⁻*1	Suc²⁻	P*2	Fe	Mn	Zn	Cu	I	Glu		
			5			10			85		
			10			10			105		
8.5			150 mg			10			120		
8.5			150 mg			10			175		
8.5			250 mg			20			250		
3						10			250		
8			8			20			120	20	158
8			8			20			180	30	158
8			8			20			250.4	40	164
8.5			150 mg			10			110	30	126
8.5			200 mg			10			150	30	169
	4		5			20			120	20	153
	12	12	6			20			175	30	149
8.5			250 mg			20			120	20	154
8.5			250 mg			20			175	30	150
8.5			250 mg			20			250	40	160
	8		5	10	0.5	30	2.5	0.5	120	20	153
	12		6	10	0.5	30	2.5	0.5	175	30	149
	11.7		8	8.75	0.5	50	2.5	0.5	120	20	158
	14.4		8	8.75	0.5	50	2.5	0.5	180	30	158

（次ページへつづく）

表 38-7 つづき（2）

製品名	窒素量 g/袋	脂質 g/袋	熱量 kcal/袋	浸透圧比[*3]	pH
①高カロリー輸液用キット製品（糖・電解質液）					
リハビックス®-K1号			340	約4	4.8-5.8
リハビックス®-K2号			420	約5	4.8-5.8
ハイカリック®液-1号			480	約4	3.5-4.5
ハイカリック®液-2号			700	約6	3.5-4.5
ハイカリック®液-3号			1,000	約8	3.5-4.5
ハイカリック® RF輸液			1,000	約11	4.0-5.0
②高カロリー輸液用キット製品（糖・電解質・アミノ酸液）					
ピーエヌツイン®-1号	3.04		560	約4	約5
ピーエヌツイン®-2号	4.56		840	約5	約5
ピーエヌツイン®-3号	6.08		1,160	約7	約5
③高カロリー輸液用キット製品（糖・電解質・アミノ酸・脂肪乳剤）					
ミキシッド® L	4.61	15.6	700	約4	約6
ミキシッド® H	4.61	19.8	900	約5	約6
④高カロリー輸液用キット製品（糖・電解質・アミノ酸・総合ビタミン液）					
ネオパレン®1号	3.13		560	約4	約5.6
ネオパレン®2号	4.7		820	約5	約5.4
フルカリック®1号	3.12		560	約4	4.5-5.5
フルカリック®2号	4.68		820	約5	4.8-5.8
フルカリック®3号	6.24		1,160	約6	4.9-5.9
⑤高カロリー輸液用キット製品（糖・電解質・アミノ酸・総合ビタミン・微量元素液）					
エルネオパ® NF1号	3.13		560	約4	約5.2
エルネオパ® NF2号	4.7		820	約6	約5.4
ワンパル®1号	3.04		560	約4.8	約5.1
ワンパル®2号	4.56		840	約6.7	約5.2

[*1] 添加物に由来するものを含む（ワンパル Ace⁻，フルカリックを除く）.
[*2] 単位の記載がないものは mmol/袋
[*3] 生理食塩液に対する比
[*4] ビタミン A 油として．ビタミン A 油には落花生油が含まれる
[*5] レチノールパルミテン酸エステルとして
[*6] コレカルシフェロールとして
[*7] エルゴカルシフェロールとして

（④と⑤は次ページへつづく）

表 38-7 つづき(3)

製品名	水溶性 Vit					
	Vit B$_1$	Vit B$_2$	Vit B$_6$	Vit B$_{12}$	ナイア シン	パント テン酸
	チアミン 塩化物 塩酸塩 (mg/L)	リボフラビン リン酸エステル Na(mg)	ピリドキ シン 塩酸塩 (mg)	シアノコ バラミン (μg)	ニコチン酸 アミド (mg)	パンテ ノール (mg)
④高カロリー輸液用キット製品(糖・電解質・アミノ酸・総合ビタミン液)						
ネオパレン® 1 号	1.95	2.3	2.45	2.5	20	7
ネオパレン® 2 号	1.95	2.5	2.45	2.5	20	7
フルカリック® 1 号	1.5	2.54	2	5	20	7.02
フルカリック® 2 号	1.5	2.54	2	5	20	7.02
フルカリック® 3 号	1.5	2.54	2	5	20	7.02
⑤高カロリー輸液用キット製品(糖・電解質・アミノ酸・総合ビタミン・微量元素液)						
エルネオパ® NF1 号	3.84	2.3	3.675	2.5	20	7
エルネオパ® NF2 号	3.84	2.3	3.675	2.5	20	7
ワンパル® 1 号	4	2.5	4	5	20	7.5
ワンパル® 2 号	4	2.5	4	5	20	7.5

製品名	水溶性 Vit			脂溶性 Vit			
	Vit C	葉酸	ビオ チン	Vit A	Vit D	Vit E	Vit A
	アスコル ビン酸 (mg)	(mg)	(μg)	(VA 単位)	(μg)	トコフェ ノール酢酸 エステル (mg)	フィトナ ジオン (mg)
④高カロリー輸液用キット製品(糖・電解質・アミノ酸・総合ビタミン液)							
ネオパレン® 1 号	50	0.2	30	1,650[*4]	2.5[*6]	5	1
ネオパレン® 2 号	50	0.2	30	1,650[*4]	2.5[*6]	5	1
フルカリック® 1 号	50	0.2	50	1,650[*5]	5[*7]	7.5	1
フルカリック® 2 号	50	0.2	50	1,650[*5]	5[*7]	7.5	1
フルカリック® 3 号	50	0.2	50	1,650[*5]	5[*7]	7.5	1
⑤高カロリー輸液用キット製品(糖・電解質・アミノ酸・総合ビタミン・微量元素液)							
エルネオパ® NF1 号	100	0.3	30	1,650[*4]	2.5[*6]	5	0.075
エルネオパ® NF2 号	100	0.3	30	1,650[*4]	2.5[*6]	5	0.075
ワンパル® 1 号	100	0.3	50	1,650	2.5[*6]	5	0.075
ワンパル® 2 号	100	0.3	50	1,650	2.5[*6]	5	0.075

38

輸液製剤の使い方

表 38-8　補正用電解質液・アルカリ化薬・その他

■補正用電解質液

分類	製品名	液量(mL)	電解質濃度		
			Na⁺	K⁺	Ca²⁺
Na 製剤	大塚食塩注 10%	20	34		
	塩化ナトリウム注 10%「フソー」	20	34.2		
	塩化ナトリウム注 10%シリンジ「テルモ」	20	34.2		
	塩化 Na 補正液 1 mEq/mL	20	20		
	塩化 Na 補正液 2.5 mEq/mL	20	50		
K 製剤	KCL 補正液 1 mEq/mL	20		20	
	KCL 補正液キット 20 mEq	50		20	
	K. C. L.® 点滴液 15%	20		40	
	KCL 注 10 mEq キット「テルモ」	10		10	
	KCL 注 20 mEq キット「テルモ」	20		20	
Ca 製剤	塩化 Ca 補正液 1 mEq/mL	20			20
酸性化剤	塩化アンモニウム補正液 5 mEq/mL	20			
Mg 液	硫酸 Mg 補正液 1 mEq/mL	20			
P 製剤	リン酸 Na 補正液 0.5 mmol/mL	20	15		
	リン酸 2 カリウム注 20 mEq キット「テルモ」	20		20	
アルカリ化薬	乳酸 Na 補正液 1 mEq/mL	20	20		

*¹ 生理食塩液に対する比

■アルカリ化薬・その他

分類	製品名	液量(mL)	電解質濃度	
			Na⁺	K⁺
アルカリ化薬・その他	メイロン静注 7%	20	833	
	炭酸水素 Na 静注 7%PL「フソー」	20	833.2	
	メイロン静注 8.4%	20	1,000	
	炭酸水素 Na 静注 8.4%PL「フソー」	20	999.9	
その他	大塚塩カル注 2%	20		
	塩化カルシウム注 2%「NP」	20		

*¹ 生理食塩液に対する比

(mEq/管)					mmol/管	pH	浸透圧比*1
Mg^{2+}	NH_4^+	Cl^-	SO_4^{2-}	Lac^-	P		
		34				5.0-7.0	約11
		34.2				5.0-7.0	10.6-11.6
		34.2				4.5-6.5	約11
		20				5.0-7.5	約7
		50				5.0-7.0	約16
		20				5.0-6.5	約7
		20				5.0-6.5	約2
		40				5.0-7.0	
		10				5.0-6.5	約6
		20				5.0-6.5	約6
		20				4.5-7.5	約5
	100	100				4.0-5.0	約32
20				20		5.5-7.0	約2
					10	6.2-6.8	約3
					(20 mEq)	8.6-9.3	約4
				20		6.5-8.5	約7

(mEq/L)					pH	浸透圧比*1
Ca^{2+}	Mg^{2+}	Cl^-	SO_4^{2-}	HCO_3^-		
				833	7.0-8.5	約5
				833.2	7.0-8.5	約5
				1,000	7.0-8.5	約6
				999.9	7.0-8.5	約6
360		360			4.5-7.5	約2
360		360			4.5-7.5	約2

2 輸液量の決定

▶ どのくらいの水分や塩分が喪失されたのかを推定し，1度に急激な補正により医原性に悪化することを避けるため，原則，安全係数（0.3～0.5）を掛けたものを2～3日かけて補充していく．

▶ 水分欠乏量を推測する方法を以下に示す．体液喪失の既往がはっきりしている場合は，各体液中に含まれる電解質組成が参考になる（表38-9）．

a 体重からの推測

水分欠乏量(L)＝健常時体重(kg)－現在の体重(kg)

b 臨床症状からの推測

▶ 水分欠乏量を臨床症状から推測するための指標を表38-10に示す．

表38-9 体液中電解質組成

mEq/L	ナトリウム	カリウム	クロライド	重炭酸
汗[*1]	30～50	5	50	—
胃	40～60	10	100	0
膵臓	150	5～10	80	70～80
胆汁	145	5	100	25
十二指腸	90	10～20	90	10～20
回腸	40	10	60	70
大腸[*2]	40	90	20	30

[*1] 発汗：軽度 500 mL，中等度 1,000 mL，高度 1,500 mL
[*2] 下痢：軽度 500 mL，中等度 1,000 mL，高度 1,500 mL

表38-10 水分欠乏量と臨床症状

脱水の程度	欠乏量のめやす	体重減少	臨床症状
軽 度	成人で1～2 Lの水分欠乏	2%	軽度口渇，体重減少
中等度	成人で3～4 Lの水分欠乏	6%	高度口渇，乏尿
高 度	成人で4～8 Lの水分欠乏	7～14%	高度口渇，乏尿，精神症状

c Ht または総蛋白(TP)からの推測

水分欠乏量(L)＝健常時体重(kg)×0.6×(1－健常時X/現在X)
X：Ht または TP

d Na からの推測

水分欠乏量(L)＝(血清 Na－140)/140×総水分量(L)
総水分量(L)＝男性：体重(kg)×0.5, 女性：体重(kg)×0.4

e 一般的原則

▶体液量喪失の既往がある場合の輸液量：3〜5 L.
▶起立性低血圧がある場合の輸液量：5〜7 L.
▶敗血症では, 血管抵抗の低下, 血管透過性亢進などにより, さらに
大量の輸液が必要となる.

MEMO

39 腎機能低下時の薬剤投与における
注意点・薬剤性腎障害

1 腎機能が低下したCKD患者での薬物選択と処方設計

a 腎排泄型薬物の腎機能に基づく薬物処方設計

▶ 腎機能が低下すると，腎排泄型の薬物は血中濃度が上昇し，薬効の増強や副作用の頻度が高くなるため，腎機能に応じて1回投与量を減らすか，投与間隔を延長する必要がある．

▶ 薬物処方設計では，糸球体濾過量（GFR）を腎機能の指標とする．薬物の腎排泄は糸球体濾過だけでなく，尿細管での分泌・再吸収がかかわるが，一般に糸球体機能と尿細管機能の障害は並行して進行する（intact nephron 仮説）ため，GFR を用いてよい．

▶ 腎機能に応じた処方設計は，原則として添付文書の記載に従う．しかし添付文書に明確な記載がない場合も多く，「付録：腎機能低下時の薬剤投与量」（p.710〜793）を参考にする．

▶ 薬物の添付文書では，記載される腎機能が Cr クリアランス（Ccr）や血清 Cr，GFR など混在していることに注意する．「付録：腎機能低下時の薬剤投与量」では GFR に基づく処方設計が記載されているが，ほとんどの添付文書では Cockcroft-Gault（C-G）式による推算 Ccr（mL/分）や血清 Cr によって記載されている．

▶ C-G 式による推算 Ccr は，当時 Jaffe 法で測定された Cr 値で作成されている．このため，Jaffe 法より 0.2 mL/dL 低い値となる酵素法で測定された血清 Cr 値を用いて計算すると，偶然，推算 GFR（eGFR）と近い値になる（ Side memo 参照，☞p.680）．しかし，アシクロビルの添付文書は実測 Ccr（mL/分/1.73 m²）で表記されており，新しい薬物では eGFR で表記されている．

▶ なお eGFR が基準値より高値の場合には，腎機能にあわせて薬物投与量を増やす必要はない．

▶ 薬物処方設計では体表面積を補正しない個別化 eGFR（mL/分）を用いる．日本人の GFR 推算式の単位は mL/分/1.73 m²であるため，体表面積の補正を外す．

日本人の GFR 推算式（JSN eGFRcr）

JSN eGFRcr（mL/分/1.73 m²）

男性：$194 \times$ 血清 $Cr(mg/dL)^{-1.094} \times$ 年齢（歳）$^{-0.287}$

女性：$194 \times$ 血清 $Cr(mg/dL)^{-1.094} \times$ 年齢（歳）$^{-0.287} \times 0.739$

体表面積を補正しない個別化 eGFR＝eGFR $\times (A/1.73)$

DuBois 式

A：体表面積（m²）＝体重（kg）$^{0.425} \times$ 身長（cm）$^{0.725} \times 7184 \times 10^{-6}$

注：血清 Cr は酵素法で測定．日本人の GFR 推算式（JSN
　　eGFRcr）は 18 歳以上に適応．

▶体表面積 1.73 m²は，170 cm で 63 kg，175 cm で 60 kg に相当する．
　女性や高齢者では体表面積は1.73 m²より少ない場合が多いため，注
　意する．

▶抗菌薬の場合，「時間依存性」と「濃度依存性」で最適な投与法が異
　なる．十分な効果を得るため，過少投与とならないよう注意する．
　腎排泄型の抗菌薬であっても，初回投与量は減量しなくてよい場合
　が多い．たとえばレボフロキサシンでは，腎機能によらず初回は
　500 mg で投与する．

▶腎機能に応じた薬物処方設計を行い処方したのちは，薬効や副作用
　などを注意深く観察し，適切な処方調整を行うことが重要である．
　GFR 推算式などすべての腎機能評価法には誤差がある．

Side memo

なぜ添付文書では Ccr が用いられているのか？

「付録：腎機能低下時の薬剤投与量」（☞p.710）では GFR に応じた処方
調整が紹介されているが，ほとんどの添付文書では C-G 式による推算
Ccr や血清 Cr 値による表記がなされている．実測 Ccr は尿細管からの Cr
排泄があるため，必ず GFR より高値となるが，C-G 式の推算 Ccr は
eGFR に近似するため，薬剤添付文書の Ccr は eGFR に置き換えて考え
てもよい．

2010 年に米国食品医薬品局（FDA）のガイドラインが改訂され，臨床
治験時の腎機能評価法として，C-G 式による推算 Ccr 加えて MDRD
（Modification of Diet in Renal Disease）式による eGFR が追加され
た．そのため，アリスキレンや Na⁺グルコース共役輸送担体 2（SGLT2）
阻害薬などの添付文書は eGFR で記載されており，新しい薬物の添付文
書は eGFR での記載が一般的になると考えられる．

▶また薬物動態には腎排泄以外にも，薬物の吸収や代謝，分布などの影響があるため，肝排泄型薬物でも腎障害患者で血中濃度が上昇する場合がある．たとえばデュロキセチンは肝代謝であるが，「高度腎障害患者」は禁忌である．

▶急性腎障害（AKI）など，腎機能が大きく変動する場合の腎機能評価には注意を要する．AKI で腎機能が急激に低下しても，血清 Cr 値は24〜48 時間遅れて上昇する．逆に，腎機能回復期には血清 Cr 値は遅れて低下する．このため，AKI の病態・病期などから腎機能の推移を予測して薬物投与を行う必要がある．また AKI で血液浄化療法を行う場合には，その影響も考慮する必要がある．

b 血清 Cr 値に基づく腎機能評価のピットフォールとその対策

▶血清 Cr 値に基づく eGFR は筋肉量の影響を強く受ける．著しいるいそう，四肢欠損，筋肉疾患などで筋肉量が減少した症例では eGFR が高く推算され，逆に筋肉量が標準よりも多い場合には eGFR は低く推算される．とくに筋肉量の少ない患者では，腎排泄型薬物を過量投与する危険性があるため注意する．

▶腎機能は一定ではなく，食事，運動，体液量の変化などが影響し，血清 Cr 値には 10%程度の日内変動がある．血清 Cr 値は，脱水，激しい運動時や肉の大量摂取時には上昇し，たんぱく質制限時には低下する．Cr を含むサプリメントが影響する場合もある．

▶シメチジンやトリアムテレン，ドルテグラビルなど Cr の尿細管分泌を抑制する薬物を投与する際には血清 Cr 値が高くなり，eGFR は低く推算されるため注意が必要である．

▶血清シスタチン C（Cys-C）は筋肉量の影響を受けない GFR 指標である．筋肉量が標準と大きく異なる場合には，血清 Cys-C に基づくGFR 推算式（JSN eGFRcys）（p.99，p.535 参照）での評価を考慮する．より正確には，Ccr やイヌリンクリアランスを実測することが望ましい（☞p.530 参照）．

c 腎排泄型薬物投与におけるその他の注意点

▶薬物の尿中排泄は糸球体での濾過，尿細管での排泄と分泌により規定される．一般的に水溶性薬物は糸球体で濾過されるため，腎排泄となる．また一部の脂溶性薬物は尿細管分泌により腎排泄となる．同効薬の薬物動態は類似している場合が多く，腎機能が低下していても通常量投与が可能な薬品群として整理しておくとよい．

▶腎機能低下者に対する至適投与量が不明である薬剤も少なくない．

681

高度腎障害患者へ投与した報告がない場合もあり，処方に苦慮することがある．このような場合には，未変化体・活性体の尿中排泄率，消失半減期，蛋白結合率，分布容積などの薬物動態のパラメータから，至適投与量や投与方法を推測する．

▶日本では多くの成書で Giusti-Hayton 法が紹介されているが，この調製法の前提として，尿中未変化体排泄率が信頼できるデータであること，活性代謝物が存在しないこと，腎機能低下時に，分布容積と腎臓以外でのクリアランスが変化しないことが必要である．しかし，尿中未変化体排泄率はごく少数例の健常成人で検討されているにすぎず，慢性腎臓病（CKD）患者の尿中未変化体排泄率は不明である．つまり，Giusti-Hayton 法の前提は満たしていないことに注意する．

▶KDIGO（Kidney Disease:Improving Global Outcome）の Drug dosing consideration[1]では，添付文書に情報がない場合には慎重に査読された文献の推奨に基づくことが推奨されているが，Giusti-Hayton 法への言及はない．

▶完璧な処方設計はないため，処方後は薬剤と副作用をモニタリングし，適宜，処方設計を見直すことが重要である．

▶腎排泄型ではない代替薬があれば，腎機能に基づく薬物処方設計を行わなくてもよいため，切り替えを検討する．単純ヘルペス/帯状疱疹ウイルス感染症治療薬であるアシクロビル，バラシクロビル，ファムシクロビルは腎排泄型薬物であるが，アメナメビルは肝代謝型であるため，腎機能障害があっても減量する必要はない．ヒスタミン H_2 受容体拮抗薬（H_2 ブロッカー）の多くは腎排泄型だが，ラフチジン（プロテカジン®）は肝排泄型である．またプロトンポンプ阻害薬（PPI）やカリウムイオン競合型アシッドブロッカー（P-CAB）も肝排泄型である．

▶臨床治験は，PhaseⅠでは健常成人での薬物動態/薬力学（PK/PD）を，PhaseⅡでは少数例での最適な用量・用法を検討し，PhaseⅢでは設定された用法・用量で有効性と安全性を確認している．腎機能障害者の用法・用量は，厳格な臨床治験により決定されている．

▶日本腎臓病薬物療法学会の web サイトには「腎機能低下時に最も注意の必要な薬剤投与量一覧」などの情報があり，最新の情報を確認できる．

▶成書やインターネットで検索する場合，以下の書籍や web サイトが参考になる．

1. 参考となる書籍

▶日本腎臓病薬物療法学会 腎機能別薬剤投与方法一覧作成委員会

（編）：腎機能別薬剤投与量 POCKET BOOK．第 4 版，じほう，2022
- 平田純生，他(編著)：透析患者への投薬ガイドブック．改訂 3 版，じほう，2017
- Ashley C, et al.：The Renal Drug Handbook：The Ultimate Prescribing Guide for Renal Practitioners. 5th ed, CRC press, 2018
- Aronoff GR, et al.：Drug Prescribing in Renal Failure：Dosing Guidelines for Adults and Children. 5th ed, American Collage of Physicians, 2007
- Smith KM, et al.：Clinical Drug Data. 11th ed, McGraw-Hill, 2010

2. 参考となる web サイト
- 日本腎臓病薬物療法学会：CKD 関連情報
  (https://www.jsnp.org/ckd/)
- UpToDate
  (https://sso.uptodate.com/contents/search#)

2 薬剤性腎障害とその対策

a 薬剤性腎障害の診断

- 腎機能が低下した CKD 患者では，腎障害型の薬物の使用は避け，他の薬物への変更を考慮する．やむを得ず使用する場合には，慎重に腎機能などをモニタリングすることが必要である．
- AKI の原因として薬物が関連する場合も少なくないため，AKI では薬物投与との関連を注意深く検討する．
- CKD でとくに注意する薬物と腎機能障害の病態を表 39-1 に示す．
- PPI による CKD 発症・進展リスクが懸念される．PPI は間質性腎炎や低マグネシウム血症をきたす場合があり，CKD との関連についても多くの報告がある．「エビデンスに基づく CKD 診療ガイドライン 2023」[2) の CQ では，「PPI の長期的な併用は CKD 発症・進展のリスクとなる可能性があり，治療上必要な場合にのみ使用することを提案する【2C】」とされている．
- 薬剤性腎障害とは，「薬剤の投与により新たに発症した腎障害，あるいは既存の腎障害のさらなる悪化を認める場合」と定義される[3)．
- 薬剤性腎障害の診断基準を表 39-2[2) に示す．腎障害の判定は，CKD あるいは AKI の指針に準じる．
- AKI の診断は p.73 を，CKD の診断は p.97 を参照のこと．
- 薬剤性腎障害の分類は発症機序に基づき，①腎に作用して直接の毒性を示す中毒性腎障害，②アレルギー機序による急性間質性腎炎

表 39-1　腎機能障害を起こしやすい薬物

薬物	腎機能障害の病態
NSAIDs	腎血流低下，間質性腎炎，急性尿細管壊死，ネフローゼ症候群
アムホテリシン B	尿細管壊死，腎血流低下，尿細管性アシドーシス
シスプラチン	尿細管壊死
シクロスポリン	腎血流低下，慢性尿細管・間質性腎炎
アミノグリコシド系抗菌薬	尿細管壊死
イホスファミド	尿細管壊死
ヨード系造影剤	腎血流低下，急性尿細管壊死
メトトレキサート	閉塞性腎不全，尿細管壊死
マイトマイシン C	糸球体障害，溶血性尿毒症症候群
リチウム	腎性尿崩症
D-ペニシラミン	糸球体障害
フィブラート系薬	横紋筋融解症
ゾレドロン酸	尿細管壊死
パミドロン酸	ネフローゼ症候群
PPI	慢性腎臓病，低マグネシウム血症

NSAIDs：非ステロイド性抗炎症薬，PPI：プロトンポンプ阻害薬

表 39-2　薬剤性腎障害の診断基準

1. 該当する薬剤の投与後に新たに発生した腎障害であること
2. 該当薬剤の中止により腎障害の消失，進行の停止を認めること

上記の 1，2 があって，他の原因が否定できる場合に診断できる.
〔厚生労働省科学研究費補助金 平成 27 年度日本医療開発機構 腎疾患実用化研究事業「慢性腎臓病の進行を促進する薬剤等による腎障害の早期診断法と治療法の開発」薬剤性腎障害の診療ガイドライン作成委員会：薬剤性腎障害診療ガイドライン 2016. 日腎会誌 2016；58：477-555[3]〕

（過敏性腎障害），③薬剤による電解質異常，腎血流量減少などを介した間接毒性，④薬剤による結晶形成，結石形成による尿路閉塞性腎障害，に分類できる.

▶また腎の障害部位に基づき，①薬剤性糸球体障害，②薬剤性尿細管障害，③薬剤性腎間質障害，④薬剤性腎血管障害，に分類することも可能である.

▶表 39-3[2]に，発症機序による薬剤性腎障害のおもな臨床病型と，病

態および原因薬剤を示す.

▶薬剤性腎障害の診断や原因薬剤の特定がしばしば困難となる理由は以下のとおりである.

① 薬剤投与から発症までの時間が個々の薬剤で異なること.

② 既存の腎障害の存在などにより, 診断に難渋すること.

③ 原因と推定される薬剤が複数該当し, 確定診断は困難なことが多々あること.

④ 時に腎障害が固定して改善しないこと, 長期にわたり緩徐に進行する場合があること.

▶「薬剤性腎障害診療ガイドライン 2016」[3]に薬剤性腎障害の疫学がまとめられている. 2007〜2009 年の薬剤性腎障害調査では, 腎臓専門医施設における全入院患者のうち, 約 1%が薬剤性腎障害によるものであり, 36.5%が非回復であった.

▶また原因薬剤として, 非ステロイド性抗炎症薬(NSAIDs; 25.1%), 抗腫瘍薬(18.0%), 抗菌薬(17.5%), 造影剤(5.7%)があげられ, 54.6%が「直接型腎障害」であった.

▶尿中好酸球は, 薬剤のアレルギー性機序・免疫学的機序による急性尿細管間質性腎炎で検出される場合があるが, 偽陰性率が高く, 診断に有用なバイオマーカーとはいえない. 一方で, 尿中好酸球陽性は, 急性尿細管壊死の除外には有用である.

b 薬剤性腎障害の治療

▶薬剤性腎障害の治療の基本は, 該当薬剤を可能な限り早期に同定し, 中止することである.

▶急性尿細管壊死などは被疑薬の中止により数日〜数週間の経過で腎機能は自然回復することが多いが, 体液量, 電解質や酸・塩基平衡異常により全身状態が著しく不良となれば, 救命のために急性血液浄化療法を行う.

▶薬剤性急性間質性腎炎の場合, 被疑薬の中止により腎機能が改善する場合もあるが, 腎障害が遷延する場合は副腎皮質ステロイド療法を考慮する.

▶腎血流障害や電解質異常などを介した間接毒性では, 被疑薬の中止あるいは減量を行う. 腎前性 AKI, 電解質異常による腎障害は一般に可逆性であり, 被疑薬の中止あるいは減量後は速やかに回復することが多い.

▶尿細管での結晶析出による腎障害では, 可能であれば被疑薬の中止あるいは減量を行う. 尿量を確保するために十分に水分を摂取し,

表 39-3 **発症機序による薬剤性腎障害のおもな病型, 病態と原因薬剤**

発症機序	おもな臨床病型	病態	
中毒性	急性腎障害, 慢性腎不全	尿細管毒性物質による急性尿細管壊死, 尿細管萎縮	
	慢性腎不全	慢性間質性腎炎	
	急性腎障害	血栓性微小血管症	
	近位尿細管障害(尿糖, RTA, Fanconi 症候群)	近位尿細管での各種障害	
	遠位尿細管障害(濃縮力障害, RTA, 高カリウム血症)	集合管での各種障害	
アレルギー・免疫学的機序	急性腎障害	急性尿細管間質性腎炎	
	ネフローゼ	微小変化型ネフローゼ	
	蛋白尿～ネフローゼ	膜性腎症	
	急性腎障害～慢性腎不全	半月体形成性腎炎	
		ANCA 関連血管炎	
間接毒性	急性腎障害	腎血流量の低下, 脱水/血圧低下に併発する急性尿細管障害	
		腎血流障害の遷延による急性尿細管壊死	
		横紋筋融解症による尿細管障害→尿細管壊死	
	電解質異常(低ナトリウム血症, 低カリウム血症)	おもに遠位尿細管障害	
	多尿	高カルシウム血症による尿濃縮力障害	
	慢性腎不全	慢性低カリウム血症による尿細管障害	
尿路閉塞性	急性腎障害, 水腎症	過剰なプリン体生成の結果, 尿酸結石により閉塞	
	急性腎障害	結晶形成性薬剤による尿細管閉塞	

RTA：尿細管性アシドーシス, NSAIDs：非ステロイド性抗炎症薬, ST：スルファメトキサゾール・トリメトプリム, RAS：レニン・アンジオテンシン系, ACEI：アンジオテンシン変換酵素阻害薬, ARB：アンジオテンシンⅡ受容体拮抗薬, ANCA：抗好中球細胞質抗体

主要薬剤
アミノグリコシド系抗菌薬，白金製剤，ヨード造影剤，バンコマイシン，コリスチン，浸透圧製剤
NSAIDs，重金属，アリストロキア酸
カルシニューリン阻害薬（CNI），マイトマイシン C
アミノグリコシド系抗菌薬
リチウム製剤，アムホテリシン B，ST 合剤，CNI
抗菌薬，ヒスタミン H_2 受容体拮抗薬，NSAIDs など多数
金製剤，D-ペニシラミン，NSAIDs，リチウム製剤，インターフェロンα，トリメタジオン
金製剤，D-ペニシラミン，ブシラミン，NSAIDs，カプトプリル，インフリキシマブ
D-ペニシラミン，ブシラミン
プロピルチオウラシル（PTU），アロプリノール，D-ペニシラミン
NSAIDs，RAS 阻害薬（ACEI，ARB，ミネラルコルチコイド受容体拮抗薬）
各種向精神薬，スタチン，フィブラート系薬
NSAIDs
ビタミン D 製剤，カルシウム製剤
利尿薬，下剤
抗腫瘍薬（腫瘍崩壊症候群）
溶解度の低い抗ウイルス薬，抗菌薬の一部，トピラマート

〔厚生労働省科学研究費補助金 平成 27 年度日本医療開発機構 腎疾患実用化研究事業「慢性腎臓病の進行を促進する薬剤等による腎障害の早期診断法と治療法の開発」薬剤性腎障害の診療ガイドライン作成委員会：薬剤性腎障害診療ガイドライン 2016. 日腎会誌 2016；58：492[3]より一部改変〕

必要に応じて補液を行う．メトトレキサートによる腎障害の場合は，尿をアルカリ化する．

▶薬物中毒時には血液浄化療法による除去が有効である．アシクロビルやガンシクロビルは，血液透析により薬物血中濃度を低下させることができる．原因となる薬物の分子量，蛋白結合率，分布容積などにより透析性が低い場合があるため，適切な血液浄化法を選択する．

c 薬剤性腎障害の予防対策

▶中毒性腎症の腎障害の程度は，用量依存性である．そのため，原因となり得る薬剤を使用する場合は，過量投与とならないよう注意する．また代替薬のある場合は変更を検討する．

▶バンコマイシンを用いる際には，治療薬物モニタリング(TDM)を行い，投与量を調整する．腎機能に応じた用量調整を行っていても，AKIなどで急激に腎機能が低下すると過量投与となる場合もあるため，注意する．

▶免疫学的機序を介した腎障害の予防は，発症機序がアレルギー性であることから困難である．薬剤アレルギーやアレルギー疾患の既往を確認する．

▶腎血流障害や電解質異常などを介した間接毒性の予防としては，できるだけ処方をしない，また処方する場合には必要最少量にとどめることである．

▶カルシニューリン阻害薬(CNI)はTDMにより用量を適切に調整する．

▶NSAIDsでは腎障害のリスクを増大させる因子が知られている(表39-4)[4]．複数のリスク因子が重なることで，NSAIDsによるAKIリスクは高くなる．

▶鎮痛薬はNSAIDsではなく，アセトアミノフェンなど腎臓への影響がない薬物を選択する．NSAIDsを使用せざるを得ない場合には短期投与とし，可能であれば頓服とすることが望ましい．

▶NSAIDsの湿布薬などによる局所療法は安全性が高い．ただし，消炎鎮痛貼付剤のエスフルルビプロフェン(ロコア®テープ)は血中濃度が上昇するため，内服NSAIDsと同様に「高度腎障害」では禁忌である．透析に至るような重篤な副作用の報告があるため，添付文書の用法・用量を守って使用する．

▶活性型ビタミンD製剤投与で高カルシウム血症になるとAKIをきたすため，腎機能と血清Ca値をモニタリングする必要がある．とくに腎機能低下者では高カルシウム血症のリスクが高いため，減量す

表 39-4 非ステロイド性抗炎症薬（NSAIDs）による腎障害のリスクを増大させる因子

腎血流の低下	循環血漿量の低下
高齢者	うっ血性心不全
高血圧	ネフローゼ症候群
CKD	肝硬変
脱水	細胞外液量低下
糖尿病	利尿薬投与
ACE 阻害薬，ARB など腎血流を低下させる薬物の投与	

CKD：慢性腎臓病，ACE：アンジオテンシン変換酵素，ARB：アンジオテンシンⅡ受容体拮抗薬
〔日本腎臓学会（編）：CKD 診療ガイド 2012．東京医学社，2012[4]より一部改変〕

るか，骨粗鬆症に対する処方であれば代替薬への変更を検討する．シックデイには休薬を検討する．
▶ヒト免疫不全ウイルス（HIV）感染症や B 型肝炎の治療に用いられるテノホビルは尿細管細胞毒性があり，腎機能障害，低リン血症（Fanconi 症候群を含む），骨密度の低下をきたす．テノホビル使用時は，尿中 β_2 マイクログロブリン，尿細管 P 再吸収率（% TRP）などによって尿細管障害をモニタリングし，腎障害の早期発見・治療に努める．
▶テノホビルアラフェナミドは尿細管細胞毒性が少なく，テノホビルから切り替えることで，腎機能障害や骨密度低下が改善すると報告されており，テノホビルからテノホビルアラフェナミドの切り替えを検討する．

d シックデイ対策

▶糖尿病患者では，発熱，下痢，嘔吐，食欲不振などにより食事が摂れない状態を「シックデイ」とし，ビグアナイド薬や SGLT2 阻害薬は中止するなどの対応が定められている．
▶CKD 患者に限らず，シックデイには脱水などにより急激に腎機能が低下し，腎排泄型薬物の過量投与や薬剤性腎障害のリスクが高くなる．
▶KDIGO ガイドライン[5]では，重症併発症がある場合は AKI リスクが高まるため，腎毒性や腎排泄型薬物の中止を推奨している．例として，レニン・アンジオテンシン系（RAS）阻害薬，利尿薬，NSAIDs，メトホルミン，リチウム，ジゴキシンがあげられている．
▶高齢者や CKD 患者は AKI のリスクが高く，薬剤性の AKI を合併し

やすい．さらにシックデイ時には，薬剤性を含む AKI リスクが高くなる．このため CKD 患者は，著しい体調不良時には速やかに医療機関を受診し，薬物の減量や一時休薬を含めた適切な治療を受ける必

Side memo

疼痛のある CKD 患者への鎮痛薬の選択

CKD 患者には高齢者が多く，腰痛症などの疼痛を有することが少なくない．しかし，NSAIDs は AKI や消化管出血などのリスクがある．このため CKD 患者では，NSAIDs は短期使用にとどめ，常用しないことが望ましい．NSAIDs による腎障害リスクを増大させる因子（表 39-4）として RAS 阻害薬や利尿薬の投与があげられるため，併用薬に注意する．選択的シクロオキシゲナーゼ（COX）-2 阻害薬は腎障害が少ないとの報告があるが，CKD 患者における安全性についてのエビデンスは不十分である．

アセトアミノフェンは長期投与により慢性腎障害リスクが報告されているが，糸球体血流を減少させないため，CKD 患者の鎮痛薬としては，まず第一にアセトアミノフェンを用いる．とくにシックデイでは NSAIDs による AKI リスクが高まるため，アセトアミノフェンへの変更を検討する．アセトアミノフェンの添付文書において，「重篤な腎障害患者」など 5 集団が「禁忌」ではなくなる予定である．

ワクシニアウイルス接種家兎炎症皮膚抽出液の CKD 患者に対する大規模試験は存在しないが，腰痛症などで広く使用されており，神経障害性疼痛の第二選択薬に位置づけられているので，標準治療で改善しない疼痛に対して使用を考慮する[6]．

ガバペンチンやプレガバリン，ミロガバリンなどガバペンチノイドは腎排泄型薬剤であり，腎障害患者では不動性めまいや傾眠などの中枢神経に対する副作用が起こりやすいため，腎機能に合わせた用量調整が必要である．

オピオイドのうちトラマドールは CKD 患者では用量調整が必要であるが，ブプレノルフィンは肝排泄型であり，腎機能に応じた用量調整は必要ない．モルヒネ，フェンタニル，オキシコドンは乱用・依存に注意が必要であり，代謝産物が腎排泄であるため，CKD 患者での使用にはとくに注意が必要である．

抗てんかん薬，抗うつ薬，抗不安薬，中枢性筋弛緩薬は鎮痛薬としても使用され，デュロキセチン，アミトリプチリン，ノルトリプチリン，イミプラミンはガバペンチンとともに，神経障害性疼痛に対する第一選択薬となっているが[6]，ノルトリプチリンとイミプラミンの添付文書には鎮痛薬としての効能・効果は記載されていない．デュロキセチンは肝代謝型薬剤だが，高度腎障害では禁忌である．

要がある.

▶さまざまな疾患や病態でシックデイ・ルールが提唱されているが, CKD患者に対するシックデイの定義やシックデイ・ルールは確立されていない. 脱水状態では血圧が低下し, 腎血漿流量が低下するなどして腎機能が低下し, 薬剤性腎障害のリスクが高くなるため, 腎排泄型薬物や腎障害性のある薬物の一時休薬や減量を検討する.

▶シックデイで休薬したあとの当該薬の再開についても, あらかじめ患者にわかりやすく説明しておく必要がある.

▶CKD患者のシックデイへの対応案を Side memo に示す. 薬物の減量・中止により症状が悪化する危険もあるため, 病態に応じて必要な対策を行う.

e その他の注意点

▶CKD患者では複数の薬物を処方されていることが少なくない. 複数の薬物を処方されている場合には, シトクロムP450(CYP)代謝など

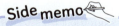

CKD患者のシックデイにおける対応策

シックデイには速やかに医療機関を受診し, 治療を受ける.

脱水状態では利尿薬やRAS阻害薬によるAKIリスクが高くなるが, 休薬により心不全の増悪や心血管疾患(CVD)リスクが高まる可能性がある. またCKD患者が脱水症であるかを正しく判断できない可能性もあるため, 表に示す薬剤を用いる場合は, 医療機関で病態に応じて休薬を判断すべきである.

表 シックデイ時の薬剤対応

シックデイ (≒脱水状態)に 休薬する薬	・NSAIDs(アセトアミノフェンなど他の解熱鎮痛薬で代替可能) ・ビグアナイド薬 ・SGLT2阻害薬(糖尿病とCKD治療を目的とする場合) ・活性型ビタミンD製剤(著しい食欲不振や脱水状態では, 高カルシウム血症やAKIリスクが高くなるため, 一時休薬を考慮してもよい)
シックデイであっても医療機関で休薬の判断が必要な薬	・利尿薬 ・RAS阻害薬 ・SGLT2阻害薬(心不全治療を目的とする場合)

表 39-5　おもな CYP の基質，阻害薬，誘導薬

CYP	基質となるおもな薬物	
1A2	SSRI(フルボキサミン)，解熱鎮痛薬(アセトアミノフェン)，抗うつ薬(アミトリプチリン)，抗凝固薬(ワルファリン)，抗不整脈薬(メキシレチン，ベラパミル)，喘息治療薬(テオフィリン)	
2B6	抗腫瘍薬(シクロホスファミド)	
2C8	HMG-CoA 阻害薬(セリバスタチン*1)，抗腫瘍薬(パクリタキセル)，利尿薬(トラセミド)	
2C9	ARB(ロサルタン，イルベサルタン)，HMG-CoA 阻害薬(フルバスタチン)，NSAIDs(ジクロフェナク，セレコキシブ)，抗うつ薬(アミトリプチリン，fluoxetine，抗腫瘍薬(タモキシフェン)，抗凝固薬(ワルファリン)，抗てんかん薬(フェニトイン)，利尿薬(トラセミド)	
2C19	PPI(ランソプラゾール，オメプラゾール，ラベプラゾール)，抗うつ薬(アミトリプチリン)，抗腫瘍薬(シクロホスファミド)，抗凝固薬(ワルファリン)，抗てんかん薬(ジアゼパム，フェニトイン，プリミドン)	
2D6	SNRI(デュロキセチン，パロキセチン)，SSRI(フルボキサミン)，β遮断薬(カルベジロール，メトプロロール)，オピオイド薬(オキシコドン)，抗腫瘍薬(タモキシフェン)，抗不整脈薬(リドカイン，メキシレチン)，鎮咳薬(コデイン，デキストロメトルファン)，抗うつ薬(アミトリプチリン)	
2E1	解熱鎮痛薬(アセトアミノフェン)	
3A4, 5, 7	Ca 拮抗薬(アムロジピン，ジルチアゼム)，HMG-CoA 阻害薬(アトルバスタチン，セリバスタチン*1，ロスバスタチン)，抗ヒスタミン薬(クロルフェニラミン)，副腎皮質ステロイド(エストラジオール，ヒドロコルチゾン)，ベンゾジアゼピン系薬剤(ジアゼパム，ミダゾラム，トリアゾラム)，マクロライド系抗菌薬(クラリスロマイシン)	

強力な阻害：薬物血中濃度時間曲線下面積(AUC)が 5 倍以上もしくは 80%以上クリアランスが低下
中程度の阻害：AUC が 2 倍以上，もしくは 50〜80%以上クリアランスが低下
弱い阻害：AUC が 1.25〜2 倍，もしくは 20〜50%以上クリアランスが低下

阻害薬など			誘導薬など
強力な阻害	中程度の阻害	弱い阻害	
フルボキサミン, シプロフロキサシン		シメチジン	インスリン, オメプラゾール, タバコ
			フェノバルビタール, フェニトイン, リファンピシン
Gemfibrozil	トリメトプリム		リファンピシン
フルコナゾール	アミオダロン		リファンピシン
			カルバマゼピン, プレドニゾロン, リファンピシン
シナカルセト, キニジン, パロキセチン	デュロキセチン, テルビナフィン	アミオダロン, セルトラリン, シメチジン	デキサメタゾン, リファンピシン
			エタノール, イソニアジド
クラリスロマイシン, イトラコナゾール, テリスロマイシン[*2]	エリスロマイシン, フルコナゾール, ベラパミル, ジルチアゼム, グレープフルーツジュース, アプレピタント	シメチジン	バルビツール酸系薬, カルバマゼピン, グルココルチコイド, フェノバルビタール, フェニトイン, リファンピシン, セントジョーンズワート

[*1], [*2] 販売中止されている.
SSRI：選択的セロトニン再取り込み阻害薬, HMG-CoA：ヒドロキシメチルグリタリル-CoA, ARB：アンジオテンシンⅡ受容体拮抗薬, NSAIDs：非ステロイド性抗炎症薬, PPI：プロトンポンプ阻害薬, SNRI：セロトニン・ノルアドレナリン再取り込み阻害薬

39 腎機能低下時の薬剤投与における注意点・薬剤性腎障害

- おもな CYP 誘導薬や，臨床的に重要な CYP 阻害薬について**表 39-5**に示す．
- 複数の薬剤を処方されている場合には，相互作用にも注意が必要である．たとえば，リン吸着薬として頻用される炭酸カルシウムや炭酸ランタンは，ニューキノロン系抗菌薬やテトラサイクリン系抗菌薬と併用すると，キレートを形成することで吸収を抑制し，薬効が低下するという相互作用がある．また，抗結核薬として頻用されるリファンピシンは，ワルファリンを併用した場合，リファンピシンによる代謝酵素誘導によってワルファリンの代謝が促進し，薬効が低下する．さらに，ワルファリンとスルファメトキサゾール・トリメトプリム(ST)合剤を併用した場合には，ST 合剤によってワルファリンの代謝が阻害されるために，ワルファリン濃度が高くなり，プロトロンビン時間―国際標準化比(PT-INR)の上昇をきたすことがある．
- 高齢者では多剤服用が多く，害のある場合を「ポリファーマシー」とよぶ．複数の医療機関で治療を受けていたり，サプリメントや一般用医薬品を内服している場合もある．また，認知機能低下などさまざまな要因で服薬アドヒアランスが低下している場合がある．
- 高齢者の薬物動態は，吸収(absorption)，分布(distribution)，代謝(metabolism)，排泄(excretion)のおのおので健常人とは異なっており，とくに代謝や排泄は加齢の影響を受けやすい．「高齢者の医薬品適正使用の指針―総論編」[7]を参考にする．

文献

1) Matzke GR, et al.：Drug dosing consideration in patients with acute and chronic kidney disease-a clinical update from Kidney Disease：Improving Global Outcomes (KDIGO). Kidney Int 2011；80：1122-1137
2) 日本腎臓学会 (編)：エビデンスに基づく CKD 診療ガイドライン 2023．東京医学社，2023
3) 厚生労働省科学研究費補助金 平成 27 年度日本医療開発機構 腎疾患実用化研究事業「慢性腎臓病の進行を促進する薬剤等による腎障害の早期診断法と治療法の開発」薬剤性腎障害の診療ガイドライン作成委員会：薬剤性腎障害診療ガイドライン 2016．日腎会誌 2016；58：477-555
4) 日本腎臓学会 (編)：CKD 診療ガイド 2012．東京医学社，2012
5) KDIGO 2012 Clinical Practice Guideline for the Evaluation and Management of Chronic Kidney Disease. 2013 https://kdigo.org/wp-content/uploads/2017/02/KDIGO_2012_CKD_GL.pdf (2023 年 9 月閲覧)
6) 日本ペインクリニック学会：神経障害性疼痛薬物療法ガイドライン．改訂第 2 版，真興交易医書出版部，2016
7) 厚生労働省：高齢者の医薬品適正使用の指針―総論編．2018 https://www.mhlw.go.jp/content/11121000/kourei-tekisei_web.pdf (2023 年 7 月閲覧)

40 付録

1 腎疾患患者の食事療法

▶「慢性腎臓病による食事療法基準 2014 年度版」[1]では CKD の食事療法について，成人（表 1〜表 3）[1]，小児（表 4〜表 11）[1~5]，体重（表 12）[1]の 3 部構成で解説している．

▶高齢者や腎機能が低下した患者においては，しばしばサルコペニア，フレイル，protein-energy wasting（PEW；表 13）[6]といった病態が認められ，それらの治療には十分なたんぱく質摂取量が有効であり，腎臓病食のたんぱく質制限と両立しない．そこで，CKD の食事療法基準の補足として，2019 年に「サルコペニア，フレイルを合併した保存期 CKD の食事療法の提言」が出された（表 14）[7]．

▶ネフローゼ症候群における食事管理は大きく分けて，①食塩制限，②たんぱく質制限，③エネルギー摂取量の管理，がある．食塩の制限は浮腫軽減のために必須であるが，たんぱく質制限はエビデンスが十分でなく，必ずしも推奨されていない．エネルギー摂取が不足することは避ける必要があるが，副腎皮質ステロイド使用による糖尿病の発症や食欲が促進される患者においては，病状に応じてエネルギーの調整が必要となる（表 15）[8]．

▶急性腎炎症候群についてはガイドラインなどの記載がなく，1997 年の「腎疾患患者の生活指導・食事療法に関するガイドライン」を参考にしていただきたい（表 16）[8]．

695

表 1　慢性腎臓病（CKD）に対する食事療法基準（成人）

・エネルギーは，性，年齢，身体活動レベルなどを考慮するが，25〜35 kcal/kg 標準体重/日で指導し，身体所見や検査所見などの推移により適時に変更する．

・たんぱく質は，標準的治療としては，ステージ G3a では 0.8〜1.0 g/kg 標準体重/日，ステージ G3b 以降では 0.6〜0.8 g/kg 標準体重/日で指導する．糖尿病性腎症などでは，ステージ G4 以降で 0.6〜0.8 g/kg 標準体重/日の指導としてもよい．より厳格なたんぱく質制限は，特殊食品の使用経験が豊富な腎臓専門医と管理栄養士による継続的な患者指導のための整備された診療システムが不可欠である．十分なエネルギーの確保が必要で，サルコペニア，protein-energy wasting（PEW），フレイルなどの発症に十分に注意する．

・食塩は，ステージにかかわらず 6 g/日未満とし，3 g/日未満の過度の食塩制限は推奨しない．ただし，ステージ G1〜G2 で高血圧や体液過剰を伴わない場合には，過剰摂取を避けることを優先し，日本人の食事摂取基準の性別の目標量を当面の達成目標としてもよい．

・カリウムは，ステージ G3a までは制限せず，G3b では 2,000 mg/日以下，G4〜G5 では 1,500 mg/日以下を目標とする．ただし，血清カリウム値を参考に薬剤の副作用や合併症をチェックし，必要に応じて制限することが重要である．また，たんぱく質の制限によりカリウムも制限されるため，具体的な食事指導には画一的ではない総合的な対応が必要である．

・リンは，たんぱく質の指導と関連して考慮し，1 日の総摂取量と検査値をあわせて評価し，必要に応じてリン吸着薬も使用して，血清リン値を基準値内に保つようにする．また，食品のリンの利用率やリン/たんぱく質比なども考慮する．

・透析療法期の食事療法基準は，別表とする．

〔日本腎臓学会（編）：慢性腎臓病に対する食事療法基準 2014 年度版．日腎会誌 2014；56：563[1]〕

表2　慢性腎臓病（CKD）ステージによる食事療法基準

ステージ （GFR）	エネルギー （kcal/kgBW/日）	たんぱく質 （g/kgBW/日）	食塩 （g/日）	カリウム （mg/日）
ステージ1 （GFR≧90）	25～35	過剰な摂取を しない	3≦　＜6	制限なし
ステージ2 （GFR 60～89）		過剰な摂取を しない		制限なし
ステージ3a （GFR 45～59）		0.8～1.0		制限なし
ステージ3b （GFR 30～44）		0.6～0.8		≦2,000
ステージ4 （GFR 15～29）		0.6～0.8		≦1,500
ステージ5 （GFR＜15）		0.6～0.8		≦1,500
5D （透析療法中）	別表			

注）エネルギーや栄養素は，適正な量を設定するために，合併する疾患（糖尿病，肥満など）のガイドラインなどを参照して病態に応じて調整する．性別，年齢，身体活動度などにより異なる．

注）体重は基本的に標準体重（BMI＝22）を用いる．

〔日本腎臓学会（編）：慢性腎臓病に対する食事療法基準2014年度版．日腎会誌2014；56：564[1]〕

表3　慢性腎臓病（CKD）ステージによる食事療法基準

ステージ 5D	エネルギー （kcal/ kgBW/日）	たんぱく質 （g/kgBW/ 日）	食塩 （g/日）	水分	カリウム （mg/日）	リン （mg/日）
血液透析 （週3回）	注1,2 30～35	注1 0.9～1.2	注3 ＜6	できる だけ 少なく	≦2,000	≦たんぱ く質（g） ×15
腹膜透析	注1,2,4 30～35	注1 0.9～1.2	PD除水量（L） ×7.5＋ 尿量（L）×5	PD 除水量 ＋尿量	注5 制限なし	≦たんぱ く質（g） ×15

注1 体重は基本的に標準体重（BMI＝22）を用いる．

注2 性別，年齢，合併症，身体活動度により異なる．

注3 尿量，身体活動度，体格，栄養状態，透析間体重増加を考慮して適宜調整する．

注4 腹膜吸収ブドウ糖からのエネルギー分を差し引く．

注5 高カリウム血症を認める場合には血液透析同様に制限する．

〔日本腎臓学会（編）：慢性腎臓病に対する食事療法基準2014年度版．日腎会誌2014；56：564[1]〕

表4 慢性腎臓病（CKD）に対する食事療法基準（小児）

基本事項	1. 小児の正常な成長および発達にとって，適切な栄養摂取は不可欠である.
	2. 経口で十分な栄養が摂取できない小児（とくに2歳以下）では，積極的に経管栄養を考慮する.
	3. 栄養状態の評価として，成長や栄養摂取状況の評価を定期的に行う.
エネルギー	1. 小児CKDでは，健常児と同等の十分なエネルギー摂取が必要である.
	2. 体格相当のエネルギー摂取で十分な成長が得られない場合は，その不足以外の要因を検討し，必要であれば実年齢相当のエネルギー摂取量への増加を検討する.
	3. 腹膜透析も十分な栄養摂取が必要であるが，透析液からの糖吸収によるエネルギー付加分を考慮する.
たんぱく質	1. たんぱく質制限の小児CKDの進行抑制効果には十分なエビデンスがない.
	2. たんぱく質制限は成長障害のリスクともなりうるため，小児CKDでは行うべきではない.
	3. たんぱく質の過剰摂取は避けるべきであるが，小児CKDにおけるたんぱく質の耐用上限量は明らかではない.
	4. CKDステージ5Dにおけるたんぱく質摂取量は，窒素出納が正になるよう配慮する.
食塩・水	1. CKDステージや個々の原疾患により，食塩と水の補充も制限も必要である.
	2. 先天性腎尿路奇形では，Na再吸収障害や尿濃縮力障害があるので，食塩と水の補充による適正な体液管理が必要である.
	3. 小児CKDは，CVD発症のリスクでありCVDによる死亡率も高いため，溢水や高血圧などを認める場合は，食塩と水制限による循環血液量是正が必要である.
カリウム	1. CKDステージ2～4で高カリウム血症を認める場合は，尿中K排泄低下以外の可能性を評価する.
	2. CKD以外の明らかな原因がなく高カリウム血症を認める場合や，高カリウム血症のリスクがある場合は，K制限を考慮する.
リン	1. CKDステージ2～5(D)で高リン血症を認める場合は，食事によるP制限を行う（乳製品，チョコレートなどの摂取を控える）. それでも管理できない場合は，リン吸着薬の使用を考慮する.
	2. 血清Ca，P値の適正な管理でもi-PTHが上昇する場合は，活性型ビタミンDの投与を開始する.
カルニチン・ビタミン（ビタミンDを除く）	1. カルニチン欠乏症状を呈した場合は，カルニチン欠乏の有無を評価したうえで，その補充を考慮する.
	2. すべてのCKDステージで，日本人の食事摂取基準の推奨量あるいは目安量に準じたビタミンを摂取することが望ましい.
	3. 摂取不足が明らかな栄養素に限ってサプリメントの使用を考慮する. 総合ビタミン剤などの安易な使用は過剰症を招く恐れがある.

CVD：心血管疾患，PTH：副甲状腺ホルモン
〔日本腎臓学会（編）：慢性腎臓病に対する食事療法基準2014年度版. 日腎会誌2014；56：576[1)]〕

表5 慢性腎臓病（CKD）ステージならびに年齢別の栄養状態評価間隔（月）

CKD ステージ	年齢＜1歳			1〜3歳		
	2〜3	4〜5	5D	2〜3	4〜5	5D
栄養摂取状況	0.5〜3	0.5〜3	0.5〜2	1〜3	1〜3	1〜3
身長	0.5〜1.5	0.5〜1.5	0.5〜1	1〜3	1〜2	1
成長率	0.5〜2	0.5〜2	0.5〜1	1〜6	1〜3	1〜2
体重	0.5〜1.5	0.5〜1.5	0.25〜1	1〜3	1〜2	0.5〜1
BMI	0.5〜1.5	0.5〜1.5	0.5〜1	1〜3	1〜2	1
頭囲	0.5〜1.5	0.5〜1.5	0.5〜1	1〜3	1〜2	1〜2

CKD ステージ	3歳＜			
	2	3	4〜5	5D
栄養摂取状況	6〜12	6	3〜4	3〜4
身長	3〜6	3〜6	1〜3	1〜3
成長率	6	6	6	6
体重	3〜6	3〜6	1〜3	1〜3
BMI	3〜6	3〜6	1〜3	1〜3
頭囲	—	—	—	—

〔KDOQI Work Group：KDOQI Clinical Practice Guideline for Nutrition in Children with CKD：2008 update. Executive summary. Am J Kidney Dis 2009；53（3 Suppl 2）：S11–S104[2]〕より一部改変〕

表6 推定エネルギー必要量（kcal/日）

年齢 性別	男性	女性	年齢 性別	男性	女性
0〜5（月）	550	500	6〜7（歳）	1,550	1,450
6〜8（月）	650	600	8〜9（歳）	1,850	1,700
9〜11（月）	700	650	10〜11（歳）	2,250	2,100
1〜2（歳）	950	900	12〜14（歳）	2,600	2,400
3〜5（歳）	1,300	1,250	15〜17（歳）	2,800	2,300

身体活動レベルⅡ＝1.75 として表示
〔厚生労働省：「日本人の食事摂取基準（2020年版）」策定検討委員会報告書．2020：84
https://www.mhlw.go.jp/content/10904750/000586553.pdf（2023年6月閲覧）[3]〕

表7 たんぱく質摂取推奨量および目安量（g/日）

性別 年齢	男性		女性	
	推奨量	目安量	推奨量	目安量
0〜5か月	—	10	—	10
6〜8か月	—	15	—	15
9〜11か月	—	25	—	25
1〜2歳	20	—	20	—
3〜5歳	25	—	25	—
6〜7歳	30	—	30	—
8〜9歳	40	—	40	—
10〜11歳	45	—	50	—
12〜14歳	60	—	55	—
15〜17歳	65	—	55	—

〔厚生労働省：「日本人の食事摂取基準（2020年版）」策定検討委員会報告書．2020：126　https://www.mhlw.go.jp/content/10904750/000586553.pdf（2023年6月閲覧）[3]〕

表8 維持腹膜透析中の小児におけるたんぱく質摂取推奨量（g/kg/日）

年齢	推奨量	年齢	推奨量
0〜1歳	3.0	6〜10歳	2.0
2〜5歳	2.5	11〜15歳	1.5

〔上村　治：小児の至適透析量と栄養．小児PD研究会雑誌 2005；18：38-49[4]〕

表9 ナトリウムの目安量および目標量

	男性		女性	
	目安量	目標量	目安量	目標量
0〜5か月	100（0.3）	—	100（0.3）	—
6〜11か月	600（1.5）	—	600（1.5）	—
1〜2歳	—	（3.0未満）	—	（3.0未満）
3〜5歳	—	（3.5未満）	—	（3.5未満）
6〜7歳	—	（4.5未満）	—	（4.5未満）
8〜9歳	—	（5.0未満）	—	（5.0未満）
10〜11歳	—	（6.0未満）	—	（6.0未満）
12〜14歳	—	（7.0未満）	—	（6.5未満）
15〜17歳	—	（7.5未満）	—	（6.5未満）

Na［mg/日］，（　）は食塩相当量［g/日］

〔厚生労働省：「日本人の食事摂取基準（2020年版）」策定検討委員会報告書．2020：306　https://www.mhlw.go.jp/content/10904750/000586553.pdf（2023年6月閲覧）[3]〕

表 10　年齢別血清リン値（mg/dL）の正常範囲

年齢	下限値	上限値	年齢	下限値	上限値
0 か月	5.00	7.70	1 歳	3.86	6.23
1 か月	4.80	7.50	2 歳	3.80	6.00
2 か月	4.60	7.30	3 歳	3.80	5.90
3 か月	4.48	7.10	4 歳	3.85	5.80
4 か月	4.38	6.95	5 歳	3.90	5.80
5 か月	4.27	6.80	6 歳	3.90	5.80
6 か月	4.18	6.70	7 歳	3.90	5.80
7 か月	4.10	6.63	8 歳	3.85	5.80
8 か月	4.01	6.58	9 歳	3.80	5.80
9 か月	3.95	6.50	10 歳	3.75	5.80
10 か月	3.90	6.41	11 歳	3.70	5.80
11 か月	3.90	6.40	12 歳	3.60	5.80
			13 歳	3.50	5.80
			14 歳	3.33	5.70
			15 歳	3.20	5.50
			16 歳	3.08	5.30
			17 歳	2.90	5.10

〔亀井宏一：新しい小児の臨床検査基準値ポケットガイド．田中敏章（編著），じほう，2009：78-79[5]より引用，一部改変〕

表 11　リンの目安量（mg/日）

年齢 性別	男性	女性	年齢 性別	男性	女性
0～5 か月	120	120	8～9 歳	1,000	1,000
6～11 か月	260	260	10～11 歳	1,100	1,000
1～2 歳	500	500	12～14 歳	1,200	1,000
3～5 歳	700	700	15～17 歳	1,200	900
6～7 歳	900	800			

〔厚生労働省：「日本人の食事摂取基準（2020 年版）」策定検討委員会報告書．2020：310
https://www.mhlw.go.jp/content/10904750/000586553.pdf（2023 年 6 月閲覧）[3]〕

表12 慢性腎臓病（CKD）における適正な体重に関する検討報告

- 腎疾患の食事療法における体重は，従来は実測体重であったが，わが国では1997年からBMI＝22で規定される標準体重が用いられるようになった．
- CKDでは体重や体格の大きいほうが，生命予後が良好という肥満のパラドックス（reverse epidemiologyともいう）の存在がある．
- 目標とする体重は，尿蛋白の有無，腎予後と生命予後のリスク，合併症の有無などを考慮して，個々の症例で設定するべきと考えられる．
- 尿蛋白の陽性率とBMIとの間にはJ字型の関係があり，それが低いBMIは19〜23の範囲にあると考えられる．
- 適正な体重やBMIを考える際には，性差による筋肉量や脂肪量など体組成の違いも考慮する必要がある．
- 透析患者では，死亡リスクの低いBMIは22を含む幅広い範囲にあると考えられる．
- 小児では，現時点では男女別の身長に基づいた体重の設定が基本となる．

〔日本腎臓学会（編）：慢性腎臓病に対する食事療法基準2014年度版．日腎会誌2014；56：586[1]より一部抜粋〕

表13 PEW（protein-energy wasting）の診断基準

カテゴリー	基準
血液生化学	・血清アルブミン＜3.8 g/dL ・血清プレアルブミン（トランスサイレチン）＜30 mg/dL（維持透析患者のみ） ・血清コレステロール＜100 mg/dL
体格	・BMI＜23 kg/m² ・体重減少（減量をせず）：3か月で5%，6か月で10% ・体総脂肪率＜10%
筋肉量	・筋肉量の減少：3か月で5%，6か月で10% ・上腕筋周囲径の減少：50パーセンタイルより10%の低下 ・クレアチニン産生量
食事量	・透析患者：少なくとも2か月間意図しないたんぱく質摂取量＜0.8 g/kg/日が続く ・CKDステージG2〜5：たんぱく質摂取量＜0.6 g/kg/日が続く ・少なくとも2か月間意図しないエネルギー摂取量＜25 kcal/kg/日が続く

注）腎臓病関連のPEWの診断には，4カテゴリーのうち3つを満たす（各カテゴリー内の基準で少なくとも1つを満たす）ことが必要とされる．さらに，2〜4週間の間隔で少なくとも3回，おのおののカテゴリーについて評価することが望ましい．
〔Fouque D, et al.：A proposed nomenclature and diagnostic criteria for protein-energy wasting in acute and chronic kidney disease. Kidney Int 2008；73：391-398[6]〕

表 14 サルコペニアを合併した慢性腎臓病（CKD）の食事療法におけるたんぱく質の考え方とめやす

CKD ステージ（GFR）	たんぱく質（g/kgBW/日）	サルコペニアを合併した CKD におけるたんぱく質の考え方（上限の目安）
G1（≧90）	過剰な摂取を避ける	過剰な摂取を避ける（1.5 g/kgBW/日）
G2（60〜89）		
G3a（45〜59）	0.8〜1.0	G3 には，たんぱく質制限を緩和する CKD と，優先する CKD が混在する（緩和する CKD：1.3 g/kgBW/日，優先する CKD：該当ステージ推奨量の上限）
G3b（30〜44）	0.6〜0.8	
G4（15〜29）		たんぱく質制限を優先するが，病態により緩和する（緩和する場合：0.8 g/kgBW/日）
G5（＜15）		

注）緩和する CKD は，GFR と尿蛋白量だけではなく，腎機能低下速度や末期腎不全の絶対リスク，死亡リスクやサルコペニアの程度から総合的に判断する.
（慢性腎臓病に対する食事療法基準 2014 年版の補足）
〔サルコペニア，フレイルを合併した CKD の食事療法 WG：サルコペニア・フレイルを合併した保存期 CKD の食事療法の提言. 日腎会誌 2019；61：554[7]〕

表 15 ネフローゼ症候群の食事療法

	総エネルギー（kcal/kg[*1]/日）	たんぱく（g/kg[*1]/日）	食塩（g/日）	K（g/日）	水分
微小変化型ネフローゼ症候群以外	35	0.8	3〜6	血清 K 値により増減	制限せず[*2]
治療反応性良好な微小変化型ネフローゼ症候群	35	1.0〜1.1	3〜6	制限せず	制限せず[*2]

[*1]：標準体重，[*2]：高度の難治性浮腫の場合には水分制限を要する場合もある.
〔日本腎臓学会：腎疾患患者の生活指導・食事療法に関するガイドライン. 日腎会誌 1997；37：20[8]〕

表16 急性腎炎症候群の食事療法

	総エネルギー (kcal/kg[*1]/日)	たんぱく (g/kg[*1]/日)	食塩 (g/日)	K (g/日)	水分
急性期, 乏尿期	35[*2]	0.5	3〜6	5.5 mEq/L以上のときは制限する	前日尿量＋不感蒸泄量
利尿期, 回復期および治癒期	35[*2]	1.0	7〜8	制限せず	制限せず

[*1]: 標準体重. [*2]: 高齢者, 肥満者に対してはエネルギーの減量を考慮する.
〔日本腎臓学会: 腎疾患患者の生活指導・食事療法に関するガイドライン. 日腎会誌 1997; 37: 19[8])〕

2 腎疾患患者の運動療法

a CKD患者に対する運動療法

▶日本腎臓リハビリテーション学会から「腎臓リハビリテーションガイドライン」[9)]が発行されている.

▶かつては腎障害患者の身体活動は制限すべきとされていたが, 運動療法によるADLの向上, 心血管系機能の向上, 精神的効果などのメリットを重視し, 状態の安定したCKD患者に対しては, 年齢や身体機能を考慮しながら, 可能な範囲で運動療法が推奨されている (表17, 表18)[9〜11)].

▶肥満あるいはメタボリックシンドロームを伴うCKD患者においては, とくに生活習慣の介入(食事・運動療法)は尿蛋白の減少やeGFR低下の抑制に有効であり, 積極的に行う[12)].

b 腎炎・ネフローゼ症候群患者に対する運動療法

▶腎炎・ネフローゼ症候群患者の長期予後を改善するために運動制限を推奨する, または推奨しないというエビデンスは存在しない.

▶副腎皮質ステロイド治療に伴う骨粗鬆症や肥満などのリスクが高まるため, それらを予防するためにも, 過度の安静や運動制限を一律に指導することはせず, 年齢や腎機能の程度を個々に考慮して, 運動療法を行う.

c 透析患者に対する運動療法

▶血液透析患者は, 週3回の透析療法に伴う時間的制約や血圧低下に

表17 保存期CKD患者の運動療法施行時のリスク管理

動脈硬化症	心臓	心筋梗塞の既往や冠動脈の有意狭窄病変の有無,負荷心電図の結果を把握しておく.負荷心電図にて虚血が陽性であれば,その時点の収縮期血圧と心拍数を確認する.
	下肢	閉塞性動脈硬化症があれば,足関節上腕血圧比(ABI)の結果や足病変の有無を確認する.
糖尿病の合併症	低血糖	腎機能が低下するとインスリンの分解と代謝機能が低下するため,低血糖になりやすい.
	糖尿病網膜症	増殖性網膜症では積極的な運動は禁忌.眼底出血を避けるため,血圧上昇(Valsalva手技)と低血糖(交感神経を刺激)に注意する.
	糖尿病神経障害	多発性神経障害があれば,足部の感覚障害による足病変の出現に注意する.自律神経障害があれば,起立性低血圧や無自覚低血糖に注意する.
その他(腎機能低下に伴う症状)	水分貯留	全身の浮腫(四肢や胸水),高血圧,心不全徴候に注意する.
	高カリウム血症	重症不整脈の出現に注意する.
	貧血	頻脈,息切れ,易疲労が出現する.
	自覚症状	尿毒症になると,食欲不振,倦怠感,息切れ,易疲労が出現しやすい.

〔平木幸治:保存期慢性腎臓病(CKD)患者における理学療法.西澤良記,他(編):透析運動療法―健康寿命を実現するために,医薬ジャーナル,2017:64-76[10]〕

よる疲労感,合併症などから,身体活動量低下をきたしやすいため,透析療法時に,監視型で運動療法を行うことが有効である.
▶ 可能なかぎり,有酸素運動とレジスタンストレーニングを併用することが望ましい.

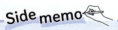

透析時運動指導等加算

2022年度の診療報酬改定にて,人工腎臓を算定している患者(透析患者)に対して,病状および療養環境などを踏まえた,療養上の必要な訓練などを行った場合に,透析時運動指導等加算として指導開始から90日を限度に75点が算定できるようになった.

表18 CKD 患者に推奨される運動処方

	有酸素運動 （aerobic exercise）	レジスタンス運動 （resistance exercise）	柔軟体操 （flexibility exercise）
頻度 （Frequency）	3〜5 日/週	2〜3 日/週	2〜3 日/週
強度 （Intensity）	中等度強度の有酸素運動［酸素摂取予備能の40〜59％，Borg 指数（RPE）6〜20点（15点法）の 12〜13 点］	1RM の 65〜75%［1RM を行うことは勧められず．3RM 以上のテストで 1RM を推定すること］	抵抗を感じたりややきつく感じるところまで伸長する
時間 （Time）	持続的な有酸素運動で20〜60 分/日，しかし，この時間が耐えられないのであれば 3〜5 分間の間欠的運動曝露で計20〜60 分/日	10〜15 回反復で 1 セット．患者の耐容能と時間に応じて，何セット行ってもよい．大筋群を動かすための 8〜10 種類の異なる運動を選ぶ	関節ごとに60秒の静止（10〜30 秒はストレッチ）
種類 （Type）	ウォーキング，サイクリング，水泳などのような持続的なリズミカルな有酸素運動	マシーン，フリーウエイト，バンドを使用する	静的筋運動

RPE：rating of perceived exertion（自覚的運動強度），1RM：1 repetition maximum（最大1 回反復重量）

運動に際しての特別な配慮

1) 血液透析を受けている患者
・運動は非透析日に行うのが理想的である．
・運動を透析直後に行うと，低血圧のリスクが増えるかもしれない．
・心拍数は運動強度の指標としての信頼性は低いので，RPE を重視する．RPE を軽度（9〜11）から中等度（12〜13）になるようにめざす．
・患者の動静脈シャントに直接体重をかけない限りは，動静脈接合部のある腕で運動を行ってよい．
・血圧測定は動静脈シャントのない側で行う．
・運動を透析中に行う場合は，低血圧を防止するために透析の前半で行うべきである．透析中の運動としては，ペダリングやステッピングのような運動を行う．透析中には動静脈接合部のある腕の運動は避ける．

2) 腹膜透析を受けている患者
・持続的携帯型腹膜透析中の患者は，腹腔内に透析液があるうちに運動を試みてもよいが，不快な場合には，運動前に透析液を除去して行うことが勧められる．

3) 腎移植を受けている患者
・拒絶反応の期間中は運動自体は継続して実施してよいが，運動の強度は軽くする．

〔American College of Sports Medicine：ACSM's Guidelines for Exercise Testing and Prescription. 10th ed, Wolters Kluwer, 2017[11]/日本腎臓リハビリテーション学会（編）：腎臓リハビリテーションガイドライン．南江堂，2018：34-37[9]〕

3 基準値一覧表

▶基準値は各施設で異なるため，表19の空欄には各施設の基準値を記入されたい.

表 19 基準値一覧

検査項目		基 準 値	各施設の基準値
Na		136～147 mEq/L	
K		3.6～5.0 mEq/L	
Cl		98～109 mEq/L	
Ca		8.7～10.1 mg/dL	
P		2.4～4.3 mg/dL	
Mg		1.7～2.6 mg/dL	
BUN		6～20 mg/dL	
Cr		0.6～1.3 mg/dL（男性） 0.5～1.1（女性）	
シスタチン C		0.63～0.95 mg/L（男性） 0.56～0.87 mg/L（女性）	
UA		3.7～7.6 mg/dL（男性） 25～5.4 mg/dL（女性）	
TP		6.7～8.3 g/dL	
Alb		4.0～5.0 g/dL	
蛋白分画	Alb	60.2～71.4%	
	α_1	1.9～3.2%	
	α_2	5.8～9.6%	
	β	7.0～10.5%	
	γ	10.6～20.5%	
A/G		1.5～2.5	
ASO		240 U 未満	
CH_{50}		30.0～40.0 U/mL	
C3		60～116 mg/dL	
C4		15～44 mg/dL	
ANA		40 倍未満	
抗 ds-DNA 抗体		10 U/mL 以下	
u-FDP		1.0 μg/mL 未満	
PRA		0.3～2.9 ng/mL/時	
アルドステロン		29.9～159 pg/mL	
iPTH		10～65 pg/mL	

表 20 小児の生活指導指針

管理区分	慢性腎炎症候群	無症候性血尿または蛋白尿
A 在宅	在宅医療または入院治療が必要なもの	
B 教室内学習のみ	症状が安定していないもの[*1]	症状が安定しないもの
C 軽い運動のみ		
D 軽い運動および中等度の運動のみ（激しい運動は見学）[*2]	P/C 比 0.5 g/gCr 以上のもの[*3][*4]	P/C 比 0.5 g/gCr 以上のもの[*3]
E 普通生活	P/C 比 0.4 g/gCr 以下[*7]あるいは血尿のみのもの	P/C 比 0.4 g/gCr 以下[*7]あるいは血尿のみのもの

上記はあくまでも目安であり，患児，家族の意向を尊重した主治医の意見が優先される.

[*1] 症状が安定していないとは，浮腫や高血圧などの症状が不安定な場合を指す.

[*2] 安静度 D でもマラソン，競泳，選手を目指す運動部活動のみを禁じ，そのほかは可とする指示を出す医師も多い.

[*3] P/C 比（尿蛋白/尿 Cr 比）を測定していない場合は尿蛋白 2+以上とする.

[*4] 抗凝固薬（ワーファリンなど）を投与中のときは，主治医の判断で頭部を強くぶつける運動や強い接触を伴う運動は禁止される.

4　腎疾患患者の生活指導

▶腎臓病に罹患していても，安静を強いる必要はない. 血圧や浮腫の状況をみながら，個々の患者に応じて慎重に運動量を調節する. 禁煙や，適正飲酒量を指導する.

▶小児の生活指導指針を表 20[13)]に示す.

▶小児では学校検尿の 1 次・2 次検尿で有所見となった場合，3 次精密検診を行う. その結果に基づいて暫定診断を行い，表 20[13)]の生活指導指針に沿って「学校生活管理指導表」[14)]を作成する. 保護者が学校に提出する.

文 献

1) 日本腎臓学会（編）：慢性腎臓病に対する食事療法基準 2014 年度版. 日腎臓会誌 2014；56：553-599

2) KDOQI Work Group：KDOQI Clinical Practice Guideline for Nutrition in Children with CKD：2008 update. Executive summary. Am J Kidney Dis 2009；53（3 Suppl 2）：S11-S104

急性腎炎症候群	ネフローゼ症候群	慢性腎不全（腎機能が正常の 1/2 あるいは透析中）
在宅医療または入院治療が必要なもの	在宅医療または入院治療が必要なもの	在宅医療または入院治療が必要なもの
症状が安定していないもの	症状が安定していないもの	症状が安定していないもの
発症後 3 か月以内で P/C 比 0.5 g/gCr 程度のもの		
発症 3 か月以上で P/C 比 0.5 g/gCr 以上のもの[*3*5]	P/C 比 0.5 g/gCr 以上のもの[*3]	症状が安定していて，腎機能が1/2以下[*6]あるいは透析中のもの
P/C 比 0.4 g/gCr 以下[*7]あるいは血尿が残るもの，または尿所見が消失したもの	ステロイド薬の投与による骨折などの心配がないもの[*8]，症状がないもの	症状が安定していて，腎機能が 1/2 以上のもの

[*5] 腎生検の結果で慢性腎炎症候群に準じる．
[*6] 腎機能が 1/2 以下とは，各年齢における正常血清 Cr の 2 倍以上を指す．
[*7] P/C 比（尿蛋白/尿 Cr 比）を測定していない場合は尿蛋白 1＋以下とする．
[*8] ステロイドの通常投与では骨折しやすい状態にはならないが，長時間あるいは頻回に服用した場合は起きうる．骨密度などで判断する．

〔日本学校保健会：学校検尿のすべて．令和 2 年度改訂版，2021：66[13]〕

---

3) 厚生労働省：「日本人の食事摂取基準 (2015 年版)」策定検討委員会報告書．2014：73 https://www.mhlw.go.jp/file/05-Shingikai-10901000-Kenkoukyoku-Soumuka/0000114399.pdf（2023 年 6 月閲覧）
4) 上村 治：小児の至適透析量と栄養．小児 PD 研究会雑誌 2005；18：38-49
5) 亀井宏一：新しい小児の臨床検査基準値ポケットガイド．田中敏章（編著），じほう，2009：78-79 より引用，一部改変
6) Fouque D, et al.：A proposed nomenclature and diagnostic criteria for protein-energy wasting in acute and chronic kidney disease. Kidney Int 2008；73：391-398
7) サルコペニア，フレイルを合併した CKD の食事療法 WG：サルコペニア・フレイルを合併した保存期 CKD の食事療法の提言．日腎臓学会誌 2019；61：525-556
8) 日本腎臓学会：腎疾患患者の生活指導・食事療法に関するガイドライン．日腎臓学会誌 1997；37：1-37
9) 日本腎臓リハビリテーション学会：腎臓リハビリテーションガイドライン．南江堂，2018
10) 平木幸治：保存期慢性腎臓病 (CKD) 患者における理学療法．西澤良記，他（編）：透析運動療法―健康寿命を実現するために，医薬ジャーナル，2017：64-76
11) American College of Sports Medicine：ACSM's Guidelines for Exercise Testing and Prescription. 10th ed, Wolters Kluwer, 2017
12) 日本腎臓学会（編）：エビデンスに基づく CKD 診療ガイドライン 2023．東京医学社，2023
13) 日本学校保健会：学校検尿のすべて．令和 2 年度改訂版，2021：66
14) 日本学校保健会：学校生活管理指導表 https://www.hokenkai.or.jp/publication/guidance.html（2023 年 9 月閲覧）

5 腎機能低下時の薬剤投与量

▶本表はあくまで医薬品関係者の参考になるように作成したものであり，正確な情報を掲載するよう努力はしていますが，その正確性，適切性，完全性については保証できかねます．

▶また本表は医薬品の添付文書，インタビューフォーム，ならびに多数の学術論文から得られたデータに基づき，一般的な情報やパラメータからの計算値を掲載していますので，あくまで参考データとして利用していただければ幸いです．

▶参考にした資料は編集時のものであり，どの薬剤も推奨される量や間隔が変更になる可能性があるため，実際の薬物投与時には，最新の情報や詳細については，医薬品添付文書をご確認していただくようお願いいたします．

▶腎機能低下患者の投与法は，医薬品添付文書やインタビューフォームの情報を基本にしています．腎機能低下時の薬物投与については，必要に応じて腎臓専門医もしくは薬剤師にコンサルトしてください．

	薬剤名		透析性	濃度測定
	一般名	商品名		
α遮断薬	ウラピジル	エブランチル	×	
	テラゾシン塩酸塩	バソメット	×	
	ドキサゾシンメシル酸塩	カルデナリン	×	
	ブナゾシン塩酸塩	デタントール	×	
		デタントール R	×	
	プラゾシン塩酸塩	ミニプレス	×	
β遮断薬	アセブトロール塩酸塩	アセタノール	○	
	アテノロール	テノーミン	○	
	カルテオロール塩酸塩	徐放）ミケラン LA	×	
	セリプロロール塩酸塩	セレクトール	？	
	ナドロール	ナディック	○	
	ニプラジロール	ハイパジール	○	
	ビソプロロールフマル酸塩	メインテート	×	

40

付録

5

腎機能低下時の薬剤投与量

710

▶本表は，小児には適応していません.

【凡例】

①用量は，とくに記載のないものは 1 日量を示す.

②透析性は血液透析の透析性を示す.

③同グループの薬は原則として 50 音順.

④Ccr は eGFR と読み替えて，ほぼ問題ない．固定用量の薬剤は eGFR（mL/分）を使用すること．また体表面積あたりの投与量となっている薬剤では，eGFR（mL/分/1.73 m²）を使用すること.

透析性
○ ：ある程度あり
△ ：透析膜による
× ：ほとんどなし
？ ：データなし

濃度測定
○ ：濃度測定しながら投与が望ましい
（○）：濃度測定可能
△ ：濃度測定可能だが，保険適用はない

40
付録

GFR（mL/分）			HD（透析）
＞50	10〜50	＜10	
30 mg 分 2	15 mg 分 1		
0.5〜8 mg 分 2	腎機能正常者と同じ		
0.5〜8 mg 分 1			
1.5 mg 分 1 から開始 3〜12 mg 分 2〜3			
3 mg 分 1 から開始 3〜9 mg 分 1			
1〜15 mg 分 2〜3			
200〜400 mg 分 1〜2	50%に減量し，慎重投与	25%に減量し，慎重投与	
25〜100 mg 分 1	GFR＜30：投与間隔を延ばす		25 mg HD 後（週 3 回）分 1
15〜30 mg 分 1	50%に減量し，慎重投与	25%に減量し，慎重投与	
100〜400 mg 分 1	100〜400 mg 分 1	50%量から慎重投与し，調節する	
30〜60 mg 分 1	GFR 31〜50：30〜60 mg 分 1	25%に減量し，40〜60 時間ごと	
6〜18 mg 分 2	重篤な腎機能障害のある患者では慎重投与		
5 mg 分 1 （心不全 0.625〜5 mg 分 1）	60〜70%に減量	30〜50%に減量	

5
腎機能低下時の薬剤投与量

711

	薬剤名		透析性	濃度測定
	一般名	商品名		
β遮断薬	ビソプロロール	ビソノテープ	×	
	ピンドロール	カルビスケン	○	
	ベタキソロール塩酸塩	ケルロング	×	
	メトプロロール酒石酸塩	徐放)セロケン L	×	
		徐放)ロプレソール SR	×	
	ランジオロール塩酸塩	オノアクト	○	
		コアベータ	○	
αβ遮断薬	ラベタロール塩酸塩	トランデート	×	
	アロチノロール塩酸塩	アロチノロール	×	
	カルベジロール	アーチスト	×	
ACE阻害薬	アラセプリル	セタプリル	△	
	イミダプリル塩酸塩	タナトリル	○	
	エナラプリルマレイン酸塩	レニベース	○	
	カプトプリル	徐放)カプトリル R	○	
	テモカプリル塩酸塩	エースコール	×	
	デラプリル塩酸塩	アデカット	?	
	トランドラプリル	オドリック	×	
	ベナゼプリル塩酸塩	チバセン	×	
	ペリンドプリルエルブミン	コバシル	○	
	リシノプリル	ロンゲス	○	
ARB	アジルサルタン	アジルバ	×	
	イルベサルタン	アバプロ	×	
		イルベタン	×	
	オルメサルタンメドキソミル	オルメテック	×	
	カンデサルタンシレキセチル	ブロプレス	×	
	テルミサルタン	ミカルディス	×	
	バルサルタン	ディオバン	×	
	ロサルタンカリウム	ニューロタン	×	
レニン阻害薬	アリスキレン	ラジレス	○	
ARB/Ca拮抗薬合剤	アジルサルタン/アムロジピン	ザクラス	×	
	イルベサルタン/アムロジピン	アイミクス	×	
	オルメサルタン/アゼルニジピン	レザルタス LD/HD	×	

GFR（mL/分）			HD（透析）
>50	10～50	<10	
頻脈性心房細動：2～8 mg 分1 本態性高血圧：4～8 mg 分1	低用量から開始し，維持量も減量を考慮する		
5～15 mg 分3		5～10 mg 分1～2	
5～20 mg 分1	100%	50%に減量し，慎重投与	
120 mg 分1	腎機能正常者と同じ		
電子添文参照			
CT撮影前，1回0.125 mg/kgを1分間で静注			
150～450 mg 分3	腎機能正常者より少量から投与を開始する		
20～30 mg 分2	腎機能正常者と同じ		
2.5～20 mg 分1～2	腎機能正常者より少量から投与を開始する		
25～100 mg 分1～2	12.5～50 mg 分1～2		
2.5～10 mg 分1	減量は必要ないが，低用量から開始し調節する		
5～10 mg 分1	5 mg 分1	2.5 mg 分1	
18.75～75 mg 分1～2	50～75%に減量	50%に減量または24時間ごと	50%に減量 HD日はHD後投与
1～4 mg 分1	減量は必要ないが，低用量から開始し調節する		
30～120 mg 分1～2	15 mg 分2	7.5 mg 分1	非HD日 7.5 mgから開始
1～2 mg 分1	減量は必要ないが，低用量から開始し調節する		
2.5～10 mg 分1	2.5～5 mg 分1	2.5 mg 分1	
2～8 mg 分1	GFR 31～50：75%に減量 GFR<30：減量または投与間隔延長	50%に減量し，慎重投与	2 mg 分1 毎HD後
5～20 mg 分1	50%に減量	25%に減量	
20～40 mg 分1	腎機能正常者と同量を慎重投与（低用量から開始）		低用量から開始
50～200 mg 分1			
5～40 mg 分1			
2～12 mg 分1			
20～80 mg 分1			
40～160 mg 分1			
25～100 mg 分1			
150～300 mg 分1	腎機能正常者と同量を慎重投与．ACEI，ARB投与中の糖尿病患者は禁忌		
1錠 分1	腎機能正常者と同じ（低用量から開始）		
1錠 分1			
1錠 分1			

		薬剤名		透析性	濃度測定
		一般名	商品名		
ARB/Ca拮抗薬合剤		カンデサルタン/アムロジピン	ユニシア LD/HD	×	
		テルミサルタン/アムロジピン	ミカムロ AP/BP	×	
		バルサルタン/アムロジピン	エックスフォージ	×	
		バルサルタン/シルニジピン	アテディオ	×	
ARB/HCTZ合剤		イルベサルタン/トリクロルメチアジド	イルトラ LD/HD	×	
		カンデサルタン/ヒドロクロロチアジド	エカード LD/HD	×	
		テルミサルタン/ヒドロクロロチアジド	ミコンビ AP/BP	×	
		バルサルタン/ヒドロクロロチアジド	コディオ MD/EX	×	
		ロサルタン/ヒドロクロロチアジド	プレミネント LD/HD	×	
Ca拮抗薬		アゼルニジピン	カルブロック	×	
		アムロジピンベシル酸塩	アムロジン	×	
			ノルバスク	×	
		エホニジピン塩酸塩	ランデル	×	
		ジルチアゼム塩酸塩	徐放)ヘルベッサー R	×	
			ヘルベッサー錠	×	
		シルニジピン	アテレック	×	
		ニカルジピン塩酸塩	徐放)ペルジピン LA	×	
		ニトレンジピン	バイロテンシン	×	
		ニフェジピン徐放剤	徐放)アダラート CR	×	
		ニルバジピン	ニバジール	×	
		バルニジピン塩酸塩	ヒポカ	×	
		フェロジピン	スプレンジール	×	
		ベニジピン塩酸塩	コニール	×	
		ベラパミル塩酸塩	ワソラン	×	
		マニジピン塩酸塩	カルスロット	×	
中枢性交感神経抑制薬		グアナベンズ酢酸塩	ワイテンス	×	
		クロニジン塩酸塩	カタプレス	×	
		メチルドパ水和物	アルドメット	○	
冠拡張薬		一硝酸イソソルビド	アイトロール	○	
		硝酸イソソルビド徐放剤	ニトロール R カプセル	×	
			フランドル	×	
		ニコランジル	シグマート	○	
		ニトログリセリン	ニトロダーム TTS	×	
			ニトロペン舌下錠	×	
			バソレーターテープ	×	
			ミリスロール注	×	
			ミオコール	×	

GFR（mL/分）			HD（透析）
＞50	10〜50	＜10	
1 錠 分 1			
1 錠 分 1	腎機能正常者と同じ（低用量から開始）		
1 錠 分 1			
1 錠 分 1			
1 錠 分 1	慎重投与．血清 Cr が 2.0 mg/dL を超える腎機能障害患者においては，治療上やむを得ないと判断される場合を除き，使用は避ける		無尿患者，HD 患者には投与禁忌
1 錠 分 1			
1 錠 分 1			
1 錠 分 1			
1 錠 分 1			
8〜16 mg 分 1			
2.5〜10 mg 分 1			
20〜60 mg 分 1〜2			
100〜200 mg 分 1			
90〜180 mg 分 3			
5〜20 mg 分 1	腎機能正常者と同じ		
40〜80 mg 分 2			
5〜10 mg 分 1			
10〜40 mg 分 1〜2			
4〜8 mg 分 2			
5〜15 mg 分 1			
5〜20 mg 分 2			
2〜8 mg 分 1〜2			
120〜240 mg 分 3	腎機能正常者と同量を慎重投与		
5〜20 mg 分 1	腎機能正常者と同じ		
4〜8 mg 分 2			
0.225〜0.9 mg 分 3	腎機能正常者と同量を慎重投与		
250〜2,000 mg 分 1〜3	腎機能正常者と同量を慎重投与 分 1〜2		50%に減量 分 1〜2
40〜80 mg 分 2			
40 mg 分 2	腎機能正常者と同じ		
15 mg 分 3			
適量			
1 回 0.3〜0.6 mg			
1 日 1 回 1 枚	腎機能正常者と同じ		
電子添文参照			
電子添文参照			

薬剤名		透析性	濃度測定
一般名	商品名		
拡張血管薬 ヒドララジン塩酸塩	アプレゾリン	×	
代謝賦活薬 アデノシン三リン酸二ナトリウム水和物	アデホスコーワ腸溶錠・顆粒	×	
イフェンプロジル酒石酸塩	セロクラール	?	
イブジラスト	ケタス	×	
シチコリン	ニコリン	?	
チアプリド塩酸塩	グラマリール	?	
ニセルゴリン	サアミオン	×	
ファスジル塩酸塩	エリル	?	
エンドセリン受容体拮抗薬 クラゾセンタンナトリウム	ピヴラッツ注	×	
抗不整脈薬Ia群 ジソピラミドリン酸塩	リスモダンカプセル	×	○
	リスモダンR	×	○
シベンゾリンコハク酸塩	シベノール	×	○
プロカインアミド塩酸塩	アミサリン錠	○	○
抗不整脈薬Ib群 メキシレチン塩酸塩	メキシチールカプセル	×	○
リドカイン	キシロカイン静注用2%	×	○
抗不整脈薬Ic群 ピルシカイニド塩酸塩	サンリズムカプセル	×	○
フレカイニド酢酸塩	タンボコール細粒/錠	×	○
プロパフェノン塩酸塩	プロノン	×	○
抗不整脈薬III群 アミオダロン塩酸塩	アンカロン錠	×	○
ソタロール	ソタコール	○	
強心薬 ジゴキシン	ジゴキシンKY/ハーフジゴキシンKY	×	○
	ジゴシン	×	○
ピモベンダン	ピモベンダン	×	
メチルジゴキシン	ラニラピッド	×	○

GFR（mL/分）			HD（透析）
＞50	10～50	＜10	
30～120 mg 分 2～3		15～60 mg 分 1～2	
120～300 mg 分 3	腎機能正常者と同じ		
60 mg 分 3			
気管支喘息：20 mg 分 2 脳血管障害：30 mg 分 3			
100～1,000 mg/日			
75～150 mg 分 3	50～75 mg 分 2～3	25～50 mg 分 1	
15 mg 分 3	腎機能正常者と同じ		
1 回 30 mg 1 日 2～3 回	排泄が遅延して血中濃度が持続する可能性あり．低血圧が認められた場合には減量する		
電子添文参照	腎機能正常者と同じ		
300 mg 分 3	GFR 20～49：150～200 mg 分 1～2	GFR＜20：100 mg 分 1	100 mg 分 1
300 mg 分 2	150～200 mg 分 1～2	重篤な腎機能障害患者へは禁忌（腎排泄で徐放性製剤のため適さない）	
300～450 mg 分 3	50 mg 分 1～2	25 mg 分 1	低血糖を起こすため禁忌
1 回 0.25～0.5 g 3～6 時間ごと	1 回 0.25～0.5 g 12 時間ごと	1 回 0.25～0.5 g 12～24 時間ごと	
300～450 mg 分 3		2/3 に減量	
1 回 50～100 mg	腎機能正常者と同じ		
1 回 50 mg 1 日 2～3 回	1 回 25～50 mg 1 日 1～2 回	1 回 25～50 mg 48 時間ごと	1 回 25～50 mg 毎 HD 後
100～200 mg 分 2	75～100 mg 分 2	50～100 mg 分 1	
450 mg 分 3	腎機能正常者と同じ		
維持療法：200 mg 分 1～2	腎機能正常者と同量を慎重投与		
80～320 mg 分 2	1/3～2/3 に減量	禁忌	
0.25～0.5 mg 分 1	0.125 mg 24 時間ごと	0.125 mg 48 時間ごと	0.125 mg 週 2～4 回
2.5～5 mg 分 1～2	腎機能正常者と同量を慎重投与	1.25～2.5 mg から開始 2.5～5 mg 分 1～2，無尿時には禁忌	
0.1～0.2 mg 分 1	0.05～0.1 mg 24 時間ごと	0.025～0.05 mg 24～48 時間ごと	0.05 mg 週 2～4 回

薬剤名			透析性	濃度測定
	一般名	商品名		
心不全治療薬	イバブラジン塩酸塩	コララン	×	
	サクビトリルバルサルタンナトリウム水和物	エンレスト	×	
	ニトロプルシドナトリウム水和物	ニトプロ持続静注液	○	
	ベルイシグアト	ベリキューボ	×	
肺高血圧症治療薬	アンブリセンタン	ヴォリブリス	×	
	イロプロスト	ベンテイビス吸入液	?	
	シルデナフィルクエン酸塩	レバチオ	×	
	セレキシパグ	ウプトラビ	×	
	タダラフィル	アドシルカ	×	
	ボセンタン水和物	トラクリア	×	
	マシテンタン	オプスミット	×	
	リオシグアト	アデムパス		
MR拮抗薬	エサキセレノン	ミネブロ	×	
	エプレレノン	セララ	×	
	カンレノ酸カリウム	ソルダクトン	×	
	スピロノラクトン	アルダクトン A	×	
	トリアムテレン	トリテレン	×	
	フィネレノン	ケレンディア	×	

718

	GFR（mL/分）			HD（透析）
	＞50	10~50	＜10	
1回 2.5~7.5 mg　1日2回　食後	腎機能正常者と同じ			
心不全：100~400 mg 分2 高血圧：200~400 mg 分2 血圧，K値，腎機能に注意	eGFR＜30：投与の可否を慎重に評価し，低用量から開始．血圧，血清K値，腎機能に注意	投与の可否を慎重に判断し，投与する場合には血圧，血清K値および腎機能などの患者の状態を十分に観察する．本剤の血中濃度が上昇するおそれがあり，臨床試験では除外されている		
電子添文参照	eGFR 31~50：腎機能正常者と同じ eGFR＜30：禁忌	禁忌		
初回：2.5 mg 維持：5~10 mg 分1 食後	eGFR 16~50：腎機能正常者と同じ eGFR＜15：eGFR＜10と同様	投与の可否を慎重に判断し，投与する場合には血圧，血清K値および腎機能などの患者の状態を十分に観察する．本剤の血中濃度が上昇するおそれがあり，臨床試験では除外されている		
5~10 mg 分1	腎機能正常者と同じ	データなし		
5 μg　1日6~9回吸入	腎機能正常者と同じ			
60 mg 分3	腎機能正常者と同じ．GFR＜30 では慎重投与			
0.4~3.2 mg 分2 食後	腎機能正常者と同じ	腎機能正常者と同じ．慎重に増量		
40 mg 分1	GFR≧30：20 mg 分1 GFR＜30：禁忌	禁忌		
125~250 mg 分2	腎機能正常者と同じ			
10 mg 分1				
3~7.5 mg 分3	腎機能正常者と同じ GFR＜15：禁忌		禁忌	
2.5~5 mg 分1	高カリウム血症に注意 GFR≧30：2.5~5 mg 分1 GFR＜30：禁忌	禁忌		
25~100 mg 分1	高カリウム血症を誘発させるおそれがあるため，投与禁忌			
1回 100~200 mg を1日1~2回（最大 600 mg，投与は2週間を超えないこと）	腎機能の悪化，高カリウム血症のおそれがあるため禁忌			
25~100 mg 分1~2	高カリウム血症の場合，禁忌．重篤な腎機能障害の場合，慎重投与		無尿の場合は禁忌	
90~200 mg 分2~3	慎重投与	禁忌	無尿の場合は禁忌	
eGFR＞60：20 mg 分1 eGFR＜60：10 mg から投与を開始し，血清K値，eGFR に応じて，投与開始から4週間後を目安に 20 mg へ増量する	慎重投与		禁忌	

薬剤名			透析性	濃度測定
	一般名	商品名		
サイアザイド系利尿薬	トリクロルメチアジド	フルイトラン	?	
	ヒドロクロロチアジド	ヒドロクロロチアジド	?	
非サイアザイド系利尿薬	インダパミド	ナトリックス	△	
	トリパミド	ノルモナール	?	
	メフルシド	バイカロン	?	
ループ利尿薬	アゾセミド	ダイアート	×	
	フロセミド	ラシックス	×	
	トラセミド	ルプラック	×	
利尿薬（V₂受容体拮抗薬）	トルバプタン	サムスカ	×	
	トルバプタンリン酸エステルナトリウム	サムタス注	×	
その他利尿薬	アセタゾラミド	ダイアモックス	×	
オピオイド	オキシコドン塩酸塩	オキシコンチン TR 錠	×	
		オキノーム散	×	
		オキファスト注	×	
	ケタミン塩酸塩	ケタラール	×	
	コデインリン酸塩水和物	コデインリン酸塩	×	
	ジヒドロコデインリン酸塩	リン酸ジヒドロコデイン	×	
	タペンタドール塩酸塩	タペンタ	×	

GFR（mL/分）			HD（透析）
＞50	10～50	＜10	
1～8 mg 分 1～2	腎機能正常者と同じ	腎機能障害をさらに悪化させるおそれがあるため禁忌．ただし，ループ利尿薬の併用で作用を増強できるため，その場合は減量の必要なし	無尿の場合は禁忌
1 回 12.5～100 mg 1 日 1～2 回			
0.5～2 mg 分 1	腎機能正常者と同じ	腎機能障害をさらに悪化させるおそれがあるため禁忌．ただし，ループ利尿薬の併用で作用を増強できるため，その場合は減量の必要なし	無尿の場合は禁忌
15～30 mg 分 1			
25～50 mg 分 1～2			
60 mg 分 1	腎機能正常者と同じ	あまり効果が期待できない	無尿の場合は禁忌
20～80 mg 分 1 または隔日	腎機能正常者と同じ		腎機能正常者と同じだが，無尿の場合は禁忌
4～8 mg 分 1	慎重投与		
7.5～120 mg 分 1	腎機能正常者と同じ 心不全における体液貯留の場合：15 mg 分 1 肝硬変における体液貯留の場合：7.5 mg 分 1 常染色体優性多発性囊胞腎の進行抑制の場合（eGFR＜15 禁忌）：朝 45 mg，夕方 15 mg で開始．1 週間以上投与し，忍容性があれば朝 60 mg，夕方 30 mg，朝 90 mg，夕方 30 mg と段階的に増量		腎機能正常者と同じだが，無尿の場合は禁忌
16 mg 分 1 点滴静注	腎機能正常者と同じだが，利尿による腎血流量の低下に伴い，腎機能が低下する可能性がある．eGFR＜25 の患者への使用経験はない．無尿の場合は禁忌		通常は適用されない．無尿の場合は禁忌
125～1,000 mg 分 1～4	125 mg 12 時間ごと	125 mg 24 時間ごと	125 mg 週 3 回
10～80 mg 12 時間ごと	腎機能正常者と同量を慎重投与		
10～80 mg 6 時間ごと			
1 日 7.5～250 mg を持続静注または持続皮下注			
静注用：1～2 mg/kg 筋注用：5～10 mg/kg	腎機能正常者と同じ		
60 mg 分 3	60 mg 分 3	45 mg 分 3	
30 mg 分 3	22.5 mg 分 3	15 mg 分 3	
50～400 mg 分 2	腎機能正常者と同じ	腎機能正常者と同じ（少量から）	

| 薬剤名 | | 透析性 | 濃度測定 |
| | | | |

	一般名	商品名	透析性	濃度測定
オピオイド	トラマドール塩酸塩	トラマール OD 錠	×	
	トラマドール塩酸塩徐放錠	ワントラム	×	
		ツートラム	×	
	トラマドール塩酸塩 37.5 mg/アセトアミノフェン 325 mg 配合錠	トラムセット	トラマドール×アセトアミノフェン 20〜50%	
	ヒドロモルフォン塩酸塩	ナルサス	○	
		ナルラピド	○	
		ナルベイン注	○	
	フェンタニル	フェンタニル注	×	
		フェントス	×	
		ワンデュロ	×	
		デュロテップ MT	×	
		ラフェンタテープ	×	
		アブストラル舌下錠	×	
		イーフェンバッカル錠	×	
	ブプレノルフィン塩酸塩	レペタン注	×	
		ノルスパンテープ	×	
	ペンタゾシン塩酸塩	ソセゴン注	×	
		ソセゴン錠	×	
	メサドン塩酸塩	メサペイン	×	

GFR（mL/分）			HD（透析）
＞50	10～50	＜10	
100～400 mg 分4	eGFR＜30：50 mg 12時間ごとから開始し，適宜増減（最大200 mg/日）	50 mg 12時間ごとから開始し，適宜増減（最大150 mg/日）	
100～300 mg 分1			
100～300 mg 分2，1回200 mg，1日400 mgを超えないようにする	GFR＜30：徐放性製剤であること，トラマドールおよび，その活性代謝物であるM1の排泄速度が低下するため投与は避ける		
4錠 分4 食後（最大1日8錠 分4）	eGFR＜30：1日5錠を超えないこと（トラマドールとして最大1日200 mg まで）		1日5錠を超えないこと（トラマドールとして最大1日200 mg まで）※1日2錠を超えないこと（トラマドールとして最大1日100 mg まで）とする専門家の意見もある
4～24 mg 分1			
4～24 mg 分4～6	減量投与（低用量より開始し，反応をみて用量調節する）		
1日0.5～25 mgを持続静脈内または持続皮下投与			
麻酔維持：0.01～0.1 mL/kg/時			
24時間ごと貼付			
24時間ごと貼付			
72時間ごと貼付	腎機能正常者と同量を慎重投与		
3日ごとに貼り替え			
1回100～800 μg			
1回50～800 μg			
0.2～0.3 mg 6～8時間ごと			
5～20 mg 7日ごとに貼付			
1回15 mg 3～4時間ごと	腎機能正常者と同じ		
1回25～50 mg 3～5時間ごと			
15～45 mg 分3	腎機能正常者と同じ	1回1.25～2.5 mgを8～12時間ごと	

	薬剤名		透析性	濃度測定
	一般名	商品名		
オピオイド	モルヒネ塩酸塩	アンペック坐剤	×	
		オプソ	×	
		モルヒネ塩酸塩水和物原末	×	
		パシーフ	×	
	モルヒネ硫酸塩	MS コンチン	×	
鎮痛薬	アセトアミノフェン	カロナール	20〜50%	
		アセリオ	20〜50%	
	アスピリン/ダイアルミネート	バファリン 330 mg	×	
	インドメタシン	インドメタシン	×	
	エトドラク	ハイペン	×	
	ケトプロフェン	カピステン	×	
	ジクロフェナクナトリウム	ボルタレン錠	×	
		ジクトルテープ	×	
	スリンダク	クリノリル	×	
	スルピリン水和物	スルピリン注射液	?	
	セレコキシブ	セレコックス	×	
	チアラミド塩酸	ソランタール	×	
	ナブメトン	レリフェン	×	
	ナプロキセン	ナイキサン	×	
	フルルビプロフェンアキセチル	ロピオン注	×	

GFR（mL/分）			HD（透析）
>50	10～50	<10	
20～120 mg 分2～4			
30～120 mg 分6			
1回5～10 mg 1日15 mg	75%に減量	50%に減量し適宜調整	
30～120 mg 24時間ごと			
20～120 mg 12時間ごと			
1回300～1,000 mg, 投与間隔4～6時間以上（最大4,000 mg）	重篤な腎機能障害には禁忌になっているが，胃障害や出血症例などにはNSAIDsより安全．連続投与により抱合体が蓄積するため，1回300 mg（解熱）～600 mg（鎮痛）を8～12時間間隔で．単回頓服投与では1回300～1,000 mgだが，投与間隔を十分にあけること．HD日はHD後に投与		
疼痛：1回300～1,000 mg．最大4,000 mg/日．体重<50 kgでは15 mg/kg/回（最大60 mg/kg/日） 発熱：1回300～500 mg 2回（最大1,500 mg/日） いずれも15分かけて静脈内投与．投与間隔は4～6時間以上	重篤な腎機能障害には禁忌となっているが，胃障害や出血症例などではNSAIDsより安全．静注製剤はGFR≦30 mL/分では注意して投与し，用量を減量し，投与間隔を延長する（UpToDate）		
通常は1回2錠，1日2回 食後 関節リウマチ，リウマチ熱，症候性神経痛では1回2～4錠，1日2～3回 食後			
25～75 mg 分1～3			
400 mg 分2			
1回50 mg 1日1～2回 臀部に筋注			
25～100 mg 分1～3			
150～225 mg 1日1回貼付	腎機能障害を悪化させるおそれがあるため，重篤な腎機能障害には禁忌	重篤な腎機能障害には禁忌だが，HDでは減量の必要なし	
300 mg 分2			
1回0.25 g 1日2回まで			
200～400 mg 分2			
1回100 mgを1日1～2回，または頓用			
800 mg 分1			
300～600 mg 分2～3 食後			
1回50 mg 緩徐に静注			

	薬剤名		透析性	濃度測定
	一般名	商品名		
鎮痛薬	フルルビプロフェン	フロベン	×	
	ロルノキシカム	ロルカム	×	
	メロキシカム	モービック	×	
	ロキソプロフェンナトリウム水和物	ロキソニン	×	
	ワクシニアウイルス接種家兎炎症皮膚抽出液	ノイロトロピン	?	
片頭痛治療薬	エレトリプタン臭化水素酸塩	レルパックス	×	
	エレヌマブ	アイモビーグ皮下注	×	
	ガルカネズマブ	エムガルティ皮下注	×	
	ゾルミトリプタン	ゾーミッグ	×	
	ナラトリプタン	アマージ	×	
	フレマネズマブ	アジョビ皮下注	×	
	ラスミジタンコハク酸塩	レイボー	△	
	リザトリプタン安息香酸塩	マクサルト	×	
感冒薬 総合	非ピリン系感冒剤	PL 配合顆粒	?	
末梢性神経障害性疼痛治療薬	プレガバリン	リリカ	○	
	ミロガバリン	タリージェ	△	

GFR（mL/分）			HD（透析）
＞50	10～50	＜10	
120 mg 分3 毎食後 頓用の場合は、1回 40～80 mg	腎機能障害を悪化させるおそれがあるため、重篤な腎機能障害には禁忌		重篤な腎機能障害には禁忌だが、HDでは減量の必要なし
12～18 mg 分3（術後 外傷後・抜歯後は 8～24 mg を頓用）			
10～15 mg 分1			
60～180 mg 分1～3			
4錠（1錠中4.0単位 含有）分2	腎機能正常者と同じ		
発作時 20～40 mg （最大40 mg/日）	腎機能正常者と同量を慎重投与. 50%から開始. 最大は40 mg/日		
1回70 mgを4週ごと	腎機能正常者と同じ		
初回240 mg, 以後は 120 mg 1か月ごと			
1回 2.5～5 mg （最大10 mg/日）			
1回 2.5 mg （最大5 mg/日）	軽度～中等度腎機能障害でAUCが2倍に増加し半減期も2倍に延長するため、最大2.5 mg/日	重度の腎機能障害のある患者では血中濃度が上昇するおそれがあるため禁忌	
1回225 mgを4週ごと、または1回675 mg 12週間ごと	腎機能正常者と同じ		
発作時 100 mg 再発時の再投与は24時間あたり最大200 mg	腎機能正常者と同量を慎重投与		
1回 10 mg （最大20 mg/日）	腎機能正常者と同じ		AUCが上昇するため禁忌
3～4 g 分3～4	腎機能正常者と同量を慎重投与		
GFR≧60 初期量：150 mg 分2 維持量：300～600 mg 分2	GFR＜60 初期：75 mg 分1または分3 維持：150～300 mg 分2～3 GFR＜30 初期：25～50 mg 分1～2 維持：75～150 mg 分1～2	GFR＜15 初期：25 mg 分1 維持：25～75 mg 分1	初期：25 mg 分1 維持：25～75 mg 分1 HD日はHD後
10～30 mg 分2	eGFR＞30： 5～15 mg 分2	eGFR＜30： 2.5～7.5 mg 分1	

| 薬剤名 | | 透析性 | 濃度測定 |
一般名	商品名		
エスゾピクロン	ルネスタ	×	
エスタゾラム	ユーロジン	×	
クアゼパム	ドラール	×	
スボレキサント	ベルソムラ	×	
ゾピクロン	アモバン	×	
ゾルピデム酒石酸塩	マイスリー	×	
トリアゾラム	ハルシオン	×	
ニトラゼパム	ベンザリン	×	
ヒドロキシジン塩酸塩	アタラックス錠	×	
フルニトラゼパム	サイレース錠	×	
	サイレース静注	×	
ブロチゾラム	レンドルミン	×	
プロメタジン塩酸塩	ピレチア	×	
ミダゾラム	ドルミカム	×	
ラメルテオン	ロゼレム	×	
リルマザホン塩酸塩水和物	リスミー	×	
レンボレキサント	デエビゴ	×	
ロルメタゼパム	エバミール	×	
	ロラメット	×	
エチゾラム	デパス	×	
クロキサゾラム	セパゾン	×	
クロチアゼパム	リーゼ	×	
クロルジアゼポキシド	コントール	×	
ジアゼパム	セルシン	×	
	ホリゾン	×	
タンドスピロンクエン酸塩	セディール	?	
ロフラゼプ酸エチル	メイラックス	×	
ロラゼパム	ワイパックス	×	
クロルプロマジン塩酸塩	ウインタミン	×	
	コントミン	×	
スルピリド	ドグマチール	○	

GFR（mL/分）			HD（透析）
>50	10～50	<10	
1～3 mg 分1 就寝前			
1～4 mg 分1 就寝前			
15～30 mg 分1 就寝前			
15～20 mg 分1 就寝前			
7.5～10 mg 分1 就寝前			
5～10 mg 分1 就寝前			
0.125～0.5 mg 分1 就寝前	腎機能正常者と同じ		
不眠症，麻酔前投薬：1回 5～10 mg てんかん：5～15 mg 適宜分割			
30～150 mg 分2～4			
0.5～2 mg 分1 就寝前			
0.01～0.03 mg/kg 分1			
0.25 mg 分1 就寝前			
電子添文参照			
適量	腎機能正常者と同じ	50%に減量	
8 mg 分1 就寝前			
電子添文参照	腎機能正常者と同じ		
5～10 mg 分1			
1～2 mg 分1 就寝前			
うつ病など：3mg 分3 心身症など：1.5 mg 分3 睡眠障害：1回 1～3 mg 就寝前			
3～12 mg 分3			
15～30 mg 分3			
20～60 mg 分2～3	腎機能正常者と同じ		
4～15 mg 分2～4			
30～60 mg 分3			
2 mg 分1～2			
1～3 mg 分2～3			
電子添文参照	腎機能正常者と同じ		
150～600 mg 分3	50～300 mg 分3	25 mg 分1	

薬剤名		透析性	濃度測定
一般名	商品名		
ゾテピン	ロドピン	×	
ハロペリドール	セレネース内服液	×	
ブロムペリドール	ブロムペリドール	×	
プロクロルペラジンマレイン酸塩	ノバミン	×	
アセナピンマレイン酸塩	シクレスト舌下	×	
アリピプラゾール	エビリファイ	×	
アリピプラゾール水和物	エビリファイ持続性水懸筋注用	×	
オランザピン	ジプレキサ	×	
クエチアピンフマル酸塩	セロクエル	×	
	ビプレッソ徐放錠	×	
クロザピン	クロザリル	×	
パリペリドン	インヴェガ	×	
パリペリドンパルミチン酸エステル	ゼプリオン水懸筋注	×	
	ゼプリオン TRI 水懸筋注	×	
ブレクスピプラゾール	レキサルティ	×	
ブロナンセリン	ロナセン錠	×	
	ロナセンテープ	×	
ペロスピロン	ルーラン	×	
リスペリドン	リスパダール	○	
ルラシドン塩酸塩	ラツーダ錠	×	
チアミラールナトリウム	イソゾール	×	
チオペンタールナトリウム	ラボナール	×	
ドロペリドール	ドロレプタン	×	
プロポフォール	ディプリバン	×	
レミフェンタニル塩酸塩	アルチバ静注用	○	
レミマゾラムベシル酸塩	アネレム注	×	
アトモキセチン塩酸塩	ストラテラ	×	
ジスチグミン	ウブレチド	○	

GFR（mL/分）			HD（透析）
>50	10~50	<10	
1日75~150 mg 分割投与，最大450 mg/日	腎機能正常者と同じ		
0.75~6 mg 分1~2			
3~18 mg を分割投与，最大36 mg/日			
1回5 mg を1日1~4回			
5~10 mg 分2 舌下	腎機能正常者と同じ	腎機能正常者と同量を慎重投与	
6~30 mg 分1~2	腎機能正常者と同じ		
400 mg を4週に1回臀部筋肉内			
2.5~20 mg 分1			
電子添文参照			
50 mg から漸増．2日以上あけて150 mg へ増量．さらに2日以上あけて300 mg 分1就寝前			
電子添文参照	腎機能が悪化するおそれがあるため慎重投与	腎機能が悪化するおそれがあるため禁忌	
6~12 mg 分1 朝食後	25~50%に減量	肝代謝型薬物ではあるが，腎機能低下に伴い血中濃度が上昇するため25%に減量	
電子添文参照	中等度~重度の腎機能障害患者（GFR<50 mL/分）では本剤の排泄が遅延し，血中濃度が上昇するおそれがあるため禁忌		
電子添文参照	禁忌		
1 mg 分1から開始 2 mg 分1（最大4 mg）	2 mg 分1		慎重投与
8~24 mg 分2 食後	腎機能正常者と同じ		
40~80 mg 分1 貼付			
12~48 mg 分3			
維持量2~6 mg，最大12 mg 分2	初回1 mg 分2とし，0.5 mg ずつ増量．最大4 mg 分2まで		
電子添文参照	少量から開始		
電子添文参照	慎重投与だが腎機能正常者と同じ		
	腎機能正常者と同じ	75%に減量	
	腎機能正常者と同じ		
0.5~1.8 mg/kg 分2	腎機能正常者と同じ		
5~20 mg 分1~4 少量から開始	2.5~10 mg 分1	2.5~5 mg 分1 を慎重投与	

	薬剤名		透析性	濃度測定
	一般名	商品名		
自律神経用薬	セビメリン塩酸塩水和物	エボザック	×	
		サリグレン	×	
	トフィソパム	グランダキシン	?	
	ネオスチグミンメチル硫酸塩	ワゴスチグミン	○	
抗うつ薬	エスシタロプラムシュウ酸塩	レクサプロ	×	
	クロミプラミン塩酸塩	アナフラニール	×	
	セルトラリン塩酸塩	ジェイゾロフト	×	
	デュロキセチン	サインバルタ	×	
	トラゾドン塩酸塩	レスリン	×	
		デジレル	×	
	パロキセチン塩酸塩水和物	パキシル	×	
	フルボキサミンマレイン酸塩	デプロメール	×	
		ルボックス	×	
	ベンラファキシン塩酸塩	イフェクサー SR カプセル	×	
	ボルチオキセチン臭化水素酸塩	トリンテリックス	×	
	マプロチリン塩酸塩	ルジオミール	×	
	ミアンセリン塩酸塩	テトラミド	×	
	ミルタザピン	レメロン	×	
		リフレックス	×	
	ミルナシプラン塩酸塩	トレドミン	?	
抗躁うつ薬・抗うつ薬	炭酸リチウム	リーマス	○	
抗めまい薬	イソソルビド	イソバイド	○	
	ジメンヒドリナート	ドラマミン	×	
	ベタヒスチン	メリスロン	おそらく○	
ADHD治療薬	グアンファシン塩酸塩	インチュニブ	×	
	モダフィニル	モディオダール	○	
	リスデキサンフェタミンメシル酸塩	ビバンセ	×	
抗てんかん薬	ガバペンチン	ガバペン	○	

	GFR（mL/分）			HD（透析）
	＞50	10～50	＜10	
90 mg 分3	腎機能正常者と同じ			
150 mg 分3				
注射：0.25～0.5 mg 経口：5～30 mg 分1～3（注射・経口とも）	50%に減量		25%に減量	
10～20 mg 分1	腎機能正常者と同じ	10 mg 分1		
50～225 mg 分1～3	腎機能正常者と同じ			
25～100 mg 分1				
20～60 mg 分1 朝食後	GFR＞30：腎機能正常者と同量を慎重投与 GFR＜30：禁忌			
75～200 mg 分1～3	腎機能正常者と同じ			
10～50 mg 分1	5～30 mg 分1		5～20 mg 分1	
50～150 mg 分2	腎機能正常者と同じ			
75 mg 分1 食後	50%に減量	禁忌		
10～20 mg 分1	腎機能正常者と同じ			
30～75 mg 分1～3				
30～60 mg 分1～2				
7.5～45 mg 分1 就寝前	少量から慎重投与			
25～100 mg 分2～3 食後	12.5～75 mg 分2～3 食後	12.5～50 mg 分2～3 食後		
400～1,200 mg 分2～3	25～50%に減量（可能であれば投与を避ける）			
70～140 mL 分2～3	腎不全患者の投与方法に言及した報告はない．利尿作用に伴う脱水による腎機能悪化に要注意			
1回1錠 1日3～4回	腎機能正常者と同じ			
18～36 mg 分3	腎機能正常者と同じ	18 mg 分3		
初回：2 mg 維持：4～6 mg 分1	腎機能正常者と同じ	少量より開始		
200～300 mg 分1 朝	腎機能正常者と同じ			
30～70 mg 分1 朝	腎機能正常者と同じ	腎機能正常者と同じ　50 mgまで		
GFR≧60： 600～2,400 mg 初回：600 mg 分3 維持量：1,200～1,800 mg 分3 最大：2,400 mg 分3	GFR 30～59： 400～1,000 mg 初日：400 mg 分2 維持量：600～800 mg 分2 最大：1,000 mg 分2	GFR 15～29： 200～500 mg 初日：200 mg 分1 維持量：300～400 mg 分1 最大：500 mg 分1	GFR 5～14： 100～200 mg 初日：200 mg 分1 維持量：HD後に200 mg（GFRが5 mL/分に近い患者では，1回200 mg 2日に1回投与を考慮する）	

薬剤名		透析性	濃度測定
一般名	商品名		
カルバマゼピン	テグレトール	○	○
クロバザム	マイスタン	×	○
トピラマート	トピナ	○	(○)
バルプロ酸ナトリウム	デパケン	×	○
	セレニカ R	×	○
	デパケン R	×	○
フェニトイン	アレビアチン錠/散	×	○
フェノバルビタール	フェノバール	○	○
フェニトイン/フェノバルビタール	ヒダントール F	○	○
プリミドン	プリミドン	○	(○)
ホスフェニトイン	ホストイン静注	×	(○)
ミダゾラム	ミダフレッサ静注	×	
ラモトリギン	ラミクタール	×	○
レベチラセタム	イーケプラ錠/点滴静注	○	○
ロラゼパム	ロラピタ注	×	
ガランタミン臭化水素酸塩	レミニール	×	
ドネペジル塩酸塩	アリセプト	×	
メマンチン塩酸塩	メマリー	×	
リバスチグミン	イクセロンパッチ	×	

抗てんかん薬 / アルツハイマー型認知症治療薬

GFR（mL/分）			HD（透析）
＞50	10～50	＜10	
電子添文参照	腎機能正常者と同量を慎重投与		
10～30 mg 分 1～3（最大 40 mg）	活性代謝物 M-9 の活性比は不明だが，親化合物の数十倍の血中濃度になるため，慎重投与		
50～600 mg 分 1～2	50%に減量		50%に減量，HD 日は 1 日量を 2 分割し，HD 前と HD 後に投与
400～1,200 mg 分 2～3	腎機能正常者と同じ		
400～1,200 mg 分 1			
400～1,200 mg 分 1～2			
200～300 mg 分 3			
30～200 mg 分 1～4		15～100 mg 分 1～2	
6～12 錠 分 3	腎機能正常者と同じ	やや減量，TDM を実施	
治療初期 3 日間は 1 日 250 mg を就寝前．以後 3 日間ごとに 250 mg ずつ増量し，発作の消長を考慮し 1 日量 1,500 mg まで漸増し，2～3 回に分割投与（最大 2,000 mg/日）	ヒトにおける尿中排泄率が不明であるため，設定できない		
電子添文参照	腎機能正常者と同じ		
0.15 mg/kg を静脈内投与または 0.1～0.4 mg/kg/時を持続静注	腎機能正常者と同じ	50%に減量	
電子添文参照	75%に減量	50%に減量	
GFR≧80：1,000～3,000 mg 分 2 GFR 50～80：1,000～2,000 mg 分 2	GFR 30～50：500～1,500 mg 分 2	GFR＜30：500～1,000 mg 分 2	500～1,000 mg 分 1 HD 後は 250～500 mg を補充
1 回 4 mg を 2 mg/分で静注．総量 8 mg まで	腎機能正常者と同じ		
8～16 mg 分 2（最大 24 mg/日）	AUC が 1.38 倍上昇するため，3/4 に減量	AUC が 1.67 倍上昇するため，2/3 に減量または低用量から慎重投与	
3～10 mg 分 1	腎機能正常者と同じ		
5 mg 分 1 で開始し，20 mg まで	GFR＜30：10 mg 分 1	維持量 10 mg 分 1 まで	
4.5 mg から開始．18 mg，24 時間ごとに貼付	腎機能正常者と同じ		

薬剤名		透析性	濃度測定
一般名	商品名		
アポモルヒネ塩酸塩水和物	アポカイン皮下注	×	
アマンタジン塩酸塩	シンメトレル	×	
イストラデフィリン	ノウリアスト	×	
エンタカポン	コムタン	×	
オピカポン	オンジェンティス	×	
カベルゴリン	カバサール	○	
サフィナミドメシル酸塩	エクフィナ	×	
セレギリン塩酸塩	エフピー	×	
ゾニサミド	トレリーフ	○	
バルベナジントシル酸塩	ジスバル	×	
ビペリデン塩酸塩	アキネトン錠	×	
プラミペキソール	ビ・シフロール	×	
ブロモクリプチンメシル酸塩	パーロデル	×	
ラサギリンメシル酸塩	アジレクト	?	
レボドパ/カルビドパ水和物/エンタカポン	スタレボ L 50/L 100	×	
ロチゴチン	ニュープロパッチ	×	
ロピニロール塩酸塩	レキップ	×	
アスピリン	アスピリン	○	
アスピリン/ダイアルミネート	バファリン(81 mg 錠)	○	△
アスピリン/ボノプラザンフマル酸塩	キャブピリン	―	
オザグレルナトリウム	カタクロット キサンボン		×
クロピドグレル硫酸塩	プラビックス	×	

40 付録

5 腎機能低下時の薬剤投与量

パーキンソン病治療薬

抗血小板薬

GFR（mL/分）			HD（透析）
>50	10~50	<10	
発現時に1回1mgから開始し，経過を観察しながら1回量1mgずつ増量，維持量（1~6mg）を定める（最大1回6mgまで）	腎機能正常者と同じ		
電子添文参照	1回100mgを2~3日ごと	禁忌	
レボドパ含有製剤と併用し，20~40mg 分1	腎機能正常者と同じ		
電子添文参照			
電子添文参照．50≦GFR<80：（最大350mg 分1）			
電子添文参照			
50~100mg 分1			
2.5~10mg 朝食後			
25mg 分1			
40~80mg 分1			
初回：2~6mg 分2 維持量：2~6mg 分3			
初回：0.25mg 分2 最大用量：1.5mg 分2	初回：0.125mg 分1 最大用量：1.5mg 分1	十分な使用経験がないので，状態を観察しながら慎重投与	
12.5~7.5mg			
1mg 分1			
1回1~2錠．1日8回まで．レボドパ1,500mg/日，カルビドパ150mg/日，エンタカポン1,600mg/日まで	腎機能正常者と同じ		
パーキンソン病：開始時4.5mg．9~36mg，24時間ごと貼付 レストレスレッグス症候群：開始時2.25mg．4.5~6.75mg，24時間ごと貼付			
0.75~15mg 分3	腎機能正常者と同じ	腎機能正常者と同量を少量より慎重投与	
0.5~4.5g 分1~3	腎機能正常者と同量を慎重投与		
81mg 分1			
1錠 分1	腎機能正常者と同じ		
電子添文参照			
50~75mg 分1			

		薬剤名		透析性	濃度測定
		一般名	商品名		
抗血小板薬		クロピドグレル硫酸塩/アスピリン	コンプラビン	×/○	
		サルポグレラート塩酸塩	アンプラーグ	×	
		ジラゼプ塩酸塩水和物	コメリアン	×	
		ジピリダモール	ペルサンチン	×	
		シロスタゾール	プレタール	×	
		チカグレロル	ブリリンタ	×	
		チクロピジン塩酸塩	パナルジン	×	
		トラピジル	ロコルナール錠・細粒	?	
		プラスグレル	エフィエント	×	
抗トロンビン薬		アルガトロバン水和物	ノバスタン HI 注	×	
			スロンノン HI 注	×	
		イダルシズマブ（ダビガトラン中和薬）	プリズバインド静注液	×	
		乾燥濃縮人アンチトロンビンⅢ	アンスロビン P 注 ノイアート注	×	
Xa阻害薬	DOAC	ダビガトラン	プラザキサ	○	
		アピキサバン	エリキュース	×	
		エドキサバン	リクシアナ	×	
		リバーロキサバン	イグザレルト	×	
		アンデキサネットアルファ	オンデキサ注	?	
		ダナパロイドナトリウム	オルガラン	×	
		フォンダパリヌクス	アリクストラ皮下注	○	

	GFR（mL/分）		HD（透析）
>50	10~50	<10	
1 錠 分 1	腎機能正常者と同量を慎重投与		
300 mg 分 3	腎機能正常者と同じ		
300 mg 分 3			
75~400 mg 分 3~4			
200 mg 分 2			
120 mg または 180 mg 分 2（アスピリンと併用すること）			
200~600 mg 分 1~3			
300 mg 分 3			
初回：20 mg 分 1 維持量：3.75 mg 分 1	腎機能正常者と同じ（UpToDate）	活性代謝物 R-138727 の AUC が約 31~47% および Cmax が約 20~52%低下し，半減期も 1/5 以下に短縮するため，少なくとも減量の必要はない
電子添文参照	腎機能正常者と同じ		
5 g 1 回を点滴静注または急速静注			
DIC：1,500 単位/日，緩徐に静注もしくは点滴静注			
300 mg 分 2	Ccr>30：220 mg 分 2 Ccr<30：原則禁忌（海外では Ccr 15~30：75~150 mg 分 1~2）	禁忌	
10 mg 分 2. ただし，①80 歳以上，②60 kg 以下，③血清 Cr 1.5 mg/dL 以上，のうち 2 つ以上が該当する患者では 5 mg 分 2	腎機能正常者に比し，Ccr 30~50 mL/分では AUC が29%，Ccr 15~29 mL/分では 44%増加するため，5~10 mg 分 2	Ccr<15 mL/分には使用経験がないため禁忌	
30~60 mg 分 1	Ccr>30：15 mg 分 1 Ccr<30：原則禁忌	禁忌	
10~15 mg 分 1 食後	Ccr>30：10 mg 分 1 食後 Ccr 15~29：10 mg 分 1 食後に慎重投与	Ccr<15 禁忌	
A 法：400 mg を 30 mg/分で静脈内投与し，続いて 480 mg を 4 mg/分で 2 時間静脈内投与 B 法：800 mg を 30 mg/分で静脈内投与し，続いて 960 mg を 8 mg/分で 2 時間静脈内投与 電子添文参照			
1 回 1,250 U 12 時間ごと	血清 Cr 2 mg/dL 以上の場合は減量，もしくは投与間隔をあけて慎重投与	原則禁忌	
Ccr≧50：2.5 mg 分 1 30≦Ccr<50：2.5 mg または 1.5 mg 分 1 20≦Ccr<30：1.5 mg 分 1 Ccr<20：禁忌			

	薬剤名		透析性	濃度測定
	一般名	商品名		
抗凝固薬	エノキサパリンナトリウム	クレキサン皮下注	×	
	ヘパリンナトリウム	ヘパリンナトリウム注	×	
	ワルファリンカリウム	ワーファリン	×	
DIC治療薬	トロンボモデュリンアルファ	リコモジュリン点滴静注	?	
造血薬	エルトロンボパグオラミン	レボレード	×	
	ルストロンボパグ	ムルプレタ	×	
止血薬	トラネキサム酸	トランサミン注	○	
		トランサミン内	○	
血栓溶解薬・脳保護薬	アルテプラーゼ	アクチバシン	×	
		グルトパ	×	
	ウロキナーゼ	ウロキナーゼ	×	
	エダラボン	ラジカット	×	
	モンテプラーゼ	クリアクター	×	
PG製剤	アルプロスタジル	パルクス	△	
		リプル	△	
	アルプロスタジルアルファデクス	プロスタンディン	×	
	ベラプロストナトリウム	ドルナー	×	
		プロサイリン	×	
		ケアロード LA	×	
		ベラサス LA	×	
	リマプロストアルファデクス	オパルモン	×	
		プロレナール	×	
H₂受容体拮抗薬	シメチジン	タガメット	○	
	ニザチジン	アシノン	○	

GFR（mL/分）			HD（透析）
＞50	10〜50	＜10	
1回2,000 IU を，原則として 12 時間ごとに1日2回 連日皮下注	Ccr＞30：1日1回 2,000 U Ccr＜30：禁忌		
適量（APTT 2〜3 倍延長）	腎機能正常者と同じ		
適量（INR で投与量を決定）	重篤な腎障害には禁忌だが，使用せざるを得ない場合には腎機能正常者と同量を慎重投与		
380 U/kg 1日1回	重篤な腎機能障害のある患者では慎重投与 （適宜 130 U/kg，1日1回に減量）		130 U/kg 1日1回
血小板減少性紫斑病：12.5〜50 mg 分1 空腹時	腎機能正常者と同じ		
3 mg 分1 7日間			
250〜500 mg 分1〜2	250〜500 mg 分1〜2	150 mg 分1〜2	
750〜2,000 mg 分3〜4	250〜500 mg 分1〜2		250〜500 mg 毎 HD 後
電子添文参照	腎機能正常者と同量を慎重投与		
電子添文参照	腎機能正常者と同じ		
60 mg 脳梗塞：分2(各30分かけて) ALS：分1(60分かけて)	腎機能正常者と同量を慎重投与	原則禁忌	
1回 13,750〜27,500 IU/kg	腎機能正常者と同じ		
5〜10 μg 分1			
電子添文参照	腎機能正常者と同じ		
電子添文参照			
120〜360 μg 分2			
15〜30 μg 分3			
400〜800 mg 分1〜4	400〜600 mg 分3	200〜400 mg 分1〜2	200〜400 mg 分1〜2 または 400 mg 週3回毎 HD 後
150〜300 mg 分1〜2	150 mg 分1	75 mg 分1	75 mg 分1 または 150 mg 週3回毎 HD 後

薬剤名		透析性	濃度測定
一般名	商品名		
H₂受容体拮抗薬 ファモチジン	ガスター	○	
ラフチジン	プロテカジン	○	
ロキサチジン酢酸エステル塩酸塩	アルタット	○	
PPI エソメプラゾールマグネシウム水和物	ネキシウム	×	
オメプラゾール	オメプラール	×	
	オメプラゾン	×	
ラベプラゾールナトリウム	パリエット	×	
ランソプラゾール	タケプロン	×	
ヘリコバクターピロリ除菌薬 ボノプラザン，アモキシシリン水和物（AMPC），クラリスロマイシン（CAM）	ボノサップ	AMPC：○ CAM：× ボノプラザン：×	
ボノプラザン，アモキシシリン水和物（AMPC），メトロニダゾール	ボノピオンパック	AMPC：○ メトロニダゾール：○ ボノプラザン：×	
P-CAB ボノプラザンフマル酸塩	タケキャブ	×	
下剤 エロビキシバット水和物	グーフィス	×	
酸化マグネシウム	マグミット	×	
センナエキス	ヨーデルS糖衣錠	?	
センノシドA・B	プルゼニド	?	
ナルデメジントシル酸塩	スインプロイク	×	
ピコスルファートナトリウム水和物	ラキソベロン錠/内用液	?	
マクロゴール4000/塩化ナトリウム/炭酸水素ナトリウム/塩化カリウム	モビコール配合内用剤LD/HD	?	
リナクロチド	リンゼス	?	
ルビプロストン	アミティーザ	×	

GFR（mL/分）			HD（透析）
＞50	10～50	＜10	
20～40 mg 分 1～2	20 mg 分 1～2	10 mg 分 1	10 mg 分 1 または 20 mg 週 3 回毎 HD 後
10～20 mg 分 1～2	腎機能正常者と同じ		5～10 mg 分 1～2
75～150 mg 分 1～2	75 mg 分 1	37.5 mg 分 1	37.5 mg 分 1 または 75 mg 週 3 回毎 HD 後
10～20 mg 分 1（除菌：40 mg 分 2）	腎機能正常者と同じ		
10～20 mg 分 1（除菌：40 mg 分 2）			
10～40 mg 分 1～2（除菌：20 mg 分 2）			
15～30 mg 分 1（除菌：60 mg 分 2）			
ボノプラザン 1 回 20 mg，AMPC 1 回 750 mg，CAM 1 回 200 mg の 3 剤を同時に 1 日 2 回 7 日間．CAM は 400 mg 1 日 2 回が上限	AMPC は 1 回 250 mg を 1 日 2 回 ※用量調節を必要とする場合は，パック製剤は適さない	AMPC は 250 mg を 1 日 2 回．CAM は 200 mg を 1 回 1 回．HD 日には HD 後に投与 ※用量調節を必要とする場合は，パック製剤は適さない	
ボノプラザン 1 回 20 mg，AMPC 1 回 750 mg，メトロニダゾール 1 回 250 mg の 3 剤を同時に 1 日 2 回，7 日間	AMPC のみ 1 回 250 mg を 12 時間ごと ※用量調節を必要とする場合は，パック製剤は適さない	AMPC のみ 1 回 250 mg を 24 時間ごと．HD 日には HD 後に投与 ※用量調節を必要とする場合は，パック製剤は適さない	
10 mg または 20 mg 分 1（除菌：40 mg 分 2）	腎機能正常者と同じ		
10～15 mg 分 1 食前	腎機能正常者と同じ		
0.5～3 g 分 1～3	マグネシウムの排泄遅延により蓄積する可能性があるため，慎重投与		
80～240 mg 分 1 就寝前	腎機能正常者と同じ		
12～48 mg 分 1			
0.2 mg 分 1			
錠：5～7.5 mg 分 1 内用液：10～15 滴 就寝前			
LD 2 包または HD 1 包を分 1 LD 6 包または HD 3 包 分 1～3 まで	腎機能正常者と同じだが，電解質・体液異常を起こす可能性があるため，慎重に投与する		
0.25～0.5 mg 分 1 食前	腎機能正常者と同じ		
48 μg 分 2	GFR＜30：24 μg 分 1	24 μg 分 1	

薬剤名		透析性	濃度測定
一般名	商品名		
ポリカルボフィルカルシウム	コロネル	×	
ラモセトロン塩酸塩	イリボー	×	
アナモレリン塩酸塩	エドルミズ	○	
ウステキヌマブ	ステラーラ注	×	
ウルソデオキシコール酸	ウルソ	△	
オンダンセトロン塩酸塩水和物	オンダンセトロン注	×	
グラニセトロン塩酸塩	カイトリル注	×	
カロテグラストメチル	カログラ	×	
サラゾスルファピリジン	サラゾピリン	×	
ドンペリドン	ナウゼリン坐剤	×	
	ナウゼリン	×	
フィルゴチニブマレイン酸塩	ジセレカ	?	
ブデソニド	ゼンタコートカプセル	×	
	レクタブル	×	
ベドリズマブ	エンタイビオ注	×	
ミソプロストール	サイトテック	×	
メサラジン	アサコール	×	
	ペンタサ	×	
	リアルダ	×	
メトクロプラミド	プリンペラン	×	
モサプリドクエン酸塩水和物	ガスモチン	×	
ラクツロース	ラグノス NF	×	
レバミピド	ムコスタ	×	
D-ソルビトール	D-ソルビトール原末，経口液	×	

744

	GFR（mL/分）		HD（透析）
>50	10~50	<10	
1.5~3.0 g 分3	組織への石灰沈着を助長するおそれがあるため禁忌		腎機能正常者と同じ
5~10 μg 分1	腎機能正常者と同じだが，HD患者では便秘・虚血性腸炎に要注意		
100 mg 分1 空腹時	腎機能正常者と同じ		
電子添文参照			
150~600 mg 分3（原発性胆汁性胆管炎とC型肝炎は最大900 mg/日）			
1日1回 4 mg			
1回4mgを緩徐に静注			
2,880 mg 分3	腎機能正常者と同量を慎重投与		
2~4 g 分4~6	腎不全患者ではスルファピリジンが蓄積する可能性が考えられるため，低用量から開始する		
120 mg 分2	腎機能正常者と同じ		
15~30 mg 分1~3			
100~200 mg 分1	50%に減量	禁忌	
9 mg 分1 朝	腎機能正常者と同じ		
1日2回直腸内に噴射			
1回300 mg．初回投与後，2週，6週に投与し，以降8週間隔で点滴静注			
800 μg 分4			
電子添文参照			
電子添文参照	GFR<30：禁忌		禁忌
2,400 mg 分1 活動期：4,800 mg 分1			
10~30 mg 分2~3	5~20 mg 分1~2	5~15 mg 分1~2	
15 mg 分3	腎機能正常者と同じ		
慢性便秘症：48~72 g 分2~3 高アンモニア血症に伴う症候の改善：36~72 g 分3 産婦人科術後の排ガス・排便の促進：24~72 g 分2			
300 mg 分3			
消化管のX線造影の迅速化，消化管のX線造影時の便秘の防止：X線造影剤中の硫酸バリウム100 gに対してD-ソルビトールとして10~20 g（13~27 mL）を添加	イオン交換樹脂製剤服用時には75%ソルビトール液として1回7 mLを1~6回内服		

40 付録

5 腎機能低下時の薬剤投与量

薬剤名		透析性	濃度測定
一般名	商品名		
HMG-CoA還元酵素阻害薬（スタチン） アトルバスタチンカルシウム水和物	リピトール	×	
シンバスタチン	リポバス	×	
ピタバスタチンカルシウム	リバロ	×	
プラバスタチンナトリウム	メバロチン	×	
フルバスタチンナトリウム	ローコール	×	
ロスバスタチンカルシウム	クレストール	×	
スタチン／Ca拮抗薬合剤 アムロジピンベシル酸塩/アトルバスタチンカルシウム水和物	カデュエット配合錠	×	
フィブラート系薬 フェノフィブラート	トライコア	×	
	リピディル	×	
ベザフィブラート	ベザトール SR	×	
ペマフィブラート	パルモディア	×	
陰イオン交換樹脂（レジン） コレスチミド	コレバイン	×	
コレスチラミン	クエストラン	×	
その他の脂質異常症治療薬 イコサペント酸エチル	エパデールカプセル，エパデール S	×	
エボロクマブ	レパーサ皮下注	×	
オメガ-3 脂肪酸エチル	ロトリガ	×	
エゼチミブ/アトルバスタチンカルシウム水和物	アトーゼット LD	×	
エゼチミブ	ゼチーア	×	
エゼチミブ/ロスバスタチンカルシウム	ロスーゼット	?	
テルミサルタン/アムロジピンベシル酸塩/ヒドロクロロチアジド	ミカトリオ	×	
ニセリトロール	ペリシット	○	
ピタバスタチンカルシウム水和物/エゼチミブ	リバゼブ	×	

GFR（mL/分）			HD（透析）
＞50	10〜50	＜10	
10〜20 mg 分1 家族性高コレステロール血症では最大40 mg/日	腎機能正常者と同じ		
5〜20 mg 分1			
1〜4 mg 分1			
10〜20 mg 分1〜2			
20〜60 mg 分1 夕食後			
2.5〜10 mg 家族性高コレステロール血症では最大20 mg 分1	腎機能正常者と同じ	GFR＜30では2.5 mgより開始, 最大5 mg 分1	
1錠 分1	腎機能正常者と同量を慎重投与		
106.6〜160 mg 分1	慎重投与（血清 Cr 2.5 mg/dL 以上で禁忌）		禁忌
200〜400 mg 分2	200 mg 分1〜2（血清 Cr 2.0 mg/dL 以上は禁忌）		禁忌
0.2〜0.4 mg 分2	eGER＞30 は慎重投与（最大0.2 mg）		
3〜4 g 分2	腎機能正常者と同じ		
1回9 g/水100 mL, 2〜3回 1回18 g/水200 mL, 3回	腎機能正常者と同じ		
1.8〜2.7 g 分3	腎機能正常者と同じ		
2週間に1回140 mgまたは4週間に1回420 mg 皮下注	腎機能正常者と同じ	腎機能正常者と同量を慎重投与	
2 g 分1 食直後（最大4 g 分2）	腎機能正常者と同じ		
1錠 分1			
10 mg 分1			
1錠 分1 食後			
1錠 分1	腎機能正常者と同量を慎重投与		無尿患者, HD患者には禁忌
750 mg 分3	500 mg 分2	250 mg 分1	125 mg 分1
1錠 分1 食後	腎機能正常者と同量を慎重投与		

	薬剤名		透析性	濃度測定
	一般名	商品名		
その他の脂質異常症治療薬	プロブコール	シンレスタール	×	
		ロレルコ	×	
	ペランパネル水和物	フィコンパ	×	
	ラコサミド	ビムパット	○	
尿素〈SU〉薬 スルホニル	グリクラジド	グリミクロン	×	
	グリベンクラミド	オイグルコン	×	
	グリメピリド	アマリール	×	
ビグアナイド系薬	アナグリプチン/メトホルミン塩酸塩	メトアナ	?	
	ブホルミン塩酸塩	ジベトス	○	
	メトホルミン塩酸塩	グリコラン	○	
		メトグルコ	○	
	ピオグリタゾン塩酸塩/メトホルミン塩酸塩	メタクト LD/HD	ピオグリタゾン：×，メトホルミン：○	
αグルコシダーゼ阻害薬	アカルボース	グルコバイ	○	
	ボグリボース	ベイスン	?	
	ミグリトール	セイブル	○	
DPP-4阻害薬	アナグリプチン	スイニー	×	
	アログリプチン	ネシーナ	×	
	オマリグリプチン	マリゼブ	×	
	サキサグリプチン	オングリザ	×	
	シタグリプチンリン酸塩水和物	ジャヌビア	×	
		グラクティブ	×	
	テネリグリプチン臭化水素酸塩水和物	テネリア	×	
	トレラグリプチンコハク酸塩	ザファテック	×	
	ビルダグリプチン	エクア	×	
	リナグリプチン	トラゼンタ	×	

GFR (mL/分)			HD(透析)
＞50	10～50	＜10	
500～1,000 mg 分2	腎機能正常者と同じ		
2～12 mg 分1 就寝前	少量から開始し，徐々に用量調整する		
1日100 mgより投与開始し，1週間以上の間隔をあけて100 mg以下で増量．維持量200 mg 分2(最大400 mg 分2)	GFR＜30：最大300 mg/日		1日用量に加え，HD後は最大で1回用量の半量投与を考慮する
20～160 mg 分1～2	重篤な腎機能障害患者は禁忌(SU薬は腎機能が低下すると一定の臨床効果が得られないうえ，低血糖などの副作用を起こしやすいため，重篤な腎機能障害患者はインスリン治療に切り替える)		
1.25～10 mg 分1～2			
維持量1～4 mg 最大量6 mg 分1～2			
2錠 分2 朝夕	単剤で用量調節する GFR＜30：禁忌	禁忌	
100～150 mg 分2～3	GFR＜70：低血糖のみでなく乳酸アシドーシスの危険があるため禁忌		
500～700 mg 分2～3 ただし軽度腎障害にも禁忌	腎臓における本剤の排泄が減少するため，腎機能障害(軽度障害も含む)には禁忌		
500～2,250 mg 分2～3	GFR 30～60：慎重投与 GFR＜30：禁忌		
15 mg/500 mg または 30 mg/500 mg 朝食後	GFR＜30：禁忌		
150～300 mg 分3	腎機能正常者と同量を慎重投与		
0.6～0.9 mg 分3			
150～225 mg 分3			
200 mg 分2	GFR＜30：100 mg 分1		
25 mg 分1	GFR≧30：12.5 mg 分1 GFR＜30：6.25 mg 分1	6.25 mg 分1	
25 mg 週1回	GFR＜30：12.5 mg 週1回	12.5 mg 週1回	
2.5～5 mg 分1	2.5 mg 分1		
50～100 mg 分1	GFR≧30：25～50 mg 分1 GFR＜30：禁忌	禁忌	
20～40 mg 分1	減量の必要はない．半減期は延長しないが，腎機能低下によりAUCが最大1.5倍に上昇する		
100 mg 週1回	GFR≧30：50 mg 週1回 GFR＜30：禁忌	禁忌	
50～100 mg 分1～2	50 mg 分2を慎重投与．半減期が短いため1日2回投与とすること		
5 mg 分1	減量の必要はない．腎機能低下によりAUCが最大1.6倍に上昇する		

薬剤名		透析性	濃度測定
一般名	商品名		
エキセナチド	バイエッタ皮下注	×	
セマグルチド	オゼンピック皮下注	×	
	リベルサス	×	
チルゼパチド	マンジャロ皮下注	×	
デュラグルチド	トルリシティ皮下注	×	
リキシセナチド	リキスミア	×	
リラグルチド	ビクトーザ皮下注	×	
ピオグリタゾン塩酸塩	アクトス	×	
ピオグリタゾン塩酸塩/グリメピリド	ソニアス	×	
ピオグリタゾン塩酸塩/アログリプチン安息香酸塩	リオベル	×	
イプラグリフロジン	スーグラ	×	
エンパグリフロジン	ジャディアンス	×	
エンパグリフロジン/リナグリプチン	トラディアンス	?	
カナグリフロジン	カナグル	×	
ダパグリフロジン	フォシーガ	×	
トホグリフロジン	デベルザ	×	
ルセオグリフロジン	ルセフィ	×	
超速効型	ノボラピッド	×	
	ヒューマログ	×	
	アピドラ	×	
	フィアスプ	△	
	ルムジェブ	△	
速効型	ノボリンR	×	
	ヒューマリンR	×	

GFR（mL/分）			HD（透析）
>50	10~50	<10	
1回 5~10 μg 1日2回 朝夕食前	GFR<30：避ける	禁忌	
0.5 mg 週1回	腎機能正常者と同じ		
初回：3 mg 維持：7~14 mg 分1			
週1回5 mgを維持用量とし，皮下注．ただし，週1回2.5 mgから開始し，4週間投与したのち，週1回5 mgに増量する．最大量は15 mg 週1回			
0.75 mg 週1回皮下注	腎機能正常者と同じ		腎機能正常者と同量を慎重投与
1日10 μgより開始し，20 μgを1日1回皮下注	腎機能正常者と同じ		
1日0.3 mgから開始し，0.9 mgを1日1回皮下注，最大1.8 mgまで			
15~45 mg 分1	慎重投与	わが国では禁忌であるが，海外では常用量で使用可能	
電子添文参照	軽度腎障害~HD患者で禁忌		
電子添文参照	重篤な腎障害には禁忌		
50~100 mg 分1	GFR<30：避ける	効果が期待できないため投与しない	
10~25 mg 分1	GFR<20：避ける		
1錠 分1	慎重投与	リナグリプチンの効果が期待できない	
100 mg 分1	GFR<30：避ける	効果が期待できないため投与しない	
5~10 mg 分1	GFR<25：避ける		
20 mg 分1	GFR<30：避ける		
2.5~5 mg 分1	GFR<30：避ける		

インスリンは腎機能低下とともに排出低下による効果増大が起こるので，適宜，減量が必要となる．一般的なHD液の場合，血糖値が100~150 mg/dLに近づくため，HD時の減量も必要である

75%に減量（ただし血糖値に応じて投与量を決定する）	50%に減量（ただし血糖値に応じて投与量を決定する）

インスリンは腎機能低下とともに排出低下による効果増大が起こるので，適宜，減量が必要となる．一般的なHD液の場合，血糖値が100~150 mg/dLに近づくため，HD時の減量も必要である

薬剤名			透析性	濃度測定
	一般名	商品名		
インスリン	持効型	トレシーバ	×	
		レベミル	×	
		ランタス XR	×	
		ランタス XR 注ソロスター	×	
		ソリクア	△	
		ゾルトファイ	△	
	中間型	ノボリン N	×	
		ヒューマリン N	×	
	混合型	ノボラピッド 30 ミックス	×	
		ノボリン 30R	×	
		イノレット 30R	×	
		ヒューマログミックス	×	
		ヒューマリン 3/7	×	
その他の糖尿病治療薬	アログリプチン安息香酸塩/メトホルミン塩酸塩	イニシンク	アログリプチン：×，メトホルミン：○	
	イメグリミン塩酸塩	ツイミーグ	？	
	エパルレスタット	キネダック	×	
	シタグリプチンリン酸塩水和物/イプラグリフロジン L-プロリン	スージャヌ	×	
	テネリグリプチン臭化水素酸塩水和物/カナグリフロジン水和物	カナリア	×	
	ナテグリニド	スターシス	×	
		ファスティック	×	
	ビルダグリプチン/メトホルミン塩酸塩	エクメット LD	ビルダグリプチン：×，メトホルミン：○	
	ミチグリニドカルシウム水和物	グルファスト	×	
尿病治療薬その他の糖	ミチグリニドカルシウム水和物/ボグリボース	グルベス	×	
	レパグリニド	シュアポスト	×	
救急治療薬低血糖時	グルカゴン	バクスミー点鼻		

	GFR（mL/分）		HD（透析）
>50	10〜50	<10	
インスリンは腎機能低下とともに排出低下による効果増大が起こるので，適宜，減量が必要となる．一般的な HD 液の場合，血糖値が 100〜150 mg/dL に近づくため，HD 時の減量も必要である			
75％に減量（ただし血糖値に応じて投与量を決定する）	50％に減量（ただし血糖値に応じて投与量を決定する）		
インスリンは腎機能低下とともに排出低下による効果増大が起こるので，適宜，減量が必要となる．一般的な HD 液の場合，血糖値が 100〜150 mg/dL に近づくため，HD 時の減量も必要である			
インスリンは腎機能低下とともに排出低下による効果増大が起こるので，適宜，減量が必要となる．一般的な HD 液の場合，血糖値が 100〜150 mg/dL に近づくため，HD 時の減量も必要である			
1 錠 分 1	GFR<30：禁忌		
2,000 mg 分 2 朝夕	推奨されない		
150 mg 分 3	腎機能正常者と同じ		
1 錠 分 1 朝食前または朝食後	効果が期待できないため投与しない．GFR<30：禁忌	禁忌	
1 錠 分 1 朝食前または朝食後	GFR<30：避ける	効果が期待できないため投与しない	
270〜360 mg 分 3 食直前	減量の必要ないが，慎重投与	低血糖が起こりやすいため禁忌	
2 錠 分 2	GFR<30：禁忌		
15〜30 mg 分 3	半減期が延長し低血糖を起こしやすいため慎重投与であるが，血糖値をモニターしながら投与可能		
電子添文参照	重篤な腎障害には禁忌		
0.75〜3 mg 分 3 食直前	腎機能正常者と同じだが，重度の腎障害では慎重投与		
1 回 3 mg 点鼻	腎機能正常者と同じ		

薬剤名		透析性	濃度測定
一般名	商品名		
アロプリノール	ザイロリック	○	
コルヒチン	コルヒチン	×	
ドチヌラド	ユリス	?	
トピロキソスタット	トピロリック	×	
	ウリアデック	×	
フェブキソスタット	フェブリク	×	
プロベネシド	ベネシッド	×	
ベンズブロマロン	ユリノーム	×	
オシロドロスタットリン酸塩	イスツリサ	×	
チアマゾール	メルカゾール	○	
レボチロキシンナトリウム水和物	チラーヂンS	×	
エバスチン	エバステル	×	
エピナスチン塩酸塩	アレジオン	×	
エメダスチンフマル酸塩	アレサガテープ	×	
オロパタジン塩酸塩	アレロック	×	
ケトチフェンフマル酸塩	ザジテン	?	
スギ花粉エキス原末	シダキュアスギ花粉舌下	?	
スプラタストトシル酸塩	アイピーディ	?	
セチリジン塩酸塩	ジルテック	×	
デスロラタジン	デザレックス	×	
デュピルマブ	デュピクセント皮下注	×	
ビラスチン	ビラノア	×	
フェキソフェナジン塩酸塩	アレグラ	×	
フェキソフェナジン塩酸塩/塩酸プソイドエフェドリン	ディレグラ	×	

GFR（mL/分）			HD（透析）
＞50	10～50	＜10	
100～300 mg 分 2～3	50～100 mg 分 1	50 mg 分 1	100 mg 週 3 回，毎 HD 後
通常：3～4 mg 分 6～8 予防：0.5～1 mg 分 1	慎重投与		1 回 0.25 mg 週 2 回慎重投与
初回：0.5 mg 維持：2～4 mg 分 1	腎機能正常者と同じ	乏尿や無尿患者では効果が期待できない	
40～160 mg 分 2	腎機能正常者と同じ		
10～60 mg 分 1	AUC が腎機能軽度～重度低下群では 48～76％上昇するため，慎重投与		
0.5～2 g 分 2～4	少量から開始	尿中排泄促進薬のため，尿量が減少した症例では原則禁忌	
25～150 mg 分 1～3	少量から開始する．減量の必要はないが，GFR＜30 では効果が減弱するため，一般的には投与しない	尿中排泄促進薬のため，尿量が減少した症例では原則禁忌	
2～60 mg 分 2	腎機能正常者と同じ		
5～60 mg 分 1～4	腎機能正常者と同じ		
25～400 μg 分 1			
5～10 mg 分 1	腎機能正常者と同じ		
10～20 mg 分 1			
1 回 4 mg 24 時間ごとに貼付			
10 mg 分 2	2.5～5 mg 分 1～2	2.5 mg 分 1～2	
2 mg 分 2	腎機能正常者と同じ		
1 回 1 錠 1 日 1 回 舌下 1 分間	腎機能正常者と同じと考えられるが，データがない		
300 mg 分 3	減量する必要がないと思われるが，薬物動態データがほとんどなく不明		
10～20 mg 分 1	5～10 mg 分 1	2.5～5 mg 分 1	
5 mg 分 1	腎機能正常者と同じ	腎機能正常者と同量を慎重投与	
初回 600 mg，その後は 300 mg を 2 週間隔で皮下注	腎機能正常者と同じ		
20 mg 分 1 空腹時			
120 mg 分 2	60～120 mg 分 1～2	60 mg 分 1	
4 錠 分 2	プソイドエフェドリンの尿中未変化体排泄率のデータに幅があるため，至適投与量が定められない		

薬剤名		透析性	濃度測定
一般名	商品名		
プランルカスト水和物	オノン	×	
ベタメタゾン/d-クロルフェニラミンマレイン酸塩	セレスタミン	×	
ベポタスチンベシル酸塩	タリオン	○	
メキタジン	ニポラジン	?	
モンテルカストナトリウム	キプレス	×	
	シングレア	×	
ルパタジンフマル酸塩	ルパフィン	×	
レボセチリジン	ザイザル	×	
ロラタジン	クラリチン	×	
フルチカゾンフランカルボン酸エステル	アニュイティ	×	
サルブタモール硫酸塩	サルタノールインヘラー	×	
プロカテロール塩酸塩	メプチンエアー	×	
イプラトロピウム臭化物	アトロベントエロゾル	×	
アクリジニウム臭化物	エクリラ	×	
ウメクリジニウム臭化物	エンクラッセ	×	
チオトロピウム臭化物	スピリーバ	×	
グリコピロニウム臭化物	シーブリ	×	
サルメテロールキシナホ酸塩	セレベント	×	
インダカテロールマレイン酸塩	オンブレス	×	

GFR（mL/分）			HD（透析）
＞50	10〜50	＜10	
450 mg 分2	腎機能正常者と同じ		
1〜8錠 分1〜4			
20 mg 分2	腎機能障害のある患者では低用量から投与するなど慎重投与		20〜50％に減量し，HD後に投与
12 mg 分2	腎機能正常者と同じ		
5〜10 mg 分1			
10〜20 mg 分1	腎機能正常者と同じ	腎機能正常者と同量を慎重投与	
2.5〜5 mg 分1	2.5 mg 48〜72時間ごと	禁忌	
10 mg 分1	腎機能正常者と同量を慎重投与		
1回1吸入を1日1回	腎機能正常者と同じ		
1回2吸入（200 μg）を1日4回まで（3時間以上間隔をあける）	腎機能正常者と同じ		
1回2吸入（20 μg）を1日4回まで			
1回1〜2噴射を1日3〜4回	腎機能正常者と同じ		
1回1吸入を1日2回	腎機能正常者と同じ		
1回1吸入を1日1回			
1回2吸入を1日1回	尿中未変化体時排泄率は高いものの生物学的利用率が低いため，腎機能正常者と同じ		
1回1カプセルを1日1回吸入	腎機能正常者と同じ		
1回50 μgを1日2回朝および就寝前に吸入	腎機能正常者と同じ		
1回1カプセルを1日1回吸入			

薬剤名		透析性	濃度測定
一般名	商品名		
インダカテロール酢酸塩/モメタゾンフランカルボン酸エステル	アテキュラ	?	
サルメテロールキシナホ酸塩/フルチカゾンプロピオン酸エステル	アドエアディスカス	×	
ブデソニド/ホルモテロールフマル酸塩	シムビコートタービュヘイラー	×	
ビランテロールトリフェニル酢酸塩/フルチカゾンフランカルボン酸エステル	レルベアエリプタ	×	
フルチカゾンプロピオン酸エステル/ホルモテロールフマル酸塩水和物	フルティフォーム	×	
グリコピロニウム臭化物/インダカテロールマレイン酸塩	ウルティブロ	×	
ウメクリジニウム臭化物/ビランテロールトリフェニル酢酸塩	アノーロエリプタ	×	
チオトロピウム臭化物水和物/オロダテロール塩酸塩	スピオルトレスピマット	×	
グリコピロニウム臭化物/ホルモテロールフマル酸塩水和物	ビベスピエアロスフィア	?	
インダカテロール酢酸塩/グリコピロニウム臭化物/モメタゾンフランカルボン酸エステル	エナジア	?	
ブデソニド/グリコピロニウム臭化物/ホルモテロールフマル酸塩水和物	ビレーズトリエアロスフィア	?	
フルチカゾンフランカルボン酸エステル/ウメクリジニウム臭化物/ビランテロールトリフェニル酢酸塩	テリルジーエリプタ	?	
アゼラスチン塩酸塩	アゼプチン	?	
アミノフィリン	ネオフィリン錠	○	○

GFR（mL/分）			HD（透析）
＞50	10～50	＜10	
1回1カプセルを1日1回吸入			
1回サルメテロールとして50 μg およびフルチカゾンプロピオン酸エステルとして，100 μg を1日2回．症状に応じて，フルチカゾンプロピオン酸エステルとして250 μg，500 μg へ増量する	腎機能正常者と同じ		
電子添文参照			
1回1吸入を1日1回			
50 エアゾール：1回2吸入を1日2回．症状に応じて125 エアゾール：1回2～4吸入を1日2回			
1回1カプセルを1日1回吸入	グリコピロニウムの血中濃度が上昇し（重度，末期ともに腎機能正常者の AUC の2倍になる），副作用が増強されるおそれがあるため，治療上の有益性と危険性を勘案して慎重に投与し，副作用の発現に注意すること		
1回1吸入 1日1回	腎機能正常者と同じ		
1回2吸入 1日1回			
1回2吸入 1日2回	グリコピロニウムの血中濃度が上昇し（重度，末期ともに腎機能正常者の AUC の2倍になる），副作用が増強されるおそれがあるため，治療上の有益性と危険性を勘案して慎重に投与し，副作用の発現に注意すること．		
1回1カプセル 1日1回吸入	腎機能正常者と同じ		
1回2吸入 1日2回	グリコピロニウムの血中濃度が上昇し（重度，末期ともに腎機能正常者の AUC の2倍になる），副作用が増強されるおそれがあるため治療上の有益性と危険性を勘案して慎重に投与し，副作用の発現に注意すること		
1回1吸入 1日1回	腎機能正常者と同じ		
2～4 mg 分2	腎機能正常者と同じ		
300～400 mg 分3～4	腎機能正常者と同じ		透析性があるため，HD 後，血中濃度測定のうえ追加投与

薬剤名		透析性	濃度測定
一般名	商品名		
サルブタモール硫酸塩	サルブタモール	×	
ツロブテロール	ホクナリン錠	×	
テオフィリン徐放剤	テオドール	○	○
	テオロング	○	○
テゼペルマブ	テゼスパイア皮下注	×	
プロカテロール塩酸塩	メプチン	×	
ベンラリズマブ	ファセンラ皮下注	?	
メポリズマブ	ヌーカラ皮下注用	×	
オマリズマブ注射用凍結乾燥製剤	ゾレア皮下注用	×	
アザチオプリン	イムラン	△	
	アザニン	△	
アニフロルマブ	サフネロー注	×	
アブロシチニブ	サイバインコ	×	
エベロリムス	サーティカン	×	○
グスペリムス塩酸塩	スパニジン	○	
シクロスポリン	サンディミュン	×	○
	ネオーラル	×	○
タクロリムス水和物（移植患者以外の場合）	プログラフ	×	○
	グラセプター	×	○
ネモリズマブ	ミチーガ	×	
バシリキシマブ	シムレクト	×	
ヒドロキシクロロキン硫酸塩	プラケニル	×	

喘息治療薬 / 免疫抑制薬

40 付録

5 腎機能低下時の薬剤投与量

760

	GFR(mL/分)		HD(透析)
>50	**10~50**	**<10**	
12 mg 分3 症状が激しいときは 24 mg 分3	腎機能正常者と同じ		
2錠 分2			
400 mg 分2 朝と就寝前 気管支喘息：400 mg 分1 就寝前	腎機能正常者と同じ		透析性があるため，HD後，血中濃度測定のうえ追加投与
210 mg 4週ごと 皮下注	腎機能正常者と同じ		
50~100 μg 分1~2			
1回30 mg 初回，4週後，8週後皮下注.以降8週間隔			
4週ごと 100 mg 皮下注			
電子添文参照			
電子添文参照	腎機能正常者と同じ	常用量を24~36時間ごと	
300 mg 4週ごと 30分以上かけて点滴静注	腎機能正常者と同じ		
100~200 mg 分1	50%に減量		
1.5 mg 分2 開始用量は3 mg/日まで	腎機能正常者と同じ		
3~5 mg/kg を1日1回 3時間かけて点滴静注 7~10日間	腎機能が著しく低下している患者では血液障害，消化器症状の発現率が高くなるため，慎重投与		
電子添文参照			
電子添文参照	腎機能正常者と同じ		
60 mg 4週ごと 皮下注			
1回20 mgを，移植2時間前と移植術4日後の計2回静注			
理想体重に基づいて200 mgまたは400 mg 分1 食後	GFR 10~30：25~50%に減量．腎不全には長期の使用を避けるよう努める．また，1年に2回以上の眼科的検査が必要である	GFR<10：25~50%に減量し，注意して使用	

薬剤名		透析性	濃度測定
一般名	商品名		
ベリムマブ	ベンリスタ点滴静注	×	
	ベンリスタ皮下注オートインジェクター	×	
ミコフェノール酸モフェチル	セルセプト	×	
ミゾリビン	ブレディニン	○	△
アクタリット	モーバー	○	
アダリムマブ	ヒュミラ	×	
アバタセプト	オレンシア	×	
イグラチモド	ケアラム	×	
インフリキシマブ	レミケード	×	
ウパダシチニブ水和物	リンヴォック	×	
エタネルセプト	エンブレル	×	
オゾラリズマブ	ナノゾラ	×	
金チオリンゴ酸ナトリウム	シオゾール	×	
ゴリムマブ	シンポニー	×	
サラゾスルファピリジン	アザルフィジン EN	×	
サリルマブ	ケブザラ	×	
セルトリズマブ ペゴル	シムジア	×	
トシリズマブ	アクテムラ	×	
トファシチニブクエン酸塩	ゼルヤンツ	?	
バリシチニブ	オルミエント	○	
ブシラミン	リマチル	○	
ペニシラミン	メタルカプターゼ	×	
ペフィシチニブ臭化水素酸塩	スマイラフ	×	

免疫抑制薬

関節リウマチ治療薬

40 付録

5 腎機能低下時の薬剤投与量

762

GFR（mL/分）			HD（透析）
＞50	10〜50	＜10	
1回 10 mg/kg を初回，2週後，4週後に点滴静注し，以降4週に1回	腎機能正常者と同量を慎重投与		
1回 200 mg を1週に1回 皮下注			
電子添文参照	腎機能正常者と同じ	GFR＜25：1回 1,000 mg まで（1日2回）を慎重投与	
腎移植における拒否反応の抑制：2〜3 mg/kg（初回），1〜3 mg/kg（維持）ネフローゼ症候群，関節リウマチ：150 mg	60〜100％に減量	25〜60％に減量	10〜25％に減量
腎機能正常者と同じ（300 mg 分3），または 50％に減量	25％に減量，または100 mg 分1に減量	避ける	
電子添文参照			
電子添文参照			
開始時：25 mg 分1（4週間以上）維持：50 mg 分2	腎機能正常者と同じ		
電子添文参照			
7.5〜15 mg 分1			
電子添文参照			
30 mg 4週ごと 皮下注			
電子添文参照	症状悪化，重篤な副作用が現れることがあるため禁忌		
電子添文参照			
1,000 mg 分2 高齢者ではその1/2から開始	腎機能正常者と同じ		
2週ごとに 200 mg 皮下注	腎機能正常者と同じと考えられるが，GFR＜30 はデータがない		
電子添文参照	腎機能正常者と同じ		
電子添文参照			
電子添文参照	50％に減量		
2〜4 mg 分1	2 mg 分1 GFR＜30：避ける	避ける	
200 mg 分2	重篤な腎障害が現れることがあるため禁忌		1回 200 mg 週3回 HD 日は HD 後
1回100 mg を1日1〜3回，食間空腹時，最大 600 mg/日	腎障害を起こすおそれがあるため禁忌		50 mg/日でも無顆粒球症の報告があるため避ける
100〜150 mg 分1 食後	腎機能正常者と同じ		

薬剤名		透析性	濃度測定
一般名	商品名		
メトトレキサート	リウマトレックス	○	○
	メトジェクト	○	○
レフルノミド	アラバ	×	
アプレミラスト	オテズラ	?	
イキセキズマブ	トルツ	×	
カルシポトリオール水和物/ベタメタゾンジプロピオン酸エステル	ドボベット軟膏	×	
グセルクマブ	トレムフィア皮下注	?	
スペソリマブ	スペビゴ注	×	
セクキヌマブ	コセンティクス皮下注	×	
チルドラキズマブ	イルミア皮下注	×	
デュークラバシチニブ	ソーティクツ	×	
ビメキズマブ	ビンゼレックス皮下注	×	
ブロダルマブ	ルミセフ皮下注	×	
マキサカルシトール/ベタメタゾン酪酸エステルプロピオン酸エステル	マーデュオックス軟膏	×	
リサンキズマブ	スキリージ皮下注	×	

関節リウマチ治療薬

乾癬治療薬

40
付録

5
腎機能低下時の薬剤投与量

764

| GFR（mL/分） | | | HD（透析） |
>50	10～50	<10	
GFR 61～80：75%に減量 GFR 51～60：70%に減量	禁忌		
7.5～15 mg 週1回皮下注 GFR 60～80：60～75%に減量 GFR 50～60：50～60%に減量	排泄遅延により副作用が強く現れるおそれがあるため禁忌		
初回：100 mg 分1 3日間 維持：10～20 mg 分1	腎機能正常者と同じ		
漸増，6日目以降60 mg 分2	腎機能正常者と同じ	30 mg 分1	
160 mg(初回)，2週に1回 80 mg(2週～12週)，以降4週に1回 80 mg を皮下注	腎機能正常者と同じ		
1日1回 塗布	推奨しない．使用する場合は Ca 濃度，腎機能をモニターしながら投与		
100 mg を初回，4週後，以降8週間隔で皮下注	腎機能正常者と同じ		
1回900 mg 点滴静注			
300 mg 4週に1回皮下注	腎機能正常者と同じ	腎機能正常者と同量を慎重投与	
100 mg を初回，4週後，以降12週間隔で皮下注	腎機能正常者と同じ		
6 mg 分1			
320 mg を初回から16週までは4週間隔で皮下注，以降は8週間隔で皮下注．状態に応じて16週以降も4週間隔で皮下注			
210 mg 2週に1回	腎機能正常者と同量を慎重投与		
1日1回 塗布	推奨しない．使用する場合は Ca 濃度，腎機能をモニターしながら投与		
1回75 mg または150 mg を初回，4週後，以降12週間隔で皮下注	腎機能正常者と同じ		

	薬剤名		透析性	濃度測定
	一般名	商品名		
活性型ビタミンD₃製剤	アルファカルシドール	アルファロール	×	
		ワンアルファ	×	
	エルデカルシトール	エディロール	×	
	カルシトリオール	ロカルトロールカプセル	×	
		ロカルトロール注	×	
	ファレカルシトリオール	フルスタン	×	
	マキサカルシトール	オキサロール注	×	
ビスホスホネート製剤	アレンドロン酸ナトリウム水和物	フォサマック錠	×	
		ボナロン錠	×	
	イバンドロン酸ナトリウム水和物	ボンビバ錠	○	
	エチドロン酸二ナトリウム	ダイドロネル	×	
	ゾレドロン酸水和物	ゾメタ	?	
		リクラスト点滴静注液	?	
	ミノドロン酸水和物	ボノテオ	?	
		リカルボン	?	
	リセドロン酸ナトリウム水和物	アクトネル	?	
		ベネット	?	
その他の骨・Ca代謝薬	アバロパラチド酢酸塩	オスタバロ皮下注	×	
	エルカトニン	エルシトニン	×	
	デノスマブ	ランマーク	×	
		プラリア		
	テリパラチド	フォルテオ皮下注	×	
	テリパラチド酢酸塩	テリボン皮下注	×	
	バゼドキシフェン	ビビアント	×	
	メナテトレノン	グラケー	×	
	ラロキシフェン塩酸塩	エビスタ	×	
	ロモソズマブ	イベニティ皮下注	×	

766

GFR（mL/分）			HD（透析）
＞50	10~50	<10	
骨粗鬆症：0.5~1μg 分1	腎機能正常者と同じだが，高カルシウム血症による腎機能悪化に注意をする		
0.75μg 分1	腎機能低下患者には慎重投与		
骨粗鬆症：0.5μg 分2	腎機能正常者と同じだが，高カルシウム血症による腎機能悪化に注意をする		
	適応外		初期：1回1μg を週2~3回 維持：1回0.5~1.5μg を週1~3回
副甲状腺機能低下症，くる病・骨軟化症：0.3~0.9μg 分1	腎機能正常者と同じ		二次性副甲状腺機能亢進症：0.3μg 分1，高カルシウム血症に要注意
	適応外		2.5~20μg，週3回．HD終了直前にHD回路静脈側より注入
5mg（35mg/週）分1（週1回）	腎機能正常者と同量を慎重投与．GFR<35での使用はすすめられない		
100mg 1か月に1回 起床時	慎重投与		
200~1,000mg 分1	100~750mg 分1	禁忌	
GFR＞60：4mg，GFR 50~60：3.5mg，GFR 40~49：3.3mg，GFR 30~39：3mg	十分な使用経験がないので，状態を観察しながら慎重投与		
5mg 1年に1回	GFR<35：禁忌	禁忌	
電子添文参照	腎機能正常者と同じ		
電子添文参照	GFR<30では排泄遅延の危険性があり禁忌		
1日1回80μg 皮下注．投与は18か月間まで	腎機能正常者と同じ		
10~80U 分1~週1			
120mg を4週間に1回，皮下注	腎機能正常者と同じ	重度の腎機能障害患者では低カルシウム血症を起こすおそれが高いため，慎重投与	
60mg を6か月に1回，皮下注			
電子添文参照	慎重投与．高カルシウム血症に注意	慎重投与，副甲状腺機能亢進症には禁忌	
電子添文参照			
20mg 分1	腎機能正常者と同じ		
45mg 分3			
60mg 分1			
210mg を1か月に1回，12か月 皮下注	慎重投与．低カルシウム血症に注意		

	薬剤名		透析性	濃度測定
	一般名	商品名		
Ca受容体作動薬	ウパシカルセトナトリウム水和物	ウパシタ注	○	
	エボカルセト	オルケディア	×	
	エテルカルセチド塩酸塩	パーサビブ静注透析用	○	
	シナカルセト塩酸塩	レグパラ	×	
高リン血症治療薬	沈降炭酸カルシウム	カルタン	○	
	クエン酸第二鉄水和物	リオナ	×	
	スクロオキシ水酸化鉄	ピートルチュアブル	×	
	セベラマー塩酸塩	フォスブロック	×	
		レナジェル	×	
	ビキサロマー	キックリン	×	
	炭酸ランタン水和物	ホスレノール	×	
低リン血症治療薬	リン酸二水素ナトリウム一水和物/無水リン酸水素二ナトリウム	ホスリボン	○	
高カリウム血症改善薬	ジルコニウムシクロケイ酸ナトリウム水和物	ロケルマ懸濁用散	?	
鉄欠乏性貧血治療薬	カルボキシマルトース第二鉄	フェインジェクト注	×	
	デルイソマルトース第二鉄	モノヴァー注	?	
腎性貧血治療薬	エポエチンアルファ	エスポー皮下用	×	
	エポエチンベータペゴル	ミルセラ	×	

GFR（mL/分）			HD（透析）
>50	10〜50	<10	
適応外			25〜300 μg を週3回 HD後
1〜8 mg 分1	1〜8 mg 分1 副甲状腺摘出術不能または術後再発の原発性副甲状腺機能亢進症における高カルシウム血症		1〜8 mg 分1
適応外			2.5〜15 mg を週3回, HD後
電子添文参照	腎機能正常者と同じ		二次性副甲状腺機能亢進症：12.5〜100 mg 分1
適応外	1〜3 g 分1〜3 毎食直後, 血清 Ca 濃度, 血清 P 濃度をモニターする		
鉄欠乏性貧血：500 mg 分1 食直後（最大1,000 mg 分2）	高リン血症：1回 500 mg, 1日3回 食直後投与. 以後, 症状, 血清P濃度の程度により適宜増減し, 最大1回 6,000 mg までだが, 鉄過剰に注意する 鉄欠乏性貧血：腎機能正常者と同じ		
適応外			750 mg 分3回 食直前（最大3,000 mg/日）
適応外			3〜9 g 分3
適応外	1,500 mg 分3 食直前で開始（最大7,500 mg/日）		
適応外	750 mg 分3 食直後で開始（最大2,250 mg/日）		
Pとして1日あたり20〜40 mg/kgを目安とし, 数回に分割して経口投与する. 以後は患者の状態に応じて適宜増減（最大：Pとして3,000 mg/日）	重度の腎機能障害を有する患者に投与する場合には, くる病・骨軟化症の治療に十分な知識をもつ医師のもとで, 本剤の投与が適切と判断される場合にのみ使用すること. 急性腎不全, 急性リン酸腎症（腎石灰沈着症）の発現に注意すること		
30 g 分3 2日間. 以降5〜15 g 分1			5〜15 g 分1 非HD日
1回 500 mg を週1回.（最大：鉄として1,500 mg/週）	腎機能正常者と同じ		
鉄欠乏性貧血でのみ使用可能. CKDに対する投与量のデータはない. 体重50 mg以上：鉄1,000 mg 週1回 点滴静注, または, 鉄500 mg 週2回. その他, 電子添文参照	CKDに対する投与量のデータはない		
適応外	電子添文参照		専門医のもとでの使用が望ましい
電子添文参照			専門医のもとでの使用が望ましい

薬剤名		透析性	濃度測定
一般名	商品名		
ダルベポエチンアルファ	ネスプ	×	
エポエチンベータ	エポジン	×	
ダプロデュスタット	ダーブロック	×	
バダデュスタット	バフセオ	×	
エナロデュスタット	エナロイ	×	
モリデュスタットナトリウム	マスーレッド	×	
ロキサデュスタット	エベレンゾ	×	
イミダフェナシン	ウリトス	×	
	ステーブラ	×	
ウラジロガシエキス	ウロカルン	?	
オオウメガサソウエキス/ハコヤナギエキス	エビプロスタット DB	?	
グルタミン酸/アラニン/グリシン	パラプロスト	?	
クロルマジノン酢酸エステル	プロスタール	×	
	プロスタール L	×	
シルデナフィルクエン酸塩	バイアグラ	×	
シロドシン	ユリーフ	×	
ソリフェナシンコハク酸塩	ベシケア	×	
タダラフィル	ザルティア	×	
	シアリス	×	
デュタステリド	アボルブ	×	
タムスロシン塩酸塩	ハルナール D	×	
デスモプレシン酢酸塩	ミニリンメルト	×	
トルテロジン酒石酸塩酸塩	デトルシトール	×	
ナフトピジル	フリバス	×	

腎性貧血治療薬 — 泌尿器用薬剤

GFR（mL/分）			HD（透析）
＞50	10〜50	＜10	
電子添文参照			専門医のもとでの使用が望ましい
適応外	透析導入前：1回6,000単位を週1回 透析施行中：1回1,500単位を週2〜3あるいは1回3,000単位を週2回		専門医のもとでの使用が望ましい
CKD, HD患者のみ	4 mg（ESA未治療＋Hb 9 g/dL以上：2 mg）分1 開始（最大24 mg 分1）		
CKD, HD患者のみ	300 mg 分1で開始（最大600 mg 分1）		
CKD, HD患者のみ	CKD, PD：2 mg 分1 食前または就寝前 HD：4 mg 分1 食前または就寝前（ともに最大8 mg 分1）		
CKD, HD患者のみ	ESA未治療：25 mg 分1 食後 ESAから切替：25 mgまたは50 mg 分1 食後（いずれも最大200 mg 分1）		75 mg 分1 食後で開始（最大200 mg）
CKD, HD患者のみ	ESA未治療：50 mg 週3回 ESAから切替：70 mgまたは100 mg 週3回（いずれも最大3.0 mg/kg/回）		
0.2〜0.4 mg 分2		0.2 mg 分2	
6錠 分3	腎機能正常者と同じ		
3錠 分3	腎機能低下者に対する投与方法に言及している文献がないため慎重投与．K上昇に注意		
6カプセル 分3	減量の必要はないと思われるが，薬物動態データがほとんどなく不明		
前立腺肥大症：50 mg 分2 前立腺癌：100 mg 分2	肝代謝の薬剤であるが，腎機能低下者に対する投与方法に言及している文献がないため慎重投与		
50 mg 分1			
1回 25〜50 mg	腎機能正常者と同じ．GFR＜30では慎重投与		
8 mg 分2	4 mg 分2		適応外
5 mg 分1	2.5〜5 mg 分1	2.5 mg 分1	適応外
5 mg 分1	中等度腎障害では，2.5 mg 分1から投与開始することを考慮	血中濃度が上昇すること，使用経験が限られているため禁忌	
1回 10 mg （最大20 mg/日）	GFR 31〜50でAUCが2倍になるため，5 mgから開始し，最大10 mg/日	最大5 mg．ただし心血管系障害を有するなど性行為が不適当と考えられる患者は禁忌	
0.5 mg 分1	腎機能正常者と同じ		
0.2 mg 分1	腎機能正常者と同じ		適応外
電子添文参照	GFR＜50では血中半減期の延長，血中濃度の増加が認められるため禁忌		
4 mg 分1	2 mg 分1		適応外
25 mg 分1より開始し漸増（最大75 mg 分1）	腎機能正常者と同じ		

薬剤名		透析性	濃度測定
一般名	商品名		
バルデナフィル塩酸塩	バルデナフィル	×	
ビベグロン	ベオーバ	×	
フェソテロジンフマル酸塩	トビエース	×	
プラゾシン塩酸塩	ミニプレス	×	
プロピベリン塩酸塩	バップフォー	×	
ミラベグロン	ベタニス	×	
ナルメフェン塩酸塩水和物	セリンクロ	×	
バレニクリン	チャンピックス	×	
アミカシン硫酸塩（AMK）	アミカシン硫酸塩	○	○
	（サンフォード）	○	○
	アリケイス吸入液	○	
カナマイシン硫酸塩（KM）	カナマイシン内	○	
	硫酸カナマイシン注	○	
ゲンタマイシン硫酸塩（GM）	ゲンタシン	○	○
	（サンフォード）	○	○
ストレプトマイシン硫酸塩（SM）	硫酸ストレプトマイシン	○	○
	（サンフォード）	○	○
トブラマイシン（TOB）	トブラシン	○	○
	（サンフォード）	○	○
フィダキソマイシン	ダフクリア	?	

GFR（mL/分）			HD（透析）
＞50	10～50	＜10	
10 mg 分1（最大 20 mg）高齢者では5 mgから開始し，最大 10 mg	中等度～重度の腎障害患者の AUC および Cmax は，健常人に比べ約 1.2～1.4 倍とやや高値になるが，Ccr と AUC あるいは Cmax との間に有意な相関は認められなかったため，腎機能正常者と同じ		HD が必要な腎障害には禁忌
50 mg 分1 食後	腎機能正常者と同じ		
4～8 mg 分1	GFR 30～80：活性代謝物の AUC が 1.8 倍上昇するため慎重投与 GFR＜30：活性代謝物の AUC が 2.3 倍に上昇するため，最大 4 mg/日		
1～1.5 mg 分2～3回	腎機能正常者と同じ		
20 mg 分1	腎機能正常者と同じ		適応外
50 mg 分1 食後	GFR＜30：25 mg 分1 から開始	25 mg 分1	
10～20 mg 分1，飲酒の1～2時間前	腎機能正常者と同じ		
0.5～2 mg 分1～2	GFR≧30：用量調節必要なし GFR＜30：初回 0.5 mg 分1（最大 1 mg 分2）		最大 0.5 mg 分1
200～400 mg 分2 筋注または静注	腎毒性あり要注意		1回 225 mg，毎 HD 後
7.5 mg/kg 12 時間ごと	7.5 mg/kg 24 時間ごと	7.5 mg/kg 48 時間ごと	HD 後に通常の1/2用量を追加
590 mg 分1 吸入 AKI に注意	腎機能障害患者では高い血中濃度が持続し，腎障害の悪化および第8脳神経障害の副作用が強く現れるおそれがある		
2～4 g 分4	内服は腎機能正常者と同じ（腎障害のある患者で重篤な腸疾患を有する場合は，吸収されて腎障害が増悪するおそれがあるので注意）		
1～2 g 分1	腎毒性あり要注意		1回 0.5 g 72～96 時間ごと，HD 日は HD 後に投与
3～5 mg/kg 分3～4 筋注または静注	腎毒性あり要注意		1.6 mg/kg，毎 HD 後
1.7 mg/kg 8 時間ごと	1.7 mg/kg 12～24 時間ごと	1.7 mg/kg 48 時間ごと	HD 後に通常の1/2用量を追加
1～2 g 分1～2	腎毒性あり要注意		1回 0.5 g 72～96 時間ごと，HD 日は HD 後に投与
15 mg/kg（最大 1 g）24 時間ごと	15 mg/kg（最大 1 g）24～72 時間ごと	15 mg/kg（最大 1 g）72～96 時間ごと	HD 後に通常の1/2用量を追加
60～90%に減量 8～12 時間ごと	20～60%に減量 12 時間ごと	20%以下に減量 24～48 時間ごと	1.0～1.5 mg/kg 毎 HD 後
1.7 mg/kg 8 時間ごと	1.7 mg/kg 12～24 時間ごと	1.7 mg/kg 48 時間ごと	HD 後に通常の1/2用量を追加
400 mg 分2	腎機能正常者と同じ	腎機能正常者と同じだが，慎重投与	

	薬剤名		透析性	濃度測定
	一般名	商品名		
アミノグリコシド系薬	各種アミノグリコシド1日1回投与法の場合	ゲンタマイシン/トブラマイシン（サンフォード）	○	○
		アミカシン/カナマイシン/ストレプトマイシン（サンフォード）	○	○
		イセパマイシン（サンフォード）	○	○
ペニシリン系薬	アモキシシリン水和物（AMPC）	サワシリンパセトシン	○	
		（サンフォード）	○	
	アンピシリン/クロキサシリン（ABPC/MCIPC）	ビクシリンS	○	
	クラブラン酸カリウム/アモキシシリン水和物（CVA/AMPC）	オーグメンチン	○	
	スルバクタムナトリウム/アンピシリンナトリウム（SBT/ABPC）	ユナシンS	○	
		（サンフォード）	○	
	タゾバクタムナトリウム/ピペラシリンナトリウム（TAZ/PIPC）	ゾシン	○	
		（サンフォード）	○	
	ピペラシリンナトリウム（PIPC）	ペントシリン	○	
		（サンフォード）	○	
	ベンジルペニシリンカリウム（PCG）	ペニシリンG	○	
	ベンジルペニシリンベンザチン水和物（PCG）	ステルイズ水性懸濁筋注	△	
		バイシリンG	○	

| GFR（mL/分） | | | HD（透析） |
>50	10〜50	<10	
GFR>80：5.1，60〜80：4，40〜60：3.5，30〜40：2.5(24 時間ごと)，20〜30：4，10〜20：3(48 時間ごと)，<10：2(72 時間ごとおよび HD 後)，単位はすべて mg/kg			
GFR>80：15，60〜80：12，40〜60：7.5，30〜40：4(24 時間ごと)，20〜30：7.5，10〜20：4(48 時間ごと)，<10：3(72 時間ごとおよび HD 後)，単位はすべて mg/kg			
GFR>80：8，60〜80：8，40〜60：8(24 時間ごと)，30〜40：8，20〜30：8(48 時間ごと)，10〜20：8(72 時間ごと)，<10：8(96 時間ごとおよび HD 後)，単位はすべて mg/kg			
1 回 250 mg 6〜8 時間ごと	1 回 250 mg 8〜12 時間ごと	1 回 250 mg 24 時間ごと	250 mg 分 1 HD 日は HD 後に投与
250〜500 mg 8 時間ごと	250〜500 mg 8〜12 時間ごと	250〜500 mg 24 時間ごと	250〜500 mg 分 1，HD 日は HD 後に投与
1〜2 g 分 4(6 時間ごと)	1 g 6〜12 時間ごと	1 g 12〜24 時間ごと	1 g を 12〜24 時間ごと，HD 日は HD 後に投与
1 回(アモキシシリンとして)250 mg 6〜8 時間ごと	1 回 250 mg 8〜12 時間ごと	1 回 250 mg 12 時間ごと	1 回 250 mg を 12 時間ごと HD 日は HD 後に投与
6 g 分 2	1.5〜3 g 分 2	1.5〜3 g 分 1	1.5〜3 g HD 日は HD 後に投与
2 g ABPC＋1 g SBT 6 時間ごと	2 g ABPC＋1 g SBT 8〜12 時間ごと	2 g ABPC＋1 g SBT 24 時間ごと	2 g ABPC＋1 g SBT HD 日は HD 後に投与
9〜18 g 分 2〜4	13.5 g 分 3	9 g 分 2	
3.375〜4.5 g 6〜8 時間ごと	2.25 g 6 時間ごと GFR<20：8 時間ごと	2.25 g 8 時間ごと	2.25 g/8 時間ごと，HD 後 0.75 g 追加投与
2〜4 g 分 2〜4		1〜2 g 分 1〜2	1〜2 g 分 1〜2 HD 日は HD 後に投与
3〜4 g 4〜6 時間ごと	3〜4 g 6〜8 時間ごと	3〜4 g 8 時間ごと	HD 後 1 g 追加投与
1 回 30 万〜60 万単位を 1 日 2〜4 回 化膿性髄膜炎：1 回 400 万単位を 1 日 6 回 点滴静注 感染性心内膜炎：1 回 400 万単位を 1 日 6 回 点滴静注(最大 3,000 万単位/日) 梅毒：1 回 300〜400 万単位を 1 日 6 回 点滴静注	75％に減量	20〜50％に減量	20〜50％に減量 HD 日は HD 後に投与
早期梅毒：240 万単位を単回，筋注 後期梅毒：240 万単位を週に 1 回，計 3 回，筋注 GFR>60：腎機能正常者と同じ	GFR 59〜15：75％に減量 GFR<15：20〜50％に減量	GFR<15：20〜50％に減量	
1 回 40 万単位を 1 日 2〜4 回	75％に減量	20〜50％に減量	20〜50％に減量 HD 日は HD 後に投与

薬剤名		透析性	濃度測定
一般名	商品名		
スルバクタムナトリウム/セフォペラゾンナトリウム（SBT/CPZ）	スルペラゾン	×	
セフェピム塩酸塩（CFPM）	マキシピーム	○	
	（サンフォード）	○	
セフォゾプラン塩酸塩（CZOP）	ファーストシン	○	
セフォチアム塩酸塩（CTM）	パンスポリン	○	
セフカペンピボキシル塩酸塩水和物（CFPN-PI）	フロモックス	○	
セファレキシン（CEX）	ケフレックス	○	
セファクロル（CCL）	ケフラール	○	
セファゾリンナトリウム（CEZ）	セファメジンα	○	
セフォタキシムナトリウム（CTX）	セフォタックス	○	
	クラフォラン	○	
セフジトレンピボキシル（CDTR-PI）	メイアクト	×	
セフジニル（CFDN）	セフゾン	○	
セフトリアキソンナトリウム水和物（CTRX）	ロセフィン	×	
セフトロザン硫酸塩/タゾバクタムナトリウム（CTLZ/TAZ）	ザバクサ配合注	○	
セフポドキシムプロキセチル（CPDX-PR）	バナン	○	
セフメタゾールナトリウム（CMZ）	セフメタゾン	○	
フロモキセフナトリウム（FMOX）	フルマリン	○	
ラタモキセフナトリウム（LMOX）	シオマリン	○	
イミペネム/シラスタチンナトリウム（IPM/CS）	チエナム	○	
	（サンフォード）		
テビペネムピボキシル（TBPM-PI）	オラペネム	?	

GFR（mL/分）			HD（透析）
＞50	10～50	＜10	
1～2g 分2（サンフォードでは1～4g 分2）	腎機能正常者と同じ		
1～2g 2	1g 分2	0.5g 分1	0.5g 分1 HD日はHD後に投与
2g 8時間ごと	2g 12～24時間ごと	1g 24時間ごと	1g HD後に追加
1～4g 分2～4	0.75～1g 分1～2	0.5g 分1	0.5g 分1 HD日はHD後に投与
0.5～4g 分2～4	0.5～1g 8時間ごと	0.5～1g 12時間ごと	0.5～1g 24時間ごと HD日はHD後に投与
300～450mg 分3	200mg 分2	100～200mg 分1～2	100mg 分1 HD日はHD後に投与
1,000～2,000mg 分4	1,000mg 分4	500mg 分2, HD患者はHD日はHD後に投与	
750～1,500mg 分3	750mg 分3	500mg 分2	500mg 分2 HD日はHD後に投与
1～5g 分2～3	1～2g 8時間ごと GFR＜30：1～2g 12時間ごと	1～2g 12時間ごと	0.5～1g 24時間ごと 毎HD後, HD日はHD後投与
1～2g 分2	0.5～1.0gを1日2回	0.5gを1日2回, HD患者はHD日はHD後に投与	
300～600mg 分3	200～300mg 分2～3	100～200mg 分1～2	
300mg 分3	200～300mg 分2～3	100～200mg 分1～2	100mg 分1 HD日はHD後に投与
1～2g 分1～2		1g 分1	1g 分1 毎HD前または後
①1回1.5g（TAZ：500mg, CTLZ：1g）を1日3回 ②敗血症, 肺炎：1回3gを1日3回	25～50%に減量		①初回50%量, 以降25%量1日3回 毎HD後 ②初回75%量, 以降15%量1日3回 毎HD後
100～200mg 1日2回		1回100mg 1日1回	100mg 分1 HD日はHD後に投与
1～2g 分2	1回1g 24時間ごと	1回1g 24～48時間ごと	1g 分1, 24～48時間ごと, HD日はHD後に投与
1～4g 分2～4	1g 分1	0.5g 分1	0.5g 分1 HD日はHD後に投与
1～4g 分2	1～2g 分2	1g 分1	1g 分1 HD日はHD後に投与
0.5～2g 分2～3	0.25～0.5g 分2	0.25g 分1	0.25g 分1 HD日はHD後に投与
0.5g 6時間ごと	250mg 6～12時間ごと	125～250mg 12時間ごと	125～250mg HD日はHD後に投与
4～6mg/kg 12時間ごと	慎重投与		?

	薬剤名		透析性	濃度測定
	一般名	商品名		
カルバペネム系薬	ドリペネム水和物（DRPM）	フィニバックス	○	
		（サンフォード）	○	
	パニペネム/ベタミプロン（PAPM/BP）	カルベニン	○	
	ビアペネム（BIPM）	オメガシン	○	
	メロペネム水和物（MEPM）	メロペン	○	
		（サンフォード）	○	
	レレバクタム水和物/イミペネム水和物/シラスタチンナトリウム	レカルブリオ配合注	○	
ペネム系薬	ファロペネムナトリウム（FRPM）	ファロム	○	
マクロライド系薬	アジスロマイシン水和物（AZM）	ジスロマック	×	
	エリスロマイシン（EM）	エリスロシン	×	
		（サンフォード）	×	
	クラリスロマイシン（CAM）	クラリスクラリシッド	×	
		（サンフォード）	×	
	フィダキソマイシン（FDX）	ダフクリア	?	
	ロキシスロマイシン（RXM）	ルリッド	×	
テトラサイクリン系薬	ミノサイクリン塩酸塩（MINO）	ミノマイシン	×	
	ドキシサイクリン（DOXY）	ビブラマイシン	×	
リンコマイシン系薬	クリンダマイシンリン酸エステル（CLDM）	ダラシンS	×	
モノバクタム系薬	アズトレオナム（AZT）	アザクタム	○	
		（サンフォード）	○	

GFR（mL/分）			HD（透析）
＞50	10～50	＜10	
70≦GFR：0.5 g～3 g 分 2～3 50≦GFR＜70：0.5～2 g 分 2～3	30≦GFR＜50：0.5～1.5 g 分 2～3 GFR＜30：0.5～0.75 g 分 2～3	GFR＜30：0.5～0.75 g 分 2～3	0.25～0.5 g 分 1 HD 日は HD 後に投与
50＜GFR＜90：500 mg 8 時間ごと	30≦GFR≦50：250 mg 8 時間ごと 10＜GFR＜30：250 mg 12 時間ごと	?	?
1～2 g 分 2	1 g 分 2	0.5 g 分 1	0.5 g 分 1 HD 日は HD 後に投与
0.6～1.2 g 分 2	GFR≧30：0.6 g 分 2 GFR＜20：0.3 g 分 1		0.3 g 分 1 HD 日は HD 後に投与
0.5～3 g 分 2～3	1 回 0.25～0.5 g 12 時間ごと	1 回 0.25～0.5 g 24 時間ごと	1 回 0.25～0.5 g 24 時間ごと，HD 日は HD 後に投与
1 g 8 時間ごと	1 g 12 時間ごと	0.5 g 24 時間ごと	0.5 g HD 日は HD 後に投与
電子添文参照	60％に減量	40％に減量 HD 日は HD 後に投与	
450～900 mg 分 3	慎重投与．GFR≦30 の高度腎機能障害患者では，t1/2 の延長が認められるため，投与量を減量するか投与間隔を空けて使用する		
500 mg 分 1	腎機能正常者と同じ		
600～1,500 mg 分 2～6		300～1,200 mg 分 2～4	
250～500 mg 6 時間ごと	腎機能正常者と同じ	50～75％に減量，6 時間ごと	
400 mg 分 2	1 回 200 mg 分 1～2	200 mg 分 1	
0.5～1 g 12 時間ごと	75％に減量，12 時間ごと	50～75％に減量，12 時間ごと	50～75％に減量 HD 日は HD 後に投与
400 mg 分 2 10 日間	腎機能正常者と同じ		
300 mg 分 2		150 mg 分 1	
1 回 100 mg 12～24 時間ごと	腎機能正常者と同じ		
初日 200 mg 分 1～2，2 日以降 100 mg 分 1	腎機能正常者と同じ		
600～2,400 mg 分 2～4	腎機能正常者と同じ		
1～4 g 分 1～4	1～2 g 分 2～3	0.25～0.5 g 分 2～3	0.25～0.5 g 分 1 HD 日は HD 後に投与
2 g 8 時間ごと	50～75％に減量，8 時間ごと	25％に減量，8 時間ごと	25％に減量，8 時間ごと，HD 後 0.5 g を追加投与

薬剤名			透析性	濃度測定
	一般名	商品名		
キノロン系薬	ガレノキサシンメシル酸水和物（GRNX）	ジェニナック	×	
ニューキノロン系薬	シタフロキサシン水和物（STFX）	グレースビット	×	
ニューキノロン系薬	シプロフロキサシン（CPFX）	シプロキサン注	×	
ニューキノロン系薬	シプロフロキサシン（CPFX）	（サンフォード）	×	
ニューキノロン系薬	シプロフロキサシン塩酸塩（CPFX）	シプロキサン錠	×	
ニューキノロン系薬	シプロフロキサシン塩酸塩（CPFX）	（サンフォード）	×	
ニューキノロン系薬	ノルフロキサシン（NFLX）	バクシダール	×	
ニューキノロン系薬	トスフロキサシントシル酸塩水和物（TFLX）	オゼックス	×	
ニューキノロン系薬	トスフロキサシントシル酸塩水和物（TFLX）	トスキサシン	×	
ニューキノロン系薬	プルリフロキサシン（PUFX）	スオード	×	
ニューキノロン系薬	パズフロキサシンメシル酸塩（PZFX）	パシル	○	
ニューキノロン系薬	モキシフロキサシン塩酸塩（MFLX）	アベロックス	×	
ニューキノロン系薬	モキシフロキサシン塩酸塩（MFLX）	（サンフォード）	×	
ニューキノロン系薬	ラスクフロキサシン塩酸塩（LSFX）	ラスビック注	×	
ニューキノロン系薬	ラスクフロキサシン塩酸塩（LSFX）	ラスビック	×	
ニューキノロン系薬	レボフロキサシン水和物（LVFX）	クラビット	△	
ニューキノロン系薬	レボフロキサシン水和物（LVFX）	（サンフォード）	△	
抗MRSA薬／その他	アルベカシン硫酸塩（ABK）	ハベカシン	○	○
抗MRSA薬／その他	スルファメトキサゾール/トリメトプリム（ST合剤）（SMX/TMP）	バクタ顆粒/錠	○	
抗MRSA薬／その他	コリスチンメタンスルホン酸ナトリウム	オルドレブ点滴静注用	×	

GFR（mL/分）			HD（透析）
>50	10〜50	<10	
400 mg 分 1	低体重（<40 kg）かつ GFR<30 の場合は，200 mg 分 1		腎機能正常者と同じ
100 mg 分 1〜2	50 mg 24〜48 時間ごと		50 mg 48 時間ごと
GFR>60：1 回 400 mg 12 時間ごと 31≦GFR≦60：1 回 200 mg 12 時間ごと GFR≦30：1 回 200 mg 24 時間ごと			必要に応じて低用量（200 mg）を24 時間ごとに投与するなど，患者の状態を観察しながら慎重に投与すること
400 mg 12 時間ごと	50〜75%に減量，12時間ごと	50%に減量，12 時間ごと	200 mg 12 時間ごと
GFR>30：200〜600 mg 分 2〜3 GFR≦30：1 回 100〜200 mg 24 時間ごと			
500〜750 mg 12 時間ごと	50〜75%に減量 12時間ごと	50%に減量 12 時間ごと	250 mg 12 時間ごと
300〜800 mg 分 3〜4	200〜400 mg 分 1〜2	100〜200 mg 分 2	
450 mg 分 3	150〜300 mg 分 1〜2	150 mg 分 1	
400〜600 mg 分 2	1 回 200 mg 24 時間ごと	1 回 200 mg 48 時間ごと	
600〜2,000 mg 分 2 点滴静注	GFR≧30：600〜2,000 mg GFR<30：500 mg 12 時間ごと GFR<20：500 mg 24 時間ごと HD：300〜500 mg 週 3 回，HD 後に投与		
400 mg 分 1	腎機能正常者と同じ		
300 mg 分 1，以降 150 mg			
75 mg 分 1			
500 mg 分 1	初日：500 mg 分 1 2 日目以降：250 mg 分 1		初日：500 mg 分 1，3 日目以降：250 mg を 2 日に 1 回
750 mg 24 時間ごと	GFR 20〜49：750 mg 48 時間ごと	GFR<20：初回 750 mg，その後 500 mg 48 時間ごと	
150〜200 mg 分 1〜2	1 回 4 mg/kg 36〜48 時間ごと	初回：4 mg/kg 2 回目以降：3 mg/kg 48 時間ごと	初回：4 mg/kg 2 回目以降：3 mg/kg，毎 HD 後
ニューモシスチス肺炎発症予防として，9〜12 g 分 3〜4 GFR<30：通常用量の半量（4.5〜6 g）分 3〜4 GFR<10：6 g 分 1 透析：1 回 1 g 週 3 回，HD 日には HD 後に投与			
GFR>80：1.25〜2.5 mg/kg を 1 日 2 回 GFR>50：1.25〜1.9 mg/kg を 1 日 2 回	1.25 mg/kg 1 日 2 回 または 2.5 mg/kg 1 日 1 回 GFR<30：1.5 mg/kg を 36 時間ごと	投与量設定されていない	1.5 mg/kg 1 日 1 回，毎 HD 後

薬剤名		透析性	濃度測定
一般名	商品名		
テジゾリドリン酸エステル	シベクトロ	×	
バンコマイシン塩酸塩（VCM）	塩酸バンコマイシン注	△	○
	（サンフォード）	△	○
	塩酸バンコマイシン内	×	○
テイコプラニン（TEIC）	タゴシッド	△	○
ホスホマイシンカルシウム水和物（FOM）	ホスミシン内	○	
ホスホマイシンナトリウム（FOM）	ホスミシンS静注用	○	
ダプトマイシン（DAP）	キュビシン	×	
リネゾリド（LZD）	ザイボックス	○	
アムホテリシンB（AMPH-B）	ファンギゾン注	×	
	ファンギゾンシロップ	×	
アムホテリシンBリポソーム製剤	アムビゾーム	×	
	（サンフォード）	×	
イトラコナゾール（ITCZ）	イトリゾール	×	
	（サンフォード）	×	
カスポファンギン酢酸塩	カンサイダス	×	
テルビナフィン塩酸塩	ラミシール	×	

GFR（mL/分）			HD（透析）
＞50	10～50	＜10	
200 mg 分1	腎機能正常者と同量	腎機能正常者と同量を慎重投与	
1～2 g 分2～4	1 g 1～4日ごと	TDM が望ましい	初回 30 mg/kg，以後は毎 HD 後に 10 mg/kg を追加
1 g 12 時間ごと	1 g 24～96 時間ごと	1 g 4～7 日ごと	1 g 4～7 日ごと
0.5～2 g 分4	腎機能正常者と同じ		
1回 6.7 mg/kg 1日2回 2日間 3日目に6.7 mg/kgを負荷投与，その後1回6.7 mg/kgを24時間ごと	GFR 59～40：1回 6.7 mg/kg 1日2回 2日間，3日目に1回6.7 mg/kgを1日1回負荷投与する．その後は1回3.3 mg/kgを24時間ごと GFR 39～10：1回6.7 mg/kgを1日2回で1日間，2日目に1回6.7 mg/kgを1日1～2回，3日目に1回6.7 mg/kgを1日1回負荷投与する．4日目は投与せず，5日目以降1回5.0 mg/kgを48時間ごと		HD：1回6.7 mg/kg 1日2回 2日間，3日目に6.7 mg/kgを1日1回負荷投与する．その後はHD後に1回3.3 mg/kg CAPD腹膜炎：1回40 mg 1日1回1週間バッグ内に投与後，1回40 mg 1日1回1週間バッグ内投与
2～3 g 分3～4	2 g 分4	1 g 分2	0.5 g 分1
2～4 g 分2～4	1 g 分1	1回 1～2 g 週3回	1回 1～2 g 週3回，HD 日は HD 後に投与
4～6 mg/kg 1日1回を，24時間ごとに30分かけて点滴静注	GFR≧30の高齢者では用量調節は必要ない GFR＜30の患者ではAUCが2倍に上昇するため，4～6 mg/kg 1日1回を48時間おきに点滴静注	1回4～6 mg/kgを48時間ごとに30分かけて点滴静注（AUCが3倍上昇）	1回4～6 mg/kgを48時間ごとに30分かけて点滴静注（透析性は高くないと思われるが，電子添文ではHD日はHD後に投与）
1,200 mg 分2	腎機能正常者と同じ．血小板減少症が発現しやすいため，慎重投与		1,200 mg，HD 後
0.25～1 mg/kg 分1	腎毒性があるため，他剤を選択する		無尿の患者には腎機能正常者と同じ
200～400 mg 分2～4	内服は腎機能正常者と同じ		
2.5～5.0 mg/kg 分1	腎毒性があるため注意が必要．投与量は腎機能正常者と同じ		無尿の患者には腎機能正常者と同じ
3～5 mg/kg 24 時間ごと	腎機能正常者と同じ		
50～200 mg 分1	腎機能正常者と同じ		
内服：100～200 mg 24 時間ごと	腎機能正常者と同じ	50%に減量	100 mg 12～24 時間ごと
初日に 70 mg，2日目以降 50 mg 1日1回，1時間かけて緩徐に点滴静注投与	腎機能正常者と同じ		
125 mg 分1			

薬剤名		透析性	濃度測定
一般名	商品名		
フルコナゾール（FLCZ）	ジフルカン	○	
	（サンフォード）	○	
フルシトシン（5-FC）	アンコチル	○	
ポサコナゾール	ノクサフィル錠/注	×	
ホスフルコナゾール（F-FLCZ）	プロジフ	○	
ホスラブコナゾール L-リシンエタノール付加物	ネイリンカプセル	×	
ボリコナゾール	ブイフェンド 200 mg 注	×	○
	（サンフォード）	×	○
	ブイフェンド 200 mg 錠	×	○
ミカファンギンナトリウム（MCFG）	ファンガード	×	
ミコナゾール（MCZ）	フロリード F 注	×	
イソニアジド（INH）	イスコチン	○	
	（サンフォード）	○	
エタンブトール塩酸塩（EB）	エサンブトール	○	
	エブトール	○	
デラマニド	デルティバ	×	
ベダキリンフマル酸塩	サチュロ	×	
リファンピシン（RFP）	リファジン	×	
	（サンフォード）	×	

GFR（mL/分）			HD（透析）
>50	10～50	<10	
50～400 mg 分1	25～200 mg 分1		1回 50～400 mg, 毎HD後
100～400 mg 24時間ごと	50%に減量し，24時間ごと		毎HD後
100～200 mg/kg 分4	25～50 mg/kgを12～24時間ごと	50 mg/kgを24時間以上の間隔	25～50 mg/kgを週3回，毎HD後
初日：1回300 mgを1日2回 2日目以降：1日1回300 mg（中心静脈ラインから約90分間かけて緩徐に点滴静注）	腎機能正常者と同じ		
カンジダ症に対して初日，2日目：100～200 mg 分1（最大800 mg/日）維持量：50～100 mg 分1（最大400 mg/日）	通常量の半量		カンジダ症に対して初日，2日目：100～200 mg 分1（最大800 mg/日）維持量：50～100 mg 分1（最大400 mg/日）毎HD後
1カプセル 分1 12週間	腎機能正常者と同じ		
初日は1回6 mg/kgを1日2回，2日目以降は1回3 mg/kgまたは1回4 mg/kgを1日2回 点滴静注	添加物の蓄積により腎障害が悪化するおそれがあるため，GFR＜30には原則禁忌		
1回6 mg/kg 12時間ごと2回，その後4 mg/kg 12時間ごと	GFR＜50の場合，溶剤（シクロデキストリン）集積のため経口投与に変えるか治療中止		
電子添文参照	腎機能正常者と同じ		
50～300 mg 分1	腎機能正常者と同じ		
200～1,200 mg 分1～3			
1日200～500 g 分1～3（最大1日1 g）			
15～25 mg/kg 24時間ごと	15～25 mg/kg 24～36時間ごと	15～25 mg/kg 48時間ごと	15～25 mg/kg，毎HD後
0.5～1 g 分1～2	1回0.5 g 24～36時間ごと	1回0.25～0.5 g 48時間ごと	1回0.25～0.5 g 48時間ごと，毎HD後
200 mg 分2 食後	腎機能正常者と同じ		
開始2週間は400 mg 分1を食直後 3週以降は1回200 mgを週3回 食直後	腎機能正常者と同じ	腎機能正常者と同量を慎重投与	
450 mg 分1 朝食前	腎機能正常者と同じ		
600 mg 分1	300～600 mg 分1		

薬剤名		透析性	濃度測定
一般名	商品名		
カナマイシン硫酸塩（KM）	硫酸カナマイシン注	○	○
ストレプトマイシン硫酸塩（SM）	硫酸ストレプトマイシン	○	○
	（サンフォード）	○	○
ピラジナミド（PZA）	ピラマイド	○	
リファブチン	ミコブティン	×	
エンビオマイシン硫酸塩（EVM）	ツベルミン	?	
サイクロセリン（CS）	サイクロセリン	×	
アシクロビル（ACV）	ゾビラックス	○	
		○	
	ゾビラックス注	○	
	（サンフォード）	○	
アメナメビル	アメナリーフ	×	
エンテカビル水和物	バラクルード	○	
	（サンフォード）	○	
カシリビマブ/イムデビマブ	ロナプリーブ注	×	
ガンシクロビル（DHPG）	デノシン注	○	
	（サンフォード）	○	

抗結核薬

抗ウイルス薬

40

付録

5

腎機能低下時の薬剤投与量

786

GFR（mL/分）			HD（透析）
＞50	10～50	＜10	
2 g 分2 2週間または1 g 分1 3週間	腎毒性あり要注意		1回 0.5 g 72～96時間ごと，毎HD後
1～2 g 分1～2			1回 0.5 g 72～96時間ごと，毎HD後
15 mg/kg（最大1 g）24時間ごと	15 mg/kg（最大1 g）24～72時間ごと	15 mg/kg（最大1 g）72～96時間ごと	HD後に通常の1/2用量を追加
GFR≧20：1日 1.5～2.0 g 分1～3 GFR＜20：25 mg/kg を48時間ごと			25 mg/kg を週3回，HD日はHD後に投与
GFR≧30：（結核症）150～300 mg 分1，（多剤耐性結核症）300～450 mg 分1，（MAC症を含む非結核性抗酸菌症）300 mg 分1，（HIV感染患者における播種性MAC症の発症抑制）300 mg 分1 GFR＜30：通常用量の50%			
GFR≧10：1日1回 10 mgより漸増，最大 600 mg/日		GFR＜10～HD：1日5 mg 24時間ごと	
1回 250 mg を1日2回	1回 250 mg を12～24時間ごと	1回 250 mg を24時間ごと	
（帯状疱疹）4 g 分5	0.8～1.6 g 分2	体重に応じて 400～800 mg 分1	
（単純疱疹）1 g 分2	0.4 g 分2	0.2～0.4 g 分1	
1回 5 mg/kg 8時間ごと	1回 5 mg/kg 12～24時間ごと	1回 3.5 mg/kg 24時間ごと	1回 3.5 mg/kg 24時間ごと，毎HD後
5～12.4 mg/kg 8時間ごと	5～12.4 mg/kg 12～24時間ごと	50%に減量，24時間ごと	50%に減量，24時間ごと，HD日はHD後に投与
（帯状疱疹）400 mg 分1 食後	AUC上昇するが，減量必要なし		
0.5～1 mg 分1	0.5 mg を2～3日に1回．ラミブジン不応患者には1 mg を2～3日に1回	0.5 mg を7日に1回．ラミブジン不応患者には1 mg を7日に1回	0.5 mg を7日に1回．ラミブジン不応患者には1 mg を7日に1回．HD日はHD後に投与
0.5 mg 24時間ごと	0.15～0.25 mg 24時間ごと	0.05 mg 24時間ごと	0.05 mg 24時間ごと，HD日はHD後に投与
カシリビマブおよびイムデビマブとしてそれぞれ 600 mg を併用により単回点滴静注または単回皮下注	腎機能正常者と同じ		
導入期：1回 2.5～5 mg/kg を12時間ごと 維持期：5 mg/kg 24時間ごと	導入期：1回 1.25～2.5 mg/kg を24時間ごと 維持期：0.625～1.25 mg/kg を24時間ごと	導入期：1回 1.25 mg/kg（週3回目安） 維持期：0.625 mg/kg（週3回目安）	導入期：1回 1.25 mg/kg を毎HD後 維持期：0.625 mg/kg を毎HD後
導入期：5 mg/kg 12時間ごと 維持期：5 mg/kg 24時間ごと	導入期：1.25～2.5 mg/kg 24時間ごと 維持期：0.6～1.25 mg/kg 24時間ごと	導入期：1.25 mg/kg を週3回 維持期：0.625 mg/kg を週3回	導入期：1.25 mg/kg を週3回毎HD後 維持期：0.6 mg/kg を毎HD後

薬剤名		透析性	濃度測定
一般名	商品名		
グレカプレビル水和物/ピブレンタスビル	マヴィレット	×	
ソトロビマブ	ゼビュディ注	×	
ソホスブビル/ベルパタスビル	エプクルーサ配合錠	?	
チキサゲビマブ/シルガビマブ	エバシェルド筋注	×	
テノホビルアラフェナミドフマル酸塩	ベムリディ	○	
ニルマトレルビル/リトナビル	パキロビッド	?	
バラシクロビル塩酸塩（VACV）	バルトレックス	○	
		○	
バルガンシクロビル塩酸塩	バリキサ錠 450 mg	○	
	（サンフォード）	○	
ビダラビン	アラセナ A 点滴静注用	○	
ファムシクロビル（FCV）	ファムビル	○	
ホスカルネット水和物	ホスカビル	○	
モルヌピラビル	ラゲブリオ	×	
リバビリン	レベトール	×	
	（サンフォード）	×	
レジパスビルアセトン付加物/ソホスブビル	ハーボニー	×	

GFR（mL/分）			HD（透析）
＞50	10〜50	＜10	
3 錠 分 1	腎機能正常者と同量を慎重投与		
500 mg 単回点滴静注	腎機能正常者と同じ		
電子添文参照	禁忌		
電子添文参照	腎機能正常者と同じ		
25 mg 分 1	腎機能正常者と同量を慎重投与	禁忌	
ニルマトレルビルとして 1 回 300 mg およびリトナビルとして 1 回 100 mg を同時に 1 日 2 回，5 日間	ニルマトレルビルを 50%減量．リトナビルは同量	推奨されない	
（帯状疱疹） 3 g 分 3	1 回 1 g 12〜24 時間ごと	1 回 0.5 g 24 時間ごと	1 回 0.25 g 24 時間ごと，毎 HD 後
（単純疱疹） 1〜1.5 g 分 2〜3	1 回 0.5 g 12〜24 時間ごと	1 回 0.5 g 24 時間ごと	1 回 0.25 g 24 時間ごと，毎 HD 後
GFR≧60 導入期：1 回 900 mg を 1 日 2 回 維持期：1 回 900 mg を 1 日 1 回	40≦GFR＜60 導入期：450 mg 分 2，維持期：450 mg 分 1 25≦GFR＜40 導入期：450 mg 分 1，維持期：450 mg 48 時間ごと 10≦GFR＜25 導入期：450 mg 48 時間ごと，維持期：1 日 450 mg 週 2 回 GFR＜10 使用しない（ガンシクロビル製剤の静脈投与）		
24〜48 時間ごと	GFR＞50：450 mg 24〜48 時間ごと	使用しない	
5〜15 mg/kg 分 1	腎機能正常者と同じ	投与量を 75%に減量	投与量を 75%に減量，毎 HD 後
GFR≧60：1,500 mg 分 3，40＜GFR＜59：1,000 mg 分 2，20＜GFR＜39：500 mg 分 1，GFR＜20：250 mg 分 1			250 mg 分 1 毎 HD 後
電子添文参照. 本剤投与中に GFR≦0.4 mL/分/kg になった場合には休薬し，腎機能が回復するまで投与しない． 腎機能に応じた 1 回投与量調節ガイドを参照	本剤投与中に GFR≦0.4 mL/分/kg になった場合には休薬し，腎機能が回復するまで投与しない． 腎毒性がおもな問題で，GFR を治療前に測定し，電解質（PO_4，Ca^{2+}，Mg^{2+}，K^+）と血清 Cr は少なくとも週 2 回チェックする．腎毒性を最小限にするために，投与前と投与中に生理食塩液（500〜1,000 mL）を点滴静注する．GFR≦50 の患者では使用を避けることが望ましい		
1,600 mg 分 2 5 日間	腎機能正常者と同じ		
腎機能正常者と同じ	本剤の血中濃度が上昇し，重大な副作用が生じることがあるため投与禁忌		
用量調節なし．GFR＜50 では慎重投与			
1 錠 分 1 12 週間	慎重投与 GFR＜30：禁忌	禁忌	

	薬剤名		透析性	濃度測定
	一般名	商品名		
抗ウイルス薬	レムデシビル	ベクルリー注	×	
抗原虫薬	アトバコン	サムチレール	×	
	アトバコン・プログアニル塩酸塩	マラロン	×	
	アルテメテル/ルメファントリン	リアメット	?	
	プリマキンリン酸塩	プリマキン	×	
	ペンタミジンイセチオン酸塩	ベナンバックス	×	
		（サンフォード）	×	
	メトロニダゾール	アネメトロ点滴静注液	○	
		フラジール	○	
抗インフルエンザ薬	アマンタジン塩酸塩	シンメトレル	×	
	オセルタミビルリン酸塩	タミフル	○	
		（サンフォード）	○	
	ザナミビル水和物	リレンザ	○	
	バロキサビルマルボキシル	ゾフルーザ	×	
	ペラミビル	ラピアクタ点滴	○	
	ラニナミビル	イナビル吸入粉末剤	○	
カルニチン欠乏症治療薬	レボカルニチン塩化物	エルカルチン FF	○	

790

GFR（mL/分）			HD（透析）
＞50	10～50	＜10	
初回 200 mg，以降 100 mg を 1 日 1 回点滴静注．総投与期間は 10 日まで	投与量は腎機能正常者と同じ．添加物による腎機能障害の可能性あり		
電子添文参照	腎機能正常者と同じ		
電子添文参照			
2～8 錠（体重に応じて）分 2 食直後 3 日間	腎機能正常者と同じ	腎機能正常者と同量を慎重投与	
30 mg 分 1 食後 14 日間	腎機能正常者と同じ		
4 mg/kg 24 時間ごと	4 mg/kg 36 時間ごと	4 mg/kg 48 時間ごと	
4 mg/kg 24 時間ごと	4 mg/kg 24 時間ごと	4 mg/kg 24～36 時間ごと	4 mg/kg 24 時間ごと，HD 後に 0.75 g 追加投与
1 回 500 mg を 1 日 3 回 点滴静注	腎機能正常者と同じ		
500 mg 分 2	500 mg 分 2	250 mg 分 1	250 mg 分 1，HD 日は HD 後に投与．HD ですべて除去されるので減量する必要はない
電子添文参照	慎重投与	禁忌	
150 mg 分 2	GFR≦30：75 mg 分 1	1 回 75 mg を単回投与（以後，投与しない）	
75 mg 12 時間ごと	GFR 30～50：75 mg 1 日 2 回 GFR＜30：75 mg 1 日おき		30 mg を非 HD 日
1 回 10 mg を 1 日 2 回 5 日間吸入	腎機能正常者と同じ		
40 mg 単回投与．体重 80 kg 以上の患者では 80 mg 単回投与			
300 mg（重症 600 mg）単回点滴静注，連日投与可	GFR≧60：1 日 300 mg を 15 分以上かけて単回点滴静注．重症化するおそれのある場合，600 mg を 1 日 1 回 15 分以上かけて単回点滴静注，連日反復投与可 GFR 59～30：1 回 100 mg，重症化するおそれのある場合は 1 回 200 mg GFR 29～10：1 回 50 mg，重症化するおそれのある場合は 1 回 100 mg		HD：初回 100 mg，以後，透析 2 時間後に 100 mg 追加 PD：初回 100 mg，以後 1 日ごとに 100 mg 追加
40 mg 単回吸入	GFR≧30：40 mg 単回吸入を慎重投与 GFR＜30：20 mg 単回吸入を慎重投与		
1.5～3 g 分 3	1.5～3 g 分 3，長期投与は避ける		

薬剤名		透析性	濃度測定
一般名	商品名		
ゲーファピキサントクエン酸塩	リフヌア	△	
デフェラシロクス	ジャドニュ顆粒	○	
デュタステリド	ザガーロカプセル	×	
ナルフラフィン塩酸塩	レミッチカプセル	×	
ベズロトクスマブ	ジーンプラバ点滴静注	×	
ホメピゾール	ホメピゾール点滴静注	?	
メチルチオニニウム塩化物水和物	メチレンブルー静注	×	
ラニビズマブ	ルセンティス硝子体内注射液 10 mg/mL	×	

注：表中の「(サンフォード)」は，Gilbert DN, et al.：サンフォード感染症治療ガイド 2023（第53 版），ライフサイエンス社，2023 より引用

注：表中の(UpToDate)は，http://www.uptodate.com より引用した．

ACE：アンジオテンシン変換酵素，ADHD：注意欠如・多動症，APTT：活性化部分トロンボプラスチン時間，ARB：アンジオテンシンⅡ受容体拮抗薬，AUC：薬物血中濃度時間曲線下面積，CKD：慢性腎臓病，COPD：慢性閉塞性肺疾患，DIC：播種性血管内凝固，DOAC：直接経口抗凝固薬，DPP-4：ジペプチジルペプチダーゼⅣ，ESA：赤血球造血刺激因子製剤，GFR：糸球体濾過量，GLP-1：グルカゴン様ペプチド-1，HD：血液透析，HIV：ヒト免疫不

	GFR（mL/分）		HD（透析）
＞50	10〜50	＜10	
90 mg 分 2	AUC が増大するため，GFR＜30 の保存期 CKD では 45 mg 分 1 に減量		45 mg 分 1
GFR＞60：12 mg/kg 分 1 GFR 60〜50：50%に減量	GFR 50〜40：50%に減量 GFR＜40：投与を避ける	投与を避ける	
0.1 mg 分 1	腎機能正常者と同じ		
2.5〜5 μg 分 1 夕食後または就寝前	腎機能正常者と同じ		2.5〜5 μg
10 mg/kg を 60 分かけて単回点滴静注	腎機能正常者と同じ		
10または15 mg/kgを30 分以上かけて点滴静注 12 時間ごと	腎機能正常者と同じ		電子添文参照（透析開始時，透析中，透析終了時，透析終了後）
1 回 1〜2 mg/kg を 5 分以上かけて静注．繰り返し投与（累積投与量 7 mg/kg）	腎機能正常者と同量を慎重投与		
電子添文参照	腎機能正常者と同じ		

全ウイルス，HMG-CoA：ヒドロキシメチルグルタリル-コエンザイム A，ICS：吸入ステロイド薬，MAC：Mycobacterium avium complex，MRSA：メチシリン耐性黄色ブドウ球菌，NSAIDs：非ステロイド性抗炎症薬，P-CAB：K イオン競合型アシッドブロッカー，PG：プロスタグランジン，PPI：プロトンポンプ阻害薬，PT-INR：プロトロンビン時間国際標準比，SGLT2：Na⁺/グルコース共役輸送担体 2，TDM：薬物血中濃度モニタリング，

（監修：田中章郎，小林佳菜子）

索 引

凡 例

1. 各項目の語頭の文字によって「和文索引」「欧文索引」「数字・ギリシャ文字・記号索引」，さらに「付録：腎機能低下時の薬剤投与量」(☞ p.710)は別に「薬剤索引」に記載した.
2. 配列は原則として，和文索引では五十音順，欧文索引ではアルファベット順によった.
3. 「薬剤索引」では，商品名は**太字**とした．また，一般名の語頭に塩酸─，硫酸─，酢酸─，塩化─，L─などがついた場合，省略して記載した.

和 文

あ

アイソトープ検査 410
アクアポリン 2（AQP2） 305
悪性関節リウマチ 334
悪性腫瘍合併 150
悪性腎硬化症 200, 202
アクセス再循環 363
アクロレイン 591
アザチオプリン 251, 592
足壊疽 241
アシデミア 63
アシドーシス 62
アセタゾラミド 611
アセトアミノフェン 626
アゾセミド 606
圧受容体反射障害 378
アデノウイルス 488
アデノシン 598
──仮説 379
アドステロールシンチグラフィ 211
アトルバスタチン 627
アニオンギャップ 65
アバコパン 121
アピキサバン 603
アフェレシス療法 321, 333
アミノ酸製剤 668
アミロイドーシス 221, 274, 569
アミロライド感受性上皮型ナトリウム
　チャネル（ENaC） 272
アムロジピン 456
アリスキレン 614
アルガトロバン水和物 328
アルカリ化薬 674

アルカレミア 63
アルカローシス 62
アルキル化薬 589
アルダクトン® A 307
アルドステロン 10, 208, 447, 539
　──産生副腎腫瘍（APA） 208
　──/レニン比（ARR） 209
アルブミン製剤 133
アルブミン尿 231, 618
アルミニウム骨症 418
アレルギー反応 406
アロプリノール 250
アンジオテンシノーゲン 447
アンジオテンシンⅡ受容体拮抗薬
　（ARB） 201, 458, 512, 611
アンジオテンシン受容体ネプリライシン
　阻害薬（ARNI） 101, 612
アンジオテンシン変換酵素（ACE）阻害薬
　........................... 186, 201, 458, 512, 611

い

イグザレルト® 602
異形性腎 514
イコサペント酸エチル 629
イコデキストリン液 389
維持透析中断 527
維持透析非導入 527
維持輸液 12, 659
移植後リンパ増殖性疾患（PTLD） ... 485
異所性副甲状腺ホルモン（PTH）産生
　腫瘍 47
一次性膜性増殖性糸球体腎炎
　（一次性 MPGN） 578

795

和文索引

一過性脳虚血発作 169
遺伝子組換えヒトエリスロポエチン
　製剤(rHuEPO) 516
遺伝子組換えヒト成長ホルモン(rhGH)
　療法 515
遺伝子検査 563
遺伝子診断 270
遺伝性塩類喪失性尿細管機能異常症
.... 270
イトラコナゾール 601
イヌリンクリアランス[検査] 496, 530
イノシンーリン酸デヒドロゲナーゼ
　(IMPDH) 592
イホスファミド 645
イミダゾール誘導体 592
イムノタクトイド糸球体症(ITG) ... 223
イムノタクトイド腎症 569
イムラン® 592
飲水制限 17
インターフェロンγ遊離試験(IGRA)
.... 585
インダパミド 608
インドメタシン 306
インフォームド・コンセント(IC)
.... 347, 554

う

運動 100
　――後急性腎障害 272
　――処方 706
　――制限 514
　――療法 704

え

英国強皮症研究グループ(UKSSG) ... 185
エイコサペンタエン酸 598
栄養指導 392
栄養障害 428
栄養状態評価間隔 699
栄養評価法 367
エクストラニール® 389, 391
エクリズマブ 198
エコー輝度 545
エコープローブ 554
エサキセレノン 609
壊死性半月体形成性糸球体腎炎 111
壊死性病変 573

エストロゲン 447
エゼチミブ 136, 628
エドキサバントシル酸塩 603
エネルギー摂取量 695
エパデール® 598
エプレレノン 608
エベロリムス 475
エボロクマブ 104
エリキュース® 603
エリスロポエチン 240, 436, 544
　――低反応性 436
遠位型尿細管性アシドーシス
　(遠位型 RTA) 537
遠位尿細管 529
塩化アンモニウム負荷試験 537
円柱 530
　――腎症 643
エンドキサン® 148, 589
エンドトキシン 384
　――吸着［療法］ 321, 338
　――血症 336
エンパグリフロジン 617
塩分制限 100
塩分摂取量 392
塩類下剤 621
エンレスト® 613

お

横隔膜交通症 409
黄色ブドウ球菌 630
横断研究 652
嘔吐 350
凹凸不整 547
横紋筋融解［症］
.... 27, 52, 81, 82, 94, 627, 629
悪心 350
オッズ比 656
オピオイドκ受容体作動薬 624
オピオイドμ受容体 623
オメガ-3 脂肪酸エチル 629
オンライン血液濾過透析 364

か

咳嗽 409
介入因子 650
潰瘍性大腸炎 334
可逆性後頭葉白質脳症(PRES) ... 255, 272

796

拡散	322, 363
核酸アナログ製剤	261
拡張末期血流速度（EDV）	548
過激性腎障害	683
加重型妊娠高血圧腎症	460
画像検査	528
画像診断	397
家族性高コレステロール血症	335
家族性低カルシウム尿性高カルシウム血症（FHH）	47
家族性 IgA 腎症	124
学校検尿	502, 509
活性化凝固時間（ACT）	327
活性型ビタミン D 製剤	433, 525
活性化部分トロンボプラスチン時間（APTT）	169, 327, 600
家庭血圧	100, 520
カテーテル関連尿路感染症	312
カテーテル挿入術	388
カテーテル抜去	404
——の適応	406
カテーテル閉塞	408
ガドリニウム含有造影剤	639
カナグリフロジン	617
カナグル®	617
過粘稠度症候群	226
ガバペンチン	350
痂皮	406
過敏性腎障害	684
カプトプリル	186
——試験	210
下部尿路結石	314
カプラシズマブ	197
仮面高血圧	520
仮面尿崩症	303
粥状硬化性腎動脈狭窄（ARAS）	204
粥状動脈硬化	204
可溶型 B リンパ球刺激因子	596
カリウム代謝異常	23
顆粒円柱	529
顆粒球吸着療法	321
顆粒球除去療法（GCAP）	340
顆粒状型壊死性半月体形成性糸球体腎炎	112
カルシウム・アルカリ症候群	46
カルシウム拮抗薬	201
カルシウム受容体作動薬	434
カルシウム代謝異常	45

カルシニューリン	588
——阻害薬（CNI）	474, 590
——阻害薬腎障害	481
カルボキシマルトース第二鉄	442
川崎病	336
肝炎ウイルス関連腎症	260
管外増殖性腎炎	573
眼科受診	509
柑橘類	475
間欠的血液透析（IHD）	330
間欠的腎代替療法（IRRT）	89
間欠補充型血液濾過透析（I-HDF）	364
ガンシクロビル	149
間質性腎炎	275, 644
間質性腎疾患	275
患者中心予後	346
肝障害	627
管状封入体	157
肝腎症候群（HRS）	264
関節痛	174
間接毒性	685
関節リウマチ（RA）	177, 335
完全寛解	133
感染関連糸球体腎炎（IRGN）	253, 259
感染経路	396
感染後糸球体腎炎（PIGN）	253
完全静脈栄養	368
完全腎反応（CRR）	162
感染性心内膜炎	258, 383
冠動脈疾患	237
管内増殖性糸球体腎炎	573, 579
肝排泄型薬物	681
がん薬物療法	641

き

飢餓骨症候群	50
器質的便秘	620
気腫性腎盂腎炎	311
記述研究	652
記述統計	655
偽性低アルドステロン症 II 型	277
偽性低マグネシウム血症	56
偽性副甲状腺機能低下症	50
偽性 Bartter 症候群	270
基礎代謝量	92
既存抗体	472
喫煙	420
機能的片腎	547

キメラ光源受容体遺伝子導入 T 細胞注入療法（CAR-T 療法） 641
逆説的反射性血管収縮障害 377
球形吸着炭 105
吸収型鎮痛消炎薬 626
急性間質性腎炎 81, 85, 88, 683
急性肝不全 334
急性血液浄化療法 321, 685
急性抗体関連型拒絶反応 483
急性呼吸性アルカローシス 49
急性細胞性拒絶反応 477
急性糸球体腎炎 81
急性腎盂腎炎 311
急性腎炎症候群（ANS） 253
急性腎障害（AKI） 73, 329, 521, 564, 585
急性腎不全（ARF） 73
急性前立腺炎 313
急性代謝性アルカローシス 49
急性単純性膀胱炎 310
急性痛風関節炎 246
急性低ナトリウム血症 13
急性尿細管壊死（ATN） 77, 79, 84, 277, 281, 643
急性尿細管障害（ATI） 79
急性妊娠脂肪肝（AFLP） 467
急性腹症 313
急性膀胱炎 310
急性 T 細胞性拒絶反応 483
急速進行性糸球体腎炎（RPGN） 81, 85, 108, 157, 564, 580
　──重症度分類 117
抗糸球体基底膜抗体型──
　（抗 GBM 抗体型──） 335
抗好中球細胞質抗体型──
　（ANCA 型──） 335
胸痛 409
共同意思決定（SDM） 343, 347, 356, 527
　──支援ツール 343
強皮症 181
　──腎クリーゼ（SRC） 183
局所麻酔 558
魚油 131
起立性蛋白尿 503
起立性低血圧 521
近位型尿細管性アシドーシス（近位型 RTA） 537
近位尿細管 529
禁煙 100, 708
筋クランプ 27

菌血症 310
筋肉量 535
筋力低下 35, 108

く

グアニル酸シクラーゼ受容体 621
区域動脈 548
偶然誤差 653
クエン酸 328
クオンティフェロン® TB 147
くも膜下出血 300
グラケー® 601
クラッシュ症候群 81, 82
クリオグロブリン血症 225, 569
グリコアルブミン（GA） 373
グリセオール® 611
グリセリン 611
グリニド系薬 242
グルカルピダーゼ 645
グルコース-インスリン療法 45
グルココルチコイド製剤 246
グルココルチコイド誘発性骨粗鬆症 162, 412
くる病 273
クレアチニンクリアランス（Ccr） 99, 533, 679
グロボトリアオシルセラミド 290
クロライドチャネル（小腸） 621

け

経管栄養 12
経頸静脈肝内門脈静脈短絡術（TIPS） 269
経験的治療 398
蛍光抗体法 566
経口食塩負荷試験 210
経口ブドウ糖負荷試験（OGTT） 468, 584
軽鎖 217
　──円柱腎症 218
　──重鎖沈着症（LHCDD） 219
　──沈着症（LCDD） 219
経静脈的造影剤投与 637
形態骨折 412
経腸栄養 92
系統誤差 653
経動脈的造影剤投与 637

経尿道的尿管砕石術（TUL）	316	血清 β_2マイクログロブリン ［値］	497
経皮的腎血管形成術（PTRA）	204	———基準値	500
経皮的腎尿管砕石術	317	結石	314
外科的処置	408	結節性過形成	415
劇症型抗リン脂質抗体症候群		結節性多発性動脈炎	261
（劇症型 APS）	169	結節性病変	232
劇症肝炎	334	血栓症	169
血圧管理	100, 454	———治療	149
血圧低下	616	———予防	149
血液ガス分析	63	血栓性血小板減少性紫斑病（TTP）	
血液型不適合腎移植	469		334, 189
血液吸着療法	321, 337	血栓性微小血管症（TMA）	
血液検査	528		189, 203, 643, 646
血液浄化量	90	血栓塞栓症	443
血液浄化療法	321	血糖管理	455
血液透析（HD）	321, 341, 411, 516, 526	血糖降下薬	241
血液培養	310	血糖コントロール	232
———ボトル	397	———目標	233
血液濾過	321	血糖日内変動	583
血液濾過透析（HDF）	363, 624	血尿	503, 531
結核	381	———＋蛋白尿合併	564
血管形成術	207	血友病	334
血管新生阻害薬	646	血流量（Q_B）	322
血管石灰化	525	ケトアシドーシス	616
血管内皮増殖因子（VEGF）	227, 460	ゲムシタビン	646
血球成分除去療法	339	ケレンディア®	615
血漿吸着療法	337	減塩	201
血漿クリアランス	534	限外濾過	322, 363
血漿交換［療法］	121, 197, 321, 333	嫌気性菌	403
血小板減少	192	限局皮膚硬化型全身性強皮症（lcSSc）	
血漿レニン活性（PRA）	183, 208		181
血漿レニン濃度（ARC）	209	献腎移植	469
血清カルシウム［値・濃度］	103	検尿異常	564
血清クレアチニン	535	原発性アルドステロン症（PA）	208
———逆数プロット	534	原発性血管炎	113
———，血清アルブミンによる推算糸球		原発性骨粗鬆症	414
体濾過量（GFR）推算式	535	原発性糸球体疾患	106
———による糸球体濾過量（GFR）推算		原発性副甲状腺機能亢進症	47, 275
式	535	原発性副腎不全	10
血清シスタチン C（CysC）［値］		腱反射消失	59
	497, 535, 681	顕微鏡的血尿	124
———基準値	499	顕微鏡的多発血管炎（MPA）	110
———による推算糸球体濾過量（GFR）		———診断基準	114
推算式	535		
血清鉄	544		
血清糖鎖異常	124		
血清フェリチン値	102, 437		
血清 IgG	583		

和文索引

こ

降圧目標	201, 235
降圧療法	299

799

高アニオンギャップ代謝性アシドーシス
.... 67
抗エリスロポエチン抗体 444
口蓋扁桃摘出術 130
光学顕微鏡 566
口渇中枢 305
高カリウム血症
..... 34, 88, 89, 105, 136, 330, 491, 521, 625
高カルシウム血症 45, 92, 94, 432, 491
高カルシウム尿症 314
後希釈 365
抗凝固薬 89, 326
抗凝固療法 586
抗菌薬 685
——予防投与 404
抗クロル性代謝性アシドーシス 274
高血圧 373, 502, 646
——緊急症 202, 463
——性腎硬化症 200
抗血小板療法 586
抗好中球細胞質抗体関連血管炎（ANCA
関連血管炎）.......... 108, 179, 519
抗好中球細胞質抗体型急速進行性糸球体
腎炎（ANCA 型 RPGN）.......... 335
好酸球性多発血管炎性肉芽腫症（EGPA）
.... 110
——診断基準 116
好酸球性腹膜炎 406
抗糸球体基底膜抗体型急速進行性糸球体
腎炎（抗 GBM 抗体型 RPGN）.......... 335
抗糸球体基底膜抗体型腎炎（抗 GBM 抗
体型腎炎）.......... 110, 567
——診断基準 117
抗糸球体基底膜病（抗 GBM 病）.......... 108
膠質浸透圧物質 389
高シュウ酸尿症 314
抗腫瘍薬 685
甲状腺機能亢進症 275
甲状腺中毒性周期性四肢麻痺 28
抗ストレプトキナーゼ（ASK）.......... 256
抗ストレプトリジン O（ASO）.......... 256
抗セントロメア抗体 181
酵素補充療法（ERT）.......... 294
高中性脂肪血漿 104
高張液 659
高張食塩水負荷試験 302
高張食塩負荷試験 542
抗てんかん薬 590
抗トポイソメラーゼ I 抗体 181

高トリグリセリド血症 104
高ナトリウム血症 17
高尿酸血症 244, 543
抗破骨細胞分化誘導因子（RANKL）
モノクローナル抗体 104
抗ヒト胸腺細胞ウサギ免疫グロブリン
.... 477
高マグネシウム血症 59
交絡 654
抗リウマチ薬 178
抗利尿ホルモン（ADH）.......... 6, 301
——不適切分泌症候群（SIADH）
.... 8, 14, 643
高リン血症 52, 416
抗リン脂質抗体 450
——症候群（APS）.......... 168, 451
高齢患者 604
高齢者糖尿病 521
抗 BLyS モノクローナル抗体 596
抗 C5 抗体薬 198
抗 CD20 抗体 595
抗 CD20 モノクローナル抗体 508
抗 Dnase B 抗体 257
抗 dsDNA 抗体 158
抗 H 因子抗体検査 192
抗 HLA 抗体 472
高 IgE 血症 283
高 IgG4 血症 282
高 LDL コレステロール血症 136
抗 RNA ポリメラーゼⅢ抗体 181
抗 Scl-70 抗体 181
抗 Sm 抗体 158
呼吸困難 409
呼吸性アシドーシス 71
呼吸性アルカローシス 72
国際小児腎臓病研究班（ISKDC）分類
.... 176, 512
固形培地 397
骨塩定量 427
骨芽細胞 416
骨型アルカリホスファターゼ（BAP）
.... 414
骨吸収抑制薬関連顎骨壊死（ARONJ）
.... 426
骨質 413
骨髄異形成症候群 437
骨髄腫 218
骨髄腎腫 218
骨粗鬆症 123, 413, 525, 583

骨代謝異常	412
骨代謝マーカー	427
骨軟化症	273
骨密度（BMD）	413, 421
骨ミネラル代謝異常	516, 525
骨リモデリング	416
古典的化学療法	642
誤分類バイアス	654
コホート研究	651
コメリアン®	597
コルヂゾール	10
コルヒチン	246
——カバー	249
コレステロール結晶	213
コレステロール塞栓症（CCE）	81, 213
コロニー化	406
コロンビア分類	140
コンベックス型	545

さ

サイアザイド系利尿薬	8, 298, 306, 607
細菌学的培養方法	397
細小動脈炎	174
細線維性糸球体腎炎（FGN）	223
サイトカイン放出症候群（CRS）	648
サイトメガロウイルス（CMV）	486
——感染［症］	149, 585
細胞外液補充液	662
細胞外液量	6
細胞性免疫	381
細胞浮腫	4
酢酸不耐症	379
サクビトリルバルサルタン	613
左室局所壁運動異常	380
左室肥大	290
サムスカ®	610
サルコイドーシス	278
サルコペニア	
	369, 518, 618, 619, 696, 703
産科播種性血管内凝固（産科 DIC）	464
珊瑚状結石	317
三次性副甲状腺機能亢進症	482
残腎機能	391
——保持	343

し

歯科処置	405

志賀毒素産生性大腸菌による溶血性尿毒症症候群（STEC-HUS）	189
子癇	460, 464
時間依存性	680
糸球体	529
——基底膜菲薄化症	569
——硬化	518
——上皮細胞	140
糸球体濾過量（GFR）	496, 518, 679
——推算式	680
——推算ノモグラム	534
シクロスポリン	139, 142, 474, 508, 588
シクロホスファミド	
	118, 143, 148, 508, 589
自己免疫疾患	156
自己免疫膵炎（AIP）	282
脂質異常症	132
脂質管理目標値（CKD 患者の）	102
シスタチン C（CysC）	356, 497, 530, 681
シスチン結石	319
システマティックレビュー	651
シスプラチン	274, 642
持続グルコースモニター（CGM）	372
持続血液濾過透析（CHDF）	89, 331
持続性無月経	168
持続的腎代替療法（CRRT）	89, 332
持続的低効率血液透析（SLED）	89, 331
シックデイ	618, 689
——・ルール	691
質量分析	563
自動生検針	554
自動腹膜透析（APD）	389
シトクロム P450（CYP）	
——阻害薬	694
——代謝	691
——誘導薬	694
紫斑	174
——病性腎炎	175, 511
ジピリダモール	597
ジペプチジルペプチダーゼⅣ（DPP-4）阻害薬	242
脂肪製剤	93
脂肪乳剤	668
若年成人平均値（YAM）	420
ジャディアンス®	617
重回帰分析	656
周期性四肢麻痺	28
集合管	529

和文索引

801

重鎖	217
──沈着症(HCDD)	219
シュウ酸カルシウム結石	317
収縮期最高血流速度(PSV)	548
重症筋無力症	335
重症敗血症	331
自由水計算	19
重炭酸負荷試験	537
重度血液型不適合妊娠	334
重度代謝性アシドーシス	330
酒石酸抵抗性酸性ホスファターゼ-5b	
(TRACP-5b)	414
出血傾向	602, 604
出血性合併症	561
出血性膀胱炎	591
出血リスク	327
術後肝不全	334
術前脱感作療法	478
授乳	459
腫瘍崩壊症候群	52
紹介基準	236
消化管潰瘍	584, 585
消化管出血	437
消化管由来	400
消化器症状	595
浄化膜	90
脂溶性薬物	681
常染色体顕性(優性)多発性囊胞腎	
(ADPKD)	296, 610
常染色体顕性(優性)低カルシウム血症	
	270
常染色体顕性(優性)尿細管間質性腎	
疾患(ADTKD)	281
常染色体顕性(優性)多発性囊胞腎	
(ADPKD)	280, 296
上腸間膜動脈	545
小腸コレステロールトランスポーター	
阻害薬	628
小児慢性腎臓病(小児CKD)	499, 513
小児IgA腎症重症度分類	510
上皮成長因子受容体(EGFR)阻害薬	
	646
上部消化管内視鏡検査	406
上部尿路結石	314
情報バイアス	654
静脈血栓症	150, 169
静脈性腎盂造影	549
静脈穿刺	325
症例対照研究	652

ショートハイドレーション法	643
食後血圧低下	521
食事指導	393
食事療法	135, 695
──基準	696
──基準(小児)	698
食事リン制限	428
除水不全	395
処方設計	679
ジラゼプ塩酸塩	597
自律尊重原則	347
視力障害	108
心アミロイドーシス	222
腎アミロイドーシス	519
腎萎縮	518
腎移植	341, 411, 516, 526
──後感染症	485
──後管理	481
──後再発性腎炎	472, 481
──後妊娠	492
腎盂腎炎	309
腎エコー	544
侵害受容性疼痛	351
真菌感染	585
真菌性腹膜炎	404
神経因性膀胱	35, 308, 351
腎血管性高血圧(RVH)	204, 547
腎血行動態	529
腎血漿流量(RPF)	447, 540
腎結石	314
腎血流量	540
腎硬化症	200
進行性多巣性白質脳症(PML)	139
腎サイズ	447, 496
侵襲的婦人科処置	406
心腎連関	78
腎生検	455, 459, 507, 531, 553, 563
──ガイドブック2020	563
──後の安静	560
──後の運動制限	561
──の禁忌	565
──の適応	564
──病理アトラス	565
──前に中止すべき薬剤	555
新生児疾患スクリーニング	291
腎性全身性線維症(NSF)	637, 639
腎性低尿酸血症	271
腎性糖尿	273, 277
腎性尿崩症(NDI)	305, 643

腎性貧血 102, 436, 515, 543
腎前性急性腎障害(腎前性 AKI) 150
新鮮凍結血漿(FFP) 197, 324
心臓電導障害 290
腎臓リハビリテーション 704
身体活動度 135
身体障害者手帳 358
腎代替療法(RRT) 83, 88, 96, 341, 516
腎長径 496
心電図変化 23, 35
浸透圧性脱髄症候群(ODS) 3
浸透圧利尿 301
腎動脈エコー検査 205
腎動脈狭窄〔症〕 502, 547
腎動脈塞栓症 561
腎動脈分岐部 545
腎毒性 689
腎膿瘍 309
腎排泄型薬物 681
腎反応 161
腎病理診断概念 563
腎負荷型 246
深部静脈血栓症 602
心不全 34, 41, 87, 381, 619
腎不全用経腸栄養剤 365, 372
心房性ナトリウム利尿ペプチド(ANP)
.... 95
腎容積増大速度 297

す

推定糸球体濾過量(eGFR) 97, 356, 498
――スロープ 100
随時血糖値 373
水腎症 35, 87, 316
推定エネルギー必要量 699
水痘・帯状疱疹ウイルス(VZV) 488
水分欠乏量 676
髄膜炎菌ワクチン 198
睡眠時無呼吸症候群 208
睡眠障害 350
水溶性薬物 681
スキンケア 623
スタチン 104, 136, 207, 524, 627
――不耐症 628
ステロイド依存性難治性ネフローゼ
症候群 596
ステロイド依存性ネフローゼ症候群
.... 133, 137, 506

ステロイド感受性ネフローゼ症候群
.... 506
ステロイド精神病 586
ステロイド抵抗性巣状分節性糸球体硬化
症(ステロイド抵抗性 FSGS) 141
ステロイド抵抗性ネフローゼ症候群
.... 133, 506
ステロイド抵抗性微小変化型ネフローゼ
症候群 140
ステロイドパルス療法 130, 583
ストレス係数 92
スピロノラクトン 307, 608
スルホニル尿素(SU)薬 242, 524

せ

正アニオンギャップ代謝性アシドーシス
.... 67
生活指導指針 708
生活習慣 100
性器感染症 618
正義原則 347
生検針 554
性行為感染症 313
脆弱性骨折 419
正常血圧性虚血性急性腎障害 79
成人発症巣状分節性糸球体硬化症
(成人発症 FSGS) 140
生体腎移植 469, 473
――ドナー 493
成長障害 515
生物学的がん治療 642, 646
生物学的製剤 178
生命・医療倫理の 4 原則 347
生理食塩水負荷試験 210
セカンドヒットセオリー 297
赤芽球癆 444
セクタ型 545
是正輸液 659
積極的な飲水 298
赤血球円柱 530
赤血球造血刺激因子製剤(ESA)
.... 102, 386, 437, 515, 524
――低反応性 442
絶対的鉄欠乏 437
セファゾリン 630
セフェピム 398
ゼブラ小体 291
セララ® 609

和文索引

803

セリンプロテアーゼ阻害薬 328	第一世代セフェム系抗菌薬 388
セルセプト® 594	体液異常 393
線維芽細胞増殖因子 23（FGF23）	体液コントロール 393
.... 52, 414	体液中電解質組成 676
線維筋性異形性（FMD）......... 204	体液量過剰 395
遷延性副甲状腺機能亢進症 482	体外限外濾過（ECUM）......... 134
前希釈 365	体外衝撃波結石破砕術（ESWL）
先行的腎移植（PEKT）......... 469, 516	.... 272, 316
線状型壊死性半月体形成性糸球体腎炎	大綱 408
.... 112	第三世代セファロスポリン 398
全身性エリテマトーデス（SLE）	代謝拮抗薬 475
.... 156, 223, 275, 450	代謝性アシドーシス
全身性強皮症（SSc）......... 181	.... 32, 62, 66, 88, 89, 91, 104, 526, 537
全身性疾患に伴う腎病変 564	代謝性アルカローシス 62, 69, 273
選択的エストロゲン受容体モジュレー	体重減少 616
ター（SERM）......... 422	大腿骨頭壊死 583
選択的シクロオキシゲナーゼ 2（COX-2）	大腸憩室 296
阻害薬 178, 625	大腸内視鏡 396
選択バイアス 653	大腸ポリペクトミー 405
先天性腎尿路異常（CAKUT）......... 502, 514	耐糖能異常 584
前立腺肥大［症］......... 35, 308	第二経路 153
	胎盤増殖因子（PIGF）......... 461
	タイプ I 膜性増殖性糸球体腎炎
そ	（タイプ I MPGN）......... 578
	タイプ II 膜性増殖性糸球体腎炎
造影剤 81	（タイプ II MPGN）......... 578
——腎症（CIN）......... 637	多飲 11
造影 CT 410	第 Xa 因子阻害薬 603
臓器移植 588	タクロリムス 474, 589
相互作用 407	多剤併用療法 512
巣状糸球体硬化症 335	タッチ・コンタミネーション 399
巣状分節性糸球体硬化症（FSGS）	多尿 301, 541
.... 140, 506, 575	多囊胞化萎縮腎（ACDK）......... 387
ステロイド抵抗性—— 141	ダパグリフロジン 617
成人発症—— 140	多発血管炎性肉芽腫症（GPA）......... 110
増殖性動脈内膜炎 203	——診断基準 115
相対的鉄欠乏 437	多発性硬化症 335
早朝尿 531	多発性骨髄腫 274, 334
僧帽弁閉鎖不全 296	多発性囊胞腎（PKD）......... 296, 310, 451
瘙痒感 623	ダビガトラン 601
続発性 AA アミロイドーシス 179	ダプトマイシン 633
組織適合性検査 472	タブネオス® 121
組織分類 106	ダルベポエチンアルファ 516
	短期型カテーテル留置 325
	単クローン性免疫グロブリン沈着症
た	（MIDD）......... 219
	単クローン性 IgG 沈着型増殖性糸球体腎
ダイアート® 606	炎（PGNMID）......... 220
ダイアモックス® 611	炭酸水素ナトリウム 526
体位性蛋白尿 503	
第一世代セファロスポリン 398	

胆汁性トランスポーター 621
単純性便秘 620
単純ヘルペスウイルス（HSV） 487
淡染細胞 530
蛋白異化率（PCR） 367
たんぱく質制限 428, 514, 526, 695
たんぱく質摂取推奨量 700
たんぱく質摂取量 392
蛋白透過選択性 535
蛋白尿 503, 531
——単独 564

ち

チアゾリジン薬 524
逐次近似画像再構成 638
チタニウムエクステンダー 408
チーム医療 345
中心静脈栄養輸液（TPN）製剤 670
中枢性尿崩症（CDI） 303
中性液 389
中毒性腎障害 683
中毒性表皮壊死症 336
腸管運動障害 620
長期治療依存型ネフローゼ症候群 133
腸球菌 400
超低比重リポ蛋白（VLDL） 629
腸内細菌 403
腸閉塞 409
直接型抗ウイルス薬（DAA） 263
直接型腎障害 685
直接経口抗凝固薬（DOAC） 173
直接的レニン阻害薬 614
治療アルゴリズム 145
治療薬物モニタリング（TDM） 688
鎮痛薬 690

つ・て

痛風 244
低アルブミン血症 56, 132
低カリウム血症 26, 396, 491, 537
低カルシウム血症 49, 92, 270, 431
低管電圧撮影 638
低形成腎 514
低血糖 102, 521
低高比重リポ蛋白（HDL）コレステロー
　ル血症 104
テイコプラニン 631

低酸素誘導因子プロリン水酸化酵素
　（HIF-PH）阻害薬 102, 240, 443, 524
低蛋白血症 132
低張液 659
低ナトリウム血症 2, 91, 491
低比重リポ蛋白（LDL）アフェレシス
　.. 140, 239
低比重リポ蛋白（LDL）吸着 339
低分子ヘパリン 327
低補体血症 283
低マグネシウム血症 55, 270, 491, 643
低リン血症 53, 491, 644
適正飲酒量 708
適正体重 702
適正透析 392
適切な体液状態 392
出口部観察 397
出口部管理 396
出口部トンネル感染 406
出口部トンネルケア方法 406
出口部変更術 408
デジゾリド 633
デスモプレシン（DDAVP） 304
　——口腔内崩壊錠 304
鉄過剰 440
鉄欠乏性貧血 437, 515
鉄貯蔵量 544
鉄補充療法 440
テナパノル 430
デノシン® 149
デノスマブ 104, 425
　——関連顎骨壊死（DRONJ） 426
テノホビルアラフェナミド 689
テリパラチド 426
電解質濃度 660
電解質輸液 664
典型的糖尿病性腎症 564
電子カルテデータ 658
電子顕微鏡 566
　——診断 568
天疱瘡 336

と

糖液剤 662
統計解析 654
同種腎移植 336
動静脈瘻 561

和文索引

805

透析
——アミロイドーシス 221
——アミロイド症 365
——患者の死因原因 355
——患者の生命予後 355
——起因性高血糖 370
——時運動指導等加算 705
——時間 361
——時静脈栄養(IDPN) 366
——瘙痒症 623
——中低血圧 375
——導入基準 356
——導入時期 354
——の見合わせ 349
——前血糖値 373
透析液
——温度 379
——水質基準 363
——流量(Q_D) 322
等張液 659
糖尿病 34
——合併症 237
——関連腎臓病 228
——性ケトアシドーシス(DKA) 28
——性神経障害 237
——性腎症 228, 451
——性腎症病期分類 230
——性網膜症 237
頭部 MRI 542
動脈血栓症 169
動脈直接穿刺 325
特定積層型ダイアライザー 624
特発性細菌性腹膜炎(SBP) 267
特発性ネフローゼ症候群 506
特発性浮腫 542
ドチヌラド 250
ドナー特異的抗体(DSA) 472
ドパミン 96, 380
——作動薬 350
トピロキソスタット 250
ドライウエイト 375
トラセミド 606
トランスフェリン 535
——飽和度(TSAT) 102, 437, 544
トランスフォーミング増殖因子β
(TGF-β) 461
トリアムテレン 608
トリクロルメチアジド 307, 608
トリテレン® 608

トルバプタン 298, 610
ドロキシドパ 380
トンネル部観察 397

な

ナトリウム濃度異常 2
ナトリウム排泄率(FE_{Na}) 85, 536
ナトリウム目安量 700
ナトリックス® 608
ナファモスタットメシル酸塩 328
生ワクチン 470
ナルフラフィン 623
難治性ネフローゼ症候群 133
難聴 108

に

ニカルジピン 457
肉眼的血尿 124, 561
二次性高血圧 200, 502
二次性高尿酸血症 246
二次性巣状分節性硬化性病変 573
二次性副甲状腺機能亢進症 415
二次性膜性増殖性糸球体腎炎
(二次性 MPGN) 578
二重エネルギーX線吸収測定法(DEXA)
.... 413
二重膜濾過血漿交換療法(DFPP) 336
ニトログリセリン 457
ニフェジピン 456
入院時検査 528
ニューキノロン系抗菌薬 300
乳酸アシドーシス 638
ニューモシスチス肺炎 122, 162, 585
尿 Gram 染色 309
尿アルブミン/クレアチニン比 532
尿化学 528
尿検査 528
尿細管カリウム濃度勾配(TTKG) 537
尿細管間質性腎炎(TIN) 277, 283
尿細管機能検査 536
尿細管性アシドーシス(RTA) 32, 274
  遠位型—— 537
  近位型—— 537
尿細管リン再吸収率(%TRP) 537, 689
尿酸クリアランス(C_{UA}) 272, 448, 544
尿酸結石 272, 318
尿酸産生過剰型 245

尿酸性化障害 537
尿酸生成抑制薬 250
尿酸トランスポーター 272
尿酸排泄促進薬 250
尿酸排泄低下型 245
尿酸排泄率（FE_{UA}） 544
尿酸分解酵素薬 250
尿試験紙法 309
尿素窒素産生量（UNA） 92, 94
尿素窒素排泄率（FE_{urea}） 84
尿蛋白/クレアチニン比 532
尿蛋白減少作用 597
尿蛋白スクリーニング 454
尿中亜硝酸塩 309
尿中好酸球 685
尿中尿酸/クレアチニン 544
尿中尿酸排泄率（FE_{UA}） 272
尿中未変化体排泄率 682
尿中 N-アセチルグルコサミニダーゼ
　（尿中 NAG） 536
尿中 α_1マイクログロブリン 536
尿中 β_2マイクログロブリン 536
尿沈渣 528
尿道結石 314
尿道バルーンカテーテル留置 556
尿毒症 89
　——症状 330
　——性掻痒症 349
　——性ニューロパチー 349
尿培養［検査］ 309, 312
尿崩症（DI） 301
尿量減少 76
尿路感染症（UTI） 308, 468, 618
尿路系悪性腫瘍 308
尿路結石［症］ 244, 272, 308, 313, 314
尿路閉塞性腎障害 684
人間尊重 347
妊娠 417
　——合併症 449
　——高血圧症 460
　——高血圧症候群 460
　——高血圧腎症 460
　——糖尿病（GDM） 468
　——率 454

ね

ネオーラル® 139, 142, 588

ネフローゼ症候群
　.......... 78, 132, 157, 564, 588, 594, 703
　ステロイド依存性難治性—— 596
　ステロイド依存性—— 133, 137, 506
　ステロイド感受性—— 506
　ステロイド抵抗性—— 133, 506
　ステロイド抵抗性微小変化型——
　.. 140
　長期治療依存型—— 133
　特発性—— 506
　難治性—— 133
　微小変化型——（MCNS） 77, 137
　頻回再発型—— 133, 506, 596

の

脳血管疾患 237
脳梗塞 169
膿腎症 317
脳性ナトリウム利尿ペプチド（BNP）
　.. 382
濃染細胞 530
濃度依存性 680
脳動脈瘤 296
　——破裂 299
嚢胞感染 297
嚢胞出血 297
膿疱性乾癬 336
嚢胞穿刺 300
ノルアドレナリン 380

は

バイアス 652
排液混濁 396
排液細胞数 396
肺炎球菌 253
　——ワクチン 147
敗血症 79
　——性ショック 88, 331
肺血栓塞栓症 602
排石促進薬 316
肺塞栓症 150, 169
排尿痛 309
培養 397
　——陰性腹膜炎 404
　——陰性率 397
　——検査 407
白衣高血圧 520

和文索引

807

バクタ® 585
白内障 583
曝露因子 650
破骨細胞 416
播種性血管内凝固（DIC） 80, 85
バシリキシマブ 477
バスキュラーアクセス 325, 359
———感染 634
バソプレシナーゼ 301
バソプレシン（AVP） 6, 298, 301
———［負荷］試験 302, 542, 539
———V₂受容体拮抗薬 238, 610
バッグ交換 396
白血球減少 591
白血球破砕性微小血管炎 174
発生率差 656
発生率比 656
花筵状線維化 285
パラアミノ馬尿酸ソーダ 541
パラプロテイン血症 217
バリキサ® 149
バルガンシクロビル 149
パルボウイルスB19 254
パルモディア® 629
汎アミノ酸尿 273, 277
半月体形成 573
———性壊死性糸球体腎炎 580
———性糸球体腎炎 88
バンコマイシン 631
半透膜 322

ひ

非アルコール性脂肪性肝疾患 266
被殻血管腫 291
比較対照 650
ビキサロマー 103
ビグアナイド薬 524, 638
非血小板減少性紫斑病 174
微小血管症性溶血性貧血 192
微少変化［型］ 506, 575
微小変化型ネフローゼ症候群（MCNS）
.... 77, 137
ヒスタミンH₁受容体拮抗薬 623
ヒスタミンH₂受容体拮抗薬 396
非ステロイド性抗炎症薬（NSAIDs）
.... 34, 178, 246, 274, 278, 625, 685
ビスホスホネート関連顎骨壊死
（BRONJ） 426

ビスホスホネート製剤 416, 424
ビタミン剤 668
ビタミンB₁ 94
ビタミンD 45, 94, 414
———依存性くる病 50
———製剤 422, 429
ビタミンK 94, 601
ヒツジ赤血球溶血試験 192
非定型大腿骨骨折 424
非典型溶血性尿毒症症候群（aHUS） 189
ヒト上皮成長因子受容体2型（HER2）
阻害薬 647
ヒト心房性ナトリウム利尿ペプチド
（hANP） 375
ヒト脳性ナトリウム利尿ペプチド前駆体
N端フラグメント（NT-proBNP）
.... 381, 382
ヒト免疫不全ウイルス（HIV） 470
ヒドララジン 456
ピトレシン® 304
———試験 539
ヒドロキシクロロキン 162
ヒドロキシメチルグルタリル-CoA還元
酵素阻害薬（HMG-CoA阻害薬）
.... 104, 136, 207, 524, 627
被嚢性腹膜硬化症（EPS） 409
菲薄基底膜症候群 503
皮膚潰瘍 181
ヒポキサンチン-グアニンホスホリボシ
ルトランスフェラーゼ（HGPRT） ... 592
びまん性過形成 415
びまん性病変 232
びまん皮膚硬化型全身性強皮症（dsSSc）
.... 181
病因分類 106
病巣感染 512
微量元素製剤 668
頻回再発 137
———型ネフローゼ症候群
.... 133, 506, 596
頻回長時間透析 451

ふ

フィネレノン 615
フィブリノイド壊死 203
フィブリノゲン吸着 339
フィブリン 408
———分解産物（FDP） 149

和文索引

808

フィブロネクチン腎症	225, 569
フェチリン	544
フェニレフリン	380
フェノフィブラート	104, 629
フェブキソスタット	250
フォシーガ®	617
フォゼベル®	430
不活化ワクチン	470
不完全寛解	133
腹腔鏡下手術	410
腹腔内造影 CT	410
副甲状腺機能亢進症	413, 434
副甲状腺機能低下症	50
副甲状腺摘出術(PTx)	434
副甲状腺ホルモン(PTH)	
	45, 52, 414, 432
――関連蛋白(PTHrP)	47
副作用	407
副腎静脈サンプリング(AVS)	211
副腎皮質ステロイド	118, 409, 506, 582
副腎不全	10
副腎 CT	211
腹部圧迫感	409
腹部症状	174
腹膜炎	396, 409
腹膜吸収エネルギー	392
腹膜透析(PD)	321, 341, 516, 526
腹膜平衡試験(PET)	394
腹膜壁アンカー技術(PWAT)	408
服薬アドヒアランス	694
浮腫	132, 240
不整脈	23, 35
フットケア	241
ブドウ球菌	253
ブドウ糖液	391
部分寛解	133
プラザキサ®	601
プラズマフィルター	323
篩係数	326
フルイトラン®	307, 608
フルハウス免疫蛍光パターン	157
フレイル	371, 518, 619, 696
ブレディニン®	148, 593
プログラフ®	589
フロセミド	606
――立位［負荷］試験	210, 270
プロタミン硫酸塩	600
プロ蛋白転換酵素サブチリシン/ケキシン 9 型(PCSK9)阻害薬	104, 524, 627

プロテアソーム阻害薬	647
プロテオグリカン	2
プロドラッグ	591, 592, 594
プロトロンビン	168
プロトロンビン時間－国際標準化比 (PT-INR)	601
プロトンポンプ阻害薬(PPI)	278
プロベネシド	250
フロリード®	601
分子標的薬	642
分析的統計	655
分離膜	323

へ

閉塞性動脈硬化症	335
併用療法	411
ペグインターフェロン(Peg-INF)療法	
	261
ベザフィブラート	104, 629
ベナンバックス®	585, 592
ヘパリン	599
――起因性血小板減少症(HIT)	600
――起因性血小板減少症(HIT)Ⅱ型	
	328
ペマフィブラート	104, 524, 629
ペメトレキセド	645
ベリムマブ	164, 596
ペルオキシソーム増殖因子活性化受容 体α(PPARα)	628
ペルサンチン®	597
ベンズブロマロン	250
便潜血	585
便秘	620
ベンリスタ®	596

ほ

傍カテーテル感染	399
膀胱炎	309
膀胱癌	591
膀胱結石	314
膀胱タンポナーデ	561
膀胱尿管逆流(VUR)	468
房室ブロック	450
乏尿	76
補正	14
――用電解質液	674

809

保存的腎臓療法（CKM）
.... 341, 346, 356, 526
ホリナート救援療法 645
ポリファーマシー 694
ポリメタクリル酸メチル（PMMA）膜
.... 331, 624
本態性高血圧 200

ま

マイクロエマルジョン製剤 588
マイコバクテリウム属 404
マキシマル・バリア・プリコーション
.... 557
膜性腎症 145, 260, 567
膜性増殖性糸球体腎炎（MPGN）
.... 150, 227, 260, 567, 578
マグネシウム代謝異常 55
マクログロブリン血症 334
末梢静脈栄養輸液（PPN）製剤 666
末梢神経障害 227
末梢動脈疾患 237
慢性炎症性脱髄性多発神経炎 335
慢性活動性抗体関連型拒絶反応 483
慢性間質性腎炎 279
慢性糸球体腎炎 502
慢性腎臓病（CKD）...................... 34, 76, 97, 616
――重症度分類 98, 297
――診断基準 97
――ステージ 499
――に伴う骨・ミネラル代謝異常
（CKD-MBD）...................... 103, 412, 427
慢性心不全 616
慢性低ナトリウム血症 13
慢性疼痛 351
慢性C型肝炎 334

み

ミオグロビン 82
ミコナゾール 601
ミコフェノール酸（MPA）...................... 594
ミコフェノール酸モフェチル
.... 120, 508, 594
水制限試験 302, 542
水中毒 11
水負荷試験 543
水利尿 301
ミゾリビン 120, 139, 143, 148, 593

ミトコンドリア病 270
ミニリンメルト® 304
ミネブロ® 609
ミネラルコルチコイド 537
　　――受容体拮抗薬（MR拮抗薬）
.... 101, 608, 614
　　――反応性低ナトリウム血症 12
未分画ヘパリン 326
未分化リンパ腫キナーゼ（ALK）阻害薬
.... 647
ミルク・アルカリ症候群 46

む

無飲性尿崩症 305
無危害原則 347
無酢酸透析液 379
無症候性血尿 503
無症候性細菌尿 309
無症候性微少血尿 564
むずむず脚症候群（RLS）...................... 350

め

迷走神経反射 562
メグルダーゼ® 645
メサンギウム増殖性腎炎 175, 180, 573
メサンギウム融解病変 232
メスナ 592
メタ解析 651
メチシリン耐性表皮ブドウ球菌（MRSE）
.... 399
メチルドパ 456
メチル硫酸アメジニウム 379
メトクロプラミド 350
メトトレキサート 120, 645
メトホルミン 242
メナテトレノン 601
メルカプトプリン 251
免疫関連有害事象（irAE）...................... 648
免疫グロブリン 217
　　――大量静注療法 174
免疫組織染色 566
免疫チェックポイント阻害薬（ICI）...................... 641
免疫調整薬 159
免疫複合体 253
　　――型壊死性半月体形成性糸球体腎炎
.... 112
　　――型糸球体腎炎 569

免疫抑制薬 457, 473

も

毛細血管炎 174
毛細血管漏出症候群 649
網状皮斑 108, 214, 226
網赤血球指数 543

や

夜間家庭透析（NHHD） 366
薬剤関連顎骨壊死（MRONJ） 426
薬剤性急性間質性腎炎 685
薬剤性腎障害 178, 518, 683
薬物吸着 338
薬物選択 679
薬物相互作用 590, 694
薬物中毒 334, 688
薬物動態/薬力学（PK/PD） 682
薬理学的シャペロン療法 295

ゆ

有効腎血漿流量 84, 88
輸液 12, 659
　　——製剤 659
　　——量 676
輸血 561

よ

溶血性尿毒症症候群（HUS） 189, 334
溶血性レンサ球菌感染後急性糸球体腎炎
　（PSGN） 253, 256, 567
溶質除去 392
腰痛 562
与益原則 347
予測的治療 634

ら

ラシックス® 606
ラジレス® 614
ラブリズマブ 198
ラベタロール 456
卵円形脂肪体 132
卵巣不全 168
ランダム化比較試験 651

り

リアルワールドデータ 657
リウマチ結節 179
リウマトイド因子（RF） 226
リウマトイド血管炎 179
リーク 409
リクシアナ® 603
リスク比 656
リツキサン® 595
リツキシマブ
　...... 120, 139, 144, 166, 197, 477, 508, 595
利尿薬 88, 201, 393, 605
リネゾリド 631
リバーロキサバン 602
リファンピシン 407
硫酸マグネシウム 457
両側副腎皮質過形成（BAH） 208
緑内障 583
緑膿菌性腹膜炎 400
リン吸着薬 53, 430, 525
リン酸カルシウム結石 318
リン酸マグネシウムアンモニウム結石
　.. 320
臨床疑問の構造化 650
臨床研究 650
臨床骨折 412
臨床症候分類 106
リン制限食 53
リン摂取量 392
リン代謝異常 51
リン糖蛋白阻害 590
リンパ球性漏斗下垂体後葉炎 304
リン目安量 701

る

類天疱瘡 336
ループスアンチコアグラント（LAC）
　.. 169
ループス腎炎（LN）
　............... 156, 450, 589, 594, 597
ループスポドサイトパチー 159
ループ利尿薬 95, 132, 238, 606
ルプラック® 606

れ

レセプトデータベース 658

レニン 447
レニン・アンジオテンシン・アルドステ
　ロン系（RAAS）阻害薬 34, 611
レニン・アンジオテンシン系（RAS）
　... 296
　——阻害薬
　　128, 136, 201, 458, 510, 521
　——阻害薬の継続 41
レノグラム 550
蓮根サイン 86
レンサ球菌性腹膜炎 400
連日透析 89

連続携行式腹膜透析（CAPD） 389

ろ

漏出部位 410
老年症候群 618
濾過率（FF） 447
ロジスティック回帰分析 656
ロスバスタチン 627
ロモソズマブ 104, 426
ワルファリン 173, 600

欧　文

A

AA アミロイドーシス 221
ACDK（acquired cystic disease of the
　kidney） 387
ACE（angiotensin converting enzyme）
　阻害薬 186, 201, 458, 512, 611
ACP（advance care planning） 356
ACT（activated coagulation time） ... 327
ADAMTS13 活性 192
ADH（antidiuretic hormone） 6, 301
ADPKD（autosomal dominant polycystic
　kidney disease） 280, 296, 610
ADTKD（autosomal dominant
　tubulointerstitial kidney disease） ... 281
AFLP（acute fatty liver of pregnancy） ... 467
aHUS（atypical hemolytic uremic
　syndrome） 189
AIP（autoimmune pancreatitis） 282
AKI（acute kidney injury）
　............ 73, 329, 521, 564, 585
AL アミロイドーシス 221
ALK（anaplastic lymphoma kinase）阻害薬
　... 647
Alport 症候群 503, 569
alternative pathway 153
AN69ST 膜 331
ANCA 関連血管炎 108, 179, 519
ANCA 型 RPGN 335
ANP（atrial natriuretic peptide） 95
ANS（acute nephritic syndrome） ... 253
anti-Dnase B antibodies 257

APA（aldosterone-producing adenoma）
　... 208
APD（automated peritoneal dialysis） ... 389
APS（antiphospholipid syndrome）
　..................................... 168, 451
APTT（activated partial thromboplastin
　time） 169, 327, 600
AQP2（aquaporin-2） 305
ARAS（atherosclerotic renal artery stenosis）
　... 204
ARB（angiotensin Ⅱ receptor blocker）
　..................... 201, 458, 512, 611
ARC（active renin concentration） ... 209
ARF（acute renal failure） 73
ARNI（angiotensin receptor neprilysin
　inhibitor） 101, 612
ARONJ（anti-resorptive agents-related
　osteonecrosis of the jaw） 426
ARPKD（autosomal recessive polycystic
　kidney disease） 296
ARR（aldosterone-renin ratio） 209
ASK（anti-streptokinase） 257
ASO（anti-streptolysin O） 257
ATI（acute tubular injury） 79
ATN（acute tubular necrosis）
　............ 77, 79, 84, 277, 281, 643
atypical forms of IgA nephropathy ... 127
AVP（arginine vasopressin） ... 6, 298, 301
　——受容体 305
AVS（adrenal venous sampling） 211

B

B 型肝炎ウイルス（HBV）関連腎症 260
B 型肝炎キャリア 470
B 細胞性非 Hodgkin リンパ腫 596
BAFF（B cell activating factor belonging to
the TNF family） 596
BAH（bilateral adrenal hyperplasia） 208
BAP（bone specific alkaline phosphatase）
..... 414
Bartter 症候群 270
Bence Jones 蛋白 218
BK ウイルス（BKV） 489
blue toe 214
BLyS 596
BMD（bone mineral density） 413, 421
BNP（brain natriuretic peptid） 382
BRAF（B-rapidly accelerated fibrosarcoma）
阻害薬 647
BRONJ（bisphosphonate-related
osteonecrosis of the jaw） 426
BUN/Cr 比 534
Burkholder 型 578

C

C 型肝炎 225
C 型肝炎ウイルス（HCV） 470
──関連腎症 262
──抗体 585
C3 糸球体腎炎 578
C3 腎炎 152
C3 腎症 150, 152
C4 腎症 578
CAKUT（congenital anomalies of the
kidney and urinary tract） 502, 514
cAMP 297
CAPD（continuous ambulatory peritoneal
dialysis） 389
capillary leak syndrome 649
CAPS（catastrophic antiphospholipid
syndrome） 169
cardiorenal syndrome 78
CAR-T（chimeric antigen receptor t-cell）
therapy 641
CCE（cholesterol crystal embolization）
..... 81, 213
Ccr（creatinine clearance） 99, 533, 679
CDI（central diabetes insipidus） 303

CD20 抗原 595
cellular variant 142
CGM（continuous glucose monitoring）
..... 372
CHDF（continuous hemodiafiltration）
..... 89, 331
Chvostek 徴候 49
CIN（contrast induced nephropathy） 637
CKD（chronic kidney disease）
..... 34, 76, 97, 616
──重症度分類 98, 297
──診断基準 97
──ステージ 499
CKD-EPI 99
CKD-MBD（chronic kidney disease-mineral
and bone disorder） 103, 412, 427
CKM（conservative kidney management）
..... 341, 346, 356, 526
cleft 214
CMV（cytomegalovirus） 486
──感染症 149
CNI（calcineurin inhibitor） 474, 590
──腎障害 481
Cockcroft-Gault 式（C-G 式）
..... 356, 535, 679
collapsing variant 142
congestive kidney failure 79
Congo-red 染色 220
convection 322
COVID-19 80
Cox 比例ハザードモデル 656
CRF（catherter repair by the forefinger）法
..... 409
Crohn 病 334
CRR（complete renal response） 162
CRRT（continuous renal replacement
therapy） 89, 332
CRS（cytokine release syndrome） 648
CSW（cerebral salt wasting） 12
CT 404
CT ウログラフィー 550
C_{UA} 448, 544
CYP（cytochrome P450）
──阻害薬 694
──代謝 691
──誘導薬 694
CYP3A4 阻害 590
CYP3A4 誘導 590
CysC（cystatin C） 356, 497, 530, 681

欧文索引

813

————基準値 499

D

D-マンニトール 611
DAA（direct acting antivirals）.............................. 263
DAPA-CKD 試験 619, 620
DDAVP（1-deamino-8-D-arginine
　vasopressin）.............................. 304
————口腔内崩壊錠 304
D-dimer 150
de novo 経路 592
dense deposit disease（DDD）.............................. 151, 578
Dent 病 270
DEXA（dual-energy X-ray absorptiometry）
.... 413
DFPP（double filtration plasmapheresis）
.... 336
DFS（direct fast scarlet）染色 220
DI（diabetes insipidus）.............................. 301
DIC（disseminated intravascular
　coagulation）.............................. 80, 85
diffusion 322
DKA（diabetic ketoacidosis）.............................. 28
DOAC（direct oral anticoagulant）.............................. 173
DOPPS（Dialysis Outcomes and Practice
　Pattern Study）.............................. 361
Douglas 窩 388
DPC データベース 658
DPP-4（dipeptidyl-peptidase Ⅳ）阻害薬
.... 242
dressing シール 406
DRONJ（denosumab-related osteonecrosis
　of the jaw）.............................. 426
DSA（donor specific antibody）.............................. 472
dsSSc（diffuse cutaneous systemic sclerosis）
.... 181
Duplex エコー法 205

E

eclampsia 460, 464
ECUM（extracorporeal ultrafiltration
　method）.............................. 134
Edelman 式 2
EDV（end diastolic velocity）.............................. 548
EGFR（epidermal growth factor receptor）
　阻害薬 646

eGFR（estimated glomerular filtration rate）
.... 97, 356, 498
————スロープ 100
EGPA（eosinophilic granulomatosis with
　polyangiitis）.............................. 110
————診断基準 116
EMPA-KIDNEY 試験 619, 620
empiric therapy 398
ENaC（epithelial Na$^+$ channel）.............................. 272
EPS（encapsulating peritoneal sclerosis）
.... 409
Epstein-Barr ウイルス（EBV）.............................. 489
ERT（enzymereplacement therapy）.............................. 294
ESA（erythropoiesis stimulating agent）
.... 102, 386, 437, 515, 524
————低反応性 442
ESWL（extracorporeal shock wave
　lithotripsy）.............................. 272, 316

F

Fabry 病 290
Fanconi 症候群 273
FDP（fibrin degradation products）.............................. 150
FE$_{HCO_3^-}$ 537
————再吸収極量（Tm$_{HCO_3^-}$）.............................. 537
FE$_{Na}$（fractional excretion of sodium）
.... 85, 536
FE$_{UA}$（fractional excretion of uric acid）
.... 272, 544
FE$_{urea}$ 84
FF（filtration fraction）.............................. 447
FFP（fresh frozen plasma）.............................. 197, 324
FGF23（fibroblast growth factor 23）
.... 52, 414
FGN（fibrillary glomerulonephritis）.............................. 223
FHH（familial hypocalciuric
　hypercalcemia）.............................. 47
fibrillary 腎炎 569
Fishberg 濃縮試験 539
FKBP（FK 506 binding protein）.............................. 589
fluid overload 395
FMD（fibromuscular dysplasia）.............................. 204
FRAX®（Fracture Risk Assessment Tool）
.... 415
FSGS（focal segmental glomerulosclerosis）
.... 140, 506, 575
FSGS NOS 142

G

GA（glycated albumin） 373
Gb3 291
GCAP（granulocytapheresis） 340
Gd-IgA1 124
GDM（gestational diabetes mellitus） 468
Geriatric Nutritional Risk Index（GNRI）
.... 367
gestational hypertension 460
GFR（glomerular filtration rate）
.... 496, 518, 679
　　──推算式 680
　　──推算ノモグラム 534
Gitelman 症候群 270
Giusti-Hayton 法 682
Goodpasture 症候群 108
GPA（granulomatosis with polyangiitis）
.... 110
　　──診断基準 115
Gram 陰性菌 398
Gram 染色 397, 407
Gram 陽性菌 398
Guillain-Barré 症候群 335

H

hANP（human atrial natriuretic peptide）
.... 375
Harris-Benedict の式 93
HBs 抗原 585
HBV（hepatitis B virus）関連腎症 260
HCDD（heavy chain deposition disease）
.... 219
HCO_3^- 排泄率（$FE_{HCO_3^-}$） 537
HCV（hepatitis C virus）......................... 470
　　──関連腎症 262
　　──抗体 585
HD（hemodialysis）
.... 321, 341, 411, 516, 526
HDF（hemodiafiltration） 363, 624
HDP（hypertensive disorders of pregnancy）
.... 460
HE（hematoxylin eosin）染色 566
HELLP（hemolysis, elevated liver enzyme,
low platelet count）症候群 463, 467
HEMO study 359
Henoch-Schönlein 紫斑病 174

HER2（human epidermal growth factor
receptor 2）阻害薬 647
HGPRT（hypoxanthine-guanine
phosphoribosyltransferase） 592
HIF-PH（hypoxia inducible factor-prolyl
hydroxylase）阻害薬 102, 240, 443, 524
HIT（heparin-induced thrombocytopenia）
.... 600
　　──type II 328
HIV（human immunodeficiency virus）.... 470
HMG-CoA 還元酵素阻害薬
.... 104, 136, 207, 524, 627
Hollenhorst 斑 214
HRS（hepatorenal syndrome） 264
HSV（herpes simplex virus） 487
hungry bone syndrome 50
HUS（hemolytic uremic syndrome）
.... 189, 334
hypovolemia 82, 87

I

IC（informed consent） 347, 554
ICI（immune checkpoint inhibitor） 641
IDEAL（Initiating Dialysis Early and Late）
試験 354
IDPN（intradialytic parenteral nutrition）
.... 366
IgA 血管炎 174, 511
　　──関連腎炎（IgA vasculitis with
nephritis） 511
IgA 腎症
.... 123, 180, 450, 502, 509, 567, 579
IgA 沈着症 124
IgA 優位沈着性感染関連糸球体腎炎
.... 258
IgG 535
IgG4 関連自己免疫疾患 278
IgG4 関連疾患（IgG4-RD） 282
IgG4 関連腎臓病 282
IgG4 関連尿細管間質性腎炎（IgG4-TIN）
.... 283
IGRA（interferon gamma release assay）
.... 585
IHD（intermittent hemodialysis） 330
I-HDF（intermittent infusion
hemodiafiltration） 364
immortal-time bias 653

欧文索引

815

IMPDH（inosine monophosphate dehydrogenase） 592
infusion reaction 120, 596
INHD（in-center nocturnal hemodialysis） 365
iPTH（intact parathyroid hormone） 47, 103, 414
irAE（immune-related adverse events） 648
IRGN（infection-related glomerulonephritis） 253, 259
IRRT（intermittent renal replacement therapy） 89
ISKDC（International Study of Kidney Disease in Children）分類 176, 512
ITG（immunotactoid glomerulopathy） 223

J

JAK（Janus kinase）阻害薬 180
JSN eGFRcr 99
JSN eGFRcys 99

K

KDIGO（Kidney Disease：Improving Global Outcome） 98
──ガイドライン 333, 637
Kt/V 392

L

L 型脂肪酸結合蛋白（L-FABP） 74
LAC（lupus anticoagulant） 169
LCDD（light chain deposition disease） 219
lcSSc（limited cutaneous systemic sclerosis） 181
LDL（low density lipoprotein）アフェレシス 140, 239
LDL（low density lipoprotein）吸着 339
lead-time bias 654
length-time bias 653
L-FABP（L-type fatty acid-binding protein） 74
LHCDD（light and heavy chain deposition disease） 219
Liddle 症候群 272
LN（lupus nephritis） 156, 450, 589, 594, 597

lyso-Gb3 291

M

M 蛋白血症 217, 224, 227
Malnutrition Inflammation Score（MIS） 367
masked DI（masked diabetes insipidus） 303
Masson 染色 566
MCNS（minimal change nephrotic syndrome） 77, 137
MEK 阻害薬 647
MEST-C 125
MGRS（monoclonal gammopathy of renal significance） 218
MGUS（monoclonal gammopathy of undetermined significance） 218
MIDD（monoclonal immunoglobulin deposition disease） 219
Mikulicz 病 282
MPA（microscopic polyangiitis） 110
──診断基準 114
MPA（mycophenolic acid） 594
MPGN（membranoproliferative glomerulonephritis） 150, 227, 260, 567, 578
MR（mineralocorticoid receptor）拮抗薬 101, 608, 614
MRA（MR angiography） 300
MRHE（mineralocorticoid-responsive hyponatremia of of the elderly）） 12
MRONJ（medication-related osteonecrosis of the jaw） 426
MRSE（methicillin-resistant *Staphylococcus epidermidis*） 399
mTOR（mammalian target of rapamycin）阻害薬 475, 647
myeloma kidney 218

N

Na^+/グルコース共役輸送担体 2（SGLT2）阻害薬 39, 131, 521, 615, 618
n-3 系脂肪酸 131
Nail-patelle 症候群 569
NAPlr（nephritis-associated plasmin receptor） 256

NDI（nephrogenic diabetes insipidus）
.... 305, 643
NEAT（nuclear factor of activated T cell）
.... 589
NGAL（neutrophil gelatinase-associated
lipocalin）.. 74
NHHD（nocturnal home hemodialysis）
.... 366
normotensive ischemic acute kidney disease
.... 79
NSAIDs（non-steroidal anti-inflammatory
drugs）.... 34, 178, 246, 274, 278, 625, 685
NSF（nephrogenic systemic fibrosis）
.... 637, 639
NT-proBNP（N-terminal pro-brain natriuretic
peptide）.. 381, 382
NUDT15 遺伝子 120
——多型検査 165
number needed to treat（NNT）.. 656

O

ODS（osmotic demyelination syndrome）.... 3
OGTT（oral glucose tolerance test）
.... 468, 584
onconephrology 641
onion-skin lesion 184, 203
on-line HDF 364
overfilling 説 135
Oxford 分類 125, 510, 512

P

PA（primary aldosteronism）.. 208
PAM-HE 染色 567
PARP（poly ADP-ribose polymerase）
阻害薬 647
PAS（periodic acid Schiff）染色 566
patient-centered outcome 346
pauci-immune 型壊死性半月体形成性糸球
体腎炎 112
PCR（protein catabolic rate）.. 367
PCSK9（proprotein convertase subtilisin/
kexin type 9）.. 628
——阻害薬 104, 524, 627
PD（peritoneal dialysis）
.... 321, 341, 516, 526
——first 344
PE（I）CO 650

Peg-INF（pegylated interferon）療法 261
PEKT（preemptive kidney transplantation）
.... 469, 516
perihilar variant 142
PET（peritoneal equilibration test）......... 394
PEW（protein-energy wasting）.... 368, 696
——診断基準 702
PGNMID（proliferative glomerulonephritis
with monoclonal immunoglobulin
deposits）.. 220
PIGF（placental growth factor）......... 461
PIGN（postinfectious glomerulonephritis）
.... 253
PIH（pregnancy induced hypertension）.... 460
PK/PD（pharmacokinetics/
pharmacodynamics）.. 682
PKD（polycystic kidney disease）
.... 296, 310, 451
Plasmic スコア 193
PML（progressive multifocal
leukoencephalopathy）.. 139
PMMA（polymethyl methacrylate）膜
.... 331, 624
Pneumocystis jirovecii 490
PNL（percutaneous nephrolithotripsy）... 317
POEMS 症候群 227
Ponticelli 処方 148
PPARα（peroxisome proliferator-activated
receptor α）.. 628
PPI（proton pump inhibitor）......... 278
PPN（peripheral parenteral nutrition）製剤
.... 666
PRA（plasma renin activity）......... 183, 208
preeclampsia 460
PRES（posterior reversible
leukoencephalopathy）......... 255, 272
PSGN（poststreptococcal
glomerulonephritis）......... 253, 256, 567
PSV（peak systolic velocity）......... 548
PTH（parathyroid hormone）
.... 45, 52, 414, 432
PTH1 受容体作動薬 426
PTHrP（parathyroid hormone-related
peptide）.. 47
PT-INR（prothrombin time-international
normalized ratio）.. 601
PTLD（post-transplant lymphoproliferative
disorder）.. 485

欧文索引

817

PTRA（percutaneous transluminal angioplasty）............................ 204
PTx（parathyroidectomy）............................ 434
pulsatility index（PI）............................ 86
PWAT（peritoneal wall anchor technique）............................ 408

Q・R

Q_B............................ 322
Q_D............................ 322
RA（rheumatoid arthritis）............ 177, 335
RAAS（renin-angiotensin-aldosterone system）阻害薬............ 34, 611
RAS（renin-angiotensin system）............ 296
RAS（renin-angiotensin system）阻害薬............ 128, 136, 201, 458, 510, 521
——の継続............ 41
Raynaud 現象............ 181, 226
recall bias............ 654
renal aortic ratio（RAR）............ 548
reporting bias............ 654
resistive index（RI）............ 86
reticulocyte index............ 543
reverse epidemiology............ 702
RF（rheumatoid factor）............ 226
rhGH（recombinant human growth hormone）療法............ 515
rHuEPO（recombinant human erythropoietin）............ 516
RI（resistance index）............ 548
RLS（restless legs syndrome）............ 350
RPF（renal plasma flow）............ 447, 540
RPGN（rapidly progressive glomerulonephritis）............ 81, 85, 108, 157, 564, 580
——重症度分類............ 117
RRT（renal replacement therapy）............ 83, 88, 96, 341, 516
RTA（renal tubular acidosis）............ 32, 274
RVH（renovascular hypertension）............ 204, 547

S

SBP（spontaneous bacterial peritonitis）............ 267
scSSc（systemic sclerosis sine scleroderma）............ 181

SDM（shared decision making）............ 343, 347, 356, 527
——支援ツール............ 343
Selectivity Index............ 137, 535
SERM（selective estrogen receptor modulators）............ 422
SGLT2（sodium-glucose cotransporter 2）阻害薬............ 39, 131, 521, 615, 618
SHARP 試験............ 104
SIAD（syndrome of inappropriate antidiuresis）............ 14
SIADH（syndrome of inappropriate antidiuretic hormone secretion）............ 8, 14, 643
single-pool Kt/V urea（spKt/V）............ 360
Sjögren 症候群............ 32, 180, 274
SLE（systemic lupus erythematosus）............ 156, 223, 275, 450
——Risk Probability Index（SLER-PI）............ 157
SLED（sustained low-efficiency dialysis）............ 89, 331
soluble endoglin（sEng）............ 461
soluble fms-like tyrosine kinase 1（sFlt-1）............ 460
SPEB（Streptococcal pyrogenic exotoxin B）............ 256
SPPB（Short Physical Performance Battery）............ 369
SPRINT（Systolic Blood Pressure Intervention Trial）............ 520
SRC（scleroderma renal crisis）............ 183
SSc（systemic sclerosis）............ 181
STEC-HUS（Shiga toxin-producing *Escherichia coli*-hemolytic uremic syndrome）............ 189
Stevens-Johnson 症候群............ 336
STOP-ACEi Trial............ 41
storiform fibrosis............ 285
Strife/Andres 型............ 578
SU（sulfonylurea）薬............ 242, 524
Subjective Global Assessment（SGA）............ 367
superimposed preeclampsia............ 460
survivor treatment selection bias............ 653

T

T 細胞............ 588
T スポット® TB............ 147

欧文索引

818

TDM（therapeutic drug monitoring）......... 688
telescoped sediment 533
terlipressin 268
TGF-β（transforming growth factor-β）
.... 461
tilting scan 545
TIN（tubulointerstitial nephritis）...... 277, 283
TINU 症候群 278
tip variant 142
TIPS（transjugular intrahepatic
portosystemic shunt）........................ 269
TMA（thrombotic microangiopathy）
.... 189, 203, 643, 646
$Tm_{HCO_3^-}$ 537
TNF（tumor necrosis factor）阻害薬 178
TPN（total parenteral nutrition）製剤 670
TRACP-5b（tartrate-resistant acid
phosphatase-5b）................................ 414
Treat to Target 161
triple therapy 173
Trousseau 徴候 49
TSAT（transferrin saturation）
.... 102, 437, 544
TTKG（transtubular K gradient）............. 537
TTP（thrombotic thrombocytopenic
purpura）.. 334, 189
tubuloreticular inclusion 157
TUL（transurethral ureterolithotripsy）..... 316

U

UKSSG（UK Scleroderma Study Group）
.... 185
ultrafiltration 322
――failure 395
UNA（urea nitrogen appearance）.......... 92, 94
underfilling 説 135
Upshaw-Schulman 症候群（USS）............. 193
UTI（urinary tract infection）.... 308, 468, 618

V

VEGF（vascular endothelial growth factor）
.... 227, 460
VLDL（very low density lipoprotein）....... 629
VUR（vesicoureteral reflux）.................... 468
VZV（varicella zoster virus）.................... 488
V_2受容体 297

W・Y

well-being 342
whole parathyroid hormone（whole PTH）
.... 414
Wilms 腫瘍 503
YAM（young adlut mean）........................ 420

数字・ギリシャ文字・記号

1 型自己免疫膵炎（1 型 AIP）................. 282
Ⅰ型プロコラーゲン-N-プロペプチド
（P1NP）.. 414
1,25（OH）$_2$ビタミン D 47
2 型糖尿病 616
2 時間法 533
6-メルカプトプリン 592
9 分割図 429
24 時間法 533
25（OH）ビタミン D 47
75 g 経口ブドウ糖負荷試験（75 g OGTT）
.... 468, 584

^{99m}Tc-DTPA 550
^{99m}Tc-MIBI シンチグラフィ 415
α-ガラクトシダーゼ A 290
α グルコシダーゼ阻害薬 242
β_2MG（$\beta_2$microglobulin）.......... 326, 360, 497
――基準値 500
β_2グリコプロテインⅠ（β_2-GPⅠ）........ 168
β-D-グルカン 585
μ-オピオイド受容体 349
%TRP（% tubular reabsorption of
phosphate）................................... 537, 689

数字・ギリシャ文字・記号索引

819

薬　剤

（太字：商品名）

あ

アイトロール	714
アイピーディ	754
アイミクス	712
アイモビーグ皮下注	726
アカルボース	748
アキネトン錠	736
アクタリット	762
アクチバシン	740
アクテムラ	762
アクトス	750
アクトネル	766
アクリジニウム臭化物	756
アザクタム	778
アサコール	744
アザチオプリン	760
アザニン	760
アザルフィジン EN	762
アシクロビル	786
アジスロマイシン水和物	778
アシノン	740
アジョビ皮下注	726
アジルサルタン	712
アジルサルタン/アムロジピン	712
アジルバ	712
アジレクト	736
アズトレオナム	778
アスピリン	736
——/ダイアルミネート	724, 736
——/ボノプラザンフマル酸塩	736
アセタゾラミド	720
アセタノール	710
アセトアミノフェン	724
アセナピンマレイン酸塩	730
アゼプチン	758
アセブトロール塩酸塩	710
アゼラスチン塩酸塩	758
アセリオ	724
アゼルニジピン	714
アゾセミド	720
アダラート CR	714
アタラックス錠	728
アダリムマブ	762
アーチスト	712
アデカット	712

アテキュラ	758
アテディオ	714
アデノシン三リン酸二ナトリウム 水和物	716
アテノロール	710
アデホスコーワ腸溶錠・顆粒	716
アデムパス	718
アテレック	714
アドエアディスカス	758
アトーゼット LD	746
アドシルカ	718
アトバコン	790
——・プログアニル塩酸塩	790
アトモキセチン塩酸塩	730
アトルバスタチンカルシウム水和物	746
アトロベントエロゾル	756
アナグリプチン	748
——/メトホルミン塩酸塩	748
アナフラニール	732
アナモレリン塩酸塩	744
アニフロルマブ	760
アニュイティ	756
アネメトロ点滴静注液	790
アネレム注	730
アノーロエリプタ	758
アバタセプト	762
アバプロ	712
アバロパラチド酢酸塩	766
アピキサバン	738
アピドラ	750
アブストラル舌下錠	722
アプレゾリン	716
アプレミラスト	764
アブロシチニブ	760
アベロックス	780
アポカイン皮下注	736
アポモルヒネ塩酸塩水和物	736
アボルブ	770
アマージ	726
アマリール	748
アマンタジン塩酸塩	736, 790
アミオダロン塩酸塩	716
アミカシン/カナマイシン/ストレプト マイシン	774
アミカシン硫酸塩	772

薬剤索引

820

アミサリン錠 716
アミティーザ 742
アミノフィリン 758
アムビゾーム 782
アムホテリシン B 782
アムロジピンベシル酸塩 714
　——/アトルバスタチンカルシウム
　　水和物 746
アムロジン 714
アメナメビル 786
アメナリーフ 786
アモキシシリン水和物 774
アモバン 728
アラセナ A 点滴静注用 788
アラセプリル 712
アラバ 764
アリクストラ皮下注 738
アリケイス吸入液 772
アリスキレン 712
アリセプト 734
アリピプラゾール 730
アルガトロバン水和物 738
アルダクトン A 718
アルタット 742
アルチバ静注用 730
アルツハイマー型認知症治療薬 734
アルテプラーゼ 740
アルテメテル/ルメファントリン 790
アルドメット 714
アルファカルシドール 766
アルファロール 766
アルプロスタジル 740
アルプロスタジルアルファデクス 740
アルベカシン硫酸塩 780
アレグラ 754
アレサガテープ 754
アレジオン 754
アレビアチン錠/散 734
アレルギー治療薬 754, 756
アレロック 754
アレンドロン酸ナトリウム水和物 766
アログリプチン 748
　——/メトホルミン塩酸塩 752
アロチノロール塩酸塩 712
アロプリノール 754
アンカロン錠 716
アンコチル 784
アンジオテンシンⅡ受容体拮抗薬
　（ARB） 712

　——/カルシウム拮抗薬合剤 714
　——/ヒドロクロロチアジド合剤 ... 714
アンジオテンシン変換酵素（ACE）
　阻害薬 712
アンスロビンP注 738
アンチトロンビンⅢ 738
アンデキサネットアルファ 738
アンピシリン/クロキサシリン 774
アンプラーグ 738
アンブリセンタン 718
アンペック坐剤 724

い

イキセキズマブ 764
イグザレルト 738
イクセロンパッチ 734
イグラチモド 762
イーケプラ錠/点滴静注 734
イコサペント酸エチル 746
イスコチン 784
イスツリサ 754
イストラデフィリン 736
イセパマイシン 774
イソゾール 730
イソソルビド 714, 732
イソニアジド 784
イソバイド 732
イダルシズマブ 738
イトラコナゾール 782
イトリゾール 782
イナビル吸入粉末剤 790
イニシンク 752
イノレット 30R 752
イバブラジン塩酸塩 718
イバンドロン酸ナトリウム水和物 766
イフェクサー SR カプセル 732
イーフェンバッカル錠 722
イフェンプロジル酒石酸塩 716
イブジラスト 716
イプラグリフロジン 750
イプラトロピウム臭化物 756
イベニティ皮下注 766
イミダフェナシン 770
イミダプリル塩酸塩 712
イミペネム/シラスタチンナトリウム
　 776
イムラン 760
イメグリミン塩酸塩 752

821

イリボー 744
イルトラ LD/HD 714
イルベサルタン 712
　――/アムロジピン 712
　――/トリクロルメチアジド 714
イルベタン 712
イルミア皮下注 764
イロプロスト 718
陰イオン交換樹脂 746
インヴェガ 730
飲酒量低減薬 772
インスリン 752
　――．混合型 752
　――．持効型 752
　――．速効型 750
　――．中間型 752
　――．超速効型 750
インダカテロール酢酸塩/グリコピロニ
ウム臭化物/モメタゾンフランカルボ
ン酸エステル 758
インダカテロール酢酸塩/モメタゾンフ
ランカルボン酸エステル 758
インダカテロールマレイン酸塩 756
インダパミド 720
インチュニブ 732
インドメタシン 724
インフリキシマブ 762

う

ウインタミン 728
ヴォリブリス 718
ウステキヌマブ 744
ウパシカルセトナトリウム水和物 ... 768
ウパシタ注 768
ウパダシチニブ水和物 762
ウプトラビ 718
ウブレチド 730
ウメクリジニウム臭化物 756
　――/ビランテロールトリフェニル
酢酸塩 758
ウラピジル 710
ウリアデック 754
ウリトス 770
ウルソ 744
ウルソデオキシコール酸 744
ウルティブロ 758
ウロカルン 770
ウロキナーゼ 740

ウロジロガシエキス 770

え

エカード LD/HD 714
エキセナチド 750
エクア 748
エクフィナ 736
エクメット LD 752
エクリラ 756
エサキセレノン 718
エサンブトール 784
エースコール 712
エスシタロプラムシュウ酸塩 732
エスゾピクロン 728
エスタゾラム 728
エスポー皮下用 768
エゼチミブ 746
　――/アトルバスタチンカルシウム
水和物 746
　――/ロスバスタチンカルシウム ... 746
エソメプラゾールマグネシウム水和物
.... 742
エタネルセプト 762
エダラボン 740
エタンブトール塩酸塩 784
エチゾラム 728
エチドロン酸二ナトリウム 766
エチルカルセチド塩酸塩 768
エックスフォージ 714
エディロール 766
エドキサバン 738
エトドラク 724
エドルミズ 744
エナジア 758
エナラプリルマレイン酸塩 712
エナロイ 770
エナロデュスタット 770
エノキサパリンナトリウム 740
エバシェルド筋注 788
エバスチン 754
エバステル 754
エパデール 746
エバミール 728
エパルレスタット 752
エビスタ 766
エピナスチン塩酸塩 754
エビプロスタット DB 770
エビリファイ 730

エフィエント	738
エプクルーサ配合錠	788
エブトール	784
エフピー	736
エブランチル	710
エプレレノン	718
エベレンゾ	770
エベロリムス	760
エポエチンアルファ	768
エポエチンアルファベータペゴル	768
エポエチンベータ	770
エボカルセト	768
エボザック	732
エポジン	770
エホニジピン塩酸塩	714
エボロクマブ	746
エムガルティ皮下注	726
エメダスチンフマル酸塩	754
エリキュース	738
エリスロシン	778
エリスロマイシン	778
エリル	716
エルカトニン	766
エルカルチン FF	790
エルシトニン	766
エルデカルシトール	766
エルトロンボパグオラミン	740
エレトリプタン臭化水素酸塩	726
エレヌマブ	726
エロビキシバット水和物	742
エンクラッセ	756
エンタイビオ注	744
エンタカポン	736
エンテカビル水和物	786
エンドセリン受容体拮抗薬	716
エンパグリフロジン	750
——/リナグリプチン	750
エンビオマイシン硫酸塩	786
エンブレル	762
エンレスト	718

お

オイグルコン	748
オオウメガサソウエキス/ハコヤナギエキス	770
オキサロール注	766
オキシコドン塩酸塩	720
オキシコンチン TR 錠	720

オキノーム散	720
オキファスト注	720
オーグメンチン	774
オザグレルナトリウム	736
オシロドロスタットリン酸塩	754
オスタバロ皮下注	766
オゼックス	780
オセルタミビルリン酸塩	790
オゼンピック皮下注	750
オゾラリズマブ	762
オテズラ	764
オドリック	712
オノアクト	712
オノン	756
オパルモン	740
オピオイド	720, 722, 724
オピカポン	736
オプスミット	718
オプソ	724
オマリグリプチン	748
オマリズマブ注射用凍結乾燥製剤	760
オメガシン	778
オメガ-3 脂肪酸エチル	746
オメプラール	742
オメプラゾール	742
オメプラゾン	742
オラベネム	776
オランザピン	730
オルガラン	738
オルケディア	768
オルドレブ点滴静注用	780
オルミエント	762
オルメサルタン/アゼルニジピン	712
オルメサルタンメドキソミル	712
オルメテック	712
オレンシア	762
オロパタジン塩酸塩	754
オングリザ	748
オンジェンティス	736
オンダンセトロン塩酸塩水和物	744
オンダンセトロン注	744
オンデキサ注	738
オンブレス	756

か

カイトリル注	744
カシリビマブ/イムデビマブ	786
ガスター	742

薬剤索引

823

カスポファンギン酢酸塩 782
ガスモチン 744
カタクロット 736
カタプレス 714
活性型ビタミン D_3 製剤 766
カデュエット配合錠 746
カナグリフロジン 750
カナグル 750
カナマイシン硫酸塩 772, 786
カナリア 752
カバサール 736
ガバペン 732
ガバペンチン 732
カピステン 724
過敏性腸症候群治療薬 744
カプトプリル 712
カプトリル R 712
カベルゴリン 736
ガランタミン臭化水素酸塩 734
カリウムイオン競合型アシッドブロッ
　カー 742
ガルカネズマブ 726
カルシウム拮抗薬 714
カルシウム受容体作動薬 768
カルシトリオール 766
カルシポトリオール水和物/ベタメタゾ
　ンジプロピオン酸エステル 764
カルスロット 714
カルタン 768
カルテオロール塩酸塩 710
カルデサルタンシレキセチル 712
カルデナリン 710
カルニチン欠乏症治療薬 790
カルバマゼピン 734
カルビスケン 712
カルブロック 714
カルベジロール 712
カルベニン 778
カルボキシマルトース第二鉄 768
ガレノキサシンメシル酸水和物 780
カログラ 744
カロテグラストメチル 744
カロナール 724
冠拡張薬 714
カンサイダス 782
ガンシクロビル 786
関節リウマチ治療薬 762, 764
乾癬治療薬 764
カンデサルタン/アムロジピン 714

カンデサルタン/ヒドロクロロチアジド
　.................... 714
カンレノ酸カリウム 718

き

キサンボン 736
キシロカイン静注用 2% 716
キックリン 768
キネダック 752
キプレス 756
キャブピリン 736
吸入ステロイド薬（ICS） 756
キュビシン 782
強心薬 716
禁煙補助薬 772
金チオリンゴ酸ナトリウム 762

く

クアゼパム 728
グアナベンズ酢酸塩 714
グアンファシン塩酸塩 732
グーフィス 742
クエストラン 746
クエチアピンフマル酸塩 730
クエン酸第二鉄水和物 768
グスペリムス塩酸塩 760
グセルクマブ 764
グラクティブ 748
グラケー 766
グラセプター 760
クラゾセンタンナトリウム 716
グラニセトロン塩酸塩 744
クラビット 780
クラフォラン 776
クラブラン酸/アモキシシリン水和物
　.................... 774
グラマリール 716
クラリシッド 778
クラリス 778
クラリスロマイシン 778
クラリチン 756
グランダキシン 732
クリアクター 740
グリクラジド 748
グリコピロニウム臭化物 756
　——/インダカテロールマレイン酸塩
　.................... 758

——/ホルモテロールフマル酸塩水和物 758
グリコラン 748
クリノリル 724
グリベンクラミド 748
グリミクロン 748
グリメピリド 748
クリンダマイシンリン酸エステル 778
グルカゴン 752
グルカゴン様ペプチド-1(GLP-1)受容体作動薬 750
グルコバイ 748
グルタミン酸/アラニン/グリシン 770
グルトパ 740
グルファスト 752
グルベス 752
グレースビット 780
グレカプレビル水和物/ピブレンタスビル 788
クレキサン皮下注 740
クレストール 746
クロキサゾラム 728
クロザピン 730
クロザリル 730
クロチアゼパム 728
クロニジン塩酸塩 714
クロバザム 734
クロピドグレル硫酸塩 736
——/アスピリン 738
クロミプラミン塩酸塩 732
クロルジアゼポキシド 728
クロルプロマジン塩酸塩 728
クロルマジノン酢酸エステル 770

け

ケアラム 762
ケアロード LA 740
下剤 742
ケタス 716
ケタミン塩酸塩 720
ケタラール 720
血管拡張薬 716
血栓溶解薬 740
ケトチフェンフマル酸塩 754
ケトプロフェン 724
ゲーファピキサントクエン酸塩 792
ケブザラ 762
ケフラール 776

ケフレックス 776
ケルロング 712
ケレンディア 718
ゲンタシン 772
ゲンタマイシン/トブラマイシン 774
ゲンタマイシン硫酸塩 772

こ

コアベータ 712
抗インフルエンザ薬 790
抗ウイルス薬 786, 788, 790
抗うつ薬 732
高カリウム血症改善薬 768
抗凝固薬 740
抗菌薬
　——，アミノグリコシド系 772, 774
　——，カルバペネム系 776, 778
　——，キノロン系 780
　——，セフェム系 776
　——，テトラサイクリン系 778
　——，ニューキノロン系 780
　——，ペニシリン系 774
　——，ペネム系 778
　——，マクロライド系 778
　——，モノバクタム系 778
　——，リンコマイシン系 778
抗結核薬 784, 786
抗血小板薬 736, 738
抗原虫薬 790
甲状腺疾患治療薬 754
抗真菌薬 782, 784
抗精神病薬 728, 730
抗躁薬 732
抗てんかん薬 732, 734
抗トロンビン薬 738
高尿酸血症治療薬 754
抗不安薬 728
抗不整脈薬 716
抗めまい薬 732
高リン血症治療薬 768
抗 MRSA 薬 780, 782
コセンティクス皮下注 764
骨・カルシウム代謝薬 766
コディオ MD/EX 714
コデインリン酸塩水和物 720
コデインリン酸塩 720
コニール 714
コバシル 712

825

コムタン 736
コメリアン 738
コララン 718
コリスチンメタンスルホン酸ナトリウム
.... 780
ゴリムマブ 762
コルヒチン 754
コレスチミド 746
コレスチラミン 746
コレバイン 746
コロネル 744
コントミン 728
コントール 728
コンプラビン 738

さ

サアミオン 716
サイアザイド系利尿薬 720
サイクロセリン 786
ザイザル 756
サイトテック 744
サイバインコ 760
ザイボックス 782
催眠・鎮静薬 728
サイレース 728
ザイロリック 754
サインバルタ 732
ザガーロカプセル 792
サキサグリプチン 748
サクビトリルバルサンタンナトリウム
水和物 718
ザクラス 712
ザジテン 754
サチュロ 784
サーティカン 760
ザナミビル水和物 790
ザバクサ配合注 776
ザファテック 748
サフィナミドメシル酸塩 736
サフネロー注 760
サムスカ 720
サムタス注 720
サムチレール 790
サラゾスルファピリジン 744, 762
サラゾピリン 744
サリグレン 732
サリルマブ 762
サルタノールインヘラー 756

ザルティア 770
サルブタモール硫酸塩 756, 760
サルポグレラート塩酸塩 738
サルメテロールキシナホ酸塩 756
　　──/フルチカゾンプロピオン酸エス
　　テル 758
サワシリン 774
酸化マグネシウム 742
サンディミュン 760
サンリズムカプセル 716

し

ジアゼパム 728
シアリス 770
ジェイゾロフト 732
ジェニナック 780
シオゾール 762
シオマリン 776
ジクトルテープ 724
シグマート 714
シクレスト舌下 730
シクロスポリン 760
ジクロフェナクナトリウム 724
止血薬 740
ジゴキシン 716
ジゴシン 716
脂質異常症治療薬 746, 748
ジスチグミン 730
ジスバル 736
ジスロマック 778
ジセレカ 744
ジソピラミドリン酸塩 716
シダキュアスギ花粉舌下 754
シタグリプチンリン酸塩水和物 748
　　──/イプラグリフロジンL-プロリン
　　...................................... 752
シタフロキサシン水和物 780
シチコリン 716
シナカルセト塩酸塩 768
ジヒドロコデインリン酸塩 720
ジピリダモール 738
シーブリ 756
ジフルカン 784
ジプレキサ 730
シプロキサン 780
シプロフロキサシン 780
シベクトロ 782
ジベトス 748

シベノール 716
ジペプチジルペプチダーゼⅣ（DPP-4）
　阻害薬 748
シベンゾリンコハク酸塩 716
シムジア 762
シムビコートタービュヘイラー 758
シムレクト 760
シメチジン 740
ジメンヒドリナート 732
ジャディアンス 750
ジャドニュ顆粒 792
ジャヌビア 748
シュアポスト 752
消化器管用薬 744
ジラゼプ塩酸塩水和物 738
自律神経用薬 730, 732
ジルコニウムシクロケイ酸ナトリウム
　水和物 768
ジルチアゼム塩酸塩 714
ジルテック 754
シルデナフィルクエン酸塩 718, 770
シルニジピン 714
シロスタゾール 738
シロドシン 770
シングレア 756
腎性貧血治療薬 768, 770
シンバスタチン 746
心不全治療薬 718
ジーンプラバ点滴静注 792
シンポニー 762
シンメトレル 736, 790
シンレスタール 748

す

スイニー 748
スインプロイク 742
スオード 780
スギ花粉エキス原末 754
スキリージ皮下注 764
スーグラ 750
スクロオキシ水酸化鉄 768
スージャヌ 752
スターシス 752
スタチン 746
　——/カルシウム拮抗薬合剤 746
スタレボ L 50/L 100 736
ステーブラ 770
ステラーラ注 744

ステルイズ水性懸濁筋注 774
ストラテラ 730
ストレプトマイシン 772, 786
ストレプトマイシン硫酸塩 772, 786
スパニジン 760
スピオルトレスピマット 758
スピリーバ 756
スピロノラクトン 718
スプラタストトシル酸塩 754
スプレンジール 714
スペソリマブ 764
スペビゴ注 764
スボレキサント 728
スマイラフ 762
スリンダク 724
スルバクタムナトリウム/アンピシリン
　ナトリウム 774
スルバクタムナトリウム/セフォペラゾ
　ンナトリウム 776
スルピリド 728
スルピリン水和物 724
スルファメトキサゾール/トリメトプリ
　ム 780
スルペラゾン 776
スルホニル尿素（SU）薬 748
スロンノン HI 注 738

せ

セイブル 748
セクキヌマブ 764
セタプリル 712
ゼチーア 746
セチリジン塩酸塩 754
セディール 728
セパゾン 728
セピメリン塩酸塩水和物 732
ゼビュディ注 788
セファクロル 776
セファゾリンナトリウム 776
セファメジンα 776
セフェピム塩酸塩 776
セフェレキシン 776
セフォゾプラン塩酸塩 776
セフォタキシムナトリウム 776
セフォタックス 776
セフォチアム塩酸塩 776
セフカペンピボキシル塩酸塩水和物
　... 776

薬剤索引

827

セフジトレンピボキシル 776
セフジニル 776
セフゾン 776
セフトリアキソンナトリウム水和物
.... 776
セフトロザン硫酸塩/タゾバクタムナト
リウム 776
セフポドキシムプロキセチル 776
セフメタゾールナトリウム 776
セフメタゾン 776
ゼプリオン 730
セベラマー塩酸塩 768
セマグルチド 750
セララ 718
セリプロロール塩酸塩 710
セリンクロ 772
セルシン 728
セルセプト 762
セルトラリン塩酸塩 732
セルトリズマブ ペゴル 762
ゼルヤンツ 762
セレキシパグ 718
セレギリン塩酸塩 736
セレクトール 710
セレコキシブ 724
セレコックス 724
セレスタミン 756
セレニカ R 734
セレネース 730
セレベント 756
セロクエル 730
セロクラール 716
セロケン L 712
喘息治療薬 758, 760
ゼンタコートカプセル 744
センナエキス 742
センノシド 742

そ

造血薬 740
総合感冒薬 726
ゾシン 774
ソセゴン 722
ソタコール 716
ソタロール 716
ソーティクツ 764
ゾテピン 730
ソトロビマブ 788

ソニアス 750
ゾニサミド 736
ゾピクロン 728
ゾビラックス 786
ゾフルーザ 790
ソホスブビル/ベルパタスビル 788
ゾーミッグ 726
ゾメタ 766
ソランタール 724
ソリクア 752
ソリフェナシンコハク酸塩 770
ソルダクトン 718
ゾルトファイ 752
ゾルピデム酒石酸塩 728
ゾルミトリプタン 726
ゾレア皮下注用 760
ゾレドロン酸水和物 766

た

ダイアート 720
ダイアモックス 720
代謝賦活薬 716
ダイドロネル 766
タガメット 740
タクロリムス水和物 760
タケキャブ 742
タケプロン 742
タゴシッド 782
タゾバクタムナトリウム/ピペラシンナ
トリウム 774
タダラフィル 718, 770
タナトリル 712
ダナパロイドナトリウム 738
ダパグリフロジン 750
ダビガトラン 738
ダフクリア 772, 778
ダプトマイシン 782
ダーブロック 770
ダプロデュスタット 770
タペンタ 720
タペンタドール塩酸塩 720
タミフル 790
タムスロシン塩酸塩 770
ダラシン S 778
タリオン 756
タリージェ 726
ダルベポエチンアルファ 770
炭酸ランタン水和物 768

828

炭酸リチウム ……………………………… 732
短時間作用型 β_2 刺激薬（SABA）………… 756
短時間作用性抗コリン薬（SAMA）……… 756
タンドスピロンクエン酸塩 ……………… 728
タンボコール ……………………………… 716

ち

チアゾリジン誘導体 ……………………… 750
チアプリド塩酸塩 ………………………… 716
チアマゾール ……………………………… 754
チアミラールナトリウム ………………… 730
チアラミド塩酸塩 ………………………… 724
チエナム …………………………………… 776
チオトロピウム臭化物 …………………… 756
　──/オロダテロール塩酸塩 ………… 758
チオペンタールナトリウム ……………… 730
チカグレロル ……………………………… 738
チキサゲビマブ/シルガビマブ ………… 788
チクロピジン塩酸塩 ……………………… 738
チバセン …………………………………… 712
チャンピックス …………………………… 772
注意欠如・多動症（ADHD）治療薬 …… 732
中枢性交感神経抑制薬 …………………… 714
長時間作用性 β_2 刺激薬（LABA）……… 756
　──/吸入ステロイド薬 …………… 758
　──/長時間作用性抗コリン薬/吸入ス
　　テロイド薬 …………………………… 758
長時間作用性抗コリン薬（LAMA）……… 756
　──/長時間作用性 β_2 刺激薬 …… 758
直接経口抗凝固薬（DOAC）……………… 738
チラーヂン S ……………………………… 754
チルゼパチド ……………………………… 750
チルドラキズマブ ………………………… 764
沈降炭酸カルシウム ……………………… 768
鎮痛薬 ……………………………… 724, 726

つ

ツイミーグ ………………………………… 752
ツートラム ………………………………… 722
ツベルミン ………………………………… 786
ツロブテロール …………………………… 760

て

ディオバン ………………………………… 712
低血糖時救急治療薬 ……………………… 752
テイコプラニン …………………………… 782

ディプリバン ……………………………… 730
低リン血症治療薬 ………………………… 768
ディレグラ ………………………………… 754
デエビゴ …………………………………… 728
テオドール ………………………………… 760
テオフィリン徐放剤 ……………………… 760
テオロング ………………………………… 760
テグレトール ……………………………… 734
デザレックス ……………………………… 754
テジゾリジンリン酸エステル …………… 782
デジレル …………………………………… 732
デスモプレシン塩酸塩 …………………… 770
デスロラタジン …………………………… 754
テゼスパイア皮下注 ……………………… 760
テゼペルマブ ……………………………… 760
デタントール ……………………………… 710
鉄欠乏性貧血治療薬 ……………………… 768
テトラミド ………………………………… 732
デトルシトール …………………………… 770
テネリア …………………………………… 748
テネリグリプチン臭化水素酸塩水和物
　…………………………………………… 748
　──/カナグリフロジン水和物 …… 752
デノシン注 ………………………………… 786
デノスマブ ………………………………… 766
テノホビルアラフェナミドフマル酸塩
　…………………………………………… 788
テノーミン ………………………………… 710
デパケン …………………………………… 734
デパス ……………………………………… 728
テビペネムピボキシル …………………… 776
デフェラシロクス ………………………… 792
デプロメール ……………………………… 732
デベルザ …………………………………… 750
テモカプリル塩酸塩 ……………………… 712
デュークラバシチニブ …………………… 764
デュタステリド ……………………… 770, 792
デュピクセント皮下注 …………………… 754
デュピルマブ ……………………………… 754
デュラグルチド …………………………… 750
デュロキセチン …………………………… 732
デュロテップ MT ………………………… 722
テラゾシン塩酸塩 ………………………… 710
デラプリル塩酸塩 ………………………… 712
デラマニド ………………………………… 784
テリパラチド ……………………………… 766
テリパラチド酢酸塩 ……………………… 766
テリボン皮下注 …………………………… 766
テリルジーエリプタ ……………………… 758

薬剤索引

829

デルイソマルトース第二鉄	768
デルディバ	784
テルビナフィン塩酸塩	782
テルミサルタン	712
——/アムロジピン	714
——/アムロジピンベシル酸塩/ヒドロ	
クロロチアジド	746
——/ヒドロクロロチアジド	714

と

糖尿病治療薬	752
ドキサゾシンメシル酸塩	710
ドキシサイクリン	778
ドグマチール	728
トシリズマブ	762
トスキサシン	780
トスフロキサシントシル酸塩水和物	
	780
ドチヌラド	754
ドネペジル塩酸塩	734
トビエース	772
トビナ	734
トビラマート	734
トピロキソスタット	754
トピロリック	754
トファシチニブクエン酸塩	762
トフィソパム	732
トブラシン	772
トブラマイシン	772
トホグリフロジン	750
ドボベット軟膏	764
トライコア	746
トラクリア	718
トラセミド	720
トラゼンタ	748
トラゾドン塩酸塩	732
トラディアンス	750
トラネキサム酸	740
トラビジル	738
トラマドール塩酸塩	722
——/アセトアミノフェン配合錠	
	722
ドラミン	732
トラマール OD 錠	722
トラムセット	722
ドラール	728
トランサミン	740
トランデート	712

トランドラプリル	712
トリアゾラム	728
トリアムテレン	718
トリクロルメチアジド	720
トリテレン	718
トリパミド	720
ドリペネム水和物	778
トリンテリックス	732
トルツ	764
トルテロジン酒石酸塩酸塩	770
ドルナー	740
トルバプタン	720
トルバプタンリン酸エステルナトリウム	
	720
ドルミカム	728
トルリシティ皮下注	750
トレシーバ	752
トレドミン	732
トレムフィア皮下注	764
トレラグリプチンコハク酸塩	748
トレリーフ	736
ドロペリドール	730
ドロレプタン	730
トロンボモデュリンアルファ	740
ドンペリドン	744

な

ナイキサン	724
ナウゼリン	744
ナディック	710
ナテグリニド	752
ナトリックス	720
ナドロール	710
ナノゾラ	762
ナフトピジル	770
ナブメトン	724
ナプロキセン	724
ナラトリプタン	726
ナルサス	722
ナルデメジントシル酸塩	742
ナルフラフィン塩酸塩	792
ナルベイン注	722
ナルメフェン塩酸塩水和物	772
ナルラピド	722

に

ニカルジピン塩酸塩	714

ニコランジル	714
ニコリン	716
ニザチジン	740
ニセリトロール	746
ニセルゴリン	716
ニトプロ持続静注液	718
ニトラゼパム	728
ニトレンジピン	714
ニトログリセリン	714
ニトロダーム TTS	714
ニトロプルシドナトリウム水和物	718
ニトロペン舌下錠	714
ニトロール R カプセル	714
ニバジール	714
ニフェジピン徐放剤	714
ニプラジロール	710
ニポラジン	756
ニュープロパッチ	736
ニューロタン	712
ニルバジピン	714
ニルマトレルビル/リトナビル	788

ぬ・ね

ヌーカラ皮下注用	760
ネイリンカプセル	784
ネオスチグミンメチル硫酸塩	732
ネオフィリン錠	758
ネオーラル	760
ネキシウム	742
ネシーナ	748
ネスプ	770
ネモリズマブ	760

の

ノイアート注	738
ノイロトロピン	726
脳保護薬	740
ノウリアスト	736
ノクサフィル錠/注	784
ノバスタン HI 注	738
ノバミン	730
ノボラピッド	750
ノボラピッド 30 ミックス	752
ノボリン 30R	752
ノボリン N	752
ノボリン R	750
ノルスパンテープ	722

ノルバスク	714
ノルフロキサシン	780
ノルモナール	720

は

バイアグラ	770
バイエッタ皮下注	750
バイカロン	720
肺高血圧症治療薬	718
バイシリン G	774
ハイパジール	710
ハイペン	724
バイロテンシン	714
パキシル	732
パキロビッド	788
パーキンソン病治療薬	736
バクシダール	780
バクスミー点鼻	752
バクタ顆粒/錠	780
ハーゴキシン KY	716
パーサビブ静注透析用	768
バシーフ	724
播種性血管内凝固(DIC)治療薬	740
バシリキシマブ	760
バシル	780
パズフロキサシンメシル酸塩	780
バゼドキシフェン	766
バセトシン	774
バソプレシン V_2 受容体拮抗薬	720
バソメット	710
バソレーターテープ	714
バダデュスタット	770
バップフォー	772
バナルジン	738
バナン	776
パニペネム/ベタミプロン	778
バファリン 81 mg 錠	736
バファリン 330 mg	724
バフセオ	770
ハベカシン	780
ハーボニー	788
バラクルード	786
バラシクロビル塩酸塩	788
バラプロスト	770
パリエット	742
バリキサ錠 450 mg	788
バリシチニブ	762
パリペリドン	730

831

パリペリドンパルミチン酸エステル
.... 730
バルガンシクロビル塩酸塩 788
パルクス 740
バルサルタン 712
── /アムロジピン 714
── /シルニジピン 714
── /ヒドロクロロチアジド 714
ハルシオン 728
バルデナフィル 772
バルデナフィル塩酸塩 772
バルトレックス 788
ハルナール D 770
バルニジピン塩酸塩 714
バルプロ酸ナトリウム 734
バルベナジントシル酸塩 736
バルモディア 746
バレニクリン 772
バロキサビルマルボキシル 790
パロキセチン塩酸塩水和物 732
パーロデル 736
ハロペリドール 730
バンコマイシン塩酸塩 782
バンスポリン 776

ひ

ビアペネム 778
ビヴラッツ注 768
ピオグリタゾン塩酸塩 716
── /アログリプチン安息香酸塩
.... 750
── /グリメピリド 750
── /メトホルミン塩酸塩 750
ビキサロマー 748
ビグアナイド薬 768
ビクシリン S 748
ビクトーザ皮下注 774
ピコスルファートナトリウム水和物
.... 750
非サイアザイド系利尿薬 742
ビ・シフロール 720
ヒスタミン H_2 受容体拮抗薬 720
ビスホスホネート製剤 740, 742
ビソノテープ 766
ビソプロロール 712
ビソプロロールフマル酸塩 712
ピタバスタチンカルシウム 710
── /エゼチミブ 746

ビダラビン 746
ヒダントール F 788
非定型抗精神病薬 734
ヒドララジン塩酸塩 730
ピートルチュアブル 716
ヒドロキシクロロキン硫酸塩 760
ヒドロキシジン塩酸塩 728
ヒドロキシメチルグルタリル-CoA
（HMG-CoA）還元酵素阻害薬 746
── /カルシウム拮抗薬合剤 746
ヒドロクロロチアジド 720
ヒドロモルフォン塩酸塩 722
泌尿器用薬剤 770
ビバンセ 732
ビビアント 766
非ピリン系感冒剤 726
ビブラマイシン 778
ビプレッソ徐放錠 730
ビベグロン 772
ビベスピエアロスフィア 758
ピペラシリンナトリウム 774
ビペリデン塩酸塩 736
ヒポカ 714
ビムパット 748
ビメキゾマブ 764
ピモベンダン 716
ヒューマリン 3/7 752
ヒューマリン N 752
ヒューマリン R 750
ヒューマログ 750
ヒューマログミックス 752
ヒュミラ 762
ピラジナミド 786
ビラスチン 754
ビラノア 754
ビラマイド 786
ビランテロールトリフェニル酢酸塩/フ
ルチカゾンフランカルボン酸エステ
ル 758
ピルシカイニド塩酸塩 716
ビルダグリプチン 748
── /メトホルミン塩酸塩 752
ビレーズトリエアロスフィア 758
ピレチア 728
ビンゼレックス皮下注 764
ピンドロール 712

ふ

ファスジル塩酸塩	716
ファスティック	752
ファーストシン	776
ファセンラ皮下注	760
ファムシクロビル	788
ファムビル	788
ファモチジン	742
ファレカルシトリオール	766
ファロペネムナトリウム	778
ファロム	778
ファンガード	784
ファンギゾン	782
フィアスプ	750
フィコンパ	748
フィダキシマイシン	772, 778
フィニバックス	778
フィネレノン	718
ブイフェンド	784
フィブラート系薬	746
フィルゴチニブマレイン酸塩	744
フェインジェクト注	768
フェキソフェナジン塩酸塩	754
——/塩酸プソイドエフェドリン	
	754
フェソテロジンフマル酸塩	772
フェニトイン	734
——/フェノバルビタール	734
フェノバール	734
フェノバルビタール	734
フェノフィブラート	746
フェブキソスタット	754
フェブリク	754
フェロジピン	714
フェンタニル	722
フェントス	722
フォサマック錠	766
フォシーガ	750
フォスブロック	768
フォルテオ皮下注	766
フォンダパリヌクス	738
副腎皮質ホルモン合成阻害薬	754
ブシラミン	762
ブデソニド	744
——/グリコピロニウム臭化物/ホルモ	
テロールフマル酸塩水和物	758
——/ホルモテロールフマル酸塩	
	758

ブナゾシン塩酸塩	710
ブプレノルフィン塩酸塩	722
ブホルミン塩酸塩	748
ブラケニル	760
プラザキサ	738
フラジール	790
プラスグレル	738
プラゾシン塩酸塩	710, 772
プラバスタチンナトリウム	746
プラビックス	736
プラミペキソール	736
プラリア	766
フランドル	714
プランルカスト水和物	756
プリズバインド静注液	738
フリバス	770
プリマキンリン酸塩	790
プリミドン	734
プリリンタ	738
プリンペラン	744
フルイトラン	720
フルコナゾール	784
フルシトシン	784
フルスタン	766
プルゼニド	742
フルチカゾンフランカルボン酸エステル	
	756
——/ウメクリジニウム臭化物/ビラン	
テロールトリフェニル酢酸塩	758
——/ホルモテロールフマル酸塩水和	
物	758
フルティフォーム	758
フルニトラゼパム	728
フルバスタチンナトリウム	746
フルボキサミンマレイン酸塩	732
フルマリン	776
プルリフロキサシン	780
フルルビプロフェン	726
フルルビプロフェンアキセチル	724
フレカイニド酢酸塩	716
プレガバリン	726
ブレクスピプラゾール	730
プレタール	738
ブレディニン	762
フレマネズマブ	726
プレミネント LD/HD	714
プロカインアミド塩酸塩	716
プロカテロール塩酸塩	756, 760
プログラフ	760

薬剤索引

833

プロクロルペラジンマレイン酸塩 730
プロサイリン 740
プロジフ 784
プロスタール 770
プロスタグランジン（PG）製剤 740
プロスタンディン 740
プロセミド 720
プロダルマブ 764
プロチゾラム 728
プロテカジン 742
プロトンポンプ阻害薬（PPI）..... 742
プロナンセリン 730
プロノン 716
プロパフェノン塩酸塩 716
プロピベリン塩酸塩 772
プロブコール 748
プロプレス 712
プロベネシド 754
フロベン 726
プロポフォール 730
ブロムペリドール 730
ブロムペリドール 730
プロメタジン塩酸塩 728
フロモキセフナトリウム 776
ブロモクリプチンメシル酸塩 736
フロモックス 776
フロリード F 注 784
プロレナール 740

へ

ベイスン 748
ベオーバ 772
ベクルリー注 790
ベザトール SR 746
ベザフィブラート 746
ベシケア 770
ベズロトクスマブ 792
ベタキソロール塩酸塩 712
ベダキリンフマル酸塩 784
ベタニス 772
ベタヒスチン 732
ベタメタゾン/d-クロルフェニラミンマ
　レイン酸塩 756
ベドリズマブ 744
ベナゼプリル塩酸塩 712
ベナンバックス 790
ベニジピン塩酸塩 714
ペニシラミン 762

ペニシリン G 774
ベネシッド 754
ベネット 766
ヘパリンナトリウム 740
ペフィシチニブ臭化水素酸塩 762
ベポタスチンベシル酸塩 756
ペマフィブラート 746
ベムリディ 788
ベラサス LA 740
ベラパミル塩酸塩 714
ベラプロストナトリウム 740
ベラミビル 790
ベランパネル水和物 748
ベリキューボ 718
ヘリコバクターピロリ除菌薬 742
ベリシット 746
ベリムマブ 762
ペリンドプリルエルブミン 712
ベレイシグアト 718
ペルサンチン 738
ベルジピン LA 714
ベルソムラ 728
ヘルベッサー 714
ペロスピロン 730
ベンザリン 728
ベンジルペニシリンカリウム 774
ベンジルペニシリンベンザチン水和物

　..... 774
片頭痛治療薬 726
ベンズブロマロン 754
ペンタサ 744
ペンタゾシン塩酸塩 722
ペンタミジンイセチオン酸塩 790
ベンテイビス吸入液 718
ベントシリン 774
ベンラファキシン塩酸塩 732
ベンラリズマブ 760
ベンリスタ 762

ほ

ホクナリン錠 760
ボグリボース 748
ポサコナゾール 784
ホスカビル 788
ホスカルネット水和物 788
ホストイン静注 734
ホスフェニトイン 734
ホスフルコナゾール 784

ホスホマイシンカルシウム水和物 782
ホスホマイシンナトリウム 782
ホスミシン 782
ホスラブコナゾール L-リシンエタノー
　ル付加物 784
ホスリボン 768
ホスレノール 768
ボセンタン水和物 718
ボナロン錠 766
ボノサップ 742
ボノテオ 766
ボノピオンパック 742
ボノプラザンフマル酸塩 742
ホメピゾール 792
ホメピゾール点滴静注 792
ポリカルボフィルカルシウム 744
ポリコナゾール 784
ホリゾン 728
ボルタレン錠 724
ボルチオキセチン臭化水素酸塩 732
ボンビバ錠 766

ま

マイスタン 734
マイスリー 728
マヴィレット 788
マキサカルシトール 766
　──/ベタメタゾン酪酸エステルプロ
　　ピオン酸エステル 764
マキシピーム 776
マクサルト 726
マグミット 742
マクロゴール 4000 配合 742
マシテンタン 718
麻酔薬 730
マスーレッド 770
末梢性神経障害性疼痛治療薬 726
マーデュオックス軟膏 764
マニジピン塩酸塩 714
マプロチリン塩酸塩 732
マラロン 790
マリゼブ 748
マンジャロ皮下注 750

み

ミアンセリン塩酸塩 732
ミオコール 714

ミカトリオ 746
ミカファンギンナトリウム 784
ミカムロ AP/BP 714
ミカルディス 712
ミグリトール 748
ミケラン LA 710
ミコナゾール 784
ミコフェノール酸モフェチル 762
ミコブティン 786
ミコンビ AP/BP 714
ミソプロストール 744
ミゾリビン 762
ミダゾラム 728, 734
ミダフレッサ静注 734
ミチーガ 760
ミチグリニドカルシウム水和物 752
　──/ボグリボース 752
ミニプレス 710, 772
ミニリンメルト 770
ミネブロ 718
ミネラルコルチコイド受容体拮抗薬
　（MR 拮抗薬） 718
ミノサイクリン塩酸塩 778
ミノドロン酸水和物 766
ミノマイシン 778
ミラベグロン 772
ミリスロール注 714
ミルセラ 768
ミルタザピン 732
ミルナシプラン塩酸塩 732
ミロガバリン 726

む・め

ムコスタ 744
ムルプレタ 740
メイアクト 776
メイラックス 728
メインテート 710
メキシチールカプセル 716
メキシレチン塩酸塩 716
メキタジン 756
メサドン塩酸塩 722
メサペイン 722
メサラジン 744
メタクト LD/HD 748
メタルカプターゼ 762
メチルジゴキシン 716
メチルチオ二ニウム塩化物水和物 792

835

メチルドパ水和物 714
メチレンブルー静注 792
メトアナ 748
メトグルコ 748
メトクロプラミド 744
メトジェクト 764
メトトレキサート 764
メトプロロール酒石酸塩 712
メトホルミン塩酸塩 748
メトロニダゾール 790
メナテトレノン 766
メバロチン 746
メプチン 760
メプチンエアー 756
メフルシド 720
メポリズマブ 760
メマリー 734
メマンチン塩酸塩 734
メリスロン 732
メルカゾール 754
メロキシカム 726
メロペネム水和物 778
メロペン 778
免疫抑制薬 760, 762

も

モキシフロキサシン塩酸塩 780
モサプリドクエン酸塩水和物 744
モダフィニル 732
モディオダール 732
モノヴァー注 768
モーバー 762
モビコール配合内用剤 LD/HD 742
モービック 726
モリデュスタットナトリウム 770
モルヌピラビル 788
モルヒネ塩酸塩 724
モルヒネ硫酸塩 724
モンテプラーゼ 740
モンテルカストナトリウム 756

ゆ・よ

ユナシン S 774
ユニシア LD/HD 714
ユリーフ 770
ユリス 754
ユリノーム 754

ユーロジン 728
ヨーデル S 糖衣錠 742

ら

ラキソベロン錠/内用液 742
ラクツロース 744
ラグノス NF 744
ラゲブリオ 788
ラコサミド 748
ラサギリンメシル酸塩 736
ラジカット 740
ラシックス 720
ラジレス 712
ラスクフロキサシン塩酸塩 780
ラスビック 780
ラスミジタンコハク酸塩 726
ラタモキセフナトリウム 776
ラツーダ錠 730
ラニナミビル 790
ラニビズマブ 792
ラニラピッド 716
ラピアクタ点滴 790
ラフェンタテープ 722
ラフチジン 742
ラベタロール塩酸塩 712
ラベプラゾールナトリウム 742
ラボナール 730
ラミクタール 734
ラミシール 782
ラメルテオン 728
ラモセトロン塩酸塩 744
ラモトリギン 734
ラロキシフェン塩酸塩 766
ランジオロール塩酸塩 712
ランソプラゾール 742
ランタス XR 752
ランデル 714
ランマーク 766

り

リアメット 790
リアルダ 744
リウマトレックス 764
リオシグアト 718
リオナ 768
リオベル 750
リカルボン 766

836

リキシセナチド 750
リキスミア 750
リクシアナ 738
リクラスト点滴静注液 766
リコモジュリン点滴静注 740
リザトリプタン安息香酸塩 726
リサンキズマブ 764
リシノプリル 712
リスデキサンフェタミンメシル酸塩
.... 732
リスパダール 730
リスペリドン 730
リスミー 728
リスモダン 716
リーゼ 728
リセドロン酸ナトリウム水和物 766
リドカイン 716
リナグリプチン 748
リナクロチド 742
リネゾリド 782
リバーロキサバン 738
リバスチグミン 734
リバゼブ 746
リバビリン 788
リバロ 746
リピディル 746
リピトール 746
リファジン 784
リファブチン 786
リファンピシン 784
リフヌア 792
リプル 740
リフレックス 732
リベルサス 750
リポバス 746
リーマス 732
リマチル 762
リマプロストアルファデクス 740
リラグルチド 750
リリカ 726
リルマザホン塩酸塩水和物 728
リレンザ 790
リンヴォック 762
リン酸二水素ナトリウム一水和物/無水
　リン酸水素二ナトリウム 768
リンゼス 742
リン酸ジヒドロコデイン 720

る

ルジオミール 732
ルストロンボパグ 740
ルセオグリフロジン 750
ルセフィ 750
ルセンティス硝子体内注射液 10 mg/mL
.... 792
ルネスタ 728
ルパタジンフマル酸塩 756
ルパフィン 756
ルビプロストン 742
ルプラック 720
ループ利尿薬 720
ルボックス 732
ルミセフ皮下注 764
ルムジェブ 750
ルラシドン塩酸塩 730
ルーラン 730
ルリッド 778

れ

レイボー 726
レカルブリオ配合注 778
レキサルティ 730
レキップ 736
レクサプロ 732
レクタブル 744
レグパラ 768
レザルタス LD/HD 712
レジパスビルアセトン付加物/ソホスブ
　ビル 788
レスリン 732
レナジェル 768
レニベース 712
レニン阻害薬 712
レパグリニド 752
レパーサ皮下注 746
レバチオ 718
レバミピド 744
レフルノミド 764
レペタン注 722
レベチラセタム 734
レベトール 788
レベミル 752
レボカルニチン塩化物 790
レボセチリジン 756
レボチロキシンナトリウム水和物 754

薬剤索引

837

レボドパ/カルビドパ水和物/エンタカポン 736
レボフロキサシン水和物 780
レボレード 740
レミケード 762
レミッチカプセル 792
レミニール 734
レミフェンタニル塩酸塩 730
レミマゾラムベシル酸塩 730
レムデシビル 790
レメロン 732
レリフェン 724
レルパックス 726
レルベアエリプタ 758
レレバクタム水和物/イミペネム水和物/シラスタチンナトリウム 778
レンドルミン 728
レンボレキサント 728

ろ

ロカルトロール 766
ロキサチジン酢酸エステル塩酸塩 742
ロキサデュスタット 770
ロキシスロマイシン 778
ロキソニン 726
ロキソプロフェンナトリウム水和物 726
ロケルマ懸濁用散 768
ローコール 746
ロコルナール錠・細粒 738
ロサルタン/ヒドロクロロチアジド 714
ロサルタンカリウム 712
ロスーゼット 746
ロスバスタチンカルシウム 746
ロセフィン 776
ロゼレム 728
ロチゴチン 736
ロドピン 730
ロトリガ 746
ロナセンテープ 730
ロナセン錠 730
ロナプリーブ注 786
ロピオン注 724
ロピニロール塩酸塩 736
ロフラゼプ酸エチル 728
ロプレソール SR 712
ロモゾズマブ 766

ロラゼパム 728, 734
ロラタジン 756
ロラピタ注 734
ロラメット 728
ロルカム 726
ロルノキシカム 726
ロルメタゼパム 728
ロレルコ 748
ロンゲス 712

わ

ワイテンス 714
ワイパックス 728
ワクシニアウイルス接種家兎炎症皮膚抽出液 726
ワゴスチグミン 732
ワソラン 714
ワーファリン 740
ワルファリンカリウム 740
ワンアルファ 766
ワンデュロ 722
ワントラム 722

欧文

ABK 780
ACE（angiotensin converting enzyme）阻害薬 712
ACV 786
ADHD（attention-deficit/hyperactivity disorder）治療薬 732
AMK 772
AMPC 774
AMPC/MCIPC 774
AMPH-B 782
ARB（angiotensin Ⅱ receptor blocker） 712
　——/カルシウム拮抗薬　合剤 714
　——/HCTZ（hydrochlorothiazide）合剤 714
AZM 778
AZT 778
BIPM 778
CAM 778
CCL 776
CDTR-PI 776
CEX 776
CEZ 776

CFDN	776
CFPM	776
CFPN-PI	776
CLDM	778
CMZ	776
CPDX-PR	776
CPFX	780
CS	786
CTLZ/TAZ	776
CTM	776
CTRX	776
CTX	776
CVA/AMPC	774
CZOP	776
D-ソルビトール	744
DAP	782
DHPG	786
DIC(disseminated intravascular coagulation)治療薬	740
DOAC(direct oral anticoagulant)	738
DOXY	778
DPP-4(dipeptidyl-peptidase Ⅳ)阻害薬	748
DRPM	778
EB	784
EM	778
EVM	786
FCV	788
FDX	778
F-FLCZ	784
FLCZ	784
FMOX	776
FOM	782
FRPM	778
GLP-1(glucagon-like peptide 1)受容体作動薬	750
GM	772
GRNX	780
HMG-CoA 還元酵素阻害薬	746
——/カルシウム拮抗薬合剤	746
ICS	756
INH	784
IPM/CS	776
ITCZ	782
KM	772
KM	786
LABA	756
——/ICS	758
——/LAMA/ICS	758

LAMA	756
——/LABA	758
LMOX	776
LSFX	780
LVFX	780
LZD	782
MCFG	784
MCZ	784
MEPM	778
MFLX	780
MINO	778
MR(mineralocorticoid receptor)拮抗薬	718
MS コンチン	724
Na⁺/グルコース共役輸送担体 2(SGLT2)阻害薬	750
NFLX	780
PAPM/BP	778
P-CAB	742
PCG	774
PCG	774
PG(prostaglandin)製剤	740
PIPC	774
PL 配合顆粒	726
PPI(proton pump inhibitor)	742
PUFX	780
PZA	786
PZFX	780
RFP	784
RXM	778
SABA	756
SAMA	756
SBT/ABPC	774
SBT/CPZ	776
SGLT2(sodium-glucose cotransporter 2)阻害薬	750
SM	772
SM	786
SMX/TMP	780
ST 合剤	780
STFX	780
SU(sulfonylurea)薬	748
TAZ/PIPC	774
TBPM-PI	776
TEIC	782
TFLX	780
TOB	772
VACV	788
VCM	782

Xa 阻害薬 738

数字・ギリシャ文字

5-FC 784

α グルコシダーゼ阻害薬 748
αβ 遮断薬 712
α 遮断薬 710
β 遮断薬 710, 712

薬剤索引

840

- **JCOPY** 〈出版者著作権管理機構 委託出版物〉
  本書の無断複写は著作権法上での例外を除き禁じられています。
  複写される場合は、そのつど事前に、出版者著作権管理機構
  （電話 03-5244-5088，FAX03-5244-5089，e-mail：info@jcopy.or.jp）
  の許諾を得てください。
- 本書を無断で複製（複写・スキャン・デジタルデータ化を含みます）する行為は、著作権法上での限られた例外（「私的使用のための複製」など）を除き禁じられています。大学・病院・企業などにおいて内部的に業務上使用する目的で上記行為を行うことも、私的使用には該当せず違法です。また、私的使用のためであっても、代行業者等の第三者に依頼して上記行為を行うことは違法です。

腎臓内科レジデントマニュアル　改訂第9版

ISBN978-4-7878-2591-9

2024 年 1 月 10 日　改訂第 9 版第 1 刷発行

2000 年 5 月 20 日	初版第 1 刷発行
2002 年 7 月 20 日	改訂第 2 版第 1 刷発行
2004 年 6 月 4 日	改訂第 3 版第 1 刷発行
2007 年 3 月 22 日	改訂第 4 版第 1 刷発行
2010 年 4 月 10 日	改訂第 5 版第 1 刷発行
2012 年 6 月 1 日	改訂第 6 版第 1 刷発行
2015 年 4 月 20 日	改訂第 7 版第 1 刷発行
2019 年 7 月 8 日	改訂第 8 版第 1 刷発行

編　集　者	今井圓裕，丸山彰一，猪阪善隆
発　行　者	藤実　正太
発　行　所	株式会社　診断と治療社
	〒100-0014　東京都千代田区永田町 2-14-2
	山王グランドビル 4 階
	TEL：03-3580-2750（編集）
	03-3580-2770（営業）
	FAX：03-3580-2776
	E-mail：hen@shindan.co.jp（編集）
	eigyobu@shindan.co.jp（営業）
	URL：http://www.shindan.co.jp/
表紙デザイン	株式会社　オセロ
印刷・製本	三報社印刷　株式会社

© 株式会社 診断と治療社，2024. Printed in Japan.　　　［検印省略］
乱丁・落丁の場合はお取り替えいたします。

「レジデントマニュアル」は株式会社医学書院の登録商標（2012年）ですが，本書名での継続使用につき許諾を得ています。